sol da meia-noite

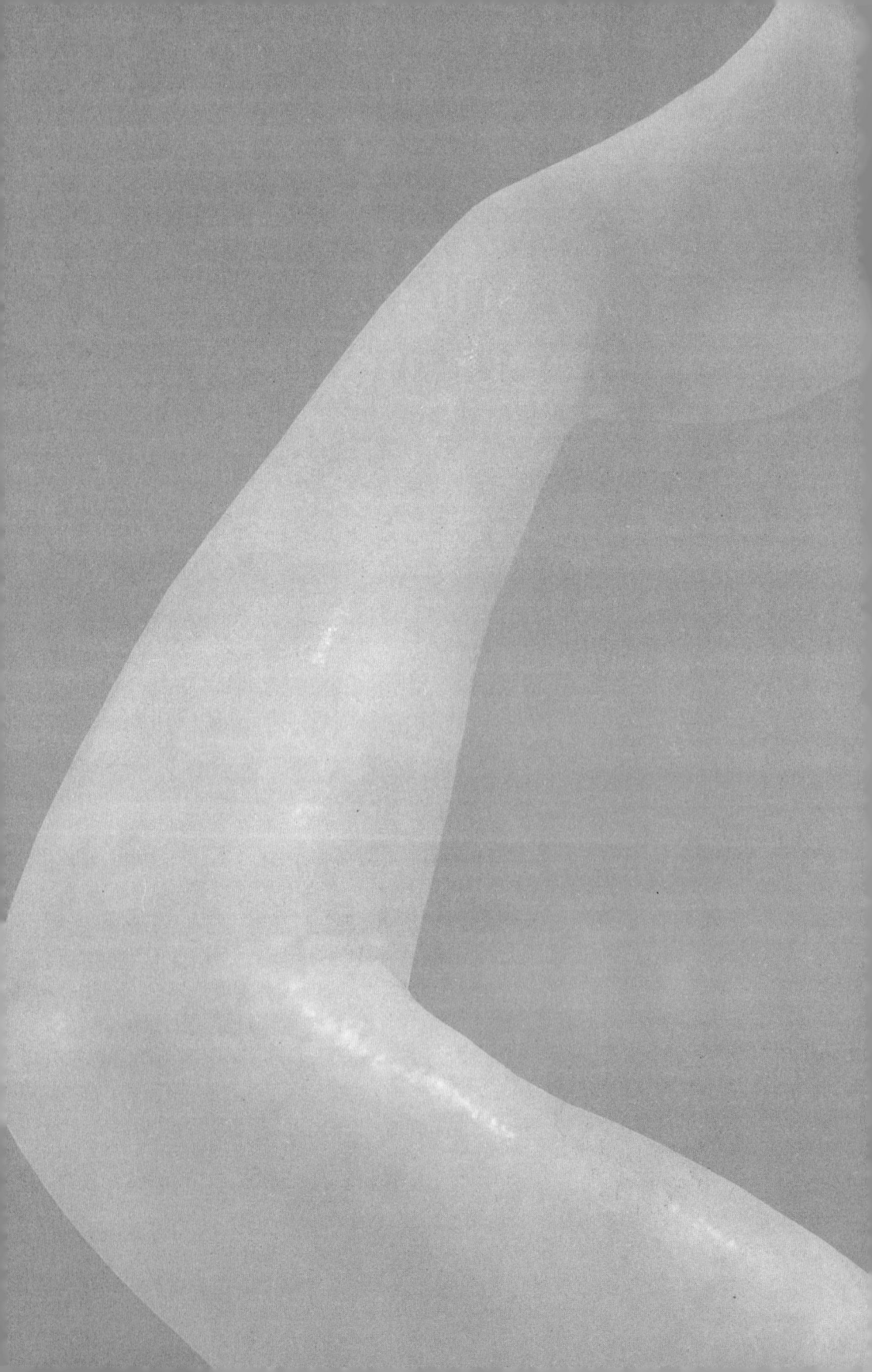

sol da meia-noite

STEPHENIE MEYER

TRADUÇÃO DE CAROLINA RODRIGUES,
FLORA PINHEIRO, GIU ALONSO,
MARIA CARMELITA DIAS,
MARINA VARGAS E VIVIANE DINIZ

Copyright © 2020 by Stephenie Meyer
Publicado mediante acordo com Writers House LLC, Nova York, NY, EUA

TÍTULO ORIGINAL
Midnight Sun

PREPARAÇÃO
Ana Guadalupe
Carolina Vaz
Marluce Faria
Nina Lopes

REVISÃO
André Marinho
Marcela Ramos

DIAGRAMAÇÃO
Ilustrarte Design e Produção Editorial

IMAGEM DE MIOLO
Escultura de Antonio Canova, Cupid and Psyche
Crédito: The State Hermitage Museum, St. Petersburg
Copyright: Foto © The State Hermitage Museum / foto de Vladimir Terebenin

IMAGEM DE CAPA
© 2020 Roger Hagadone

ARTE DE CAPA
Dave Caplan e Gail Doobinin
© 2020 Hachette Book Group, Inc.

ADAPTAÇÃO DE CAPA
Antonio Rhoden

CIP-BRASIL. CATALOGAÇÃO NA PUBLICAÇÃO
SINDICATO NACIONAL DOS EDITORES DE LIVROS, RJ

M561s

   Meyer, Stephenie, 1973-
     Sol da meia-noite / Stephenie Meyer ; tradução Carolina Rodrigues [et al.].
1. ed. - Rio de Janeiro: Intrínseca, 2020.
     736 p. ; 23 cm.

     Tradução de: Midnight sun
     ISBN 978-65-5560-029-2

   1. Romance americano. I. Rodrigues, Carolina. II. Título.

20-64530
                                          CDD: 813
                                          CDU: 82-31(73)

Leandra Felix da Cruz Candido - Bibliotecária - CRB-7/6135

[2020]
Todos os direitos desta edição reservados à
EDITORA INTRÍNSECA LTDA.
Av. das Américas, 500, bloco 12, sala 303
22640-904 – Barra da Tijuca
Rio de Janeiro – RJ
Tel./Fax: (21) 3206-7400
www.intrinseca.com.br

Dedico este livro a todos os leitores que nos últimos quinze anos se tornaram parte tão importante da minha vida. Quando nos conhecemos, muitos de vocês eram adolescentes com olhares encantadores e radiantes, cheios de sonhos para o futuro. Espero que nesses anos que se passaram vocês tenham concretizado seus sonhos e que torná-los realidade tenha sido ainda melhor do que vocês imaginavam.

SUMÁRIO

-‹‹ ››-

1. À PRIMEIRA VISTA	9
2. LIVRO ABERTO	32
3. RISCO	61
4. VISÕES	85
5. CONVITES	100
6. TIPO SANGUÍNEO	132
7. MELODIA	161
8. FANTASMA	179
9. PORT ANGELES	189
10. TEORIA	219
11. INTERROGAÇÕES	244
12. COMPLICAÇÕES	274
13. OUTRA COMPLICAÇÃO	295
14. MAIS PERTO	324
15. POSSIBILIDADE	340
16. O NÓ	365
17. CONFISSÕES	379
18. A MENTE DOMINA A MATÉRIA	423
19. LAR	462
20. CARLISLE	497
21. O JOGO	513
22. A CAÇADA	554
23. DESPEDIDAS	579
24. EMBOSCADA	602
25. CORRIDA	617
26. SANGUE	633
27. TAREFAS	645
28. TRÊS CONVERSAS	655
29. INEVITABILIDADE	678
EPÍLOGO: UM ACONTECIMENTO ESPECIAL	701

1. À PRIMEIRA VISTA

Esse era o momento do dia em que eu mais queria ser capaz de dormir.

Ensino médio.

Talvez *purgatório* fosse uma palavra mais apropriada. Se havia alguma maneira de reparar meus pecados, sem dúvida *essa* experiência devia ajudar. Era difícil se acostumar ao tédio; cada dia parecia mais insuportavelmente monótono do que o anterior.

Talvez até desse para considerar aquilo minha própria versão de dormir; afinal, o que é o sono senão um estado inerte entre períodos ativos?

Olhei para as rachaduras que atravessavam o gesso no canto mais distante do refeitório, imaginando padrões que não existiam. Foi a forma que encontrei de abafar o fluxo de vozes tagarelando dentro da minha cabeça feito a correnteza de um rio.

Centenas delas eu ignorava por puro tédio.

Quando se tratava da mente humana, eu já ouvira de tudo e mais um pouco. Naquele dia, todos os pensamentos eram consumidos pelo drama trivial de uma nova adição ao nosso diminuto corpo estudantil. Era preciso muito pouco para criar um alvoroço. Vi o novo rosto de vários ângulos, repetido em pensamento atrás de pensamento. Era só uma humana comum. A empolgação com sua chegada era previsível a ponto de ser exaustiva — a mesma reação que alguém obteria se mostrasse um objeto brilhante para algumas crianças. Metade da manada de machos já se imaginava apaixonada, só porque ela era novidade. Tentei ao máximo ignorá-los.

Apenas quatro vozes eu bloqueava por educação e não por desgosto: as da minha família, meus dois irmãos e duas irmãs, que estavam tão acostumados com a falta de privacidade ao meu lado que raramente se preocupavam com isso. Eu fazia de tudo para evitar ouvir seus pensamentos sempre que possível.

Porém, por mais que tentasse... eu sabia.

Rosalie estava focada, como sempre, em si mesma. Tinha visto seu reflexo nos óculos de alguém e pensava sobre a própria perfeição. Sua mente era como uma piscina tranquila com poucas surpresas. Ninguém tinha o cabelo tão louro, o corpo tão perfeito, o rosto oval tão simétrico e sem defeitos. Ela não se comparava aos humanos ao redor; isso seria ridículo, absurdo. Era de nós que minha irmã desdenhava, ninguém chegava à sua altura.

O rosto normalmente despreocupado de Emmett estava franzido de frustração. Mesmo agora, ele passava a mão enorme pelos cachos cor de ébano, puxando o cabelo com o punho cerrado. Continuava furioso por ter perdido a luta contra Jasper na noite passada. Ele precisaria de toda a sua paciência limitada para aguentar até o fim das aulas e então ter sua revanche. Ouvir os pensamentos de Emmett nunca me pareceu uma intromissão, porque ele nunca pensava algo que não diria em voz alta ou executaria. Talvez eu só me sentisse culpado por ler a mente dos outros porque sabia que havia coisas que eles não gostariam que eu soubesse. Se a mente de Rosalie era uma piscina tranquila, a de Emmett era um lago cristalino como vidro transparente.

E Jasper estava... sofrendo. Contive um suspiro.

Edward. Alice disse meu nome em sua mente, chamando minha atenção imediatamente.

Daria no mesmo se ela tivesse me chamado em voz alta. Eu adorava que meu nome tivesse saído de moda nas últimas décadas; no passado, sempre que alguém pensava em qualquer Edward, eu virava a cabeça automaticamente, o que era bem irritante.

Não me virei dessa vez. Alice e eu éramos bons em manter conversas privadas. Era raro alguém perceber. Mantive os olhos fixos nas rachaduras do teto.

Como ele está?, ela me perguntou.

Fiz uma careta sutil, apenas um leve movimento no canto da boca. Nada que os outros fossem notar. Eu podia muito bem estar reagindo ao tédio.

Jasper estava imóvel havia tempo demais. Não executava os tiques humanos que todos nós deveríamos simular, sempre em movimento para não chamar atenção, como Emmett ajeitando o cabelo, Rosalie cruzando as pernas primeiro para um lado e depois para outro, Alice batendo os pés no piso de linóleo, ou eu, virando a cabeça para observar os diferentes padrões na parede. Jasper estava estático, seu corpo esbelto completamente reto, até mesmo o cabelo cor de mel parecendo não reagir ao ar que saía pelos dutos de ventilação.

O tom mental de Alice soava alarmado, e eu vi em sua mente que ela estava observando Jasper pelo canto do olho. *Algum perigo?* Ela vasculhou o futuro imediato, ignorando as visões de monotonia que justificavam minha careta. Mesmo enquanto fazia isso, Alice lembrou-se de apoiar o queixo pontudo numa das mãos e piscar de vez em quando. Ela afastou dos olhos uma mecha do cabelo preto, curto e desfiado.

Virei bem devagar o rosto para a esquerda, como se estivesse olhando para os tijolos da parede, suspirei e depois virei para a direita, de volta às rachaduras no teto. Meus outros irmãos presumiriam que eu estava me fingindo de humano. Só Alice saberia que eu estava balançando a cabeça.

Ela relaxou. *Por favor, me avise se piorar muito.*

Movendo apenas os olhos, encarei o teto e então o chão.

Obrigada, Edward.

Fiquei feliz por não poder responder em voz alta. O que eu diria? *O prazer é meu?* Isso estava longe de ser verdade. Eu não gostava de me concentrar nas dificuldades de Jasper. Era mesmo necessário fazer essa experiência? Não seria mais seguro admitir que talvez ele nunca controlasse sua sede com a mesma facilidade que o resto de nós, em vez de forçar seus limites? Por que flertar com o desastre?

Fazia duas semanas desde nossa última caçada. Não era um intervalo tão difícil para o restante de nós. Um pouco desconfortável de vez em quando, caso um humano se aproximasse demais ou o vento soprasse na direção errada. Mas os humanos raramente chegavam perto. O instinto lhes dizia o que sua mente consciente nunca entenderia: nós éramos perigosos e deveríamos ser evitados.

Jasper representava um grande perigo nesse momento.

Isso não acontecia com frequência, mas vez ou outra eu ficava impressionado com a cegueira dos humanos ao nosso redor. Estávamos todos acostumados, sempre esperávamos que fosse assim, mas às vezes me parecia mais evidente do que o normal. Nenhum deles reparava em nosso grupo sentado à mesa surrada do refeitório, embora tigres de tocaia fossem menos letais do que nós. Tudo o que viam eram cinco pessoas de aparência estranha, parecidas com humanos o bastante para se passarem por eles. Era difícil imaginar que alguém pudesse sobreviver com sentidos tão pouco aguçados.

Nesse momento, uma garota franzina parou na cabeceira da mesa mais próxima da nossa para conversar com um amigo. Ela mexeu no cabelo curto e claro, passando os dedos por entre as mechas. O aquecedor central soprou seu cheiro em nossa direção. Eu estava acostumado com a sensação que aquilo provocava: a garganta seca, o desejo oco no estômago, a contração automática dos músculos, o veneno fluindo na boca.

Tudo isso era normal e, em geral, fácil de ignorar. Era mais difícil naquele momento, com as reações mais fortes, duplicadas, enquanto eu monitorava Jasper.

Ele estava se deixando levar pela imaginação. Estava visualizando... Visualizando a si mesmo se levantando da cadeira ao lado de Alice e indo até a garota. Vendo a si mesmo inclinando a cabeça para mais perto, como se fosse sussurrar no ouvido dela, os lábios tocando o pescoço. Imaginando o fluxo quente do sangue sob a barreira frágil da pele na boca dele...

Chutei sua cadeira.

Ele se virou para mim, os olhos negros ressentidos por um segundo, então encarou o chão. Ouvi o conflito entre vergonha e rebelião em sua mente.

— Desculpe — murmurou Jasper.

Dei de ombros.

— Você não ia fazer nada — afirmou Alice para ele em voz baixa, tentando animá-lo. — Eu vi.

Contive a careta que a desmentiria. Nós tínhamos que nos apoiar, Alice e eu. Não era fácil ser uma aberração em meio a outras aberrações. Nós protegíamos os segredos um do outro.

— Ajuda um pouco se você pensar neles como pessoas — sugeriu Alice, sua voz alta e musical acelerada demais para que os ouvidos humanos compreendessem, caso alguém estivesse perto o suficiente para ouvi-la. — O nome dela é Whitney. Ela tem uma irmãzinha que adora. A mãe dela convidou Esme para aquela festa no jardim, lembra?

— Eu sei quem ela é — respondeu Jasper secamente.

Ele se virou para olhar por uma das pequenas janelas abaixo dos beirais ao redor da sala comprida. Seu tom encerrou a conversa.

Ele teria que caçar à noite. Era ridículo correr riscos como aquele, tentando testar sua força de vontade, aumentar sua resistência. Jasper deveria aceitar logo suas limitações e aprender a lidar com elas.

Alice suspirou baixinho e se levantou, levando sua bandeja — seu adereço, por assim dizer — e deixando-o sozinho. Ela sabia que ele não queria seu apoio. Embora Rosalie e Emmett fossem mais dados a demonstrações públicas de afeto, eram Alice e Jasper que conheciam bem as necessidades um do outro. Era como se também pudessem ler mentes, mas apenas entre si.

Edward.

Por reflexo, virei-me ao ouvir meu nome, embora não estivessem me chamando em voz alta, apenas em pensamento.

Por meio segundo, meus olhos encararam um par de olhos humanos grandes e castanhos em um rosto pálido em forma de coração. Eu conhecia aquele rosto, apesar de nunca tê-lo visto. Estava em todas as mentes humanas hoje. A aluna nova, Isabella Swan. Era filha do chefe de polícia da cidade e veio para cá por conta de alguma mudança na sua guarda. Bella. Ela corrigiu todos que a chamaram de Isabella.

Desviei o olhar, entediado. Levei um segundo para perceber que não tinha sido ela quem havia pensado em meu nome.

Claro que ela já está caidinha pelos Cullen, continuava o primeiro pensamento.

Ah, agora reconheci aquela "voz".

Jessica Stanley. Já fazia tempo que ela não me incomodava com seu monólogo interior. Foi um grande alívio quando ela superou sua fixação por mim. Era quase impossível escapar de seus devaneios constantes e ridículos. Eu desejava, na época, poder explicar *exatamente* o que aconteceria se meus lábios e meus dentes chegassem perto dela. Isso teria silenciado aquelas fantasias irritantes. Imaginar sua reação quase me fez sorrir.

Boa sorte, continuou Jessica. *Bella nem é tão bonita assim. Não sei por que Eric está olhando tanto para ela... e Mike também.*

Ela se encolheu mentalmente ao pensar no segundo garoto. Sua nova obsessão, Mike Newton, um menino popular genérico que nem reparava nela. Ao que parecia, ele não era tão indiferente à nova garota. Outra criança desejando o objeto brilhante. Isso dava um tom maldoso aos pensamentos de Jessica, embora ela agisse de maneira cordial com a recém-chegada enquanto explicava o que era de conhecimento geral sobre minha família. A nova aluna devia ter perguntado sobre nós.

Todo mundo está me olhando hoje também, pensou Jessica em tom presunçoso. *Ainda bem que Bella tem duas aulas comigo. Aposto que Mike vai querer me perguntar o que ela...*

Tentei bloquear seu monólogo fútil antes que aquela mesquinharia trivial me deixasse de mau humor.

— Jessica Stanley está contando todos os podres do clã Cullen para Swan, a garota nova — murmurei para Emmett na tentativa de me distrair.

Ele riu baixinho. *Espero que esteja contando direito*, pensou.

— Falta imaginação, na verdade. Quase não tem escândalo. Nenhuma história de terror. Estou um pouco decepcionado.

E a garota nova? Ela também está decepcionada com as fofocas?

Resolvi ouvir o que a garota nova, Bella, estava achando da história de Jessica. O que ela via quando olhava para a família estranha e pálida que era evitada por todos?

Era minha responsabilidade saber a reação dela. Eu servia de vigia, por falta de uma palavra melhor, para minha família. Para nossa proteção. Se alguém suspeitasse de algo, eu poderia avisar logo, e teríamos chance de agir rapidamente. De vez em quando acontecia... Algum humano com imaginação fértil nos via como os personagens de um livro ou filme. Em geral entendiam tudo errado, mas era melhor procurar um lugar novo do que correr o risco de chamar atenção demais. Era raro, muito raro, alguém adivinhar a verdade. Não lhes dávamos a chance de testar suas hipóteses. Simplesmente desaparecíamos, nos tornando uma lembrança assustadora.

Isso não acontecia havia décadas.

Não ouvi nada, apesar de escutar com toda a atenção o monólogo interno frívolo de Jessica. Era como se a cadeira ao seu lado estivesse vazia. Que peculiar. A garota tinha ido embora? Parecia improvável, porque Jessica continuava tagarelando sem parar. Olhei para cima, nervoso. Nunca havia precisado confirmar minha "audição" extra.

Mais uma vez, meu olhar encontrou aqueles grandes olhos castanhos. Bella estava sentada no mesmo lugar de antes e olhando para a gente. Uma coisa natural a se fazer, supus, já que Jessica ainda destilava todas as fofocas locais sobre os Cullen.

Estar pensando em nós também seria natural.

Mas eu não ouvi sequer um sussurro.

Um tom avermelhado quente e convidativo invadiu suas bochechas quando ela desviou o olhar, envergonhada por ter sido flagrada olhando para um estranho. Ainda bem que Jasper continuava encarando a janela. Eu não queria nem imaginar como aquele acúmulo de sangue afetaria seu autocontrole.

As emoções estavam tão claras no rosto daquela garota quanto se tivessem sido expressas em palavras: surpresa, enquanto absorvia inconscientemente as diferenças sutis entre sua espécie e a minha; curiosidade, ao ouvir as histórias de Jessica; e algo mais... fascinação? Não seria a primeira vez. Éramos lindos para eles, nossas presas. Então, por fim, o constrangimento.

E, no entanto, embora seus pensamentos estivessem claros em seus olhos estranhos — eu nunca vira olhos tão profundos —, eu só ouvia silêncio vindo dela. Apenas... silêncio.

Fiquei desconfortável por um momento.

Nunca tinha encontrado algo assim. Havia algo de errado comigo? Eu me sentia o mesmo de sempre. Preocupado, agucei os ouvidos.

Todas as vozes que eu vinha bloqueando de repente gritavam na minha cabeça.

... de que música será que ela gosta? Talvez eu possa falar sobre o meu CD novo..., Mike Newton estava pensando, a duas mesas de distância, em Bella Swan.

Olha só ele olhando para ela. Não basta ter metade das garotas da escola atrás dele... Os pensamentos de Eric Yorkie eram cáusticos e também giravam em torno da garota nova.

... é tão nojento. Quem vê até acha que ela é famosa ou algo assim... Até Edward Cullen *está olhando...* Lauren Mallory estava com tanta inveja que era uma surpresa que seu rosto não estivesse vermelho. *Olha só a Jessica, toda exibida com a nova melhor amiga. Que piada...* Os pensamentos venenosos da garota continuaram.

... Aposto que todo mundo já perguntou isso para ela. Mas eu queria falar com ela. Que pergunta seria mais original?, pensava Ashley Dowling.

... talvez ela esteja na minha aula de espanhol..., torcia June Richardson.

... tanta coisa para fazer hoje à noite! Trigonometria e o teste de inglês. Espero que minha mãe... Angela Weber, uma garota quieta cujos pensamentos eram incomumente gentis, era a única na mesa que não estava obcecada pela tal Bella.

Eu ouvia todos eles, cada pensamento insignificante que lhes passava pela cabeça. Mas a aluna nova com os olhos estranhamente comunicativos continuava em silêncio.

E, claro, eu ouvia o que Bella dizia ao falar com Jessica. Eu não precisava ler mentes para ouvir sua voz baixa e clara do outro lado do amplo refeitório.

— Quem é o garoto de cabelo ruivo? — Eu a ouvi perguntar, lançando outro olhar de soslaio para mim, e então desviando os olhos rapidamente quando viu que eu ainda a observava.

Ainda bem que não tive tempo de criar esperanças de que ouvir sua voz fosse me ajudar a identificar o tom de seus pensamentos, ou teria ficado instantaneamente decepcionado. Em geral, os pensamentos das pessoas lhes ocorriam em um tom semelhante ao da voz. Mas aquela voz baixa e tímida não era familiar, não correspondia à de nenhum dos pensamentos que circulavam pelo refeitório, disso eu tinha certeza. Era totalmente nova.

Ah, boa sorte, otária!, pensou Jessica antes de responder à pergunta.

— É o Edward. Ele é lindo, é claro, mas não perca seu tempo. Ele não namora. Ao que parece, nenhuma das meninas daqui é bonita o bastante para ele.

Jessica fungou baixinho.

Virei o rosto para esconder meu sorriso. Jessica e suas colegas de turma não faziam ideia da sorte que tinham por nenhuma delas ter chamado a minha atenção.

Por baixo dessa diversão momentânea, senti um impulso estranho, que não entendi por completo. Tinha algo a ver com o tom maldoso dos pensamentos de Jessica, que a nova garota desconhecia... Senti uma vontade estranha de me colocar entre as duas, de proteger Bella Swan dos recantos mais sombrios da mente de Jessica. Que coisa estranha de se sentir. Tentando desvendar as motivações por trás do impulso, examinei a garota nova mais uma vez, agora através dos olhos de Jessica. Eu já tinha chamado atenção demais.

Talvez fosse apenas algum instinto protetor enterrado havia muito tempo; uma vontade súbita de proteger os mais fracos. De alguma maneira, aquela garota parecia mais frágil do que os outros humanos. Sua pele era tão pálida que era difícil acreditar que lhe oferecesse grande proteção do mundo exterior. Eu via o pulso ritmado do seu sangue pelas veias sob a pele clara... Mas não deveria me concentrar nessa parte. Eu era bom em seguir a vida que havia escolhido, mas estava com tanta sede quanto Jasper e não via sentido em alimentar tentações.

Havia um leve franzido entre suas sobrancelhas que ela parecia não perceber. Como aquilo era frustrante! Notei com toda a clareza que era difícil para a garota ficar ali sentada, conversando com estranhos, sendo o centro das atenções. Eu sentia sua timidez pela posição dos ombros frágeis, curvados de leve, como se estivesse esperando uma rejeição a qualquer momento. E, no entanto, eu só podia ver, só podia sentir, só podia imaginar. Não havia nada além de silêncio vindo daquela garota humana comum. Eu não conseguia ouvir nada. Por quê?

— Vamos? — murmurou Rosalie, interrompendo meus pensamentos.

Fiquei aliviado ao desviar minha atenção da garota. Eu não queria fracassar mais uma vez. O fracasso era algo raro para mim, mas mesmo assim não deixava de ser irritante. Eu não queria desenvolver qualquer interesse pelos pensamentos ocultos dela só por estarem ocultos. Sem dúvida, quando conseguisse desvendá-los — e eu *com certeza* ia descobrir uma forma de fazer isso —, eles iam se mostrar tão mesquinhos e triviais quanto os de qualquer outro humano. Não valeriam o esforço que eu faria para desvendá-los.

— E aí, a novata já tem medo de nós? — perguntou Emmett, ainda esperando minha resposta à sua pergunta anterior.

Dei de ombros. Ele não estava interessado o suficiente para insistir.

Nós nos levantamos da mesa e saímos do refeitório.

Emmett, Rosalie e Jasper fingiam ser do último ano e foram para suas aulas. Eu estava desempenhando o papel de irmão mais novo. Fui para a aula de biologia do primeiro ano, preparando minha mente para o tédio. Duvidava muito de que o Sr. Banner, um homem com um intelecto claramente mediano, conseguisse apresentar qualquer coisa capaz de surpreender alguém com dois diplomas em medicina.

Na sala, me acomodei na cadeira e larguei meus livros na mesa. Também adereços, não continham nada que eu já não soubesse. Eu era o único aluno sentado sozinho. Os humanos não eram inteligentes o suficiente para *saber* que tinham medo de mim, mas seus instintos de sobrevivência inatos bastavam para mantê-los longe.

A sala se encheu aos poucos conforme os alunos chegavam do almoço. Recostei-me na cadeira e esperei o tempo passar. Mais uma vez, desejei ser capaz de dormir.

Como eu ainda estava pensando na garota nova quando Angela Weber a acompanhou até a sala, seu nome chamou minha atenção.

Bella parece tão tímida quanto eu. Aposto que hoje está sendo muito difícil para ela. Queria poder dizer alguma coisa... mas aposto que ela ia achar idiota.

Oba!, pensou Mike Newton, virando-se para observar as meninas entrarem.

Mais uma vez, de onde Bella Swan estava, não ouvi nada. O vazio vindo de onde seus pensamentos deveriam estar me deixou irritado e incomodado.

E se *tudo* sumisse? E se isso fosse só o primeiro sintoma de algum tipo de declínio mental?

Muitas vezes quis escapar daquela cacofonia. Ser normal, na medida do possível para mim. Mas naquele momento esse pensamento me deixou em pânico. Quem eu seria sem minha habilidade? Nunca tinha ouvido falar de nada assim. Teria que perguntar para Carlisle.

A garota seguiu pelo corredor perto de mim, em direção à mesa do professor. Coitada, o lugar ao meu lado era o único livre. Automaticamente, limpei a bagunça da mesa onde ela se sentaria, empurrando meus livros para o lado. Duvidava de que ela fosse se sentir confortável. Seria um longo semestre para Bella... pelo menos nessa aula. Talvez, sentado ao seu lado, eu conseguisse desvendar o mistério dos pensamentos dela... Não que eu já tivesse precisado estar próximo dos outros para isso. Não que eu fosse encontrar algo que valesse a pena ouvir.

Bella Swan passou pela corrente de ar quente que saía da ventilação.

Seu cheiro me atingiu como um aríete, como uma granada. Não havia imagem violenta o suficiente para descrever a força do que senti naquele momento.

Na mesma hora, me transformei. Eu não tinha mais qualquer semelhança com o humano que já fui. Nenhum vestígio dos fragmentos da humanidade nos quais consegui me esconder ao longo dos anos.

Eu era um predador. Ela era minha presa. Não havia mais nada no mundo inteiro além dessa verdade.

Não havia uma sala cheia de testemunhas. Em minha mente, já eram danos colaterais. O mistério dos pensamentos dela foi esquecido. Seus pensamentos nada significavam, pois ela não continuaria pensando por muito mais tempo.

Eu era um vampiro, e o sangue dela tinha o cheiro mais doce que já sentira em mais de oitenta anos.

Nunca tinha imaginado que um cheiro como esse existisse. Caso contrário, já teria ido atrás dele havia muito tempo. Teria vasculhado o planeta inteiro atrás dela. Já podia imaginar seu gosto...

A sede queimou minha garganta feito fogo. Minha boca estava dolorida e seca, e o fluxo fresco de veneno em nada ajudou a dispersar essa sensação. Meu estômago se revirou com a fome que era um eco da sede. Meus músculos se contraíram, preparados para a emboscada.

Nem um segundo havia se passado. Ela ainda estava dando o mesmo passo que a pusera no caminho da corrente de ar.

Quando seu pé tocou o chão, seus olhos se voltaram para mim, um movimento que Bella claramente pretendera que fosse furtivo. Seu olhar encontrou o meu, e eu me vi refletido nos seus olhos.

O susto que tomei com o rosto que vi salvou a vida dela por um triz.

Ela não facilitou as coisas. Quando processou minha expressão, o sangue inundou suas bochechas outra vez, deixando sua pele da cor mais deliciosa que eu já tinha visto. Seu cheiro era uma névoa embrenhada em meu cérebro. Eu mal conseguia raciocinar. Meus instintos se enfureceram, lutando pelo controle, incoerentes.

Ela apertou o passo, como se percebesse que precisava escapar. Sua pressa a deixou desajeitada: ela tropeçou e cambaleou para a frente, quase caindo na garota sentada diante de mim. Vulnerável, fraca. Ainda mais que o normal para uma humana.

Tentei me concentrar no rosto que tinha visto refletido nos olhos dela, um rosto que reconheci com repulsa. Era o do monstro que habita dentro de mim, o rosto que eu havia reprimido com décadas de esforço e disciplina ferrenha. Ah, como ele ressurgiu com facilidade!

O cheiro me envolveu outra vez, afastando meus pensamentos e quase me fazendo pular da cadeira.

Não.

Agarrei a borda da mesa enquanto tentava me segurar na cadeira. A madeira não deu conta. Minha mão esmagou o suporte, soltando lascas e pó, deixando a forma dos meus dedos esculpida na mesa.

Destruir as provas. Essa era uma regra fundamental. Com a ponta dos dedos, rapidamente pulverizei os cantos da marca, deixando apenas um buraco irregular e uma pilha de lascas no chão, que espalhei com o pé.

Destruir provas. Dano colateral...

Eu sabia o que tinha que acontecer em seguida. A garota se sentaria ao meu lado e eu precisaria matá-la.

As testemunhas inocentes na sala de aula, dezoito jovens e um adulto, não poderiam sair com vida depois de testemunharem a cena.

Eu me encolhi ao pensar no que precisava fazer. Mesmo nos meus piores momentos, nunca havia cometido esse tipo de atrocidade. Nunca tinha matado inocentes. E, no entanto, naquele momento eu planejava matar vinte de uma vez.

O rosto do monstro no meu reflexo zombava de mim.

Enquanto parte de mim sentia nojo dele, outra parte pensava no passo seguinte.

Se eu matasse a garota primeiro, teria apenas quinze ou vinte segundos com ela antes que os humanos na sala reagissem. Talvez um pouco mais, se não percebessem o que eu estava fazendo logo de cara. Ela nem teria tempo de gritar ou sentir dor; eu não a mataria com crueldade. Isso eu poderia dar a essa estranha com um sangue terrivelmente desejável.

Mas então eu teria que impedi-los de escapar. Não precisaria me preocupar com as janelas, que eram altas e pequenas demais para funcionarem como rota de fuga. Só a porta... Se eu a bloqueasse, eles ficariam presos.

Seria mais demorado e difícil eliminá-los quando estivessem em pânico e correndo, movendo-se em meio ao caos. Não seria impossível, mas haveria muito mais barulho e muito mais tempo para os gritos se espalharem pelos corredores. Alguém ouviria... e eu seria forçado a matar ainda mais inocentes naquela hora sombria.

Mas o sangue dela esfriaria enquanto eu matava os outros.

O cheiro dela me açoitou, fazendo minha garganta se fechar com uma dor seca...

Então as testemunhas teriam que morrer primeiro.

Planejei tudo. Eu estava na fileira do meio, no fundo da sala. Eu cuidaria do lado direito primeiro. Era capaz de quebrar quatro ou cinco pescoços por segundo, calculei. Não faria muito barulho. O lado direito seria o lado sortudo; eles não me veriam atacando. Então eu seguiria até a frente e voltaria pelo lado esquerdo, levando no máximo cinco segundos para matar todas as pessoas na sala.

Tempo suficiente para Bella Swan vislumbrar o que estava por vir. Tempo suficiente para ela sentir medo. Talvez o bastante, se o choque não a imobilizasse, para que gritasse. Um grito suave que não chamaria a atenção de ninguém.

Respirei fundo, e o aroma era um fogo que corria pelas minhas veias ressecadas, queimando meu peito e consumindo cada ação impulsiva que eu era capaz de cometer.

Ela estava se virando agora. Em alguns segundos, Bella se sentaria a centímetros de mim.

O monstro na minha cabeça exultou.

Alguém fechou uma pasta à minha esquerda. Não desviei os olhos para ver qual dos humanos condenados era o responsável, mas com o gesto uma minilufada de ar fresco e sem cheiro atingiu meu rosto.

Por um breve segundo, fui capaz de pensar com clareza. Naquele instante precioso, visualizei dois rostos, lado a lado.

Um era o meu, ou melhor, tinha sido o meu: o monstro de olhos vermelhos que havia matado tantas pessoas que perdi a conta. Assassinatos justificados e racionalizados. Eu tinha sido um assassino de assassinos, um matador de monstros menos poderosos. Eu reconhecia que era um complexo de Deus decidir quem merecia uma sentença de morte. Era uma espécie de barganha comigo mesmo. Eu havia me alimentado de sangue humano, mas de pessoas que mal se qualificavam como tal. Minhas vítimas eram, em seus vários passatempos sombrios, tão monstruosas quanto eu.

O outro rosto era o de Carlisle.

Não havia semelhança entre os dois rostos. Eram o dia mais claro e a noite mais sombria.

Não havia por que existir qualquer semelhança. Carlisle não era meu pai no sentido biológico. Não compartilhávamos traços genéticos. A semelhança em nosso tom de pele era um produto do que éramos; todo vampiro era pálido como um cadáver. A semelhança na cor dos nossos olhos era outra questão, um reflexo de uma escolha mútua.

E, no entanto, embora não houvesse base para uma semelhança, imaginei que meu rosto começara a refletir o dele, até certo ponto, nos últimos setenta e tantos anos em que abracei sua escolha e segui seus passos. Minhas feições não haviam mudado, mas eu tinha a impressão de que um pouco de sua sabedoria marcara minha expressão, um pouco de sua compaixão podia ser vista em meus lábios contraídos, e indícios de sua paciência eram evidentes na minha testa.

Todas essas pequenas melhorias desapareceram do rosto do monstro. Em alguns momentos, não sobraria nada em mim que refletisse os anos que passei com meu criador, meu mentor, meu pai de todas as maneiras que importavam. Meus olhos brilhariam vermelhos como os de um demônio; toda semelhança se perderia para sempre.

Na minha cabeça, os olhos gentis de Carlisle não me julgavam. Eu sabia que ele me perdoaria por esse ato horrível. Porque ele me amava. Porque ele achava que eu era melhor do que de fato era.

Bella Swan sentou-se na cadeira ao meu lado, os movimentos rígidos e desajeitados — sem dúvida com medo —, e o cheiro de seu sangue me envolveu em uma nuvem inescapável.

Eu provaria que meu pai estava errado sobre mim. A tristeza desse fato doeu quase tanto quanto o fogo na minha garganta.

Eu me inclinei para longe dela com repulsa, enojado pelo monstro sedento por matá-la.

Por que ela teve que vir para cá? Por que teve que *existir*? Por que ela teve que arruinar a pouca paz que eu tinha nessa minha não vida? Por que aquela humana irritante tinha nascido? Ela me arruinaria.

Desviei o rosto, um ódio repentino, feroz e irracional tomando conta de mim.

Eu não queria ser um monstro! Não queria matar aquela sala cheia de jovens inofensivos! Não queria perder tudo o que tinha conquistado após uma vida inteira de sacrifício e negação!

E assim seria.

Ela não me obrigaria a fazer aquilo.

Mas o problema era o cheiro, aquele cheiro terrivelmente atraente do seu sangue. Se houvesse alguma maneira de resistir... Talvez outra lufada de ar fresco pudesse clarear minha mente.

Bella Swan sacudiu o cabelo comprido, de fios grossos e escuros, em minha direção.

Ela era louca?

Não, não havia uma brisa para me ajudar. Mas eu *não* precisava respirar. Interrompi o fluxo de ar entrando nos meus pulmões. O alívio foi instantâneo, mas incompleto. Eu ainda tinha a lembrança do seu perfume, o gosto dele na parte de trás da língua. Eu não resistiria por muito tempo.

A vida de todos na sala estava em perigo enquanto ela e eu estivéssemos lado a lado. Eu devia fugir. Eu *queria* fugir, me afastar do corpo *quente* ao meu lado, da dor persistente da sede que ardia, mas não tinha cem por cento de certeza de que se eu relaxasse meus músculos para me mover, mesmo que apenas para me levantar, eu não a atacaria e cometeria o massacre já planejado.

Mas talvez eu conseguisse aguentar uma hora. Será que uma hora seria tempo suficiente para recuperar o controle e me mover sem atacar? Eu duvidava muito, então me forcei a me comprometer. Eu *faria* com que fosse suficiente. Tempo suficiente para sair da sala cheia de vítimas, vítimas que talvez não precisassem ser vítimas. Se eu resistisse por apenas uma hora.

Era bem desconfortável ficar sem respirar. Meu corpo não precisava de oxigênio, mas aquilo ia contra todos os meus instintos. Eu confiava no olfato mais do que nos outros sentidos em momentos de estresse. Era o que mostrava o caminho na caçada; era o primeiro aviso em caso de perigo. Poucas vezes encontrei algo tão perigoso quanto eu mesmo, mas a autopreservação era tão forte na minha espécie quanto no ser humano médio.

Era desconfortável, mas suportável. Mais fácil do que sentir seu cheiro e não cravar meus dentes naquela pele fina, frágil e translúcida até chegar à veia quente, úmida e pulsante...

Uma hora! Só uma hora. Eu não devia pensar no perfume, no gosto.

A garota se inclinou para a frente, deixando o cabelo se espalhar pelo caderno. Eu não conseguia ver o rosto dela para tentar ler as emoções em seus olhos tão transparentes e profundos. Ela estava tentando esconder os olhos de mim? Por medo? Timidez? Para guardar seus segredos?

Minha irritação anterior por ser deixado de fora de seus pensamentos silenciosos era fraca e suave em comparação com a necessidade — e o ódio — que me possuía agora. Eu odiava essa garota frágil ao meu lado, odiava-a com todo o fervor com que me apeguei ao meu antigo eu, ao meu amor pela minha família, aos meus sonhos de ser algo melhor do que eu era. Odiá-la, odiar como ela me fazia sentir, isso ajudou um pouco. Sim, a irritação de antes era fraca, mas também ajudou um pouco. Eu me apeguei a qualquer pensamento que me distraísse de imaginar que *gosto* ela teria...

Ódio e irritação. Impaciência. Aquela hora nunca passaria?

E quando passasse... ela sairia da sala. E eu faria o quê?

Se eu conseguisse controlar o monstro, fazê-lo ver que o atraso valeria a pena... Eu poderia me apresentar. *Olá, meu nome é Edward Cullen. Posso acompanhá-la até sua próxima aula?*

Ela diria que sim. Seria a coisa educada a fazer. Mesmo com medo, como eu tinha certeza de que era o caso, ela seguiria as regras de convivência e caminharia ao meu lado. Não seria difícil levá-la na direção errada. Os fundos do estacionamento davam para parte da floresta. Eu poderia dizer a ela que esqueci um livro no carro...

Será que alguém notaria que fui a última pessoa com quem ela foi vista? Estava chovendo, como sempre. Duas capas de chuva escuras caminhando na direção errada não despertariam muito interesse ou me denunciariam.

No entanto, eu não era o único aluno que reparara nela hoje, embora ninguém houvesse tido tanta consciência dela quanto eu. Mike Newton, em particular, estava prestando atenção a cada movimento de desconforto dela por estar tão próxima de mim, desconforto que qualquer outra pessoa sentiria. Aquela reação não era uma surpresa para mim, mas o cheiro dela destruiu qualquer resquício de preocupação em minha mente. Mike Newton repararia se ela saísse da sala comigo.

Se eu conseguisse aguentar uma hora, será que aguentaria duas?

Eu me encolhi de dor, a garganta em brasas.

Ela iria para uma casa vazia. O chefe de polícia Swan trabalhava oito horas por dia. Eu conhecia a casa dele, afinal conhecia todas as casas daquela cidadezinha. Ficava aninhada a um bosque denso, sem vizinhos próximos. Mesmo que a garota tivesse tempo de gritar, e ela não teria, não haveria ninguém por perto para ouvir.

Seria a maneira mais responsável de lidar com isso. Passei mais de sete décadas sem sangue humano. Se eu prendesse a respiração, aguentaria mais duas horas. E quando estivesse sozinho com ela, ninguém mais se machucaria. *E não vou precisar fazer nada com pressa*, concordou o monstro na minha cabeça.

Era um sofisma pensar que meu esforço e paciência para salvar os dezenove humanos naquela sala tornaria o ato de matar uma garota inocente algo menos monstruoso.

Embora a odiasse, eu estava ciente de que meu ódio era injustificável. Sabia que o que eu odiava na verdade era eu mesmo. E eu me odiaria muito mais quando ela estivesse morta.

Passei a hora assim, imaginando as melhores formas de matá-la. Tentei não pensar no *ato* em si. Isso poderia me levar ao limite. Então planejei apenas a estratégia.

Uma vez, mais para o fim da aula, ela me espiou por trás da cortina fluida formada por seu cabelo. Eu senti aquele ódio injustificável queimando dentro de mim quando encontrei seu olhar; vi o reflexo do meu sentimento nos olhos assustados dela. Sangue coloriu as bochechas de Bella antes que ela pudesse se esconder atrás do cabelo de novo, e eu quase perdi o controle.

Mas o sinal tocou. E nós — que clichê — fomos salvos pelo gongo. Ela, da morte. Eu, por pouco tempo, de ser a criatura horripilante que eu temia e detestava.

Agora eu precisava ir embora dali.

Mesmo concentrando toda a minha atenção nos gestos mais simples, não consegui andar tão devagar quanto deveria; disparei para fora da sala. Se alguém estivesse me observando, poderia suspeitar de que havia algo errado na minha velocidade. Mas ninguém estava prestando atenção em mim. Todos os pensamentos ainda giravam em torno da garota que tinha sido condenada à morte havia pouco mais de uma hora.

Eu me escondi no meu carro.

Não gostava de pensar em mim mesmo como alguém que precisava se esconder. Isso soava muito covarde. Mas eu não tinha disciplina suficiente para ficar perto dos humanos naquele momento. Concentrar meus esforços em não matar *uma* humana me deixou sem forças para resistir aos outros. Isso seria um verdadeiro desperdício: se eu fosse ceder ao monstro, era melhor que a derrota valesse a pena.

Botei para tocar um CD que em geral me acalmava, mas de pouco adiantou. Não, o que mais ajudou foi o ar fresco e úmido que entrava com a chuva fina pelas janelas abertas. Embora eu ainda me lembrasse do perfume do sangue de Bella Swan com perfeita clareza, inalar o ar limpo era como expulsar uma infecção do meu corpo.

Eu estava são outra vez. Conseguia pensar de novo. Conseguia resistir de novo. Podia lutar contra o que não queria ser.

Eu não precisava ir até a casa dela. Eu não tinha que matá-la. Obviamente, eu era uma criatura racional e pensante, e tinha uma escolha. Sempre havia uma escolha.

Não era assim que eu tinha me sentido na sala de aula... mas agora eu estava longe dela.

Eu não *precisava* decepcionar meu pai. Não precisava estressar minha mãe, preocupá-la ou fazê-la sofrer. Sim, isso também magoaria minha mãe adotiva. E ela era tão gentil, tão terna e amorosa... Fazer alguém como Esme sofrer era um crime realmente imperdoável.

Talvez, se eu evitasse essa garota com muito, muito cuidado, minha vida não precisasse mudar. Minha vida estava organizada da maneira que eu gostava. Por que deveria deixar uma garota qualquer irritante e deliciosa estragar isso?

Que ironia eu ter sentido vontade de proteger essa humana da ameaça insignificante e inofensiva que eram os pensamentos sarcásticos de Jessica Stanley. Eu era a última pessoa que poderia proteger Isabella Swan. Não havia nada no mundo que oferecesse mais perigo a ela do que eu.

Onde está Alice?, eu me perguntei de repente. Ela não tinha me visto matando a garota Swan de várias formas? Por que não veio ao meu socorro, para me impedir ou me ajudar a me livrar das provas? Ela estava tão distraída observando Jasper que não reparou nessa possibilidade muito mais terrível? Ou eu era mais forte do que pensava? Será que eu realmente não teria feito mal à garota?

Não. Eu sabia que isso não era verdade. Alice devia estar muito concentrada em Jasper.

Procurei na direção em que eu sabia que minha irmã estaria, no pequeno prédio usado para as aulas de literatura inglesa. Não demorei muito para localizar sua "voz" familiar. E eu estava certo. Todos os pensamentos dela estavam focados em Jasper, observando cada uma de suas pequenas escolhas com o máximo de escrutínio.

Tive vontade de pedir um conselho, mas, ao mesmo tempo, fiquei feliz por ela não saber do que eu era capaz. Senti um novo ardor tomar conta do meu corpo, mas, dessa vez, era apenas o calor da vergonha. Eu não queria que nenhum deles soubesse.

Se eu conseguisse evitar Bella Swan, se fosse capaz de não matar a garota — assim que pensei isso, porém, o monstro se contorceu e rangeu os dentes de frustração —, ninguém precisaria saber. Se eu conseguisse ficar longe do cheiro dela...

Bem, não havia motivo para não tentar. Fazer uma boa escolha. Tentar ser o que Carlisle achava que eu era.

A última hora de aula estava quase no fim. Decidi colocar meu novo plano em prática imediatamente. Era melhor do que ficar sentado no estacionamento, onde Bella poderia passar e estragar qualquer tentativa de autocontrole. Mais uma vez, senti aquele ódio injustificável pela garota.

Caminhei a passos rápidos — um pouco rápidos demais, mas não havia testemunhas por perto — pelo campus minúsculo até a secretaria da escola.

Estava vazia, exceto pela recepcionista, que não notou minha entrada silenciosa.

— Srta. Cope?

A mulher de cabelo ruivo artificial ergueu os olhos, assustada. Os humanos eram sempre pegos desprevenidos pelos pequenos sinais que não entendiam, não importava quantas vezes já tivessem visto um de nós.

— Ah! — Ela ofegou, um pouco constrangida. Alisou a blusa. *Sua boba*, pensou ela. *Ele tem quase idade para ser seu filho.* — Olá, Edward. O que posso fazer por você? — Os cílios dela tremularam atrás dos óculos grossos.

Era uma situação desconfortável, mas eu sabia ser charmoso quando queria. Era fácil, porque eu descobria instantaneamente como qualquer tom ou gesto era interpretado.

Inclinei-me para a frente, encontrando seu olhar como se estivesse encarando profundamente seus olhos castanhos. Seus pensamentos já estavam agitados. Seria fácil.

— Gostaria de saber se poderia me ajudar com minha grade de horários — falei, com a voz suave que eu usava para não assustar os humanos.

Ouvi seu coração acelerar.

— Claro, Edward. Como posso ajudar?

Jovem demais, jovem demais, ela repetiu para si mesma.

Estava errada, é claro. Eu era mais velho que o avô dela.

— Eu queria saber se é possível trocar meu horário de biologia por uma aula das turmas mais avançadas. Física, talvez?

— Algum problema com o Sr. Banner, Edward?

— De jeito nenhum, é só que já estudei essa matéria...

— Na escola avançada em que todos vocês estudaram no Alasca. Entendi. — Seus lábios finos se contraíram enquanto ela considerava meu pedido. *Eles deviam estar na faculdade. Já ouvi os professores reclamarem. Notas perfeitas, nunca hesitam antes de responder uma pergunta, sempre acertam todas as questões dos testes... É como se tivessem encontrado um jeito de colar em todas as matérias. O Sr. Varner prefere acreditar que alguém está colando na prova de trigonometria a achar que um aluno é mais esperto do que ele. Aposto que a mãe deles dá aula em casa...* — O problema, Edward, é que a aula de física já está lotada. O professor odeia ter mais de vinte e cinco alunos na turma e...

— Eu não causaria problemas.

Claro que não. Afinal, os Cullen são perfeitos.

— Eu sei, Edward. Mas não há vaga na turma...

— Posso desistir da matéria, então? Não seria ruim ter um horário vago para estudar sozinho.

— Desistir da aula de biologia? — Ela ficou boquiaberta. *Isso é loucura. É tão difícil assim assistir à aula de uma matéria que você já sabe?* Com certeza *é algum problema com o Sr. Banner.* — Você não vai ter créditos suficientes para se formar.

— Ano que vem eu compenso o atraso.

— Talvez seja melhor você conversar com seus pais primeiro.

A porta atrás de mim se abriu, mas quem quer que fosse não pensou em mim, então ignorei sua chegada e me concentrei na Srta. Cope. Inclinei-me um pouco mais para a frente e a encarei ainda mais profundamente. Isso teria funcionado melhor se meus olhos estivessem dourados em vez de pretos. A escuridão assustava as pessoas, como deveria ser.

A recepcionista se encolheu, confusa com seus instintos conflitantes.

— Por favor, Srta. Cope? — murmurei, com a voz o mais aveludada e convincente possível, e sua aversão momentânea diminuiu. — Não posso fazer em outro horário? Deve ter vaga sobrando em outra turma, não? Biologia no sexto tempo não pode ser a única opção...

Sorri para ela, tomando o cuidado de não mostrar dentes demais e acabar assustando-a de novo, e deixei a expressão suavizar meu rosto.

Seu coração acelerou. *Jovem demais*, lembrou a si mesma, frenética.

— Bem, acho que posso dar uma palavrinha com Bob... quer dizer, com o Sr. Banner. Vou ver se...

Um segundo foi suficiente para mudar tudo: o clima na sala, minha missão ali, o motivo pelo qual eu me inclinava na direção da mulher ruiva... O que antes tinha um propósito de repente ganhou outro.

Um segundo foi suficiente para Samantha Wells entrar na secretaria, colocar um aviso de atraso assinado em uma cesta e sair correndo, com pressa para ir embora da escola. Uma súbita lufada de ar entrou pela porta aberta e me atingiu, e eu percebi por que a primeira pessoa a entrar não havia me interrompido com seus pensamentos.

Eu me virei, embora não precisasse de confirmação.

Bella Swan estava com as costas apoiadas na parede ao lado da porta, segurando um papel. Seus olhos ficaram ainda maiores ao notar minha expressão feroz e desumana.

O cheiro do sangue dela impregnava cada molécula de ar naquela salinha aquecida. Minha garganta pegou fogo.

O monstro me encarou com raiva pelo espelho dos olhos dela outra vez, uma máscara do mal.

Minha mão hesitou sobre o balcão. Eu nem precisaria me virar para agarrar a cabeça da Srta. Cope e batê-la na mesa com força suficiente para matá-la. Duas vidas em vez de vinte. Uma bela troca.

O monstro aguardou ansiosamente, faminto, que eu fizesse isso.

Mas sempre havia uma escolha... *tinha* que haver.

Interrompi o fluxo de ar que entrava em meus pulmões e visualizei o rosto de Carlisle na minha frente. Voltei-me para a Srta. Cope e ouvi sua surpresa interna diante da minha mudança de expressão. Ela se afastou de mim, mas seu medo não foi expresso em palavras coerentes.

Usando todo o autocontrole que conquistei durante minhas décadas de abnegação, deixei minha voz serena e suave. Havia ar suficiente em meus pulmões para falar mais uma vez, com pressa.

— Então deixa pra lá. Estou vendo que é impossível. Muito obrigado por sua ajuda.

Eu me virei e disparei para fora da sala, tentando não sentir o calor do sangue quente de Bella quando passei a centímetros dela.

Não parei até chegar ao meu carro, andando rápido demais. A maioria dos humanos já tinha ido embora, então não havia muitas testemunhas. Ouvi um aluno do segundo ano, D. J. Garrett, perceber minha velocidade e então desconsiderá-la...

De onde o Cullen saiu? Ele apareceu do nada... Ah, lá vou eu de novo com minha imaginação fértil. Minha mãe sempre diz...

Quando entrei no Volvo, meus irmãos já estavam lá dentro. Tentei controlar minha respiração, mas enchi meus pulmões com ar fresco como se estivesse sufocando.

— Edward? — perguntou Alice, a voz preocupada.

Apenas balancei a cabeça.

— O que aconteceu com você? — quis saber Emmett, momentaneamente distraindo-se do fato de Jasper não estar a fim de uma revanche.

Em vez de responder, dei marcha à ré no carro. Eu precisava sair do estacionamento antes que Bella Swan resolvesse me seguir até lá também. Meu próprio demônio pessoal me atormentando... Virei o carro e acelerei. Cheguei aos sessenta quilômetros por hora antes mesmo de sairmos do estacionamento. Na estrada, passei de cento e dez antes da primeira curva.

Mesmo sem olhar, soube que Emmett, Rosalie e Jasper tinham se virado para Alice. Ela deu de ombros. Não conseguia ver o passado, apenas o que estava por vir.

Alice vislumbrou meu futuro. Nós dois processamos o que ela viu em sua mente e ficamos surpresos.

— Você vai embora? — sussurrou ela.

Todos se viraram para mim.

— Vou? — perguntei, trincando os dentes.

Minha determinação vacilou, e ela viu a escolha que levaria meu futuro para uma direção mais sombria.

— Ah.

Bella Swan morta. Meus olhos brilhantes e vermelhos com o sangue fresco. A busca que se seguiria. O tempo que esperaríamos por cautela antes que fosse seguro sairmos de Forks e recomeçarmos a vida em outro lugar...

— Ah — repetiu ela.

A imagem ficou mais específica. Vi o interior da casa do chefe de polícia Swan pela primeira vez, vi Bella em uma cozinha pequena com armários amarelos, de costas para mim enquanto eu a observava das sombras, deixando-me ser guiado por seu perfume...

— Pare! — gemi, incapaz de suportar aquelas visões.

— Desculpe — sussurrou ela.

O monstro se alegrou.

A cena na mente de Alice mudou outra vez. Uma estrada vazia à noite, as árvores cobertas de neve passando em um borrão a mais de trezentos quilômetros por hora.

— Vou sentir saudade — disse Alice. — Mesmo que você não fique muito tempo longe.

Emmett e Rosalie trocaram um olhar apreensivo.

Estávamos quase na saída para a longa estrada que levava à nossa casa.

— Deixe a gente aqui — instruiu Alice. — Você devia contar para Carlisle pessoalmente.

Assenti, e o carro guinchou com a parada repentina.

Emmett, Rosalie e Jasper saíram em silêncio; eles fariam Alice explicar tudo quando eu tivesse ido embora. Alice colocou a mão em meu ombro.

— Você vai fazer a coisa certa. — Não era uma visão dessa vez, era uma ordem. — Ela é a única família que Charlie Swan tem. Isso o mataria também.

— Eu sei — falei, concordando apenas com a última parte.

Ela saiu para se juntar aos outros, as sobrancelhas franzidas de ansiedade. Os quatro desapareceram de vista na floresta antes que eu pudesse dar meia-volta com o carro.

Eu sabia que as visões na mente de Alice estariam passando de sombrias a luminosas como uma luz estroboscópica enquanto eu voltava para Forks a mais de cento e quarenta quilômetros por hora. Eu não sabia ao certo para onde estava indo. Dizer adeus ao meu pai? Ou aceitar o monstro dentro de mim? A estrada passou voando sob os pneus do carro.

2. LIVRO ABERTO

Recostei-me no banco de neve macio, deixando os flocos secos se moldarem ao redor do meu corpo. Minha pele havia esfriado de acordo com a temperatura do ar ao meu redor, e os pequenos fragmentos de gelo embaixo de mim eram como veludo.

O céu logo acima estava limpo, com estrelas reluzindo, um brilho azul em alguns pontos, amarelo em outros. Elas criavam formas majestosas em contraste com o pano de fundo preto do universo vazio; uma cena impressionante. Maravilhosamente bela. Ou melhor, deveria ter sido bela. Teria sido, se eu pudesse vê-la de verdade.

Eu não estava melhorando. Seis dias tinham se passado, seis dias em que me escondia na vastidão selvagem de Denali, porém eu não estava mais perto da liberdade agora do que estive no momento em que senti o cheiro dela.

Quando olhei para o céu pontilhado de joias, era como se houvesse uma barreira entre meus olhos e aquela beleza. A barreira era um rosto, um rosto humano normal, mas eu não conseguia tirá-lo da cabeça.

Ouvi os pensamentos se aproximarem antes mesmo de ouvir os passos que os acompanhavam. O movimento não passava de um leve sussurro em comparação com a neve fresca.

Não fiquei surpreso por Tanya ter me seguido até ali. Eu sabia que ela passara os últimos dias refletindo sobre a conversa que estávamos prestes a ter, adiando-a até ter certeza do que queria dizer.

Ela surgiu a cerca de sessenta metros de distância, pulando para a ponta de uma rocha negra e equilibrando-se na ponta dos pés descalços.

A pele de Tanya parecia prateada à luz das estrelas, iluminando seus longos cachos louros e pálidos, quase ruivos. Os olhos cor de âmbar brilharam quando ela me viu um pouco enterrado na neve, e os lábios grossos se esticaram de leve em um sorriso.

Linda. *Se eu tivesse sido capaz de vê-la de verdade.* Suspirei.

Ela não se vestira para olhos humanos. Usava apenas uma blusa fina sem mangas e um short. Agachada sobre a pedra, ela se apoiou nas pontas dos dedos e contraiu os músculos.

Bala de canhão, pensou ela.

Tanya se lançou no ar. Sua silhueta se tornou uma sombra escura e sinuosa enquanto girava graciosamente entre mim e as estrelas. Ela se encolheu logo antes de aterrissar no banco de neve ao meu lado.

Uma minievasca me cobriu. As estrelas sumiram, e fui enterrado no fundo dos cristais de gelo leves.

Suspirei de novo, respirando gelo, mas não me mexi para sair dali. A escuridão sob a neve não atrapalhou nem melhorou a vista. Eu continuava vendo o mesmo rosto.

— Edward?

A neve voou outra vez quando Tanya me desenterrou rapidamente. Em seguida ela varreu os flocos da minha pele, com suavidade e evitando encontrar meu olhar.

— Desculpe — murmurou ela. — Foi uma brincadeira.

— Eu sei. Foi engraçado.

Sua boca se contorceu.

— Irina e Kate disseram que eu deveria deixar você em paz. Acham que estou incomodando.

— Claro que não — tranquilizei-a. — Pelo contrário, eu que estou sendo rude, terrivelmente rude. Desculpe.

Você vai voltar para casa, não vai?, pensou ela.

— Ainda não... ainda não me decidi sobre isso.

Mas você não vai ficar aqui. Seu pensamento ficou melancólico.

— Não. Não parece estar... ajudando.

Seus lábios formaram um beicinho.

— A culpa é minha, não é?

— Claro que não.

Ela não havia facilitado as coisas, é claro, mas o rosto que me assombrava era o único impedimento real.

Não precisa ser um cavalheiro, Edward.

Sorri.

Eu deixo você desconfortável, declarou ela.

— Não.

Tanya ergueu uma das sobrancelhas, a expressão tão incrédula que tive que rir. Uma risada curta, seguida por outro suspiro.

— Tudo bem — admiti. — Um pouco.

Ela suspirou também e apoiou o queixo nas mãos.

— Você é mil vezes mais linda do que as estrelas, Tanya — falei. — Claro que já sabe muito bem disso. Por favor, não deixe minha teimosia minar sua confiança.

Eu ri ao pensar em como *isso* seria improvável.

— Não estou acostumada a ser rejeitada — resmungou ela, o lábio inferior se projetando em um biquinho sedutor.

— Claro que não — concordei, tentando com pouco sucesso bloquear seus pensamentos enquanto ela se perdia momentaneamente nas lembranças de milhares de conquistas bem-sucedidas.

Tanya preferia homens humanos; estavam em maior número, para início de conversa, e tinham a vantagem de serem macios e quentes. E estavam sempre dispostos, sem dúvida.

— Súcubo — provoquei, na esperança de interromper as imagens passando por sua mente.

Ela sorriu, mostrando os dentes.

— A própria.

Ao contrário de Carlisle, Tanya e as irmãs tinham demorado para desenvolver aquela consciência. No fim, foi o amor aos humanos que fez com que pusessem um ponto final no massacre. Dali por diante, os homens que elas amavam... passaram a viver.

— Quando você apareceu aqui — disse Tanya devagar —, eu achei que...

Eu sabia o que ela havia achado. E deveria ter imaginado que ela se sentiria daquela forma. Mas meu raciocínio não estava em seu melhor momento quando tomei a decisão de ir para lá.

— Você achou que eu tinha mudado de ideia.

— Achei.

Ela fez uma careta.

— Eu me sinto péssimo por alimentar falsas esperanças, Tanya. Não foi minha intenção, eu... Eu não estava pensando com clareza. Saí com muita pressa.

— E imagino que você não pretenda me contar por quê...

Sentei-me e cruzei os braços, os ombros rígidos.

— Prefiro não falar sobre o assunto. Por favor, perdoe minha discrição.

Ela ficou em silêncio outra vez, ainda especulando. Eu a ignorei, tentando em vão apreciar as estrelas.

Ela desistiu após alguns instantes, e seus pensamentos seguiram uma nova direção.

Para onde você vai, Edward, se for embora? Vai voltar para Carlisle?

— Acho que não — sussurrei.

Para onde eu iria? Não conseguia pensar em um único lugar no planeta inteiro que me interessasse. Não havia nada que eu quisesse ver ou fazer. Porque não importava para onde fosse, eu não estaria *indo* a lugar nenhum... Estaria apenas *fugindo*.

Eu odiava isso. Quando foi que me tornei tão covarde?

Tanya passou o braço fino pelos meus ombros. Enrijeci, mas não rejeitei seu toque. Sua intenção era oferecer um conforto amigável. Pelo menos, em grande parte.

— Acho que você *vai* voltar — disse ela, com apenas um leve resquício do sotaque russo havia muito perdido. — Não importa o que... ou quem... estiver assombrando você. Vai encarar a situação de frente. Você é assim.

Seus pensamentos tinham a mesma confiança de suas palavras. Tentei abraçar a visão de mim mesmo que ela enxergava. Alguém que encara as situações de frente. Era agradável me imaginar assim outra vez. Eu nunca tinha duvidado da minha coragem, da minha capacidade de enfrentar as dificuldades, até aquele momento terrível em uma aula de biologia do ensino médio.

Beijei sua bochecha, me afastando rapidamente quando ela virou o rosto para o meu. Ela abriu um sorriso contrariado diante da minha reação.

— Obrigado, Tanya. Eu precisava ouvir isso.

Seus pensamentos se tornaram petulantes.

— De nada, eu acho. Queria que você fosse mais sensato, Edward.

— Desculpe, Tanya. Você sabe que é boa demais para mim. Eu só... ainda não encontrei o que estou procurando.

— Bem, se você for embora antes de nos encontrarmos de novo... Adeus, Edward.

— Adeus, Tanya. — Conforme eu dizia essas palavras, visualizei aquela cena. Me vi indo embora. Sendo forte o suficiente para voltar ao único lugar onde eu queria estar. — Mais uma vez, obrigado.

Ela se pôs de pé em um movimento ágil e então fugiu, atravessando a neve com tanta rapidez que seus pés nem tiveram tempo de afundar. Ela não deixou pegadas. Não olhou para trás. Minha rejeição a incomodava mais do que deixara transparecer, mesmo em seus pensamentos. Ela não queria me ver de novo antes de eu ir embora.

Minha boca se contorceu. Eu não gostava de magoar Tanya, embora seus sentimentos não fossem profundos, muito menos puros e, de qualquer maneira, eu não pudesse retribuí-los. Ainda assim, eu não me sentia um cavalheiro.

Apoiei o queixo nos joelhos e olhei para as estrelas de novo, embora, de repente, estivesse ansioso para ir embora. Eu sabia que Alice me veria voltar para casa, que ela contaria aos outros. Isso os deixaria felizes, em especial Carlisle e Esme. Mas olhei para as estrelas por mais um instante, tentando ver além do rosto em minha mente. Entre mim e as luzes brilhantes no céu, um par de olhos castanhos perplexos se questionava sobre meus motivos, parecendo perguntar o que essa decisão significaria para *ela*. Claro que eu não tinha certeza de que essas eram de fato as informações que seus olhos curiosos buscavam. Mesmo na minha imaginação, eu não ouvia seus pensamentos. Os olhos de Bella Swan continuaram me questionando, e uma vista perfeita das estrelas permaneceu impossível. Suspirando fundo, desisti e me levantei. Se eu corresse, estaria junto de Carlisle em menos de uma hora.

Com pressa de rever minha família — e querendo muito ser o Edward que encarava as situações de frente —, corri pelo campo coberto de neve e iluminado pelas estrelas, sem deixar pegadas.

— Vai ficar tudo bem — disse Alice, baixinho.

Seus olhos não estavam focados em nada, e Jasper segurava seu cotovelo, guiando-a ao entrarmos no refeitório, muito próximos uns dos outros. Rosalie e Emmett iam na frente, e por mais ridículo que fosse Emmett parecia um guarda-costas no meio de um território hostil. Rose também agia com cautela, só que sua postura era muito mais irritada do que protetora.

— Claro que vai — resmunguei.

O comportamento deles era absurdo. Se eu não acreditasse que seria capaz de lidar com aquilo, teria ficado em casa.

Nossa manhã tinha sido normal e até divertida. Havia nevado durante a noite, e Emmett e Jasper tinham aproveitado minha distração para me bombardear com bolas de neve; quando ficaram entediados com minha falta de reação, eles se voltaram um contra o outro. Mas a mudança repentina para aquela vigilância exagerada teria sido cômica se não fosse tão irritante.

— Ela ainda não chegou, mas, pelo lado que vai entrar, não deve ficar a favor do vento se nos sentarmos no nosso lugar de sempre.

— É claro que vamos nos sentar no nosso lugar de sempre. Pare com isso, Alice. Você está me dando nos nervos. Eu vou ficar bem.

Ela piscou uma vez quando Jasper a ajudou a se sentar e seus olhos finalmente focaram meu rosto.

— Hmm... — disse ela, parecendo surpresa. — Acho que você está certo.

— *Claro* que estou — murmurei.

Eu odiava ser o foco da preocupação deles. Senti uma súbita compaixão por Jasper, lembrando-me de todas as vezes que o cercamos dessa forma superprotetora. Ele encontrou meu olhar por um instante e sorriu.

Irritante, não é?

Olhei feio para ele.

Como era possível que apenas uma semana antes aquele refeitório comprido e sem graça me parecesse tão chato? Que estar aqui fosse quase como dormir, como estar em coma?

Meus nervos estavam à flor da pele, tensos como cordas de piano, prestes a soar diante de qualquer pressão. Meus sentidos estavam em alerta; eu examinava cada som, cada cena, cada corrente de ar que tocava minha pele, cada pensamento. Sobretudo os pensamentos. Havia apenas um sentido que eu mantinha inativo, que me recusava a usar. O olfato, é claro. Eu não estava respirando.

Eu esperava ouvir mais sobre os Cullen nos pensamentos que estava examinando. Tinha passado o dia todo esperando, à procura do novo conhecido para quem Bella Swan pudesse ter confidenciado algo, tentando ver a direção que as novas fofocas tomariam. Mas não havia nada. Ninguém tinha reparado especificamente nos cinco vampiros no refeitório, como acontecia antes de a garota chegar. Vários humanos ainda pensavam nela, ruminando os mesmos pensamentos da semana passada. Em vez de achar isso uma chatice descomunal, dessa vez eu estava fascinado.

Ela não tinha falado sobre mim para ninguém?

Não havia como ela não ter notado meu olhar sombrio e assassino. Eu tinha visto a reação dela. Sem dúvida, traumatizada. Eu estava convencido de que Bella mencionara o ocorrido a alguém, talvez até tivesse exagerado um pouco a história para melhorá-la. Eu ganharia algumas falas ameaçadoras.

E ela também tinha me visto tentando sair da aula de biologia que fazíamos juntos. Bella devia ter se perguntado, depois de ver minha expressão, se fora ela quem a provocara. Uma garota normal teria feito perguntas, comparado sua experiência com a de outras pessoas, procurado algo em comum que explicasse meu comportamento, para que ela não se sentisse diferente. Os seres humanos estavam sempre desesperados para se sentirem normais, para se encaixarem, para se misturarem a todos ao seu redor, feito um rebanho de ovelhas. Essa necessidade era ainda mais forte durante os anos inseguros da adolescência. Essa garota não seria exceção à regra.

Mas ninguém reparou em nosso grupo sentado ali, na mesa de sempre. Bella devia ser excepcionalmente tímida se não havia contado a ninguém. Talvez tivesse falado com o pai; talvez esse fosse seu relacionamento mais forte... embora parecesse improvável, afinal ela havia passado tão pouco tempo com ele durante a vida. Ela seria mais próxima da mãe. Ainda assim, em breve eu teria que passar pelo chefe Swan e ouvir o que ele estava pensando.

— Alguma novidade? — perguntou Jasper.

Eu me concentrei, permitindo que todos os pensamentos invadissem minha mente de novo. Nada me chamou atenção; ninguém estava pensando em nós. Apesar de todo o meu questionamento anterior, não parecia haver nada de errado com minhas habilidades, exceto pela garota silenciosa. Eu tinha dividido minhas preocupações com Carlisle ao voltar, mas ele só ouvira falar de talentos que aumentavam com a prática, e não que se atrofiavam.

Jasper esperou minha resposta, impaciente.

— Nada. Ela... não deve ter falado nada.

Todos ergueram as sobrancelhas ao ouvir a notícia.

— Talvez você não seja tão assustador quanto pensa — disse Emmett, rindo. — Aposto que *eu* a teria assustado bem mais.

Revirei os olhos.

— Faz ideia do motivo...? — perguntou ele, se referindo à minha revelação sobre o silêncio incomum da garota.

— Nós já discutimos isso. Eu *não* sei.

— Ela está chegando — murmurou Alice. Fiquei imóvel. — Tentem parecer humanos.

— Humanos, é? — perguntou Emmett.

Ele ergueu o punho direito, virando os dedos para revelar a bola de neve que trazia escondida na palma da mão. Não havia derretido; ele a moldara em um bloco de gelo irregular. Estava olhando para Jasper, mas vi a direção de seus pensamentos. Alice também, é claro. Quando ele jogou o pedaço de gelo em sua direção, ela o afastou para longe com um gesto casual. O gelo ricocheteou até o outro lado do refeitório, rápido demais para ser visto por olhos humanos, e quebrou com um estrondo ao atingir a parede de tijolos. O tijolo também rachou.

As cabeças naquele canto do refeitório se viraram na direção da pilha de gelo quebrado no chão e então começaram a procurar o responsável. Mas não foram além de algumas poucas mesas de distância. Ninguém olhou para nós.

— Muito humano, Emmett — disse Rosalie em tom irônico. — Por que não aproveita e quebra a parede com um soco?

— Seria mais impressionante se você fizesse isso, linda.

Tentei prestar atenção neles, mantendo o sorriso como se eu fosse parte da brincadeira. Não me permiti olhar para a fila onde sabia que ela estava parada. Mas eu só ouvia os pensamentos vindos dali.

Ouvi a impaciência de Jessica com a garota nova, que também parecia distraída, parada na fila que tinha começado a andar. Vi nos pensamentos de Jessica que as bochechas de Bella Swan estavam coradas mais uma vez.

Inspirei um pouco de ar, o mais rápido que pude, pronto para prender o fôlego caso qualquer indício de seu cheiro tocasse o ar perto de mim.

Mike Newton estava junto das duas. Ouvi as vozes dele, a mental e a verbal, quando perguntou a Jessica qual era o problema com a menina Swan. Era desagradável como seus pensamentos giravam em torno dela, o lampejo de fantasias já estabelecidas que nublavam sua mente enquanto ele a observava se sobressaltar e sair de seu devaneio, como se tivesse esquecido que ele estava ali.

— Nada — disse Bella, com sua voz calma e clara. Parecia ressoar por cima do burburinho do refeitório, mas eu sabia que era só porque eu estava ouvindo com toda a atenção. — Só vou querer refrigerante hoje — continuou ela, voltando a acompanhar a fila.

Não resisti e olhei na direção dela. Bella estava fitando o chão, aos poucos seu rosto voltava à cor normal. Desviei o olhar rapidamente para Emmett, que riu da minha expressão ao mesmo tempo sorridente e sofrida.

Você está parecendo doente, irmão.

Controlei minhas feições para que minha expressão parecesse descontraída e despreocupada.

Jessica estava comentando em voz alta sobre a falta de apetite da garota.

— Não está com fome?

— Na verdade, estou meio enjoada. — Sua voz estava mais baixa, porém ainda bem audível.

Por que fiquei incomodado com a preocupação que de repente tomou os pensamentos de Mike Newton? E daí se havia certa possessividade neles? Não era da minha conta se Mike Newton sentia uma preocupação desnecessária por Bella. Talvez fosse a reação de todos em relação a ela. Eu também não quis, instintivamente, protegê-la? Quer dizer, antes de querer matá-la?

Mas *será* que Bella estava doente?

Era difícil dizer. Ela parecia tão frágil com sua pele quase transparente... Então percebi que estava preocupado, assim como aquele garoto idiota, e me forcei a não pensar na saúde dela.

De qualquer maneira, eu não estava gostando de monitorá-la pelos pensamentos de Mike. Mudei para os de Jessica, observando com toda a atenção enquanto os três decidiam onde sentar. Felizmente, optaram pelos companheiros habituais de Jessica, em uma das primeiras mesas do refeitório. Não estavam a favor do vento, como Alice prometera.

Alice me deu uma cotovelada. *Ela vai olhar daqui a pouco. Aja como um humano.*

Abri um sorriso contrariado, com os dentes cerrados.

— Relaxa, Edward — disse Emmett. — Sério, e daí se você matar *uma* humana? Não é o fim do mundo.

— Você sabe bem disso — murmurei.

Emmett riu.

— Você precisa aprender a superar as coisas. Que nem eu. A eternidade é longa demais para viver se culpando.

Nesse momento, Alice pegou um pouco do gelo que estivera escondendo e jogou no rosto de Emmett, que foi pego desprevenido.

Ele piscou, surpreso, e depois sorriu com expectativa.

— Agora é guerra — disse, debruçando-se na mesa e balançando o cabelo coberto de gelo na direção dela.

A neve começou a derreter no refeitório aquecido e voou de seu cabelo em uma chuva de pedacinhos de gelo.

— Eca! — reclamou Rose quando ela e Alice se encolheram diante do dilúvio.

Alice riu, e todos nos juntamos a ela. Vi em sua mente que Alice havia orquestrado com perfeição aquele momento, e eu soube então que a garota — eu deveria parar de pensar nela assim, como se fosse a única do mundo —, *Bella*, estaria nos observando rir e brincar, parecendo tão felizes, humanos e irrealisticamente perfeitos quanto uma pintura de Norman Rockwell.

Alice continuou rindo e ergueu a bandeja como um escudo. A garota — Bella — ainda devia estar olhando para nós.

... olhando para os Cullen de novo, pensou alguém, chamando minha atenção.

Olhei automaticamente na direção daquele chamado não intencional, sem dificuldades para reconhecer a voz quando meus olhos encontraram a fonte. Eu tinha passado muito tempo ouvindo-a hoje.

Mas meus olhos passaram direto por Jessica e se concentraram no olhar penetrante de Bella.

Ela olhou para baixo na mesma hora, escondendo-se atrás do cabelo grosso mais uma vez.

O que ela estava pensando? A frustração parecia ficar mais intensa com o passar do tempo, em vez de diminuir. Tentei — hesitante, pois nunca tinha feito isso — sondar o silêncio ao redor dela com minha mente. Minha audição extra sempre foi algo natural, sem qualquer intenção. Nunca tive que me esforçar. Mas me concentrei, tentando romper qualquer armadura que a cercasse.

Nada além de silêncio.

O que essa garota tem de tão *especial?*, pensou Jessica, ecoando minha irritação.

— Edward Cullen está olhando para você — sussurrou ela no ouvido da menina Swan, com uma risadinha.

Não havia qualquer indício de irritação ou ciúme em seu tom de voz. Jessica parecia ser boa em fingir amizade.

Escutei, com um excesso de atenção, a resposta da garota.

— Ele não parece estar com raiva, parece? — sussurrou ela de volta.

Então ela *tinha* notado minha reação selvagem na semana passada. Claro que sim.

A pergunta confundiu Jessica. Vi meu rosto em seus pensamentos quando ela conferiu minha expressão, mas não fiz contato visual. Eu ainda estava concentrado na garota, tentando ouvir *alguma coisa*. Mas toda aquela concentração não parecia ajudar em nada.

— Não — respondeu Jessica, e eu soube que ela queria poder dizer sim. O fato de eu ter olhado para Bella claramente a irritava, embora não houvesse qualquer sinal disso em sua voz. — Deveria estar?

— Acho que ele não gosta de mim — sussurrou a garota, apoiando a cabeça no braço como se estivesse cansada de repente.

Tentei decifrar o gesto, mas só me restavam palpites. Talvez ela estivesse *mesmo* cansada.

— Os Cullen não gostam de ninguém — tranquilizou-a Jessica. — Bom, eles não percebem a presença de ninguém para gostar. — *Pelo menos, não costumavam perceber*. O pensamento dela era uma queixa. — Mas ele ainda está olhando para você.

— Pare de olhar para ele — disse a garota em um tom ansioso, erguendo a cabeça para ter certeza de que Jessica obedeceria à ordem.

Jessica riu, mas fez o que ela pediu.

Bella não desviou o olhar da mesa em que estava até o fim do horário de almoço. Imaginei — embora, é claro, não pudesse ter certeza — que fosse algo deliberado. Parecia que ela queria olhar para mim. Seu corpo se virava de leve na minha direção, o queixo começava a girar, e então ela parava, respirava fundo e olhava fixamente para quem estivesse falando.

Ignorei a maior parte dos outros pensamentos ao redor da garota, porque não eram, no momento, sobre ela. Mike Newton estava planejando uma guerra de bolas de neve no estacionamento depois da aula, parecendo não perceber que a neve já havia se transformado em chuva. O impacto dos flocos macios caindo no telhado tinha mudado para o tamborilar mais comum das gotas de chuva. Ele realmente não tinha escutado a mudança? Parecia tão óbvia para mim.

Quando o horário do almoço acabou, continuei sentado à mesa. Os humanos saíram, e eu fiquei tentando distinguir a diferença entre o som dos passos dela e o dos demais, como se houvesse algo importante ou incomum neles. Que estupidez.

Minha família também não fez menção de sair. Estavam esperando para ver o que eu faria.

Será que eu deveria ir para a aula e sentar-me ao lado da garota, onde eu sentiria o cheiro absurdamente potente de seu sangue e o calor de sua pulsação no ar envolvendo minha pele? Será que eu era forte o bastante para isso? Ou já tivera o suficiente por um dia?

Já havíamos discutido esse momento em família. Carlisle não aprovava o risco, mas não ia me impor sua vontade. Jasper desaprovava tanto quanto ele, porém mais por medo de nos expor do que por se importar com os humanos. A única preocupação de Rosalie era como isso poderia afetar sua vida. Já Alice viu tantos futuros obscuros e conflitantes que, estranhamente, suas visões pareceram até mesmo inúteis. Esme acreditava que eu não poderia fazer nada de errado. E Emmett só queria comparar a situação a suas histórias envolvendo aromas particularmente atraentes. Ele dividiu suas recordações com Jasper, mas o histórico de autocontrole de Jasper era tão curto e instável que ele não tinha certeza de um dia já ter enfrentado uma situação como aquela. Emmett, por outro lado, se lembrou de dois incidentes parecidos. Suas lembranças não eram nada animadoras. No entanto, ele era mais jovem na época, tinha pouca familiaridade com o autocontrole, e certamente eu era mais forte.

— Eu... *acho* que não tem problema — disse Alice, hesitante. — Você está decidido. *Acho* que vai aguentar mais uma hora.

Mas Alice sabia bem a rapidez com que uma pessoa poderia mudar de ideia.

— Por que forçar a barra, Edward? — perguntou Jasper. Embora ele não quisesse parecer presunçoso por eu ser o mais fraco agora, em seus pensamentos ele se sentia assim, só um pouco. — Volte para casa. Vá com calma.

— Qual é o problema? — interpôs Emmett. — Ou ele vai matar a garota ou não vai. É melhor acabar logo com isso, de um jeito ou de outro.

— Eu não quero me mudar ainda — reclamou Rosalie. — Não quero começar de novo. Estamos quase terminando o ensino médio, Emmett. *Finalmente.*

Eu também estava dividido. Queria muito encarar isso de frente, em vez de fugir de novo. Mas também não queria ir longe demais. Na semana passada, tinha sido um erro Jasper ficar tanto tempo sem caçar; será que agora eu estava cometendo o mesmo erro?

Eu não queria forçar minha família a se mudar. Nenhum deles ficaria feliz comigo se isso acontecesse.

Mas queria ir para a aula de biologia. Percebi que queria ver o rosto dela outra vez.

Foi isso que decidiu por mim. A curiosidade. Eu sentia raiva por estar curioso. Não havia prometido a mim mesmo que não deixaria o silêncio da mente de Bella despertar um interesse injustificável em mim? E, no entanto, ali estava eu, com um interesse injustificável.

Eu queria saber o que ela estava pensando. Sua mente estava fechada, mas seus olhos eram muito cristalinos. Talvez eu pudesse lê-los.

— Não, Rose, acho que vai ficar tudo bem — repetiu Alice. — Está se... firmando. Tenho noventa e três por cento de certeza de que nada de ruim vai acontecer se Edward for para a aula. — Ela olhou para mim, curiosa, perguntando-se o que havia mudado em meus pensamentos para tornar sua visão do futuro mais segura.

Será que a curiosidade bastaria para manter Bella Swan viva?

Mas Emmett estava certo. Por que não acabar logo com aquilo, de um jeito ou de outro? Eu enfrentaria a tentação.

— Vão para a aula — ordenei, afastando-me da mesa.

Fui embora sem olhar para trás. Ouvi a preocupação de Alice, a censura de Jasper, a aprovação de Emmett e a irritação de Rosalie às minhas costas.

Respirei fundo uma última vez diante da porta da sala de aula e prendi o ar em meus pulmões enquanto adentrava o espaço pequeno e quente.

Eu não estava atrasado. O Sr. Banner ainda preparava tudo para o laboratório do dia. A garota estava sentada na minha... na *nossa* mesa, o rosto voltado para baixo de novo, olhando para o caderno em que estava rabiscando.

Examinei o esboço ao me aproximar, interessado até naquela criação trivial de sua mente, mas não havia qualquer significado especial. Eram apenas rabiscos aleatórios, curvas dentro de curvas. Talvez ela não estivesse se concentrando no padrão, mas pensando em outra coisa...

Puxei minha cadeira para trás com mais força que o necessário, deixando-a arrastar no piso. Os humanos sempre ficavam mais confortáveis quando o barulho anunciava a chegada de alguém.

Eu sabia que ela me ouvira; Bella não olhou para cima, mas sua mão hesitou numa das curvas que estava desenhando, tornando-as despadronizadas.

Por que ela não queria olhar para mim? Devia estar assustada. Eu precisava deixá-la com uma boa impressão daquela vez. Fazê-la pensar que tinha imaginado coisas no outro dia.

— Oi — falei, na voz calma que eu usava quando queria deixar os humanos mais à vontade, abrindo um sorriso educado sem mostrar os dentes.

Ela olhou para cima, os grandes olhos castanhos assustados e cheios de perguntas. Era a mesma expressão que vinha obstruindo minha visão desde a semana anterior.

Enquanto eu olhava para aqueles olhos castanhos estranhamente profundos — a cor era a mesma do chocolate ao leite, mas a clareza era mais parecida com a do chá preto; havia profundidade e transparência; perto das pupilas, vi pequenas manchas de verde-ágata e caramelo —, percebi que meu ódio, o ódio que imaginei que essa garota merecia de alguma forma apenas por existir, tinha evaporado. Sem respirar, sem sentir o cheiro dela, achei difícil acreditar que alguém tão vulnerável merecesse tal sentimento.

As bochechas dela começaram a corar e ela não respondeu.

Mantive os olhos fixos nos dela, focando apenas em sua profundidade curiosa, e tentei ignorar a cor apetitosa de sua pele. Eu tinha fôlego suficiente para falar um pouco mais sem respirar.

— Meu nome é Edward Cullen — falei, embora ela já soubesse. Era a forma mais educada de começar aquela conversa. — Não tive a oportunidade de me apresentar na semana passada. Você deve ser Bella Swan.

Ela pareceu confusa; lá estava aquele franzido discreto entre seus olhos outra vez. Bella levou meio segundo a mais do que deveria para responder.

— Co-como você sabe meu nome? — questionou ela, a voz um pouco trêmula.

Devo tê-la assustado de verdade, e isso fez com que eu me sentisse culpado. Dei um risinho; era um som que eu sabia que deixava os humanos mais à vontade.

— Ah, acho que todo mundo sabe seu nome. — Sem dúvida ela devia ter percebido que se tornara o centro das atenções naquela escola monótona. — A cidade toda estava esperando você chegar.

Ela franziu a testa, como se aquela informação fosse desagradável. Sendo tímida como parecia ser, supus que a atenção seria considerada ruim. A maioria dos humanos sentia o contrário. Ao mesmo tempo que não queriam se destacar do rebanho, muitos almejavam ter algum reconhecimento por sua singularidade.

— Não — disse ela. — Quer dizer, por que me chamou de Bella?

— Prefere Isabella? — perguntei, perplexo por não saber aonde aquela conversa ia chegar.

Fiquei sem entender. Ela deixara sua preferência clara várias vezes naquele primeiro dia. Será que eu acharia todos os humanos igualmente incompreensíveis sem ter acesso a seus pensamentos para servir de guia? Pelo visto, eu devia confiar muito no meu sentido extra. Será que ficaria completamente às cegas sem ele?

— Não, gosto de Bella — respondeu ela, inclinando de leve a cabeça para o lado. Sua expressão, se eu a estava interpretando corretamente, estava dividida entre vergonha e confusão. — Mas acho que Charlie... quer dizer, meu pai... deve me chamar de Isabella pelas minhas costas... É como todo mundo aqui me conhece.

Sua pele ficou um tom mais rosado.

— Ah — falei, sem saber o que dizer, e desviei o olhar do rosto dela.

Tinha acabado de perceber o que as perguntas dela significavam: que eu havia cometido um deslize, um erro. Se não estivesse espionando os outros naquele primeiro dia, a teria chamado de Isabella. E ela percebeu.

Senti uma pontada de desconforto. Foi muito perspicaz da parte dela reparar no meu deslize. Muito astuto, ainda mais para alguém que deveria estar aterrorizada perto de mim.

Mas eu tinha problemas maiores do que quaisquer suspeitas que ela pudesse ter sobre mim escondidas nas profundezas de sua mente.

Eu estava sem ar. Se fosse falar com ela de novo, teria que respirar.

Seria difícil ficar sem falar. Infelizmente para Bella, dividir a mesa comigo a transformava na minha dupla de laboratório, e teríamos que trabalhar juntos. Seria estranho — e uma grosseria imensa — se eu a ignorasse enquanto fazíamos o experimento. Isso a deixaria mais desconfiada, com mais medo.

Eu me afastei o máximo possível sem sair da minha cadeira, virando o rosto para o corredor. Eu me preparei, travando meus músculos, e então enchi o peito de ar, respirando apenas pela boca.

Ahh!

Foi excruciante, como se eu estivesse engolindo brasas. Mesmo sem cheirá-la, eu sentia seu gosto em minha língua. O desejo era tão forte quanto no primeiro instante em que senti seu cheiro na semana passada.

Cerrei os dentes e tentei me recompor.

— Podem começar — ordenou o Sr. Banner.

Precisei de todo o autocontrole que cultivei ao longo de setenta e quatro anos de trabalho árduo para me virar para a garota, que estava encarando a mesa, e sorrir.

— Primeiro as damas, parceira? — sugeri.

Ela olhou para mim, e seu rosto ficou impenetrável. Havia alguma coisa errada? Nos olhos dela, vi o reflexo da minha expressão habitual de quando queria me mostrar amigável aos humanos. A farsa parecia perfeita. Ela estava com medo de novo? Bella não respondeu.

— Ou eu posso começar, se preferir — falei baixinho.

— Não — disse ela, e seu rosto passou de pálido para vermelho de novo. — Eu começo.

Olhei para o equipamento na mesa — o microscópio velho, a caixa de lâminas — em vez de observar o fluxo de sangue aumentar e diminuir sob a pele clara dela. Inspirei rapidamente pela boca e estremeci quando o gosto queimou o fundo da minha garganta.

— Prófase — disse Bella após um rápido exame.

Ela começou a remover a lâmina, embora mal a tivesse examinado.

— Importa-se se eu olhar?

Instintivamente — estupidamente, como se eu fosse um deles — estendi a mão para impedi-la de remover a lâmina. Por um segundo, o calor de sua pele ardeu na minha. Foi como um pulso elétrico; o calor atravessou meus dedos e subiu pelo braço. Ela puxou a mão para longe.

— Desculpe — murmurei. Precisando olhar para algum lugar, peguei o microscópio e olhei de relance. Ela estava certa. — Prófase.

Eu ainda estava agitado demais para encará-la. Respirando o mais silenciosamente possível e tentando ignorar a sede queimando a garganta, concentrei-me na tarefa da aula, escrevendo a palavra na linha certa do relatório de laboratório e depois trocando a primeira lâmina pela segunda.

O que ela estava pensando naquele instante? Como foi para ela quando toquei sua mão? Minha pele devia estar gelada... repulsiva. Não era à toa que ela estava tão quieta.

Olhei para a lâmina.

— Anáfase — falei para mim mesmo enquanto escrevia na segunda linha.

— Posso? — pediu ela.

Ergui os olhos, e foi uma surpresa encontrá-la esperando, a mão estendida para o microscópio. Ela *não parecia* estar com medo. Achava mesmo que eu tinha errado a resposta?

Não pude deixar de sorrir diante daquela expressão esperançosa enquanto empurrava o microscópio em sua direção.

Ela olhou pela ocular com uma ansiedade que logo desapareceu. Os cantos da boca se voltaram para baixo.

— Lâmina três? — pediu, sem erguer os olhos do microscópio, estendendo a mão.

Deixei a próxima lâmina cair em sua palma, dessa vez evitando encostar nela. Estar sentado ao seu lado era como estar perto de uma lâmpada de aquecimento. Eu sentia a temperatura do meu corpo aumentando um pouco.

Ela não olhou para a lâmina por muito tempo.

— Intérfase — disse a garota com indiferença, talvez se esforçando um pouco para passar essa impressão, e empurrou o microscópio para mim.

Ela não tocou no relatório, esperando que eu escrevesse a resposta. Verifiquei. Ela estava certa de novo.

Terminamos o experimento assim, falando uma palavra de cada vez, sem nos encararmos. Nós éramos os únicos; os outros alunos estavam tendo mais dificuldade com a tarefa. Mike Newton parecia estar com problemas para se concentrar, distraído observando Bella e eu.

Quem me dera ele não tivesse voltado, pensou Mike, com um olhar raivoso.

Interessante. Eu não tinha percebido qualquer má vontade do garoto em relação a mim antes. Era uma novidade, tão recente quanto a chegada da garota, ao que parecia. Ainda mais interessante, descobri — para minha surpresa — que o sentimento era mútuo.

Olhei para Bella de novo, perplexo com o grande número de reviravoltas e confusões que, apesar de sua aparência comum e pouco ameaçadora, ela estava provocando em minha vida.

Não era que eu não conseguisse entender o que Mike via nela. A garota era até bonita para uma humana, de um jeito incomum. Melhor do que belo, seu rosto era... inesperado. Não era tão simétrico: seu queixo estreito não combinava com as maçãs do rosto largas; a pele clara e o cabelo escuro eram extremos contrastantes; e então havia os olhos grandes demais para o rosto, repletos de segredos silenciosos...

Olhos que de repente encaravam os meus.

Olhei para ela, tentando adivinhar ao menos um desses segredos.

— Você usa lentes de contato? — perguntou ela de repente.

Que pergunta estranha.

— Não.

Quase sorri diante da ideia de melhorar a *minha* visão.

— Ah — murmurou ela. — Pensei ter visto alguma coisa diferente nos seus olhos.

Subitamente, gelei de novo quando percebi que não era o único ali tentando desvendar segredos.

Dei de ombros, os músculos rígidos, e olhei para a frente, para o professor dando uma volta pela sala.

É claro que havia algo diferente nos meus olhos desde a última vez que ela os vira. A fim de me preparar para a provação, a tentação de hoje, passei o fim de semana inteiro caçando, saciando minha sede o máximo possível, e cheguei até a exagerar um pouco. Eu me fartei do sangue de animais; não que isso fizesse muita diferença diante do sabor ultrajante que flutuava no ar ao redor dela. Quando a olhei feio no outro dia, meus olhos estavam escuros de sede. Agora meu corpo estava cheio de sangue, e meus olhos ganharam um tom mais quente, cor de âmbar.

Outro deslize. Se eu tivesse percebido aonde ela queria chegar com a pergunta, teria apenas respondido que sim.

Já fazia dois anos que eu me sentava ao lado de humanos naquela escola, e ela foi a primeira a me examinar com atenção suficiente para notar a mudança na cor dos meus olhos. Os outros, embora admirassem a beleza da minha família, tendiam a desviar o olhar rapidamente quando os encarávamos. Eles mantinham distância, sem reparar nos detalhes da nossa aparência, em um esforço instintivo para se impedirem de entender a verdade. A ignorância era uma bênção para a mente humana.

Por que *essa* garota tinha que enxergar coisas demais?

O Sr. Banner se aproximou da nossa mesa. Grato, inspirei o ar limpo que ele trouxe consigo antes que se misturasse ao cheiro dela.

— Então, Edward — disse ele, olhando nossas respostas. — Não acha que Isabella deveria ter a chance de usar o microscópio?

— Bella — corrigi automaticamente. — Na verdade, ela identificou três das cinco lâminas.

Os pensamentos de Banner estavam céticos quando se virou para a garota.

— Já fez essa experiência de laboratório antes?

Observei, absorto, enquanto ela sorria, parecendo um pouco envergonhada.

— Não com raiz de cebola.

— Blástula de linguado? — questionou o Sr. Banner.

— Foi.

Isso o surpreendeu. Havia tirado o experimento da aula do material do terceiro ano. Ele assentiu, pensativo.

— Você estava em algum curso avançado em Phoenix?

— Estava.

Ela era inteligente para uma humana, então. Isso não me surpreendeu.

— Bem — disse o Sr. Banner, contraindo os lábios. — Acho que é bom que os dois sejam parceiros de laboratório. — Ele se virou e se afastou, resmungando baixinho: — Assim os outros alunos têm chance de aprender alguma coisa.

Eu duvidava de que Bella tivesse ouvido essa parte. Ela voltou a rabiscar em seu caderno.

Até agora, dois deslizes em meia hora. Um desempenho péssimo da minha parte. Embora eu não tivesse ideia do que a garota estava pensando de mim — quanto ela temia, quanto suspeitava? —, eu sabia que precisava me esforçar mais para causar uma boa impressão. Precisava acalmar as memórias do nosso último encontro feroz.

— Que chato aquela neve, não é? — falei, repetindo a conversa fiada que já tinha ouvido entre vários estudantes.

Clima, um assunto chato e batido. Sempre seguro.

Ela olhou para mim, a incerteza óbvia em seus olhos, uma reação anormal às minhas palavras muito normais.

— Na verdade, não.

Tentei manter a conversa banal. Ela vinha de um lugar muito mais ensolarado e quente — sua pele parecia refletir isso de alguma forma, apesar da palidez —, então o frio devia deixá-la desconfortável. Meu toque gelado sem dúvida tinha deixado.

— Você não gosta do frio — adivinhei.

— Nem da umidade — concordou ela.

— Forks deve ser um lugar difícil para você morar.

Talvez você não devesse ter vindo para cá, quis acrescentar. *Talvez seja melhor você voltar.*

Eu não tinha certeza se de fato queria isso. Sempre me lembraria do cheiro do seu sangue. E havia alguma garantia de que eu não acabaria indo atrás dela? Além disso, se Bella fosse embora, sua mente permaneceria para sempre um mistério, um quebra-cabeça irritante me atormentando.

— Nem faz ideia — disse ela em voz baixa, com uma careta, olhando para algum ponto às minhas costas.

Suas respostas nunca eram o que eu esperava. Elas me davam vontade de fazer mais perguntas.

— Então por que veio para cá? — questionei, logo percebendo que meu tom era muito acusatório, pouco casual para a conversa. A pergunta soava grosseira, intrometida.

— É... complicado.

Ela piscou, deixando por isso mesmo, e quase implodi de curiosidade; naquele segundo, o sentimento ardeu de forma quase tão incandescente quanto a sede em minha garganta. Descobri, inclusive, que estava ficando um pouco mais fácil respirar, a agonia se tornando um pouco mais suportável devido à familiaridade.

— Acho que posso aguentar — insisti.

Talvez ela continuasse respondendo às minhas perguntas por educação, desde que eu fosse indelicado o suficiente para fazê-las.

Ela olhou para as mãos em silêncio. Isso me deixou impaciente. Eu queria colocar a mão sob seu queixo e levantar seu rosto para ler seus olhos. Mas é claro que eu nunca mais poderia tocar em sua pele.

Ela olhou para cima de repente. Foi um alívio ver as emoções em seus olhos. Bella respondeu com pressa, atropelando as palavras.

— Minha mãe se casou de novo.

Ah, isso era humano o suficiente, fácil de entender. A tristeza tomou seu rosto, trazendo o franzido discreto àquele ponto entre as sobrancelhas.

— Isso não parece tão complexo — falei, minha voz gentil sem que eu precisasse me esforçar. Seu pesar me deixou estranhamente impotente, querendo fazer algo para ajudá-la a se sentir melhor. Um impulso estranho. — Quando foi que aconteceu?

— Em setembro. — Ela expirou com força, mal chegou a ser um suspiro.

Fiquei imóvel por um instante ao sentir seu hálito quente roçar meu rosto.

— E você não gosta dele — adivinhei após a breve pausa, ainda em busca de mais informações.

— Não, o Phil é legal — disse ela, corrigindo minha suposição. Agora havia um indício de sorriso no canto dos seus lábios grossos. — Novo demais, talvez, mas é bem legal.

Isso não se encaixava no cenário que eu estava construindo em minha cabeça.

— Por que não ficou com eles? — Minha voz estava muito ansiosa; eu parecia curioso. E de fato estava.

— Phil viaja muito. Ganha a vida jogando beisebol. — O sorriso discreto ficou mais evidente; aquela escolha de carreira a divertia.

Sorri também, sem precisar fingir. Eu não estava tentando deixá-la confortável. O sorriso dela só me dava vontade de sorrir em resposta, fazer parte do segredo.

— Eu conheço? — Vasculhei mentalmente os jogadores profissionais que conhecia, perguntando-me qual Phil era o dela.

— Provavelmente não. Ele não joga *bem*. — Outro sorriso. — É da segunda divisão. Ele se muda muito.

Os nomes na minha cabeça mudaram na mesma hora, e eu elaborei uma lista de possibilidades em menos de um segundo. Ao mesmo tempo, estava imaginando o novo cenário.

— E sua mãe mandou você para cá para poder viajar com ele — falei.

Fazer suposições parecia arrancar mais informações do que as perguntas. Funcionou mais uma vez. O queixo dela se projetou de leve para a frente e sua expressão de repente ficou desafiadora.

— Não, ela não me mandou para cá — disse Bella, e sua voz tinha um tom mais duro. Minha suposição a aborreceu, embora eu não entendesse o motivo. — Eu quis vir.

Eu não conseguia adivinhar seus motivos ou o que provocara sua irritação. Estava completamente perdido.

Era impossível entender aquela garota. Ela não era como os outros humanos. Talvez o silêncio de seus pensamentos e o perfume de seu corpo não fossem as únicas coisas incomuns nela.

— Não entendo — admiti, odiando ter que fazer isso.

Ela suspirou e olhou nos meus olhos por mais tempo do que a maioria dos humanos suportava.

— Ela ficou comigo no começo, mas sentia falta dele — explicou ela, o tom de voz ficando mais desamparado a cada palavra. — Isso a deixava infeliz... Então cheguei à conclusão de que estava na hora de passar algum tempo de verdade com Charlie.

A pequena ruga em sua testa ficou mais acentuada.

— Mas agora é você que está infeliz — murmurei.

Continuei falando minhas hipóteses em voz alta, esperando aprender mais com suas refutações. Dessa vez, no entanto, eu parecia ter acertado na mosca.

— E? — perguntou ela, como se esse não fosse um aspecto a ser considerado.

Continuei encarando-a nos olhos, sentindo que finalmente tive meu primeiro vislumbre verdadeiro de sua alma. Vi naquela única palavra que lugar ela mesma ocupava em suas prioridades. Ao contrário da maioria dos humanos, suas necessidades estavam no final da lista.

Ela era altruísta.

Ao perceber isso, o mistério da pessoa escondida dentro daquela mente silenciosa começou a clarear um pouco.

— Isso não parece justo — falei.

Dei de ombros, tentando soar despreocupado. Ela riu, mas não estava se divertindo.

— Ninguém te contou ainda? A vida não é justa.

Quis rir das suas palavras, embora também não visse graça nelas. Eu sabia muito bem que a vida era injusta.

— Acho que *já ouvi* isso em algum lugar.

Ela olhou para mim, parecendo confusa de novo. Então desviou o olhar por um segundo antes de voltar a me encarar.

— E então é isso.

Eu não estava pronto para deixar a conversa terminar. Aquela pequena ruga em sua testa, um remanescente de seu pesar, me incomodava.

— Está fazendo um belo papel — falei devagar, ainda considerando a próxima hipótese. — Mas aposto que está sofrendo mais do que deixa transparecer.

Ela fez uma careta, estreitando os olhos e contorcendo a boca, então olhou para a frente. Bella não gostava quando minhas suposições estavam certas. Ela não era uma mártir comum, não queria plateia para o seu sofrimento.

— Estou errado?

Ela se encolheu um pouco, mas fingiu não me ouvir. Isso me fez sorrir.

— Acho que não.

— Por que isso interessa a *você*? — questionou ela, ainda olhando para a frente.

— Boa pergunta — admiti, mais para mim mesmo do que para ela.

Seu discernimento era melhor do que o meu; ela enxergava a essência das coisas, enquanto eu me atrapalhava nas primeiras camadas, examinando as pistas às cegas. Os detalhes de sua vida tão humana *não* deveriam me interessar. Eu estava errado em me importar com o que ela pensava. A não ser para proteger minha família de suspeitas, os pensamentos humanos não eram relevantes.

Eu não estava acostumado a ser a parte menos intuitiva de uma conversa. Vinha dependendo demais da minha audição extra, e claramente eu não era tão perspicaz quanto imaginava.

Bella suspirou e se virou para a frente com um olhar contrariado. Havia algo engraçado em sua expressão frustrada. A situação toda, a conversa inteira era engraçada. Ninguém jamais correu tanto perigo ao meu lado quanto aquela pequena humana — a qualquer momento eu poderia, distraído por minha concentração ridícula em nossa conversa, inspirar pelo nariz e atacá-la antes que pudesse me conter —, mas *ela* estava irritada porque não respondi à sua pergunta.

— Estou irritando você? — perguntei, sorrindo diante do absurdo da situação.

Ela olhou para mim de relance, e então seus olhos pareceram capturados pelo meu olhar.

— Não exatamente. Estou mais irritada é comigo mesma. É tão fácil ler minha expressão... Minha mãe sempre me chama de livro aberto.

Bella franziu a testa, contrariada.

Eu a encarei, atônito. Ela estava chateada porque achava que eu era capaz de lê-la com *muita facilidade*. Que estranho. Nunca fiz tanto esforço para entender alguém em toda a minha vida, ou melhor, existência, pois *vida* não era bem a palavra. Eu não tive uma *vida* de fato.

— Pelo contrário — discordei, sentindo-me estranhamente... cauteloso, como se houvesse algum perigo oculto que eu não estava percebendo. Além do perigo óbvio, algo mais... De repente, fiquei tenso, ansioso ao me lembrar da premonição. — Acho você muito difícil de ler.

— Então você deve ser um bom leitor — adivinhou ela, fazendo sua própria suposição e, mais uma vez, acertando na mosca.

— Em geral sou — concordei.

Abri um largo sorriso, afastando os lábios para expor as fileiras de dentes brilhantes e fortes como aço.

Era uma estupidez da minha parte, mas eu estava abrupta e inesperadamente desesperado para lhe dar algum tipo de aviso. Seu corpo estava mais perto de mim do que antes, tendo se aproximado de maneira inconsciente durante nossa conversa. Todos os pequenos indícios que eram suficientes para assustar o resto da humanidade não pareciam estar funcionando com ela. Por que Bella não se encolhia de medo? Sem dúvida tinha visto o suficiente do meu lado sombrio para perceber o perigo.

Não consegui ver se meu alerta teve o efeito desejado. O Sr. Banner pediu a atenção da turma naquele momento, e ela se afastou de mim na mesma hora. Pareceu um pouco aliviada com a interrupção, então talvez ela entendesse inconscientemente o risco que corria.

Eu esperava que sim.

Reconheci o fascínio crescente em mim, mesmo enquanto tentava sufocá-lo. Eu não podia me dar ao luxo de achar Bella Swan interessante. Ou, melhor dizendo, *ela* não podia se dar a esse luxo. Eu já estava ansioso por outra oportunidade de conversar com ela. Queria saber mais sobre sua mãe, sua vida antes de ela se mudar para cá, seu relacionamento com o pai. Todos os detalhes insignificantes que revelariam mais sobre sua personalidade. Mas cada segundo passado com ela era um erro, um risco que ela não deveria correr.

Distraída, ela mexeu no cabelo grosso no momento em que me permiti respirar de novo. Uma onda especialmente forte de seu cheiro atingiu o fundo da minha garganta.

Foi como no primeiro dia, como a granada. A dor da secura ardente me deixou tonto. Tive que agarrar a mesa de novo para permanecer sentado. Dessa vez tive um pouco mais de autocontrole. Não quebrei nada, pelo menos. O monstro rosnou dentro de mim, mas não teve prazer com minha dor. Ele estava sob controle. Por enquanto.

Parei de respirar e me inclinei para o mais longe possível dela.

Não, eu não podia mesmo me dar ao luxo de achá-la fascinante. Quanto mais interessante eu a achasse, era mais provável que eu a matasse. Já cometi dois pequenos deslizes hoje. Será que cometeria um terceiro, um que *não* fosse pequeno?

Assim que o sinal tocou, fugi da sala de aula, provavelmente destruindo qualquer impressão de polidez que havia construído ao longo da última hora. Mais uma vez, ofeguei ao sentir o ar limpo e úmido do lado de fora, como se fosse um elixir curativo. Apertei o passo, tentando aumentar a distância o máximo possível entre mim e a garota.

Emmett estava me esperando do lado de fora da nossa sala de espanhol. Ele leu minha expressão intensa.

Como foi?, perguntou, em tom cauteloso.

— Ninguém morreu — murmurei.

Já é alguma coisa. Quando vi Alice matando aula agora há pouco, pensei...

Enquanto entrávamos na sala, estudei sua lembrança de alguns momentos antes, o que vira pela porta aberta da última aula que teve: Alice andando depressa, o rosto inexpressivo, em direção ao prédio de biologia. Senti pela lembrança que ele ficou tentado a se levantar e se juntar a ela, antes de decidir permanecer onde estava. Se Alice precisasse de ajuda, ela pediria.

Fechei os olhos com horror e desgosto enquanto desabava na cadeira.

— Não percebi que escapei por um triz. Achei que não... Achei que não tivesse sido tão ruim — sussurrei.

Não foi, ele me tranquilizou. *Ninguém morreu, certo?*

— Certo — falei, com os dentes trincados. — Não dessa vez. *Talvez fique mais fácil.*

— Claro.

Ou talvez você vá matá-la. Ele deu de ombros. *Você não seria o primeiro a fazer besteira. Ninguém julgaria muito. Às vezes, uma pessoa tem um cheiro bom demais. Fico até impressionado de você ter aguentado tanto tempo.*

— Isso não está ajudando, Emmett.

Era revoltante que ele aceitasse tão bem a ideia de que eu mataria a garota, de que isso era inevitável. Por acaso era culpa dela que tivesse um cheiro tão bom?

Já aconteceu comigo..., lembrou ele, me mostrando uma lembrança de meio século antes, em uma estrada rural ao entardecer, onde uma mulher de meia-idade estava tirando os lençóis secos do varal amarrado entre duas macieiras. Eu já vira aquela cena, o mais difícil de seus dois incidentes, mas a memória parecia especialmente vívida dessa vez, talvez porque minha garganta ainda doía da última hora de ardência. Emmett se lembrou do aroma das maçãs pairando forte no ar; a colheita havia terminado, e as frutas descartadas estavam espalhadas pelo chão, as partes machucadas vazando a fragrância em nuvens espessas. Um campo de feno recém-aparado era o pano de fundo desse perfume, tudo em harmonia. Ele estava caminhando pela estrada, quase sem reparar na mulher, indo fazer um favor para Rosalie. O céu estava arroxeado na parte mais alta e laranja sobre as montanhas a oeste. Ele teria seguido pela estrada sinuosa, sem qualquer motivo para se lembrar daquela noite, quando uma brisa noturna repentina soprou os lençóis brancos como velas e levou o cheiro da mulher até ele.

— Ah — gemi baixinho.

Como se minha sede já não fosse suficiente.

Eu sei. Não durei meio segundo. Nem cogitei resistir.

Sua memória se tornou explícita demais para eu suportar. Fiquei de pé em um pulo, cerrando os dentes com força.

— *Estás bien*, Edward? — perguntou a Sra. Goff, assustada com meu movimento repentino.

Vi meu rosto em sua mente, e notei que eu parecia longe de estar bem.

— *Perdóname* — murmurei, enquanto corria em direção à porta.

— Emmett, *por favor, puedes ayudar a tu hermano?* — perguntou ela, gesticulando de forma impotente para mim enquanto eu corria porta afora.

— Claro — respondeu ele.

E então meu irmão estava logo atrás de mim.

Emmett me seguiu até o outro extremo do prédio, onde me alcançou e segurou meu ombro.

Empurrei a mão dele para longe com uma força desnecessária. Se Emmett fosse humano, meu gesto teria quebrado não só os ossos de sua mão, como também o braço inteiro.

— Desculpe, Edward.

— Eu sei.

Respirei fundo, tentando clarear a mente e limpar os pulmões.

— É tão ruim assim? — perguntou ele, tentando sem sucesso não pensar no cheiro e no sabor de sua memória.

— Pior, Emmett, bem pior.

Ele ficou quieto por um instante.

Talvez...

— Não, não seria melhor se eu terminasse logo com isso. Volte para a aula, Emmett. Quero ficar sozinho.

Ele se virou sem mais uma palavra ou pensamento e se afastou a passos rápidos. Diria à professora de espanhol que eu estava doente, ou matando aula, ou que era um vampiro perigoso fora de controle. A desculpa dele faria diferença? Talvez eu não fosse voltar. Talvez precisasse ir embora.

Fui para o carro esperar a aula acabar. Fui me esconder. De novo.

Eu deveria ter passado esse tempo tomando decisões ou tentando fortalecer minha determinação, mas, como um viciado, me peguei vasculhando a confusão de pensamentos que emanava dos prédios da escola. Algumas vozes familiares se destacavam, mas eu não estava interessado em ouvir as visões de Alice ou as queixas de Rosalie. Encontrei Jessica com facilidade, mas Bella não estava com ela, então continuei minha busca. Os pensamentos de Mike Newton chamaram minha atenção, e eu finalmente a localizei no ginásio com ele. O garoto estava aborrecido porque eu havia conversado com ela durante a aula de biologia. Estava ruminando a resposta dela depois de tocar no assunto.

Nunca o vi dizer mais do que uma ou outra palavra. Claro que ele ia resolver falar logo com a Bella. Não gosto do jeito que ele olha para ela. Mas Bella não soou muito animada. O que ela disse mesmo? "Nem imagino o que aconteceu com ele na segunda passada." Algo do tipo. Ela não pareceu se importar muito. Não deve ter sido uma conversa tão interessante assim...

Ele tentava se alegrar com a ideia de que Bella não se interessara muito pela conversa comigo. Isso me incomodou bastante, então parei de ouvi-lo.

Coloquei um CD para tocar e aumentei o som até abafar todas as outras vozes. Tive que me concentrar muito no som para não voltar aos pensamentos de Mike Newton e espionar uma garota inocente.

Trapaceei algumas vezes mais para o fim da aula. Tentei me convencer de que não estava espionando, apenas me preparando. Queria saber o momento exato em que ela saísse do ginásio, saber quando estaria no estacionamento. Não queria que ela me pegasse de surpresa.

Quando os alunos começaram a deixar o ginásio, saí do carro, sem saber por quê. A chuva estava fraca; eu a ignorei, mesmo que meu cabelo começasse a ficar molhado.

Será que eu queria que ela me visse ali? Tinha esperanças de que viesse falar comigo? O que eu estava fazendo?

Não me mexi, embora tentasse convencer a mim mesmo de que deveria voltar para o carro, sabendo que meu comportamento era repreensível. Mantive os braços cruzados e respirei muito superficialmente enquanto a observava vir devagar em minha direção, a boca indicando sua chateação. Ela não olhou para mim. Olhou feio para as nuvens algumas vezes, como se a tivessem ofendido.

Fiquei decepcionado quando ela chegou a seu carro antes de passar por mim. Será que teria falado comigo? Eu teria falado com ela?

Bella entrou em uma picape vermelha e desbotada da Chevrolet, um gigante enferrujado mais velho do que seu pai. Eu a observei dar a partida — o velho motor rugia mais alto que qualquer outro veículo no estacionamento — e depois levar as mãos ao aquecedor. O frio era desconfortável para ela, não lhe agradava. A garota passou os dedos pelo cabelo grosso, puxando algumas mechas para o ar quente como se tentasse secá-las. Imaginei o cheiro dentro da picape, mas rapidamente afastei esse pensamento.

Bella olhou em volta enquanto se preparava para dar a ré e, por fim, olhou na minha direção. Nós nos encaramos por apenas meio segundo, e tudo que consegui ler em seus olhos foi surpresa, antes que ela os desviasse e começasse a sair com a picape da vaga. Então parou de novo com um grunhido, tirando um fino do carro pequeno de Nicole Casey com a traseira.

Ela olhou boquiaberta para o retrovisor, horrorizada com o acidente que por pouco não causou. Quando o outro carro passou por ela, a garota verificou todos os pontos cegos duas vezes antes de avançar pelo estacionamento com tanta cautela que me fez sorrir. Era como se ela achasse que era perigosa em sua picape caindo aos pedaços.

A ideia de Bella Swan ser perigosa para qualquer um, independentemente do que estivesse dirigindo, me fez gargalhar enquanto ela passava direto por mim, olhando para a frente.

3. RISCO

Eu não estava com sede de fato, mas decidi caçar outra vez naquela noite. Era uma prevenção básica, por mais inadequada que eu soubesse que seria.

Carlisle foi comigo. Não ficávamos sozinhos desde que eu voltara de Denali. Enquanto corríamos pela floresta escura, eu o ouvi pensando na despedida apressada da semana anterior.

Na sua lembrança, vi como meu rosto se contorcera em um desespero atroz. Senti de novo sua surpresa e preocupação repentina.

— *Edward?*

— *Tenho que ir, Carlisle. Tenho que ir* agora.

— *O que aconteceu?*

— *Nada. Ainda. Mas vai acontecer se eu ficar aqui.*

Ele estendera a mão para segurar meu braço. Vi como o magoara ao me afastar de seu toque.

— *Não estou entendendo.*

— *Você já... Já houve um tempo...?*

Eu me vi respirar fundo, vi aquele brilho selvagem nos meus olhos através do filtro de sua aflição.

— *Uma pessoa pode ter um aroma muito melhor do que as outras? Muito* melhor?

— *Ah...*

Quando percebi que ele compreendia, meu rosto se contorceu de vergonha. Ele estendeu a mão para me tocar, ignorando minha reticência novamente, e apoiou a mão no meu ombro.

— Faça o que for preciso para resistir, meu filho. Vou sentir sua falta aqui. Pode levar meu carro. O tanque está cheio.

Ali na floresta, ele se perguntava se tinha feito a coisa certa naquela ocasião, me mandando fugir. Ele se perguntava se tinha me magoado com sua falta de confiança.

— Não — sussurrei enquanto corria. — Eu precisava daquilo. Poderia facilmente ter traído sua confiança se você tivesse me pedido para ficar.

— Sinto muito que esteja sofrendo, Edward. Mas você deve fazer o que puder para manter a menina Swan viva. Mesmo que isso signifique nos deixar novamente.

— Eu sei, eu sei.

— Por que você voltou, afinal? Sabe como fico feliz por tê-lo aqui, mas se isso é difícil demais...

— Não gosto de me sentir um covarde — admiti.

Nós diminuímos a velocidade, praticamente parando de correr em meio à escuridão.

— É melhor do que colocá-la em perigo. Ela deve se mudar daqui a um ou dois anos.

— Você tem razão, eu sei disso.

Na verdade, suas palavras só me deixaram mais ansioso para ficar. A garota se mudaria em um ou dois anos...

Carlisle parou, e eu fiz o mesmo. Ele se virou para examinar minha expressão.

Mas você não vai fugir, vai?

Baixei a cabeça.

É orgulho, Edward? Não há vergonha em...

— Não, não é o orgulho que me mantém aqui. Não mais.

Não tem para onde ir?

Dei uma risada seca.

— Não. Isso não me impediria se eu conseguisse me forçar a partir.

— Nós vamos com você, se for preciso. É só pedir. Você se mudou sem reclamar, pelos outros. Eles não vão se ressentir disso.

Ergui a sobrancelha.

Ele riu.

— Certo, talvez Rosalie, mas ela está em dívida com você. De qualquer forma, é muito melhor para nós irmos embora agora, enquanto não há danos de fato, do que partirmos mais tarde, depois que uma vida já tiver sido encerrada.

O humor já tinha sumido de sua voz nas últimas palavras.

Eu me encolhi ao ouvir aquilo.

— Sim — concordei, a voz rouca.

Mas você não vai embora?

Suspirei.

— É o que eu deveria fazer.

— O que o mantém aqui, Edward? Não vejo...

— Não sei se consigo explicar.

Até para mim mesmo, não fazia sentido.

Ele observou por um bom tempo minha expressão.

Não, não consigo ver. Mas vou respeitar sua privacidade, se preferir.

— Obrigado. É muito generoso da sua parte, considerando que não dou privacidade a ninguém.

Com uma exceção. E eu estava fazendo tudo que podia para privá-la disso, não?

Todos temos nossas particularidades. Ele riu de novo. *Vamos?*

Ele acabara de sentir o cheiro de um pequeno bando de cervos. Era difícil ter grande entusiasmo pelo que era, mesmo na melhor das circunstâncias, um aroma pouco atraente. Naquele momento, com o sangue da garota fresco na minha memória, o cheiro na verdade revirou meu estômago. Suspirei.

— Vamos — concordei, embora soubesse que forçar mais sangue garganta abaixo pouco me ajudaria.

Nós nos agachamos, prontos para atacar, e deixamos o odor repulsivo nos atrair.

Estava mais frio quando voltamos para casa. A neve derretida congelara novamente; era como se uma folha fina de vidro cobrisse tudo: cada agulha de pinheiro, cada fronde de samambaia, cada fiapo de grama estava coberto de gelo.

Enquanto Carlisle se vestia para o turno no hospital, fiquei perto do rio, esperando o sol nascer. Eu me sentia quase... *inchado* pela quantidade de sangue que consumira, mas sabia que aquela saciedade pouco significaria quando me aproximasse da garota outra vez.

Frio e imóvel como pedra, fiquei sentado, encarando a água escura que corria pelas margens geladas, mas sem ver nada.

Carlisle tinha razão. Eu deveria deixar Forks. Eles poderiam divulgar alguma história para explicar minha ausência. Colégio interno na Europa. Visita a parentes distantes. Adolescente que fugiu de casa. A história não importava muito. Ninguém a questionaria a fundo.

Eram só um ou dois anos, e a garota desapareceria. Ela seguiria sua vida, *teria* uma vida para seguir. Iria para a faculdade em algum outro lugar, construiria uma carreira, talvez se casasse. Eu conseguia imaginar aquilo, conseguia visualizar a garota de vestido branco, caminhando lentamente de braços dados com o pai.

Era estranha a dor que aquela imagem me causava. Eu não entendia. Será que estava com inveja do futuro dela por ser algo que eu nunca poderia ter? Isso não fazia sentido. Todos os humanos ao meu redor tinham o mesmo potencial diante de si — uma vida —, e eu raramente sentia inveja.

Eu deveria deixá-la ter seu futuro. Parar de arriscar sua vida. Essa era a coisa certa a fazer. Carlisle sempre tomava a decisão correta. Eu deveria ouvi-lo naquele momento. E faria isso.

O sol se ergueu por trás das nuvens, e a luz fraca brilhou em todo aquele vidro congelado.

Mais um dia, decidi. Eu a veria só mais uma vez. Conseguiria lidar com isso. Talvez até mencionasse meu desaparecimento iminente, já abrindo espaço para a história.

Seria difícil. Eu sentia isso na imensa relutância que já me fazia pensar em desculpas para ficar, para estender o prazo por mais dois, três, quatro dias... Mas eu faria a coisa certa. Sabia que podia confiar no conselho de Carlisle. E também sabia que estava confuso demais para tomar a decisão correta sozinho.

Confuso demais. Quanto dessa relutância vinha da minha curiosidade obsessiva, e quanto vinha do meu apetite insatisfeito?

Entrei para vestir roupas limpas e ir à escola.

Alice estava me esperando, sentada na beira do último degrau do terceiro andar.

Você está indo embora de novo, me acusou.

Suspirei e assenti.

Não consigo ver aonde você vai desta vez.
— Ainda não sei para onde vou — sussurrei.
Quero que você fique.
Balancei a cabeça.
Eu e Jazz podemos ir com você?
— Eles vão precisar ainda mais de você se eu não estiver aqui para cuidar deles. E pense em Esme. Você vai mesmo tirar metade da família dela de uma só vez?
Você vai deixá-la tão triste.
— Eu sei. É por isso que você precisa ficar.
Não é a mesma coisa que ter você aqui, e você sabe disso.
— Sei. Mas tenho que fazer a coisa certa.
Mas existem muitas formas certas, e muitas formas erradas, não?
Por um breve momento, ela foi tomada por uma de suas estranhas visões; observei com ela as imagens indistintas faiscarem e girarem. Eu me vi misturado com sombras estranhas que não identifiquei: formas nubladas e imprecisas. Então, de repente, minha pele estava brilhando sob a luz forte do sol em uma campina. Eu conhecia aquele lugar. Havia alguém comigo ali, mas, novamente, era alguém indistinto, não estava *presente* o bastante para que eu reconhecesse. As imagens tremeluziram e desapareceram enquanto um milhão de escolhas minúsculas reordenaram o futuro mais uma vez.
— Não consegui ver muito dessa vez — falei para ela quando a visão escureceu.
Nem eu. Seu futuro está mudando tanto que não consigo acompanhar. Mas eu acho...
Ela parou e vasculhou uma coleção imensa de outras visões recentes de mim. Eram todas iguais: borradas e incertas.
— Eu *acho* que algo importante está para acontecer — completou ela em voz alta. — Sua vida parece estar em uma encruzilhada.
Dei uma risada amargurada.
— Você sabe que está parecendo uma cartomante de beira de estrada, né?
Ela me mostrou a língua.
— Mas hoje está tudo bem, né? — perguntei, a voz apreensiva de repente.
— Não vejo você matando ninguém hoje — garantiu ela.
— Obrigado, Alice.

— Vá se arrumar. Não vou dizer nada... Vou deixar você contar aos outros quando estiver pronto.

Ela ficou de pé e correu escada abaixo, os ombros levemente encolhidos. *Já estou sentindo sua falta. Sério.*

É, eu sentiria falta dela também.

O caminho até a escola foi silencioso. Jasper sentia que Alice estava chateada por algum motivo, mas sabia que, se ela quisesse falar sobre o assunto, já teria feito isso. Emmett e Rosalie não perceberam nada, absortos em mais um de seus momentos, entreolhando-se com fascínio, algo bem nojento de se ver. Todos nós sabíamos que eles estavam desesperadamente apaixonados. Ou talvez eu só estivesse amargurado por ser o único ali sozinho. Em alguns dias era mais difícil viver com três casais perfeitos. Aquele era um deles.

Talvez todos eles ficassem mais felizes sem minha presença irritada e beligerante, típica do velho que eu deveria ser àquela altura.

É claro que a primeira coisa que fiz quando chegamos à escola foi procurar a garota. Só para me preparar de novo.

Certo.

Era constrangedor como meu mundo de repente parecia vazio de tudo que não era ela.

Mas também era fácil compreender. Depois de oitenta anos de mesmice todos os dias e todas as noites, qualquer mudança se tornava um grande acontecimento.

Ela ainda não chegara, mas ouvi o ronco tempestuoso do motor da sua picape ao longe. Eu me apoiei na lateral do carro para esperar. Alice ficou comigo, enquanto os outros foram direto para a aula. Já estavam entediados com a minha fixação; eles não entendiam como qualquer humano poderia prender minha atenção por tanto tempo, por mais atraente que seu cheiro fosse.

A garota veio dirigindo devagar, os olhos atentos na estrada e as mãos apertando o volante com força. Parecia ansiosa por algum motivo. Levei um segundo para me dar conta do que era, para perceber que todos os humanos exibiam a mesma expressão naquele dia. As estradas estavam escorregadias por causa do gelo, e todo mundo tentava dirigir com mais cuidado. Dava para ver que ela estava levando a sério o perigo.

Isso parecia combinar com o pouco que eu conhecia de sua personalidade. Adicionei isso à minha lista sucinta: ela era uma pessoa séria, responsável.

Ela não estacionou muito longe de mim, mas ainda não tinha percebido que eu estava parado ali, encarando-a. Eu me perguntei o que ela faria quando me visse. Ficaria vermelha e se afastaria? Era minha primeira aposta. Mas talvez ela me encarasse de volta. Talvez viesse falar comigo.

Respirei fundo, esperançoso, enchendo os pulmões por via das dúvidas.

Ela saiu da picape com cuidado, testando o chão escorregadio antes de firmar os pés. Ela não ergueu os olhos, o que me deixou frustrado. Talvez eu devesse ir falar com ela...

Não, isso seria errado.

Em vez de se virar para a escola, ela foi até a parte de trás da picape, se segurando nas beiradas da caçamba de um jeito curioso, como se não confiasse nos próprios pés. Aquilo me fez sorrir, e senti Alice me observando. Não ouvi qualquer que tenha sido o pensamento dela, pois estava me divertindo demais vendo a garota verificar as correntes de neve nos pneus. Pela forma como seus pés escorregavam no gelo, de fato parecia que ela estava prestes a cair. Ninguém mais estava tendo dificuldade... Será que ela havia estacionado numa parte especialmente congelada?

Ela ficou parada ali, olhando para baixo com uma expressão meio estranha. Era... afetuosa. Como se algo no pneu a estivesse... *emocionando?*

De novo, a curiosidade doeu como uma sede. Era como se eu *tivesse* que saber o que ela estava pensando, como se nada mais importasse.

Eu ia falar com ela. Parecia precisar de ajuda, de qualquer forma, pelo menos até sair do asfalto escorregadio. É claro que eu não poderia oferecer isso, ou poderia? Hesitei, dividido. Por mais avessa que ela parecesse ser à neve, provavelmente não receberia de bom grado o toque da minha mão pálida e gelada. Eu deveria estar de luvas...

— NÃO! — gritou Alice em voz alta.

No mesmo instante, investiguei seus pensamentos, de início imaginando que eu havia tomado uma decisão ruim e ela me vira fazendo algo imperdoável. Mas não tinha nada a ver comigo.

Tyler Crowley havia decidido fazer a curva na entrada do estacionamento a uma velocidade imprudente. Essa escolha o faria derrapar em uma faixa de gelo.

A visão veio só meio segundo antes da realidade. A van de Tyler fez a curva enquanto eu ainda assistia à visão que arrancara aquele grito horrorizado de Alice.

Não, aquela visão não tinha nada a ver comigo, mas ao mesmo tempo tinha *tudo* a ver comigo, porque a van de Tyler — cujos pneus tocavam o gelo naquele momento no pior ângulo possível — ia girar pelo estacionamento e atingir a garota que se tornara o inesperado ponto central do meu mundo.

Mesmo sem a previsão de Alice teria sido muito fácil desvendar a trajetória do veículo, que voava sem o controle de Tyler.

A garota, parada no exato lugar errado, atrás da picape, ergueu os olhos, confusa com os pneus cantando. Ela encarou diretamente meus olhos apavorados, depois se virou para ver sua morte iminente.

Ela, não! As palavras berraram em minha mente como se pertencessem a outra pessoa.

Ainda preso aos pensamentos de Alice, notei a visão mudar de repente, mas eu não tinha tempo para descobrir o resultado.

Atravessei o estacionamento, me jogando entre a van em movimento e a garota paralisada. Avancei tão rápido que tudo se tornou um borrão, a não ser o objeto no qual me concentrava. Ela não me viu — olhos humanos não conseguiriam me seguir —, ainda encarando a forma massiva que estava prestes a esmagar seu corpo na carroceria de metal da picape.

Segurei sua cintura, me movendo com urgência demais para ser tão delicado quanto ela merecia que eu fosse. No centésimo de segundo entre o ato de tirar seu corpo magro do caminho da morte e o processo de cair no chão com ela nos braços, fiquei totalmente consciente de seu corpo frágil, quebrável.

Quando ouvi sua cabeça atingir o gelo, foi como se eu também tivesse me transformado em gelo.

Mas não tive nem um segundo para verificar se ela estava bem. Ouvi a van atrás de nós, guinchando e derrapando em torno da robusta carroceria da picape da garota. Estava mudando de curso, fazendo um arco e vindo atrás dela de novo, como se ela fosse um ímã atraindo o veículo.

Uma palavra que eu nunca dissera na presença de uma mulher escapou por entre meus dentes trincados.

Eu já fizera demais. Enquanto praticamente voava para tirá-la do caminho, me dei conta do erro que estava cometendo. Saber que era um erro não me impediu, mas eu não ignorava o risco que corria; não só eu, mas toda a minha família.

Exposição.

E *isso* certamente não ajudaria, mas de forma alguma eu permitiria que a van fosse bem-sucedida na segunda tentativa de tirar a vida dela.

Soltei a garota e estendi as mãos, segurando a van antes que a tocasse. A força do automóvel me jogou para trás, me pressionando contra o carro estacionado ao lado da picape dela, e senti a carroceria se curvar atrás dos meus ombros. A van estremeceu e parou em contato com o obstáculo inabalável dos meus braços, então balançou, equilibrada nos pneus laterais.

Se eu movesse as mãos, o pneu traseiro da van acertaria as pernas dela.

Ah, pelo *amor* de *tudo* que era mais *sagrado*, as catástrofes nunca terminariam? O que mais poderia dar errado? Eu não podia ficar ali parado, segurando a van, enquanto esperava um resgate. Nem poderia jogar a van longe, afinal lá estava o motorista, cujos pensamentos se tornavam incoerentes devido ao pânico.

Com um gemido silencioso, empurrei a van, para que ela bambeasse para longe por um instante. Enquanto ela caía de volta na minha direção, estiquei a mão direita por baixo da carroceria ao mesmo tempo que envolvi a cintura da garota com o braço esquerdo, arrastando-a para longe do pneu e abraçando-a com força. O corpo dela se moveu sem qualquer resistência quando a girei para que suas pernas ficassem protegidas. Será que ela estava consciente? Quanto dano eu lhe causara na minha tentativa inesperada de resgate?

Deixei a van cair, já que não poderia mais machucar a garota. O veículo caiu no asfalto, todas as janelas se quebrando em uníssono.

Eu sabia que a situação era alarmante. Quanto ela vira? Será que alguma outra pessoa testemunhara minha aparição repentina ao seu lado e meu esforço para mantê-la longe da van? Essas perguntas *deveriam* ser minha maior preocupação.

Mas eu estava nervoso demais para me importar com a ameaça de exposição tanto quanto deveria. Desesperado demais com a possibilidade de tê-la machucado na minha tentativa de salvar sua vida. Assustado demais por estar tão perto dela, sabendo o que sentiria se me permitisse respirar. Consciente demais do calor do seu corpo macio pressionado ao meu; mesmo com o obstáculo duplo de nossos casacos, eu sentia seu calor.

O primeiro medo era o maior. Enquanto os gritos das testemunhas explodiam ao nosso redor, eu me inclinei para examinar o rosto dela, para ver se estava consciente, e desejei ardentemente que não estivesse com nenhum ferimento.

Seus olhos estavam abertos e atordoados.

— Bella? — perguntei, aflito. — Está tudo bem?

— Eu estou bem — disse ela, pronunciando as palavras com um tom artificial e confuso.

Ao ouvir sua voz, senti um alívio tão extraordinário que quase doía. Respirei fundo por entre os dentes, e para variar não me importei com a agonia que acompanhava a ardência na minha garganta. Estranhamente, quase apreciei a sensação.

Ela tentou se sentar, mas eu ainda não estava pronto para soltá-la. De alguma forma parecia mais... seguro? Melhor, ao menos, com ela junto a mim.

— Cuidado — avisei. — Acho que você bateu a cabeça com força.

Não senti cheiro de sangue fresco — o que me tranquilizou muito, na verdade —, mas isso não significava que não houvesse danos internos. De repente fiquei desesperado para levá-la até Carlisle com um equipamento radiológico completo.

— Ai — disse ela, com uma perplexidade cômica ao perceber que eu tinha razão sobre sua cabeça.

— Foi o que eu pensei.

O alívio me fez achar graça naquilo, me deixou quase *histérico*.

— Como foi que... — Ela hesitou, confusa. — Como foi que chegou aqui tão rápido?

Meu bom humor azedou. Ela *percebera* coisas demais.

Como a garota parecia estar bem, a preocupação com minha família automaticamente se agravou.

— Eu estava bem do seu lado, Bella.

Eu sabia por experiência própria que, se mentisse com confiança, qualquer questionador começava a duvidar da verdade.

Ela se esforçou para se mover de novo, e dessa vez eu deixei. Precisava respirar para poder interpretar meu papel corretamente. Precisava me afastar do calor que seu sangue quente emanava, porque só assim impediria que se somasse a seu cheiro e me dominasse. Eu me distanciei dela o máximo que o espaço apertado entre os dois veículos amassados permitia.

Ela me encarou, e eu a encarei de volta. Desviar os olhos primeiro seria um erro que só um mentiroso incompetente cometeria, e eu não era um mentiroso incompetente. Minha expressão era calma e amigável. Parecia confundi-la. Isso era bom.

A cena do acidente estava cercada. Eram em sua maioria alunos, jovens, que observavam e empurravam pelas frestas para ver se havia corpos mutilados nos destroços. Muitos gritos e uma explosão de pensamentos surpresos. Avaliei os pensamentos que ouvia para me certificar de que não havia suspeitas por enquanto, então os desliguei e me concentrei somente na garota.

Ela estava distraída com a agitação à sua volta. Deu uma olhada ao redor, ainda em choque, e tentou ficar de pé.

Apoiei a mão no seu ombro para mantê-la sentada.

— Fique quieta por enquanto.

Ela *parecia* bem, mas será que deveria estar mexendo o pescoço? De novo, desejei a presença de Carlisle. Meus anos de estudo teórico de medicina não chegavam aos pés dos séculos de prática dele.

— Mas está frio — reclamou ela.

Quase fora esmagada até a morte duas vezes, mas era o frio que a preocupava. Deixei uma risada escapar, mas então lembrei que a situação não era engraçada.

Bella piscou, então seus olhos se focaram no meu rosto.

— Você estava lá.

Isso me deixou sério novamente.

Ela olhou para o lado, embora não houvesse nada para ver além da lateral amassada da van.

— Você estava perto do seu carro.

— Não estava, não.

— Eu vi você — insistiu ela, a voz infantil e teimosa, o queixo erguido.

— Bella, eu estava parado do seu lado e tirei você do caminho.

Eu olhei no fundo dos seus olhos, tentando forçá-la a aceitar minha versão, a única versão racional disponível.

Ela cerrou os dentes.

— Não.

Tentei ficar calmo, não entrar em pânico. Se pelo menos conseguisse mantê-la em silêncio por algum tempo, para ter a chance de destruir as provas... e então desacreditar a versão dela ao comentar sobre o ferimento na cabeça.

Não deveria ser fácil manter aquela garota quieta e misteriosa em silêncio? Se ao menos ela me obedecesse, só por alguns instantes...

— Por favor, Bella — falei, com a voz intensa demais, porque de repente eu *queria* ganhar sua confiança.

Queria muito, e não só em relação ao acidente. Um desejo idiota. Que sentido faria ela confiar em *mim*?

— Por quê? — perguntou ela, ainda na defensiva.

— Confie em mim — pedi.

— Promete que vai me explicar tudo depois?

Fiquei irritado por ter que mentir para ela de novo, quando desejava tanto poder, de alguma forma, ganhar sua confiança. Quando respondi, foi com irritação.

— Tudo bem.

— Tudo bem — repetiu ela no mesmo tom.

Enquanto as pessoas começavam a tentar nos resgatar — os adultos chegavam, as autoridades tinham sido chamadas, havia sirenes ao longe —, me esforcei para ignorar a garota e organizar minhas prioridades. Li todas as mentes no estacionamento, tanto das testemunhas quanto dos recém-chegados, mas não encontrei nada perigoso. Muitos estavam surpresos de me ver ao lado de Bella, mas todos supuseram — por não haver outra conclusão possível — que apenas não tinham notado minha presença ao lado da garota antes do acidente.

Ela foi a única que não aceitou a explicação óbvia, mas seria considerada a testemunha menos confiável. Estava assustada, traumatizada, sem falar do golpe que sofrera na cabeça. Possivelmente em choque. Era de se esperar que sua história parecesse confusa, não era? Ninguém acreditaria nela tendo a versão de tantos outros espectadores.

Fiz uma careta ao perceber os pensamentos de Rosalie, Jasper e Emmett, que estavam chegando à cena. Eles me cobrariam uma explicação naquela noite.

Eu queria nivelar a marca deixada pelos meus ombros no carro caramelo, mas a garota estava perto demais. Eu teria que esperar até que se distraísse.

Era frustrante esperar — com tantos olhos fixos em mim — enquanto os humanos faziam grande esforço ao tentar puxar a van para longe de nós. Eu poderia ter ajudado, só para adiantar o processo, mas já estava com problemas demais, e a garota tinha olhos atentos. Por fim, conseguiram afastar o veículo o suficiente para que os paramédicos chegassem até nós com as macas.

Um rosto barbado familiar me encarou.

— Ei, Edward — disse Brett Warner. Ele era enfermeiro registrado, e eu o conhecia bem do hospital. Foi um golpe de sorte, o único naquele dia, ele ser o primeiro a chegar até nós. Em seus pensamentos ele percebia que eu parecia calmo e atento. — Tudo bem, rapaz?

— Tudo ótimo, Brett. Nada me atingiu. Mas acho que talvez Bella tenha sofrido uma concussão. Ela bateu a cabeça com força quando eu a tirei do caminho.

Brett voltou a atenção para a garota, que me lançou um olhar feroz, como se eu a tivesse traído. Ah, verdade. Ela era a mártir muda, preferia sofrer em silêncio.

Porém, não contradisse minha história de imediato, o que me deixou mais tranquilo.

O próximo paramédico tentou insistir em me examinar, mas não foi tão difícil dissuadi-lo. Prometi que meu pai me examinaria, e ele deixou pra lá. Com a maioria dos humanos, bastava falar com confiança e frieza. Com a maioria dos humanos, mas não com a garota, é claro. Será que ela se encaixava em *algum* padrão?

Enquanto colocavam um protetor de pescoço nela — o rosto escarlate de vergonha —, aproveitei o momento de distração para ajeitar discretamente com a sola do pé o formato do amassado no carro caramelo. Só meus irmãos perceberam o que eu estava fazendo, e ouvi Emmett prometer em pensamento que daria um jeito no que eu não conseguisse consertar.

Grato pela ajuda — e ainda mais grato por Emmett, ao menos, já ter me perdoado pela decisão perigosa —, eu estava mais relaxado ao me sentar no banco da frente da ambulância, ao lado de Brett.

O chefe de polícia chegou antes que colocassem Bella na traseira do veículo.

Embora os pensamentos do pai de Bella estivessem além de quaisquer palavras, o pânico e a preocupação que emanavam da mente do homem soterravam quase todos os outros pensamentos ao redor. Ansiedade e culpa sem palavras, numa onda imensa, o dominaram quando ele viu a única filha na maca.

Quando Alice afirmara que matar a filha de Charlie Swan iria matá-lo também, ela não tinha exagerado.

Baixei a cabeça com culpa enquanto ouvia sua voz desesperada.

— Bella! — gritou ele.

— Eu estou bem, Char... pai. — Ela suspirou. — Não há nada de errado comigo.

As palavras de conforto de Bella mal acalmaram o desespero do pai. Ele se virou para o paramédico mais próximo na mesma hora e exigiu mais informações.

Foi só quando eu o ouvi falando, formando frases perfeitamente coerentes apesar do pânico, que percebi que sua ansiedade e preocupação *não* eram sem palavras. Eu só não.,. conseguia ouvir as palavras exatas.

Hmm. Charlie Swan não era tão quieto quanto a filha, mas dava para ver a quem ela havia puxado. Interessante.

Eu nunca tinha passado muito tempo perto do chefe de polícia da cidade. Sempre o considerara um homem de pensamento lento, mas naquele momento percebi que o lento era *eu*. Os pensamentos dele eram parcialmente ocultos de mim, não inexistentes. Eu só consegui identificar o teor e o tom deles.

Queria ouvir mais, para descobrir se esse novo desafio era a chave dos segredos da garota. Mas Bella já estava na ambulância àquela altura, e o veículo se afastou.

Foi difícil ficar longe daquela possível solução para o mistério que me obcecava. Mas naquele momento eu tinha que pensar e avaliar de todos os ângulos o que fora feito naquele dia. Ouvir, me certificar de que não havia nos colocado em tamanho perigo a ponto de nossa partida imediata ser necessária. Eu tinha que me concentrar.

Não havia nada nos pensamentos dos paramédicos com que precisasse me preocupar. Pelo que eles sabiam, nada sério havia acontecido com a garota. E Bella estava seguindo a história que eu tinha contado, pelo menos por enquanto.

A prioridade, quando chegamos ao hospital, era encontrar Carlisle. Atravessei correndo as portas automáticas, mas não abri mão de vigiar Bella. Fiquei de olho nela, ainda que não diretamente, mas através dos pensamentos dos paramédicos.

Foi fácil encontrar a mente familiar do meu pai. Ele estava em seu pequeno consultório, sozinho, o segundo lance de sorte daquele dia azarento.

— Carlisle.

Ele me ouviu chegar e se assustou ao ver a expressão em meu rosto. Ficou de pé num pulo e se inclinou por cima da escrivaninha de madeira organizada.

Edward! Você não...?

— Não, não, não é isso.

Ele respirou fundo.

É claro que não. Sinto muito por ter pensado nisso. Seus olhos, é claro, eu deveria ter percebido.

Ele encarou meus olhos ainda dourados com alívio.

— Mas ela se machucou, Carlisle, provavelmente não é nada sério, mas...

— O que aconteceu?

— Um acidente de carro ridículo. Ela estava no lugar errado na hora errada. Mas eu não podia ficar parado... Deixar que fosse esmagada...

Comece de novo, não estou entendendo. Como você se envolveu?

— Uma van derrapou no gelo — sussurrei, encarando a parede atrás dele ao falar. Em vez de uma série de diplomas emoldurados, havia apenas uma pintura a óleo simples, uma de suas favoritas, um Hassam desconhecido. — Ela estava no caminho. Alice viu o que ia acontecer, mas não havia tempo para fazer nada além de *correr* pelo estacionamento e tirá-la da frente. Ninguém notou... só ela. Tive que segurar a van também, mas, novamente, ninguém viu isso... só ela. Eu... Eu sinto muito, Carlisle. Não queria nos colocar em perigo.

Ele deu a volta na escrivaninha e me abraçou. Então deu um passo para trás.

Você fez a coisa certa. E não deve ter sido fácil para você. Estou orgulhoso, Edward.

Finalmente consegui olhá-lo nos olhos.

— Ela sabe que tem algo... errado comigo.

— Isso não importa. Se tivermos que ir embora daqui, faremos isso. O que ela disse?

Balancei a cabeça, um pouco frustrado.

— Por enquanto, nada.

Por enquanto?

— Ela pareceu concordar com a minha versão dos fatos... mas está esperando uma explicação.

Ele franziu a testa, refletindo.

— Ela bateu a cabeça... Bom, eu bati a cabeça dela — continuei, apressado. — Eu a derrubei no chão com força. Ela parece estar bem, mas... Acho que não vai ser difícil desacreditar sua versão dos fatos.

Eu me senti um covarde só de dizer aquelas palavras.

Carlisle notou o desgosto na minha voz.

Talvez isso não seja necessário. Vamos ver o que acontece, certo? Parece que tenho uma paciente para examinar.

— Por favor — pedi. — Estou com medo de tê-la machucado.

A expressão de Carlisle se animou. Ele ajeitou o cabelo louro, só alguns tons mais claros que seus olhos dourados, e riu.

Foi um dia interessante para você, não foi? Em sua mente, percebi a ironia, e era engraçado, pelo menos para ele. Que mudança de papéis. Em algum momento daquele segundo intempestivo e fugaz em que disparei pelo estacionamento, eu havia deixado de ser um assassino e me transformado em um protetor.

Ri com ele, me lembrando de como tivera certeza de que Bella só precisaria de proteção contra mim mesmo. Havia um amargor na minha voz, porque, apesar da van, isso continuava sendo a mais pura verdade.

Esperei sozinho no consultório de Carlisle — uma das horas mais longas que já vivi —, ouvindo o hospital cheio de pensamentos.

Tyler Crowley, o motorista da van, parecia ter se machucado mais que Bella, e a atenção se voltou para ele enquanto a garota esperava sua vez de fazer uma radiografia. Carlisle ficou nos bastidores, confiando no diagnóstico do enfermeiro de que os machucados da paciente eram superficiais. Isso me deixou aflito, mas eu sabia que ele tinha razão. Uma olhada nele e Bella logo se lembraria de mim, se lembraria do fato de que havia algo errado com minha família, e isso poderia fazê-la falar.

Ela certamente tinha um parceiro animado de conversa. Tyler, consumido pela culpa por quase tê-la matado, não calava a boca. Eu via a expressão dela pelos olhos dele, e estava óbvio que Bella queria que se calasse. Como ele não percebia isso?

Fiquei tenso quando Tyler perguntou como ela havia saído do caminho.

Esperei, paralisado, enquanto ela hesitava.

— *Hmm...* — eu a ouvi dizer. Então ficou sem falar nada por tanto tempo que Tyler achou que a pergunta a deixara confusa. Por fim, ela respondeu: — *Edward me puxou de lá.*

Respirei fundo. Em seguida, minha respiração acelerou. Eu nunca tinha escutado Bella dizer meu nome. Gostei de como soou, mesmo o ouvindo somente através dos pensamentos de Tyler. Quis ouvi-lo por mim mesmo...

— *Edward Cullen* — acrescentou, quando Tyler não entendeu a quem ela se referia.

Eu me peguei parado à porta, com a mão na maçaneta. O desejo de vê-la estava ficando mais forte. Tive que me lembrar da necessidade de tomar cuidado.

— *Ele estava do meu lado.*

— *Cullen?* — *Que estranho.* — *Não o vi.* — *Podia jurar que...* — *Caramba, acho que foi tudo tão rápido. Ele está bem?*

— *Acho que sim. Está em algum lugar por aqui, mas ninguém o obrigou a usar uma maca.*

Vi uma expressão pensativa no rosto dela, os olhos se estreitando, desconfiados, mas Tyler não percebeu essas pequenas mudanças.

Ela é bonita, ele estava pensando, quase surpreso. *Mesmo machucada. Não faz meu tipo. Mas... eu deveria chamá-la para sair. Para compensar o que fiz hoje.*

Eu já estava no corredor, na metade do caminho até a emergência, por um segundo sem pensar no que fazia. Por sorte, a enfermeira entrou antes de mim. Era a vez de Bella fazer a radiografia. Eu me apoiei na parede, num canto escuro logo antes da sala, e tentei me controlar enquanto ela era levada.

Não importava que Tyler a achasse bonita. Qualquer um notaria isso. Não havia motivo para eu me sentir... *Como* eu estava me sentindo? Irritado? Ou talvez *furioso* chegasse mais perto da verdade? Isso não fazia nenhum sentido.

Fiquei onde estava enquanto pude, mas a impaciência me venceu, e percorri um caminho mais longo até a sala de radiologia. Ela já estava de volta à emergência, mas consegui dar uma olhada nas radiografias tiradas enquanto a enfermeira estava distraída.

Eu me senti mais calmo depois disso. Estava tudo bem com a cabeça dela. Eu não a tinha machucado, não seriamente.

Carlisle me encontrou lá.

Você parece melhor, comentou em pensamento.

Continuei olhando para a frente. Não estávamos sozinhos, com os corredores cheios de funcionários e visitantes.

Ah, sim. Ele colocou a radiografia dela no quadro iluminado, mas eu não precisava olhar de novo. *Muito bem. Ela está ótima. Parabéns, Edward.*

Ouvir a aprovação do meu pai despertou uma mistura de sentimentos em mim. Eu deveria ficar feliz, só que sabia que ele não aprovaria o que eu ia fazer em seguida. Pelo menos, não aprovaria se soubesse minha verdadeira motivação.

— Acho que vou falar com ela... antes que ela veja você — murmurei. — Vou agir naturalmente, como se nada tivesse acontecido. Resolver as coisas.

Motivos totalmente aceitáveis.

Carlisle assentiu, distraído, ainda examinando as radiografias.

— Boa ideia. Hmm.

Fiquei curioso para saber o que despertara seu interesse.

Olhe quantas contusões regeneradas! Quantas vezes a mãe deixou essa menina cair?

Carlisle riu sozinho da própria piada.

— Estou começando a achar que a garota não tem muita sorte. Sempre no lugar errado, na hora errada.

Forks certamente é o lugar errado para ela, com você aqui.

Eu me encolhi.

Pode ir. Vá resolver as coisas. Daqui a pouco eu vou até lá.

Eu me afastei depressa, me sentindo culpado. Talvez eu fosse um mentiroso muito bom, se conseguia enganar Carlisle.

Quando cheguei à emergência, Tyler estava resmungando alguma coisa, ainda pedindo desculpas. A garota tentava escapar do discurso arrependido fingindo que dormia. Seus olhos estavam fechados, mas sua respiração não estava lenta, e de vez em quando seus dedos se contraíam, impacientes.

Fiquei observando seu rosto por bastante tempo. Aquela seria a última vez que a veria. Isso me causou uma dor aguda no peito. Era porque eu odiava deixar qualquer mistério sem solução? Não devia ser só isso...

Por fim, respirei fundo e me aproximei.

Quando Tyler me viu, começou a falar, mas levei o dedo à boca.

— Ela está dormindo? — murmurei.

Os olhos de Bella abriram-se de repente e fitaram meu rosto. Ela arregalou os olhos por um segundo, depois franziu a testa, irritada ou desconfiada.

Lembrei que tinha um papel a interpretar, então sorri para ela como se nada estranho tivesse acontecido de manhã, além de uma batida na cabeça e um momento de imaginação descontrolada.

— Aí, Edward — disse Tyler. — Me desculpe...

Ergui a mão para interromper seu pedido de desculpas.

— Sem sangue, sem crime — falei secamente.

Sem pensar, dei um sorriso exagerado com a minha própria piada.

Tyler estremeceu e desviou os olhos.

Era incrivelmente fácil ignorar Tyler, deitado a pouco mais de um metro de mim, os ferimentos mais graves ainda sangrando. Nunca entendi como Carlisle era capaz de fazer isto: ignorar o sangue dos pacientes para conseguir tratá-los. A constante tentação não seria uma distração grande demais, um perigo? Mas agora... eu entendia. Se colocar todo o seu foco em outra coisa, a tentação passa a ser imperceptível.

Mesmo fresco e exposto, o sangue de Tyler não chegava aos pés do de Bella.

Mantive distância dela, sentando-me na beira do colchão de Tyler.

— E então, qual é o veredito? — perguntei a ela.

Ela fez um bico discreto.

— Não há nada de errado comigo, mas não me deixam ir embora. Por que é que você não foi amarrado a uma maca como nós?

Sua impaciência me fez sorrir de novo.

Ouvi Carlisle andando pelo corredor.

— Tem a ver com quem você conhece — respondi com tranquilidade. — Mas não se preocupe, eu vim libertá-la.

Observei atentamente sua reação quando meu pai entrou na sala. Seus olhos se arregalaram, e ela chegou a ficar boquiaberta de surpresa. Gemi por dentro. Sim, ela certamente havia notado a semelhança.

— Então, Srta. Swan, como está se sentindo? — perguntou Carlisle.

Ele tinha um jeito incrivelmente acalentador que tranquilizava a maioria dos pacientes em segundos. Mas não dava para perceber como afetava Bella.

— Estou bem — respondeu ela, baixinho.

Carlisle prendeu as radiografias no painel iluminado ao lado da cama.

— Sua radiografia parece boa. Está com dor de cabeça? Edward disse que bateu com muita força.

Ela suspirou e repetiu:

— Estou bem.

Dessa vez a impaciência transpareceu em sua voz. Ela me olhou feio.

Carlisle se aproximou e passou os dedos com gentileza por sua cabeça até encontrar o galo sob o cabelo.

Fui pego de surpresa pela onda de emoção que me invadiu.

Eu já tinha visto Carlisle trabalhar com humanos mil vezes. Anos antes, tinha até atuado informalmente como seu assistente, embora só em situações sem sangue envolvido. Então não era novidade vê-lo interagir com a garota como se fosse tão humano quanto ela. Eu invejara seu autocontrole muitas vezes, mas a emoção que sentia agora era diferente. Minha inveja ia além do seu autocontrole. Eu desejava a diferença entre mim e Carlisle: sua capacidade de tocá-la com gentileza, sem medo, sabendo que jamais a machucaria.

Ela fez uma careta, e eu me contorci. Tive que me concentrar até retomar a postura relaxada.

— Dolorido? — perguntou Carlisle.

Ela ergueu um pouco o queixo.

— Na verdade, não.

Mais um pedacinho da personalidade dela se somou ao quebra-cabeça: ela era corajosa. Não gostava de demonstrar fraqueza.

Possivelmente a criatura mais vulnerável que eu já vira, e ela não queria ser vista como fraca. Deixei escapar uma risada.

Ela me olhou feio mais uma vez.

— Bem — disse Carlisle —, seu pai está na sala de espera... Pode ir para casa com ele agora. Mas volte se sentir vertigem ou tiver qualquer problema de visão.

O pai dela estava lá? Avaliei os pensamentos da sala de espera lotada, mas não encontrei sua voz mental sutil em meio ao grupo. Com uma expressão ansiosa, ela perguntou:

— Posso voltar para a escola?

— Talvez devesse descansar hoje — sugeriu Carlisle.

Seus olhos me fitaram por um segundo.

— *Ele* vai para a escola?

Aja normalmente, acalme as coisas... Ignore como se sente quando ela olha nos seus olhos...

— Alguém tem que espalhar a boa notícia de que sobrevivemos — falei.

— Na verdade — disse Carlisle —, a maior parte da escola parece estar na sala de espera.

Dessa vez antecipei a reação de Bella, sua aversão à atenção. Ela não me decepcionou.

— Ah, não — gemeu ela, cobrindo o rosto com as mãos.

Fiquei feliz por finalmente ter acertado. Por estar começando a entendê-la.

— Quer ficar aqui? — perguntou Carlisle.

— Não, não! — respondeu ela na mesma hora, movendo as pernas para a lateral do colchão e escorregando até tocar os pés no chão.

Ela tropeçou para a frente, desequilibrada, e caiu nos braços de Carlisle. Ele a segurou e a firmou.

De novo, a inveja me dominou.

— Estou bem — disse ela, antes que ele pudesse dizer qualquer coisa, as bochechas levemente rosadas.

É claro que a reação dela não incomodaria Carlisle. Ele se certificou de que ela estava equilibrada, então a soltou.

— Tome um Tylenol para a dor — instruiu ele.

— Não está doendo tanto assim.

Carlisle sorriu enquanto assinava o prontuário.

— Parece que vocês tiveram muita sorte.

Ela virou o rosto de leve e me encarou com raiva.

— A sorte foi Edward por acaso estar parado do meu lado.

— Ah, bem, sim — concordou Carlisle depressa, ouvindo a mesma coisa que eu na voz dela.

Bella não tinha aceitado que suas suspeitas fossem pura imaginação. Ainda não.

Toda sua, pensou Carlisle. *Lide com isso como achar melhor.*

— Muito obrigado — sussurrei, rápido e baixo.

Nenhum dos humanos me ouviu. Os lábios de Carlisle se ergueram um milímetro com meu sarcasmo, então ele se virou para Tyler.

— Mas acho que *você* terá que ficar conosco por mais um tempinho — disse, ao começar a examinar as lacerações superficiais causadas pelo para-brisa quebrado.

Bom, eu tinha feito a bagunça, então era justo que tivesse que lidar com ela.

Bella veio caminhando decidida na minha direção, sem parar até estar desconfortavelmente perto. Lembrei que tinha desejado, antes de todo aquele caos, que ela se aproximasse de mim. Era como se meu desejo tivesse voltado para zombar da minha cara.

— Posso conversar com você um minuto? — perguntou ela, irritada.

Seu hálito quente atingiu meu rosto, e tive que dar um passo trêmulo para trás. Seu apelo não estava nem um pouco reduzido. Toda vez que ela se aproximava, todos os meus piores e mais urgentes instintos despertavam. O veneno enchia minha boca e meu corpo ansiava por atacar, por prendê-la nos braços e destroçar seu pescoço com os dentes.

Minha mente era mais forte do que meu corpo, mas não muito.

— Seu pai está esperando por você — lembrei a ela, trincando o maxilar.

Ela deu uma olhada em Carlisle e Tyler. O garoto não estava prestando nenhuma atenção em nós, mas Carlisle monitorava cada movimento meu.

Cuidado, Edward.

— Gostaria de falar com você a sós, se não se importa — insistiu ela, em voz baixa.

Eu queria dizer que me importava, sim, muito, mas sabia que precisaria enfrentar isso mais cedo ou mais tarde. Melhor resolver logo.

A contragosto, saí da sala, cheio de emoções conflitantes, ouvindo seus passos bambos atrás de mim, tentando me acompanhar.

Eu tinha que caprichar na interpretação. Sabia o papel que faria, dominava o personagem. Seria o vilão. Mentiria, zombaria e seria cruel.

Aquilo ia contra todos os meus impulsos, os impulsos humanos a que me agarrara durante todos aqueles anos. Nunca quis tanto ganhar a confiança de alguém como naquele momento, quando precisava destruir qualquer possibilidade de isso acontecer.

O pior era saber que essa seria a última lembrança que ela teria de mim. Essa seria minha cena de despedida.

Eu me virei para ela.

— O que você quer? — perguntei secamente.

Ela fez uma ligeira careta diante da minha hostilidade. Seus olhos ficaram confusos, e seu rosto ganhou a mesma expressão que tinha me assombrado.

— Você me deve uma explicação — falou ela.

A pouca cor que restava em seu rosto sumiu da sua pele de marfim.

Foi muito difícil manter a voz áspera.

— Eu salvei sua vida... Não lhe devo nada.

Ela se encolheu. Ardeu como ácido ver minhas palavras a magoarem.

— Você prometeu — sussurrou ela.

— Bella, você bateu a cabeça, não sabe do que está falando.

Ela ergueu o queixo.

— Não há nada de errado com a minha cabeça.

Tinha ficado irritada, o que facilitava meu trabalho. Fixei meus olhos nos dela, forçando uma expressão fria e rígida.

— O que você quer de mim, Bella?

— Quero saber a verdade. Quero saber por que estou mentindo por você.

Seu pedido era justo, e me frustrava ter que recusá-lo.

— O que você *acha* que aconteceu? — perguntei, quase rosnando.

Suas palavras explodiram em uma torrente.

— Só o que sei é que você não estava em nenhum lugar perto de mim... O Tyler também não o viu, então não venha me dizer que bati a cabeça com força. Aquela van ia atropelar nós dois... E não aconteceu, e suas mãos pareceram amassar a lateral dela... E você deixou um amassado no outro carro e não está nada machucado... E a van devia ter esmagado minhas pernas, mas você a levantou...

De repente, ela trincou os dentes, e seus olhos se encheram de lágrimas.

Eu a encarei com uma expressão descrente, embora na verdade sentisse admiração; ela vira tudo.

— Acha que eu levantei a van? — perguntei, aumentando o sarcasmo na voz.

Ela respondeu com um movimento firme da cabeça.

Meu tom de voz ficou ainda mais desdenhoso.

— Sabe que ninguém vai acreditar nisso.

Ela se esforçou para controlar as emoções... a raiva, pelo que parecia. Quando respondeu, enunciou cada palavra de forma deliberada e lenta:

— Não vou contar a ninguém.

Ela falava sério, dava para ver em seus olhos. Mesmo estando furiosa e se sentindo traída, ela guardaria meu segredo.

Por quê?

O choque arruinou por meio segundo minha expressão facial cuidadosamente forjada, mas em seguida me recompus.

— Então por que isso importa? — perguntei, me esforçando para manter o tom áspero.

— Importa para mim — respondeu ela, intensa. — Não gosto de mentir... Então é melhor haver uma boa razão para que eu faça isso.

Bella estava me pedindo para confiar nela. Assim como eu queria que confiasse em mim. Mas aquele era um limite que eu não podia ultrapassar.

Minha voz permaneceu cética.

— Não pode simplesmente me agradecer e acabar com isso?

— Obrigada — disse ela, então ficou em silêncio, irritada, esperando.

— Você não vai deixar passar em branco, não é?

— Não.

— Nesse caso... — Eu não podia contar a verdade a ela nem se quisesse... e eu *não* queria. Preferia que ela inventasse a própria história em vez de saber o que eu era, porque nada poderia ser pior que a verdade: eu era um pesadelo morto-vivo, saído direto das páginas de uma história de terror. — Espero que goste de se decepcionar.

Nós nos encaramos com um esgar. Ela ficou vermelha e trincou os dentes.

— Por que se deu ao trabalho, então?

Eu não estava esperando por aquela pergunta, nem estava preparado para respondê-la. Perdi o controle do personagem que estava interpretando. Senti a máscara cair do meu rosto, e lhe disse — dessa única vez — a verdade.

— Não sei.

Memorizei seu rosto uma última vez — ainda com uma expressão de fúria, o sangue corando suas bochechas —, então dei as costas e me afastei.

4. VISÕES

Voltei para a escola. Era a coisa certa a fazer, a forma mais discreta de me comportar.

No fim do dia, quase todos os alunos também já tinham voltado. Só Tyler, Bella e alguns outros, que provavelmente estavam usando o acidente como desculpa para matar aula, ainda estavam ausentes.

Fazer a coisa certa não deveria ter sido tão difícil para mim. Mas durante toda a tarde tive que lutar contra o ímpeto de matar aula também — para procurar a garota de novo.

Como um perseguidor. Um perseguidor obcecado. Um vampiro perseguidor e obcecado.

As aulas naquele dia foram — embora parecesse impossível — ainda mais chatas do que na semana anterior. Era quase como um coma. Era como se a cor tivesse sido drenada dos tijolos, das árvores, do céu, dos rostos ao meu redor... Eu encarava as rachaduras nas paredes.

Havia mais uma coisa certa que eu deveria estar fazendo... e não estava. E, é claro, também era uma coisa errada. Tudo dependia do ponto de vista.

Da perspectiva de um Cullen — não só de um vampiro, mas um *Cullen*, alguém que pertencia a uma família, algo tão raro no nosso mundo —, a coisa certa seria algo assim:

— *Estou surpreso por vê-lo na aula, Edward. Ouvi dizer que você estava envolvido naquele acidente horrível de hoje de manhã.*

— Ah, é verdade, Sr. Banner, mas eu tive sorte.

Um sorriso amigável.

— Eu não me machuquei nem um pouco. Gostaria de poder dizer o mesmo de Tyler e Bella.

— Como eles estão?

— Acho que Tyler está bem... Só alguns arranhões superficiais por causa do para-brisa quebrado. Mas Bella, não sei...

Um franzir de testa preocupado.

— Talvez tenha sofrido uma concussão. Ouvi dizer que ela ficou muito confusa por uns instantes, até vendo coisas. Os médicos ficaram preocupados...

Era assim que tudo deveria ter se desenrolado. Era isso que eu devia à minha família.

— Estou surpreso por vê-lo na aula, Edward. Ouvi dizer que você estava envolvido naquele acidente horrível de hoje de manhã.

Sem sorriso dessa vez.

— Eu não me machuquei.

O Sr. Banner trocou o pé de apoio, incomodado.

— Você tem alguma ideia de como Tyler Crowley e Bella Swan estão? Ouvi dizer que se machucaram...

Dei de ombros.

— Não sei.

O Sr. Banner pigarreou.

— Hum, certo... — disse ele, a voz parecendo sem forças diante do meu olhar gélido.

Ele voltou depressa para a frente da sala e começou a aula.

Foi a coisa errada a fazer. A não ser que a perspectiva dessa situação fosse um pouco mais obscura.

Parecia tão... tão *pouco cavalheiresco* mentir sobre a garota pelas costas, especialmente quando ela estava se provando mais confiável do que eu poderia ter sonhado. Ela não contara a ninguém o que tinha realmente acontecido, apesar de ter motivos para isso. Como eu poderia traí-la, quando ela não tinha feito nada além de guardar meu segredo?

Tive uma conversa praticamente idêntica com a Sra. Goff — em espanhol, dessa vez —, e Emmett me encarou por um bom tempo.

Espero que você tenha uma boa explicação para o que aconteceu hoje. Rose está explodindo de raiva.

Revirei os olhos sem olhar para ele.

Na verdade, eu tinha criado uma explicação perfeita. Digamos que eu *não* tivesse feito nada para impedir a van de esmagar a garota. Essa ideia era tão desagradável que me contorci. Se ela *tivesse* sido atingida, se tivesse se machucado e perdido muito sangue, e o fluido rubro escorresse, se esvaindo pelo asfalto, o cheiro de sangue fresco pulsando pelo ar...

Estremeci de novo, mas não só de horror. Parte de mim tremia de desejo. Não, eu não conseguiria vê-la sangrar sem nos expor de forma muito mais grave e chocante.

Era uma desculpa perfeitamente aceitável... mas eu não a usaria. Era vergonhoso demais.

E eu só tinha pensado nela muito tempo depois do acontecido, na verdade.

Cuidado com Jasper, continuou Emmett, ignorando meus pensamentos. *Ele não está tão furioso... mas está mais decidido.*

Eu entendi o que ele queria dizer, e por um momento a sala se agitou ao meu redor. A onda de raiva era tão poderosa que uma névoa vermelha dominou minha visão. Pensei que ia me engasgar com ela.

EDWARD! SE CONTROLA!, gritou Emmett mentalmente.

Ele segurou meu ombro com uma das mãos, me mantendo no lugar antes que eu pudesse me levantar com um pulo. Ele raramente usava toda a sua força — quase nunca era necessário, pois era muito mais forte que qualquer outro vampiro que já havíamos encontrado —, mas fez isso naquele momento. Ele agarrou meu braço, em vez de me empurrar para baixo. Se fizesse isso, a cadeira sob mim teria se quebrado.

CALMA!, ordenou ele.

Tentei me controlar, mas era difícil. A raiva ardia em minha mente.

Jasper não vai fazer nada até todos nós conversarmos. Só achei que você deveria saber o que ele está pensando.

Eu me concentrei em me acalmar, e senti a mão de Emmett relaxar.

Tente não fazer ainda mais escândalo. Você já está com problemas demais.

Respirei fundo, e Emmett me soltou.

Olhei em volta, como de costume, mas nossa discussão havia sido tão rápida e silenciosa que só algumas poucas pessoas sentadas atrás de Emmett notaram alguma coisa. Não entenderam nada e deixaram o assunto de lado. Os Cullen eram loucos, todo mundo já sabia disso.

Caramba, cara, você está péssimo, completou Emmett, num tom de pena.

— Vai se ferrar — sussurrei, e o ouvi rindo baixinho.

Emmett não guardava rancor, e provavelmente eu deveria ter sido mais grato por sua tranquilidade e compreensão. Mas eu via que as intenções de Jasper faziam sentido para ele, e que ele começava a pensar que talvez pudessem ser a melhor saída.

A raiva borbulhava, quase fora de controle. Sim, Emmett era mais forte do que eu, mas ainda não tinha ganhado de mim em uma briga. Ele dizia que era porque eu roubava, mas ouvir pensamentos era tão parte de mim quanto aquela imensa força era parte dele. Nós éramos páreo um para o outro.

Uma briga? Era assim que aquilo terminaria? Eu teria que brigar com a minha *família* por causa de uma humana que mal conhecia?

Pensei nisso por um momento, pensei que o corpo da garota parecera muito frágil nos meus braços, em comparação com Jasper, Rose e Emmett — que por natureza eram máquinas de matar, com força e velocidade sobrenaturais.

Sim, eu lutaria por ela. Mesmo contra a minha família. Estremeci.

Mas não era justo deixá-la indefesa quando fui eu que a coloquei em perigo!

Porém, eu não conseguiria vencer sozinho, não contra eles três, e me perguntei quem seriam meus aliados.

Carlisle, sem dúvida. Ele não brigaria com ninguém, mas discordaria totalmente dos planos de Rose e Jasper. Talvez isso me bastasse.

Esme, quem sabe. Ela não ficaria *contra* mim, e também odiaria discordar de Carlisle, mas apoiaria qualquer plano que mantivesse sua família intacta. A maior prioridade de Esme não seria fazer a coisa certa, e sim *me proteger*. Se Carlisle era a alma da nossa família, Esme era o coração. Ele era um líder que merecia ser seguido; ela transformava aquela liderança em um ato de amor. Todos nós nos amávamos — mesmo em meio à fúria que eu sentia em relação a Jasper e Rose naquele momento, mesmo planejando lutar contra eles para salvar a garota, eu sabia que os amava.

Alice... eu não tinha ideia. Provavelmente dependeria do que visse do futuro. Eu imaginava que ela ficaria do lado dos vencedores.

Então eu teria que seguir sem ajuda. Não seria capaz de enfrentá-los sozinho, mas também não deixaria que a garota se machucasse por minha causa. Talvez medidas evasivas fossem necessárias.

Um humor sombrio repentino atenuou um pouco minha raiva. Tentei imaginar como a garota reagiria se eu a raptasse. É claro que eu raramente conseguia adivinhar suas reações, mas que outra resposta ela teria que não o terror?

No entanto, eu não tinha certeza de que conseguiria fazer isso: raptá-la. Não conseguiria ficar perto dela por tanto tempo. Talvez eu só a entregasse de volta para a mãe. Até isso seria muito perigoso. Para ela.

E também para mim, me dei conta de repente. Se eu a matasse por acidente... Eu não sabia ao certo quanta dor isso me causaria, mas sabia que seria intensa e complexa.

O tempo passou rápido enquanto eu considerava todas as complicações a enfrentar: a discussão que me esperava em casa, o conflito com minha família, os extremos a que talvez tivesse que chegar.

Bom, não podia mais reclamar que a vida *fora* da escola era monótona. A garota mudara isso.

Após o último sinal, fui andando com Emmett em silêncio até o carro. Ele estava preocupado comigo e com Rosalie. Sabia que não teria alternativa quando precisasse escolher um lado, e isso o incomodava.

Os outros estavam nos esperando no carro, também em silêncio. Éramos um grupo muito quieto. Só eu conseguia ouvir os gritos.

Idiota! Lunático! Estúpido! Insano! Tolo, egoísta e irresponsável!

Rosalie mantinha um fluxo constante de insultos, gritando a plenos pulmões em sua mente. Isso dificultava que eu ouvisse os outros, mas a ignorei o máximo que pude.

Emmett tinha razão sobre Jasper. Ele estava decidido.

Alice estava nervosa, preocupada com Jasper, repassando inúmeras imagens do futuro. Não importava de que ângulo Jasper tentasse atingir a garota, Alice sempre me via ali, impedindo-o. Interessante... Nem Rosalie nem Emmett estavam com ele nessas visões. Então Jasper planejava agir sozinho. Isso facilitaria as coisas.

Jasper era o melhor lutador de nós, e certamente o mais experiente. Minha única vantagem era poder ouvir seus planos antes que ele os colocasse em prática.

Eu nunca tinha brigado com meus irmãos a sério, só fazíamos umas lutas de brincadeira. Ficava enjoado só de pensar em tentar machucar Jasper de verdade.

Não, eu não faria isso. Só o impediria. Só isso.

Eu me concentrei em Alice, que memorizava as diferentes abordagens de ataque de Jasper.

Conforme fiz isso, as visões dela mudaram, se afastando cada vez mais da casa dos Swan. Eu o interceptava cada vez mais cedo.

Pare com isso, Edward!, gritou ela. *Não vai acontecer assim. Eu não vou deixar.*

Não respondi, só continuei observando.

Ela começou a vasculhar um futuro cada vez mais distante, adentrando o reino enevoado e incerto das possibilidades longínquas. Tudo era sombrio e vago.

Durante todo o caminho, o silêncio pesado permaneceu. Estacionei na grande garagem ao lado da casa. O Mercedes de Carlisle estava lá, ao lado do Jeep de Emmett, do M3 de Rose e do meu Vanquish. Fiquei feliz por Carlisle já estar em casa — aquele silêncio podia acabar em uma explosão, e eu queria que ele estivesse por perto quando isso acontecesse.

Fomos direto para a sala de jantar.

A sala, é claro, nunca era usada para seu devido propósito. Mas era mobiliada com uma longa mesa oval de mogno cercada de cadeiras — éramos muito escrupulosos em manter tudo conforme a encenação mandava. Carlisle gostava de usar o cômodo como sala de conferências. Em um grupo com personalidades tão fortes e distintas, às vezes era necessário discutir as coisas de forma calma e educada.

Eu tinha a sensação de que aquilo não ajudaria nesse caso.

Carlisle se sentou no seu lugar de sempre, na cabeceira direita da mesa. Esme estava ao lado dele, segurando sua mão sobre o tampo.

Esme não tirava os olhos de mim, sua intensidade dourada repleta de preocupação.

Fique. Foi seu único pensamento. Ela não tinha ideia do que estava prestes a começar; só estava preocupada comigo.

Desejei poder sorrir para a mulher que era uma verdadeira mãe para mim, mas não tinha como reconfortá-la naquele momento.

Eu me sentei do outro lado de Carlisle.

Ele tinha uma noção melhor do que ia acontecer. Seus lábios se estreitavam em uma linha fina, e a testa estava franzida. A expressão parecia velha demais para seu rosto jovial.

Enquanto se sentavam, percebi que todos iam escolhendo seu lado.

Rosalie se sentou bem em frente a Carlisle, na outra ponta da mesa longa. Ela me encarou com raiva, sem desviar os olhos.

Emmett se sentou ao lado de Rosalie, com sarcasmo no rosto e nos pensamentos.

Jasper hesitou, depois se recostou na parede atrás de Rosalie. Estava decidido, independentemente do resultado daquela discussão. Cerrei os dentes.

Alice foi a última a entrar, e seus olhos estavam focados em algo distante — no futuro, ainda indistinto demais para ser útil. Aparentemente sem pensar no que fazia, sentou-se ao lado de Esme. Esfregou a testa como se estivesse com dor de cabeça. Jasper se remexeu, com ar inquieto, e considerou se juntar a ela, mas se manteve em seu lugar.

Respirei fundo. Eu tinha começado tudo aquilo e tinha que falar primeiro.

— Sinto muito — falei, olhando primeiro para Rose, depois para Jasper, e por fim para Emmett. — Não era minha intenção colocar vocês em risco. Foi algo impensado, e assumo total responsabilidade pelas minhas ações precipitadas.

Rosalie me encarou, irritada.

— Como assim, "assumo total responsabilidade"? Você vai resolver a situação?

— Não como você está pensando — respondi, tentando manter a voz calma. — Já estava planejando partir antes de tudo isso acontecer. Vou embora agora... — *Se eu acreditar que a garota ficará segura*, pensei. *Se eu acreditar que nenhum de vocês vai tocar nela.* — A situação vai ser resolvida.

— Não — murmurou Esme. — Não, Edward.

Eu segurei sua mão.

— São só alguns anos.

— Mas Esme tem razão — disse Emmett. — Você não pode ir embora agora. Isso seria o *oposto* de ajudar. Temos que saber o que as pessoas estão pensando, agora mais do que nunca.

— Alice vai perceber qualquer coisa importante — discordei.

Carlisle balançou a cabeça.

— Acho que Emmett tem razão, Edward. É mais provável que a garota fale alguma coisa caso você desapareça. Ou todos nós vamos embora, ou ninguém vai.

— Ela não vai dizer nada — insisti.

Rose estava prestes a explodir, e eu queria esclarecer aquilo antes de tudo.

— Você não sabe como a mente dela funciona — lembrou Carlisle.

— Eu sei bem. Alice, diga a eles.

Alice me olhou com uma expressão cansada.

— Não consigo ver o que aconteceria se nós simplesmente ignorássemos isso.

Ela encarou Rose e Jasper.

Não, ela não conseguia ver aquele futuro, não com Rosalie e Jasper sendo tão resistentes à ideia de ignorar o incidente.

Rosalie espalmou a mão na mesa com um estrondo.

— Não podemos dar a um humano a chance de opinar. Carlisle, não é possível que você não veja isso. Mesmo se todos decidirmos desaparecer, não é seguro deixar histórias para trás. Vivemos de forma tão diferente dos outros... Você sabe que existem aqueles que adorariam ter uma desculpa para nos acusar. Temos que tomar cuidado redobrado!

— Já demos origem a boatos antes — lembrei a ela.

— Apenas boatos e suspeitas, Edward. Não houve testemunhas e provas!

— Provas! — falei, bufando.

Mas Jasper estava assentindo, com um olhar severo.

— Rose... — começou Carlisle.

— Deixe-me terminar, Carlisle. Não precisa ser nenhuma grande produção. A garota bateu a cabeça hoje. Então talvez esse ferimento acabe sendo mais grave do que parecia — disse Rosalie, dando de ombros. — Todo mortal vai dormir com a possibilidade de nunca mais acordar. Os outros esperariam que nós resolvêssemos isso. Você sabe que sou capaz de me controlar. Eu não deixaria provas.

— Sim, Rosalie, todos nós sabemos como você é uma assassina extremamente competente — retruquei.

Ela rosnou para mim, momentaneamente sem palavras. Quisera eu que isso durasse.

— Edward, por favor — pediu Carlisle. Depois ele se virou para Rosalie. — Rosalie, eu fingi que não vi o que aconteceu em Rochester porque senti que você merecia sua justiça. O que os homens que você matou fizeram com você foi monstruoso. Essa situação não é igual àquela. A menina Swan é completamente inocente.

— Não é nada pessoal, Carlisle — disse Rosalie por entre os dentes cerrados. — É para nos proteger.

Houve um breve momento de silêncio enquanto Carlisle pensava em sua resposta. Quando ele assentiu, o olhar de Rosalie se iluminou. Ela não deveria ter sido tão ingênua. Mesmo que eu não pudesse ler os pensamentos de Carlisle, conseguiria prever suas próximas palavras. Ele nunca cedia nessa questão.

— Eu sei que você tem boas intenções, Rosalie, mas... Eu gostaria muito que *valesse a pena* proteger nossa família. Um ou outro... acidente ou descontrole é uma infeliz parte de quem somos. — Era típico dele se incluir nesse plural, embora ele mesmo nunca tivesse cometido um erro como aquele. — Assassinar uma garota inocente a sangue-frio é bem diferente. Acredito que o risco que ela traz para nós, não importa se vai comentar ou não sobre suas suspeitas, não chega aos pés de um risco muito maior. Se abrirmos exceções para nos protegermos, arriscamos algo muito mais importante: a essência do que somos.

Controlei minha expressão com todo o cuidado. Não seria de bom-tom sorrir. Nem aplaudir, como gostaria de fazer.

Rosalie fez uma careta.

— Só estou sendo responsável.

— Está sendo cruel — corrigiu Carlisle, gentilmente. — Todas as vidas são preciosas.

Rosalie deu um suspiro profundo e fechou a cara. Emmett lhe deu um tapinha no ombro.

— Vai ficar tudo bem, Rose — murmurou ele, tentando animá-la.

— A questão — continuou Carlisle — é se devemos partir.

— Não — gemeu Rosalie. — A gente acabou de se ajeitar aqui. Não quero começar o segundo ano da escola de novo!

— Você pode manter sua idade atual, é claro — respondeu Carlisle.

— E ter que me mudar de novo ainda mais rápido? — retrucou ela.

Carlisle deu de ombros.

— Eu *gosto* daqui! Faz tão pouco sol que a gente quase consegue ser *normal*.

— Bom, certamente não precisamos decidir agora. Podemos esperar e ver se a mudança será necessária. Edward parece certo do silêncio da menina Swan.

Rosalie bufou.

Mas eu não estava mais preocupado com Rose. Dava para ver que ela obedeceria à decisão de Carlisle, embora estivesse furiosa comigo. Tinham mudado de assunto e começado a discutir detalhes desimportantes.

Jasper não havia se convencido.

Eu compreendia. Antes de conhecer Alice, ele vivia em uma zona de combate, um teatro de operações constante. Ele sabia quais eram as consequências de ignorar regras — tinha visto os sangrentos resultados com os próprios olhos.

Dizia muito o fato de ele não ter tentado acalmar Rosalie com seus outros poderes, nem tentado atiçá-la. Preferia se manter alheio à discussão, acima daquele debate.

— Jasper — chamei.

Ele me encarou, o rosto inexpressivo.

— Ela não vai pagar pelo meu erro. Eu não vou permitir — falei.

— Então ela vai se beneficiar com isso? Era para ela ter morrido hoje, Edward. Eu só estaria corrigindo o erro.

Eu repeti, enfatizando cada palavra:

— *Eu não vou permitir.*

Ele ergueu as sobrancelhas. Não estava esperando aquilo... não tinha imaginado que eu agiria para impedi-lo.

Jasper balançou a cabeça.

— E eu não vou deixar Alice correr qualquer perigo, por menor que seja. Você não sente por ninguém o que eu sinto por ela, Edward, e não passou pelo que eu passei, mesmo que tenha visto minhas memórias. Você não compreende.

— Não estou discutindo isso, Jasper. Mas estou avisando: não vou permitir que você machuque Isabella Swan.

Nós nos encaramos — não com raiva, mas avaliando o oponente. Senti que ele testava meu estado de espírito, minha determinação.

— Jazz — disse Alice, nos interrompendo.

Ele continuou me encarando por um segundo, então olhou para ela.

— Não precisa dizer que você consegue se cuidar sozinha, Alice. Eu sei disso. Mas não muda...

— Não era isso que eu ia dizer — retrucou Alice. — Eu ia pedir um favor.

Eu vi o que ela tinha em mente, e meu queixo caiu com um arfar audível. Fiquei encarando-a, chocado, dando-me conta de que todos estavam me olhando com certa desconfiança.

— Eu sei que você me ama. Obrigada. Mas eu ficaria muito feliz se você não tentasse matar a Bella. Em primeiro lugar, Edward está falando muito sério, e não quero que vocês briguem. Em segundo, ela é minha amiga. Ou pelo menos *vai ser*.

Estava claro como água em sua mente: Alice sorrindo, com o braço pálido e gélido em volta dos ombros cálidos e frágeis da garota. E Bella estava sorrindo também, com o braço em volta da cintura de Alice.

A visão era concreta, só o momento era incerto.

— Mas... Alice... — gaguejou Jasper.

Não consegui virar o rosto para ver sua expressão. Não conseguia me afastar da imagem na visão de Alice para ouvir os pensamentos de Jasper.

— Eu vou amá-la um dia, Jazz. Vou ficar muito chateada com você se não deixar Bella em paz.

Eu ainda estava preso nos pensamentos de Alice. Vi o futuro brilhar enquanto os planos de Jasper iam por água abaixo diante daquele pedido inesperado.

— Ah... — Ela suspirou. A indecisão de Jasper tinha mostrado um novo futuro. — Viu? Bella não vai dizer nada. Não precisamos nos preocupar.

O jeito como ela disse o nome da garota... como se já fossem confidentes.

— A-Alice — gaguejei. — O que... isso...?

— Eu falei que tinha uma mudança a caminho. Não sei, Edward.

Mas ela trincou os dentes, e deu para perceber que tinha mais informações. Estava tentando não pensar naquilo. De repente ela estava se concentrando em Jasper com toda a força, embora ele estivesse atordoado demais para ter tomado qualquer outra decisão.

Ela fazia isso às vezes, quando tentava esconder algo de mim.

— O quê, Alice? O que você está escondendo?

Ouvi Emmett resmungar. Ele sempre ficava frustrado quando eu e Alice tínhamos esse tipo de conversa.

Ela balançou a cabeça, sem me deixar entrar em sua mente.

— É sobre a garota? — exigi saber. — É sobre Bella?

Ela cerrou os dentes, se concentrando, mas, quando falei o nome de Bella, Alice perdeu o foco. Seu deslize só durou um milésimo de segundo, mas foi o suficiente.

— NÃO! — gritei.

Ouvi minha cadeira bater no chão, e foi só então que percebi que estava de pé.

— Edward!

Carlisle tinha se levantado também, e segurava meu ombro. Eu mal percebia sua presença.

— Está se solidificando — sussurrou Alice. — A cada minuto você está mais decidido. Só restam dois futuros para ela. É um ou outro, Edward.

Eu estava vendo o que ela via... mas não podia aceitar.

— Não — repeti.

Não havia força na minha negação. Minhas pernas pareciam ocas, e tive que me apoiar na mesa. Carlisle baixou a mão.

— Isso é *tão* irritante — reclamou Emmett.

— Tenho que ir embora — sussurrei para Alice, ignorando-o.

— Edward, a gente já falou sobre isso — retrucou Emmett em voz alta. — Assim a garota vai abrir o bico com certeza. Além disso, se você for embora, não vamos saber se ela falou com alguém ou não. Você precisa ficar e lidar com isso.

— Não vejo você indo a lugar nenhum, Edward — disse Alice para mim. — Não sei se você *pode* ir embora agora.

Pense nisso, completou ela em silêncio. *Pense em ir embora.*

Eu entendi o que ela queria dizer. Sim, a ideia de nunca mais ver a garota era... dolorosa. Eu já havia sentido isso no corredor do hospital, quando me despedira dela de forma ríspida. Mas agora a ideia de partir era ainda mais necessária. Eu não podia aceitar nenhum dos dois futuros a que aparentemente a havia condenado.

Não tenho muita certeza sobre Jasper, Edward, continuou Alice. *Se você partir, se ele achar que Bella é um perigo para nós...*

— Não estou ouvindo isso — argumentei, ainda quase sem notar nossa plateia.

Jasper estava em dúvida. Não faria nada que magoasse Alice.

Não neste momento. Você vai arriscar a vida dela, deixá-la indefesa?

— Por que você está fazendo isso comigo? — gemi, baixando a cabeça e apoiando-a entre as mãos.

Eu não era o protetor de Bella. Não poderia ser. O futuro dividido de Alice não era prova suficiente disso?

Eu a amo também. Ou vou amar. Não é a mesma coisa, mas quero que ela esteja aqui para isso acontecer.

— Você a ama *também*? — sussurrei, incrédulo.

Ela suspirou.

Você é tão cego, Edward. Não está vendo o que vai acontecer com você? Não vê o que já está acontecendo? É mais inevitável que o sol nascendo amanhã. Veja o que eu vejo...

Balancei a cabeça, horrorizado.

— Não. — Tentei impedir as visões que ela me revelava. — Eu não preciso seguir por esse caminho. Vou embora. *Vou* mudar o futuro.

— Você pode tentar — disse ela, a voz cética.

— Ah, *por favor*! — berrou Emmett.

— Preste atenção — sibilou Rose para ele. — Alice está vendo ele se apaixonando por uma *humana*! Típico do Edward!

Ela fingiu sentir ânsia de vômito.

Eu mal a ouvi.

— O quê? — perguntou Emmett, confuso. Então sua risada ribombante ecoou pela sala. — É isso que está acontecendo? — Ele riu de novo. — Que azar, Edward.

Senti a mão dele tocar meu braço, mas me afastei, distraído. Não conseguia prestar atenção nele.

— *Se apaixonar* por uma humana? — repetiu Esme, com um tom descrente. — Pela garota que ele salvou hoje? Se *apaixonar* por ela?

— O que está vendo exatamente, Alice? — Jasper exigiu saber.

Ela se virou para ele. Continuei encarando seu perfil, atônito.

— Tudo depende da força de Edward. Ou ele mesmo vai matá-la... — Ela se virou para me encarar de novo, furiosa. — O que me deixaria *muito* irritada, Edward, sem falar no que aconteceria com *você*. — Ela olhou para Jasper outra vez. — Ou um dia ela será uma de nós.

Alguém arfou. Não olhei para descobrir quem foi.

— Isso não vai acontecer! — gritei novamente. — Nada disso!

Alice falou como se não tivesse me ouvido.

— Tudo depende — repetiu ela. — Talvez ele tenha força *só* para não matá-la, mas vai ser por pouco. Será preciso um autocontrole surpreendente — refletiu. — Mais até do que o de Carlisle. A única coisa que ele não tem forças para fazer é ficar longe dela. Essa é uma causa perdida.

Eu não conseguia encontrar minha voz. Nem mais ninguém a meu redor. A sala ficou paralisada.

Eu encarava Alice, e todos os outros me encaravam. Eu via minha própria expressão horrorizada de cinco pontos de vista diferentes.

Depois de um longo momento, Carlisle suspirou.

— Bom, isso... complica as coisas.

— Nem me fale — concordou Emmett.

Sua voz continuava bem-humorada. É claro que Emmett veria graça na destruição da minha vida.

— Imagino que os planos permaneçam os mesmos, de qualquer forma — disse Carlisle, pensativo. — Vamos ficar e observar. Obviamente, ninguém vai... machucar a garota.

Fiquei tenso.

— Não — disse Jasper em voz baixa. — Posso concordar com isso. Se Alice só vê duas opções...

— Não! — Minha voz não era grito, rosnado, nem choro de desespero, e sim uma combinação dos três. — Não!

Tive que sair, me afastar da confusão dos pensamentos deles — o nojo e o ar de superioridade de Rosalie, o humor de Emmett, a paciência infinita de Carlisle...

Pior: a confiança de Alice. A confiança de Jasper na confiança dela.

Pior de tudo: Esme... e sua *alegria*.

Saí da sala batendo os pés. Esme tentou pegar minha mão quando passei, mas não dei atenção ao gesto.

Estava correndo antes mesmo de sair da casa. Atravessei o gramado e o rio em um pulo e parti para a floresta. A chuva caía de novo, com tanta força que fiquei encharcado em segundos. Eu gostava do peso da água, criava uma parede entre mim e o restante do mundo. A chuva me protegia, me permitia ficar sozinho.

Corri para o leste, atravessando as montanhas e seguindo uma reta, até conseguir ver o brilho difuso das luzes de Seattle, me afastando de vez do ruído daqueles pensamentos. Parei antes de chegar às fronteiras da civilização humana.

Isolado pela chuva, totalmente sozinho, enfim me forcei a pensar no que tinha feito, em como havia mutilado o futuro.

Primeiro a visão de Alice abraçada à garota, caminhando com ela na floresta perto da escola — a confiança e a amizade entre as duas tão óbvias que ressoavam da imagem. Os grandes olhos cor de chocolate de Bella não estavam confusos na visão, mas ainda eram cheios de segredos — naquele momento, pareciam segredos felizes. Ela não se afastava do braço gélido de Alice.

O que aquilo significava? Quanto ela sabia? Naquele futuro em natureza-morta, o que ela pensava de *mim*?

Então a outra imagem, tão parecida, mas colorida pelo horror. Alice e Bella na varanda da minha casa, os braços ainda entrelaçados em uma confiança amigável. Mas dessa vez não havia diferença entre seus braços — ambos eram pálidos, lisos como mármore, duros como aço. Os olhos de Bella não eram mais da cor de chocolate. As íris eram de um carmim chocante e vívido. Os segredos em seus olhos eram inescrutáveis — resignação ou desgosto? Impossível dizer. Seu rosto era frio e imortal.

Estremeci. Não conseguia evitar aquelas perguntas, similares, mas diferentes: o que aquilo significava, como aquilo acontecera? E o que ela pensava de mim depois daquilo?

Eu podia responder à última pergunta. Se eu a condenasse a essa vida incompleta e vazia por conta de minha fraqueza e de meu egoísmo, certamente ela me odiaria.

Mas havia uma imagem ainda mais aterrorizante, pior do que qualquer outra que já tivesse me passado pela cabeça.

Meus próprios olhos, de um carmim intenso de sangue humano, os olhos de um monstro. O corpo destruído de Bella nos meus braços, de um branco cadavérico, seco, sem vida. A visão era tão concreta, tão clara.

Eu não aguentava ver aquilo. Não conseguia suportar. Tentei banir a imagem da minha mente, tentei imaginar outra coisa, qualquer coisa. Tentei ver novamente a expressão de seu rosto vivo, que havia obstruído minha visão no último capítulo da minha existência. Não consegui.

A visão horrenda de Alice preenchia minha mente, e eu me remoía com a agonia que me causava. Enquanto isso, o monstro dentro de mim explodia de alegria, exultante com a probabilidade de seu sucesso. Aquilo me enojava.

Eu não podia permitir isso. Tinha que haver uma maneira de evitar o futuro. Eu não permitiria que as visões de Alice me guiassem. Eu tinha o poder de escolher um caminho diferente. Sempre havia uma escolha.

Tinha que existir.

5. CONVITES

Ensino médio. Não mais um purgatório, e sim um verdadeiro inferno. Suplício e fogo... Sim, eu tinha o pacote completo.

Comecei a fazer tudo certo. Cada *i* com seu pingo, cada *t* com seu traço. Ninguém podia reclamar que eu estivesse fugindo de minhas responsabilidades.

Para agradar Esme e proteger minha família, permaneci em Forks. Voltei à minha antiga rotina. Não caçava mais do que os outros. Todos os dias, frequentava a escola e brincava de ser humano. Todos os dias, ficava atento a qualquer novidade sobre os Cullen, mas nada surgiu. A garota não disse nada sobre suas suspeitas. Repetiu sempre a mesma história — eu estava ao lado dela e a tirei do caminho da van —, até que os ávidos ouvintes se cansaram e pararam de buscar mais detalhes. Não havia perigo. Meu ato precipitado não ferira ninguém.

A não ser a mim mesmo.

Eu estava determinado a mudar o futuro. Não era a tarefa mais fácil a que alguém se propusesse, mas eu não via outra opção para a minha vida.

Alice disse que eu não seria forte o suficiente para me afastar da garota. Eu provaria que ela estava enganada.

Achei que o primeiro dia seria o mais difícil. Ao final do dia, tive *certeza*. Era eu quem estava enganado, não Alice.

Era de cortar o coração saber que eu magoaria a garota. Consolei-me com o fato de que sua mágoa não passaria de uma pequena chateação — uma picadinha de rejeição —, comparada com a minha. Bella era humana, e sabia que eu era alguma outra coisa, alguma coisa danosa, ameaçadora. Provavelmente ficaria mais aliviada do que magoada quando eu virasse o rosto e fingisse que ela não existia.

— Oi, Edward.

Foi assim que ela me cumprimentou na aula de biologia. Sua voz estava amável, amistosa, em uma guinada de cento e oitenta graus em relação à última vez que nos faláramos.

Por quê? O que significava aquela mudança? Será que ela se esquecera? Será que concluíra ter imaginado todo o episódio? Será que talvez tivesse me perdoado por não ter cumprido minha promessa?

As dúvidas me golpeavam e me dominavam, como a sede que me acometia cada vez que eu respirava.

Apenas um instante para olhar nos olhos dela. Apenas para ver se eu conseguiria ler as respostas ali dentro...

Não. Não podia me permitir nem mesmo isso. Não se eu estava disposto a mudar o futuro.

Movi meu queixo um centímetro na direção de Bella sem desviar o olhar da frente da sala. Foi um único movimento com a cabeça, e depois virei o rosto para a frente.

Ela não voltou a me dirigir a palavra.

Naquela tarde, assim que saí da escola e parei de representar meu papel, corri meio caminho até Seattle, como havia feito no dia anterior. Parecia que voar bem acima do solo me fazia lidar com a dor de um modo ligeiramente melhor, transformando tudo a minha volta em um grande borrão verde.

Esse passeio se transformou em um hábito diário.

Será que eu amava Bella? Talvez não. Ainda não. Porém, o futuro que Alice vislumbrara continuava vivo na minha mente, e percebi como seria fácil me apaixonar por Bella. Seria como cair: não era preciso esforço. Não me permitir amar Bella seria o oposto: impelir-me despenhadeiro acima, uma mão após a outra, com a mesma dificuldade que teria se só contasse com a força dos mortais.

Passou-se mais de um mês, e a cada dia ficava ainda mais difícil. Não fazia sentido para mim — eu ainda esperava superar aquele sentimento, esperava que aquilo se tornasse mais fácil, ou no mínimo menos difícil. Provavelmente Alice se referira a isso quando previra que eu não conseguiria me manter afastado da garota. Ela vislumbrara a escalada da dor.

Mas eu conseguiria controlar a dor.

Eu não destruiria o futuro de Bella. Se meu destino era amar Bella, evitá-la não era o mínimo que eu podia fazer?

No entanto, evitá-la era o máximo que eu conseguia suportar. Podia fingir ignorá-la e nunca olhar para ela. Podia fingir não ter nenhum interesse. Mas ainda perdia o fôlego a cada vez que ela respirava, a cada palavra que falava.

Não podia observá-la com meus olhos, então o fazia com os olhos dos outros. A maioria dos meus pensamentos orbitava em torno dela, como se ela fosse o centro de gravidade da minha mente.

À medida que esse inferno me oprimia, passei a agrupar meus suplícios em quatro categorias.

Os dois primeiros eram conhecidos. O cheiro e o silêncio de Bella. Ou melhor — para assumir minha própria responsabilidade —, minha sede e minha curiosidade.

A sede constituía o principal dos meus suplícios. Eu já me acostumara a parar de respirar completamente nas aulas de biologia. Claro, sempre havia exceções — quando eu tinha que responder a uma pergunta e precisava respirar para falar. Cada vez que eu experimentava o ar em torno de Bella, era a mesma sensação do primeiro dia — desejo e necessidade, uma violência brutal, desesperada para explodir. Era difícil me apegar, mesmo que de leve, à razão e ao controle nesses momentos. E, exatamente como naquele primeiro dia, o monstro dentro de mim urrava, quase chegando à superfície.

A curiosidade era o mais constante dos meus suplícios. Uma pergunta nunca saía de minha cabeça: *O que ela está pensando* agora? Quando eu a ouvia suspirar em silêncio. Quando ela enroscava uma mecha de cabelo em volta do dedo, distraidamente. Quando colocava os livros na mesa com uma força maior do que de costume. Quando entrava correndo na sala de aula, atrasada. Quando batia o pé no chão com ar impaciente. Cada movimento que minha visão periférica captava era um mistério enlouquecedor. Quando ela conversava com outros alunos humanos, eu analisava cada palavra e tom de voz. Ela falava o que pensava ou o que achava que deveria falar? Muitas vezes me parecia que ela tentava dizer aquilo que a plateia esperava. Tal atitude me fazia lembrar de minha família e de nossa cotidiana vida de ilusões — nós éramos mais bem-sucedidos nessa tarefa do que Bella. Mas por que ela tinha que interpretar um papel? Bella era como o restante do grupo, uma adolescente humana.

Só que... às vezes ela não se comportava como tal. Por exemplo, quando o Sr. Banner passou um projeto de grupo na aula de biologia. Em geral, ele deixava os alunos escolherem os parceiros. Como sempre acontecia nesses casos, os alunos ambiciosos e mais corajosos — Beth Daws e Nicholas Laghari — logo perguntaram se eu queria fazer parte do grupo deles. Dei de ombros, aceitando. Eles sabiam que eu faria minha parte com perfeição, e a deles também, se não a concluíssem.

Não foi surpresa o fato de Mike se juntar a Bella. O que pareceu inesperado foi a insistência de Bella em chamar Tara Galvaz para fazer o trabalho com eles.

Quase sempre o Sr. Banner tinha que inserir a garota em algum grupo. Tara se mostrou mais perplexa do que contente quando Bella lhe deu um tapinha no ombro e perguntou, meio sem jeito, se queria fazer o trabalho com ela e Mike.

— Tanto faz — respondeu Tara.

Quando Bella voltou para a mesa, Mike sibilou:

— Essa menina vive chapada. Não vai fazer nada do trabalho. Acho que vai ser reprovada em biologia.

Bella balançou a cabeça e sussurrou:

— Não se preocupe. Eu faço a parte dela, se precisar.

Mike não se conformou.

— *Por que* você fez isso?

Era a mesma pergunta que eu morria de vontade de fazer, embora não no mesmo tom.

Tara de fato ia ser reprovada em biologia. O Sr. Banner começou a pensar nela, tão surpreso quanto comovido pelo gesto de Bella.

Ninguém nunca dá uma oportunidade a essa aluna. Que gesto simpático de Bella. Ela é melhor do que a maioria desses canibais.

Será que Bella percebia como o restante da turma isolava Tara? Eu não conseguia imaginar nenhum outro motivo além de bondade para justificar a atitude de Bella, principalmente levando em conta sua timidez. Fiquei imaginando o nível de desconforto que aquilo lhe causara, e cheguei à conclusão de que devia ser bem maior do que qualquer outro ser humano ali se prestaria a enfrentar, ainda mais por causa de um estranho.

Como Bella dominava a matéria, fiquei pensando se a nota desse projeto chegaria a salvar Tara de uma reprovação, pelo menos em biologia. E foi exatamente isso o que aconteceu.

E depois houve a vez no almoço, quando Jessica e Lauren conversavam sobre suas viagens dos sonhos. Jessica escolheu a Jamaica, mas logo em seguida foi desbancada por Lauren, que rebateu com a Riviera Francesa. Tyler entrou na conversa e escolheu Amsterdã, pensando no famoso Red Light District, e outros alunos começaram a dar seus palpites. Esperei ansiosamente pela resposta de Bella, mas, antes que Mike (que gostava da ideia de ir para o Rio de Janeiro) pudesse perguntar-lhe, Eric disse em tom animado que seu sonho era ir para a Comic-Con, e a mesa explodiu em gargalhadas.

— Que ridículo — sibilou Lauren.

Jessica riu baixinho.

— Com certeza.

Tyler revirou os olhos.

— Você nunca vai arranjar uma namorada — disse Mike para Eric.

Bella, falando em um tom acima do seu habitual volume tímido, se intrometeu na confusão:

— Não, é legal. Também é para onde eu queria ir.

Mike imediatamente mudou de opinião.

— Quer dizer, acho que algumas fantasias são legais. A Princesa Leia de escrava. — *Devia ter ficado de boca fechada.*

Jessica e Lauren se entreolharam, fazendo careta.

Argh, pelo amor de Deus, pensou Lauren.

— A gente devia ir — disse Eric, entusiasmado com o interesse de Bella. — Quer dizer, depois de guardar dinheiro para os ingressos. — *Comic-Con com a Bella! É ainda melhor do que ir à Comic-Con sozinho...*

Bella ficou desconcertada por um segundo, mas, depois de um rápido olhar para Lauren, resolveu insistir.

— Com certeza. Quem dera. Mas deve ser caro demais, não é?

Eric começou a detalhar os preços dos ingressos e a comparar a hospedagem em um hotel com a opção de dormir no carro. Jessica e Lauren retomaram sua conversa prévia, enquanto Mike escutava Eric e Bella, incomodado.

— Você acha que a viagem leva dois ou três dias de carro? — perguntou Eric.

— Não faço ideia — respondeu Bella.

— Bom, quanto tempo leva daqui até Phoenix?

— Dá para fazer em dois dias — respondeu ela, confiante. — Se quiser dirigir quinze horas por dia.

— San Diego deve ser um pouco mais perto, não?

Eu parecia ser o único a reparar que a expressão de Bella sugeria que ela estava tendo alguma ideia.

— Ah, é, San Diego é mais perto, claro. Mas, ainda assim, dois dias de viagem com certeza.

Ficou evidente que ela nem sabia a localização da Comic-Con. Só tinha entrado na discussão para evitar que zombassem de Eric. A atitude revelava seu caráter — minha lista sempre aumentava —, mas agora eu nunca saberia que destino ela teria escolhido. Mike também não estava nada satisfeito, mas parecia ignorar a real motivação de Bella.

Isso acontecia com frequência: ela nunca saía de sua zona de conforto e tranquilidade, a não ser que percebesse que alguém precisava de ajuda; mudava de assunto sempre que seus amigos humanos eram cruéis demais uns com os outros; agradecia a um professor pela aula se ele parecesse desanimado; trocava seu armário da escola por outro num lugar pior, para que dois melhores amigos pudessem ser vizinhos; abria um sorriso, mas nunca para os amigos cheios de si, e sim para alguém que estivesse magoado. Pequenas coisas que nenhum de seus conhecidos ou admiradores parecia notar.

Por causa de todas essas pequenas coisas, fui capaz de acrescentar à minha lista a mais importante e reveladora de todas as suas qualidades, tão simples quanto rara. Bella era *boa*. Todo o restante se resumia a essa qualidade. Generosa e modesta, desprendida e corajosa — ela era boa em todos os sentidos. E parecia que ninguém se dava conta disso além de mim, apesar de Mike certamente observá-la tanto quanto eu.

E logo ali à frente estava o mais surpreendente dos meus suplícios: Mike Newton. Quem, algum dia, poderia sonhar que um mortal tão comum e entediante pudesse ser tão insuportável? Verdade seja dita, eu deveria sentir algum tipo de gratidão; mais do que os outros, Mike fazia com que Bella falasse. Aprendi muito sobre ela por meio dessas conversas, mas a colaboração de Mike nesse quesito me irritava ainda mais. Eu não queria que fosse ele a pessoa a desvendar os segredos de Bella.

Ajudava ver que Mike nunca percebia as pequenas revelações de Bella, seus breves deslizes. Ele não sabia nada sobre ela. Criara em sua mente uma

Bella que não existia: uma garota tão comum quanto ele. Não observara o desprendimento e a coragem que a distinguiam dos outros seres humanos, não ouvia a maturidade incomum de seus pensamentos enunciados. Não percebia que, quando ela falava da mãe, soava mais como uma mãe falando de uma filha, e não o contrário — amorosa, indulgente, ligeiramente divertida e extremamente protetora. Não ouvia a paciência na voz de Bella, quando ela fingia interesse em suas histórias confusas, e não enxergava que havia compaixão por trás daquela paciência.

Essas descobertas proveitosas, porém, não me tornaram mais complacente com o rapaz. O modo possessivo como ele via Bella — como se ela fosse um objeto a ser adquirido — me exasperava quase tanto quanto as fantasias grosseiras que a envolviam. Com o passar do tempo, Mike também foi ganhando mais confiança, pois Bella parecia preferi-lo àqueles que ele considerava seus rivais: Tyler Crowley, Eric Yorkie e até, esporadicamente, eu mesmo. Ele costumava se sentar ao lado de Bella em nossa mesa antes de a aula de biologia começar, puxando conversa, incentivado por seus sorrisos. Sorrisos educados apenas, eu dizia para mim mesmo. Ainda assim, eu frequentemente me divertia ao me imaginar golpeando-o e lançando-o na parede do outro lado da sala. Provavelmente não chegaria a matá-lo...

Mike não me via como rival. Após o acidente, tivera receio de que Bella e eu ficássemos mais próximos graças à experiência compartilhada, mas obviamente aconteceu o contrário. Antes ele ainda tinha se incomodado por eu ter escolhido Bella como objeto de atenção, em detrimento das outras meninas. Agora, porém, eu a ignorava tanto quanto as outras, e ele achou que o jogo estava ganho.

O que ela estaria pensando nesse momento? Estaria apreciando a atenção que ele lhe dispensava?

E, finalmente, o último dos meus suplícios, o mais doloroso: a indiferença de Bella. Assim como eu a ignorava, ela me ignorava. Nunca mais tentou falar comigo. Pelo que eu percebia, nunca mais nem pensou em mim.

Isso teria me deixado louco — ou, pior, teria abalado minha determinação —, exceto pelo fato de que às vezes ela me encarava, como acontecia antes. Eu não via isso com meus próprios olhos, pois não podia me permitir olhar para ela, mas Alice sempre nos avisava; minha família ainda tinha receio do quanto ela sabia.

Aliviava um pouco a dor perceber que ela me olhava a distância de vez em quando. É claro que provavelmente estaria apenas imaginando que tipo de aberração eu era.

— Bella vai encarar Edward em um minuto. Ajam normalmente — disse Alice em uma terça-feira de março, e os outros atenderam e mudaram de posição.

Eu prestava atenção na quantidade de vezes que ela olhava em minha direção. Fiquei feliz, embora não devesse, ao notar que a frequência não diminuía à medida que o tempo passava. Eu não sabia o que seus olhares significavam, mas isso me deixava um pouco melhor.

Alice soltou um suspiro. *Eu gostaria que...*

— Não se meta, Alice — falei, sério. — Não vai acontecer nada.

Ela ficou emburrada. Alice estava ansiosa para concretizar sua suposta amizade com Bella. Estranhamente, sentia saudades da garota que não chegara a conhecer.

Tenho que admitir, você tem um talento. Está novamente diante de um futuro todo enrolado e sem sentido. Espero que esteja contente.

— Faz todo o sentido para mim.

Ela bufou.

Tentei me desvencilhar, impaciente demais para conversar. Meu humor não estava dos melhores — eu estava mais tenso do que deixava transparecer. Apenas Jasper percebia meu nervosismo, sentindo a tensão irradiar de mim com sua capacidade única de tanto sentir quanto influenciar o humor das pessoas. Contudo, ele não compreendia os motivos por trás do meu estado e — já que nos últimos dias eu me irritava constantemente — não deu atenção.

Aquele seria um dia difícil. Mais difícil do que o anterior, como de costume.

Mike Newton iria convidar Bella para sair.

Estava prestes a acontecer um baile e seria tarefa das meninas convidar os rapazes. Mike nutrira fortes esperanças de que Bella o convidaria. O fato de ela ainda não ter feito isso abalara sua confiança. Agora ele se encontrava em uma situação desconfortável — eu me deleitava com seu desconforto mais do que deveria —, porque Jessica Stanley havia acabado de convidá-lo. Ele não queria aceitar, ainda torcendo para que Bella o escolhesse (e ele exibisse sua vitória para os outros supostos pretendentes), mas também não queria dizer não e acabar perdendo o baile. Jessica, magoada com a hesitação de Mike e supondo o motivo por trás disso, lançava adagas imaginárias na direção de Bella. Novamente, tive o instinto de me colocar entre Bella e os pensamentos furiosos de Jessica. Passei a entender melhor esse instinto, o que apenas me deixava mais frustrado por não poder interferir nele.

E pensar que eu tinha chegado a esse ponto! Estava totalmente obcecado pelos dramas insignificantes de adolescentes que eu tanto desprezara.

Mike tentava controlar o nervosismo enquanto seguia ao lado de Bella para a aula de biologia. Escutei seus conflitos enquanto esperava os dois chegarem. O rapaz era um fraco. Ele havia esperado por esse baile de propósito, com medo de confessar a Bella sua paixão antes de ela demonstrar uma preferência óbvia por ele. Mike não queria arriscar uma rejeição, preferindo que ela tomasse a iniciativa.

Covarde.

Ele se sentou à nossa mesa novamente, confortável por estar entre velhos conhecidos, e imaginei como seria o som de seu corpo atingindo a parede com força suficiente para quebrar todos os ossos.

— Mas aí — disse Mike para Bella, os olhos voltados para o chão —, a Jessica me convidou para o baile de primavera.

— Isso é ótimo — respondeu Bella de imediato e meio sem entusiasmo. Foi difícil não sorrir quando Mike notou seu tom de voz. Ele esperava um pouco de consternação. — Você vai se divertir muito com a Jessica.

Com dificuldade, ele procurou pela resposta correta.

— Bom... — Ele hesitou e quase tirou o time de campo. Depois se reanimou. — Eu disse a ela que ia pensar no assunto.

— Por que fez isso?

A voz de Bella mostrava desaprovação, mas também transmitia uma pitada de alívio.

O que significava *aquilo*? Uma fúria inesperada e intensa fez minhas mãos se fecharem com força.

Mike não notou nada. Seu rosto ficou vermelho — pelo modo como repentinamente fiquei furioso, aquilo me pareceu um convite óbvio para o baile —, e ele voltou a olhar para o chão ao falar.

— Eu estava me perguntando se... Bom, se você tinha a intenção de me convidar.

Bella hesitou.

Naquele momento, vi o futuro com mais clareza do que Alice jamais vira.

A garota poderia dizer sim para a pergunta implícita de Mike, ou poderia dizer não. De qualquer modo, algum dia, em breve, ela diria sim para alguém. Bella era linda e instigante, e os machos humanos não ignoravam esse fato. Quer se contentasse com alguém daquela turma sem graça, quer esperasse até se livrar de Forks, chegaria o dia em que ela diria *sim*.

Visualizei a vida de Bella como fizera antes: faculdade, carreira... amor, casamento. Vi-a novamente de braços dados com o pai, em um vestido branco diáfano, o rosto corado de felicidade enquanto avançava ao som da "Marcha nupcial" de Wagner.

A dor que senti ao imaginar esse futuro me lembrou da agonia da transformação. Ela me consumia.

E não apenas a dor, mas uma *ira* avassaladora.

A raiva pedia algum tipo de catarse física. Embora aquele rapaz insignificante e indigno talvez não fosse aquele a quem Bella diria sim, eu ansiava pulverizar seu crânio com meu punho, fazê-lo pagar como representante de quem quer que fosse.

Eu não entendia essa emoção — era uma tremenda confusão de dor e raiva, desejo e desespero. Nunca a sentira antes; não conseguia nomeá-la.

— Mike, acho que devia dizer sim a ela — falou Bella, a voz suave.

As esperanças de Mike caíram por terra. Eu teria apreciado a cena sob outras circunstâncias, mas estava perdido no choque e no remorso que a dor e a raiva provocaram em mim.

Alice tinha razão. Eu *não* era forte o suficiente.

Naquele exato momento, ela estaria observando o futuro girar e revirar, ficar confuso de novo. Será que estaria satisfeita?

— Já convidou alguém? — perguntou Mike, de cara fechada, e deu uma espiada em mim, desconfiado pela primeira vez em várias semanas.

Percebi que eu havia me traído; minha cabeça se inclinava na direção de Bella.

A inveja enfurecida que havia nos pensamentos dele — inveja de quem a garota preferira em detrimento dele — subitamente deu um nome à minha emoção.

Eu estava com ciúme.

— Não — disse ela, com um traço de humor na voz. — Não vou a baile nenhum.

No meio de toda a ira e o remorso, suas palavras me trouxeram alívio. Era errado, até perigoso, considerar Mike e os outros mortais interessados em Bella como rivais, mas eu tinha que admitir que era exatamente isso que haviam se tornado para mim.

— E por que não? — perguntou Mike, áspero.

Fiquei incomodado ao ouvi-lo usar esse tom com ela. Contive um rosnado.

— Vou a Seattle no sábado — respondeu Bella.

A curiosidade não era tão malévola quanto teria sido antes — diante da minha atual e total determinação em descobrir as respostas para tudo. Em breve eu saberia o motivo por trás dessa nova revelação.

A voz de Mike se tornou desagradavelmente bajuladora.

— Não pode ir em outro fim de semana?

— Não, desculpe. — Bella agora soava mais ríspida. — Então você não devia fazer a Jess esperar mais tempo... É grosseria.

Sua preocupação com os sentimentos de Jessica agitaram as chamas de meu ciúme. Era óbvio que aquela viagem a Seattle era uma desculpa para dizer não — será que ela recusara apenas por lealdade à amiga? Era desprendida o suficiente para tomar tal atitude. Será que, na verdade, desejava poder aceitar? Ou ambos os palpites estavam errados? Será que ela estava interessada em outra pessoa?

— É, tem razão — resmungou Mike, tão desmoralizado que quase senti pena dele. Quase.

Mike baixou os olhos, bloqueando minha visão do rosto de Bella através dos pensamentos dele.

Eu não ia tolerar aquilo.

Virei-me para ler o rosto dela por conta própria, pela primeira vez em mais de um mês. Senti um grande alívio ao me permitir esse gesto. Imaginei que seria a mesma sensação de pressionar gelo em uma queimadura latejando. Um cessar brusco da dor.

Ela estava de olhos fechados, com as mãos encostadas no rosto e os ombros curvados, em uma postura defensiva. Balançou a cabeça bem de leve, como se estivesse tentando enxotar algum pensamento.

Frustrante. Fascinante.

A voz do Sr. Banner a despertou do devaneio, e seus olhos se abriram devagar. Ela me fitou imediatamente, talvez sentindo meu olhar. Encarou-me com a mesma expressão perplexa que me assombrava havia tanto tempo.

Não senti remorso, culpa ou raiva naquele segundo. Sabia que esses sentimentos voltariam, e logo, mas durante aquele instante experimentei uma sensação estranha e tensa. Como se eu tivesse triunfado, e não perdido.

Ela não desviou o olhar, embora eu a encarasse com uma intensidade inconveniente, tentando em vão ler seus pensamentos através de seus suaves olhos castanhos. Estavam carregados de perguntas, mais do que de respostas.

Eu via o reflexo dos meus próprios olhos, escuros de sede. Já fazia quase duas semanas desde minha última caçada. Não estávamos no dia mais seguro para a minha força de vontade sucumbir. No entanto, a escuridão não pareceu amedrontá-la. Ela não desviou o olhar, e um tom rosado suave e irresistivelmente atraente começou a colorir sua pele.

No que você está pensando agora?

Quase fiz a pergunta em voz alta, mas naquele momento o Sr. Banner chamou o meu nome. Selecionei a resposta correta dentro da cabeça dele e olhei brevemente em sua direção, aproveitando para respirar.

— O ciclo de Krebs.

A sede queimava minha garganta — retesando meus músculos e enchendo minha boca de veneno —, então fechei os olhos, tentando me concentrar e afastar o desejo que me devastava por dentro, desejo pelo sangue de Bella.

O monstro estava mais forte do que nunca, regozijando-se. Ele acolhia esse futuro duplo que lhe dava uma chance de cinquenta por cento de obter aquilo pelo que ansiava tão cruelmente. O terceiro futuro, instável, que tentei construir somente por meio da força de vontade, ruíra — destruído, surpreendentemente, por ciúme —, e o monstro cada vez mais se aproximava de seu objetivo.

O remorso e a culpa agora queimavam junto com a sede, e, se eu tivesse a capacidade de produzir lágrimas, elas teriam surgido em meus olhos naquele momento.

O que eu fizera?

Sabendo que a batalha já estava perdida, não parecia haver razão para resistir ao meu desejo. Virei-me para encarar a garota de novo.

Ela se escondera atrás dos cabelos, mas dava para ver que sua face estava de um vermelho intenso.

O monstro gostou daquilo.

Dessa vez ela não retribuiu meu olhar, mas enroscou uma mecha do cabelo escuro nos dedos, com ar de nervosismo. Seus dedos delicados, seu pulso fino — tão quebradiços, como se minha respiração fosse capaz de rompê-los.

Não, não, não. Eu não podia continuar. Ela era frágil demais, boa demais, preciosa demais para merecer aquilo. Eu não podia permitir que minha vida colidisse com a dela, que a destruísse.

Contudo, tampouco conseguia ficar longe dela. Alice tinha razão quanto a isso.

O monstro dentro de mim sibilava, contrariado, enquanto eu me debatia.

Meu breve período ao lado dela passou rápido demais, enquanto eu vacilava entre a cruz e a espada. O sinal tocou, e ela começou a juntar as coisas sem me dirigir o olhar. Fiquei desapontado, mas não podia esperar nada diferente. A maneira como a vinha tratando desde o acidente era imperdoável.

— Bella? — chamei, incapaz de me conter.

Minha força de vontade estava destroçada.

Ela hesitou antes de me fitar. Quando se virou, sua expressão estava cautelosa, receosa.

Lembrei a mim mesmo que ela tinha todo o direito de desconfiar de mim. Que deveria desconfiar.

Ela esperou que eu continuasse, mas apenas a encarei, lendo seu rosto. Puxei golfadas rasas de ar em intervalos regulares, lutando contra a sede.

— Que foi? — perguntou ela finalmente, o tom de voz áspero. — Está falando comigo de novo?

Não tinha certeza de como responder à pergunta. Eu *estava* falando com ela de novo, no sentido a que Bella se referia?

Não se pudesse evitar. E tentaria evitar.

— Na verdade, não — afirmei.

Ela fechou os olhos, o que só tornou as coisas mais difíceis. Bloqueou meu melhor canal de acesso aos seus sentimentos. Ela inspirou profunda e demoradamente e falou, ainda de olhos fechados:

— Então o que você quer, Edward?

Certamente não era assim que os seres humanos conversavam. Por que ela estava fazendo aquilo?

Mas como responder?

Com a verdade, decidi. Dali em diante, eu seria o mais franco possível. Eu não queria merecer a desconfiança dela, mesmo que ganhar sua confiança fosse impossível.

— Desculpe — disse-lhe. Eu estava sendo mais verdadeiro do que ela jamais poderia imaginar. Infelizmente, pela segurança da minha família, só podia me desculpar pelo mais superficial. — Tenho sido muito rude, eu sei. Mas é melhor assim, pode acreditar.

Ela abriu os olhos, ainda com uma expressão de cautela.

— Não sei o que quer dizer.

Tentei transmitir-lhe um aviso, o máximo que poderia me permitir.

— É melhor não sermos amigos. — É óbvio, isso ela conseguiria entender. Era uma garota brilhante. — Confie em mim.

Ela estreitou os olhos, e me lembrei de que eu já lhe dissera essas mesmas palavras — logo antes de quebrar uma promessa. Seus dentes se cerraram com um clique cáustico — claramente ela também se lembrava.

— É péssimo que você não tenha chegado a essa conclusão antes — disse ela, com raiva. — Podia ter se poupado de todo esse arrependimento.

Encarei-a em estado de choque. O que ela sabia a respeito dos meus arrependimentos?

— Arrependimento? Arrependimento de quê? — indaguei.

— De não deixar simplesmente que aquela van me esmagasse.

Fiquei estático, atordoado.

Como ela podia pensar *aquilo*? Salvar sua vida foi a única coisa aceitável que eu tinha feito desde que a conheci. A única coisa da qual não me envergonhava, que me deixava contente pela minha própria existência. Tinha me empenhado em mantê-la viva desde o primeiro momento em que senti seu cheiro. Como ela podia duvidar de meu único ato decente no meio de toda aquela confusão?

— Acha que me arrependo de ter salvado você?

— Eu *sei* que se arrepende — retrucou ela.

Sua avaliação de minhas intenções me tirou do sério.

— Você não sabe de nada.

Como a mente dela funcionava de um modo desconcertante e incompreensível! Sua forma de pensar devia ser absolutamente diferente da de outros seres humanos. Essa devia ser a explicação para seu silêncio mental. Ela era completamente distinta.

Bella virou o rosto com um movimento brusco, voltando a cerrar os dentes. Suas bochechas estavam coradas, dessa vez de raiva. Empilhou seus livros, agarrou-os com força e saiu porta afora, batendo os pés e sem olhar para trás.

Por mais exaltado que me sentisse, algo em sua raiva atenuou meu aborrecimento. Eu não tinha certeza do que exatamente tornava a raiva de Bella de certa maneira... encantadora.

Ela caminhou tensa, sem olhar para onde ia, e seu pé bateu no batente da porta. Todas as suas coisas se estatelaram no chão. Em vez de se curvar para recolhê-las, ela permaneceu de pé, rígida, sem nem olhar para baixo, como se não soubesse se valeria a pena recuperar os livros.

Ninguém estava ali para me observar. Fui rapidamente até ela e juntei seus livros antes mesmo que ela examinasse a bagunça.

Quando ela fez menção de pegar os livros, me viu e ficou paralisada. Entreguei-lhe tudo, tomando o cuidado de não encostar minha pele gelada na dela.

— Obrigada — disse, com uma voz cortante.

— Não há de quê.

Minha voz ainda estava rouca da irritação que eu sentira, mas, antes que eu pudesse pigarrear e tentar de novo, ela se esticou de repente e saiu com passadas pesadas em direção à aula seguinte.

Observei-a até não conseguir mais avistar sua figura raivosa.

A aula de espanhol passou sem que eu me desse conta. A Sra. Goff nunca questionava minha falta de atenção — ela sabia que meu espanhol era melhor que o dela e não me importunava —, deixando-me em paz para pensar.

Então eu não conseguia ignorar a garota. Isso era evidente. Mas será que significava que eu não tinha opção senão destruí-la? Esse *não* podia ser o único futuro disponível. Tinha que haver uma alternativa, algum equilíbrio. Tentei pensar em uma saída.

Não prestei muita atenção em Emmett até o fim das aulas. Ele estava curioso — Emmett não era excessivamente intuitivo acerca das nuances dos humores dos outros, mas conseguia perceber a óbvia mudança no meu. E pensava no que tinha acontecido para remover a carranca impiedosa de meu rosto. Esforçava-se para definir a mudança, e afinal concluiu que eu parecia *esperançoso*.

Esperançoso? Era assim que o mundo exterior me via?

Refleti sobre essa ideia enquanto caminhávamos até o Volvo, imaginando *o que* exatamente eu deveria esperar.

Não tive, no entanto, muito tempo para refletir. Sensível como eu era a pensamentos que envolvessem a garota, o som do nome de Bella na cabeça dos seres humanos que eu não deveria considerar como rivais captou minha atenção. Eric e Tyler, tendo ouvido falar — com muita satisfação — do fracasso de Mike, se preparavam para avançar.

Eric já estava posicionado, apoiado na picape de Bella, onde ela não poderia evitá-lo. A aula de Tyler se alongava com uma tarefa que o professor resolveu passar, e ele estava desesperado para correr e alcançá-la antes que ela escapasse.

Eu tinha que ver aquilo.

— Espere pelos outros aqui, tudo bem? — murmurei para Emmett.

Ele me fitou desconfiado, mas depois deu de ombros e concordou.

O rapaz perdeu o juízo, pensou, achando graça.

Bella estava saindo do ginásio, e esperei em um local onde não pudesse me ver. Quando ela se aproximou da emboscada de Eric, saí andando e ajustei minha velocidade para passar por ali no momento oportuno.

Quando Bella avistou o garoto à espera, percebi que seu corpo se retesou. Parou por um instante, mas depois relaxou e prosseguiu.

— Oi, Eric. — Eu a ouvi dizer com uma voz amistosa.

Fiquei brusca e inesperadamente ansioso. E se, de alguma maneira, ela gostasse desse adolescente desengonçado com a pele pouco saudável? E se o fato de ter sido generosa com ele mais cedo não tivesse sido apenas altruísmo?

Eric engoliu em seco fazendo um barulho alto, o pomo de adão saliente.

— Oi, Bella.

Ela parecia não perceber o nervosismo do rapaz.

— E aí? — falou ela, destrancando a picape sem olhar para a expressão amedrontada de Eric.

— É... eu só estava pensando... se você gostaria de ir ao baile de primavera comigo. — A voz de Eric falhou.

Finalmente ela ergueu os olhos. Será que estava surpresa, ou satisfeita? Eric não conseguia retribuir o olhar, o que não me permitiu ver o rosto de Bella na mente dele.

— Pensei que as meninas é que deviam convidar — disse ela, soando incomodada.

— Bom, é — concordou ele, cabisbaixo.

Esse rapaz digno de pena não me irritava tanto quanto Mike Newton, mas eu não conseguia me sentir solidário com sua aflição até Bella lhe responder, com uma voz gentil:

— Obrigada por me convidar, mas vou a Seattle nesse dia.

Ele já ouvira aquilo. Ainda assim, foi uma decepção.

— Ah — murmurou ele, mal ousando erguer o olhar para encará-la. — Bom, quem sabe na próxima?

— Claro — concordou ela.

Em seguida, Bella mordeu o lábio, como se estivesse arrependida por ter aberto uma brecha. Isso me deixou contente.

Eric deu alguns passos e se afastou, seguindo na direção errada, para longe de seu carro, sua única rota de fuga planejada.

Passei por ela naquele momento e ouvi seu suspiro de alívio. Ri antes de conseguir me controlar.

Ela se virou ao ouvir minha risada, mas fixei o olhar diretamente à frente, tentando evitar que meus lábios se franzissem, achando graça.

Tyler estava atrás de mim, quase correndo, tamanha a pressa de alcançá-la antes que ela desse partida no carro. Ele era mais ousado e confiante do que os outros dois. Só havia esperado tanto tempo para se aproximar de Bella porque respeitava o interesse prévio de Mike.

Eu torcia para que ele conseguisse alcançá-la por dois motivos. Se, como eu estava começando a suspeitar, toda essa atenção aborrecia Bella, eu queria observar sua reação. Porém, se não fosse o caso — se o convite de Tyler fosse o quê ela esperava —, eu também queria saber.

Considerei Tyler Crowley um rival, ciente de que se tratava de uma atitude censurável. Ele me parecia entediante, medíocre e comum, mas o que eu sabia das preferências de Bella? Talvez ela gostasse de rapazes comuns.

Estremeci ao pensar nisso. Eu nunca seria um rapaz comum. Que estupidez a minha me colocar como candidato ao amor de Bella. Como ela poderia algum dia se interessar por alguém que, para todos os efeitos, era o vilão da história?

Ela era boa demais para se interessar por um vilão.

Embora eu devesse deixá-la de lado, minha curiosidade indesculpável me impedia de fazer a coisa certa. De novo. Mas e se Tyler perdesse sua oportunidade naquele momento e a procurasse mais tarde, quando eu não teria como saber o resultado? Avancei com meu Volvo para a pista estreita, bloqueando a passagem de Bella.

Meus irmãos já se aproximavam, mas, como Emmett lhes descrevera meu comportamento esquisito, caminhavam devagar, me encarando, tentando decifrar minhas ações.

Observei a garota pelo retrovisor. Ela fitava a traseira do meu carro furiosa, sem retribuir meu olhar, com um ar de quem preferiria estar dirigindo um tanque de guerra em vez de um Chevy enferrujado.

Tyler correu até seu carro e tomou o lugar na fila atrás dela, grato por meu ato inexplicável. Fez um sinal na direção de Bella, tentando chamar sua atenção, mas ela não reparou. Ele esperou um minuto, depois desceu do carro, forçando um andar descontraído enquanto se aproximava da janela do carona. Deu um tapinha no vidro.

Ela levou um susto e o fitou com um ar desconcertado. Após um segundo, desceu o vidro manualmente, com certa dificuldade.

— Desculpe, Tyler — disse, a voz irritada. — Estou presa atrás do Cullen.

Falou meu sobrenome com uma voz carregada.

— Ah, eu sei — comentou Tyler, indiferente ao mau humor de Bella. — Só queria perguntar uma coisa enquanto estamos presos aqui.

Ele abriu um sorriso convencido.

Fiquei satisfeito pelo modo como ela empalideceu diante da óbvia intenção de Tyler.

— Vai me convidar para o baile de primavera? — perguntou ele, sem nem pensar no risco de derrota.

— Eu não estarei na cidade, Tyler — respondeu Bella, a voz ainda obviamente irritada.

— É, o Mike me contou.

— Então por que... — começou a perguntar.

Ele deu de ombros.

— Eu esperava que você só estivesse se livrando dele do jeito mais fácil.

Os olhos de Bella faiscaram e depois se abrandaram.

— Desculpe, Tyler — disse ela, embora não parecesse nem um pouco arrependida. — Eu estarei mesmo fora da cidade.

Dada sua habitual tendência de colocar as necessidades dos outros acima das próprias, fiquei um pouco surpreso com a determinação de Bella no que se referia ao baile. De onde vinha aquela atitude?

Tyler aceitou a justificativa, mantendo sua autoconfiança inabalada.

— Tudo bem. Ainda temos o baile de formatura.

Todo empertigado, caminhou de volta ao carro.

Foi bom que eu tivesse esperado para ver aquilo.

A expressão horrorizada no rosto de Bella era impagável. E me mostrou o que eu não deveria estar tão desesperado para saber: ela não se interessava por nenhum desses machos humanos que desejavam cortejá-la.

Além disso, sua expressão talvez tenha sido a coisa mais engraçada que já vi.

Então minha família chegou, confusa ao me ver gargalhando, e não com a cara fechada para tudo e todos ao meu redor.

Qual é a graça?, quis saber Emmett.

Só balancei a cabeça enquanto Bella fazia rugir seu motor barulhento. Mais uma vez ela pareceu desejar que seu carro fosse um tanque de guerra.

— Vamos logo! — sibilou Rosalie, impaciente. — Pare de ser idiota. *Se você* conseguir.

As palavras dela não me irritaram; eu estava de muito bom humor. Mas fiz o que pediu.

Ninguém falou comigo no caminho até em casa. Continuei rindo sozinho de vez em quando, ao me lembrar da cara de Bella.

Quando virei na entrada — aumentando a velocidade, já que não havia mais testemunhas por perto —, Alice arruinou meu humor.

— Então, agora posso falar com a Bella? — perguntou ela de repente.

— Não — disparei.

— Não é justo! Estou esperando o quê?

— Não decidi nada ainda, Alice.

— Ah, tanto faz, Edward.

Na mente de Alice, os dois destinos de Bella estavam claros de novo.

— Qual o sentido de se tornar amiga dela? — murmurei, subitamente mal-humorado. — Se eu simplesmente vou matar a Bella?

Alice hesitou por um segundo.

— Tem razão — admitiu.

Fiz a última curva fechada a quase cento e cinquenta quilômetros por hora e parei cantando pneu a centímetros da parede traseira da garagem.

— Boa corrida para você — disse Rosalie, com ar convencido, enquanto eu me lançava para fora do carro.

Mas eu não fui correr naquele dia. Em vez disso, fui caçar.

Os outros planejavam caçar no dia seguinte, mas eu não podia me dar ao luxo de ficar com sede naquele momento. Eu me excedi, bebendo mais do que o necessário, me fartando novamente — um pequeno grupo de alces e um urso-negro que tive a sorte de encontrar naquela época no ano. Fiquei tão cheio que me senti desconfortável. Por que aquilo não podia ser suficiente? Por que o cheiro dela tinha que ser mais forte do que tudo?

E não apenas o cheiro — havia alguma coisa nela que atraía a tragédia. Ela estava em Forks havia apenas poucas semanas e já se aproximara de uma morte violenta em duas ocasiões. Até onde eu sabia, naquele exato momento ela poderia estar enveredando por uma trilha que levaria a outra sentença de morte. O que seria dessa vez? Um meteorito atravessando o telhado da casa e esmagando-a na cama?

Eu não conseguia caçar mais, e ainda faltavam algumas horas para o sol nascer. Então me ocorreu que era difícil descartar a ideia do meteorito e outros possíveis perigos. Tentei ser racional, avaliar a probabilidade de todos os desastres que eu podia imaginar, mas não adiantou. Afinal de contas, quais eram as chances de uma garota como ela vir morar em uma cidade com uma porcentagem considerável de residentes vampiros? Quais eram as chances de ela se tornar uma atração perfeita para um deles?

E se algo acontecesse com ela durante a noite? E se eu fosse para a escola no dia seguinte, com cada sentido e sentimento concentrado no espaço que ela deveria ocupar, e seu lugar estivesse vazio?

De súbito, o risco pareceu inaceitável.

A única maneira de *garantir* que Bella estaria segura era ter alguém pronto para agarrar o meteorito antes que caísse nela. Aquela inquietação me dominou novamente, e me dei conta de que estava indo ao encontro de Bella.

Passava da meia-noite, e a casa dela estava escura e silenciosa. A picape estava estacionada junto ao meio-fio, a viatura do pai na entrada. Não havia nenhum pensamento consciente nas redondezas. Fiquei vigiando a casa da escuridão do bosque que a margeava a leste.

Não havia nenhum sinal de qualquer espécie de perigo... além de mim mesmo.

Prestei atenção e escutei o som de duas pessoas respirando dentro da casa, dois corações batendo em ritmo regular. Então tudo devia estar bem. Apoiei-me no tronco de um pinheiro jovem e me acomodei à espera de meteoritos errantes.

O problema era que esperar liberava a mente para todo tipo de especulação. Obviamente o meteorito não passava de uma metáfora para todas as coisas improváveis que poderiam dar errado. Porém, nem todo perigo riscaria o céu com um esguicho de fogo brilhante. Eu conseguia enumerar muitos perigos que chegariam sem avisar, ameaças que poderiam se infiltrar sorrateira e silenciosamente na casa às escuras, que poderiam inclusive já estar lá dentro.

Eram preocupações ridículas. A rua não tinha encanamento de gás natural, então um vazamento de monóxido de carbono era improvável. Eu duvidava de que usassem carvão com frequência. A península de Olympic oferecia poucos perigos em termos de vida selvagem. Eu era capaz de ouvir todos os animais de grande porte. Não havia serpentes venenosas, escorpiões ou lacraias, só algumas aranhas, nenhuma mortal para um adulto saudável, e mesmo assim quase nunca entravam nas casas. Ridículo. Eu *sabia* disso. *Sabia* que estava sendo irracional.

Contudo, me sentia ansioso, inquieto. Não conseguia espantar os cenários nefastos de minha mente. Se ao menos eu pudesse *vê-la*...

Eu ia dar uma olhada.

Em apenas meio segundo eu havia cruzado a frente e escalado a lateral da casa. A janela de cima devia dar para um quarto, provavelmente o quarto principal. Talvez eu devesse ter começado na parte de trás. Ficaria menos visível. Pendurado por uma das mãos no beiral da janela, olhei pelo vidro e fiquei sem ar.

Era o quarto dela. Dava para vê-la na cama pequena, as cobertas no chão e os lençóis enroscados nas pernas. Ela estava muito bem, claro, como meu lado racional já sabia. Segura... mas não em paz. Enquanto eu observava, ela se mexeu, agitada, e jogou um braço sobre a cabeça. Não dormia profundamente, pelo menos não nessa noite. Será que sentia que o perigo estava próximo?

Senti desprezo por mim mesmo ao observá-la se agitar de novo. Por que eu seria melhor do que algum tarado doente? Eu *não* era melhor. Era muito, muito pior.

Relaxei os dedos, prestes a me deixar cair. Mas antes me permiti fitar seu rosto durante um longo tempo.

Ainda intranquila. O pequeno sulco estava lá, na testa, os cantos da boca levemente para baixo. Seus lábios tremeram e então se entreabriram.

— Tudo bem, mãe — murmurou.

Bella falava dormindo.

A curiosidade se acendeu, subjugando o autodesprezo. Havia tanto tempo que eu tentava ouvi-la em vão. A atração por aqueles pensamentos desprotegidos, ditos de forma inconsciente, era extremamente tentadora.

Afinal de contas, o que as regras dos seres humanos representavam para mim? Quantas delas eu ignorava todos os dias?

Pensei na quantidade de documentos ilegais de que minha família precisava para vivermos do nosso jeito. Nomes falsos e históricos falsos, carteiras de identidade que nos garantiam a matrícula em escolas e diplomas que permitiam que Carlisle atuasse como médico. Documentos que faziam com que nosso estranho grupo de adultos de idades muito próximas fosse percebido como uma família. Nada disso seria necessário se não tentássemos passar por breves períodos de estabilidade, se não preferíssemos ter um *lar*.

E, é claro, havia a forma como custeávamos nossa vida. Leis de informações privilegiadas não se aplicavam a seres com poderes de vidência, mas certamente o que fazíamos não era honesto. E heranças passadas de um nome inventado para outro tampouco estavam de acordo com a lei.

E, além do mais, havia todos os *assassinatos*.

Não lidávamos com essa questão de modo leviano, mas obviamente nenhum de nós nunca foi punido em júris humanos pelos crimes que cometera. Nós os encobríamos — o que também era crime.

Então por que eu deveria me sentir tão culpado por um delito leve? As leis humanas nunca tinham se referido a mim. E essa nem era minha primeira invasão de domicílio.

Eu sabia que poderia fazê-lo com segurança. O monstro estava inquieto, mas acorrentado.

Eu manteria uma distância cautelosa. Não a machucaria. Ela nunca saberia que estive ali. Só queria garantir que ela estava a salvo.

Tudo isso eram racionalizações, argumentos malévolos oriundos do diabinho em meu ombro esquerdo. Eu sabia disso, mas não tinha nenhum anjo no lado direito. Eu me comportaria como a criatura aterrorizante que eu era.

Tentei abrir a janela. Não estava trancada, mas emperrada devido à falta de uso. Respirei fundo — pela última vez durante o tempo em que eu ficasse perto dela — e deslizei devagar a vidraça, me contorcendo a cada leve ruído do batente de metal. Finalmente a janela se abriu o suficiente para eu passar com facilidade.

— Mãe, espera... — murmurou ela. — A Scottsdale Road é mais rápida...

O quarto dela era pequeno — desorganizado e atulhado, mas não sujo. Havia livros empilhados no chão ao lado da cama, as lombadas gastas viradas para o lado oposto ao meu, e CDs espalhados perto do aparelho de som barato; no topo da pilha havia apenas uma capa transparente vazia. Montes de papéis cercavam um computador que parecia pertencer a um museu dedicado a tecnologias obsoletas. Havia sapatos espalhados pelo piso de madeira.

Eu queria muito ler os títulos dos livros e dos CDs, mas estava determinado a não correr mais nenhum outro risco. Em vez disso, fui me sentar em uma cadeira de balanço na extremidade do quarto. Minha ansiedade abrandou, os pensamentos nefastos sumiram e minha mente ficou clara.

Será que algum dia eu realmente a vira como uma garota de aparência comum? Pensei no primeiro dia e no meu desprezo pelos rapazes que ficaram tão fascinados por ela. Porém, quando me lembrei do rosto dela na mente dos rapazes naquela ocasião, não consegui entender por que não a achei linda desde o início. Parecia algo óbvio.

Naquele exato momento — vestindo uma camiseta puída cheia de furos e uma calça de moletom surrada, o cabelo escuro despenteado e embaraçado em torno do rosto pálido, os traços relaxados em seu estado de inconsciência, os lábios grossos entreabertos —, ela me deixou sem fôlego. Ou teria deixado, pensei com ironia, se eu estivesse respirando.

Ela não falou mais. Talvez o sonho tivesse terminado.

Fitei seu rosto e tentei pensar em algum modo de tornar o futuro suportável.

Magoá-la era insuportável. Será que isso significava que minha única opção era tentar partir novamente?

Minha família não me convenceria do contrário novamente. Minha ausência não colocaria ninguém em perigo. Não haveria suspeitas, nada que pudesse ligar a desconfiança de alguém com o acidente.

Estremeci da mesma forma que tinha acontecido naquela tarde, e tudo pareceu impossível.

Uma pequenina aranha marrom saiu da madeira da porta do armário. Minha chegada devia tê-la perturbado. *Eratigena agrestis* — uma aranha errante; pelo tamanho, um macho jovem. Antes era considerada perigosa, mas estudos científicos mais recentes demonstraram que seu veneno era inofensivo para seres humanos. No entanto, a picada ainda era dolorosa... Estiquei o dedo e a esmaguei sem fazer barulho.

Talvez eu devesse ter deixado a criatura viver, mas pensar que alguma coisa poderia machucar Bella era intolerável.

E então, de repente, todos os meus pensamentos se tornaram igualmente intoleráveis.

Porque eu podia matar todas as aranhas de sua casa, podar os espinhos de todas as roseiras que algum dia ela viesse a tocar, bloquear todos os carros em alta velocidade a um raio de um quilômetro dela, mas não havia nenhuma atitude que eu pudesse tomar para *me* tornar inofensivo. Fiquei olhando para minha mão branca e pétrea — tão pouco humana que se tornava grotesca — e me desesperei.

Eu não poderia almejar competir com os rapazes humanos, quer ela se interessasse por eles, quer não. Eu era o vilão, o pesadelo. Como ela poderia me ver de outra forma? Se ela soubesse a verdade a meu respeito, sentiria medo e repulsa. Como a vítima em potencial de um filme de terror, ela fugiria gritando, apavorada.

Lembrei-me dela no primeiro dia, na aula de biologia... e soube que aquela era exatamente a reação apropriada.

Era uma estupidez imaginar que, se fosse eu a convidá-la para aquele baile tolo, ela teria cancelado seus planos arquitetados às pressas e teria concordado em ir comigo.

Não era eu o predestinado a quem ela diria sim. Seria outra pessoa, um ser humano de sangue quente. E quando ela dissesse sim algum dia, eu não poderia nem mesmo me permitir caçá-lo e matá-lo, porque ela o merecia, fosse quem fosse. Ela merecia viver a felicidade e o amor com a pessoa que escolhesse.

Fazer a coisa certa era algo que eu devia a ela. Eu não podia mais fingir que estava apenas *correndo o risco* de amar aquela garota.

Afinal de contas, não importava se eu fosse embora, porque Bella nunca poderia me ver como eu gostaria. Nunca poderia me ver como alguém digno de ser amado.

Poderia um coração congelado e morto se partir? Parecia que o meu sim.

— Edward — disse Bella.

Fiquei paralisado, encarando seus olhos fechados.

Será que ela tinha acordado e me visto ali? Ela *parecia* estar dormindo, embora sua voz tivesse soado muito clara.

Ela soltou um suspiro silencioso e mais uma vez se remexeu na cama, virando-se de lado, ainda dormindo e sonhando.

— Edward — murmurou ela de modo suave.

Estava sonhando comigo.

Poderia um coração congelado e morto voltar a bater? Parecia que o meu estava prestes a fazê-lo.

— Fique. — Ela suspirou. — Não vá. Por favor... não vá embora.

Ela estava sonhando comigo, e nem era um pesadelo. Queria que eu ficasse com ela, lá no sonho.

Esforcei-me para nomear os sentimentos que me invadiram, mas não havia palavras fortes o suficiente para contê-los. Por um longo instante, mergulhei neles.

Quando emergi, não era o mesmo homem de antes.

Minha vida era uma meia-noite constante e interminável. Por necessidade, sempre seria meia-noite para mim. Então como era possível que o sol estivesse raiando em meio à minha meia-noite?

Na época em que me tornei vampiro, ao trocar minha alma e mortalidade pela imortalidade na dor lancinante da transformação, eu realmente tinha sido congelado. Meu corpo se tornara algo mais próximo da pedra do que da carne, permanente e imutável. Meu *ser* também tinha sido congelado —

minha personalidade, preferências e aversões, humores e desejos; tudo se tornara inalterável.

O mesmo ocorreu com os outros membros da minha família. Éramos todos imutáveis. Como pedras vivas.

Quando uma mudança acontecia para um de nós, tratava-se de uma coisa perene e rara. Vi acontecer com Carlisle, e uma década depois com Rosalie. O amor os transformara de maneira eterna, de forma que nunca desvaneceria. Mais de oitenta anos haviam se passado desde que Carlisle encontrara Esme, e ele ainda a fitava com o olhar incrédulo do primeiro amor. Sempre seria assim para eles.

Sempre seria assim para mim também. Eu sempre amaria aquela frágil garota humana, pelo resto da minha existência sem fim.

Observei seu rosto inconsciente, sentindo meu amor por ela se instalar em cada parte de meu corpo pétreo.

Naquele momento ela dormia mais serena, com um leve sorriso.

Comecei a fazer planos.

Eu a amava, e por isso tentaria encontrar forças para deixá-la. Sabia que ainda não tinha essa força. Eu me empenharia nisso. Mas eu talvez fosse forte o suficiente para driblar o futuro de outra maneira.

Alice vira apenas dois futuros para Bella, e agora eu os compreendia.

Amá-la não me impediria de matá-la se eu não me controlasse e acabasse cometendo erros.

No entanto, eu não conseguia sentir o monstro naquele momento, não conseguia encontrá-lo em nenhum lugar dentro de mim. Talvez o amor o tivesse silenciado para sempre. Se eu a matasse, não seria intencional, apenas um terrível acidente.

Eu teria que ser muito cuidadoso. Não poderia nunca, jamais, baixar a guarda. Teria que controlar cada respiração. Teria que manter uma distância prudente a todo momento.

Não cometeria nenhum erro.

Finalmente entendi o segundo futuro. Fiquei aturdido com aquela visão. O que poderia acontecer para levar Bella a se tornar prisioneira daquela vida incompleta e imortal? Desolado pelo desejo que sentia por aquela garota, eu enfim consegui entender como poderia, em um ato de egoísmo imperdoável, pedir a meu pai esse favor. Pedir que ele tirasse sua vida e sua alma para que eu pudesse mantê-la para sempre comigo.

Ela merecia mais do que aquilo.

Entretanto, eu via um outro futuro, uma corda bamba sobre a qual talvez eu conseguisse andar, se mantivesse o equilíbrio.

Será que eu conseguiria? Estar com ela e deixá-la permanecer humana?

Num gesto deliberado, sujeitei meu corpo a uma imobilidade perfeita, deixando-o estático, e respirei fundo. Depois respirei de novo, e de novo, permitindo que o cheiro de Bella me invadisse como um incêndio incontrolável. O quarto estava inundado com seu perfume, que se instalava sobre cada superfície. Minha cabeça girava de dor, mas lutei contra a tontura. Teria que me acostumar com isso se quisesse tentar me manter próximo dela de alguma forma. Outra respiração profunda e ardente.

Fazendo planos e respirando aos poucos, observei-a dormir até o sol se erguer atrás das nuvens ao leste.

Entrei em casa logo após os outros terem saído para a escola. Troquei-me depressa, evitando o olhar desconfiado de Esme, que viu a luz febril em meu rosto e sentiu tanto preocupação quanto alívio. Minha melancolia prolongada a afligia imensamente, e ela estava contente de ver que talvez eu estivesse melhor.

Corri para a escola, chegando alguns segundos depois de meus irmãos. Eles não se viraram, embora ao menos Alice devesse saber que eu estava ali, no bosque denso que margeava a calçada. Esperei até que ninguém estivesse olhando e caminhei descontraído, saindo das árvores e chegando ao estacionamento cheio de automóveis.

Ouvi a picape de Bella dobrando a esquina com um rugido e fiz uma pausa atrás de uma Suburban, onde poderia observar sem ser visto.

Ela entrou no estacionamento, encarando meu Volvo por um bom tempo antes de estacionar em uma das vagas mais distantes com uma expressão séria.

Era estranho lembrar que ela provavelmente continuava zangada comigo, e por um bom motivo.

Eu queria rir de mim mesmo, ou me dar um chute. Tudo o que eu imaginara e planejara seria completamente irrelevante se ela não gostasse de mim, certo? Talvez ela tivesse sonhado com uma situação corriqueira qualquer. Eu era um estúpido arrogante.

Bom, seria tão melhor para ela não gostar de mim. Isso não me impediria de ir atrás dela, de tentar. Mas eu escutaria quando ela dissesse *não*. Eu devia isso a ela. Devia mais ainda. Devia a verdade que não tinha a permissão de lhe dar. Então eu lhe daria o máximo de verdade que pudesse. Tentaria alertá-la. E, quando ela confirmasse que eu nunca seria a pessoa a quem diria *sim*, eu sairia de cena.

Caminhei em silêncio, imaginando a melhor maneira de abordá-la.

Ela facilitou. Quando saiu do carro, deixou a chave da picape escorregar por seus dedos e cair dentro de uma poça funda.

Ela se abaixou, mas fui mais rápido e peguei a chave antes que ela tivesse que enfiar os dedos na água fria.

Apoiei-me na picape, e ela levou um susto.

— Como é que você *fez* isso? — perguntou, endireitando-se.

Sim, ainda estava zangada.

Ofereci-lhe a chave.

— Fiz o quê?

Ela esticou o braço, e deixei a chave cair na palma de sua mão. Respirei fundo, aspirando seu perfume.

— Aparecer do nada desse jeito — esclareceu.

— Bella, não é culpa minha se você é excepcionalmente distraída.

As palavras eram irônicas, quase uma piada. Havia alguma coisa que ela não percebesse?

Será que ela ouviu minha voz enroscar-se no nome dela como uma carícia?

Bella me olhou de cara fechada, sem apreciar meu senso de humor. As batidas de seu coração se aceleraram. Seria raiva? Medo? Depois de um instante, baixou os olhos.

— Por que causou o engarrafamento de ontem? — perguntou ela, sem me encarar. — Pensei que você ia fingir que eu não existo, e não me matar de irritação.

Ainda furiosa. Eu ia precisar me esforçar para acertar as coisas com ela. Lembrei-me de minha determinação em falar a verdade.

— Aquilo foi pelo Tyler, e não por mim. Tive que dar uma chance a ele.

E então eu ri. Não consegui evitar, pensando na expressão dela no dia anterior. Concentrar-me tão intensamente em mantê-la a salvo, em controlar minha reação física diante dela, me deixava com menos recursos para lidar com minhas emoções.

— Você...

Ela engoliu em seco e depois hesitou, parecendo brava demais para terminar a frase. Lá estava: a mesma expressão. Abafei outra risada. Ela já estava irritada demais.

— E não estou fingindo que você não existe — arrematei.

Pareceu correto manter um tom descontraído, brincalhão. Eu não queria amedrontá-la ainda mais. Tinha que ocultar a intensidade de meus sentimentos e manter uma atitude leve.

— Então está *tentando mesmo* me matar de irritação? Já que a van do Tyler não fez o serviço?

Uma rápida centelha de fúria pulsou dentro de mim. Como ela poderia acreditar sinceramente naquilo?

Era irracional eu me sentir tão ofendido. Ela não sabia de todo o esforço que eu despendera para mantê-la viva, não sabia que eu havia brigado com minha família por causa dela, não sabia da transformação que acontecera da noite para o dia. Mas fiquei zangado mesmo assim. Emoção não controlada.

— Bella, você é completamente absurda — disparei.

Seu rosto enrubesceu. Ela virou as costas para mim e começou a se afastar. Remorso. Minha raiva era injusta.

— Espere — pedi.

Ela não parou, então a segui.

— Desculpe, foi grosseria minha. Não estou dizendo que não é verdade. — Só que era *absurdo* imaginar que eu queria vê-la magoada. — Mas, de qualquer forma, foi uma grosseria dizer aquilo.

— Por que não me deixa em paz?

Seria esse o meu *não*? Era isso o que ela queria? Falar meu nome no sonho tinha sido insignificante?

Lembrei-me perfeitamente do tom de sua voz, da expressão de seu rosto ao me pedir para ficar.

Mas se ela agora dissesse *não*... Bem, então tudo acabaria ali. Eu sabia o que precisava fazer.

Vá com calma, disse para mim mesmo. Poderia ser a última vez que a veria. Se assim fosse, teria que deixá-la com a recordação certa. Então eu desempenharia meu papel de rapaz humano normal. E, mais importante, lhe daria uma escolha e depois aceitaria a resposta.

— Quero perguntar uma coisa, mas você está me evitando.

Uma possível estratégia tinha acabado de me ocorrer, e dei uma risada.

— Você tem distúrbio de personalidade múltipla? — perguntou ela.

Provavelmente eu parecia ter. Meu humor estava inconstante como nunca, com tantas novas emoções me atravessando.

— Lá vem você de novo — observei.

Ela suspirou.

— Tudo bem, então. O que quer perguntar?

— Eu estava me perguntando se, no sábado que vem... — Percebi o choque estampado em seu rosto e contive outra risada. — Sabe como é, no dia do baile de primavera...

Ela me interrompeu, finalmente retribuindo meu olhar.

— Está tentando ser *engraçadinho*?

— Quer, por favor, me deixar terminar?

Ela aguardou em silêncio, mordendo o delicado lábio inferior.

Essa cena me distraiu por um segundo. Reações estranhas e desconhecidas se revolviam no meu esquecido âmago humano. Tentei afastá-las para continuar desempenhando meu papel.

— Eu a ouvi dizer que vai a Seattle nesse dia, e estava pensando se você queria uma carona — sugeri.

Percebi que, melhor do que apenas descobrir os planos dela, eu poderia *participar deles*. Se ela dissesse que sim.

Ela me encarou, perplexa.

— Como é?

— Quer uma carona para Seattle?

Sozinho dentro de um carro com ela... Minha garganta ardeu só de pensar naquilo. Respirei fundo. *Vá se acostumando.*

— Carona de quem? — perguntou ela, confusa.

— Minha, é claro — respondi devagar.

— *Por quê?*

Era tão chocante saber que eu queria a companhia dela? Ela devia ter interpretado meu comportamento anterior da pior forma possível.

— Bom — falei, tentando soar muito natural —, eu pretendia ir a Seattle nas próximas semanas e, para ser sincero, não tenho certeza se sua picape vai aguentar.

Parecia mais seguro provocá-la do que me permitir ficar sério demais.

— Minha picape funciona muito bem, obrigada por sua preocupação — rebateu ela com o mesmo tom de surpresa.

Voltou a andar, e eu a acompanhei no mesmo ritmo.

Não era uma rejeição explícita, mas quase. Será que ela estava sendo educada?

— Mas sua picape pode chegar lá com um tanque de gasolina?

— Não vejo como isso pode ser da sua conta — resmungou.

Seu coração estava acelerado de novo, a respiração, mais rápida. Pensei que falar em tom de brincadeira poderia deixá-la mais à vontade, mas talvez eu a estivesse assustando mais uma vez.

— O desperdício de recursos não renováveis é da conta de todos.

Minha resposta soou normal e descontraída, porém não consegui avaliar se ela interpretou da mesma maneira. Sua mente silenciosa sempre me deixava inseguro.

— Francamente, Edward. Eu não consigo entender você. Pensei que não quisesse ser meu amigo.

Uma emoção me invadiu quando ela falou meu nome, e me vi de novo em seu quarto, ouvindo-a me chamar, me pedindo para ficar. Eu queria poder viver naquele momento para sempre.

Àquela altura, contudo, apenas a sinceridade era aceitável.

— Eu disse que seria melhor se não fôssemos amigos, e não que eu não queria ser.

— Ah. Obrigada, agora está *tudo* muito claro — disse, sarcástica.

Ela parou e me encarou de novo. Seu coração batia de modo irregular. De medo ou raiva?

Escolhi as palavras com cuidado. Ela precisava *ver.* Entender que era do interesse dela me manter longe.

— Seria mais... *prudente* para você não ser minha amiga. — Fitando as profundezas melífluas do chocolate de seus olhos, perdi totalmente minha pretensão de ir *com calma.* — Mas estou cansado de tentar ficar longe de você, Bella.

As palavras pareciam ter saído de minha boca queimando, como fogo.

Ela prendeu a respiração, e o segundo que levou para retomá-la me fez entrar em pânico. Eu realmente a deixara apavorada, não deixara?

Melhor ainda. Receberia meu *não* e tentaria suportá-lo.

— Você vai comigo a Seattle? — perguntei, sem rodeios.

Ela fez que sim com a cabeça, seu coração batendo alto e forte.

Sim. Ela disse sim para *mim*.

E então senti um peso na consciência. O que isso lhe custaria?

— Você realmente *devia* ficar longe de mim — alertei.

Será que ela me ouviu? Será que ela fugiria do futuro arriscado que eu estava lhe propondo? Será que não havia nada que eu pudesse fazer para salvá-la de mim?

Vá com calma, gritei para mim mesmo.

— Vejo você na aula — falei.

E na mesma hora me lembrei de que não a veria na aula. Ela embaralhava meus pensamentos completamente.

Tive que me concentrar para não sair correndo enquanto fugia dali.

6. TIPO SANGUÍNEO

Eu a segui o dia inteiro pelos olhos de outras pessoas, mal me dando conta do que havia ao meu redor.

Não através dos olhos de Mike Newton, porque eu não conseguia mais tolerar suas fantasias repugnantes, nem de Jessica Stanley, pois seu ressentimento em relação a Bella era irritante. Uma boa opção, quando seus olhos estavam disponíveis, era Angela Weber, uma pessoa gentil com uma mente tranquila de observar. E ainda havia os professores que às vezes forneciam as melhores visões.

Enquanto observava Bella cambalear o dia inteiro — tropeçando em fendas na calçada ou desníveis do chão, em livros perdidos e, mais frequentemente, nos próprios pés —, fiquei surpreso pelo fato de as pessoas que entreouvi a considerarem *desajeitada*.

Refleti sobre isso. Era verdade que muitas vezes Bella tinha dificuldade em se manter ereta. Lembrei-me de quando ela tropeçara na mesa naquele primeiro dia, de quando deslizara no gelo antes do acidente, de quando dera uma topada no batente da porta no dia anterior. Que estranho... Eles tinham razão. Ela *era* desajeitada.

Não sei por que achei tanta graça disso, mas eu fui gargalhando da aula de história da América para a de inglês, e várias pessoas me lançaram olhares preocupados e depois viraram o rosto depressa ao verem meus dentes expostos. Como eu nunca havia notado aquilo? Talvez porque houvesse algo muito gracioso na quietude dela, no modo como posicionava a cabeça, no arco do pescoço...

Naquele momento não havia nada de gracioso nela. O Sr. Varner a estava observando quando ela prendeu o bico da bota no tapete e literalmente caiu na mesa.

Ri de novo.

O tempo passou com uma lentidão inacreditável enquanto eu esperava uma oportunidade para vê-la com meus próprios olhos. O sinal finalmente tocou. Corri até o refeitório para guardar lugar. Fui um dos primeiros a chegar. Escolhi uma mesa que costumava ficar vazia e ia garantir que continuasse assim ao me sentar ali.

Quando minha família chegou e me viu sentado sozinho em um lugar novo, ninguém aparentou surpresa. Alice devia tê-los alertado.

Rosalie passou por mim com ar presunçoso, sem me dirigir o olhar.

Idiota.

Rosalie e eu nunca tivemos uma relação fácil — eu a ofendi na primeiríssima vez que ela ouviu minha voz, e a partir daí foi só ladeira abaixo —, mas ela parecia estar ainda mais mal-humorada nos últimos dias. Suspirei. Rosalie achava que tudo tinha a ver com ela.

Jasper deu um sorrisinho ao passar por mim.

Boa sorte, pensou ele sem convicção.

Emmett revirou os olhos e balançou a cabeça.

Perdeu o juízo, coitado.

Alice estava radiante, exibindo excessivamente seus dentes brilhantes.

Posso falar com a Bella agora?

— Fique fora disso — falei em voz baixa.

Sua expressão se abateu, mas depois voltou a se alegrar.

Tudo bem. Continue teimoso assim. É só uma questão de tempo.

Suspirei de novo.

Não se esqueça do laboratório de biologia hoje, ela me lembrou.

Assenti. Fiquei incomodado com os planos do Sr. Banner. Eu desperdiçara tantas horas na aula de biologia, sentado perto dela enquanto fingia ignorá-la; era dolorosamente irônico constatar que eu perderia uma hora inteira com ela.

Enquanto esperava Bella chegar, eu a seguia com os olhos do aluno que andava atrás de Jessica em direção ao refeitório. A garota não parava de falar sobre o baile de primavera, mas Bella não respondia nada. Não que Jessica lhe desse alguma oportunidade.

Assim que Bella entrou, seus olhos dispararam para a mesa onde meus irmãos estavam. Ela os observou por um instante, depois franziu a testa e baixou os olhos para o chão. Não tinha me visto.

Ela pareceu tão... *triste*. Senti uma vontade avassaladora de me levantar e ir até onde ela estava, consolá-la de alguma forma; eu só não sabia o que lhe serviria de consolo. Jessica continuava tagarelando sobre o baile. Será que Bella estava chateada por perdê-lo? Parecia improvável.

Porém, se fosse verdade... eu gostaria de oferecer-lhe essa opção. Impossível. A proximidade física necessária para dançar seria perigosa demais.

Ela comprou uma bebida para o almoço e mais nada. Aquilo estava certo? Ela não precisava de algo mais nutritivo? Eu nunca tinha prestado muita atenção na dieta dos humanos.

Os humanos eram tão frágeis que chegava a ser irritante! Havia um milhão de coisas diferentes com as quais se preocupar.

— Edward Cullen está olhando para você de novo — ouvi Jessica dizer. — Por que será que está sentado sozinho hoje?

Fiquei grato a Jessica — apesar de ela estar ainda mais ressentida —, porque Bella ergueu bruscamente a cabeça e seus olhos examinaram o local até encontrarem os meus.

Não havia mais nenhum traço de tristeza em seu rosto. Alimentei a esperança de que o motivo de sua tristeza foi ter achado que eu saíra da escola mais cedo, e essa esperança me fez sorrir.

Fiz um gesto com o dedo para Bella se juntar a mim. Ela pareceu tão perplexa que eu quis provocar de novo. Então dei uma piscadela, deixando-a boquiaberta.

— Ele quer dizer *você*? — indagou Jessica em tom grosseiro.

— Talvez ele precise de ajuda com o dever de biologia — disse Bella com a voz baixa e insegura. — Hmmm, é melhor ver o que ele quer.

Isso era quase outro sim.

Ela tropeçou duas vezes no trajeto até minha mesa, apesar de não haver nada no caminho a não ser um linóleo perfeitamente nivelado. Sério, como eu *não* tinha notado essa característica dela? Suponho que estivesse prestando mais atenção em seus pensamentos silenciosos. O que mais eu deixara escapar?

Bella estava quase chegando à minha nova mesa. Tentei me preparar. *Seja sincero, vá com calma*, repeti em silêncio.

Ela parou atrás da cadeira do lado oposto ao meu, hesitante. Respirei fundo, dessa vez mais com o nariz do que com a boca.

Sinta queimar, pensei.

— Por que não fica comigo hoje? — indaguei.

Ela puxou a cadeira e se sentou, encarando-me o tempo todo. Parecia nervosa. Esperei que falasse.

Levou um tempo, mas enfim disse:

— Isso é diferente.

— Bom... — Vacilei por um instante. — Eu concluí que, já que vou para o inferno, posso muito bem fazer o serviço completo.

O que me levara a dizer isso? Estava sendo sincero, pelo menos. E talvez ela notasse o aviso pouco sutil subentendido em minhas palavras. Talvez percebesse que devia se levantar e se afastar o mais rápido possível.

Ela não se levantou. Encarou-me, à espera, como se eu tivesse deixado a frase inacabada.

— Sabe que não faço ideia do que você quer dizer — ressaltou ela, quando não falei mais nada.

Que alívio. Sorri.

— Eu sei.

Era difícil ignorar os pensamentos estridentes voltados para mim, vindo de pessoas atrás de Bella, e de qualquer forma eu queria mudar de assunto.

— Acho que seus amigos estão com raiva de mim por ter roubado você.

Ela não pareceu nada preocupada com aquilo.

— Eles vão sobreviver.

— Mas é possível que eu não a devolva.

Eu não sabia se estava tentando provocá-la de novo, ou se estava apenas sendo sincero. Ficar perto dela embaralhava todos os meus pensamentos.

Bella fez um barulho ao engolir em seco.

Ri de sua expressão.

— Parece preocupada.

Realmente *não* devia ser engraçado. Ela devia mesmo estar preocupada.

— Não. — Eu sabia que era mentira, pois sua voz falhou, traindo-a. — Surpresa, na verdade... Qual é o motivo disso tudo?

— Eu lhe disse... — lembrei a ela. — Fiquei cansado de tentar ficar longe de você. Então estou desistindo.

Mantive o sorriso no rosto com certo esforço. Tentar ser sincero e descontraído ao mesmo tempo não estava funcionando nem um pouco.

— Desistindo? — repetiu ela, desconcertada.

— Sim... Desistindo de tentar ser bom. — E, pelo visto, desistindo de tentar parecer descontraído. — Agora só vou fazer o que eu quiser e deixar o destino decidir.

Estava sendo bem franco. Para ela ver meu egoísmo. E perceber o aviso também.

— Está me confundindo de novo.

Eu era egoísta a ponto de ficar contente com aquela resposta.

— Eu sempre falo demais quando converso com você... Esse é um dos problemas.

Um problema bastante insignificante, em comparação com os outros.

— Não se preocupe... — Ela me tranquilizou. — Eu não entendo nada mesmo.

Ótimo. Assim ela ficaria.

— Estou contando com isso.

— Então, numa linguagem clara, agora somos amigos?

Refleti por um segundo.

— Amigos... — repeti.

Não gostei da palavra. Não era... suficiente.

— Ou não — balbuciou ela, parecendo constrangida.

Será que achava que eu não gostava dela a esse ponto?

Sorri.

— Bom, acho que podemos tentar. Mas estou avisando desde já que não sou um bom amigo para você.

Esperei pela resposta, dividido, querendo que ela finalmente me ouvisse e entendesse a situação, mas pensando que eu poderia morrer se isso acontecesse. Que melodramático.

Seu coração acelerou.

— Você já disse isso muitas vezes.

— Sim, porque você não está me *ouvindo* — repliquei, enérgico demais novamente. — Ainda estou esperando que acredite nisso. Se for inteligente, vai me evitar.

Eu só podia imaginar a dor que sentiria quando ela entendesse e fizesse a escolha certa.

Seus olhos se estreitaram.

— Acho que também já deixou clara sua opinião sobre o meu intelecto.

Eu não tinha certeza do que ela queria dizer com aquilo, mas ofereci um sorriso como pedido de desculpas, imaginando que talvez a tivesse ofendido sem querer.

— E aí — continuou ela devagar —, como estou sendo... nada inteligente, vamos tentar ser amigos?

— Isso parece bom.

Ela baixou o olhar, encarando fixamente a garrafa de soda limonada que tinha nas mãos.

Aquela velha curiosidade me atormentava.

— No que está pensando? — perguntei.

Foi um alívio imenso finalmente falar aquelas palavras em voz alta. Não conseguia me lembrar de como era sentir a necessidade de oxigênio nos pulmões, mas me questionei se o alívio de respirar seria parecido.

Ela retribuiu meu olhar, e sua respiração acelerou enquanto suas bochechas ganhavam um tom rosa-claro. Inspirei, degustando essa sensação no ar.

— Estou tentando entender quem é você.

Mantive o sorriso, imobilizando minha feição à medida que o pânico se retorcia pelo meu corpo.

É claro que ela pensava naquele assunto. Tinha uma mente brilhante. Eu não podia esperar que ignorasse algo tão óbvio.

— Está tendo sorte? — indaguei, do modo mais indiferente possível.

— Não muita — admitiu ela.

Dei risada, sentindo um alívio repentino.

— Quais são suas teorias?

Não poderiam ser piores do que a verdade, fossem quais fossem.

Suas bochechas assumiram um tom vermelho-vivo, e ela não respondeu. Senti o calor de seu enrubescimento.

Decidi tentar meu tom de voz persuasivo. Funcionava com seres humanos comuns.

Abri um sorriso encorajador.

— Não vai me dizer?

Ela balançou a cabeça.

— É constrangedor demais.

Argh. Não saber era o pior de tudo. Por que suas especulações a deixariam constrangida?

— Isso é *muito* frustrante, sabia?

Minha queixa despertou algo nela. Seus olhos faiscaram e suas palavras fluíram mais rápido do que o normal.

— Não, não consigo nem *imaginar* por que seria frustrante... Só porque alguém se recusa a contar o que está pensando, mesmo que o tempo todo esteja fazendo pequenas observações obscuras que especificamente levam você a passar a noite toda se perguntando o que poderiam significar... Ora, por que isso seria frustrante?

Franzi a testa, incomodado por perceber que Bella tinha razão. Eu não estava sendo justo. Ela não tinha como conhecer as lealdades e limitações que me mantinham de boca fechada, mas isso não alterava a disparidade, no ponto de vista dela.

Bella continuou:

— Ou melhor, digamos que a pessoa também tenha tido uma série de atitudes estranhas... De um dia salvar sua vida sob circunstâncias impossíveis a tratá-lo como um pária no dia seguinte, e nunca explicar nada disso, nem mesmo depois de ter prometido. Isso também não seria *nada* frustrante.

Era a fala mais longa dela até então, e adicionou uma nova qualidade à minha lista.

— Você tem um gênio e tanto, não é?

— Não gosto de dois pesos e duas medidas.

Sua irritação era completamente justificável, claro.

Encarei Bella, me perguntando como eu poderia agir de forma correta com ela, até que a gritaria na cabeça de Mike Newton me distraiu. Ele estava tão bravo e pensava coisas tão imaturas e vulgares que tive que rir de novo.

— Que foi? — perguntou ela.

— Parece que seu namorado acha que estou sendo desagradável com você... Está se perguntando se vem ou não interromper nossa briga.

Eu adoraria vê-lo tentar. Ri de novo.

— Não sei de quem está falando — disse ela com frieza. — Mas tenho certeza de que está enganado.

Gostei muito que ela o tivesse rejeitado com uma só frase que demonstrava tanta indiferença.

— Não estou. Eu lhe disse, é fácil interpretar a maioria das pessoas.

— A não ser a mim, é claro.

— Sim. A não ser você. — Será que ela precisava ser a exceção para tudo? — Fico me perguntando o porquê disso.

Olhei fixamente em seus olhos, fazendo uma nova tentativa.

Ela desviou o olhar, depois abriu a garrafa de soda limonada e tomou um gole rápido, sem tirar os olhos da mesa.

— Não está com fome? — perguntei.

— Não. — Ela observou o espaço vazio entre nós. — E você?

— Não, não tenho fome — respondi.

Definitivamente eu não tinha fome.

Ela continuou olhando para baixo, os lábios franzidos. Aguardei.

— Pode me fazer um favor? — perguntou, encontrando meu olhar de repente.

O que ela ia querer de mim? Será que exigiria saber a verdade que eu não tinha permissão de lhe contar, a verdade que eu queria que ela nunca soubesse?

— Depende do que você quer.

— Não é grande coisa — prometeu.

Esperei, com a curiosidade me queimando por dentro, como de costume.

— Eu só pensei... — começou ela devagar, encarando a garrafa de soda limonada, percorrendo o anel de abertura com o dedo mindinho. — Se, para meu próprio bem, você podia me avisar com antecedência da próxima vez que decidir me ignorar. Para que eu fique preparada.

Ela queria um aviso? Então ser ignorada por mim devia ser ruim. Sorri.

— Parece justo — concordei.

— Obrigada — disse Bella, erguendo o olhar.

Parecia tão aliviada que eu quis rir do meu próprio alívio.

— Então posso ter uma resposta em troca? — perguntei, esperançoso.

— Uma — consentiu ela.

— Me dê *uma* teoria.

— Essa, não.

Bella corou.

— Você não especificou, só prometeu uma resposta — argumentei.

— E você mesmo já quebrou promessas — contra-argumentou.

Ela me pegou nessa.

— Só uma teoria... Eu não vou rir.

— Vai, sim.

Bella parecia ter certeza absoluta disso, embora eu não imaginasse nada engraçado na história.

Tentei usar minha capacidade de persuasão de novo. Olhei no fundo de seus olhos — uma coisa fácil de fazer com olhos tão profundos — e sussurrei:

— Por favor?

Ela piscou, e seu rosto ficou totalmente inexpressivo.

Bom, essa não era exatamente a reação que eu esperava.

— É... o quê? — perguntou ela um segundo depois.

Parecia desorientada. Havia alguma coisa errada com ela?

Tentei de novo.

— Por favor, me conte só uma teoriazinha — implorei com uma voz suave, nada ameaçadora, mantendo contato visual.

Para minha surpresa e satisfação, finalmente funcionou.

— Hmmm, bom, foi picado por uma aranha radioativa?

Histórias em quadrinhos? Não era de admirar que ela achasse que eu ia rir.

— Isso não é muito criativo — censurei-a, tentando esconder meu alívio renovado.

— Desculpe, é só o que eu tenho — replicou, ofendida.

Isso me deixou ainda mais aliviado, e consegui provocá-la de novo.

— Nem chegou perto.

— Nada de aranhas?

— Nada.

— E nada de radioatividade?

— Nada.

— Droga.

Ela suspirou.

— A criptonita também não me incomoda — falei rapidamente, antes que Bella perguntasse sobre *mordidas*, e depois tive que rir, porque ela pensou que eu era um super-herói.

— Não devia rir, lembra?

Cerrei os lábios.

— Um dia eu vou descobrir — prometeu ela.

E, quando descobrisse, iria fugir.

— Gostaria que não tentasse — comentei, dessa vez sem nenhum tom de brincadeira.

— Porque...?

Eu prometera ser sincero. Ainda assim, tentei sorrir para tornar minhas palavras menos ameaçadoras.

— E se eu não for um super-herói? E se eu for o vilão?

Seus olhos se arregalaram um pouquinho e seus lábios se entreabriram ligeiramente.

— Ah — disse. Então, um segundo depois: — Entendi.

Finalmente ela me escutara.

— Entendeu? — perguntei, esforçando-me para disfarçar a angústia.

— Você é perigoso? — retrucou, tentando adivinhar.

Sua respiração e seu coração aceleraram.

Não consegui responder. Seria aquele meu último momento com ela? Será que agora Bella ia fugir? Será que eu poderia dizer que a amava antes que ela se fosse? Ou isso a assustaria ainda mais?

— Mas não mau — sussurrou, balançando a cabeça, sem nenhum traço de medo nos olhos límpidos. — Não, não acredito que seja mau.

— Está enganada — murmurei.

É claro que eu era mau. Eu estava exultante naquele momento, ao perceber que sua visão de mim era mais generosa do que eu merecia. Se eu fosse bom, teria ficado longe dela.

Estiquei a mão em cima da mesa e peguei a tampa da soda limonada como pretexto. Ela não se retraiu ao sentir minha mão se aproximar de repente. De fato não tinha medo de mim. Ainda não.

Girei a tampa entre os dedos, com os olhos fixos no movimento, e não em Bella. Meus pensamentos estavam um caos.

Fuja, Bella, fuja. Não consegui dizer as palavras em voz alta.

Ela ficou de pé em um pulo. Justo quando comecei a me preocupar que de alguma forma tivesse ouvido meu aviso mental, Bella falou:

— Vamos chegar atrasados.

— Eu não vou à aula hoje.

— E por que não?

Porque não quero matar você.

— É saudável matar aula de vez em quando.

Para ser exato, era mais saudável para os seres humanos se os vampiros matassem aula nos dias em que haveria sangue humano envolvido. O Sr. Banner abordaria tipagem sanguínea naquele dia. Alice já tinha matado a aula da manhã.

— Bom, eu vou — disse Bella.

Não fiquei surpreso. Ela era responsável, sempre fazia a coisa certa.

Ao contrário de mim.

— A gente se vê depois, então — falei, tentando soar indiferente de novo, os olhos fixos na tampinha girando.

Por favor, salve-se. Por favor, nunca me abandone.

Bella hesitou, e por um instante tive esperança de que ela resolvesse ficar comigo. Mas o sinal tocou e ela saiu apressada.

Aguardei que ela fosse embora, então enfiei a tampa no bolso — uma lembrança da nossa conversa mais relevante — e me dirigi até o carro debaixo de chuva.

Coloquei meu CD relaxante preferido — o mesmo que tinha escutado no primeiro dia —, mas não prestei atenção nas notas de Debussy por muito tempo. Outras notas fluíam em minha mente, um trecho de uma melodia que me deixou feliz e intrigado. Desliguei o som e escutei a música em minha cabeça, acompanhando o trecho até ele evoluir para uma harmonia mais completa. Automaticamente, meus dedos se mexeram no ar sobre as teclas de um piano imaginário.

A nova composição estava quase se concretizando quando uma onda de angústia mental chamou minha atenção.

Será que ela vai desmaiar? O que eu faço? Mike estava em pânico.

A cem metros de distância, Mike Newton deitava o corpo inerte de Bella na calçada. Ela tocou, sem reação, o concreto molhado, os olhos fechados, a pele branca como a de um cadáver.

Quase arranquei a porta do carro.

— Bella? — gritei.

Não houve nenhuma mudança no rosto sem vida quando gritei seu nome.

Meu corpo inteiro ficou mais frio que gelo. A cena era como a confirmação de todos os cenários ridículos que eu havia imaginado. No exato momento em que ela se afastara de mim...

Fiquei ciente da surpresa exacerbada de Mike ao analisar freneticamente seus pensamentos. Ele só pensava na raiva que sentia de mim, então eu não sabia o que acontecera com Bella. Se tivesse feito algo para prejudicá-la, eu acabaria com ele. Seria impossível recuperar qualquer fragmento de seu corpo.

— Qual é o problema... Ela se machucou? — perguntei, tentando me concentrar nos pensamentos de Mike.

Era enlouquecedor ter que seguir o ritmo humano. Eu não deveria ter chamado a atenção para minha presença ao me aproximar.

Então ouvi o coração de Bella batendo e até mesmo sua respiração regular. Enquanto eu observava, ela estreitou ainda mais os olhos, o que amenizou meu pânico.

Tive vislumbres de lembranças nos pensamentos de Mike, um respingo de imagens da aula de biologia. A cabeça de Bella em nossa mesa, sua pele clara ficando meio esverdeada. Gotas de sangue em cartões brancos.

Tipagem sanguínea.

Parei onde estava, prendendo a respiração. Seu cheiro era uma coisa, seu sangue fluindo era outra completamente diferente.

— Acho que está desmaiada — disse Mike, ansioso e ressentido ao mesmo tempo. — Não sei o que aconteceu, ela nem furou o dedo.

Senti uma onda de alívio e respirei de novo, saboreando o ar. Ah, eu estava sentindo o cheiro do sangramento minúsculo do furo no dedo de Mike Newton. Antigamente, eu teria achado isso atrativo.

Ajoelhei-me ao lado de Bella enquanto Mike pairava perto de mim, furioso com minha interferência.

— Bella. Pode me ouvir?

— Não — balbuciou ela. — Vá embora.

Senti um alívio tão extraordinário que me fez rir. Ela não estava em perigo.

— Estava levando ela à enfermaria — disse Mike —, mas ela não conseguiu ir tão longe.

— Vou cuidar dela. Pode voltar para a aula — falei, descartando-o.

Mike cerrou os dentes.

— Não. Eu que devo fazer isso.

Eu não ia ficar discutindo com aquele idiota.

Entusiasmado e apavorado, ao mesmo tempo agradecido e aflito pela situação que me obrigava a tocá-la, delicadamente ergui Bella da calçada e a segurei nos braços, encostando apenas no casaco e na calça jeans, mantendo a maior distância possível entre nossos corpos. Avancei com passos largos, na pressa de salvá-la; em outras palavras, de deixá-la longe de mim.

Atônita, Bella abriu os olhos de uma vez só.

— Me coloque no chão! — ordenou com uma voz fraca, novamente constrangida, ao menos foi o que supus por sua expressão.

Ela não gostava de demonstrar fraqueza. Mas seu corpo estava tão mole que eu duvidava de que ela conseguisse ficar de pé sozinha, quanto mais andar.

Ignorei Mike protestando aos gritos atrás de nós.

— Você está horrível — falei, incapaz de conter um sorriso malicioso, pois não havia nenhum problema com ela a não ser a cabeça girando e o estômago abalado.

— Me coloque na calçada de novo — disse ela.

Seus lábios estavam brancos.

— Então você desmaia quando vê sangue?

Uma perversa ironia do destino.

Ela fechou os olhos e comprimiu os lábios.

— E nem precisa ser seu próprio sangue — acrescentei, ampliando meu sorriso.

Chegamos na frente da secretaria. A porta estava aberta alguns poucos centímetros, e eu a empurrei com o pé.

A Srta. Cope se sobressaltou, assustada.

— Ah, meu Deus...

A mulher engoliu em seco ao observar a garota pálida em meus braços.

— Ela desmaiou na aula de biologia — expliquei, antes que sua imaginação pudesse ir muito longe.

A Srta. Cope correu para segurar a porta da enfermaria. Bella estava de olhos abertos de novo, e a encarava. Ouvi a perplexidade na mente da enfermeira idosa quando coloquei a garota na maca gasta com cuidado. Assim que tirei Bella dos braços, fiz questão de me posicionar do outro lado do cômodo. Meu corpo estava agitado demais, ávido demais, meus músculos pareciam tensos, e o veneno fluía. Ela era tão quente e cheirosa...

— Ela só teve uma pequena vertigem — tranquilizei a Sra. Hammond. — Estão fazendo tipagem sanguínea na aula de biologia.

Ela assentiu, entendendo melhor a situação.

— Sempre acontece com alguém.

Segurei o riso. Claro que seria Bella dessa vez.

— Só fique deitada um minuto, querida — disse a Sra. Hammond. — Vai passar.

— Eu sei — respondeu Bella.

— Isso acontece muito? — perguntou a enfermeira.

— Às vezes — admitiu Bella.

Tentei disfarçar o riso com uma tosse.

Meu gesto fez a enfermeira focar a atenção em mim.

— Pode voltar para a aula agora — disse ela.

Olhei-a diretamente nos olhos e menti com a maior convicção:

— Me pediram para ficar com ela.

Hmmm. Imagino... Muito bem. A Sra. Hammond concordou.

Funcionou direitinho com a enfermeira. Por que Bella tinha que ser tão difícil?

— Vou pegar um pouco de gelo para colocar na sua testa, querida — falou a enfermeira, ligeiramente desconfortável por ter olhado nos meus olhos, algo que *deveria* acontecer com qualquer ser humano, e saiu da sala.

— Você tinha razão — balbuciou Bella, fechando os olhos.

O que ela queria dizer? Tirei a pior conclusão precipitada: ela havia acatado meus avisos.

— Em geral tenho — concordei, tentando manter o tom brincalhão na voz, que soava amarga naquele momento. — Mas sobre o que especificamente desta vez?

— Matar aula *é mesmo* saudável — disse ela, suspirando.

Ah, que alívio.

Então ela ficou em silêncio. Só continuou respirando lentamente. Seus lábios começavam a ficar rosados. A boca estava ligeiramente desnivelada, o lábio superior só um pouco inchado para se igualar ao inferior. Encarar a boca de Bella me causou uma sensação estranha, fez com que eu quisesse me aproximar mais dela, o que não era uma boa ideia.

— Por um momento, você me assustou lá fora — falei, tentando recomeçar a conversa. O silêncio era estranhamente doloroso, deixando-me sozinho sem a voz dela. — Pensei que Newton estivesse arrastando seu corpo para enterrar no bosque.

— Rá-rá — respondeu ela.

— Sinceramente... Já vi cadáveres com uma cor melhor. — De fato, era verdade. — Fiquei preocupado se teria que vingar seu assassinato.

E eu o vingaria.

— Coitado do Mike — disse ela, suspirando. — Aposto que ele ficou irritado.

A fúria começou a pulsar dentro de mim, mas logo a contive. Sem dúvida ela só estava preocupada por compaixão. Era bondosa. Só isso.

— Ele realmente me odeia — contei para ela, animado com a ideia.

— Você não tem como saber.

— Eu vi a cara dele... Sei que me odeia.

Provavelmente era verdade que interpretar a expressão dele me daria informações suficientes para chegar àquela conclusão. Toda a prática com Bella estava aprimorando minhas habilidades.

— Como foi que você me viu? Pensei que estivesse matando aula.

Seu rosto tinha uma aparência melhor; o tom esverdeado desaparecera de sua pele translúcida.

— Estava no meu carro, ouvindo um CD.

Sua boca se contraiu, como se minha resposta banal a tivesse surpreendido de alguma forma.

Ela abriu os olhos de novo quando a Sra. Hammond voltou com uma compressa de gelo.

— Aqui está, querida — disse a enfermeira ao colocar a compressa na testa de Bella. — Parece melhor.

— Acho que estou bem.

Bella se sentou e se livrou da compressa. Óbvio. Não gostava que tomassem conta dela.

As mãos enrugadas da Sra. Hammond se agitaram na direção da garota, como se fossem empurrá-la para que se deitasse novamente, mas então a Srta. Cope abriu a porta da enfermaria e enfiou a cabeça para dentro. Sua presença também trouxe o cheiro de sangue fresco, apenas uma lufada.

Na secretaria logo atrás dela, Mike Newton ainda estava muito irritado, desejando que o garoto pesado que ele arrastava dessa vez fosse a garota que estava ali comigo.

— Temos mais um — informou a Srta. Cope.

Na mesma hora Bella pulou para fora da maca, ansiosa para deixar de ser o centro das atenções.

— Toma — disse ela, devolvendo a compressa para a Sra. Hammond. — Não preciso disso.

Mike praticamente empurrou Lee Stephens pela porta, resmungando. O sangue ainda pingava da mão que Lee mantinha no rosto e escorria até o pulso.

— Ah, não. — Essa era a minha deixa para sair; e a de Bella também, pelo visto. — Vá para a secretaria, Bella.

Ela me encarou, surpresa.

— Confie em mim... Vá.

Ela rodopiou e agarrou a porta antes que se fechasse, saindo às pressas da enfermaria. Segui-a a centímetros de distância. Seu cabelo balançou e roçou minha mão.

Ela se virou para me olhar, ainda insegura.

— Dessa vez você me deu ouvidos.

Foi a primeira vez.

Seu nariz pequeno se franziu.

— Senti o cheiro de sangue.

Eu a encarei totalmente surpreso.

— As pessoas não conseguem sentir cheiro de sangue.

— Bom, eu consigo... É isso que me deixa enjoada. Tem cheiro de ferrugem... e sal.

Meu rosto estava imóvel, ainda a encarando.

Será que ela era mesmo humana? *Parecia* humana. Era macia como um ser humano. Tinha cheiro de ser humano; bom, na verdade, um cheiro melhor. Agia como um ser humano... até certo ponto. Porém não pensava nem reagia como um.

No entanto, que opção haveria?

— Que foi? — perguntou ela.

— Nada.

Mike Newton nos interrompeu, entrando na secretaria com pensamentos impetuosos e ressentidos.

— *Você* parece mesmo melhor — disse a ela, em tom grosseiro.

Senti minha mão se contorcer, com vontade de ensiná-lo a ter boas maneiras. Eu teria que me controlar, ou acabaria matando aquele rapaz detestável.

— Não tire a mão do bolso — pediu Bella.

Durante um segundo de loucura, pensei que estivesse falando comigo.

— Não está mais sangrando — replicou Mike, emburrado. — Vai voltar para a aula?

— Tá brincando? Se for para a aula, vou acabar voltando para cá.

Isso era bom demais. Pensei que ia perder uma hora inteira com ela, e no final acabei ganhando tempo extra. Um presente que obviamente eu não merecia.

— É, acho que sim... — resmungou Mike. — Então, vai nesse fim de semana? À praia?

O que era aquilo? Eles tinham combinado alguma coisa. A ira me deixou paralisado. Mas era um passeio em grupo. Mike estava enumerando os outros convidados na cabeça, contando os lugares. Não eram apenas eles dois. Isso não aplacou minha fúria. Fiquei apoiado no balcão, sem me mexer, controlando minha reação.

— Claro, eu disse que iria — prometeu Bella.

Então ela também tinha dito sim a ele. O ciúme me queimava, mais doloroso do que a sede.

— Vamos nos reunir na loja do meu pai, às dez.

E o Cullen NÃO foi convidado.

— Estarei lá — confirmou ela.

— A gente se vê no ginásio, então.

— A gente se vê.

Ele saiu arrastando os pés em direção à sala de aula, os pensamentos raivosos. *O que é que ela vê naquele esquisitão? Tudo bem, ele é rico, eu acho. As meninas acham que ele é um gato, mas não entendo. Ele é... perfeito demais. Aposto que o pai faz experimentos de cirurgia plástica em todos eles. Por isso são tão bonitos. Não é natural. E ele é meio... assustador. Às vezes, quando ele me encara, posso jurar que está pensando em me matar. Esquisitão.*

Até que Mike era um pouco perspicaz.

— Ginásio — repetiu Bella em voz baixa. Um gemido.

Olhei para ela e notei que estava chateada com alguma coisa outra vez. Eu não tinha certeza do motivo, mas era evidente que ela não queria ir para a aula seguinte com Mike, e eu apoiava totalmente aquele plano.

Fui até o seu lado e me inclinei perto de seu rosto, sentindo o calor de sua pele emanando até os meus lábios. Não me atrevi a respirar.

— Posso cuidar disso — murmurei. — Sente-se e pareça pálida.

Ela fez o que pedi, sentando-se em uma das cadeiras dobráveis e apoiando a cabeça na parede, enquanto, atrás de mim, a Srta. Cope voltava da sala dos fundos e se dirigia à própria mesa. Com os olhos fechados, Bella parecia estar prestes a desmaiar de novo. Ainda não voltara à sua cor normal.

Virei-me para a recepcionista. Com sorte, Bella estava prestando atenção, pensei com sarcasmo. Era assim que *supostamente* os humanos reagiam.

— Srta. Cope? — perguntei, voltando a usar minha voz persuasiva.

Seus cílios tremularam e seu coração acelerou. *Controle-se.*

— Sim?

Aquilo era interessante. Quando o pulso de Shelly Cope acelerou, foi porque ela me achava atraente, não porque estivesse com medo. Eu estava habituado a esse comportamento por parte das humanas, as que cresceram de certa forma acostumadas à minha espécie por meio de uma exposição contínua... Ainda assim, eu não tinha cogitado que isso poderia explicar o coração acelerado de Bella.

Gostei da ideia, talvez até demais. Abri um sorriso cauteloso, apaziguador para os humanos, e a respiração da Srta. Cope ficou entrecortada.

— Bella tem educação física no próximo tempo e não acho que ela esteja se sentindo muito bem. Na verdade, eu estava pensando que devia levá-la para casa agora. Acha que pode dispensá-la da aula?

Encarei seus olhos rasos, desfrutando o estrago que esse gesto provocava em seu raciocínio. Seria possível que Bella...?

A Srta. Cope teve que engolir em seco com um barulho, antes de responder:

— Vai precisar de uma dispensa também, Edward?

— Não, minha aula é com a Sra. Goff, ela não vai se importar.

Eu não estava mais prestando muita atenção nela. Estava pensando naquela nova possibilidade.

Hmmm. Eu gostaria de acreditar que Bella me achava atraente assim como outras mulheres achavam, mas desde quando ela tinha as mesmas reações que outros humanos? Eu não deveria criar expectativas.

— Muito bem, está tudo resolvido. Melhoras, Bella.

Bella assentiu com um movimento fraco, exagerando um pouco.

— Consegue andar, ou quer que carregue você novamente? — perguntei, achando graça em sua atuação nada convincente.

Eu sabia que ela preferiria andar, que não gostaria de aparentar fraqueza.

— Vou andando — respondeu.

Acertei de novo.

Ela se levantou, vacilando por um instante, como se checasse o equilíbrio. Segurei a porta para ela passar, e saímos debaixo de chuva.

Observei-a erguer o rosto para a chuva fina com os olhos fechados, um sorriso discreto nos lábios. O que ela estaria pensando? Algo em seu gesto era estranho, e logo percebi por que a postura não me parecia familiar. Garotas humanas normais não erguiam o rosto para tomar chuva; garotas humanas normais usavam maquiagem, mesmo naquele lugar úmido.

Bella nunca usava maquiagem, nem deveria. A indústria de cosméticos lucrava bilhões de dólares por ano com mulheres que tentavam ter uma pele como a dela.

— Obrigada — disse, sorrindo para mim. — Quase vale a pena passar mal para faltar à educação física.

Observei o campus à frente, imaginando como prolongar meu tempo com ela.

— Disponha — respondi.

— Então você vai? No sábado, quero dizer?

Ela parecia esperançosa.

Sua expectativa aliviou minha pontada de ciúme. Ela queria que eu a acompanhasse, não Mike Newton. E eu queria dizer sim. No entanto, havia muitas coisas a considerar. Em primeiro lugar, seria um sábado ensolarado.

— Aonde vocês vão exatamente?

Tentei manter um tom de voz indiferente, como se a resposta não importasse muito. Contudo, Mike mencionara *praia*. Não haveria muitas oportunidades de evitar o sol lá. Emmett ficaria irritado se eu cancelasse nossos planos, mas isso não me deteria caso houvesse como passar mais tempo com Bella.

— La Push, à primeira praia.

Seria impossível, então.

Controlei minha decepção, e depois a fitei com um sorriso irônico.

— Acho que não fui convidado.

Ela suspirou, já resignada.

— Eu estou convidando.

— É melhor você e eu não pressionarmos ainda mais o coitado do Mike esta semana. Não vamos querer que ele desmorone.

Pensei em fazer o *coitado do Mike* desmoronar com minhas próprias mãos, e desfrutei intensamente daquela imagem mental.

— Mike-bobão — disse ela, menosprezando-o de novo.

Eu sorri.

E depois ela começou a se afastar de mim.

Agindo sem pensar, automaticamente estiquei o braço e a agarrei pelas costas do casaco. Ela parou com um tranco.

— Aonde pensa que vai?

Eu estava aborrecido, quase zangado por Bella estar indo embora. Não tinha passado tempo suficiente com ela.

— Vou para casa — respondeu, claramente surpresa por isso poder me irritar.

— Não me ouviu prometer que levaria você para casa com segurança? Acha que vou deixar você dirigir nas suas condições?

Eu sabia que Bella não ia gostar *daquilo*, do fato de eu insinuar que ela estava fraca. Mas eu precisava praticar para a viagem a Seattle, descobrir se conseguiria lidar com nossa proximidade em um espaço fechado. Dessa vez seria um trajeto muito mais curto.

— Que condições? — perguntou ela. — E a minha picape?

— Vou pedir a Alice para levar depois da aula.

Puxei-a para trás em direção ao meu carro com cuidado. Pelo visto, caminhar *para a frente* era desafiador para ela.

— Me solta! — gritou ela, girando para o lado e quase tropeçando.

Estiquei uma das mãos para apoiá-la, mas ela se endireitou e não foi necessário. Eu não deveria procurar pretextos para tocá-la. Isso me fez pensar novamente na reação da Srta. Cope, mas deixei o assunto de lado. Havia muita coisa a ser considerada nesse aspecto.

Eu a soltei como ela pediu, e depois me arrependi: Bella tropeçou imediatamente e esbarrou na porta do carona do meu carro. Eu teria que ser ainda mais cuidadoso, levando em conta seu equilíbrio frágil.

— Você é tão *mandão*!

Bella tinha razão. Meu comportamento estava estranho, para dizer o mínimo. Será que ela me diria *não*?

— Está aberta.

Entrei no meu lado do carro e dei a partida. Ela manteve o corpo rígido, ainda do lado de fora, embora a chuva tivesse aumentado e eu soubesse que ela não gostava do frio e da umidade. A água encharcava seu cabelo espesso, escurecendo-o até ficar quase negro.

— Sou perfeitamente capaz de dirigir para casa!

Claro que era. Mas eu precisava de um tempo com ela, e nunca desejara tanto algo antes. Não era uma vontade imediata ou exigente como a sede, era uma sensação diferente, um tipo diferente de necessidade e de dor.

Ela estremeceu.

Baixei a janela do carona e me inclinei na sua direção.

— Entre, Bella.

Ela estreitou os olhos, e imaginei que estivesse decidindo se deveria sair correndo.

— Vou arrastar você de volta... — brinquei, me perguntando se meu palpite estava certo.

O desalento estampado em seu rosto confirmou que sim.

De queixo erguido, ela abriu a porta e entrou. Seu cabelo gotejou no couro do banco e suas botas guincharam ao roçarem uma na outra.

— Isso é totalmente desnecessário — disse ela.

Achei que Bella parecia mais constrangida do que de fato zangada. Será que meu comportamento era desmedido? *Achei* que estivesse brincando, que estivesse me comportando como um adolescente apaixonado normal, mas e se eu estivesse agindo errado? Será que ela se sentira coagida? Percebi que teria todos os motivos para isso.

Eu não sabia como agir. De que maneira cortejá-la como um homem moderno, humano, normal, no ano de 2005? Como humano, eu só havia aprendido os costumes da minha época. Graças ao meu dom estranho, eu sabia muito bem como as pessoas pensavam nos dias atuais, o que faziam, como agiam, mas, quando eu tentava agir de forma descontraída e moderna, tudo parecia dar errado. Provavelmente por eu não ser nem normal, nem moderno, nem humano. E não era como se minha família tivesse me ensinado alguma coisa útil nesse sentido. Nenhum deles tivera nada semelhante a um namoro normal, muito menos moderno e humano.

Rosalie e Emmett tinham vivido o clichê, a clássica história de amor à primeira vista. Nunca houve um momento em que um dos dois tivesse questionado o que representavam um para o outro. No segundo em que Rosalie viu Emmett, sentiu-se atraída pela inocência e pela honestidade que lhe faltaram em sua própria vida, e ela o quis. No segundo em que Emmett viu Rosalie, avistou uma deusa a quem idolatrava sem cessar desde então. Nunca houve uma primeira conversa constrangedora e cheia de dúvidas, nunca houve um momento de nervosismo e unhas roídas à espera de um sim ou não.

A união de Alice e Jasper fora ainda menos normal. Durante todos os vinte e oito anos até o primeiro encontro deles, Alice sabia que ia amar Jasper. Ela vira anos, décadas, séculos da futura vida dos dois juntos. E Jasper, sentindo todas as emoções de Alice naquele momento tão aguardado, a pureza, a certeza e a intensidade do amor dela, não teve opção além de ser totalmente dominado. Devia ter parecido um tsunami para ele.

Carlisle e Esme tiveram uma história ligeiramente mais previsível do que os outros, na minha opinião. Esme já estava apaixonada por Carlisle — o que o deixou chocado —, mas não por meio de algum esquema místico ou mágico. Ela conhecera Carlisle quando era criança e, atraída por sua delicadeza, perspicácia e beleza extraordinária, formou um vínculo que a assombrou pelo resto de seus anos como humana. A vida não fora generosa com Esme, portanto era natural que a lembrança inesquecível de um homem gentil nunca tivesse sido suplantada dentro de seu coração. Após o suplício doloroso da transformação, quando ela despertou diante do rosto do homem dos seus sonhos, dedicou todo o seu amor a ele.

Eu estava presente para alertar Carlisle quanto à reação inesperada de Esme. Ele esperava que ela ficasse em choque com a transformação, traumatizada pela dor, horrorizada com o que se tornara, como acontecera comigo. Ele esperava ter que explicar e pedir desculpas, acalmar e reparar os danos. Sabia que havia grande chance de que ela tivesse preferido a morte, que o desprezasse pela escolha feita sem seu conhecimento ou consentimento. Por isso ele nunca tinha imaginado que ela se mostraria imediatamente preparada para se juntar àquela vida, quer dizer, não exatamente àquela vida, mas a *ele*.

Carlisle nunca se vira como um possível alvo de amor romântico até aquele momento. Parecia algo contrário ao que ele era: um vampiro, um monstro. O conhecimento que lhe proporcionei mudou sua forma de olhar para Esme, e de olhar para si mesmo.

Mais do que isso, era algo muito poderoso *escolher* salvar alguém. Não era uma decisão que qualquer indivíduo sensato tomasse levianamente. Quando me escolheu, Carlisle já sentira muitas emoções que o vinculavam a mim antes mesmo que eu atinasse para o que estava acontecendo. Responsabilidade, inquietação, ternura, piedade, esperança, compaixão... Havia uma sensação de posse inerente ao ato, e eu nunca a experimentara, somente ouvira coisas através de seus pensamentos, assim como dos de Rosalie. Ele já se sentia meu pai antes que eu soubesse seu nome. Para mim, foi fácil e instintivo assumir meu papel de filho. O amor aconteceu sem esforço, apesar de eu sempre ter atribuído isso mais a quem ele era como pessoa do que ao fato de ele ter iniciado minha transformação.

Então, se foi por esses motivos, ou se foi por Carlisle e Esme simplesmente terem sido feitos um para o outro... isso eu nunca saberia, mesmo com meu dom de ouvir como tudo aconteceu. Ela o amava, e ele logo descobriu que podia retribuir esse amor. Não demorou para que a surpresa dele se tornasse admiração, descoberta e romance. Muita felicidade.

Apenas alguns momentos de um constrangimento facilmente superado, tudo abrandado com a ajuda de um pouco de leitura de pensamentos. Nada tão embaraçoso como a minha situação. Nenhum deles ficara tateando sem pistas como eu.

Nem um segundo inteiro se passara enquanto eu revisava esses casais menos complicados em minha mente; Bella tinha acabado de fechar a porta do carro. Logo liguei o aquecedor para ela não se sentir desconfortável e baixei o volume do CD para que ficasse como música de fundo. Dirigi até a saída, observando-a pelo canto do olho. Seu lábio inferior formava um bico, um sinal de teimosia.

De repente ela olhou para o som do carro com interesse, deixando para trás a expressão amuada.

— "Clair de Lune"? — perguntou.

Uma fã dos clássicos?

— Conhece Debussy?

— Não muito bem — respondeu. — Minha mãe toca muita música clássica em casa... Só conheço minhas favoritas.

— Também é uma das minhas favoritas.

Observei a chuva, pensando naquela descoberta. Eu efetivamente tinha algo em comum com ela. Estava começando a pensar que éramos opostos perfeitos.

Ela parecia mais relaxada, observando a chuva assim como eu, sem prestar muita atenção. Aproveitei sua distração momentânea para tentar respirar.

Inspirei pelo nariz com cuidado.

Potente.

Agarrei o volante com força. A chuva tornou o cheiro dela ainda melhor. Achei que isso não fosse possível. Minha língua formigou na expectativa daquele sabor.

O monstro não estava morto, percebi com desgosto. Estava apenas à espera de uma oportunidade.

Tentei engolir em seco para aplacar a queimação na garganta. Não adiantou, e isso me deixou com raiva. Eu tinha tão pouco tempo com ela... Já havia me esforçado muito só para garantir mais quinze minutos. Respirei outra vez e contive minha reação. Eu *tinha* que ser mais forte do que isso.

O que eu estaria fazendo se não fosse o vilão da história?, perguntei a mim mesmo. Como estaria usando esse tempo valioso?

Eu estaria descobrindo mais coisas a respeito dela.

— Como é a sua mãe? — perguntei.

Bella sorriu.

— Ela é muito parecida comigo, só que mais bonita.

Olhei para ela com ar cético.

— Tenho muita coisa do Charlie — continuou. — Ela é mais atirada do que eu, e mais corajosa.

Atirada dava até para acreditar. Mais corajosa? Eu duvidava.

— É irresponsável e meio excêntrica, e é uma cozinheira imprevisível. Ela é minha melhor amiga.

Sua voz transmitia melancolia. Ela franziu a testa.

Como eu já tinha notado, seu tom soava mais como o de uma mãe do que de uma filha.

Parei na frente de sua casa, me dando conta tarde demais de que talvez eu não devesse saber onde ela morava. Não, isso não levantaria suspeitas em uma cidade tão pequena, sendo o pai dela uma figura pública.

— Quantos anos você tem, Bella?

Devia ser mais velha do que os colegas. Talvez tivesse entrado tarde na escola, ou se atrasado por algum motivo. Mas isso parecia improvável, afinal ela era muito inteligente.

— Tenho dezessete anos — respondeu.

— Não parece ter dezessete.

Ela riu.

— Que foi?

— Minha mãe sempre diz que eu nasci com trinta e cinco anos e que entro mais na meia-idade a cada ano que passa. — Riu de novo, e depois suspirou. — Bom, alguém tem que ser o adulto.

Isso esclarecia as coisas. Era fácil entender como a irresponsabilidade da mãe resultara na maturidade da filha. Ela precisara amadurecer cedo, tornar-se a cuidadora. Era por isso que não gostava que cuidassem dela, sentia que era uma tarefa sua.

— Você mesmo não parece muito um calouro na escola — disse ela, me despertando da minha divagação.

Franzi a testa. Pelo que eu notava, Bella também era bastante observadora. Mudei de assunto.

— Então por que sua mãe se casou com o Phil?

Ela hesitou um minuto antes de responder.

— Minha mãe... é muito jovem para a idade dela. Acho que Phil a faz se sentir ainda mais nova. De qualquer forma, ela é louca por ele. — Bella balançou a cabeça de forma indulgente.

— Você aprova? — eu quis saber.

— E isso importa? — indagou. — Quero que ela seja feliz... E é ele quem ela quer.

O desprendimento do comentário teria me chocado, exceto pelo fato de que se encaixava perfeitamente no que eu descobrira sobre seu caráter.

— Isso é muito generoso... eu acho.

— O quê?

— Acha que ela teria a mesma consideração com você? Independentemente de quem você escolhesse?

Era uma pergunta idiota, e não consegui manter minha voz indiferente ao perguntar. Era absurdo até mesmo cogitar que alguém *me* aprovasse como pretendente da filha. Era absurdo até mesmo pensar que Bella me escolheria.

— A-acho que sim — gaguejou, reagindo de alguma forma ao meu olhar.

Seria medo? Pensei novamente na Srta. Cope. Quais eram os outros sinais? Olhos arregalados poderiam significar ambos os sentimentos. Os cílios piscando, porém, pareciam assinalar algo diferente de medo. E os lábios de Bella estavam entreabertos...

Ela se recompôs.

— Mas, afinal de contas, ela é mãe. É meio diferente.

Dei um sorriso irônico.

— Ninguém assustador demais, então.

— O que quer dizer com assustador? Piercings na cara toda e tatuagens enormes?

Ela sorriu maliciosamente.

— Acho que essa é uma boa definição.

Uma definição muito pouco ameaçadora, na minha opinião.

— Qual é a sua definição?

Ela sempre fazia as perguntas erradas. Ou, talvez, justamente as certas. Aquelas a que eu não queria responder de jeito nenhum.

— Acha que *eu* posso ser assustador? — perguntei-lhe, tentando sorrir.

Ela refletiu antes de me responder com a voz séria.

— Hmmm... Acho que você *podia* ser, se quisesse.

Eu também estava sério.

— Está com medo de mim agora?

Ela respondeu de imediato, sem pensar:

— Não.

Sorri com mais tranquilidade. Achei que ela não estivesse falando toda a verdade, mas também não estava mentindo. Em todo caso, não estava assustada o suficiente para querer ir embora. Imaginei como se sentiria se eu lhe contasse que ela estava falando sobre aquele assunto com um vampiro; me contorci por dentro ao imaginar sua reação.

— Então, agora vai me falar de sua família? Deve ser uma história muito mais interessante do que a minha.

Mais assustadora, pelo menos.

— O que quer saber? — perguntei, cuidadoso.

— Os Cullen adotaram você?

— Sim.

Ela hesitou e depois falou baixo.

— O que aconteceu com seus pais?

Essa não era tão difícil. Eu nem precisava mentir.

— Eles morreram há muitos anos.

— Eu sinto muito — murmurou, claramente preocupada com a possibilidade de ter me magoado.

Ela estava preocupada *comigo*. Um sentimento tão estranho, ver que ela se importava, mesmo de forma simples.

— Eu não me lembro deles com muita clareza — tranquilizei-a. — Carlisle e Esme são meus pais há bastante tempo.

— E você os ama — deduziu ela.

Sorri.

— Sim. Não consigo pensar em duas pessoas melhores.

— Você tem muita sorte.

— Sei que tenho.

Naquele assunto específico, no que se referia aos meus pais, não tinha como negar minha sorte.

— E seu irmão e sua irmã?

Se eu a deixasse pedir detalhes demais, teria que mentir. Olhei o relógio, arrasado porque meu tempo com ela estava acabando, mas também aliviado. A dor era intensa, e eu tinha receio de que a queimação em minha garganta pudesse aumentar a ponto de me dominar.

— Meu irmão e minha irmã... A propósito, Jasper e Rosalie, vão se irritar muito se tiverem que ficar na chuva esperando por mim.

— Ah, desculpe, acho que você tem que ir.

Ela não se mexeu. Também não queria que nosso tempo juntos terminasse.

Na verdade, a dor não era forte demais, pensei. Mas eu devia agir com responsabilidade.

— E você deve querer sua picape de volta antes que o chefe Swan chegue em casa, assim não precisa contar a ele sobre o incidente na aula de biologia.

Sorri com malícia ao me lembrar de como ela ficara constrangida nos meus braços.

— Tenho certeza de que ele já sabe. Não há segredos em Forks.

Ela mencionou o nome da cidade com evidente desprazer.

Ri com suas palavras. Nenhum segredo, de fato.

— Divirta-se na praia. — Dei uma olhada na chuva forte, sabendo que não duraria, e desejando com mais intensidade que o normal que continuasse. — Espero que o clima esteja bom para um banho de sol.

Bom, estaria até sábado. Ela se divertiria. E a felicidade dela se tornara a coisa mais importante. Mais importante do que a minha.

— Não vou ver você amanhã?

A ansiedade em seu tom de voz me agradou, mas também me fez desejar não ter que decepcioná-la.

— Não. Emmett e eu vamos sair cedo para o fim de semana.

Eu estava bravo por ter feito planos. Poderia deixá-los de lado... mas não havia caça em excesso àquela altura, e minha família já ia ficar preocupada com meu comportamento mesmo que eu não revelasse como estava ficando obcecado. Eu ainda não sabia ao certo que loucura tomara conta de mim na noite anterior. E de fato precisava encontrar uma maneira de controlar meus impulsos. Talvez um pouco de distância ajudasse.

— O que vão fazer? — perguntou ela, soando nada feliz com minha revelação.

Mais prazer, mais dor.

— Vamos escalar a Goat Rocks Wilderness, ao sul de Rainier.

Emmett estava ansioso pela temporada dos ursos.

— Ah, bom, então divirtam-se — falou ela com indiferença.

Seu desânimo me agradou novamente.

Quando a encarei, comecei a sentir uma agonia com a ideia de me despedir, mesmo que fosse temporário. Ela era tão delicada, tão vulnerável... Parecia imprudente perdê-la de vista, pois algo poderia lhe acontecer. Mas as piores coisas que poderiam lhe acontecer seriam causadas pela minha companhia.

— Faz uma coisa por mim nesse fim de semana? — perguntei em tom sério.

Ela assentiu, embora estivesse claramente perplexa com minha intensidade.

Vá com calma.

— Não se ofenda, mas você parece ser uma daquelas pessoas que atrai acidentes feito um ímã. Então... Procure não cair no mar, nem se afogar, nem nada disso, está bem?

Olhei para ela com um sorriso melancólico, torcendo para que Bella não percebesse a tristeza genuína em meu olhar. Quem dera que ela não ficasse muito melhor longe de mim, independentemente do que pudesse lhe acontecer.

Fuja, Bella, fuja. Amo você demais, para o seu bem e o meu.

Ela ficou ofendida com minha provocação; eu parecia ter errado de novo. Bella me olhou zangada.

— Verei o que posso fazer — disparou, saindo na chuva e batendo a porta com toda a força.

Fechei a mão ao redor da chave que eu acabara de pegar no bolso do casaco dela e inalei profundamente seu cheiro enquanto me afastava.

7. MELODIA

Tive que esperar quando voltei para a escola. O último tempo ainda não havia terminado. Mas isso era bom, porque eu tinha coisas nas quais pensar e precisava de um momento sozinho.

Ainda sentia o cheiro dela no carro. Mantive as janelas fechadas, deixando que o aroma me agredisse, tentando me acostumar com a sensação de incendiar de propósito minha garganta.

Atração.

Era uma ideia problemática. Tinha tantos lados, tantos significados e níveis diferentes. Não era o mesmo que amor, mas os dois estavam ligados.

Eu não fazia ideia se Bella se sentia atraída por mim. (Será que seu silêncio mental ia de alguma maneira se tornar cada vez mais frustrante, até me enlouquecer? Ou haveria um limite ao qual eu acabaria chegando?)

Tentei comparar suas reações físicas às de outras pessoas, como a recepcionista e Jessica Stanley, mas a comparação foi inconclusiva. Os mesmos marcos — mudanças na frequência cardíaca e no ritmo da respiração — podiam facilmente significar medo, choque ou ansiedade, em vez de interesse. Com certeza outras mulheres, e homens também, tinham reagido ao meu rosto com uma apreensão instintiva. Muito mais pessoas tiveram essa reação do que a alternativa a ela. Parecia improvável que Bella pudesse ter o mesmo tipo de pensamento que Jessica Stanley. Afinal, Bella sabia muito bem que havia algo de errado comigo, mesmo que não soubesse exatamente o quê. Ela havia tocado minha pele gelada, e afastara rapidamente a mão ao sentir como era fria.

Ainda assim... Lembrei-me das fantasias que costumavam me causar repulsa, mas coloquei Bella no lugar de Jessica.

Minha respiração se acelerou, o fogo subindo e descendo pela minha garganta.

E se tivesse sido *Bella* a me imaginar com os braços em torno de seu corpo frágil? Sentindo meu peito pressionar o dela e minha mão segurando gentilmente seu queixo? Afastando a cortina pesada do cabelo negro de seu rosto corado? Traçando a forma de seus lábios grossos com a ponta dos dedos? Aproximando meu rosto do dela até sentir o calor de seu hálito em minha boca? Aproximando-me ainda mais...

Mas então afastei esse devaneio com um tremor, sabendo, como eu soubera quando Jessica imaginara essas coisas, o que aconteceria se eu me aproximasse dela tanto assim.

A atração era um dilema impossível, porque eu já estava atraído demais por Bella, da pior maneira.

Será que eu queria que Bella se sentisse atraída por mim, como uma mulher se sentia atraída por um homem?

Essa era a pergunta errada. A pergunta certa era: será que eu *deveria* querer que Bella se sentisse atraída por mim dessa maneira? E a resposta era não. Porque eu não era um humano, e isso não seria justo com ela.

Com todas as forças do meu ser, desejei ser um homem normal, para que pudesse tê-la em meus braços sem colocar sua vida em risco. Para ter a liberdade de imaginar minhas fantasias, fantasias que não terminassem com o sangue dela em minhas mãos, cintilando em meus olhos.

Meu desejo por ela era indefensável. Que tipo de relação eu poderia lhe oferecer se não podia me arriscar a tocá-la?

Apoiei a cabeça nas mãos.

Era tudo ainda mais confuso porque eu nunca tinha me sentido tão humano na vida, nem mesmo quando *era* humano, pelo que lembrava. Naquele tempo, todos os meus pensamentos estavam voltados para a glória de um soldado. A Grande Guerra se desenrolara durante a maior parte da minha adolescência, e faltavam apenas nove meses para eu completar dezoito anos quando a epidemia de gripe começou. Eu tinha apenas uma vaga ideia daqueles anos humanos, lembranças obscuras que ficavam menos reais a cada década que passava. Minha lembrança mais clara era da minha mãe, e eu sentia uma dor antiga quando pensava em seu rosto. Eu me lembrava vagamente de como ela detestava o futuro para o qual eu havia me lançado com avidez, e de como rezava todas as noites, na oração antes do jantar, para que aquela "guerra horrível" terminasse. Eu não tinha nenhuma lembrança de outros tipos de anseio. Além do amor da minha mãe, nenhum outro amor me fez querer ficar.

Aquilo era totalmente novo para mim. Eu não era capaz de traçar nenhum paralelo, de fazer nenhuma comparação.

O amor que eu sentia por Bella tinha surgido de forma pura, mas as águas ficaram turvas. Eu queria muito poder tocá-la. Será que ela sentia o mesmo?

Tentei me convencer de que isso não importava.

Olhei para minhas mãos pálidas, detestando sua aspereza, sua frieza, sua força desumana...

Sobressaltei-me quando a porta do carona se abriu.

Rá. Peguei você. Tem sempre uma primeira vez, pensou Emmett enquanto se sentava no banco.

— Aposto que a Sra. Goff acha que você está usando drogas. Você anda imprevisível ultimamente. Onde se meteu hoje?

— Eu estava... fazendo boas ações.

Hã?

Dei risada.

— Cuidando de doentes, esse tipo de coisa.

Isso o deixou ainda mais confuso, mas então ele inspirou e sentiu o cheiro no carro.

— Ah. A garota de novo?

Fiz uma careta.

Essa situação está ficando meio estranha.

— Nem me fale — murmurei.

Emmett inspirou outra vez.

— Hmmm, ela realmente parece saborosa, hein?

Um rosnado irrompeu da minha boca antes mesmo que ele terminasse de falar, uma reação automática.

— Calma, cara. Foi só um comentário.

Os outros chegaram naquele momento. Rosalie sentiu imediatamente o cheiro e olhou para mim de cara feia, ainda irritada. Eu me perguntei qual seria seu verdadeiro problema, mas a única coisa que eu ouvia vindo dela eram insultos.

Também não gostei da reação de Jasper. Assim como Emmett, ele havia notado os encantos de Bella. Não que o cheiro exercesse, em algum dos dois, um milésimo do atrativo que exercia em mim, mas ainda assim me irritava saber que o sangue dela lhes parecia doce. Jasper não era muito bom em se controlar.

Alice foi até o meu lado do carro e estendeu a mão para pegar a chave da picape de Bella.

— Eu só vi que eu estava — disse ela, como de hábito, de maneira obscura. — Você vai ter que me contar os porquês.

— Isso não quer dizer...

— Eu sei, eu sei. Eu espero. Não vai demorar muito.

Suspirei e entreguei a chave a ela.

Eu a segui até a casa de Bella. A chuva estava forte, como se milhões de minúsculos martelos caíssem, tão alto que os ouvidos humanos de Bella talvez não distinguissem o rugido do motor da picape. Fiquei observando sua janela, mas ela não apareceu para olhar o lado de fora. Talvez não estivesse lá. Eu não ouvia nenhum pensamento.

Fiquei triste por não ouvir seus pensamentos nem mesmo para saber como ela estava... para ter certeza de que estava feliz, ou, pelo menos, segura.

Alice se sentou no banco de trás e aceleramos até nossa casa. A estrada estava vazia, então levamos apenas alguns minutos. Entramos em casa e cada um foi se ocupar com seus diversos passatempos.

Emmett e Jasper estavam no meio de uma partida de xadrez muito complexa, usando oito tabuleiros juntos, espalhados pela parede de vidro dos fundos, e com suas próprias regras difíceis. Eles não me deixavam jogar; Alice era a única que ainda jogava comigo.

Alice foi para seu computador, na sala ao lado deles, e eu ouvi os monitores serem ligados. Estava trabalhando em um projeto de moda para o guarda-roupa de Rosalie, mas naquele dia Rosalie não se juntou a ela para ficar às suas costas, orientando os cortes e cores enquanto a mão de Alice desenhava traços nas telas sensíveis ao toque. Em vez disso, Rosalie se jogou, mal-humorada, no sofá, zapeando uns vinte canais por segundo na televisão de tela plana. Eu a ouvia tentando decidir se ia ou não até a garagem turbinar novamente o motor do seu BMW.

Esme estava no andar de cima, murmurando sobre um conjunto de plantas baixas. Ela vivia projetando algo novo. Talvez fosse construir aquela casa nova para ser nosso próximo lar, ou então onde íamos morar depois da próxima.

Após um instante, a cabeça de Alice surgiu na quina da parede e ela começou a mover os lábios em silêncio, descrevendo os próximos movimentos de Emmett — sentado no chão, de costas para ela — para Jasper, que manteve a expressão impassível enquanto bloqueava o cavalo favorito de Emmett.

E, pela primeira vez em tanto tempo que fiquei até envergonhado, fui me sentar diante do piano grande e elegante que ficava perto da entrada.

Toquei suavemente as escalas, testando a afinação. Ainda estava perfeita.

No andar de cima, o lápis de Esme fez uma pausa e ela inclinou a cabeça para o lado.

Comecei a tocar a primeira linha da melodia que tinha ouvido no carro, satisfeito por ela soar ainda melhor do que eu esperava.

Edward voltou a tocar, pensou Esme com alegria, abrindo um sorriso. Ela se levantou da escrivaninha e foi em silêncio até o patamar da escada.

Acrescentei uma linha de harmonia, deixando que a melodia central se entrelaçasse a ela.

Esme suspirou, satisfeita, depois sentou-se no último degrau da escada e apoiou a cabeça no balaústre. *Uma música nova. Faz tanto tempo. Que melodia bonita.*

Deixei a melodia mudar de direção, acompanhando-a com as notas graves.

Edward voltou a compor?, pensou Rosalie, e seus dentes se cerraram com uma indignação feroz.

Naquele momento, ela se descuidou e eu ouvi toda a revolta em seus pensamentos. Entendi por que ela estava tão irascível comigo, por que a ideia de matar Isabella Swan não perturbara nem um pouco sua consciência.

Tratando-se de Rosalie, era tudo uma questão de vaidade.

A música foi interrompida de forma abrupta, e eu não contive o riso, uma gargalhada sincera, abafada rapidamente quando tapei a boca com a mão.

Rosalie se virou para me olhar de cara feia, os olhos faiscando com uma fúria mortificada.

Emmett e Jasper também se voltaram para mim, e eu ouvi a confusão de Esme. Ela chegou ao andar de baixo em um piscar de olhos, parando para fitar Rosalie e a mim.

— Não pare, Edward — encorajou-me depois de um momento de tensão.

Recomecei a tocar, virando as costas para Rosalie enquanto me esforçava muito para conter um sorriso. Ela se levantou e saiu da sala a passos largos, mais furiosa do que envergonhada. Mas definitivamente muito envergonhada.

Se disser uma palavra, eu acabo com a sua raça.

Contive outro riso.

— O que foi, Rose? — perguntou Emmett enquanto ela saía.

Rosalie não se virou. Com as costas muito eretas, continuou andando até a garagem e em seguida se esgueirou debaixo do carro como se fosse se enterrar lá.

— O que aconteceu? — Emmett me perguntou.

— Não faço a menor ideia — menti.

Emmett resmungou, frustrado.

— Continue tocando — insistiu Esme.

Meus dedos tinham parado novamente.

Eu fiz o que Esme pediu, e ela se aproximou, apoiando as mãos em meus ombros.

A canção era comovente, mas estava incompleta. Tentei compor uma ligação, mas não pareceu se encaixar.

— É encantadora. Já tem nome? — perguntou Esme.

— Ainda não.

— Tem uma história? — quis saber ela, com animação.

Aquilo era um grande prazer para Esme, e eu me senti culpado por ter negligenciado minha música por tanto tempo. Tinha sido egoísmo meu.

— É... um acalanto, acho.

Dessa vez, acertei a ligação, que naturalmente levou ao próximo movimento, ganhando vida própria.

— Um acalanto — repetiu ela para si mesma.

Aquela melodia *tinha* uma história, e quando me dei conta disso as peças se encaixaram sem esforço. A história era sobre uma garota adormecida em uma cama estreita, o cabelo preto, espesso e despenteado, entrelaçado feito algas sobre o travesseiro...

Alice deixou Jasper usando as próprias habilidades e veio se sentar ao meu lado na banqueta. Com sua voz trinada e leve como o vento, ela improvisou um contraponto sem letra duas oitavas acima da melodia.

— Gostei — murmurei. — O que acha disso?

Acrescentei a linha dela à harmonia — meus dedos voando sobre as teclas para juntar todas as peças —, modificando-a um pouco, levando-a em uma nova direção.

Ela entrou no clima e me acompanhou cantando.

— Isso. Perfeito — falei.

Esme apertou de leve meu ombro.

Naquele momento vi a conclusão, com a voz de Alice se elevando acima da melodia, levando-a para outro lugar. Vi como a canção deveria terminar, porque a garota adormecida era perfeita exatamente do jeito que era, e qualquer mudança, por menor que fosse, seria um equívoco, uma tristeza. A canção foi impelida na direção dessa conclusão, mais lenta e baixa. A voz de Alice também ficou mais baixa e adquiriu um tom solene, como se seu lugar fosse sob os arcos ressonantes de uma catedral à luz de velas.

Toquei a última nota, em seguida curvei a cabeça sobre as teclas.

Esme acariciou meu cabelo. *Vai ficar tudo bem, Edward. Tudo vai terminar da melhor forma. Você merece ser feliz, meu filho. O destino deve isso a você.*

— Obrigado — sussurrei, querendo acreditar nas palavras dela.

E que minha felicidade era o que importava.

O amor nem sempre vem de forma conveniente.

Ri uma só vez, sem achar graça.

De todas as pessoas neste planeta, talvez você seja a mais preparada para lidar com esse dilema tão difícil. Você é o melhor e o mais inteligente de todos nós.

Suspirei. Toda mãe pensava isso sobre o próprio filho.

Esme continuava toda alegre pelo fato de meu coração ter sido finalmente tocado depois de todo aquele tempo, mesmo que houvesse o risco de uma tragédia iminente. Ela costumava achar que eu ia ficar sozinho para sempre.

Ela vai amar você, pensou Esme subitamente, me pegando de surpresa com o rumo que seus pensamentos tomaram. *Se for uma garota inteligente.* Ela sorriu. *Não consigo imaginar ninguém que seja tão estúpido a ponto de não enxergar o bom partido que* você *é.*

— Pare com isso, mãe. Está me deixando envergonhado — brinquei.

As palavras dela, embora improváveis, me animaram.

Alice riu e começou a cantar "Heart and Soul". Sorri e terminei a harmonia simples com ela. Em seguida, a presenteei com uma performance de "Chopsticks".

Ela riu, e depois suspirou.

— Então, eu queria que você me contasse por que estava rindo da Rose — disse Alice. — Mas estou vendo que não vai me contar.

— Não.

Ela deu um peteleco na minha orelha.

— Tenha modos, Alice — censurou Esme. — Edward está sendo um cavalheiro.

— Mas eu quero *saber*.

Ri do tom de súplica dela. Em seguida disse:

— Pronto, Esme.

E comecei a tocar sua canção favorita, um tributo sem título ao amor que havia entre ela e Carlisle, que eu testemunhara por tantos anos.

— Obrigada, querido.

Ela apertou meu ombro de leve outra vez.

Não precisei me concentrar para tocar aquela canção tão conhecida. Em vez disso, pensei em Rosalie, ainda se contorcendo de humilhação na garagem, mesmo que de forma simbólica, e sorri.

Como eu tinha acabado de descobrir o poder do ciúme, senti um pouco de pena. Era uma sensação horrível. Obviamente, o ciúme dela era mil vezes mais frívolo que o meu. Uma verdadeira mesquinharia.

Fiquei pensando em como a vida e a personalidade de Rosalie teriam sido diferentes se ela não tivesse sempre sido a mais bonita. Será que ela teria sido uma pessoa mais feliz — menos egocêntrica, mais compassiva —, se a beleza não tivesse sido sempre seu principal atrativo? Enfim, era inútil especular, porque passado era passado, e ela *sempre* fora a mais bonita. Mesmo quando era humana, sempre vivera sob os holofotes de seu encanto. Não que se incomodasse. Pelo contrário, ela adorava a admiração acima de tudo. E isso não havia mudado com a perda da mortalidade.

Não foi nenhuma surpresa então, considerando que essa necessidade era óbvia, que ela tivesse ficado ofendida com o fato de eu não ter louvado sua beleza desde o início, como ela esperava que todos os homens fizessem. Não que ela *me* desejasse de alguma maneira, longe disso. Mas ficava ofendida com o fato de eu não a desejar, apesar de tudo.

Tinha sido diferente com Jasper e Carlisle; ambos já estavam apaixonados. Eu estava completamente livre, mas ainda assim permaneci impassível.

Achei que esse velho ressentimento tivesse ficado para trás, que ela já houvesse superado. E tinha... até o dia em que encontrei uma pessoa cuja beleza me tocava de uma maneira que a dela não havia me tocado. É claro. Eu deveria ter imaginado que isso ia incomodá-la. E provavelmente teria, se não estivesse tão preocupado.

Rosalie tinha se agarrado à crença de que, se eu não considerava a beleza *dela* digna de louvor, certamente nenhuma beleza no mundo seria capaz de me comover. Ela estava furiosa desde que eu salvara a vida de Bella, percebendo, com sua intuição perspicaz e competitiva, o interesse do qual eu mesmo não tinha consciência.

Rosalie ficara mortalmente ofendida com o fato de eu achar uma garota humana insignificante mais atraente do que ela.

Contive o riso mais uma vez.

Mas o jeito como ela encarava Bella me incomodava um pouco. Rosalie a achava *sem graça*. Como ela podia acreditar nisso? Parecia-me incompreensível. Uma consequência do ciúme, sem dúvida.

— Ah! — disse Alice de repente. — Jasper, adivinhe só!

Vi o que ela acabara de ver, e minhas mãos ficaram paralisadas sobre as teclas.

— O que foi, Alice? — perguntou Jasper.

— Peter e Charlotte vêm nos visitar semana que vem! Eles vão estar aqui perto. Que ótimo, não?

— O que foi, Edward? — quis saber Esme, sentindo a tensão em meus ombros.

— Peter e Charlotte estão vindo para *Forks*? — sibilei para Alice.

Ela revirou os olhos.

— Relaxe, Edward, não é a primeira visita deles.

Meus dentes se cerraram. *Era* a primeira visita deles desde a chegada de Bella, e seu sangue doce não atraía somente a mim.

Alice fez uma careta ao ver minha expressão.

— Eles nunca caçam aqui, você sabe disso.

Mas o irmão postiço de Jasper e a pequena vampira que ele amava não eram como nós; eles caçavam da maneira tradicional. Não dava para confiar neles perto de Bella.

— Quando? — perguntei.

Ela franziu os lábios, contrariada, mas me deu a informação de que eu precisava. *Segunda-feira de manhã. Ninguém vai machucar Bella.*

— Não mesmo — concordei, e dei as costas para ela. — Está pronto, Emmett?

— Achei que íamos amanhã de manhã.

— Temos que estar de volta até a meia-noite de domingo. Então acho que cabe a você decidir quando quer partir.

— Tudo bem, tudo bem. Deixe só eu me despedir da Rose.

— Claro.

A julgar pelo humor de Rosalie, a despedida ia ser breve.

Você realmente enlouqueceu, Edward, pensou ele enquanto se dirigia para a porta dos fundos.

— Acho que sim.

— Toque a canção nova para mim mais uma vez — pediu Esme.

— Seu desejo é uma ordem — concordei, embora estivesse um pouco hesitante diante da ideia de seguir a melodia até seu fim inevitável, o fim que tinha me causado um sofrimento que eu desconhecia.

Pensei por um momento, em seguida tirei a tampa da garrafa do bolso e a coloquei sobre o suporte para partitura vazio. Isso ajudou um pouco; minha pequena recordação do *sim* de Bella.

Assenti e comecei a tocar.

Esme e Alice se entreolharam, mas nenhuma das duas disse nada.

— Ninguém nunca lhe disse para não brincar com a comida? — gritei para Emmett.

— Ah, oi, Edward! — gritou ele de volta, sorrindo e acenando para mim.

O urso se aproveitou da distração de Emmett para golpear o peito dele com a pata pesada. As garras afiadas rasgaram sua camisa e arranharam sua pele feito facas arranhando aço.

O urso rugiu ao ouvir o som agudo.

Ah, droga, foi Rose quem me deu essa camisa!

Emmett rugiu de volta para o animal furioso.

Suspirei e me sentei em um pedregulho próximo. Aquilo poderia levar um tempo.

Mas Emmett já estava quase terminando. Ele deixou que o urso tentasse arrancar sua cabeça com outro movimento brusco da pata, e riu quando o golpe errou o alvo e fez o animal cambalear para trás. O urso rugiu outra vez, e Emmett rugiu de volta em meio às risadas. Em seguida, se jogou sobre o animal, que era um palmo mais alto que ele quando ficava de pé sobre as patas traseiras, e os dois caíram no chão, embolados, levando um abeto maduro com eles. Os rosnados do urso foram interrompidos por um gorgolejo.

Alguns minutos depois, Emmett foi correndo até onde eu esperava por ele. Sua camisa estava destruída, esfarrapada e ensanguentada, grudenta por causa da seiva e coberta de pelos. Seu cabelo escuro e ondulado não estava em condições muito melhores. Ele exibia um sorriso enorme.

— Esse era forte. Quase senti quando ele enfiou as garras em mim.

— Você parece uma criança, Emmett.

Ele olhou para minha camisa de botão branca, lisa e impecável.

— Não conseguiu alcançar aquele leão-da-montanha, no fim das contas?

— Claro que consegui. Mas não me alimento feito um selvagem.

Emmett soltou uma de suas risadas estrondosas.

— Eu preferiria que eles fossem mais fortes. Seria mais divertido.

— Ninguém disse que você tem que lutar com a comida.

— É, mas com o que eu vou lutar, então? Você e Alice trapaceiam, Rose nunca quer despentear o cabelo, e Esme fica chateada quando Jasper e eu brigamos *de verdade*.

— A vida é difícil para todo mundo, não é mesmo?

Emmett sorriu para mim, deslocando o peso de um pé para outro, assumindo uma posição de ataque de repente.

— Vamos lá, Edward. Desligue um pouco esse negócio e lute de forma justa.

— Não dá para desligar — lembrei a ele.

— Eu me pergunto como aquela garota humana consegue bloquear você — refletiu Emmett. — Talvez ela possa me dar umas dicas.

Meu bom humor desapareceu.

— Fique longe dela — rosnei entre os dentes.

— Calma, calma.

Suspirei. Emmett veio se sentar ao meu lado na pedra.

— Desculpe. Sei que você está passando por um momento difícil. Eu *realmente* estou tentando não ser um idiota insensível, mas como esse é meio que meu estado natural...

Ele esperou que eu risse da piada, em seguida fez uma careta.

Sempre tão sério... Com o que está chateado agora?

— Estou pensando nela. Quer dizer, preocupado com ela, na verdade.

— Qual é o motivo da preocupação? Você está *aqui*.

Ele gargalhou.

Ignorei a piada novamente, mas respondi à pergunta.

— Já parou para pensar em como todos eles são frágeis? Quantas coisas ruins podem acontecer a um mortal?

— Na verdade, não. Mas acho que entendo o que você quer dizer. Não fui páreo para o urso da primeira vez, não é?

— Ursos — murmurei, acrescentando um medo novo à já enorme lista. — Isso ia ser a cara dela, não? Um urso vagando pela cidade. É claro que ele iria direto até Bella.

Emmett riu.

— Você parece um maluco falando. Consegue perceber isso, né?

— Imagine apenas por um minuto que Rosalie fosse humana, Emmett. E pudesse dar de cara com um urso... ou ser atingida por um carro... ou um *raio*... ou cair da escada... ou ficar doente, pegar uma *doença*! — As palavras irromperam com violência da minha boca. Era um alívio finalmente colocá-las para fora; tinham me atormentado o fim de semana inteiro. — Incêndios, terremotos e tornados! Argh! Qual foi a última vez que você assistiu ao noticiário? Já *viu* o tipo de coisa que acontece com eles? Assaltos e homicídios...

Cerrei os dentes, e de súbito fiquei tão furioso diante da ideia de que outro *humano* pudesse machucá-la que não consegui respirar.

— Ei, ei! Vá com calma, cara. Ela mora em Forks, lembra? Então o máximo que vai acontecer é ela tomar chuva.

Ele deu de ombros.

— Acho que ela tem um tremendo azar, Emmett, realmente acho. Veja as evidências. De todos os lugares do mundo para onde poderia ir, ela vem parar justamente em uma cidade onde vampiros compõem uma parcela significativa da população.

— É, mas nós somos vegetarianos. Então isso não seria sorte em vez de azar?

— Com o cheiro que ela exala? Definitivamente azar. E além disso, mais azar ainda, o cheiro que ela exala para *mim*.

Olhei de cara feia para minhas mãos, detestando-as de novo.

— Só que você tem mais autocontrole do que praticamente qualquer outra pessoa além de Carlisle. Sorte de novo.

— A van?

— Aquilo foi só um acidente.

— Você deveria ter visto a van indo na direção dela, Em, sem parar. Juro, era como se ela tivesse alguma espécie de campo magnético.

— Mas você estava lá. Isso foi sorte.

— Foi mesmo? Esse não é o maior azar que uma humana poderia ter, encontrar um *vampiro* que se *apaixone* por ela?

Emmett refletiu em silêncio por um instante. A imagem da garota surgiu em sua mente, mas ele a considerou desinteressante. *Sinceramente, não consigo entender essa atração.*

— Ora, eu também não consigo ver o encanto de Rosalie — retruquei, de forma grosseira. — *Sinceramente*, ela parece dar mais trabalho do que um rosto bonito compense.

Emmett riu.

— Imagino que você não me diria...

— Não sei qual é o problema dela, Emmett — menti com um sorriso largo e repentino.

Vi a intenção dele a tempo de me defender. Ele tentou me empurrar da pedra, e ouvimos o ruído alto de algo se partindo quando uma fissura se abriu na rocha entre nós.

— Trapaceiro — resmungou ele.

Esperei que tentasse mais uma vez, mas seus pensamentos tomaram outra direção. Ele estava pensando no rosto de Bella novamente, imaginando-o mais pálido, com os olhos vermelhos.

— Não — falei, com a voz embargada.

— Isso resolve suas preocupações com a mortalidade, não é? E assim você não ia mais querer matá-la também. Não é a melhor solução?

— Para mim ou para ela?

— Para você — respondeu ele sem precisar pensar.

Seu tom acrescentava um *é claro*.

Ri sem achar graça.

— Resposta errada.

— Não fiquei muito chateado — lembrou-me ele.

— Rosalie ficou.

Ele suspirou. Nós dois sabíamos que Rosalie faria qualquer coisa, abriria mão de qualquer coisa se pudesse ser humana novamente. De qualquer coisa. Até de Emmett.

— É, Rose ficou — concordou ele, baixinho.

— Eu não consigo... Não posso... Eu *não* vou arruinar a vida da Bella. Você não sentiria o mesmo, se estivéssemos falando de Rosalie?

Emmett refletiu um pouco. *Você realmente... a ama?*

— Não consigo nem descrever o que sinto, Em. De repente, essa garota se tornou tudo para mim. Não consigo mais ver *sentido* no resto do mundo sem ela.

Mas você se recusa a transformá-la? Ela não vai viver para sempre, Edward.

— Sei disso — grunhi.

E, como você mesmo disse, ela é meio frágil.

— Pode acreditar... sei disso também.

Emmett não era uma pessoa de muito tato, e assuntos delicados não eram seu forte. Ele estava se esforçando, fazendo o possível para não ser grosseiro.

Você pode ao menos tocá-la? Bem, se você a ama... não vai querer, bem, tocá-la?

Emmett e Rosalie compartilhavam um amor intensamente físico. Ele tinha muita dificuldade de compreender como alguém *podia* amar sem esse aspecto.

Suspirei.

— Não consigo nem pensar nisso, Emmett.

Caramba. Quais são as suas opções, então?

— Não sei — sussurrei. — Estou tentando encontrar uma maneira de... me afastar dela. Mas não consigo me imaginar longe da Bella.

Com uma profunda satisfação, de repente me dei conta de que ficar era o *certo*, pelo menos por enquanto, com Peter e Charlotte a caminho. Temporariamente, ela estava mais segura comigo por perto do que sem mim. Por enquanto, eu poderia ser seu improvável protetor.

A ideia me deixou nervoso. Fiquei ansioso para voltar e desempenhar esse meu papel pelo maior tempo possível.

Emmett notou a mudança na minha expressão. *No que você está pensando?*

— Neste exato momento — admiti, um pouco constrangido —, estou morrendo de vontade de voltar para Forks e conferir como ela está. Acho que não vou aguentar até domingo à noite.

— Ah, não! Você *não* vai voltar para casa antes do combinado. Deixe Rosalie se acalmar um pouco. Por favor! Por mim.

— Vou tentar — falei, em dúvida.

Emmett tocou o celular no meu bolso.

— Alice ligaria se houvesse algum motivo para pânico. Ela age de forma tão estranha quanto você em relação a essa garota.

Eu não tinha como discordar.

— Tudo bem. Mas não vou ficar além de domingo.

— Não faz sentido nos apressarmos para voltar... De qualquer jeito, vai fazer sol. Alice disse que não precisamos ir à escola até quarta-feira.

Balancei a cabeça rigidamente.

— Peter e Charlotte sabem como se comportar.

— Eu realmente não me importo, Emmett. Com o azar que Bella tem, ela vai acabar se embrenhando na floresta bem na hora errada e... — Estremeci. — Vou voltar no domingo.

Emmett suspirou. *Exatamente igual a um maluco.*

Bella estava dormindo tranquilamente quando escalei até a janela de seu quarto, de manhã cedo na segunda-feira. Eu tinha levado óleo para lubrificar as dobradiças — me rendendo por completo a esse demônio em particular —, e a janela agora se abria sem fazer barulho para que eu entrasse.

Dava para ver, pela forma como seu cabelo estava ajeitado sobre o travesseiro, que ela tivera uma noite menos inquieta do que da última vez que eu passara por lá. Ela estava com as mãos unidas sob o rosto, feito uma criança pequena, e sua boca estava ligeiramente entreaberta. Eu ouvia sua respiração regular.

Era um alívio imenso estar ali, poder vê-la de novo. Eu me dei conta de que só ficava tranquilo de verdade se pudesse fazer isso. Nada parecia certo quando eu estava longe dela.

Não que tudo estivesse certo quando eu estava com ela. Suspirei e em seguida inspirei, deixando que a sede ardente queimasse minha garganta. Eu tinha passado muito tempo longe daquela sensação. O tempo sem dor e tentação as tornara ainda mais potentes naquele momento. Tão potentes que eu tinha medo de me ajoelhar ao lado da cama de Bella para ler os títulos de seus livros. Eu queria conhecer as histórias que ocupavam sua mente, mas tinha medo de algo maior que a minha sede, eu tinha medo de que, se ela me permitisse chegar muito perto, eu quisesse me aproximar ainda mais.

Seus lábios pareciam muito quentes e macios. Imaginei como seria tocá-los com a ponta dos dedos. Bem de leve...

Esse era exatamente o tipo de erro que eu tinha que evitar.

Meus olhos percorreram seu rosto várias vezes, examinando-o à procura de mudanças. Os mortais mudavam o tempo todo... Eu ficava ansioso só de pensar em perder alguma coisa.

Achei que ela parecia... cansada. Como se não tivesse dormido o suficiente naquele fim de semana. Será que ela havia saído?

Ri de forma silenciosa e irônica ao pensar no quanto aquilo me incomodava. E daí se ela tivesse saído? Eu não era dono dela. Ela não era minha.

Não, ela não era minha... e fiquei triste de novo.

— Mãe... — murmurou Bella. — Não... Deixa eu... Por favor...

O franzir em sua testa, que lembrava um pequeno *v*, estava mais fundo. Fosse lá o que a mãe dela estivesse fazendo no sonho, era algo que claramente a preocupava. De repente, Bella rolou na cama, trocando de lado, mas suas pálpebras não se moveram.

— Sim, sim... — sussurrou. Então suspirou. — Argh, é verde demais.

Uma de suas mãos se contraiu, e eu notei que havia arranhões superficiais, recém-cicatrizados, na base da palma. Será que ela havia se machucado? Embora obviamente não fosse um ferimento grave, ainda assim me perturbou. Levando em conta o local, concluí que Bella devia ter tropeçado. Parecia uma explicação razoável, apesar de tudo.

Ela continuou a implorar algo para a mãe mais algumas vezes. Murmurou alguma coisa sobre o sol, então adentrou um sono profundo e silencioso e não se mexeu mais.

Era reconfortante saber que eu não teria que tentar decifrar esses pequenos mistérios para sempre. Havíamos nos tornado *amigos*, ou pelo menos estávamos tentando ser amigos. Eu podia perguntar sobre o fim de semana dela, sobre a praia ou qualquer que fosse a atividade que tinha se estendido até tarde da noite, deixando-a com uma aparência tão cansada. Eu podia perguntar o que tinha acontecido com suas mãos. E podia rir um pouco quando ela confirmasse minha teoria.

Sorri de leve ao me perguntar se ela teria *de fato* caído na praia. Eu me perguntei se ela tinha se divertido no passeio. Eu me perguntei se ela tinha pensado em mim em algum momento. Se tinha sentido uma fração da falta que eu senti dela.

Tentei imaginá-la ao sol, na praia. Mas a imagem era incompleta porque eu nunca tinha ido à praia de La Push, só sabia como era por meio de fotos.

Senti um leve mal-estar ao pensar na razão por que nunca tinha ido àquela linda praia que ficava tão perto de casa. Bella tinha passado o dia em La Push, um lugar ao qual eu estava proibido de ir devido ao acordo. Um lugar onde poucos anciãos ainda se lembravam das histórias sobre os Cullen, recordavam e acreditavam nelas. Um lugar onde conheciam nosso segredo.

Balancei a cabeça. Não havia nada com que me preocupar lá. Os quileutes também eram obrigados a respeitar o tratado. Mesmo que Bella cruzasse com um desses anciãos, eles não poderiam revelar nada. E por que o assunto viria à tona? Não, os quileutes talvez fossem a *única* coisa com a qual eu não tinha que me preocupar.

Fiquei irritado com o sol quando ele começou a nascer. Isso me lembrou que eu teria que esperar dias para matar minha curiosidade. Por que o sol tinha escolhido brilhar bem naquele momento?

Suspirando, saí pela janela do quarto de Bella antes que ficasse claro o suficiente para que alguém me visse ali. Eu queria esperar no trecho de floresta densa perto de sua casa, para vê-la quando saísse para a escola, mas, quando me aproximei das árvores, fiquei surpreso ao descobrir vestígios do cheiro dela que ainda perduravam na trilha estreita que levava até lá.

Segui rapidamente o cheiro, curioso, minha preocupação aumentando conforme a trilha se embrenhava cada vez mais na floresta. O que Bella tinha ido fazer *ali*?

O rastro que ela havia deixado se interrompia abruptamente, no meio do nada. Ela havia saído apenas alguns passos da trilha, indo para o meio dos abetos, onde tocou o tronco de uma árvore caída. Talvez tivesse se sentado lá...

Sentei-me no mesmo lugar que ela ocupara e olhei em volta. A única coisa que ela teria visto dali eram samambaias e a floresta. Provavelmente tinha chovido, pois o cheiro estava atenuado, e não impregnado na árvore.

Por que Bella teria se sentado ali sozinha — e ela estivera sozinha, não havia dúvida —, no meio da floresta molhada e escura?

Não fazia sentido, e, ao contrário das minhas outras curiosidades, eu dificilmente poderia tocar nesse assunto em uma conversa descontraída.

Então, Bella, eu estava seguindo o rastro do seu cheiro pela floresta quando saí do seu quarto, depois de observar você dormir... Sem dúvida, seria uma bela forma de quebrar o gelo.

Eu nunca saberia o que ela ficou pensando e fazendo ali, o que me fez ranger os dentes de frustração. Pior ainda, aquilo se parecia demais com o cenário que eu havia descrito para Emmett: Bella vagando sozinha pela floresta, onde seu cheiro poderia atrair qualquer um que fosse capaz de farejá-la.

Grunhi. Ela não se contentava em ter azar, ela o *seduzia*.

Bem, por enquanto Bella tinha um protetor. Eu ia cuidar dela, protegê-la do perigo, pelo máximo de tempo que pudesse.

De repente me vi desejando que Peter e Charlotte prolongassem sua estada.

8. FANTASMA

Praticamente não vi os hóspedes de Jasper durante os dias ensolarados que eles passaram em Forks. Eu só aparecia em casa para que Esme não se preocupasse. Fora isso, minha existência se assemelhava mais à de um espectro do que à de um vampiro. Eu pairava, invisível nas sombras, de onde podia seguir o objeto do meu amor e da minha obsessão, de onde eu a via e ouvia na mente dos humanos afortunados que podiam caminhar à luz do sol a seu lado, às vezes encostando acidentalmente no dorso de sua mão. Ela nunca reagia a esse contato; as mãos deles eram tão quentes quanto as dela.

A ausência forçada da escola nunca tinha sido tão difícil. Mas o sol parecia deixá-la feliz, então eu não me ressentia muito.

Na segunda de manhã, entreouvi uma conversa que tinha o potencial de destruir minha autoconfiança e transformar o tempo longe dela numa verdadeira tortura. Mas, no fim das contas, ganhei o dia.

Era impossível não ter um pouco de respeito por Mike Newton. Ele era mais corajoso do que eu imaginava. Não tinha simplesmente desistido, saído de cena para recuperar o orgulho; ele ia tentar de novo.

Bella chegou à escola bem cedo, parecendo determinada a aproveitar o sol enquanto ele durasse, e se sentou em um dos bancos de piquenique pouco utilizados, à espera do primeiro sinal. Seu cabelo refletia a luz de formas inesperadas, ganhando um brilho avermelhado que me surpreendeu.

Mike a encontrou lá, desenhando novamente, e ficou animado com sua sorte.

Era uma tortura só poder observar, impotente, confinado às sombras da floresta pela intensa luz do sol.

Ela o cumprimentou com um entusiasmo suficiente para deixá-lo extasiado, e eu senti o oposto.

Está vendo, ela gosta de mim. Não estaria sorrindo assim se não gostasse. Aposto que queria ir ao baile de primavera comigo. O que será que há de tão importante em Seattle?

Ele percebeu a mudança no cabelo dela.

— Eu não havia notado... Seu cabelo é meio ruivo.

Arranquei acidentalmente o jovem abeto no qual minha mão estava apoiada quando Mike enroscou uma mecha do cabelo dela entre os dedos.

— Só no sol — disse ela.

Para minha profunda satisfação, Bella se retraiu um pouco quando ele colocou a mecha atrás de sua orelha.

Mike precisou de um minuto para tomar coragem, jogando um pouco de conversa fora.

Ela lembrou que tínhamos um trabalho para entregar na quarta-feira. Por sua expressão ligeiramente convencida, o dela já estava pronto. Ele tinha esquecido completamente, e isso reduzia de forma drástica seu tempo livre.

Por fim, ele chegou aonde queria — meus dentes estavam cerrados com tanta força que teriam pulverizado granito —, mas nem assim conseguiu fazer a pergunta diretamente.

— Eu ia convidar você para sair.

— Ah — respondeu ela.

Houve um breve silêncio.

"Ah"? O que isso significa? Que ela vai dizer sim? Espere aí... Acho que não cheguei a convidá-la de verdade.

Ele engoliu em seco.

— Bom, a gente podia sair para jantar ou coisa assim... E eu podia fazer o trabalho depois.

Idiota. Isso também não foi um convite.

— Mike...

A agonia e a fúria do meu ciúme me atingiram com a mesma força da semana anterior. Tudo que eu queria era atravessar o campus correndo, rápido demais para os olhos humanos, tomá-la nos braços e afastá-la daquele garoto que, naquele momento, eu odiava tanto que o mataria por puro prazer.

Será que ela ia dizer sim?

— Não acho que seria uma boa ideia.

Respirei novamente. Meu corpo tenso relaxou.

Seattle era só uma desculpa, afinal. Eu não deveria ter falado nada. O que eu estava pensando? Aposto que é por causa daquele esquisito do Cullen.

— Por quê? — perguntou ele, desapontado.

— É que eu acho... — Ela hesitou. — ... e, se um dia contar a alguém o que vou dizer agora, eu mato você com todo o prazer.

Dei uma risada ao ouvir uma ameaça de morte saindo da boca dela. Um gaio piou, assustado, e voou para longe de mim.

— Mas acho que isso ia magoar Jessica — concluiu Bella.

— Jessica?

O quê? Mas... ah. Tudo bem. Eu acho que... hã.

Os pensamentos dele não eram mais coerentes.

— Francamente, Mike, você é *cego*?

Pensei a mesma coisa. Bella não devia esperar que todos fossem tão observadores como ela, mas esse caso era bem óbvio. Considerando toda a dificuldade de Mike em chamar Bella para sair, será que não lhe ocorrera que aquilo também era penoso para Jessica? O egoísmo provavelmente o impedia de enxergar as pessoas ao redor. E Bella era tão generosa que enxergava tudo.

Jessica. Hmm. Uau. Hmm.

— Ah — ele conseguiu dizer.

Bella aproveitou a confusão dele para encerrar a conversa.

— Está na hora da aula e não posso me atrasar de novo.

Dali em diante, Mike se tornou um ponto de vista pouco confiável. Ele descobriu, enquanto explorava a possibilidade de Jessica em sua mente, que gostava bastante do fato de que ela o achava atraente. Era uma segunda opção, embora o ideal, para ele, fosse que Bella se sentisse da mesma forma.

Mas ela é bonita, eu acho. Corpo legal... peitos maiores que os da Bella. Mais vale um pássaro na mão...

Ele se deixou levar, então, embarcando em novas fantasias tão vulgares quanto as que tinha com Bella, mas agora elas já não me enfureciam, só me irritavam. Não merecia nenhuma das duas; elas eram quase intercambiáveis para ele. Parei de ouvir seus pensamentos depois disso.

Quando Bella saiu do meu campo de visão, eu me encolhi junto ao tronco frio de um ervedeiro enorme e fui pulando de mente em mente, mantendo-a à vista, sempre satisfeito quando assumia a perspectiva de Angela Weber. Eu gostaria de ter como agradecer a ela por simplesmente ser uma boa pessoa. Eu me sentia melhor por saber que Bella tinha uma amiga que valia a pena.

Observei o rosto de Bella de todos os ângulos disponíveis, e percebi que ela estava chateada com alguma coisa. Isso me surpreendeu. Achei que o sol seria suficiente para mantê-la sorrindo. Na hora do almoço, eu a vi olhar diversas vezes na direção da mesa vazia dos Cullen, e isso me deixou feliz. Talvez ela também sentisse minha falta.

Depois da escola, Bella ia sair com as amigas — e eu automaticamente programara minha vigilância —, mas os planos foram adiados quando Mike convidou Jessica para o encontro que tinha planejado para Bella.

Então, em vez disso, fui direto para a casa dela, fazendo uma rápida varredura na floresta para ter certeza de que ninguém perigoso chegara perto. Eu sabia que Jasper tinha instruído seu irmão postiço a ficar longe da cidade — citando minha insanidade como uma explicação e um perigo —, mas eu não ia correr riscos. Peter e Charlotte não tinham intenção de criar conflito com nossa família, mas intenções eram sempre frágeis.

Tudo bem, eu estava exagerando. Sabia disso.

Como se soubesse que eu a estava observando, como se fosse penalizada pela mesma angústia que eu sentia por não poder vê-la, Bella surgiu no quintal depois de uma longa hora dentro de casa. Ela levava um livro nas mãos e uma manta sob o braço.

Em silêncio, escalei até os galhos mais altos da árvore mais próxima do quintal.

Ela estendeu a manta sobre a grama úmida, em seguida se deitou de bruços e começou a folhear o livro gasto e obviamente lido muitas vezes, tentando encontrar o ponto onde havia parado. Eu li por cima do seu ombro.

Ah... Mais clássicos. *Razão e sensibilidade.* Ela era fã de Jane Austen.

Senti como a luz do sol e o ar livre alteravam seu cheiro. O calor parecia adocicá-lo ainda mais. Minha garganta ardeu de desejo, e senti a dor novamente fresca e intensa depois de ter passado muito tempo longe dela. Precisei de um momento para retomar o controle, me forçando a respirar pelo nariz.

Ela lia rápido, cruzando e descruzando os tornozelos no ar. Eu conhecia o livro, então não li junto. Em vez disso, estava observando o vento e os raios de sol brincando no cabelo dela quando seu corpo ficou subitamente rígido e sua mão parou sobre a página. Ela estava no capítulo três. A página se iniciava no meio de uma frase: "talvez, apesar de toda a cortesia e a afeição maternal demonstradas por ela, as duas senhoras tivessem considerado impossível viver juntas por tanto tempo..."

Ela pegou um punhado de páginas e as virou com certa violência, como se algo no capítulo a tivesse irritado. Mas o quê? A história estava no início, apenas apresentava o primeiro conflito entre sogra e nora. Havia a introdução do herói principal, Edward Ferrars. As qualidades de Elinor Dashwood eram exaltadas. Repassei na cabeça o capítulo anterior, procurando algo potencialmente ofensivo na prosa cortês de Jane Austen. O que poderia tê-la irritado?

Ela parou na página que trazia o título *Mansfield Park*. Começaria uma nova história. O livro era uma compilação de romances.

Mas foi só até a página sete (eu estava acompanhando a leitura dessa vez); a Sra. Norris explicava de forma pormenorizada o risco de Tom e Edmund Bertram não se encontrarem com a prima Fanny Price até que já fossem todos adultos. Então os dentes de Bella se cerraram e ela fechou o livro com força.

Respirando fundo, como se quisesse se acalmar, ela jogou o livro de lado e rolou para se deitar de costas. Puxou as mangas até os cotovelos, expondo ainda mais a pele ao sol.

Por que ela reagiria assim ao que obviamente era uma história familiar? Mais um mistério. Suspirei.

Ela ficou parada, mexendo-se apenas uma vez para afastar do rosto o cabelo, que se espalhava acima de sua cabeça feito um rio castanho. E então ficou imóvel novamente.

Sua imagem era muito serena, deitada ao sol. A paz que fora perturbada antes parecia ter sido restaurada. O ritmo de sua respiração se acalmou. Depois de um tempo, seus lábios começaram a tremer, murmurando durante o sono.

Senti um espasmo desconfortável de culpa. Porque o que eu estava fazendo naquele momento não era exatamente *bom*, mas nem de longe era tão ruim quanto minhas visitas noturnas. Tecnicamente, eu não estava nem invadindo a propriedade dela — a base da árvore ficava no terreno ao lado —, muito menos fazendo algo ilícito. Mas eu sabia que, quando anoitecesse, eu continuaria com a atitude errada.

Mesmo naquela hora, parte de mim *queria* invadir a propriedade. Pular, aterrissar silenciosamente no chão e adentrar seu círculo de luz solar. Só para ficar mais perto dela. Para ouvir suas palavras murmuradas como se ela as sussurrasse para mim.

Não foi minha moral duvidosa que me deteve, foi a ideia de me expor à luz do sol. Já era ruim o bastante que minha pele fosse pétrea e inumana na sombra; eu não queria olhar para mim mesmo e para Bella lado a lado à luz do sol. As diferenças entre nós já eram intransponíveis, dolorosas o suficiente sem essa imagem em minha mente. Eu poderia ser mais grotesco? Imaginei como ela ficaria horrorizada se abrisse os olhos e me visse a seu lado.

— Hmmm... — gemeu ela.

Recuei para junto do tronco da árvore, me refugiando ainda mais nas sombras.

Ela suspirou.

— Hmmm.

Eu não temia que ela tivesse acordado. Sua voz era apenas um murmúrio baixo e melancólico.

— Edmund. Ahh.

Edmund? Pensei de novo no último trecho que ela leu. Era justamente a primeira menção a Edmund Bertram.

Ah! Ela não estava sonhando comigo coisa nenhuma, percebi melancolicamente. A autodepreciação voltou com toda a força. Ela estava sonhando com personagens fictícios. Talvez sempre tenha sido isso, e o tempo todo seus sonhos foram ocupados por versões engravatadas do Hugh Grant. Lá se vai minha arrogância.

Ela não disse nada mais que fosse inteligível. A tarde passou e eu fiquei observando, me sentindo impotente outra vez, enquanto o sol baixava lentamente no céu e as sombras se esgueiravam pelo gramado em direção à Bella. Eu queria afastá-las, mas é claro que a escuridão era inevitável; as sombras a engoliram. Quando a luz se foi, sua pele pareceu pálida demais, fantasmagórica. Seu cabelo escureceu de novo, quase negro em contraste com seu rosto.

Foi algo aterrador de se ver; era como assistir às visões de Alice se concretizarem. Os batimentos fortes e constantes do coração de Bella eram a única coisa que me tranquilizava, o som que impedia aquele momento de parecer um pesadelo.

Fiquei aliviado quando o pai dela chegou em casa.

Não consegui ouvi-lo direito enquanto dirigia pela rua a caminho do lar. Algum vago aborrecimento... do passado, algo relacionado ao seu dia no trabalho. Expectativa misturada a fome; supus que ele estivesse ansioso para jantar. Mas seus pensamentos eram tão silenciosos e contidos que eu não tinha certeza. Conseguia ter apenas uma ideia geral.

Imaginei como a mãe dela seria, qual teria sido a combinação genética que a tornara tão única.

Bella acordou de repente, sentando-se quando os pneus do carro do pai tocaram os tijolos da garagem. Ela olhou em volta, parecendo confusa com a escuridão inesperada. Por um breve momento, seus olhos se voltaram para as sombras onde eu me escondia, mas logo depois se afastaram.

— Charlie? — perguntou ela em voz baixa, ainda examinando as árvores em torno do pequeno quintal.

A porta do carro se fechou com força, e Bella se voltou para o som. Ela ficou de pé rapidamente e recolheu suas coisas, olhando uma última vez para a floresta.

Fui para uma árvore mais próxima à janela dos fundos, perto da cozinha pequena, e fiquei ouvindo a noite dos dois. Era interessante comparar o que Charlie dizia a seus pensamentos abafados. Seu amor e sua preocupação pela filha única eram quase avassaladores, e, no entanto, suas palavras eram sempre concisas e tranquilas. Na maior parte do tempo, eles ficavam sentados juntos em silêncio.

Eu a ouvi dizer que faria compras em Port Angeles com Jessica e Angela na tarde seguinte, e ajustei meus planos enquanto escutava. Jasper não instruíra Peter e Charlotte a ficarem longe de Port Angeles. Embora soubesse que eles tinham se alimentado recentemente e não pretendiam caçar em nenhum lugar perto de nossa casa, eu ia ficar de olho nela, só por precaução. Afinal de contas, sempre havia outros da minha espécie por aí. Isso, é claro, além de todos os perigos humanos que antes nem me passavam pela cabeça.

Ouvi Bella externar sua preocupação em deixar o pai sozinho para fazer o jantar, e sorri ao ver que isso provava minha teoria: sim, ela cuidava das coisas ali também.

Então fui embora, sabendo que voltaria quando ela estivesse dormindo, ignorando os argumentos éticos e morais contrários ao meu comportamento.

Mas eu definitivamente não invadiria sua privacidade como se fosse um maníaco. Eu estava ali para protegê-la, não para observá-la com segundas intenções, algo que Mike Newton sem dúvida faria se fosse ágil o bastante para se mover pelas copas das árvores. Eu não a trataria de forma tão grosseira.

Minha casa estava vazia quando retornei, o que achei bom. Eu não sentia falta dos pensamentos confusos ou ofensivos questionando minha sanidade. Emmett havia deixado um bilhete preso ao balaústre da escada.

Futebol americano no campo de Rainier. Venha, por favor!

Peguei uma caneta e escrevi as palavras *sinto muito* abaixo de sua súplica. Os times ficavam equilibrados sem mim, de qualquer forma.

Saí para uma caçada rápida, me contentando com as criaturas menores e mais dóceis, apesar de não serem tão saborosas quanto os outros predadores; depois vesti roupas limpas e voltei correndo para Forks.

Bella não dormiu tão bem naquela noite. Revirou-se entre os lençóis, a expressão às vezes preocupada, às vezes abatida. Eu me perguntei que pesadelo a estaria atormentando... e então me dei conta de que talvez preferisse não saber.

Quando falou, foi quase sempre resmungando coisas depreciativas a respeito de Forks, com uma voz mal-humorada. Apenas uma vez, quando murmurou a palavra "volte" e sua mão se abriu em uma súplica silenciosa, tive esperança de que ela sonhava comigo.

O dia seguinte na escola, o *último* em que o sol me manteria prisioneiro, foi praticamente igual ao anterior. Bella parecia ainda mais melancólica, e eu me perguntei se ela ia desistir de seus planos, pois não parecia estar no clima. Mas, em se tratando de Bella, ela provavelmente colocaria a diversão das amigas acima da sua própria.

Estava usando uma blusa azul-escura, e a cor realçava perfeitamente seu tom de pele, deixando-a com a aparência de chantili.

As aulas terminaram, e Jessica concordou em buscar as amigas.

Fui para casa pegar meu carro. Quando descobri que Peter e Charlotte estavam lá, decidi dar às garotas cerca de uma hora de vantagem. Seria um sacrifício segui-las, dirigindo abaixo do limite de velocidade, uma ideia horrível.

Todos estavam na sala de estar iluminada. Tanto Peter quanto Charlotte notaram minha distração quando lhes dei minhas boas-vindas tardias, oferecendo uma desculpa pouco convincente para minha ausência, beijando a bochecha dela e apertando a mão dele. Não consegui me concentrar o suficiente para acompanhar a conversa do grupo. Assim que pude me afastar educadamente, fui até o piano e comecei a tocar sem fazer muito barulho.

Que criatura estranha, pensou Charlotte, que tinha o mesmo tamanho de Alice e cabelo louro quase branco. *E ele pareceu tão normal e agradável na última vez que nos encontramos...*

Como de costume, os pensamentos de Peter estavam em sintonia com os de Charlotte.

Devem ser os animais. A privação de sangue humano acaba enlouquecendo-os, concluía ele. Seu cabelo era claro como o dela, e quase igualmente comprido. Os dois eram muito parecidos, exceto no tamanho, porque ele era quase tão alto quanto Emmett. *Sempre achei que formavam um casal que combinava muito.*

Por que ele se deu ao trabalho de vir para casa?, pensou Rosalie com desprezo.

Ah, Edward. Detesto vê-lo sofrendo desse jeito. A alegria de Esme estava sendo corroída por sua preocupação. Ela tinha *mesmo* motivos para se preocupar. A história de amor que vislumbrara para mim estava se encaminhando para uma tragédia cada vez mais perceptível.

Divirta-se em Port Angeles hoje à noite, pensou Alice, animada. *Me avise quando eu puder falar com Bella.*

Você é patético. Não acredito que deixou de ir ao jogo ontem à noite só para ver alguém dormir, resmungou Emmett.

Todos, menos Esme, pararam de pensar em mim depois de um instante, e continuei tocando discretamente para não chamar a atenção de ninguém.

Passei um bom tempo sem ouvi-los, deixando que a música me distraísse do meu desconforto. Sempre me sentia angustiado quando Bella estava longe de mim. Só voltei minha atenção para a conversa quando as despedidas ficaram mais contundentes.

— Se virem Maria de novo — falava Jasper, com certa hesitação —, digam que desejo o melhor para ela.

Maria era a vampira que havia transformado Jasper e Peter; Jasper na segunda metade do século XIX, Peter mais recentemente, nos anos 1940. Ela havia procurado Jasper uma vez, quando estávamos em Calgary. Tinha sido uma visita desagradável, e tivemos que nos mudar logo em seguida. Jasper pedira educadamente que ela mantivesse distância no futuro.

— Acho que nossos caminhos não vão se cruzar tão cedo — disse Peter, rindo.

Maria era inegavelmente perigosa, e não havia muita afeição entre ela e Peter. Afinal de contas, ele tivera um papel determinante na deserção de Jasper, que sempre fora o favorito de Maria; ela considerava apenas um detalhe o fato de certa vez ter planejado matá-lo.

— Mas, se acontecer, pode deixar que eu digo.

Eles estavam apertando as mãos, preparando-se para ir embora. Interrompi a canção que estava tocando com uma conclusão insatisfatória, e me levantei rapidamente.

— Charlotte, Peter — falei, acenando com a cabeça.

— Foi bom vê-lo de novo, Edward — disse Charlotte com desconfiança.

Peter apenas retribuiu o aceno.

Maluco, pensou Emmett atrás de mim.

Idiota, pensou Rosalie ao mesmo tempo.

Coitadinho, pensou Esme.

E Alice, em tom de censura: *Eles vão para o leste, direto para Seattle. Não vão passar nem perto de Port Angeles.* Ela comprovou com suas visões.

Fingi que não tinha ouvido. Minhas desculpas já eram inconsistentes o bastante.

Quando entrei no carro, fiquei mais relaxado. O ronronar robusto do motor que Rosalie tinha turbinado para mim — ano passado, quando ela estava com um humor melhor — era tranquilizador. Eu me sentia aliviado por estar em movimento, sabendo que ficava mais próximo de Bella a cada quilômetro que passava sob os pneus.

9. PORT ANGELES

Quando cheguei a Port Angeles, ainda estava claro demais para eu entrar na cidade. O sol estava alto no céu, e, embora as janelas do meu carro fossem escuras o suficiente para me fornecer alguma proteção, não havia motivo para correr riscos desnecessários. *Mais* riscos desnecessários, melhor dizendo.

Eu tinha sido arrogante ao julgar o jeito imprudente de Emmett e a falta de disciplina de Jasper. Agora eu estava desrespeitando conscientemente todas as regras com tanta vontade que os lapsos dos dois já pareciam insignificantes. Eu costumava ser o mais responsável.

Suspirei.

Tinha certeza de que conseguiria encontrar os pensamentos de Jessica a distância; seus pensamentos eram mais altos que os de Angela, mas, localizando a primeira, eu conseguiria ouvir a segunda. Então, quando o sol baixasse, eu poderia me aproximar. Nos arredores da cidade, saí da estrada e estacionei em uma entrada de garagem coberta de mato, que não parecia ser usada com frequência.

Eu sabia mais ou menos em que direção procurar, afinal não havia muitas lojas de vestidos em Port Angeles. Não demorou muito para que eu encontrasse Jessica rodopiando diante de um espelho de três faces, e vi Bella em sua visão periférica, avaliando o longo vestido preto que a amiga experimentava.

Bella ainda parece irritada. Rá-rá. Angela tinha razão: Tyler estava enganado. Mas não acredito que ela esteja tão chateada por causa disso. Pelo menos sabe que tem um par reserva para o baile de formatura. E se Mike não se divertir no baile de primavera e não me chamar para sair de novo? E se ele convidar Bella para o baile de formatura, não eu? Será que ele a acha mais bonita do que eu? Será que ela se acha mais bonita do que eu?

— Acho que gosto mais do azul. Ele realça bem os seus olhos.

Jessica sorriu para Bella com um entusiasmo falso, enquanto a observava com desconfiança.

Será que ela realmente acha isso? Ou quer que eu fique horrível no sábado?

Eu já estava cansado de ouvir Jessica. Procurei Angela por perto... Ops, Angela estava trocando de vestido, então saí rapidamente de sua mente para lhe dar um pouco de privacidade.

Bem, Bella não poderia correr muitos riscos em uma loja de departamentos. Resolvi deixá-las fazendo compras e voltar a vigiá-las quando tivessem terminado. Não ia demorar muito para escurecer; as nuvens estavam começando a voltar, vindo do oeste. Eu não conseguia vê-las direito por causa da floresta densa, mas dava para perceber que iam apressar o pôr do sol. Fiquei feliz com sua chegada, afinal eu ansiava pelas sombras mais do que nunca. No dia seguinte, poderia me sentar ao lado de Bella na escola novamente, monopolizando sua atenção durante o almoço. E poderia fazer todas as perguntas que vinha guardando.

Então, ela estava furiosa com a presunção de Tyler. Eu tinha visto isso na mente dele, que tinha falado sério quando mencionou o baile de formatura, tentando marcar território. Pensei na expressão dela naquela outra tarde — a incredulidade indignada — e ri. Eu me perguntei qual resposta ela ia dar. Ou talvez fosse mais provável que fingisse não ter entendido, blefando e torcendo para que isso o desencorajasse. Seria interessante ver.

O tempo passou devagar enquanto eu esperava o sol baixar. Checava periodicamente os pensamentos de Jessica; a voz mental dela era a mais fácil de encontrar, mas eu não gostava de me demorar muito ali. Vi onde elas planejavam comer. Já estaria escuro na hora do jantar... talvez eu escolhesse por coincidência o mesmo restaurante. Toquei o celular no meu bolso, pensando em chamar Alice para ir comigo. Ela adoraria o convite, mas também adoraria a oportunidade de falar com Bella. Eu não tinha certeza de que estava pronto para ter Bella ainda *mais* envolvida no meu mundo. Um vampiro só já não era problema suficiente para ela?

Chequei novamente os pensamentos de Jessica. Ela estava debatendo que joias usar, e pedia a opinião de Angela.

— *Talvez eu devesse devolver o colar. Tenho um em casa que provavelmente ficaria bom, e já gastei mais do que devia.*

Minha mãe vai surtar. Onde eu estava com a cabeça?

— *Não me importo de voltar à loja, mas você não acha que Bella vai estar procurando pela gente?*

Como assim? Bella não estava com elas? Examinei os arredores pelos olhos de Jessica, em seguida pelos de Angela. Elas estavam na calçada em frente a uma sucessão de lojas e começavam a dar meia-volta. Bella não estava em lugar nenhum.

Ah, quem se importa com a Bella?, pensou Jessica com impaciência, antes de responder à pergunta de Angela.

— *Ela está bem. Vamos ter tempo de sobra para chegar ao restaurante, mesmo se voltarmos. De qualquer maneira, acho que ela queria ficar sozinha.*

Através de Jessica, tive um breve vislumbre da livraria em que Bella poderia estar.

— *Vamos logo, então* — disse Angela.

Espero que Bella não pense que nós a dispensamos. Ela foi tão legal comigo no carro. Mas pareceu meio triste o dia todo. Será que é por causa do Edward Cullen? Aposto que foi por isso que ela perguntou sobre a família dele.

Eu deveria ter prestado mais atenção. O que tinha perdido? Bella estava andando por aí sozinha e tinha feito perguntas sobre mim? Angela estava prestando atenção em Jessica, que tagarelava sobre aquele imbecil do Mike, e não consegui saber mais nada por meio dela.

Avaliei as sombras. O sol logo estaria atrás das nuvens. Se eu ficasse do lado oeste, onde os edifícios protegiam a rua da luz fraca...

Comecei a ficar ansioso enquanto dirigia pelo tráfego escasso rumo ao centro da cidade. Isso não era algo que eu havia considerado — Bella saindo sozinha —, e eu não fazia ideia de como encontrá-la. Eu *deveria* ter considerado essa possibilidade.

Eu conhecia bem Port Angeles. Fui direto para a livraria que tinha visto na mente de Jessica, torcendo para que minha busca acabasse rápido, mas duvidando de que fosse ser tão fácil. Desde quando Bella facilitava as coisas?

Como eu imaginava, a lojinha estava vazia, exceto pela mulher vestida de forma anacrônica atrás do balcão. Aquele não parecia o tipo de lugar que

Bella acharia interessante, era *new age* demais para uma pessoa pragmática. Eu me perguntei se ela ao menos se daria ao trabalho de entrar.

Havia uma vaga na sombra onde eu poderia parar. Formava um caminho escuro até o toldo da loja. Eu realmente não deveria fazer isso. Sair por aí quando ainda havia luz do sol não era seguro. E se um carro passasse e projetasse o reflexo do sol em mim justamente na hora errada?

Mas eu não sabia onde mais procurar por Bella!

Estacionei e saí do carro, mantendo-me do lado onde havia mais sombra. Caminhei rapidamente até a livraria, sentindo no ar o rastro suave do cheiro de Bella. Ela estivera ali, na calçada, mas não havia sinal de sua fragrância dentro da loja.

— Seja bem-vindo! Posso ajudar...? — começou a dizer a vendedora, mas eu já estava indo embora.

Segui o cheiro de Bella até onde as sombras permitiram, parando quando estava à beira da luz do sol.

Eu me senti tão impotente, impedido de continuar pelo limite entre a escuridão e a luz que se estendia pela calçada.

Eu só podia supor que ela tivesse atravessado a rua e seguido por outra direção. Não havia muita coisa por ali. Será que ela estava perdida? No caso de Bella, essa possibilidade não parecia tão absurda.

Voltei para o carro e dirigi devagar pelas ruas, procurando por ela. Saí do carro em outros trechos de sombra, mas só senti o cheiro dela mais uma vez, e a direção me confundiu. Para onde ela estava tentando ir?

Fui e voltei algumas vezes da livraria para o restaurante, esperando vê-la pelo caminho. Jessica e Angela já estavam lá, tentando decidir se faziam o pedido ou se esperavam por Bella. Jessica queria pedir o quanto antes.

Comecei a percorrer as mentes de estranhos, vendo a partir de seus olhos. Alguém com certeza a tinha visto em algum lugar.

Quanto mais tempo passava, mais aflito eu ficava. Eu ainda não tinha considerado como seria difícil encontrá-la uma vez que ela estivesse, como naquele momento, fora do meu alcance e fora de seus caminhos habituais.

As nuvens estavam se acumulando no horizonte, e, dentro de alguns minutos, eu estaria livre para procurá-la a pé. Aí seria rápido. O que me deixava de mãos atadas era o sol. Só mais alguns minutos, então eu estaria em vantagem novamente, e o mundo humano é que ficaria impotente.

Outra mente, e outra. Tantos pensamentos triviais.

... acho que o bebê está com outra infecção no ouvido...

Eram 18h40 ou 18h04...?

Atrasado de novo. Ele vai ouvir...

Arrá! Aí vem ela!

Lá estava, finalmente, o rosto dela. Até que enfim alguém a havia notado! O alívio durou apenas uma fração de segundo, e então li de forma mais completa os pensamentos do homem, que tentava intimidá-la enquanto Bella hesitava nas sombras.

A mente dele era desconhecida para mim, no entanto não parecia de todo estranha. Houve um tempo em que eu caçava exatamente mentes como aquela.

— NÃO! — rugi, e uma série de rosnados irrompeu da minha garganta. Meu pé afundou no acelerador, mas para onde eu estava indo?

Eu sabia a direção geral de onde vinham os pensamentos dele, mas a localização não era específica o bastante. Alguma coisa, tinha que haver alguma coisa... uma placa de trânsito, uma vitrine, algo em seu campo de visão que o denunciasse. Mas Bella estava imersa nas sombras, e os olhos dele focados apenas na expressão assustada dela, desfrutando do medo que havia ali.

Na mente do homem, o rosto dela estava borrado pela lembrança de outros rostos. Bella não era sua primeira vítima.

O som dos meus rosnados fez a estrutura do carro tremer, mas não me distraiu.

Não havia janelas na parede atrás dela. Alguma área industrial, longe do centro comercial mais movimentado. Meu carro chiou ao virar uma esquina, desviando de outro veículo e seguindo a direção que eu esperava que fosse a certa. Quando o outro motorista buzinou, o som já tinha ficado para trás.

Olhe só para ela tremendo! O homem riu, cheio de expectativa. O medo era o que o atraía, era a parte de que ele gostava.

— *Fique longe de mim.* — Sua voz era baixa e firme, não um grito.

— *Não fale assim, benzinho.*

Ele a observou estremecer diante de uma risada debochada, que veio de outra direção. Ficou irritado com o barulho — *Cala a boca, Jeff!*, pensou —, mas gostou de como ela se encolheu. Isso o excitou. Ele começou a imaginar suas súplicas, como ela ia implorar...

Eu não tinha percebido que havia outros com ele até ouvir a gargalhada. Fiz uma varredura no entorno, desesperado para encontrar algo que me ajudasse. Ele estava dando o primeiro passo na direção dela, abrindo e fechando as mãos.

As mentes ao seu redor não eram tão podres. Estavam todos um pouco embriagados, nenhum deles se dando conta do que o homem chamado Lanny planejava fazer. Estavam seguindo cegamente suas ordens. E ele havia prometido um pouco de diversão...

Um deles olhou para a rua, nervoso — não queria ser pego assediando a garota —, e me forneceu a informação de que eu precisava. Reconheci o cruzamento para o qual ele olhou.

Avancei o sinal vermelho, acelerando por um espaço curto entre dois carros em movimento. Buzinaram atrás de mim.

Meu celular vibrou no bolso. Ignorei.

Lanny se moveu lentamente em direção à garota, prolongando o suspense, o momento de terror que o excitava. Ele esperou pelo grito, preparando-se para saboreá-lo.

Mas Bella cerrou a mandíbula e se preparou para o ataque. Ele ficou surpreso, pois esperava que ela tentasse correr. Surpreso e ligeiramente decepcionado. Ele gostava de perseguir sua presa, sentir a adrenalina da caçada.

Essa é corajosa. Talvez seja até melhor... ela vai resistir mais.

Eu estava a um quarteirão de distância. O infeliz já podia ouvir o rugido do meu motor, mas não prestou atenção, concentrado na vítima.

Eu queria ver o quanto o sujeito ia gostar da caçada quando *ele* fosse a presa. Queria ver o que ia achar do *meu* estilo de caçar.

Em outro compartimento da minha mente, eu já estava repassando os horrores que havia testemunhado durante os meus dias de justiceiro, procurando o mais doloroso de todos. Nunca torturei minhas presas, por mais que merecessem, mas aquele homem era diferente. Ele ia sofrer pelo que estava fazendo. Ia se contorcer de agonia. Os outros iam apenas morrer por sua participação, mas aquela criatura chamada *Lanny* ia implorar pela morte muito antes de eu lhe oferecer essa bênção.

Ele estava na rua, indo na direção dela.

Virei bruscamente na esquina, meus faróis iluminando a cena e deixando os outros homens paralisados. Eu poderia ter atropelado o líder, que pulou para desviar do carro, mas seria uma morte fácil demais para ele.

Girei o carro cento e oitenta graus, para que a porta do carona estivesse o mais próximo possível de Bella. Quando a abri, ela já estava correndo em direção ao veículo.

— Entra — rosnei.

O que foi isso?

Eu sabia que era uma má ideia! Ela não está sozinha.

Será que é melhor correr?

Acho que vou vomitar...

Bella entrou pela porta aberta sem hesitar, fechando-a logo.

E então olhou para mim com a expressão mais cheia de confiança que eu já tinha visto em um rosto humano, e todos os meus planos violentos desmoronaram.

Levei muito, muito menos de um segundo para perceber que não podia deixá-la no carro para confrontar os quatro homens na rua. O que eu diria a ela? Para não olhar? Ah, claro! E desde quando ela me ouvia?

Eu os arrastaria para um canto e a deixaria ali sozinha? Era improvável que outro psicopata estivesse rondando as ruas de Port Angeles naquela noite, mas já parecia improvável que houvesse um psicopata que fosse! Ali estava uma prova concreta de que eu não estava louco: ela atraía todos os perigos feito um ímã. Se eu não estivesse por perto para personificar esse perigo, algum outro mal tomaria meu lugar.

Para Bella, minhas ações deviam ter parecido parte de um mesmo movimento contínuo: acelerei o carro, afastando-a de seus perseguidores tão rapidamente que eles ficaram olhando boquiabertos para nós, sem entender. Ela não notara meu instante de hesitação.

Eu não poderia nem atropelá-lo com meu carro. Isso a assustaria.

Eu desejava a morte dele de forma tão selvagem que essa necessidade ecoou em meus ouvidos, obscureceu minha visão e deixou um sabor amargo em minha língua, mais forte que o ardor da minha sede. Meus músculos estavam contraídos pela urgência, pelo desejo, pela ânsia de matá-lo. Eu *tinha* que matá-lo. Eu o esfolaria lentamente, pedaço por pedaço, arrancando a pele do músculo, o músculo do osso...

No entanto, a garota — a única garota do mundo — segurava o assento com ambas as mãos, olhando para mim, seus olhos estranhamente tranquilos e sem objeções. A vingança teria que esperar.

— Coloque o cinto de segurança — pedi.

Minha voz estava áspera por causa do ódio e da sede de sangue. Não a sede de sangue habitual. Havia muito tempo que eu me comprometera a me abster de sangue humano, e não ia permitir que aquela criatura mudasse isso. Seria apenas uma retaliação.

Ela colocou o cinto, sobressaltando-se ligeiramente com o som que ele fez ao ser afivelado. Aquele pequeno ruído lhe assustou, mas ela nem piscou enquanto eu atravessava a cidade, ignorando todos os sinais de trânsito. Eu sentia seus olhos fixos em mim. Bella parecia estranhamente relaxada. Não fazia sentido, considerando o que tinha acabado de lhe acontecer.

— Você está bem? — perguntou ela, a voz rouca de estresse e medo.

Ela queria saber se *eu* estava bem?

E eu *estava*?

— Não — respondi, e meu tom fervilhava de raiva.

Eu a levei para a mesma entrada de garagem abandonada onde havia passado a tarde realizando a pior vigilância que já fizera. Agora estava escuro sob as árvores.

Eu estava tão furioso que meu corpo ficou paralisado, completamente imóvel. Minhas mãos geladas ansiavam por destruir o homem que a atacara, triturá-lo em pedaços tão disformes que seu corpo nunca seria identificado.

Mas isso implicaria deixá-la ali sozinha, desprotegida na noite escura.

Minha mente repassava cenas do tempo que eu caçava, imagens que eu gostaria de esquecer. Especialmente naquele momento, em que o desejo de matar era muito mais forte do que qualquer compulsão por caçar que eu já tivesse sentido.

Aquele homem, aquela aberração, não era o pior de sua espécie, embora fosse difícil classificar as profundezas do mal em ordem de mérito. Ainda assim, eu me lembrava do pior. Nunca houve dúvida sobre o indivíduo que merecia esse título.

A maioria dos homens que cacei nos meus tempos de juiz, júri e carrasco havia sentido algum nível de remorso, ou pelo menos medo de ser capturado. Muitos recorriam ao álcool ou às drogas para silenciar seus tormentos. Outros se dividiam em si mesmos, fraturando sua personalidade e vivendo como dois homens, um para a luz e outro para as trevas.

Mas para a pior e mais vil aberração que já encontrei, o remorso nunca foi um problema.

Eu nunca tinha visto alguém que abraçasse a própria maldade de forma tão completa, que *gostasse* dela. Ele estava totalmente encantado com o mundo que havia criado, um mundo de vítimas indefesas e gritos torturados. A dor era seu único objetivo, e ele havia se tornado muito bom em infligi-la e prolongá-la.

Eu era muito fiel às minhas regras, às minhas razões para reivindicar todo aquele sangue. Mas, nesse caso, hesitei. Deixar aquele homem morrer rapidamente parecia uma saída fácil demais para ele.

Foi o mais perto que cheguei de cruzar essa linha. Ainda assim, eu o matei da mesma forma sumária e eficiente que matei todos os outros.

Talvez a história tivesse sido outra se duas das vítimas não estivessem no porão de horrores no qual o encontrei. Duas mulheres jovens, gravemente feridas. Embora eu as tenha levado ao hospital o mais rápido que pude, apenas uma delas sobreviveu.

Não tive tempo de beber o sangue dele. Isso não importava. Ainda havia muitos outros que mereciam morrer.

Como esse Lanny. Ele também era um sujeito atroz, mas certamente não pior do que o homem das minhas lembranças. Então por que, naquele momento, parecia indispensável que ele sofresse muito mais?

Mas primeiro...

— Bella? — falei.

— Sim? — respondeu ela com a voz rouca e depois pigarreou.

— *Você* está bem?

Essa era, na verdade, a coisa mais importante, a prioridade. A retaliação era secundária. Eu *sabia* disso, mas eu estava com tanta raiva que era difícil pensar.

— Sim. — Sua voz ainda estava alterada, sem dúvida por causa do medo.

Eu não podia abandoná-la.

Mesmo se ela não estivesse sempre em perigo por algum motivo irritante — alguma brincadeira de mau gosto que o universo fazia comigo —, mesmo se eu tivesse *certeza* de que ela estaria perfeitamente segura na minha ausência, eu não podia deixá-la sozinha no escuro.

Ela devia estar muito assustada.

No entanto, eu não estava em condições de confortá-la, mesmo se soubesse como fazer isso, o que não era o caso. Ela com certeza sentia a brutalidade que irradiava de mim, devia ser óbvio. Eu a assustaria ainda mais se não conseguisse controlar o desejo de matar, que ainda fervia dentro de mim.

Eu precisava pensar em outra coisa.

— Me distraia, por favor — implorei.

— Desculpe, o quê?

Eu mal conseguia me controlar para explicar o que fazer.

— Só... — Não sabia como me expressar. Escolhi a palavra mais próxima que me veio à mente. — Tagarele sobre alguma coisa insignificante até que eu me acalme.

Foi uma péssima escolha de palavras, percebi assim que elas saíram da minha boca, mas não me importei. A única coisa que me mantinha dentro do carro era o fato de que ela precisava de mim. Eu ouvia os pensamentos do homem, sua decepção e sua raiva. Sabia onde encontrá-lo. Fechei os olhos, desejando não poder ver.

— Hmmm... — hesitou ela. Tentava compreender o meu pedido, imaginei, ou será que estava ofendida? Em seguida, continuou: — Vou atropelar Tyler Crowley amanhã antes da aula. — Ela disse isso como se fosse uma pergunta.

Sim, era disso que eu precisava. Claro que Bella diria algo inesperado. Como já tinha acontecido, a ameaça de violência vindo de sua boca era chocante, cômica. Eu teria rido se não estivesse queimando por dentro com a ânsia de matar.

— Por quê? — vociferei, para forçá-la a continuar falando.

— Ele está dizendo para todo mundo que vai me levar ao baile de formatura... — respondeu ela, com a voz cheia de indignação. — Ou ele é maluco, ou ainda está tentando compensar o fato de quase ter me matado na... Bom, você se lembra disso — acrescentou ela, secamente. — E ele acha que o *baile* é a forma correta de fazer isso. Então imagino que, se eu colocar a vida dele em risco, depois vamos ficar quites e ele pode parar de tentar compensar o que fez. Não preciso de inimigos, e talvez Lauren recue se ele me deixar em paz. Mas talvez eu tenha que dar perda total no Sentra dele — continuou ela, agora pensativa. — Se ele não tiver carro, não vai poder levar ninguém a baile nenhum...

Era encorajador ver que, às vezes, ela entendia tudo errado. A persistência de Tyler não tinha nada a ver com o acidente. Ela parecia não perceber como era atraente para os humanos da escola. Será que também não percebia a atração que eu sentia por ela?

Ah, estava funcionando. Os processos misteriosos da mente de Bella eram sempre fascinantes. Eu estava começando a retomar o controle, a ver algo além de vingança e massacre.

— Eu soube disso — falei.

Ela havia parado de falar, e eu precisava que continuasse.

— *Você* soube? — perguntou Bella, incrédula. E então sua voz ficou mais indignada do que antes. — Se ele ficar paralisado do pescoço para baixo, não vai poder ir ao baile de formatura também.

Eu gostaria que houvesse um jeito de, sem parecer louco, pedir a ela que continuasse com as ameaças de morte e danos corporais. Ela não poderia ter escolhido uma maneira melhor de me acalmar. E suas palavras — apenas sarcasmo, no caso dela, hipérboles — eram um lembrete do qual eu precisava muito naquele momento.

Suspirei e abri os olhos.

— Melhor? — perguntou ela, timidamente.

— Na verdade, não.

Eu estava mais calmo, mas não melhor. Porque tinha acabado de perceber que não poderia matar aquele demônio chamado Lanny. A única coisa que eu desejava mais naquele momento do que cometer um assassinato altamente justificável era aquela garota. E, embora eu não pudesse tê-la, sonhar com isso era a única coisa que me impedia de realizar um massacre.

Bella merecia mais que um assassino.

Eu tinha passado mais de sete décadas tentando ser algo — qualquer coisa — além de um assassino. Esses anos de esforço nunca me tornariam digno da garota sentada ao meu lado. Ainda assim, eu sentia que, se voltasse àquela vida por uma única noite que fosse, isso certamente a deixaria fora do meu alcance para sempre. Mesmo que eu não bebesse o sangue deles — mesmo que não tivesse esse vestígio brilhando em meus olhos —, ela não perceberia a diferença?

Eu estava tentando ser bom o bastante para ela. Era um objetivo impossível. Mas eu não suportava a ideia de desistir.

— Qual é o problema? — sussurrou Bella.

Seu cheiro penetrou minhas narinas, e eu lembrei por que nunca ia ser digno dela. Depois de tudo aquilo, por mais que a amasse... ela ainda me dava água na boca.

Eu seria o mais honesto possível com Bella. Devia isso a ela.

— Às vezes tenho problemas com meu temperamento, Bella. — Fiquei observando a noite escura, desejando ao mesmo tempo que ela ouvisse e não ouvisse o horror inerente a minhas palavras. Mais que não ouvisse. *Fuja,*

Bella, fuja. Fique, Bella, fique. — E *não* me ajudaria em nada voltar e caçar aqueles... — Quase saí do carro só de pensar nisso. Respirei fundo, deixando que o cheiro dela queimasse minha garganta. — Pelo menos, é disso que estou tentando me convencer.

— Ah.

Ela não disse mais nada. Quanto teria entendido? Olhei furtivamente para ela, mas sua expressão era indecifrável. Perplexa por causa do choque, talvez. Bem, ela não estava gritando de pavor. Ainda não.

— Jessica e Angela vão ficar preocupadas — disse ela, baixinho. Sua voz estava muito calma, e eu não entendia como isso era possível. Será que ela estava *mesmo* em choque? Talvez ainda não tivesse absorvido os acontecimentos daquela noite. — Eu combinei de me encontrar com elas.

Será que ela queria se afastar de mim? Ou estava apenas pensando na preocupação das amigas?

Não falei nada, apenas liguei o carro e a levei de volta. Quanto mais me aproximava da cidade, mais difícil era manter minha decisão. Eu estava tão *perto* dele...

Se a situação era impossível — se eu nunca poderia ficar com essa garota ou merecê-la —, qual era o sentido de deixar aquele homem impune? Talvez eu pudesse me permitir pelo menos isso.

Não. Eu não ia desistir. Ainda não. Eu a desejava demais para me render.

Antes que eu começasse a entender meus pensamentos, chegamos ao restaurante onde ela havia combinado de encontrar as amigas. Jessica e Angela já tinham terminado de comer, e ambas estavam muito preocupadas com Bella. Iam sair para procurá-la, enveredando pela rua escura.

Não era uma boa noite para elas ficarem vagando por aí.

— Como você sabia onde...?

A pergunta incompleta de Bella me trouxe de volta à realidade, e eu me dei conta de que havia cometido mais um deslize. Com todas as distrações, não me lembrei de perguntar onde ela ia encontrar as amigas.

Mas, em vez de concluir a pergunta e me pressionar, Bella simplesmente balançou a cabeça e deu um sorrisinho.

O que *aquilo* significava?

Não tive tempo de pensar muito na sua estranha aceitação do meu ainda mais estranho conhecimento da situação. Abri a porta do carro.

— O que você está fazendo? — perguntou ela, parecendo surpresa.

Não deixando você longe da minha vista. Não me permitindo ficar sozinho esta noite. Nessa ordem.

— Vou levar você para jantar.

Bem, isso seria interessante. Eu tinha imaginado uma noite completamente diferente quando pensei em convidar Alice e fingir que havia escolhido o mesmo restaurante que Bella e suas amigas por coincidência. Mas ali estava eu, praticamente em um encontro com a garota. Só que aquilo não contava, porque eu não estava dando a ela a chance de dizer não.

Ela já estava com a porta entreaberta antes de eu dar a volta no carro — em geral, não era tão frustrante ter que me mover a uma velocidade discreta —, impedindo que eu a abrisse para ela.

Esperei que ela se juntasse a mim, ficando mais nervoso conforme suas amigas se aproximavam da esquina escura.

— Detenha Jessica e Angela antes que eu tenha que ir atrás delas também — pedi. — Acho que não seria capaz de me controlar se desse de cara com seus amiguinhos de novo.

Não, eu não seria forte o suficiente para isso.

Ela estremeceu, mas logo se recompôs. Deu meio passo na direção delas e gritou:

— Jess! Angela!

As duas se viraram, e ela ergueu o braço para chamar sua atenção.

Bella! Ah, ela está bem!, pensou Angela, aliviada.

Um pouco atrasada, não?, resmungou Jessica consigo mesma, mas ela também ficou grata por Bella não estar perdida nem machucada. Isso me fez gostar um pouco mais dela.

As duas voltaram correndo, depois pararam, chocadas, quando me viram ao lado dela.

Ah, não!, pensou Jessica, atordoada. *Não é possível!*

Edward Cullen? Ela saiu sozinha para encontrá-lo? Mas por que perguntaria se eles tinham saído da cidade se sabia que ele estava aqui...? Tive um breve vislumbre da expressão mortificada de Bella quando perguntou a Angela se minha família costumava se ausentar da escola. *Não, ela não tinha como saber*, concluiu Angela.

Os pensamentos de Jessica tinham passado de surpresa para desconfiança. *Bella está escondendo alguma coisa.*

— Aonde você foi? — perguntou ela, olhando para Bella, mas me espiando pelo canto do olho.

— Eu me perdi. E depois encontrei o Edward — respondeu Bella, apontando para mim. Seu tom era surpreendentemente normal. Como se isso fosse mesmo tudo o que havia acontecido.

Ela provavelmente estava em choque. Era a única explicação para sua calma.

— Tudo bem se eu ficar com vocês? — indaguei, por educação, porque sabia que elas já tinham jantado.

Caramba, ele é lindo mesmo!, pensou Jessica, sua mente de súbito um pouco incoerente.

Angela não estava muito diferente. *Que pena que já jantamos. Uau. Apenas. Uau.*

Por que eu não conseguia fazer isso com Bella?

— É... claro — concordou Jessica.

Angela franziu a testa.

— Hmmm, na verdade, Bella, já comemos enquanto estávamos esperando — admitiu ela. — Desculpe.

Cale a boca!, reclamou Jessica internamente.

Bella deu de ombros. Tão tranquila. Definitivamente em choque.

— Tudo bem... Eu não estou com fome.

— Acho que devia comer alguma coisa — discordei.

Ela precisava de açúcar no sangue, apesar de ele já parecer doce o bastante, pensei, ironicamente. Em algum momento, ela ia se dar conta do horror que tinha vivenciado, e um estômago vazio não ajudaria em nada. Ela desmaiava com facilidade, como eu sabia por experiência própria.

Essas garotas não estariam em perigo se fossem direto para casa. O perigo não espreitava os passos *delas*.

E eu preferia ficar sozinho com Bella, desde que ela estivesse disposta a ficar sozinha comigo.

— Você se importa se eu levar Bella para casa esta noite? — perguntei a Jessica antes que Bella pudesse responder. — Assim vocês não precisam esperar enquanto ela come.

— Hmmm, tudo bem, eu acho...

Jessica olhou atentamente para Bella, procurando algum sinal de que era isso que ela queria.

Ela provavelmente quer ficar sozinha com ele. Quem não ia querer, não é?, pensou Jessica, ao mesmo tempo em que viu Bella dar uma piscadela.

Bella tinha dado uma *piscadela*?

— Tudo bem — disse Angela, apressando-se em deixar o caminho livre, já que era isso que Bella queria. E parecia que sim. — A gente se vê amanhã, Bella... Edward.

Ela tentou dizer meu nome num tom casual. Em seguida, segurou a mão de Jessica e a levou embora.

Eu ia pensar em uma maneira de agradecer a Angela por isso.

O carro de Jessica estava perto, em um círculo de luz projetado por um poste. Bella as observou atentamente, um pequeno vinco de preocupação entre os olhos, até as duas entrarem no carro, o que significava que tinha alguma consciência do perigo que correra. Jessica acenou ao se afastar, e Bella retribuiu o aceno. Depois que o carro desapareceu, ela respirou fundo e se virou para mim.

— Sinceramente, não estou com fome — disse.

Por que ela havia esperado as duas irem embora para dizer isso? Será que queria ficar sozinha comigo, mesmo agora, depois de testemunhar minha raiva literalmente homicida?

De qualquer modo, ela ia comer alguma coisa.

— Faça isso por mim — pedi.

Eu segurei a porta do restaurante para ela e esperei.

Ela suspirou e entrou.

Fui com ela até o pequeno balcão onde a recepcionista esperava. Bella ainda parecia totalmente tranquila. Eu queria tocar sua mão, sua testa, para verificar sua temperatura. Mas minha mão gelada ia repeli-la, como antes.

Minha nossa. A voz mental bem alta da recepcionista invadiu minha consciência. *Minha nossa.*

Pelo visto aquela era minha noite de chamar atenção. Ou será que eu só estava reparando mais nisso por desejar que Bella me enxergasse da mesma maneira? Nós sempre parecíamos atraentes para nossas presas, mas eu nunca tinha pensado muito sobre o assunto. De modo geral (a não ser que, como acontecia com pessoas como Shelly Cope e Jessica Stanley, houvesse uma repetição constante que amenizasse o horror), o medo surgia logo depois da atração inicial.

— Mesa para dois? — perguntei quando a recepcionista permaneceu em silêncio.

Hmmm! Que voz!

— Ah, sim. Bem-vindos ao La Bella Italia. Por favor, venham comigo.

Seus pensamentos estavam ocupados com especulações.

Talvez ela seja prima dele. Não pode ser irmã dele... eles não se parecem em nada. Mas é da família, definitivamente. Ele não pode estar com ela.

Os olhos humanos eram turvos, não enxergavam nada com clareza. Como aquela mulher de mente fechada podia considerar meus atributos físicos — armadilhas para presas — tão atraentes, e ao mesmo tempo ser incapaz de ver a perfeição delicada da garota ao meu lado?

Bem, eu é que não vou ajudá-la, só por garantia, pensou a recepcionista enquanto nos conduzia a uma mesa mais adequada para uma família, na área mais movimentada do restaurante. *Será que consigo dar o meu número para ele enquanto ela estiver distraída?*, pensou a mulher.

Tirei uma nota do bolso de trás. As pessoas sempre cooperavam quando havia dinheiro envolvido.

A mulher nos conduziu até nossos lugares, e Bella, sem objeção, estava prestes a se sentar. Balancei a cabeça para ela, que hesitou, inclinando o rosto para o lado com curiosidade. Sim, ela devia estar muito curiosa naquela noite. Um lugar cheio não era o ideal para essa conversa.

— Quem sabe um lugar mais reservado? — pedi à recepcionista, entregando-lhe o dinheiro.

Ela se deteve, surpresa, e em seguida sua mão envolveu a nota.

— Claro.

Ela espiou a nota enquanto nos guiava ao redor de uma parede divisória.

Cinquenta dólares por uma mesa melhor? Também é rico. Faz sentido... Aposto que a jaqueta dele custou mais do que meu salário. Droga. Por que ele quer privacidade com ela?

A recepcionista nos ofereceu então uma mesa em um canto tranquilo do restaurante, onde ninguém poderia nos ver ou notar as reações de Bella ao que quer que eu lhe contasse. Eu não tinha ideia do que ela ia querer de mim. Nem do que eu ofereceria a ela.

Quanto ela já tinha adivinhado? Que explicação teria inventado para dar sentido aos acontecimentos dessa noite?

— Que tal aqui? — perguntou a recepcionista.

— Perfeito — respondi e, um pouco irritado com sua atitude ressentida em relação a Bella, abri um sorriso largo, mostrando os dentes. Deixei que ela me visse claramente.

Uau.

— Hmmm... Vocês serão atendidos logo.

Ele não pode ser real. Talvez ela suma logo... talvez eu escreva meu número no prato dele com molho marinara.

Ela se afastou, cambaleando um pouco.

Estranho. Nem assim ela ficou assustada. De repente, me lembrei de Emmett me provocando no refeitório algumas semanas antes. *Aposto que eu a teria assustado bem mais.*

Será que eu estava perdendo o jeito?

— Você não devia fazer isso com as pessoas — disse Bella, interrompendo meus pensamentos com um tom de reprovação. — É muito injusto.

Olhei para sua expressão crítica. O que ela queria dizer com aquilo? Apesar dos meus esforços, eu não tinha assustado nem um pouco a recepcionista.

— Fazer o quê?

— Deixá-las tontas desse jeito... Ela provavelmente está ofegando na cozinha agora mesmo.

Hmmm. Bella estava quase certa. Naquele momento, a recepcionista estava falando de modo meio incoerente, descrevendo para uma amiga garçonete suas impressões equivocadas a meu respeito.

— Ah, sem essa — repreendeu-me Bella quando demorei a responder. — Você *deve* saber o efeito que tem sobre as pessoas.

— Eu deixo as pessoas tontas?

Era uma maneira interessante de descrever a reação que eu causava nos humanos. Não deixava de ser precisa para essa noite. Eu me perguntei o que havia de diferente...

— Você não percebeu? — perguntou ela, ainda crítica. — Acha que todo mundo consegue o que quer com essa facilidade toda?

— Eu deixo *você* tonta?

Verbalizei minha curiosidade impulsivamente, e então as palavras já tinham saído, e era tarde demais para voltar atrás.

No entanto, antes que eu pudesse me arrepender de ter dito aquilo em voz alta, ela respondeu:

— Com muita frequência.

Suas bochechas ficaram de um tom levemente rosado.

Eu a deixava tonta.

Meu coração silencioso se encheu de uma esperança mais intensa do que eu me lembrava de já ter sentido.

— Oi — disse alguém, a garçonete, se apresentando.

Seus pensamentos eram altos e mais explícitos do que os da recepcionista, mas eu os silenciei. Preferi olhar para Bella, observando o sangue se espalhar pelas suas bochechas, percebendo não como isso fazia minha garganta arder, mas como iluminava seu lindo rosto, como realçava o tom creme de sua pele.

A garçonete estava esperando algo de mim. Ah, tinha perguntado se queríamos alguma bebida. Continuei olhando para Bella, e a garçonete se virou de má vontade para ela também.

— Vou tomar uma Coca? — disse Bella, como se pedisse aprovação.

— Duas Cocas — corrigi.

A sede — normal, humana — era um sinal de choque. Eu queria garantir que ela tivesse o açúcar extra do refrigerante em seu organismo.

No entanto, Bella parecia saudável. Mais do que saudável. Parecia radiante.

— O que foi? — perguntou ela, provavelmente querendo saber por que eu a encarava.

Eu estava vagamente ciente de que a garçonete havia saído.

— Como está se sentindo? — perguntei.

Ela piscou, surpresa com a pergunta.

— Bem.

— Não está tonta, enjoada, com frio?

Ela ficou ainda mais confusa.

— Deveria?

— Bom, na verdade estou esperando que você entre em choque.

Abri um leve sorriso, à espera de uma objeção. Bella não gostava que cuidassem dela.

Demorou um tempo para me responder. Seu olhar estava ligeiramente perdido. Ela ficava assim às vezes quando eu sorria para ela. Será que eu a tinha deixado... tonta?

Adoraria acreditar nisso.

— Não acho que isso vá acontecer. Sempre fui muito boa em reprimir coisas desagradáveis — respondeu ela, um pouco ofegante.

Ela tinha muita prática com coisas desagradáveis, então? Sua vida sempre fora tão arriscada?

— Mesmo assim — falei. — Vou me sentir melhor quando você colocar algum açúcar e comida para dentro.

A garçonete voltou com as Cocas e uma cesta de pães. Ela as colocou na minha frente e perguntou o que eu queria comer, tentando chamar minha atenção. Indiquei que ela deveria anotar o pedido de Bella, em seguida voltei a silenciá-la. Essa mulher tinha uma mente atrevida.

— Hmmm... — Bella deu uma olhada rápida no cardápio. — Vou querer ravióli de cogumelos.

A garçonete se voltou para mim, ansiosa.

— E você?

— Para mim, nada.

Bella fez uma leve careta. Hmm. Ela devia ter reparado que eu nunca comia. Afinal, reparava em tudo. E eu sempre me esquecia de ser cuidadoso na presença dela.

Esperei até ficarmos sozinhos de novo.

— Beba — insisti.

Fiquei surpreso quando ela obedeceu imediatamente, sem fazer objeções. Bella bebeu até esvaziar o copo, então empurrei a outra Coca em sua direção, franzindo um pouco a testa. Sede ou choque?

Ela bebeu um pouco mais, em seguida estremeceu.

— Está com frio?

— É só a Coca — respondeu ela, estremecendo novamente, os lábios tremendo de leve, como se estivesse prestes a bater os dentes.

A linda blusa que ela usava parecia fina demais para aquecê-la. O tecido a cobria como uma segunda pele, quase tão frágil quanto a primeira.

— Não trouxe casaco?

— Trouxe. — Ela olhou em volta, um pouco perplexa. — Ah... deixei no carro da Jessica.

Tirei minha jaqueta, desejando que o gesto não fosse prejudicado pela temperatura do meu corpo. Teria sido bom lhe oferecer um casaco quente.

Ela olhou para mim, as bochechas corando de novo. No que estaria pensando?

Entreguei a jaqueta por cima da mesa, e ela a vestiu de imediato, estremecendo mais uma vez.

Sim, seria muito bom que estivesse quente.

— Obrigada — disse ela, respirando fundo e puxando as mangas excessivamente longas para cima.

Ela respirou fundo outra vez.

Será que a noite estava finalmente ficando tranquila? A cor dela continuava boa. Sua pele estava creme e rosada em contraste com o azul-escuro da blusa.

— O azul fica ótimo na sua pele — elogiei. Estava apenas sendo sincero.

Ela parecia bem, mas não fazia sentido arriscar. Empurrei a cesta de pães em sua direção.

— Sério — objetou ela, adivinhando meus motivos. — Eu não vou entrar em choque.

— Devia... Uma pessoa *normal* entraria. Você nem parece abalada.

Eu a encarei com um olhar de reprovação, me perguntando por que ela não podia ser normal, e então me perguntando se eu realmente queria que ela fosse.

— Eu me sinto muito segura com você — explicou ela, os olhos cheios de confiança outra vez. Confiança que eu não merecia.

Os instintos dela eram errados, invertidos. Esse devia ser o problema. Bella não reconhecia o perigo como um ser humano deveria ser capaz de reconhecer. Tinha a reação oposta. Em vez de fugir, ficava onde estava, atraída pelo que deveria amedrontá-la.

Como eu poderia protegê-la de mim mesmo quando isso não era o que *nenhum* de nós dois queria?

— Isto é mais complicado do que eu planejei — murmurei.

Ela parecia refletir sobre as minhas palavras, e me perguntei a que conclusão teria chegado. Ela pegou um pedaço de pão e começou a comer, em um gesto aparentemente automático. Mastigou por um momento, depois inclinou a cabeça para o lado, pensativa.

— Em geral, você está num humor melhor quando seus olhos estão claros assim — disse ela, em um tom casual.

Aquela observação, feita com tanta naturalidade, me deixou surpreso.

— Como é?

— Você sempre fica mais mal-humorado quando seus olhos estão escuros... É o que eu espero nessas horas. Tenho uma teoria para isso — acrescentou ela, calmamente.

Então ela havia encontrado uma explicação. É claro. Senti um profundo temor quando me perguntei se ela estava próxima da verdade.

— Mais teorias?

— Aham.

Ela deu mais uma mordida no pão, totalmente despreocupada. Como se não estivesse discutindo as características de um demônio com o próprio demônio.

— Espero que dessa vez você seja mais criativa — menti. O que eu queria mesmo era que ela estivesse *errada*... a quilômetros de distância da verdade. — Ou ainda está se inspirando nos quadrinhos?

— Bom, não, não tirei nada de quadrinho nenhum — disse ela, um pouco constrangida. — Mas também não inventei nada sozinha.

— E? — perguntei.

Certamente ela não falaria com tanta calma se estivesse prestes a gritar.

Enquanto ela hesitava, mordendo o lábio, a garçonete reapareceu com a comida. Percebi vagamente que ela colocou o prato diante de Bella e perguntou se eu queria alguma coisa para comer.

Recusei, mas pedi mais Coca. A garçonete não havia reparado nos copos vazios.

— O que estava dizendo? — perguntei, ansioso, assim que ficamos sozinhos novamente.

— Vou falar sobre isso no carro — disse ela em voz baixa. Ah, péssimo sinal. Ela não queria falar sobre suas suposições perto de outras pessoas. — Se... — continuou ela, repentinamente.

— Há alguma condição? — Eu estava tão tenso que quase rosnei as palavras.

— Tenho algumas perguntas, é claro.

— É claro — concordei, minha voz áspera.

As perguntas provavelmente me indicariam a direção de seus pensamentos. Mas o que eu responderia? Contaria mentiras responsáveis? Ou a afastaria com a verdade? Ou não diria nada, incapaz de decidir?

Ficamos em silêncio enquanto a garçonete nos servia mais refrigerante.

— Bem, vá em frente — falei quando a mulher saiu, o maxilar cerrado.

— Por que está em Port Angeles?

Essa pergunta era muito fácil... para ela. Não me dava nenhuma pista, enquanto minha resposta, se fosse sincera, acabaria revelando demais. E eu precisava que ela revelasse algo primeiro.

— Próxima — falei.

— Mas essa foi a mais fácil!

— Próxima — repeti.

Ela ficou frustrada com minha recusa. Desviou o olhar, concentrando-se na comida. Ainda refletindo, ela deu lentamente uma garfada e mastigou de forma deliberada.

De repente, enquanto ela comia, uma estranha comparação surgiu em minha mente. Por um segundo, vi Perséfone com a romã na mão, condenando-se ao submundo.

Aquele seria eu? O próprio Hades, cobiçando a primavera, roubando-a, condenando-a à noite sem fim. Tentei, sem sucesso, afastar aquela imagem.

Ela engoliu a comida, tomou mais um gole de Coca e então me encarou. Seus olhos estavam semicerrados, cheios de suspeita.

— Tudo bem, então — disse ela. — Digamos, é claro que hipoteticamente, que... alguém... seja capaz de saber o que as pessoas estão pensando, ler a mente delas, sabe como é... com algumas exceções.

Podia ser pior.

Isso explicava o sorrisinho que ela dera no carro. Ela foi rápida; ninguém nunca tinha deduzido isso a meu respeito. Exceto Carlisle, para quem tinha ficado bastante óbvio no começo, porque eu respondia todos os pensamentos dele como se tivessem sido falados em voz alta. Ele entendeu antes de mim.

Essa pergunta não era tão ruim. Embora ela claramente soubesse que havia algo de errado comigo, não era tão grave quanto poderia ser. Afinal de contas, ler mentes não era uma característica canônica dos vampiros. Eu dei prosseguimento à hipótese dela.

— Só *uma* exceção — corrigi. — Hipoteticamente.

Ela conteve o sorriso. Minha honestidade vaga a agradou.

— Tudo bem, com uma exceção, então. Como é que isso funciona? Quais são as limitações? Como... esse alguém... acharia outra pessoa exatamente na hora certa? Como ele saberia que ela estava em perigo?

— Hipoteticamente?

— Claro.

Seus lábios se contraíram, e seus olhos castanhos e brilhantes foram tomados pela expectativa.

— Bom, se... — hesitei — ... esse alguém...

— Vamos chamá-lo de Joe — sugeriu ela.

Tive que sorrir diante de seu entusiasmo. Ela achava mesmo que a verdade seria uma coisa boa? Se meus segredos fossem agradáveis, por que eu os esconderia dela?

— Joe, que seja — concordei. — Se Joe fosse mais atento, eu não teria que ser tão preciso em minha busca. — Balancei a cabeça e reprimi um calafrio ao pensar que, por muito pouco, eu não tinha chegado tarde demais hoje. — Só *você* consegue se meter em encrenca em uma cidade tão pequena. Você teria arruinado as estatísticas de criminalidade por uma década, sabia?

Ela fez um bico.

— Estávamos falando de um caso hipotético.

Ri da irritação dela.

Seus lábios, sua pele... pareciam tão macios. Eu queria saber se eram tão aveludados quanto pareciam. Impossível. Meu toque seria repulsivo para ela.

— Sim, estávamos — concordei, voltando à conversa antes que ficasse angustiado. — Devo chamá-la de Jane?

Ela se inclinou sobre a mesa na minha direção, e todo o humor e a irritação desapareceram de seu rosto.

— Como você sabia? — perguntou ela, a voz baixa e intensa.

Será que eu deveria contar a verdade? Se sim, que parte?

Eu queria contar. Queria ganhar a confiança que via em seu rosto. Como se ouvisse meus pensamentos, ela sussurrou:

— Sabe que pode confiar em mim.

Ela estendeu a mão, como se pretendesse tocar as minhas.

Eu afastei o braço, odiando imaginar a reação dela à minha pele fria e rígida como pedra, e ela baixou a mão.

Eu sabia que podia confiar nela para guardar meus segredos. Ela era extremamente íntegra, boa até o âmago. Mas eu não podia confiar em uma reação positiva; ela provavelmente ficaria horrorizada ao ouvi-los. *Deveria* ficar horrorizada. A verdade *era* o horror.

— Não sei se ainda tenho alternativa — murmurei. Lembrei-me da vez em que, brincando, eu a havia chamado de *excepcionalmente distraída*. Ela ficara ofendida, se decifrei bem suas expressões. Eu poderia corrigir essa injustiça, pelo menos. — Eu estava errado... Você é muito mais observadora do que eu julgava.

E, embora ela talvez não percebesse, eu já havia reconhecido muitos dos seus méritos.

— Achei que você sempre tivesse razão — disse ela, sorrindo e me provocando.

— Antigamente era assim.

Eu costumava saber o que estava fazendo. Eu costumava ter sempre certeza do meu caminho. E então tudo se transformou em caos e tumulto. No entanto, eu não mudaria nada. Não se o caos significava que eu podia estar perto de Bella.

— Eu estava errado sobre você em outra coisa também — continuei, esclarecendo um segundo ponto. — Você não é um ímã para acidentes... Essa classificação não é ampla o suficiente. Você é um ímã para *problemas*. Se houver alguma coisa perigosa num raio de dez quilômetros, invariavelmente vai encontrar você.

Por que ela? O que ela havia feito para merecer isso?

O rosto de Bella ficou sério novamente.

— E você se coloca nessa categoria?

A honestidade era mais importante em relação a essa pergunta do que a qualquer outra.

— Sem dúvida.

Os olhos dela se estreitaram de leve, não mais desconfiados, e sim estranhamente preocupados. Seus lábios se curvaram naquele sorriso específico que eu só via em seu rosto quando ela era confrontada com o sofrimento de outra pessoa. Ela estendeu a mão sobre a mesa outra vez, lenta e deliberadamente. Afastei minhas mãos alguns centímetros, mas ela ignorou esse gesto, determinada a me tocar. Prendi a respiração, não mais por causa do cheiro dela, mas por causa da tensão súbita e esmagadora. Medo. Minha pele a deixaria enojada. Ela ia sair correndo.

Ela passou de leve a ponta dos dedos sobre o dorso da minha mão. O calor de seu toque suave e voluntário era diferente de tudo que eu já havia sentido. Foi quase puro prazer. Teria sido, não fosse pelo meu medo. Observei seu rosto enquanto ela sentia a superfície rígida e fria da minha pele, ainda incapaz de respirar.

Seu sorriso de preocupação mudou para algo mais amplo, mais afetuoso.

— Obrigada — disse ela, me encarando com um olhar igualmente intenso. — Agora já são duas vezes.

Seus dedos macios permaneceram em minha pele, como se gostassem de ficar ali. Respondi o mais casualmente que consegui:

— Vamos tentar não ter a terceira, combinado?

Ela fez uma careta, mas assentiu.

Afastei minhas mãos das dela. Por mais prazeroso que seu toque fosse, eu não ia esperar que a magia de sua tolerância passasse e se transformasse em repulsa. Escondi minhas mãos debaixo da mesa.

Interpretei o olhar dela; embora sua mente estivesse silenciosa, eu estava vendo confiança e admiração. Percebi, naquele momento, que *queria* responder a suas perguntas. Não porque eu devesse isso a ela. Não porque quisesse que ela confiasse em mim.

Eu queria que ela me *conhecesse*.

— Eu a segui até Port Angeles — revelei, as palavras saindo rápido demais para que eu as editasse. Eu sabia o perigo que a verdade representava, o risco que eu estava correndo. A qualquer momento, sua calma sobrenatural poderia se transformar em histeria. Contraditoriamente, saber disso só me fez falar mais rápido. — Nunca tentei manter uma determinada pessoa viva, e é muito mais problemático do que eu imaginava. Mas deve ser assim porque é você. As pessoas comuns parecem passar o dia sem muitas catástrofes.

Eu a observei, esperando.

Ela sorriu mais uma vez. Seus olhos límpidos e escuros pareceram mais profundos do que nunca.

Eu tinha acabado de admitir que a seguia, e ela estava sorrindo.

— Já parou para pensar que talvez minha hora tivesse chegado naquela primeira vez, com a van, e que você esteja interferindo no meu destino? — perguntou ela.

— Essa não foi a primeira vez — falei, olhando para a toalha marrom-escura, os ombros curvados de vergonha. Com a guarda baixa, a verdade fluía de forma livre e imprudente. — Sua hora chegou quando eu a conheci.

Era verdade, e isso me deixava furioso. Minha presença na vida dela era como a lâmina de uma guilhotina; feito obra do destino, exatamente como ela disse. Como se ela tivesse sido marcada para morrer por esse destino cruel e injusto, e, quando eu provei ser uma ferramenta indócil, o destino continuou tentando executá-la. Imaginei-o personificado, uma bruxa horrível e ciumenta, uma harpia vingativa.

Eu queria que algo fosse responsável por isso para que eu pudesse lutar contra um adversário concreto. Alguma coisa, qualquer coisa para destruir, para que Bella ficasse em segurança.

Bella estava muito quieta. Sua respiração tinha se acelerado.

Olhei para ela, sabendo que finalmente ia ver o medo que eu estava esperando. Eu não tinha acabado de admitir que chegara perto de matá-la? Mais perto do que a van, que ficara a milímetros de esmagar seu corpo. E, mesmo assim, seu rosto ainda estava calmo, seus olhos tensos apenas de preocupação.

— Você lembra?

— Lembro — respondeu ela, a voz firme e séria.

Seus olhos profundos estavam conscientes.

Ela sabia. Sabia que eu tive vontade de matá-la. Onde estavam seus gritos?

— E, no entanto, aqui está você — falei, apontando a contradição inerente.

— É, aqui estou eu... graças a você. — Sua expressão mudou, tornou-se curiosa, e ela mudou de assunto de forma nada sutil: — Porque, de algum modo, você sabia como me achar hoje...?

Inutilmente, tentei mais uma vez romper a barreira que protegia seus pensamentos, movido por um desejo desesperado de entendê-la. Não fazia sentido para mim. Como ela podia se preocupar com o resto após descobrir aquela verdade gritante?

Ela esperou, apenas curiosa. Sua pele estava pálida, o que era natural, mas ainda me preocupava. Seu jantar estava quase intocado. Se eu continuasse falando demais, ela ia precisar de alguma coisa para amortecer o choque que em algum momento ia chegar. Estabeleci minhas condições.

— Você come, eu falo.

Ela considerou a proposta por meio segundo, então levou uma garfada à boca com uma velocidade que desmentiu sua calma. Ela estava mais ansiosa pela minha resposta do que seus olhos deixavam transparecer.

— É mais difícil do que deveria... rastrear você — falei. — Em geral, consigo encontrar uma pessoa com muita facilidade depois de já ter lido sua mente.

Observei o rosto dela com cuidado enquanto dizia isso. Ter um palpite era uma coisa, receber a confirmação era outra.

Ela ficou imóvel, os olhos inexpressivos. Senti meus dentes se cerrarem enquanto esperava por seu pânico.

Mas ela apenas piscou uma vez, engoliu com força e se apressou em levar mais uma garfada à boca. Ansiosa para que eu continuasse.

— Eu estava vigiando Jessica — continuei, observando cada palavra ser absorvida. — Sem tanto cuidado... Como eu disse, só você encontra problemas em Port Angeles... — Não resisti a esse adendo. Será que ela sabia que outras vidas humanas não eram tão atormentadas por experiências de quase morte, ou achava que as coisas que aconteciam com ela eram normais? — E no início não percebi que você tinha saído sozinha. Depois, quando notei que não estava mais com ela, fui procurar por você na livraria que vi na mente dela. Eu percebi que você não tinha entrado e que tinha ido para o sul... E sabia que voltaria logo. Então eu só estava esperando você, procurando ao acaso nos pensamentos das pessoas na rua... Para ver se alguém a notara, e assim eu poderia saber onde você estava. Eu não tinha motivos para ficar preocupado, mas estava estranhamente ansioso...

Minha respiração se acelerou quando me lembrei da sensação de pânico. O cheiro dela queimou em minha garganta, e fiquei feliz. Essa dor significava que ela estava viva.

Enquanto eu queimasse, ela estaria em segurança.

— Comecei a dirigir em círculos, ainda... escutando. — Torci para que a palavra fizesse sentido para ela. Isso tudo devia ser muito confuso. — O sol finalmente começou a se pôr, e eu estava prestes a sair do carro e seguir você a pé. E então...

Quando a lembrança me invadiu — perfeitamente clara, tão vívida quanto se eu tivesse voltado àquele momento —, senti a mesma fúria assassina percorrer meu corpo, transformando-o em um bloco de gelo.

Eu o queria morto. Ele *deveria* estar morto. Cerrei o maxilar enquanto me concentrava em permanecer na mesa. Bella ainda precisava de mim. Isso era o que importava.

— Então o quê? — sussurrou ela, seus olhos escuros arregalados.

— Ouvi o que eles estavam pensando — falei entre os dentes, incapaz de impedir que as palavras saíssem como um rosnado. — Vi seu rosto na mente dele.

Eu ainda sabia onde encontrá-lo. Seus pensamentos sombrios sugavam o céu noturno, me puxando em sua direção.

Cobri meu rosto, sabendo que minha expressão era a de um caçador, de um assassino. Fixei a imagem de Bella diante dos meus olhos fechados, em uma tentativa de me controlar. A estrutura delicada de seus ossos, a superfície fina de sua pele pálida como seda esticada sobre vidro, incrivelmente macia e fácil de romper. Ela era vulnerável demais para esse mundo. *Precisava* de um protetor. E, por uma reviravolta cruel do destino, quem se aproximava mais disso era eu.

Tentei explicar minha reação violenta de forma que ela entendesse.

— Para mim, foi muito... difícil... Nem imagina como foi difícil... simplesmente tirar você dali e deixá-los... vivos — sussurrei. — Eu podia ter deixado você com Jessica e Angela, mas temia procurar por eles se você me deixasse sozinho.

Pela segunda vez naquela noite, confessei minha intenção de matar. Pelo menos essa era defensável.

Ela ficou em silêncio enquanto eu tentava me controlar. Estava ouvindo as batidas do coração dela. O ritmo era irregular, mas foi diminuindo com o passar do tempo, até ficar estável novamente. Sua respiração também estava calma e regular.

Eu estava muito perto do limite. Precisava levá-la para casa antes que...

Será que eu o mataria, então? Será que voltaria a ser um assassino, agora que ela confiava em mim? Haveria como me deter?

Bella tinha prometido me contar sua última teoria quando estivéssemos a sós. Eu queria mesmo ouvir? Estava curioso, mas será que a recompensa pela minha curiosidade seria pior do que não saber?

De qualquer forma, Bella já devia ter ouvido verdades suficientes por uma noite.

Olhei para ela de novo, e seu rosto estava mais pálido do que antes, mas sereno.

— Pronta para ir para casa? — perguntei.

— Estou pronta para ir embora — disse ela, escolhendo as palavras com cuidado, como se um simples *sim* não expressasse completamente o que ela queria dizer.

Frustrante.

A garçonete voltou. Tinha ouvido a última frase de Bella enquanto aguardava do outro lado da parede, tentando pensar no que mais poderia me oferecer. Eu quis revirar os olhos diante de algumas coisas em sua mente.

— Como estamos? — perguntou ela, olhando para mim.

— Estamos prontos para a conta, obrigado — respondi, com os olhos fixos em Bella.

A respiração da garçonete se acelerou e, por um instante, para usar as palavras de Bella, ela ficou tonta com minha voz.

Em um momento repentino de clareza, ao ouvir como minha voz soava na mente daquela humana irrelevante, entendi por que eu parecia atrair tanta admiração naquela noite: não estava despertando o medo usual.

Era por causa de Bella. Ao me esforçar para ser seguro para ela, para parecer menos assustador, para parecer *humano*, eu tinha perdido minha agressividade. Os outros humanos estavam vendo apenas a beleza, com meu horror inato cuidadosamente sob controle.

Olhei para a garçonete, esperando que ela se recuperasse. Chegava a ser engraçado, agora que eu tinha entendido o motivo.

— C-claro. Aqui está.

Ela me entregou a caderneta com a conta, pensando no papel que tinha colocado atrás do recibo. Um papel com seu nome e número de telefone.

Sim, era muito engraçado.

Eu já tinha separado o dinheiro. Logo devolvi a caderneta, para que ela não perdesse tempo esperando por uma ligação que nunca ia receber.

— Não precisa de troco — falei, esperando que a gorjeta amenizasse sua decepção.

Levantei-me, e Bella me acompanhou. Eu queria oferecer minha mão a ela, mas achei que seria testar demais minha sorte por uma noite. Agradeci à garçonete, sem desviar em nenhum momento os olhos do rosto de Bella, que também parecia estar achando aquilo divertido.

Andei o mais perto dela que me atrevia. Perto o suficiente para que o calor que Bella irradiava parecesse tocar fisicamente o lado esquerdo do meu corpo.

Enquanto eu segurava a porta, ela suspirou baixinho, e eu me perguntei que arrependimentos pesariam sobre ela. Encarei seus olhos, prestes a perguntar, mas de repente ela olhou para o chão, parecendo envergonhada. Isso me deixou mais curioso e também mais relutante em fazer a pergunta. O silêncio entre nós perdurou enquanto eu abria a porta do carona para ela e entrava no carro.

Liguei o aquecedor. O clima mais ameno tinha sido interrompido de forma abrupta; o carro frio seria desconfortável para ela. Bella se aconchegou na minha jaqueta, exibindo um sorrisinho.

Eu esperei, adiando a conversa até as luzes da calçada ficarem para trás. Dessa forma eu me senti mais a sós com ela.

Será que aquilo era a coisa certa? O carro parecia muito pequeno. O cheiro dela se espalhava com o ar saindo do aquecedor, aumentando e ficando mais intenso até ganhar vida própria, feito uma terceira entidade dentro do veículo. Uma presença que exigia ser reconhecida.

E era. Eu estava queimando, mas o ardor era tolerável. E me parecia estranhamente apropriado. Eu tinha recebido tanta coisa naquela noite, mais do que esperava. E ali estava ela, ainda voluntariamente ao meu lado. Eu devia algo a ela em troca. Um sacrifício. Uma oferenda.

Se eu pudesse, limitaria minha reação a isso: apenas um ardor, nada mais. Mas o veneno encheu minha boca, e meus músculos se retesaram em antecipação, como se eu estivesse caçando.

Eu tinha que afastar esses pensamentos. E sabia o que ia me distrair.

— Agora — falei, o medo de sua resposta se sobrepondo ao ardor que eu sentia — é a sua vez.

10. TEORIA

— Posso fazer só mais uma pergunta? — pediu ela, em vez de me contar o que eu queria saber.

Eu estava tenso e ansioso, pensando no pior cenário. Ainda assim, era muito tentador prolongar esse momento. Tê-la ao meu lado, por livre e espontânea vontade, durante mais alguns segundos. Suspirei diante do dilema e então respondi:

— Uma.

— Bom... — Ela hesitou por um momento, como se estivesse escolhendo qual pergunta fazer. — Você disse que sabia que eu não tinha entrado na livraria e que fui para o sul. Estou aqui me perguntando como sabia disso.

Olhei com raiva pelo para-brisa. Era mais uma pergunta que não revelava nada sobre ela, mas muito sobre mim.

— Pensei que tínhamos deixado as evasivas para trás — disse ela, em tom de crítica e decepção.

Que ironia. Ela era sempre evasiva, mesmo sem tentar.

Bem, ela queria que eu fosse direto. De qualquer modo, essa conversa seguiria por um caminho difícil.

— Tudo bem, então — falei. — Eu segui o seu cheiro.

Queria observar o rosto dela, mas tinha medo do que veria. Em vez disso, escutei sua respiração acelerar e depois se estabilizar. Ela voltou a falar pouco depois, e sua voz estava mais calma do que eu esperava.

— E você não respondeu a uma das minhas perguntas... — disse ela.

Olhei para Bella, franzindo a testa. Ela também estava evitando algumas respostas.

— Qual delas?

— Como é que isso funciona... O negócio de ler a mente? — continuou, repetindo a pergunta feita no restaurante. — Pode ler a mente de qualquer um, em qualquer lugar? Como você faz isso? Toda a sua família pode...? — Ela se deteve, corando outra vez.

— É mais de uma pergunta — falei.

Ela me olhou, aguardando as respostas.

E por que não lhe contar? Ela já tinha adivinhado a maior parte, e era um assunto mais fácil do que o outro que pairava sobre nós.

— Não, só eu. E não posso ouvir qualquer um, em qualquer lugar. Tenho que estar bem perto. Quanto mais conhecida for a... "voz" da pessoa, maior a distância em que posso ouvi-la. Mas ainda assim, só a poucos quilômetros. — Tentei pensar em uma descrição mais compreensível. Em uma analogia que fizesse sentido para ela. — É meio como estar em uma sala enorme cheia de gente, todos falando ao mesmo tempo. É como um zumbido... Um zumbido de vozes ao fundo. Até que me concentro em uma só voz, e depois o que ela está pensando fica claro. Na maior parte do tempo, silencio esses sons... eles podem me distrair muito. Além disso, assim é mais fácil parecer *normal* — franzi o cenho —, quando não estou respondendo sem querer aos pensamentos de alguém, achando que são palavras.

— Por que você acha que não pode me ouvir? — indagou ela.

Respondi com mais uma verdade e mais uma analogia.

— Não sei — admiti. — A única suposição que eu tenho é que talvez sua mente não funcione da mesma maneira que a dos outros. Como se seus pensamentos estivessem na frequência AM e eu só pegasse FM.

Assim que as palavras saíram, me dei conta de que ela não gostaria dessa analogia. Prever sua reação me fez sorrir. Ela não decepcionou.

— Minha mente não funciona bem? — perguntou, o tom de voz oscilando. — Eu sou alguma aberração?

Ah, mais uma vez, que ironia.

— Ouço vozes em minha mente e está preocupada que *você* seja a aberração. — Eu ri.

Ela entendia os mínimos detalhes, mas via as questões maiores de maneira invertida. Sempre com os instintos errados.

Bella mordia o lábio, o vinco em sua testa cada vez mais profundo.

— Não se preocupe — tranquilizei-a —, é só uma teoria... — E havia uma teoria mais importante a ser discutida. Eu estava ansioso para acabar logo com aquilo. Cada segundo parecia adiar mais e mais o inevitável. — O que nos leva de volta a você.

Ela suspirou, ainda mordendo o lábio; temi que se machucasse. Ela me olhou nos olhos, o semblante preocupado.

— Já não deixamos as evasivas para trás agora? — perguntei, com delicadeza.

Ela olhou para baixo, lutando com algum dilema interno. De repente, ficou tensa e arregalou os olhos. Pela primeira vez, o medo ficou estampado em seu rosto.

— Que droga! — Ela ofegou.

Entrei em pânico. O que ela tinha visto? Como eu a tinha assustado?

Então, ela gritou:

— Reduza a velocidade!

— Qual é o problema?

Eu não conseguia entender de onde vinha aquele pavor.

— Você está indo a cento e cinquenta por hora! — berrou.

Ela olhou de relance pela janela e se encolheu diante das árvores escuras que passavam depressa.

Essa coisa ínfima, um pouquinho de velocidade, a fez gritar de medo?

Revirei os olhos.

— Relaxe, Bella.

— Está tentando nos matar? — perguntou, em voz alta e tensa.

— Não vamos bater — prometi a ela.

Ela respirou fundo, e então falou em um tom de voz um pouco mais moderado.

— Por que está com tanta pressa?

— Sempre dirijo assim.

Olhei para ela, achando graça de sua expressão surpresa.

— Não tire os olhos da estrada! — gritou.

— Nunca sofri um acidente, Bella... Nunca nem mesmo recebi uma multa. — Sorri e levei a mão à testa. Aquilo tornava a situação mais engraçada:

o absurdo de conseguir fazer uma piada com ela sobre algo tão secreto e estranho. — Detector embutido de radar.

— Muito engraçado — disparou ela, com sarcasmo, a voz denotando mais medo do que raiva. — Charlie é policial, lembra? Fui criada para respeitar as leis de trânsito. Além disso, se nos transformar numa pizza de Volvo no tronco de uma árvore, você provavelmente vai conseguir escapar.

— Provavelmente — concordei, e então ri sem achar graça. Sim, teríamos destinos bem diferentes em um acidente de carro. Ela tinha razão em estar com medo, apesar das minhas habilidades no volante. — Mas você não vai. — Com um suspiro, diminuí a velocidade do carro, quase parando. — Satisfeita?

Ela olhou para o velocímetro.

— Quase.

Isso ainda era rápido demais para ela?

— Odeio dirigir devagar — resmunguei, mas deixei o ponteiro baixar mais um pouco.

— Isso é devagar? — perguntou ela.

— Chega de comentários sobre como eu dirijo — falei, impaciente.

Quantas vezes ela já tinha se esquivado da minha pergunta? Três? Quatro? Será que as suas suposições eram tão horríveis assim? Eu tinha que saber. Imediatamente.

— Ainda estou esperando por sua teoria mais recente.

Ela mordeu o lábio outra vez, e seu rosto assumiu uma expressão preocupada, quase sofrida.

Dominei minha impaciência e suavizei o tom de voz. Não queria que ela ficasse aflita.

— Eu não vou rir — prometi, torcendo para que sua relutância em falar fosse apenas constrangimento.

— Meu maior medo é que você fique com raiva de mim — sussurrou ela.

Forcei minha voz a sair calma.

— É tão ruim assim?

— Muito ruim.

Ela olhou para baixo, recusando-se a me encarar. Os segundos passavam.

— Continue — encorajei-a.

Sua voz saiu bem baixa.

— Não sei por onde começar.

— Por que não começa do início? — Lembrei o que ela dissera antes do jantar. — Você disse que não concluiu isso sozinha.

— Não — concordou, e então calou-se de novo.

Pensei em coisas que pudessem tê-la inspirado.

— De onde tirou... De um livro? Um filme?

Eu deveria ter olhado suas coleções enquanto ela estava fora de casa. Eu não tinha ideia se Bram Stoker e Anne Rice estavam na pilha de livros.

— Não... — repetiu ela. — Foi no sábado, na praia.

Eu não esperava por isso. As fofocas locais sobre nós nunca descambavam para algo muito bizarro, ou muito próximo da verdade. Havia surgido algum boato novo que eu não sabia? Bella desviou o olhar das mãos e viu a surpresa em meu rosto.

— Eu estive com um velho amigo da família... Jacob Black — continuou. — O pai dele e Charlie são amigos desde que eu era bebê.

Jacob Black. O nome não era familiar, mas ainda assim me lembrava algo... em *algum* momento, havia muito tempo... Olhei pelo para-brisa, repassando lembranças em busca de uma conexão.

— O pai dele é um dos anciãos quileutes — disse ela.

Jacob Black. *Ephraim Black*. Um descendente, sem dúvida.

Não podia ser pior.

Ela sabia a verdade.

Minha mente mapeava as possíveis consequências enquanto o carro voava pelas curvas escuras da estrada, meu corpo tenso de angústia, imóvel, a não ser pelas pequenas ações automáticas necessárias para dirigir.

Ela sabia a verdade.

Mas... se ela tinha descoberto no sábado... então estava ciente a noite toda, e mesmo assim...

— Fomos dar uma volta — prosseguiu ela. — E ele me contou algumas lendas antigas... Acho que tentando me assustar. Ele me contou uma...

Ela parou de repente, mas não havia razão para ficar apreensiva. Eu sabia o que ela ia dizer. O único mistério ainda sem resposta era por que ela estava comigo naquele momento.

— Continue — falei.

— Sobre vampiros. — Suas palavras saíram mais baixo do que um sussurro.

Por algum motivo, ouvi-la dizer a palavra era ainda pior do que descobrir que ela já sabia. O som me fez estremecer, então retomei o controle.

— E você imediatamente pensou em mim? — perguntei.

— Não. Ele... falou na sua família.

Como era irônico que a própria prole de Ephraim fosse a responsável por violar o acordo que ele jurara manter. Um neto, ou um bisneto, talvez. Quantos anos tinham se passado? Setenta?

Eu deveria saber que o perigo não estava nos velhos homens que *acreditavam* nas lendas. Estava, é claro, na geração mais jovem — aqueles que receberiam o alerta, mas achariam graça das superstições de seus anciãos. Ali residia o perigo da exposição.

Supus que, com isso, eu estivesse livre para abater as tribos menores e indefesas no litoral, se assim desejasse. Ephraim e seu clã de protetores estavam mortos havia muito tempo.

— Ele só achava que era uma superstição tola — disse Bella de repente, a voz tomada por uma nova ansiedade, como se conseguisse ler os *meus* pensamentos. — Não esperava que eu acreditasse nela.

De esguelha, vi suas mãos se retorcendo de apreensão.

— A culpa foi minha — falou depois de uma breve pausa, então baixou a cabeça, como se estivesse com vergonha. — Eu o obriguei a me contar.

— Por quê?

Já não era tão difícil manter minha voz tranquila. O pior já tinha passado. Contanto que falássemos sobre os detalhes da revelação, não teríamos que tratar das consequências.

— Lauren disse uma coisa sobre você... Ela estava tentando me provocar. — Bella fez uma careta por causa da lembrança. Eu estava um pouco distraído, pensando em como poderia ser usado por alguém para provocá-la. — E um garoto mais velho da tribo disse que a sua família não podia ir à reserva, mas pareceu que ele queria dizer outra coisa. Então consegui ficar sozinha com Jacob e arranquei isso dele.

Ela baixou ainda mais a cabeça enquanto falava, e sua expressão era de... culpa.

Desviei do olhar dela e ri; era um som incômodo. *Ela* se sentia culpada? O que ela poderia ter feito para merecer algum tipo de censura?

— Arrancou dele como? — perguntei.

— Tentei paquerar... Deu mais certo do que eu esperava — explicou ela, e sua voz tinha um quê de incredulidade ao lembrar que havia funcionado.

Dava até para imaginar, considerando a atração que ela exercia sobre tudo que era masculino, algo totalmente inconsciente para ela, quão irresistível ela seria quando *tentava* ser atraente. Fui tomado por uma súbita pena do garoto inocente que fora atingido por essa força tão poderosa.

— Gostaria de ter visto isso — falei, e então ri outra vez, com um humor ácido. Eu queria ter ouvido a reação do garoto, queria ter testemunhado sua devastação. — E você me acusou de deixar as pessoas tontas... Coitado do Jacob Black.

Achei que fosse sentir mais raiva do responsável pela minha exposição. Mas ele não sabia o que estava falando. E como eu podia esperar que alguém negasse a essa garota o que ela queria? Não, senti apenas empatia pelo estrago que ela devia ter causado à paz de espírito do garoto.

Senti seu rubor aquecer o ar entre nós. Virei-me para ela, que estava olhando pela janela e não falou mais nada.

— O que você fez depois? — perguntei.

Era hora de voltar à história de terror.

— Pesquisei um pouco na internet.

Sempre pragmática.

— E isso a convenceu?

— Não — respondeu ela. — Nada se encaixava. A maior parte era meio boba. E então...

Ela se interrompeu mais uma vez, e ouvi-a cerrar a mandíbula.

— O quê?

O que ela havia encontrado? O que a tinha levado a entender aquele pesadelo?

Houve um breve silêncio, e então ela sussurrou:

— Concluí que não importava.

A surpresa paralisou meus pensamentos por meio segundo, e então tudo fez sentido. Entendi por que ela mandou as amigas embora em vez de fugir com elas. Por que entrou no meu carro em vez de correr e chamar a polícia.

As reações dela eram sempre erradas, sempre totalmente erradas. Ela atraía o perigo para si. Ela o convidava.

— Não *importava*? — falei, a raiva me dominando.

Como eu poderia proteger uma pessoa tão... tão... tão determinada a não ser protegida?

— Não — respondeu ela, em um tom de voz baixo que era inexplicavelmente doce. — Não importa para mim o que você é.

Ela era inacreditável.

— Você não liga que eu seja um monstro? Que eu não seja *humano*?

— Não.

Comecei a questionar sua sanidade mental.

Eu poderia arrumar para ela o melhor tratamento disponível... Carlisle conseguiria o contato dos médicos mais qualificados, dos terapeutas mais talentosos. Talvez algo pudesse ser feito para consertar o que havia de errado com ela, o que quer que fosse que a deixava contente em estar ao lado de um vampiro, enquanto seu coração batia em um ritmo calmo e estável. Eu ficaria de olho na clínica psiquiátrica, naturalmente, e a visitaria sempre que permitissem.

— Você está com raiva. — Ela suspirou. — Eu não devia ter dito nada.

Como se nos ajudasse em alguma coisa ela esconder essas tendências perturbadoras.

— Não. Queria mesmo saber o que você está pensando... Mesmo que seja uma loucura.

— Então estou errada de novo? — indagou ela, um pouco hostil.

— Não é a isso que estou me referindo! — Cerrei os dentes outra vez. — "*Não importa!*" — repeti com rispidez.

Ela ofegou.

— Eu estou certa?

— Isso *importa*? — retruquei.

Ela respirou fundo. Aguardei a resposta, irritado.

— Na verdade, não — respondeu, a voz serena outra vez. — Mas estou *curiosa*.

Na verdade, não. Não importava mesmo. Ela não ligava. Sabia que eu não era humano, uma abominação, e isso de fato não tinha nenhuma importância para ela.

Para além das minhas preocupações sobre sua sanidade, comecei a sentir uma esperança crescente. Tentei reprimi-la.

— Está curiosa com o quê? — perguntei.

Não havia mais nenhum segredo a revelar, só pequenos detalhes.

— Quantos anos você tem? — quis saber ela.

A resposta era automática e estava arraigada em mim.

— Dezessete.

— E há quanto tempo tem dezessete anos?

Tentei não sorrir diante de seu tom condescendente.

— Há algum tempo — admiti.

— Tudo bem — disse ela, de súbito entusiasmada.

Ela abriu um sorriso para mim. Quando olhei de volta, novamente preocupado com sua saúde mental, ela sorriu ainda mais. Franzi a testa.

— Não ria — alertou. — Mas como você consegue sair durante o dia?

Eu ri, apesar de seu pedido. Ao que parecia, suas pesquisas não tinham encontrado nada fora do habitual.

— Mito — falei.

— Queimado pelo sol?

— Mito.

— Dormir em caixões?

— Mito.

Dormir não fazia parte da minha vida havia muito tempo, ao menos até as últimas noites, quando observei Bella sonhando.

— Não posso dormir — murmurei, dando uma resposta mais completa.

Ela ficou calada por um momento.

— Nunca? — perguntou.

— Nunca — respondi, baixinho.

Quando encontrei seu olhar penetrante, vendo surpresa e empatia, de repente senti um desejo intenso de dormir. Não para esquecer, como já tinha feito, não para fugir do tédio, mas porque eu queria *sonhar*. Talvez, se eu conseguisse ficar inconsciente, se conseguisse sonhar, eu pudesse viver por algumas horas em um mundo em que pudéssemos ficar juntos. Ela sonhava comigo. Eu queria sonhar com ela.

Bella me encarou de volta com uma expressão de puro encantamento. Precisei desviar o olhar.

Eu não podia sonhar com ela. Ela não deveria sonhar comigo.

— Você ainda não me fez a pergunta mais importante — falei.

No meu peito silencioso, o coração de pedra pareceu mais frio e mais duro do que antes. Seria preciso forçá-la a entender. Em algum momento, seria preciso mostrar para ela que isso tudo tinha, *sim*, importância — mais do que qualquer outra coisa. Mais até do que o amor que eu sentia por ela.

— Qual? — perguntou, surpresa e com ar inocente.

Isso só tornou meu tom de voz mais severo.

— Não está preocupada com a minha dieta?

— Ah, isso.

Não consegui interpretar o tom quieto de sua voz.

— É, isso. Quer saber se eu bebo sangue?

A pergunta fez com que ela recuasse. Finalmente.

— Bom, o Jacob disse alguma coisa sobre isso — comentou ela.

— O que o Jacob disse?

— Disse que vocês não... caçam pessoas. Disse que sua família não devia ser perigosa porque vocês só caçavam animais.

— Ele disse que não éramos perigosos? — repeti, com desdém.

— Não exatamente — explicou. — Ele disse que vocês não *deviam* ser perigosos. Mas os quileutes ainda não querem vocês nas terras deles, por segurança.

Olhei para a estrada. Meus pensamentos eram um emaranhado sem salvação, minha garganta queimava com o fogo de sempre.

— E aí, ele tem razão? — perguntou ela, com a calma de quem está apenas confirmando a previsão do tempo. — Sobre não caçar pessoas?

— Os quileutes têm boa memória.

Ela assentiu, refletindo sobre aquilo.

— Mas não permita que isso a deixe complacente — prossegui. — Eles têm razão em manter distância de nós. Ainda somos perigosos.

— Não entendo.

Não, ela não estava entendendo. Como fazê-la enxergar?

— Nós... *tentamos* — contei a ela. — Em geral, somos muito bons no que fazemos. Às vezes, cometemos erros. Como eu, por exemplo, me permitindo ficar sozinho com você.

O cheiro dela ainda era uma potência no carro. Eu estava me acostumando a ele, quase podia ignorá-lo, mas não havia dúvidas de que meu corpo ansiava por ela pelo motivo errado. Minha boca aguava com veneno. Engoli.

— Isso é um erro? — perguntou ela, e havia dor em sua voz.

Ouvir isso me desarmou. Ela queria estar comigo. Apesar de tudo, ela queria estar comigo.

A esperança cresceu de novo, e voltei a contê-la.

— Um erro muito perigoso — respondi com sinceridade, torcendo para que a verdade, de alguma forma, deixasse de ser importante.

Ela não respondeu na hora. Ouvi sua respiração mudar — oscilava de maneiras estranhas que não pareciam medo.

— Me conte mais — pediu ela de repente, a angústia alterando sua voz.

Observei-a com atenção.

Ela parecia estar sofrendo. Como deixei *isso* acontecer?

— O que mais quer saber? — perguntei, tentando pensar em um jeito de impedir que ela sofresse.

Ela não deveria sofrer. Eu não poderia deixá-la sofrer.

— Me conte por que vocês caçam animais em vez de gente — pediu ela, ainda angustiada.

Não era óbvio? Ou talvez isso também não fosse importante para ela.

— Eu *não quero* ser um monstro — murmurei.

— Mas os animais não bastam?

Tentei pensar em outra comparação, algo que ela pudesse compreender.

— É claro que não posso ter certeza, mas comparo isso a viver de tofu e leite de soja; nós nos dizemos vegetarianos, nossa piadinha particular. Não sacia completamente a fome... ou melhor, a sede. Mas isso nos mantém fortes o suficiente para resistir. Na maior parte do tempo. — Minha voz ficou mais grave. Eu sentia vergonha por permitir que ela ficasse em perigo. E por continuar a deixá-la em perigo. — Algumas vezes é mais difícil do que em outras.

— Está muito difícil para você agora?

Suspirei. É claro que ela faria a pergunta que eu não queria responder.

— Sim — admiti.

Dessa vez, supus corretamente qual seria sua reação física: sua respiração continuou estável, o coração manteve seu ritmo tranquilo. Eu esperava por isso, mas não entendia. Como ela não sentia medo?

— Mas agora você não está com fome — declarou, com convicção.

— Por que acha isso?

— Seus olhos — respondeu de imediato. — Eu disse que tinha uma teoria. Percebi que as pessoas, em particular os homens, ficam mais rabugentos quando estão com fome.

Eu ri da descrição: *rabugentos*. Era um eufemismo. Mas, como sempre, ela estava certíssima.

— Você é bem observadora, não é? — Eu ri outra vez.

Ela abriu um sorrisinho, o vinco voltando a se formar entre os olhos, como se ela estivesse se concentrando em algo.

— Você foi caçar no fim de semana, com Emmett? — perguntou depois que parei de rir.

Ela falava com uma tranquilidade que era ao mesmo tempo fascinante e frustrante. Será que ela realmente aceitava tudo aquilo sem problema? Parecia mais provável eu entrar em choque do que ela.

— Fui — confirmei. E então, quando não ia acrescentar mais nada, senti a mesma urgência que sentira no restaurante: eu queria que ela me conhecesse. — Eu não queria ir — falei —, mas era necessário. É muito mais fácil ficar perto de você quando não estou com sede.

— Por que não queria ir?

Respirei fundo e me virei para encontrar seu olhar. Esse tipo de sinceridade era difícil de uma maneira bem diferente.

— Me deixa... angustiado... — Achei que essa palavra seria adequada, embora não fosse forte o bastante. — ... ficar longe de você. Eu não estava brincando quando pedi, na quinta passada, para você tentar não cair no mar nem ser atropelada. Fiquei disperso o fim de semana todo, preocupado com você. E, depois do que aconteceu esta noite, é uma surpresa que você tenha passado por todo o fim de semana incólume. — Então me lembrei dos arranhões em sua mão. — Bom, não totalmente incólume.

— O quê?

— Suas mãos — lembrei-lhe.

Ela suspirou e fez um muxoxo.

— Eu caí.

— Foi o que pensei — falei, incapaz de conter um sorriso. — Imagino que, sendo você, podia ter sido muito pior... E essa possibilidade me atormentou o tempo todo em que estive fora. Foram três dias muito longos. Eu irritei bastante o Emmett.

Para ser sincero, essa frase não deveria estar no pretérito perfeito. Eu provavelmente ainda estava irritando muito Emmett e toda a minha família. À exceção de Alice.

— Três dias? — perguntou ela, a voz subitamente ríspida. — Você não voltou hoje?

Não entendi a aspereza em sua voz.

— Não, voltamos no domingo.

— Então por que nenhum de vocês foi à escola? — pressionou.

Sua irritação me deixou confuso. Ela parecia não se dar conta de que essa pergunta também tinha relação com a mitologia.

— Bom, você perguntou se o sol me machucava, e não machuca — expliquei. — Mas não posso sair na luz do sol... Pelo menos, não onde todo mundo possa ver.

Isso a fez deixar de lado sua irritação misteriosa.

— E por quê? — perguntou, inclinando a cabeça.

Eu não conseguiria encontrar uma analogia apropriada para isso, então apenas falei:

— Um dia eu mostro.

Na mesma hora, me perguntei se essa não era uma promessa que eu acabaria quebrando — as palavras saíram com muita naturalidade, mas não esperava cumpri-las de fato.

Eu não deveria me preocupar com isso naquele momento. Depois dessa noite, não sabia se teria permissão para vê-la outra vez. Será que eu a amava a ponto de conseguir deixá-la?

— Podia ter me ligado — falou ela.

Que conclusão esquisita.

— Mas eu sabia que você estava segura.

— Mas *eu* não sabia onde *você* estava. Eu... — Ela se interrompeu de repente e olhou para as mãos.

— O quê?

— Não gosto disso — disse ela, envergonhada, a pele do rosto esquentando. — Não ver você. Me deixa angustiada também.

Está feliz *agora, Edward?*, perguntei a mim mesmo. Bem, ali estava minha recompensa por ter esperança.

Eu fiquei atordoado, eufórico, horrorizado — acima de tudo, horrorizado — ao perceber que minhas fantasias mais delirantes não estavam de todo erradas. Era por isso que ela não se importava que eu fosse um monstro. Era exatamente o mesmo sentimento que me levava a ignorar as regras. Era a razão por que certo e errado não exerciam mais uma influência decisiva sobre mim. A razão para todas as minhas prioridades terem sido rearranjadas, de modo que ela pudesse ocupar o topo.

Bella também se importava comigo.

Eu sabia que seu sentimento não se comparava à intensidade do meu amor — ela era uma mortal, inconstante. Não estava aprisionada, sem chance de redenção. Mas, ainda assim, ela se importava o bastante para arriscar a própria vida e se sentar ali comigo. E fazia isso de bom grado.

Ela se importava o bastante para sofrer se eu fizesse a coisa certa e a deixasse.

Havia algo que eu pudesse fazer naquele momento que *não* lhe causasse sofrimento? Qualquer coisa?

Cada palavra que dizíamos, cada uma delas era mais uma semente de romã. Aquela visão estranha no restaurante tinha sido mais certeira do que eu imaginara.

Eu deveria ter mantido distância. Não deveria ter voltado a Forks. Eu não traria nada além de dor para ela.

Isso me impediria de ficar onde eu estava? De piorar a situação?

Do jeito que eu me sentia naquele instante, recebendo seu calor na minha pele...

Não. Nada me impediria.

— Ah — gemi, baixinho. — Isso é um erro.

— O que eu disse? — perguntou ela, rápida em assumir a culpa.

— Não vê, Bella? Uma coisa é eu mesmo ficar infeliz, outra bem diferente é você se envolver tanto. Não quero ouvir que você se sente assim. — Era verdade, era mentira. Meu lado mais egoísta estava em êxtase por saber que ela me queria tanto quanto eu a queria. — Está errado. Não é seguro. Eu sou perigoso, Bella... Por favor, entenda isso.

— Não.

Ela fechou a cara, teimosa.

— Estou falando sério.

Eu travava um intenso conflito interno — parte de mim desesperada para que meu alerta fosse acatado, a outra desesperada para silenciá-lo —, tão intenso que as palavras saíram da minha boca como um rosnado.

— Eu também — insistiu ela. — Já disse, não importa para mim o que você é. Agora é tarde demais.

Tarde demais? Por um segundo infinito, o mundo assumiu um tom deprimente de preto e branco, e, em minha memória, vi as sombras rastejarem pelo gramado em direção à figura adormecida de Bella. Inevitável, incontrolável. Elas roubaram o frescor de sua pele e a jogaram na escuridão, no submundo.

Tarde demais? A visão de Alice rodopiou em minha mente, os olhos vermelho-sangue de Bella me encarando impassíveis, sem expressão. Mas era impossível que ela *não* fosse me odiar por esse futuro. Me odiar por roubar tudo o que ela tinha.

Não podia ser tarde demais.

— Nunca mais diga isso — rosnei.

Ela olhou pela janela e mordeu de novo o lábio. Os punhos estavam cerrados no colo. Sua respiração era pesada e errática.

— No que está pensando? — Eu precisava saber.

Ela balançou a cabeça sem me olhar. Vi algo brilhar em sua face, como um cristal.

Que agonia.

— Está chorando? — perguntei.

Eu tinha feito Bella *chorar*. Eu a machucara a esse ponto.

Ela limpou a lágrima com as costas da mão.

— Não — mentiu, a voz falhando.

Algum instinto, morto havia muito tempo, me fez estender a mão em sua direção, e nesse segundo me senti mais humano do que nunca. Então lembrei que eu... não era. E baixei a mão.

— Desculpe — falei, a mandíbula tensa.

Como eu poderia dizer a ela o quanto queria me desculpar? Me desculpar por todos os erros idiotas que cometi. Me desculpar por meu egoísmo sem fim. Me desculpar por sua má sorte em despertar esse meu primeiro, e último, trágico amor. Me desculpar também por todas as coisas fora do meu controle, principalmente por ser o carrasco escolhido pelo destino para pôr fim à sua vida.

Respirei fundo, ignorando minha reação odiosa ao cheiro no carro, e tentei me recompor.

Queria mudar de assunto, pensar em outra coisa. Para minha sorte, minha curiosidade sobre essa garota era insaciável.

— Me diga uma coisa — pedi.

— O quê? — respondeu ela, com a voz rouca e ainda chorosa.

— O que você estava pensando hoje à noite, pouco antes de eu aparecer na esquina? Não consegui entender a sua expressão... Você não parecia tão assustada, parecia que estava muito concentrada em alguma coisa.

Lembrei-me de seu rosto — me forçando a esquecer os olhos pelos quais eu a enxergara —, o semblante cheio de determinação.

— Estava tentando me lembrar de como incapacitar um agressor... — disse ela, com a voz mais firme. — Sabe como é, defesa pessoal. Eu ia fazer o nariz dele afundar até o cérebro.

Sua serenidade não durou até o fim da frase. O tom foi mudando e ficou carregado de ódio. Não era exagero, e sua fúria não tinha mais graça. Eu via sua figura frágil — seda esticada sobre vidro — acuada pelos monstros corpulentos e cruéis que a teriam machucado. A fúria fervilhava dentro de mim.

— Você ia lutar com eles? — Eu queria grunhir. Os instintos dela eram fatais... para ela mesma. — Não pensou em correr?

— Eu caio muito quando corro — falou ela, constrangida.

— E gritar por ajuda?

— Eu ia chegar a essa parte.

Balancei a cabeça, incrédulo.

— Você tem razão... Definitivamente estou lutando contra o destino ao tentar manter você viva.

Ela suspirou e deu uma espiada pela janela. Então olhou de novo para mim.

— Vou ver você amanhã? — perguntou de repente.

Já que estávamos indo para o inferno... por que não aproveitar a viagem?

— Vai... Também tenho que entregar um trabalho. — Sorri para ela e me senti bem ao fazer isso. Com certeza não eram só os instintos dela que estavam errados. — Vou guardar um lugar para você no refeitório.

O coração dela acelerou; o meu, morto, pareceu mais aquecido.

Parei o carro em frente à casa do pai dela. Bella não se mexeu.

— *Promete* estar lá amanhã? — insistiu.

— Prometo.

Como era possível ficar tão feliz por fazer a coisa errada? Sem dúvida tinha algum problema comigo.

Ela assentiu, feliz, e começou a tirar minha jaqueta.

— Pode ficar com ela — assegurei, depressa. Eu queria que ela ficasse com algo meu. Uma lembrança, como a tampinha que eu levava no meu bolso. — Você não vai ter casaco para amanhã.

Ela devolveu a jaqueta mesmo assim, sorrindo com tristeza.

— Não quero ter que explicar isso ao Charlie — falou.

Imaginei que não. Sorri para ela.

— Ah, sim.

Ela pôs a mão na maçaneta e então parou. Não queria ir embora, assim como eu não queria que ela partisse.

Deixá-la desprotegida, mesmo que por pouco tempo...

A essa altura, Peter e Charlotte já estavam longe, deviam ter passado de Seattle havia muito tempo. Mas sempre haveria outros.

— Bella? — chamei, maravilhado com o prazer de simplesmente falar seu nome.

— Sim?

— Me promete uma coisa?

— Prometo — concordou na hora, e em seguida estreitou os olhos, como se tivesse encontrado um motivo para discordar.

— Não vá à floresta sozinha — alertei, me perguntando se o pedido estimularia a objeção em seus olhos.

Ela me olhou perplexa.

— Por quê?

Olhei com raiva para a escuridão à espreita. A falta de iluminação não era um problema para *meus* olhos, tampouco seria um obstáculo para outro caçador.

— Nem sempre eu sou a coisa mais perigosa por lá — falei. — É só isso que vou dizer.

Ela estremeceu, mas se recompôs rapidamente, e estava até sorrindo quando falou:

— Como quiser.

Seu hálito tocou meu rosto, tão doce.

Eu poderia ficar a noite toda daquele jeito, mas ela precisava dormir. Os dois anseios pareciam igualmente poderosos enquanto lutavam dentro de mim: o desejo por ela e o desejo de que estivesse bem.

Suspirei diante das impossibilidades.

— A gente se vê amanhã — falei, sabendo que a veria muito antes disso.

Mas *ela* não me veria até o dia seguinte.

— Amanhã, então — concordou, abrindo a porta.

De novo a agonia, dessa vez por vê-la ir embora.

Inclinei-me em sua direção, querendo mantê-la ali.

— Bella?

Ela se virou e ficou imóvel, surpresa em ver nossos rostos tão próximos.

Eu também estava arrebatado por essa proximidade. O calor emanava dela em ondas, acariciando meu rosto. Eu quase podia sentir a maciez de sua pele.

Seus batimentos ficaram irregulares, e seus lábios se abriram.

— Durma bem — sussurrei, e recuei antes que a urgência em meu corpo, fosse a sede de sempre ou a nova e estranha fome que senti de repente, me levasse a fazer algo que pudesse machucá-la.

Ela ficou ali, paralisada, os olhos bem abertos e atordoados. Talvez até tonta, imaginei.

Assim como eu.

Ela se recompôs, embora o rosto ainda estivesse um tanto perplexo, e desceu meio sem jeito, tropeçando nos próprios pés e se apoiando no carro para se endireitar.

Dei uma risada, torcendo para que ela não tivesse ouvido.

Ela cambaleou até as luzes da porta de casa. Segura, por enquanto. E eu voltaria em breve para ter certeza.

Senti seu olhar me acompanhando enquanto eu dirigia pela rua escura. Era uma sensação bem diferente da que eu estava acostumado. Em geral, eu podia simplesmente me *observar* pelos olhos de alguém, se quisesse. Era estranhamente empolgante, essa vaga sensação de ser observado. Eu sabia que era só porque se tratava dos olhos *dela*.

Milhões de pensamentos se atropelaram em minha cabeça conforme eu dirigia sem rumo pela noite.

Circulei pelas ruas por um bom tempo, sem destino certo, pensando em Bella e na incrível libertação da verdade revelada. Não precisava mais ter medo de que ela descobrisse o que eu era. Ela sabia. E não se importava. Embora sem dúvida fosse algo ruim para ela, era incrivelmente libertador para mim.

Mais do que isso, pensei em Bella e no amor correspondido. Ela não podia me amar como eu a amava: um amor tão desmedido, arrebatador e devastador provavelmente destruiria seu corpo frágil. Contudo, ela tinha sentimentos poderosos. Fortes o bastante para abafar o medo instintivo. Fortes o bastante para ela querer estar comigo. E estar com ela era uma das maiores alegrias que eu já tinha sentido.

Como eu estava sozinho e sem machucar ninguém, para variar, me permiti ficar feliz por um momento sem pensar na parte trágica. Me permiti sentir apenas a euforia por ela gostar de mim. O êxtase pelo triunfo de conquistar seu afeto. Me imaginei sentado perto dela no dia seguinte, ouvindo sua voz e ganhando seus sorrisos.

Fiquei repassando esse sorriso na minha cabeça, vendo seus lábios grossos se esticarem, a insinuação de uma covinha no queixo afilado, o jeito como seus olhos ficavam cálidos e doces. Essa noite, seus dedos pareceram tão macios e suaves sobre a minha pele. Imaginei como seria tocar a delicada pele das maçãs de seu rosto — sedosa, quente... tão vulnerável. Seda sobre vidro... assustadoramente frágil.

Não percebi o rumo dos meus pensamentos até ser tarde demais. Enquanto eu me prendia àquela vulnerabilidade devastadora, outras imagens do rosto de Bella invadiram meus devaneios.

Perdida nas sombras, pálida de medo, mas com o maxilar tenso e determinado, os olhos totalmente focados, o corpo magro se preparando para o ataque das figuras corpulentas que se juntavam ao seu redor, pesadelos na escuridão.

— Ah — rosnei, e o ódio esquecido em meio à felicidade de amá-la voltou a fervilhar, explodindo em uma fúria infernal.

Eu estava sozinho. Bella, eu sabia, estava segura dentro de casa; por um momento, senti uma alegria feroz pelo fato de Charlie Swan — chefe de polícia local, treinado e armado — ser o pai dela. Aquilo com certeza significava alguma coisa, dava a ela alguma proteção.

Ela estava a salvo. Eu não levaria muito tempo para destruir o mortal que queria feri-la.

Não. Ela merecia coisa melhor. Eu não podia permitir que Bella gostasse de um assassino.

Mas... e os outros?

Bella estava a salvo, sim. Angela e Jessica também, sem dúvida, estavam seguras em suas camas.

Ainda assim, havia um predador à solta nas ruas de Port Angeles. Um monstro humano — isso significava que ele era problema dos humanos? Em geral, nós não nos metíamos em problemas dos humanos, à exceção de Carlisle e seu trabalho contínuo de curar e salvar. Para o resto de nós, a fraqueza por sangue humano era um sério impeditivo para que nos envolvêssemos com eles. E é claro que também havia nossos governantes a distância, o verdadeiro corpo policial dos vampiros, os Volturi. Nós, os Cullen, tínhamos um estilo de vida muito diferente. Atrair a atenção deles por qualquer atitude heroica precipitada seria muito perigoso para nossa família.

Aquela era uma preocupação definitivamente mortal, não pertencia ao nosso mundo. Cometer o assassinato que eu desejava era errado. Eu sabia disso. Mas deixar o homem livre para atacar outra vez também não podia ser certo.

A recepcionista loura do restaurante. A garçonete para quem eu mal tinha olhado. As duas me deram nos nervos de uma maneira boba, mas isso não significava que mereciam estar em perigo.

Virei o carro na direção norte, acelerando, agora que tinha um objetivo. Sempre que me via diante de um dilema — algo concreto como isso —, eu sabia onde buscar ajuda.

Alice estava na varanda, esperando por mim. Parei o carro em frente à casa em vez de ir para a garagem.

— Carlisle está no escritório — avisou ela antes que eu pudesse perguntar.

— Obrigado — falei, bagunçando seu cabelo ao passar.

Obrigada por ter retornado a minha ligação, pensou ela, com sarcasmo.

— Ah. — Parei na porta, pegando meu celular e abrindo-o. — Desculpe. Eu nem olhei de quem era a chamada. Eu estava... ocupado.

— Sim, eu sei. Me desculpe também. Quando percebi o que ia acontecer, você já estava a caminho.

— Foi por pouco — murmurei.

Desculpe, repetiu, envergonhada.

Era fácil ser generoso sabendo que Bella estava bem.

— Não precisa pedir desculpa. Eu sei que você não consegue ver tudo. Ninguém espera que você seja onisciente, Alice.

— Obrigada.

— Quase chamei você para jantar hoje à noite... Viu isso antes de eu mudar de ideia?

Ela sorriu.

— Não, perdi essa também. Queria ter visto. Eu teria ido.

— No que estava concentrada para perder tanta coisa?

Jasper está pensando no nosso aniversário. Ela riu. *Ele está tentando não decidir o que vai me dar de presente, mas acho que faço uma boa ideia...*

— Você é muito cara de pau.

— Sou.

Ela estreitou os lábios e me encarou, um quê de acusação em seu rosto.

Prestei mais atenção depois. Você vai contar a eles que ela sabe?

Suspirei.

— Sim. Mais tarde.

Não vou falar nada. Por favor, conte a Rosalie quando eu não estiver por perto, tudo bem?

Eu me retraí.

— Claro.

Bella reagiu bem.

— Bem até demais.

Alice sorriu para mim.

Não subestime a Bella.

Tentei bloquear a imagem que não queria ver: Bella e Alice melhores amigas.

Suspirei, impaciente. Queria concluir a próxima etapa da noite; queria acabar logo com aquilo. Mas estava um pouco preocupado em sair de Forks.

— Alice... — comecei.

Ela viu o que eu pretendia perguntar.

Ela vai ficar bem essa noite. Vou fazer uma vigilância melhor. Ela precisa de supervisão vinte e quatro horas por dia, não é?

— Pelo menos — falei.

— De qualquer maneira, daqui a pouco você vai estar com ela.

Respirei fundo. Aquelas palavras eram música para meus ouvidos.

— Vá... termine logo com isso para poder ficar onde você quer — disse ela.

Assenti e corri para o escritório de Carlisle.

Ele me aguardava, observando a porta em vez do livro grosso em sua mesa.

— Escutei Alice dizer onde eu estava — falou, abrindo um sorriso.

Era um alívio estar com ele, ver a empatia e a sabedoria em seus olhos. Carlisle saberia o que fazer.

— Preciso de ajuda.

— O que quiser, Edward — prometeu.

— Alice contou para você o que aconteceu com a Bella hoje à noite?

Quase aconteceu, corrigiu Carlisle.

— Sim, quase. Estou em um dilema, Carlisle. Eu quero... muito... matá-lo. — As palavras fluíram com rapidez e intensidade. — Muito. Mas sei que seria errado, porque seria por vingança, não por justiça. Raiva pura, sem imparcialidade. Mesmo assim, não pode ser certo deixar um estuprador e assassino em série vagando por Port Angeles! Não conheço as humanas de lá, mas não posso deixar que outra pessoa sofra no lugar de Bella. Aquelas outras mulheres... Não é certo...

Seu sorriso largo e inesperado interrompeu imediatamente minha torrente de palavras.

Ela faz muito bem a você, não é? Tanta compaixão, tanto controle. Estou impressionado.

— Não estou atrás de elogios, Carlisle.

— Claro que não. Mas não posso evitar meus pensamentos, posso? — Ele sorriu outra vez. *Vou cuidar disso. Pode ficar tranquilo. Ninguém mais será ferido no lugar de Bella.*

Vi o plano em sua mente. Não era exatamente o que eu queria — não satisfazia minha ânsia por brutalidade —, mas sabia que era a coisa certa.

— Vou lhe mostrar onde encontrá-lo — falei.

— Vamos.

Ele pegou sua maleta preta no caminho. Eu preferia uma forma mais agressiva de sedação — como um crânio rachado —, mas eu ia deixar Carlisle agir do seu jeito.

Entramos no meu carro. Alice ainda estava nos degraus. Ela sorriu e acenou enquanto nos afastávamos. Vi que ela tinha evocado o futuro para mim. Não teríamos dificuldade.

A viagem foi bem rápida, a estrada estava vazia àquela hora. Deixei os faróis desligados para não chamar atenção. Sorri ao pensar em como Bella reagiria àquela velocidade. Eu já estava dirigindo mais devagar do que o normal — para prolongar nosso tempo juntos —, quando ela reclamou.

Carlisle estava pensando em Bella também.

Eu não previ que ela seria tão boa para ele. Não esperava por isso. Talvez, de alguma forma, estivessem predestinados. Talvez sirva a um propósito maior. Só que...

Ele imaginou Bella com a pele fria como a neve, os olhos vermelho-sangue, e então afastou o pensamento.

Sim. De fato. *Só que...* Como era possível encontrar algo de bom na destruição de uma coisa tão pura e amável?

Olhei furiosamente para a noite, perdendo toda a alegria vivida mais cedo.

Edward merece ser feliz. Ele tem direito a isso. A ferocidade dos pensamentos de Carlisle me surpreendeu. *Deve ter um jeito.*

Eu queria poder acreditar em suas expectativas. Mas não havia um propósito maior para o que estava acontecendo com Bella. Era só a ação de uma harpia perversa, um destino horrível e implacável que não podia suportar que ela tivesse a vida que merecia.

Não me demorei em Port Angeles. Levei Carlisle até o bar no qual aquela criatura repulsiva chamada Lanny afogava sua decepção com os amigos — dois deles já tinham desmaiado. Carlisle via como era difícil para mim estar tão perto, ouvir os pensamentos daquele demônio e ver suas lembranças, lembranças de Bella misturadas a de garotas com menos sorte, que já não podiam mais ser salvas.

Minha respiração acelerou. Segurei o volante com força.

Vá, Edward, disse ele com gentileza. *Vou manter as outras a salvo. Volte para Bella.*

Era a coisa perfeita a se dizer. O nome dela era a única distração que teria algum significado para mim.

Deixei Carlisle no carro e corri de volta para Forks, seguindo uma linha reta por dentro da floresta silenciosa. Levou menos tempo do que a ida de carro, mesmo em alta velocidade. Poucos minutos depois, já estava escalando a parede lateral da casa de Bella e abrindo a janela para entrar.

Suspirei de alívio, sem fazer barulho. Tudo estava em seu devido lugar. Bella parecia segura em sua cama, sonhando, o cabelo molhado espalhado pelo travesseiro.

Mas, ao contrário das outras noites, ela estava encolhida e o cobertor a envolvia até os ombros. Estava com frio, supus. Antes que eu pudesse me acomodar no lugar de sempre, ela teve um calafrio, e seus lábios estremeceram.

Pensei por um instante, então me esgueirei pelo corredor, explorando outras partes da casa pela primeira vez.

Os roncos de Charlie eram altos e cadenciados. Eu podia ver um pouco de seu sonho. Algo com água corrente e uma espera serena... Pescaria, quem sabe?

No alto da escada havia um armário promissor. Abri, esperançoso, e encontrei o que procurava. Peguei o cobertor mais grosso do pequeno compartimento para roupa de cama e levei até o quarto dela. Eu o guardaria de volta e ninguém perceberia nada.

Prendi a respiração e coloquei cuidadosamente o cobertor sobre ela. Bella não reagiu ao peso extra. Voltei para a cadeira de balanço.

Enquanto aguardava ansioso para que ela ficasse aquecida, pensei em Carlisle, imaginando onde ele estaria naquele momento. Eu sabia que seu plano seguiria com tranquilidade; Alice vira tudo.

Suspirei ao pensar em meu pai. Carlisle me dava crédito demais. Eu queria ser a pessoa que ele achava que eu era. Essa pessoa, a que merecia ser feliz, talvez pudesse ter esperança de ser digno dessa garota adormecida. As coisas seriam bem diferentes se eu pudesse ser esse Edward.

Ou, se não fosse possível eu ser essa pessoa, pelo menos deveria haver algum equilíbrio no universo que anulasse a minha escuridão. Não deveria existir um bem equivalente e antagônico? Antes, o destino cruel era minha explicação para os pesadelos terríveis e improváveis que insistiam em atormentar Bella — primeiro, eu mesmo, depois a van e então o monstro nocivo dessa noite. Mas, se o destino era tão poderoso, não deveria haver uma força atuando para freá-lo?

Alguém como Bella deveria ter um protetor, um anjo da guarda. Ela merecia. Ainda assim, claramente não havia nada nem ninguém para protegê-la. Eu adoraria acreditar que um anjo ou qualquer outra coisa zelava por ela, qualquer coisa que lhe desse um mínimo de proteção, mas, quando eu tentava imaginar esse defensor, ficava óbvio que algo assim era impossível. Que anjo da guarda deixaria Bella vir até *aqui*? Deixaria que cruzasse meu caminho, tendo em vista como ela é, tornando impossível eu não notá-la? Um cheiro ridiculamente potente que demandava minha atenção, uma mente silenciosa que atiçava minha curiosidade, uma beleza serena que prendia meu olhar, uma alma altruísta que ganhava minha admiração. Isso sem falar na total falta de autopreservação que a impedia de me afastar, e, é claro, na terrível má sorte que a colocava sempre no lugar errado na hora errada.

Não havia prova maior de que anjos da guarda eram só uma fantasia. Ninguém merecia ou precisava deles mais do que Bella. No entanto, qualquer anjo que tivesse permitido nosso encontro devia ser tão irresponsável, tão imprudente, tão... *negligente* que não poderia estar do lado do bem. Eu preferia que existissem harpias abomináveis a seres celestiais tão ineficazes. Pelo menos eu poderia lutar contra o destino horrível.

E eu lutaria, não pararia de lutar. Qualquer força que quisesse machucar Bella precisaria passar por mim. Não, ela não tinha um anjo da guarda. Mas eu faria o possível para preencher essa lacuna.

Um vampiro da guarda; isso era um tanto forçado.

Depois de quase meia hora, Bella relaxou o corpo. A respiração tornou-se mais pesada, e ela começou a murmurar. Sorri satisfeito. Era uma coisa ínfima, mas pelo menos ela dormia mais confortável essa noite porque eu estava lá.

— Edward. — Ela suspirou e sorriu também.

Deixei a tragédia de lado por um instante e me permiti ficar feliz outra vez.

11. INTERROGAÇÕES

A CNN foi a primeira a anunciar a notícia.

Fiquei feliz por ter ido ao ar antes de eu sair para a escola. Estava ansioso para ver como os humanos contariam a história e quanta atenção ela receberia. No entanto, aquele era um dia de muitas notícias. Tinha acontecido um terremoto na América do Sul e um sequestro político no Oriente Médio. Então, o caso acabou ganhando só alguns segundos, poucas frases e uma fotografia granulada.

— Orlando Calderas Wallace, um suspeito de assassinato procurado nos estados do Texas e Oklahoma, foi preso ontem à noite em Portland, Oregon, graças a uma denúncia anônima. Wallace foi encontrado inconsciente em um beco na manhã de hoje, a apenas alguns metros de uma delegacia. Os policiais ainda não sabem informar se ele será encaminhado a Houston ou Oklahoma City para o julgamento.

A imagem não estava muito boa, era a foto de sua ficha policial, e ele exibia uma barba espessa na época. Mesmo que Bella visse, provavelmente não o reconheceria. Torci para que não reconhecesse; aquilo só a deixaria assustada sem necessidade.

— A cobertura aqui na cidade vai ser leve. Aconteceu longe demais para se tornar um assunto de interesse local — explicou Alice. — Foi uma boa ideia Carlisle tirar o sujeito do estado.

Concordei. Seja como for, Bella não assistia muito à TV, e eu nunca tinha visto seu pai ver outra coisa além dos canais de esporte.

Fiz o que podia. Aquela criatura repugnante não caçaria mais ninguém, e eu não era um assassino. Não nos últimos tempos, pelo menos. Fiz bem em confiar em Carlisle, embora ainda preferisse que o maldito sujeito não tivesse se safado tão facilmente. Me vi torcendo para que ele fosse enviado para o Texas, onde a pena de morte era tão popular.

Não. Não tinha importância. Eu deixaria isso para trás e me concentraria no que era realmente fundamental.

Fazia menos de uma hora que eu tinha saído do quarto de Bella. Já estava louco para vê-la outra vez.

— Alice, você poderia...

Ela me interrompeu.

— Rosalie vai dirigir. Vai parecer brava, mas você sabe que ela adora qualquer oportunidade de exibir o carro.

Alice deu uma risada.

Sorri para ela.

— Vejo você na escola.

Alice suspirou, e meu sorriso se desfez.

Eu sei, eu sei, pensou ela. *Ainda não. Vou esperar até que você esteja pronto para Bella me conhecer. Mas saiba que não estou sendo egoísta. Bella vai gostar de mim também.*

Não respondi e me apressei porta afora. Essa era uma maneira diferente de encarar a situação. Será que Bella ia *querer* conhecer Alice? Ter uma amiga vampira?

Conhecendo Bella, provavelmente a ideia não a incomodaria nem um pouco.

Franzi a testa. O que ela queria e o que era o melhor para ela eram duas coisas bem distintas.

Comecei a ficar inquieto quando parei o carro na entrada da garagem de Bella. Os humanos diziam que as coisas pareciam diferentes pela manhã, que mudavam depois de uma boa noite de sono. Será que Bella me acharia diferente na luz pálida de um dia enevoado? Mais ou menos sinistro do que eu era na escuridão da noite? Será que a ficha teria caído enquanto ela dormia? Será que finalmente sentiria medo?

Contudo, os sonhos dela durante a noite foram tranquilos. Quando disse meu nome, diversas vezes, ela estava sorrindo. Mais de uma vez murmurou pedindo que eu ficasse. Será que isso não significaria nada hoje?

Esperei nervoso no carro, ouvindo os barulhos no interior da casa: os passos apressados e os tropeços na escada, o rasgo repentino de uma embalagem de papel-alumínio, os itens na geladeira se chocando quando a porta foi fechada com força. Parecia que ela estava com pressa. Ansiosa para chegar à escola? A ideia me fez sorrir, esperançoso outra vez.

Dei uma olhada no relógio. Levando em conta a baixa velocidade que sua picape decrépita devia atingir, concluí que ela estava *mesmo* um pouco atrasada.

Bella saiu apressada de casa, a mochila escorregando pelo ombro, o cabelo preso em um coque bagunçado que já se desfazia na altura da nuca. Seu grosso suéter verde não evitou que ela encolhesse os ombros magros diante da neblina fria.

O suéter comprido era grande demais para ela e não lhe caía bem. Escondia seu corpo esguio, transformando todas as suas curvas suaves e seus traços delicados em um conjunto sem contornos. Gostei disso, embora a maior parte de mim quisesse que a roupa escolhida fosse semelhante à delicada blusa azul da noite anterior. Aquele tecido aderira à sua pele de forma atraente e exibira o formato fascinante de seu colo, que ondeava abaixo da curva de seu pescoço. O azul fluíra como água ao longo da silhueta suave de seu corpo.

Era melhor — fundamental — que eu mantivesse os pensamentos bem distantes dessa silhueta, então me senti grato pelo suéter desajeitado. Eu não podia cometer erros, e seria um erro monumental dar espaço às ânsias estranhas que tomavam conta de mim quando pensava em sua boca... sua pele... seu corpo. Ânsias que não apareciam havia cem anos. Mas eu não podia pensar em tocá-la, porque era impossível.

Eu a destruiria.

Bella afastou-se da porta tão rápido que quase passou direto por mim.

Então parou de repente, os joelhos travando, como se fosse um potro assustado. A mochila escorregou do ombro e seus olhos se arregalaram ao ver meu carro.

Eu desci, sem tomar cuidado algum em me mover na velocidade humana, e abri a porta do carona. Não tentaria mais enganá-la — pelo menos quando estivéssemos sozinhos, seria eu mesmo.

Ela me olhou, mais uma vez assustada quando pareci me materializar da neblina. Logo a surpresa em seus olhos tornou-se outra coisa, e eu não senti mais medo — ou esperança — de que seus sentimentos por mim tivessem mudado durante a noite. Afeto, encantamento, fascinação, tudo isso flutuava nas profundezas translúcidas de seus olhos.

— Quer uma carona hoje? — perguntei.

Ao contrário do jantar de ontem, eu a deixaria escolher. De agora em diante, a escolha teria que ser sempre dela.

— Quero, obrigada — murmurou e entrou no meu carro sem hesitação.

Será que algum dia eu deixaria de me sentir tão eufórico por ser a pessoa a quem ela dizia sim?

Rapidamente contornei o carro, louco para me juntar a ela. Bella não demonstrou nenhum sinal de choque pela minha repentina aparição.

Quando ela estava ao meu lado, eu sentia uma felicidade sem precedentes. Por mais que eu apreciasse o amor e o companheirismo da minha família, e apesar dos diversos entretenimentos e distrações que meu mundo oferecia, eu nunca tinha me sentido tão feliz. Mesmo sabendo que era errado, que isso podia acabar mal, eu não conseguia parar de sorrir quando estávamos juntos.

Minha jaqueta estava pendurada no banco dela. Vi que Bella deu uma olhada.

— Trouxe o casaco para você — falei. Essa era a desculpa que eu tinha inventado para aparecer sem ser chamado essa manhã. Fazia frio. Ela não tinha casaco. Sem dúvida era uma forma aceitável de cavalheirismo. — Não quero que adoeça nem nada disso.

— Não sou tão frágil assim — rebateu ela, encarando meu peito em vez de meu rosto, como se hesitasse em me olhar nos olhos.

Mas pôs o casaco antes que eu pudesse recorrer à persuasão ou à súplica.

— Não é? — murmurei para mim mesmo.

Ela fitou a estrada enquanto eu acelerava em direção à escola. Só consegui suportar o silêncio por alguns segundos. Precisava saber no que ela estava pensando. Tanta coisa tinha mudado entre nós desde que o sol aparecera pela última vez.

— Que foi, hoje não tem mais perguntas? — questionei, mantendo a leveza.

Ela sorriu, parecendo feliz por eu ter abordado o assunto.

— Minhas perguntas incomodam você?

— Não tanto quanto as suas reações — respondi com sinceridade, sorrindo para ela.

Mais um sorriso.

— Eu reajo tão mal assim? — perguntou ela.

— Não, e é esse o problema. Você leva tudo com tanta frieza... Não é natural. — Nenhum grito até agora. Como era possível? — Fico me perguntando o que você realmente está pensando. — É claro que tudo que ela fazia ou deixava de fazer provocava esse efeito em mim.

— Sempre digo a você o que estou pensando.

— Você edita.

Ela mordeu o lábio outra vez. Parecia fazer isso sem perceber — era uma resposta inconsciente à tensão.

— Não muito.

Bastaram aquelas palavras para minha curiosidade fervilhar. O que ela escondia propositalmente de mim?

— O bastante para me deixar louco — falei.

Ela hesitou, então sussurrou:

— Você não quer ouvir.

Precisei refletir por um instante, repassando toda a nossa conversa da noite anterior, palavra por palavra, até finalmente ligar os pontos. Talvez eu tenha precisado desse tempo porque, à primeira vista, não havia nada que eu não quisesse ouvir dela. Mas então — como seu tom de voz era o mesmo da noite passada e evocou a mesma dor — eu lembrei. Tinha pedido a ela que não falasse o que pensava. *Nunca mais diga isso*, eu havia quase rosnado. Eu a fizera chorar...

Era isso que ela escondia? Que tinha sentimentos intensos por mim? Que o fato de eu ser um monstro não importava, e que ela achava tarde demais para mudar de ideia?

Não consegui dizer nada, porque a alegria e a dor eram tão fortes que me deixaram sem fala, o conflito entre ambas tão selvagem que não permitia nenhuma resposta coerente. O carro estava em silêncio, a não ser pelo movimento estável de seu coração e de seus pulmões.

— Onde está a sua família? — perguntou ela de repente.

Respirei fundo — registrando, pela primeira vez, o aroma no carro com uma dor palpável: eu estava me acostumando, percebi com satisfação — e me forcei a agir naturalmente outra vez.

— Eles usaram o carro de Rosalie. — Estacionei justamente na vaga ao lado do carro da minha irmã. Disfarcei meu sorriso ao ver os olhos de Bella se arregalando. — Chamativo, não é?

— Hmmm, caramba. Se ela tem *isso*, por que pega carona com você?

Rosalie teria gostado da reação de Bella... se conseguisse ver Bella de maneira objetiva, o que provavelmente não aconteceria.

— Como eu disse, é chamativo. Nós *tentamos* ser discretos.

É claro que Bella nem percebeu a contradição inerente a meu próprio carro. Não era por acaso que quase sempre estávamos no Volvo: um carro respeitado acima de tudo por sua segurança. Segurança, a única coisa de que vampiros nunca precisariam em um automóvel. Poucos reconheceriam o modelo de corrida menos comum, e ainda fizemos diversas modificações depois de comprá-lo.

— E não conseguem — disse ela, e em seguida deu uma risada descontraída.

O som alegre e totalmente despreocupado da sua risada aqueceu meu peito vazio.

— Então por que Rosalie dirigiu hoje se ele chama mais atenção?

— Você não percebeu? — falei. — Agora estou quebrando *todas* as regras.

Minha resposta deve ter sido levemente assustadora; então, é claro que Bella reagiu com um sorriso.

Fora do carro, andei o mais perto dela que ousei, observando com atenção qualquer sinal de que minha proximidade a incomodava. Por duas vezes, ela esticou uma das mãos em minha direção, mas logo a tirou. *Parecia* que queria me tocar... Minha respiração acelerou.

— Por que vocês têm carros assim, então? Se procuram ter privacidade? — perguntou durante nossa caminhada.

— Por prazer — admiti. — Nós todos gostamos de correr.

— Imagino — murmurou, em tom ácido.

Ela não levantou a cabeça para ver meu sorriso.

Ah, não! Não acredito! Como é que Bella conseguiu?

O espanto mental de Jessica interrompeu meus pensamentos. Ela esperava por Bella, abrigando-se da chuva embaixo da marquise do refeitório, com o casaco de Bella nos braços. Tinha os olhos arregalados de surpresa.

Bella a avistou logo em seguida. Um leve rubor coloriu seu rosto quando viu a expressão da amiga.

— Oi, Jessica. Obrigada por lembrar — cumprimentou Bella.

Jessica entregou o casaco sem dizer uma única palavra.

Eu seria educado com as amigas de Bella, fossem ou não boas amigas.

— Bom dia, Jessica.

Nossa...

Jessica arregalou ainda mais os olhos, mas não se retraiu ou recuou como eu esperava. Embora me achasse atraente, ela sempre mantivera uma distância segura, como todos os nossos admiradores faziam sem se dar conta. Era estranho e engraçado... e, sinceramente, um pouco constrangedor... perceber como estar tão próximo de Bella tinha me deixado mais leve. Parecia que ninguém mais tinha medo de mim. Se Emmett descobrisse isso, riria pelos próximos cem anos.

— É... oi — balbuciou Jessica, e seus olhos buscaram os de Bella, cheios de curiosidade. — Bom, vejo você na aula de trigonometria.

Você vai ter que contar tudo. Detalhes. Preciso de detalhes! Meu Deus! Não acredito! Edward CULLEN!!!

Bella estreitou os lábios.

— É, a gente se vê lá.

Os pensamentos de Jessica se atropelavam enquanto ela corria para a primeira aula, virando a cabeça de vez em quando para nos espiar.

A história toda. Não aceito menos do que isso. Eles tinham combinado de se encontrar ontem à noite? Estão saindo juntos? Há quanto tempo? Como ela conseguiu esconder isso? Por que ela ia querer esconder isso? Não pode ser um casinho — ela deve estar a fim dele de verdade. Eu vou descobrir. Será que eles deram uns amassos? Hmmm...

Os pensamentos de Jessica se perderam de repente, e devaneios sem palavras rodopiaram em sua cabeça. Estremeci diante das especulações, e não só porque ela tinha substituído Bella por si mesma em suas imagens mentais.

Nada daquilo poderia acontecer. E ainda assim eu... Eu queria...

Eu evitava admitir até para mim mesmo. De quantas maneiras erradas eu queria Bella? Qual delas acabaria causando sua morte?

Balancei a cabeça e tentei relaxar.

— O que você vai dizer a ela? — perguntei a Bella.

— Ei — sibilou com ferocidade —, pensei que você não podia ler a minha mente!

— Não posso. — Eu a encarei, surpreso, tentando entender sobre o que ela estava falando. Ah... devíamos estar pensando a mesma coisa ao mesmo tempo. — Mas posso ler a dela... — continuei. — Ela vai encurralar você na sala.

Bella gemeu e deixou a jaqueta cair dos ombros. Não percebi de imediato que ela estava me devolvendo — eu não ia pedir de volta; preferia que ficasse com ela... como uma lembrança —, por isso demorei a lhe oferecer ajuda. Ela me entregou a jaqueta e vestiu o próprio casaco.

— Então, o que vai dizer a ela? — insisti.

— Que tal me dar uma mãozinha? O que ela quer saber?

Sorri e balancei a cabeça. Eu queria saber o que ela estava pensando sem dar dicas.

— Isso não é justo.

Ela estreitou os olhos.

— Não, você não está compartilhando o que sabe... Isso é que não é justo.

Certo... ela não gostava de dois pesos e duas medidas.

— Ela quer saber se estamos namorando escondido — contei calmamente. — E quer saber como você se sente em relação a mim.

Ela ergueu as sobrancelhas, a expressão não necessariamente surpresa, mas ingênua. Dando uma de inocente.

— Caramba — murmurou. — O que eu devo dizer?

— Hmmm.

Ela sempre tentava extrair informações em vez de oferecê-las. Pensei no que responder.

Uma mecha rebelde de cabelo, um pouco úmida por causa da neblina, caiu sobre seu ombro e se esparramou em sua pele, ainda coberta pelo suéter ridículo. Isso atraiu meu olhar, levando-o para outros contornos escondidos...

Estiquei a mão com cuidado, sem tocar a pele dela — já fazia muito frio naquela manhã sem que eu a tocasse —, e devolvi a mecha ao coque desfeito para que não me distraísse outra vez. Lembrei-me de quando Mike Newton tocou em seu cabelo, e cerrei os dentes com a recordação. Ela havia se retraído, afastando-se dele. Sua reação agora era bem diferente; em vez disso, sua pele ficou vermelha e os batimentos cardíacos se tornaram irregulares.

Tentei disfarçar um sorriso quando respondi.

— Acho que pode dizer sim à primeira pergunta... se você não se importar... — A escolha era dela, sempre dela. — É mais fácil do que qualquer outra explicação.

— Não me importo — sussurrou.

Seu coração ainda não voltara ao normal.

— E quanto à outra pergunta da Jessica... — Agora eu não tinha como disfarçar o sorriso. — Bom, eu mesmo vou ouvir para saber a resposta.

Deixei Bella assimilar essa informação. Segurei o riso ao ver a surpresa em seu rosto.

Virei depressa, antes que ela pudesse fazer mais perguntas. Era difícil não lhe dar tudo o que queria. E eu queria ouvir os pensamentos *dela*, não os meus.

— A gente se vê no almoço — gritei por cima do ombro, uma desculpa para ver se ela ainda estava olhando para mim.

Ela estava boquiaberta. Virei-me de novo e dei uma gargalhada.

Enquanto me afastava, me vi vagamente consciente dos pensamentos surpresos e curiosos que espiralavam ao redor: olhares que iam e vinham entre o rosto de Bella e o meu corpo em movimento. Não dei atenção a eles. Estava difícil me concentrar. Eu mal conseguia manter uma velocidade aceitável enquanto atravessava o gramado encharcado a caminho da primeira aula. Eu queria correr — correr de verdade, rápido até sumir, rápido como se voasse. Parte de mim já estava voando.

Coloquei a jaqueta quando cheguei à sala de aula, deixando que o cheiro dela pairasse ao meu redor. Isso me faria arder — eu deixaria que o aroma me insensibilizasse —, e seria mais fácil ignorá-lo mais tarde, quando me encontrasse com ela no almoço.

Os professores não se davam mais ao trabalho de me fazer perguntas, e isso era bom. Hoje talvez conseguissem me pegar despreparado e sem resposta. Minha cabeça estava em tantos lugares essa manhã; naquela sala de aula, apenas meu corpo estava presente.

É claro que eu estava de olho em Bella. Isso se tornara natural para mim — tão automático quanto respirar para os humanos, algo que eu mal percebia conscientemente. Ouvi sua conversa com um Mike Newton decepcionado. Ela logo voltou a atenção para Jessica, e sorri quando Rob Sawyer, que se sentava na mesa à minha direita, se encolheu visivelmente e deslizou pelo assento, afastando-se de mim.

Argh. Cara esquisito.

Bem, eu não tinha perdido totalmente o jeito.

Eu também monitorava Jessica de leve, observando-a aprimorar as perguntas que faria a Bella. Eu mal podia esperar pelo quarto tempo, dez vezes mais ávido e ansioso do que a humana curiosa para saber as últimas fofocas.

E eu ouvia Angela Weber.

Eu não tinha esquecido a gratidão que senti por sua atitude — principalmente por pensar apenas coisas boas em relação a Bella e por tê-la ajudado na noite anterior. Então esperei ao longo da manhã, procurando por algo que ela quisesse. Presumi que seria fácil: como qualquer humano, ela devia querer algum produto. Muitos, provavelmente. Eu lhe daria algo de maneira anônima, e assim estaríamos quites.

Contudo, os pensamentos de Angela não me ajudaram em nada, sendo quase tão inacessíveis quanto os de Bella. Para uma adolescente, ela se sentia estranhamente satisfeita. Feliz. Talvez essa fosse a razão para sua bondade tão incomum — ela era uma daquelas raras pessoas que tinham o que queriam e queriam o que tinham. Quando não estava prestando atenção nos professores e nas próprias anotações, fazia planos para levar seus irmãos mais novos à praia no fim de semana — já imaginando a animação deles com uma alegria quase maternal. Ela cuidava dos dois com frequência, mas não se ressentia por isso. Era muito bonito.

Só não me ajudava em nada.

Com certeza havia alguma coisa que ela queria. Eu teria que ficar de olho. Porém, voltaria a isso mais tarde. Estava na hora da aula de trigonometria de Bella e Jessica.

Segui distraidamente para minha aula de inglês. Jessica já tinha ocupado seu lugar, os pés batendo com impaciência enquanto esperava Bella.

Ao contrário dela, assim que me sentei em meu lugar, fiquei completamente imóvel. Tinha que lembrar de me mexer de vez em quando para manter as aparências. Era difícil; meu pensamento estava muito concentrado no de Jessica. Torci para que ela prestasse atenção, tentasse de verdade ler o rosto de Bella para mim.

O movimento dos pés ficou mais intenso quando Bella entrou na sala.

Ela parece... abatida. Por quê? Talvez não esteja rolando nada com Edward Cullen. Isso seria decepcionante. Se bem que... aí ele ainda estaria disponível... Se de repente estiver a fim de sair com alguém, eu não me importaria em ajudá-lo.

Bella não parecia abatida, mas sim relutante. Ela estava preocupada, sabia que eu ia ouvir a conversa toda.

— *Me conta tudo!* — exigiu Jessica enquanto Bella ainda tirava o casaco para pendurá-lo na cadeira.

Ela se movia sem pressa, hesitante.

Ai, ela é tão devagar. Vamos ao que interessa!

— *O que você quer saber?* — protelou Bella conforme se sentava.

— *O que aconteceu ontem à noite?*

— *Ele me levou para jantar e depois me levou em casa.*

E depois? Ah, não, com certeza tem mais coisa aí! Bem, ela está mentindo, eu sei. Vou continuar pressionando.

— *Como chegou em casa tão rápido?*

Vi Bella revirar os olhos para uma Jessica desconfiada.

— *Ele dirige como um louco. Foi apavorante.*

Ela deu um sorrisinho, e eu ri alto, interrompendo os comunicados do Sr. Mason. Tentei transformar a risada em uma tosse, só que não deu certo. O Sr. Mason me lançou um olhar irritado, mas nem me dei ao trabalho de escutar o que pensava. Eu estava focado em Jessica.

Hum. Parece que ela está dizendo a verdade. Por que está me fazendo arrancar isso dela, palavra por palavra? Eu estaria gritando para os quatro cantos do mundo.

— *Foi tipo um encontro... Você disse para ele te encontrar lá?*

Jessica viu o rosto de Bella assumir uma expressão confusa e ficou decepcionada ao perceber que era uma reação sincera.

— *Não... Eu fiquei muito surpresa em vê-lo lá* — contou Bella.

O que está acontecendo?

— *Mas ele buscou você para vir à escola hoje?*

— *Sim... Isso também foi uma surpresa. Ele percebeu ontem à noite que eu não tinha casaco.*

Isso não é muito empolgante, pensou Jessica, mais uma vez decepcionada.

Eu estava cansado daquela linha de interrogatório — queria ouvir algo que ainda não soubesse. Torci para que Jessica não estivesse insatisfeita a ponto de desistir das perguntas que eu aguardava.

— *E vocês vão sair de novo?* — continuou Jessica.

— *Ele se ofereceu para me levar a Seattle no sábado porque acha que minha picape não aguenta... Isso conta?*

Hum. Ele claramente está se esforçando muito para... bem, cuidar dela, eu acho. Não sei se está rolando alguma coisa da parte dela, mas com certeza está rolando da parte dele. Como PODE? A Bella é maluca.

— *Conta* — respondeu Jessica.

— *Bom, então, sim* — concluiu Bella.

— *Ca-ram-ba. Edward Cullen.*

Quer ela goste dele ou não, essa é uma notícia e tanto.

— *Eu sei.* — Bella suspirou.

Seu tom de voz encorajou Jessica.

Finalmente... parece que ela sacou!

Eu não tinha como saber se Jessica estava interpretando corretamente o tom de Bella. Gostaria que, em vez de presumir, ela pedisse a Bella para explicar o que queria dizer.

— *Peraí!* — disse Jessica, lembrando-se de repente de sua pergunta mais importante. — *Ele beijou você?*

Por favor, diga que sim. E então descreva cada segundo!

— *Não* — murmurou Bella, e em seguida baixou o olhar para as mãos, uma expressão decepcionada. — *Não foi nada disso.*

Droga. Quem me dera... haha. Parece que ela queria a mesma coisa.

Franzi a testa. Bella realmente parecia chateada por algum motivo, mas não podia ser decepção, como Jessica concluiu. Ela não podia querer isso. Não depois de ter descoberto tudo. Ela não podia querer estar tão perto assim dos meus *dentes*. Até onde ela sabia, eu tinha presas.

Dei de ombros.

— *Acha que no sábado...?* — incitou Jessica.

Bella parecia ainda mais frustrada ao responder:

— *Duvido muito.*

É, ela queria mesmo. Que chato para ela.

Jessica parecia ter razão, mas será que eu só pensava assim por estar observando tudo pelo seu filtro de percepção?

Por um segundo, me distraí com a ideia, a impossibilidade, de tentar beijar Bella. Meus lábios nos dela, pedra fria contra seda quente e suave...

E então ela morre.

Balancei a cabeça, estremecendo, e voltei a me concentrar.

— *Sobre o que vocês conversaram?*

Você conversou com ele ou fez com que ele arrancasse cada pedacinho de informação de você, como agora?

Ri com pesar. Jessica não estava errada.

— Sei lá, Jess, um monte de coisas. Falamos um pouco do trabalho de inglês.

Muito pouco. Sorri ainda mais.

Ah, QUAL É.

— Por favor, Bella! Me dê alguns detalhes.

Bella refletiu por um momento.

— Bom... Tudo bem, tenho um. Você devia ter visto a garçonete dando em cima dele... Ficou muito na cara. Mas ele não deu nenhuma atenção para ela.

Que detalhe esquisito de se compartilhar. Fiquei surpreso por Bella ter notado. Não pareceu ter nenhuma importância.

Interessante.

— É um bom sinal. Ela era bonita?

Hum. Jessica considerou aquilo mais relevante do que eu.

— Muito — contou Bella. — E devia ter uns dezenove ou vinte anos.

Por um momento, Jessica ficou distraída se lembrando do encontro com Mike na segunda à noite. Mike sendo amigável demais com uma garçonete que Jessica não tinha achado nem um pouco bonita. Ela se livrou da lembrança e, contendo a raiva, voltou-se para sua missão em busca de detalhes.

— Melhor ainda. Ele deve gostar de você.

— *Eu* acho *que sim* — respondeu Bella lentamente; eu estava quase caindo da cadeira, meu corpo imóvel de tensão. — *Mas é difícil saber. Ele é sempre tão enigmático.*

Talvez eu não tenha sido tão transparente e descontrolado quanto pensava. Ainda assim, do jeito que ela era observadora... como não enxergava que eu estava apaixonado por ela? Examinei nossa conversa toda, quase surpreso por não ter dito as palavras em voz alta. Achei que esse conhecimento estivesse nas entrelinhas de todas as nossas interações.

Nossa. Como é que você fica frente a frente com um deus grego e mantém uma conversa?

— Não sei como você tem coragem de ficar sozinha com ele — comentou Jessica.

Uma expressão de choque surgiu no rosto de Bella.

— Por quê?

Que reação estranha. O que ela acha que eu quero dizer?

— Ele é tão... — Qual a palavra certa? — Intimidador. Eu não saberia o que dizer a ele.

Eu não consegui nem formular frases hoje, e ele só me deu bom-dia. Eu devo ter parecido uma idiota.

Bella sorriu.

— Tenho uns problemas de incoerência quando estou perto dele.

Ela devia ter dito isso para fazer Jessica se sentir melhor. Ela sempre mantinha um autocontrole quase anormal quando estávamos juntos.

— Ah, sim. — Jessica suspirou. — Ele é mesmo *incrivelmente bonito.*

A expressão de Bella esfriou de repente. Seus olhos sempre faiscavam daquele jeito quando ela ficava chateada com alguma injustiça. Jessica não registrou a mudança em seu semblante.

— Ele é muito mais do que isso — falou Bella, com rispidez.

Ahh. Agora estamos chegando a algum lugar.

— É mesmo? Tipo o quê?

Bella mordeu o lábio por um instante.

— *Não sei explicar direito...* — disse por fim. — *Mas ele é ainda mais incrível* por trás *daquele rosto.*

Ela desviou o olhar, os olhos meio fora de foco, como se vissem algo muito distante dali.

Eu me lembrei de como me senti quando Carlisle e Esme me fizeram mais elogios do que eu merecia. Esse sentimento era parecido, mas era mais intenso, mais arrebatador.

Vai ser idiota assim em outro lugar, não há nada *melhor do que aquele rosto. A não ser o corpo dele. Nossa...*

— *Será possível?* — Jessica riu.

Bella não respondeu. Continuou com o olhar distante, ignorando Jessica.

Uma pessoa normal estaria se vangloriando. E se eu fizer perguntas simples? Rá- -rá. Como se estivesse falando com uma criança no jardim de infância.

— Então você gosta dele, né?

Fiquei tenso outra vez.

Bella não olhou para Jessica.

— Gosto.

— Quer dizer, você realmente *gosta dele?*

— Gosto.

Olha como ela ficou vermelha!

— *O quanto você gosta dele?* — insistiu Jessica.

A sala de aula podia ter irrompido em chamas que eu não teria percebido.

O rosto de Bella já estava vermelho-vivo — quase dava para sentir o calor dessa imagem mental.

— *Demais* — sussurrou ela. — *Mais do que ele gosta de mim. Mas não posso fazer nada quanto a isso.*

Droga! O que foi que o Sr. Varner perguntou?

— *Ah... qual número, Sr. Varner?*

Foi bom Jessica não poder fazer mais perguntas a Bella. Eu precisava de um tempo.

Mas que diabos ela estava pensando *agora*? "Mais do que ele gosta de mim"? De onde ela tirou *essa ideia*? "Mas não posso fazer nada quanto a isso"? O que ela queria dizer? Eu não conseguia ligar essas palavras a uma explicação racional. Elas quase não faziam sentido.

Eu não podia dar nada como certo. Coisas óbvias, coisas que faziam todo o sentido, de alguma forma se distorciam e se invertiam naquela mente bizarra dela.

Dei uma olhada no relógio, rangendo os dentes. Como meros minutos podiam parecer tão demorados para um imortal? Onde estava minha perspectiva?

Meu maxilar permaneceu tenso durante toda a aula de trigonometria do Sr. Varner. Ouvi mais a aula delas do que a minha. Bella e Jessica não voltaram a conversar, mas Jessica olhou para Bella várias vezes e, em uma delas, notou que seu rosto estava vermelho de novo sem motivo aparente.

A hora do almoço não chegava nunca.

Eu não sabia se, até o fim da aula, Jessica ia conseguir extrair algumas das respostas que eu esperava, mas Bella foi mais rápida.

Logo que o sinal tocou, ela se virou para Jessica.

— *Na aula de inglês, o Mike me perguntou se você disse alguma coisa sobre a noite de segunda* — disse ela, com um leve sorriso.

Entendi a tática: a melhor defesa é o ataque.

O Mike perguntou de mim?

A alegria subitamente deixou a mente de Jessica mais serena, mais leve, sem aquele toque malicioso de sempre.

— *Tá brincando! O que você disse?*

Ficou claro que, por ora, eu não ia conseguir mais nada de Jessica. Bella sorria como se tivesse chegado à mesma conclusão. Como se tivesse ganhado a partida.

Bem, a coisa mudaria de figura no almoço.

Alice e eu nos movemos apaticamente durante a aula de educação física, como sempre fazíamos em atividades esportivas com os humanos. Ela era minha companheira de equipe, claro. Nenhum humano escolheria um de nós para formar uma dupla. Era a primeira aula de badminton. Suspirei entediado, movimentando a raquete em câmera lenta ao lançar a peteca para o outro lado. Lauren Mallory estava no outro time; ela errou. Alice girava sua raquete como se fosse um bastão, olhando para o teto. Ela se aproximou da rede, e Lauren recuou dois passos.

Todos nós odiávamos educação física, principalmente Emmett. Participar de jogos era uma afronta à sua filosofia de vida. A aula naquele dia parecia pior do que nunca. Eu me vi tomado pela mesma irritação que Emmett sentia sempre. Antes que a minha cabeça explodisse de impaciência, o treinador Clapp encerrou as atividades e nos liberou mais cedo. Eu estava absurdamente grato por ele ter pulado o café da manhã — uma nova tentativa de dieta — e pela consequente fome, que o fez sair correndo do campus em busca de um lanche gorduroso. Ele prometeu a si mesmo que começaria de novo no dia seguinte...

Isso me dava tempo de chegar ao prédio de matemática antes que a aula de Bella acabasse.

Divirta-se, pensou Alice enquanto saía para encontrar Jasper. *Só preciso ser paciente por mais alguns dias. Você não mandaria um oi meu para Bella, né?*

Balancei a cabeça, exasperado. Será que todos os videntes eram tão presunçosos?

Só para você saber, vai fazer sol dos dois lados da baía nesse fim de semana. Talvez você queira rever seus planos.

Suspirei e continuei a seguir na direção oposta. Presunçosa, mas sem dúvida útil.

Eu me recostei na parede perto da porta, esperando. Eu estava tão próximo que, além dos pensamentos de Jessica, também conseguia ouvir sua voz.

— Você não vai se sentar com a gente hoje, não é?

Ela parece... radiante. Aposto que não me contou um monte *de coisas.*

— Acho que não — respondeu Bella, com uma incerteza estranha.

Eu não tinha prometido que passaria o almoço com ela? No que ela estava *pensando*?

Elas saíram juntas da sala e arregalaram os olhos ao me ver. Mas só pude ouvir Jessica.

Interessante. Uau. Ah, com certeza está rolando mais coisa do que ela me contou.

Bella veio andando em minha direção, parando a um passo de mim, ainda hesitante. Seu rosto estava rosado.

Eu já a conhecia muito bem e tinha certeza de que aquela hesitação não era por medo. Aparentemente, era por causa do abismo que ela acreditava existir entre os sentimentos dela e os meus. *Mais do que ele gosta de mim.* Absurdo!

— Oi — falei, em um tom de voz um pouquinho brusco.

O rosto dela ficou mais rosado.

— Oi.

Pareceu que não ia dizer mais nada, então comecei a andar para o refeitório, e ela me acompanhou em silêncio.

Usar a jaqueta tinha funcionado: o cheiro dela não me deixou atordoado como de costume. Só tornou a dor que eu já sentia um pouco mais intensa. Podia ignorá-la com mais facilidade do que um dia julguei possível.

Bella estava inquieta enquanto aguardávamos na fila, mexendo distraída no zíper do casaco e mudando ansiosamente o peso de um pé para outro. Ela me olhava de vez em quando, mas, sempre que encontrava meu olhar, baixava a cabeça como se estivesse envergonhada. Será que era porque muitas pessoas nos observavam? Talvez ela conseguisse ouvir os murmúrios — a fofoca corria solta por bocas e mentes hoje.

Ou talvez ela tivesse percebido pela expressão em meu rosto que eu precisaria de algumas explicações.

Ela não falou nada até eu começar a montar seu almoço. Eu — ainda — não sabia do que ela gostava, então peguei um pouco de cada coisa.

— O que você está fazendo? — sibilou ela em voz baixa. — Não está pegando tudo isso para mim, não é?

Balancei a cabeça e empurrei a bandeja até o caixa.

— Metade é para mim, é claro.

Ela ergueu a sobrancelha, cética, porém não falou mais nada enquanto eu pagava e a conduzia até a mesa em que nos sentáramos na semana anterior. Nem parecia que apenas alguns dias tinham se passado. Tudo mudara.

Ela voltou a se sentar à minha frente. Empurrei a bandeja em sua direção.

— Pegue o que quiser — incentivei.

Ela pegou uma maçã e girou-a entre as mãos, um olhar inquisitivo em seu rosto.

— Estou curiosa.

Mas que surpresa.

— O que você faria se alguém o desafiasse a comer comida? — continuou ela, em uma voz baixa que não alcançaria ouvidos humanos.

Ouvidos imortais eram outra história, só precisavam estar atentos.

— Você é sempre curiosa — reclamei.

Fazer o quê? Eu já tinha sido obrigado a comer antes. Era parte do jogo de aparências. Uma parte desagradável.

Peguei o que estava mais próximo e sustentei o olhar dela enquanto dava uma mordida pequena no que quer que fosse. Sem olhar, eu não tinha como saber ao certo. Era pegajoso, massudo e repugnante, como qualquer comida humana. Mastiguei rápido e engoli, tentando não fazer careta. O bolo de comida desceu lenta e desconfortavelmente pela minha garganta. Suspirei ao pensar em como teria que regurgitar aquilo mais tarde. Nojento.

Bella parecia surpresa. Impressionada.

Eu queria revirar os olhos. É claro que tínhamos aperfeiçoado essas encenações.

— Se alguém desafiasse você a comer terra, você conseguiria, não é? — Ela franziu o nariz e sorriu.

— Eu comi uma vez... num desafio. Não foi tão ruim. — Dei uma risada.

— Isso não me surpreende.

Como ele pôde fazer isso? Aquele babaca egoísta! Como pôde fazer isso com a gente? O grito mental penetrante de Rosalie contaminou o meu bom humor.

— Calma, Rose. — Ouvi Emmett murmurar do outro lado do refeitório.

Seu braço envolvia os ombros dela, segurando-a com firmeza ao seu lado, impedindo que ela se levantasse.

Desculpe, Edward, pensou Alice, culpada. *Ela viu que a Bella já sabia demais por causa da conversa de vocês... e, bom, teria sido pior se eu não tivesse contado a verdade de uma vez. Eu te garanto.*

Estremeci diante da imagem que surgia em minha mente: mostrava o que teria acontecido se, quando estivéssemos em casa — onde Rosalie não precisaria manter as aparências —, eu tivesse revelado que Bella descobrira minha natureza de vampiro. Eu precisaria tirar meu Aston Martin do estado e escondê-lo em algum lugar se ela não se acalmasse até o fim das aulas. A visão do meu carro favorito estraçalhado e em chamas era perturbadora, embora eu soubesse que merecia a retaliação.

Jasper tampouco estava feliz.

Eu lidaria com os outros mais tarde. Tinha pouco tempo para ficar com Bella e não ia desperdiçá-lo.

Edward e Bella parecem bem próximos, não é? Quando tentei ignorar Rosalie, os pensamentos de Jessica se infiltraram. Dessa vez, a interrupção não me incomodou. *Boa linguagem corporal. Depois vou passar minhas impressões para Bella. Ele está se inclinando na direção dela, que é o que acontece quando a pessoa está interessada. Ele parece interessado. Ele parece... perfeito.* Jessica suspirou. *Hmmm.*

Encontrei os olhos curiosos de Jessica, que virou o rosto, nervosa, e afundou em sua cadeira.

Hum. Provavelmente é melhor continuar com o Mike. Vida real, não fantasia...

Havia passado pouquíssimo tempo, mas Bella percebeu minha distração.

— Jessica está analisando tudo o que eu faço... — falei, usando aquela distração mais leve como desculpa. — Ela vai cair em cima de você depois.

O ataque de fúria de Rosalie prosseguia, um monólogo interno implacável que só parava por um ou dois segundos, enquanto ela procurava novos insultos para mim. Afastei aquele som, decidido a permanecer no presente com Bella.

Empurrei o prato de comida para ela — pizza, notei —, pensando na melhor maneira de começar. Minha primeira frustração irrompeu conforme suas palavras ecoavam em minha cabeça: *Mais do que ele gosta de mim. Mas não posso fazer nada quanto a isso.*

Ela deu uma mordida na mesma fatia de pizza. A confiança que tinha em mim sempre me impressionava. É claro que ela não sabia que eu era venenoso — não que dividir a comida comigo pudesse feri-la. Ainda assim, eu esperava que ela fosse me tratar de uma forma diferente. Como outra coisa. Ela nunca fez isso.

Eu começaria devagar.

— Então a garçonete era bonita, é?

Ela voltou a erguer a sobrancelha.

— Você não percebeu mesmo?

Como se qualquer mulher pudesse desviar minha atenção de Bella. Um absurdo, de novo.

— Não. Não estava prestando atenção. Tinha muita coisa na cabeça.

— Coitada — disse Bella, sorrindo.

Ela gostou de saber que eu não tinha achado a garçonete nem um pouco interessante. Eu me identificava com isso. Quantas vezes não me imaginei mutilando Mike Newton na sala de biologia?

Mas será que ela realmente achava que seus sentimentos humanos, a experiência de breves dezessete anos mortais, poderiam ser mais fortes do que essa bomba de emoções que me devastou depois de um século de vazio?

— Teve uma coisa que você disse a Jessica que... — Não consegui manter um tom de voz casual. — Bom, me incomodou.

Ela se pôs imediatamente na defensiva.

— Não me surpreende que tenha ouvido alguma coisa de que não gostou. Você sabe o que dizem sobre ouvir a conversa dos outros.

Quem ouve a conversa dos outros nunca ouve nada bom sobre si.

— Eu avisei que estaria ouvindo — lembrei a ela.

— E eu avisei que você não ia querer saber tudo o que eu estava pensando.

Ah, ela estava falando de quando eu a fiz chorar. O remorso fez minha voz soar mais carregada.

— Avisou mesmo. Mas você não está exatamente certa. Quero saber o que está pensando... Tudo. É só que preferia... que você não ficasse pensando certas coisas.

Mais meias verdades. Eu sabia que não *deveria* querer que ela gostasse de mim. Mas eu queria. É claro que queria.

— É uma honraria e tanto — resmungou, olhando zangada para mim.

— Mas não é o que interessa no momento.

— Então o que é?

Ela se inclinou em minha direção, uma das mãos apoiada delicadamente no pescoço. Isso atraiu meu olhar... me distraiu. Aquela pele devia ser tão macia...

Concentre-se, ordenei a mim mesmo.

— Você acredita sinceramente que gosta mais de mim do que eu de você? — indaguei.

A pergunta soou ridícula aos meus ouvidos, como se as palavras estivessem embaralhadas.

Ela ficou paralisada por um momento; até sua respiração parou. Então desviou o olhar, piscando rapidamente. E expirou com um arquejo.

— Você está fazendo aquilo de novo — murmurou.

— O quê?

— Me deixando tonta — admitiu ela, encarando-me com cuidado.

— Ah.

Eu não sabia bem o que fazer. Ainda estava eufórico por *conseguir* deixá-la tonta. Mas isso não ajudava a dar prosseguimento à conversa.

— Não é culpa sua. — Ela suspirou. — Você não consegue evitar.

— Vai responder à minha pergunta?

Ela olhou para a mesa.

— Sim.

Foi só o que disse.

— Sim, você vai responder, ou sim, você realmente pensa isso? — perguntei, impaciente.

— Sim, eu realmente penso isso — disse ela, sem erguer os olhos.

Havia um leve toque de melancolia em sua voz. Ela corou outra vez e inconscientemente mordeu os lábios.

De repente, me dei conta de que era muito difícil para Bella admitir isso, porque ela realmente acreditava que fosse verdade. E eu não agi melhor do que aquele covarde do Mike, pedindo para ela confirmar os próprios sentimentos antes que eu confirmasse os meus. Eu podia até achar que tinha deixado claro como me sentia, mas isso não importava. Ela não havia entendido, então eu não tinha desculpa.

— Você está errada — garanti.

Ela deve ter ouvido a ternura em minha voz.

Bella me encarou, os olhos opacos, o rosto impassível.

— Você não tem como saber disso — sussurrou.

— O que a faz pensar assim? — indaguei.

Deduzi que, para ela, eu estava subestimando seus sentimentos porque não conseguia ouvir seus pensamentos. Contudo, na verdade, o problema era que ela estava seriamente subestimando os *meus*.

Ela franziu o cenho, reflexiva. Pela milionésima vez, eu só queria desesperadamente conseguir *ouvi-la*.

Eu estava prestes a implorar quando ela ergueu um dedo e me silenciou.

— Me deixe pensar — pediu.

Contanto que ela estivesse apenas organizando os pensamentos, eu podia ser paciente.

Ou fingir que estava sendo.

Ela uniu as mãos, entrelaçando os dedos finos. Enquanto falava, olhou para eles como se pertencessem a outra pessoa.

— Bom, além do óbvio — murmurou ela —, às vezes... não posso ter certeza... *eu* não sei ler a mente de ninguém... mas às vezes parece que você está tentando dizer adeus quando diz outra coisa.

Bella não me encarou.

Então ela tinha percebido? Será que se deu conta de que o que me mantinha ali eram fraqueza e egoísmo? Será que pensava mal de mim por isso?

— Perceptiva — sussurrei, então vi, horrorizado, a dor desfigurar seu rosto. Apressei-me em contrariar sua suposição. — Mas é exatamente por isso que você está errada... — comecei, e logo parei, lembrando-me das primeiras palavras de sua explicação. Haviam me incomodado, embora eu não tivesse entendido. — O que quer dizer com "além do óbvio"?

— Bom, olhe para mim — disse ela.

Eu *estava* olhando. Tudo o que eu fazia era olhar para ela.

— Sou absolutamente comum... — explicou. — Bom, a não ser pelas coisas ruins, como todas as experiências de quase morte e por ser tão desastrada, o que me gera bastante problema. E olhe para você.

Bella fez um gesto em minha direção, como se estivesse falando algo tão óbvio que não valia nem a pena explicar.

Ela se achava comum? Pensava que, de alguma forma, eu era mais interessante do que ela? Na opinião de quem? De humanos limitados, cegos e tolos como Jessica ou a Srta. Cope? Como era possível que ela não percebesse que era a mais linda... a mais fascinante...? Essas palavras nem estavam à sua altura.

E ela não tinha a menor ideia.

— Você não se vê com muita clareza, sabia? — falei. — Vou admitir que você está certíssima sobre as coisas ruins. — Ri com pesar.

Eu não via nada de cômico no destino terrível que a perseguia. Sua falta de jeito, porém, tinha lá sua graça. Era adorável. Será que Bella acreditaria se eu dissesse que ela era linda por dentro e por fora? Talvez ajudasse se eu lhe desse uma prova.

— Mas você não ouviu o que cada garoto humano desta escola estava pensando no seu primeiro dia aqui — prossegui.

Ah, a esperança, o ânimo, o entusiasmo daqueles pensamentos. A velocidade com que se tornaram fantasias impossíveis. Impossíveis porque ela não queria nenhum deles.

Foi para mim que ela dissera sim.

Devo ter aberto um sorriso arrogante.

A expressão em seu rosto era de surpresa.

— Não acredito — murmurou.

— Confie em mim só desta vez... Você é o contrário do comum.

Bella não estava acostumada a elogios, dava para ver. Ela corou e mudou de assunto.

— Mas não estou dizendo adeus.

— Você não entende? Isso prova que estou certo. Eu é que gosto mais de você, porque se eu puder fazer isso... — Será que algum dia eu seria altruísta o bastante para fazer a coisa certa? Balancei a cabeça em desespero. Eu precisaria encontrar forças. Ela merecia ter uma vida. Não aquilo que Alice tinha previsto para ela. — Se partir for a coisa certa a fazer... — E tinha que ser a coisa certa, não tinha? O lugar de Bella não era comigo. Ela não fizera nada para merecer meu submundo. — Então vou me machucar para evitar magoar você, para manter você segura.

Ao dizer isso, desejei que fosse verdade.

Ela me olhou. De alguma forma, minhas palavras a irritaram.

— E você não acha que eu faria o mesmo? — perguntou, furiosa.

Tão furiosa, tão delicada e frágil. Como ela poderia machucar qualquer pessoa?

— Você nunca precisaria tomar essa decisão — falei, mais uma vez desolado pela imensa diferença entre nós.

Ela me encarou, e a raiva deu lugar à preocupação em seus olhos, acentuando o pequeno vinco entre eles.

Havia algo de muito errado com o funcionamento do universo quando uma pessoa tão boa, tão frágil, não tinha direito a um anjo da guarda para protegê-la dos perigos.

Bem, pensei com um humor ácido, *pelo menos ela tem um vampiro da guarda*.

Sorri. Como eu adorava usar essa desculpa para não sair de perto dela.

— É claro que manter você segura está começando a parecer uma ocupação de tempo integral, que requer minha presença constante.

Ela também sorriu.

— Ninguém tentou me assassinar hoje — disse, bem-humorada, e então seu rosto assumiu uma expressão pensativa por um instante, até seus olhos ficarem novamente opacos.

— Ainda — acrescentei, com seriedade.

— Ainda — concordou ela, para minha surpresa.

Eu esperava que Bella fosse negar, dizendo que não precisava de proteção.

Do outro lado do refeitório, os protestos de Rosalie aumentavam em vez de diminuir.

Desculpe, pensou Alice de novo. Ela deve ter me visto estremecer.

Mas ouvi-la me lembrou que eu tinha um assunto a resolver.

— Tenho outra pergunta para você — falei.

— Manda — disse Bella, sorrindo.

— Você realmente precisa ir a Seattle no sábado, ou essa era só uma desculpa para dizer não a todos os seus admiradores?

Ela fechou a cara.

— Sabe de uma coisa, ainda não perdoei você pela história do Tyler. Foi por sua culpa que ele se iludiu ao pensar que vou ao baile com ele.

— Ah, ele teria encontrado uma oportunidade de convidar você sem mim... Eu só queria ver a sua cara.

Dei uma gargalhada, lembrando-me da expressão de choque em seu rosto. Nada do que lhe contei sobre minha história sinistra tinha lhe causado tanto horror.

— Se eu tivesse convidado você, teria *me* dispensado?

— Provavelmente não — respondeu. — Mas eu teria cancelado depois... Fingindo estar doente ou ter torcido o tornozelo.

Que esquisito.

— Por que faria isso?

Ela balançou a cabeça como se estivesse decepcionada por eu não ter entendido de primeira.

— Pelo visto, você nunca me viu na aula de educação física, mas achei que fosse entender.

Ah.

— Está se referindo ao fato de que você não consegue andar numa superfície plana e estável sem tropeçar em alguma coisa?

— É óbvio.

— Isso não seria um problema. Tudo depende de quem conduz.

Por um brevíssimo segundo, fiquei fascinado com a ideia de tê-la em meus braços e dançar com ela. Bella com certeza estaria vestindo algo bonito e delicado em vez daquele suéter horroroso.

Lembrava com clareza a sensação do corpo dela sob o meu, logo depois que a arranquei do caminho da van desgovernada. Mais forte do que o pânico ou o desespero, eu me lembrava da sensação. Ela pareceu tão cálida e tão macia, encaixando-se perfeitamente no meu corpo de pedra...

Forcei-me a afastar essa recordação.

— Mas você não me respondeu... — acrescentei depressa, impedindo a objeção que certamente viria. — Está decidida a ir a Seattle ou não se importa se fizermos uma coisa diferente?

Que ardiloso. Eu estava dando a ela a chance de escolher, mas não lhe dava a opção de passar o dia longe de mim. Nem um pouco justo. Mas tinha feito uma promessa a ela ontem à noite. Foi de maneira espontânea, sem pensar direito, mas, de qualquer forma... se eu quisesse um dia ser digno da confiança que Bella depositava em mim, mesmo que eu não merecesse, teria que manter cada promessa feita. Mesmo que a ideia me deixasse apavorado.

O sábado seria ensolarado. Eu poderia lhe mostrar quem eu era de verdade, se tivesse coragem para suportar seu horror e sua aversão. Eu sabia de um lugar ideal para correr esse risco.

— Estou aberta a alternativas — disse Bella. — Mas tenho um favor a pedir.

Um sim com restrições. O que será que ela me pediria?

— O que é?

— Posso dirigir?

Ela estava tentando ser engraçada?

— Por quê?

— Bom, principalmente porque, quando eu disse a Charlie que ia a Seattle, ele me perguntou especificamente se eu ia sozinha e, na hora, eu ia mesmo. Se ele me perguntasse de novo, eu provavelmente não ia mentir, mas não acho que *vá* perguntar, e deixar minha picape em casa só traria o assunto à tona sem nenhuma necessidade. Além do mais, você dirige de um jeito que me dá medo.

Revirei os olhos.

— De todas as coisas sobre mim que podem assustá-la, você se preocupa com meu jeito de dirigir.

De fato, a lógica de sua mente era invertida. Balancei a cabeça, aborrecido. Por que ela não podia sentir medo das coisas certas? Por que eu não conseguia desejar que ela sentisse?

Não fui capaz de manter o tom descontraído da conversa.

— Você não quer contar ao seu pai que vai passar o dia comigo? — perguntei, a escuridão permeando minha fala enquanto eu listava na cabeça todas as razões pelas quais aquilo era importante, já adivinhando sua resposta.

— Com Charlie é melhor não pecar pelo excesso — disse ela, convicta. — Aonde vamos, aliás?

— O tempo vai estar bom — respondi com calma, lutando contra o pânico e a dúvida. Será que eu me arrependeria dessa decisão? — Então vou ficar longe dos olhares públicos... E você pode ficar comigo, se quiser.

Bella entendeu de primeira o que aquilo significava. Seus olhos brilharam de entusiasmo.

— E você vai me mostrar o que quis dizer sobre o sol?

Talvez, como tantas vezes antes, ela fosse reagir de maneira contrária à que eu esperava. Sorri diante da possibilidade, esforçando-me para voltar a um tom mais leve.

— Vou. Mas... — Ela ainda não dissera "sim". — ... se não quiser ficar... a sós comigo, ainda prefiro que não vá a Seattle sozinha. Eu estremeço só de pensar nos problemas que você pode arranjar numa cidade daquele tamanho.

Ela comprimiu os lábios. Tomou aquilo como uma ofensa.

— Phoenix é três vezes maior do que Seattle, só em termos de população. Em tamanho...

— Mas, ao que parece, sua hora não ia chegar em Phoenix — falei, dando um basta em suas explicações. — Então é melhor ficar perto de mim.

Ela podia ficar perto para sempre, e ainda assim não seria o suficiente.

Eu não deveria pensar desse jeito. Não existia um "para sempre" para nós. O tempo que ia passando contava mais do que nunca; a cada segundo ela mudava, enquanto eu permanecia intocável. Ao menos fisicamente.

— Por acaso, eu não me preocupo de ficar sozinha com você — disse ela.

Não. Porque os instintos dela eram invertidos.

— Eu sei. — Suspirei. — Mesmo assim, você devia contar ao Charlie.

— Por que diabos eu faria isso? — perguntou ela, chocada com a ideia.

Olhei irritado para ela, embora a raiva fosse, como sempre, direcionada a mim mesmo. Quem dera poder lhe dar uma resposta diferente.

— Para me dar um pequeno incentivo para trazê-la de volta — sibilei.

Ela precisava me dar isso, uma testemunha que me obrigasse a ser cauteloso.

Bella engoliu em seco e me encarou por um longo momento. O que ela via?

— Acho que vou correr esse risco — falou.

Ahh! Será que ela sentia algum prazer em arriscar a própria vida? Ansiava por uma dose de adrenalina?

Quer calar a boca?, o grito de Rosalie atingiu o volume máximo, interrompendo minha distração. Vi o que ela pensava sobre essa conversa, sobre o quanto Bella já sabia. Lancei um olhar rápido para Rosalie, que me encarava furiosa, mas percebi que eu não dava a mínima. Que ela destruísse o carro. Era só um brinquedo.

— Vamos falar de outra coisa — sugeriu Bella, de repente.

Tornei a olhá-la, me perguntando como ela podia ser tão alheia ao que realmente importava. Por que não me via como o monstro que eu era? Rosalie com certeza via.

— Do que você quer falar?

Ela olhou de um lado para outro, como se quisesse ter certeza de que nenhum intrometido estava ouvindo. Provavelmente queria iniciar mais um tópico relacionado aos mitos. Seu olhar se perdeu por um instante e seu corpo ficou tenso, então ela se virou de novo para mim.

— Por que você foi àquele lugar nas Goat Rocks no fim de semana passado? Para caçar? Charlie disse que não era um bom lugar para caminhadas, por causa dos ursos.

Tão desatenta. Encarei-a, erguendo uma das sobrancelhas.

— Ursos? — disse ela, e arfou.

Sorri ironicamente, observando a ficha cair. Será que isso a faria me levar a sério? Será que alguma coisa faria?

Isso, conte tudo a ela. Ainda bem que não temos nenhuma regra, não é mesmo?, os pensamentos de Rosalie chiaram em protesto. Forcei-me a ignorá-la.

Bella se recompôs.

— Não sei se você sabe, mas não é temporada de caça aos ursos — declarou com seriedade, estreitando os olhos.

— Se ler com cuidado, a lei só diz respeito a caça com armas.

Por um momento, ela tornou a perder o controle das expressões. Ficou boquiaberta.

— Ursos? — repetiu, dessa vez em um tom mais de dúvida do que de choque.

— Os pardos são os preferidos de Emmett.

Observei seus olhos enquanto ela controlava seu espanto e se recompunha.

— Hmm — murmurou ela.

Deu outra mordida na pizza, olhando para baixo. Perdida em pensamentos, mastigou o pedaço e depois tomou um gole da bebida.

— E aí? — disse ela, finalmente me fitando. — Qual é o seu preferido?

Acho que eu deveria esperar por algo assim, mas não esperava.

— O leão-da-montanha — respondi, com rispidez.

— Ah — falou em um tom neutro.

Seus batimentos continuavam estáveis e tranquilos, como se estivéssemos conversando sobre nosso restaurante favorito.

Ok, então. Se ela queria agir como se nada disso fosse estranho...

— É claro que precisamos ter o cuidado de não causar impacto ambiental com uma caçada imprudente — falei, em um tom imparcial e analítico. — Tentamos nos concentrar em áreas com uma superpopulação de predadores... tomando toda a extensão que precisarmos. Sempre há muitos cervos e veados por aqui, e eles vão servir, mas qual é a graça?

Ela ouvia com uma expressão educada de interesse, como se eu fosse um guia de museu falando sobre um quadro. Tive que sorrir.

— É, qual é a graça... — murmurou calmamente, mordendo mais um pedaço de pizza.

— O início da primavera é a temporada de ursos preferida de Emmett... — continuei, no mesmo tom. — Eles estão saindo da hibernação, então são mais irritadiços.

Setenta anos depois, e ele ainda não tinha superado a derrota naquele primeiro embate.

— Não há nada mais divertido do que um urso-pardo irritado — concordou Bella, assentindo solenemente.

Soltei uma risada baixa e balancei a cabeça diante daquela calma absurda. Ela não podia estar falando sério.

— Me diga o que realmente está pensando, por favor.

— Estou tentando imaginar... mas não consigo — respondeu ela, o vinco surgindo em sua testa. — Como vocês caçam um urso sem armas?

— Ah, nós temos armas — falei, e então abri um amplo sorriso. Eu esperava que Bella se encolhesse, mas ela permaneceu imóvel, me observando. — Mas não as do tipo que as pessoas consideram quando redigem as leis de caça. Se já viu um ataque de urso pela televisão, vai conseguir imaginar Emmett caçando.

Ela lançou um olhar na direção da mesa em que meus irmãos estavam e estremeceu.

Até que enfim. Então ri de mim mesmo, porque sabia que em parte torcia para que ela continuasse alheia à realidade.

Seus olhos escuros estavam arregalados e me encaravam com intensidade.

— Você também é como um urso? — perguntou, quase sussurrando.

— Mais como o leão-da-montanha, ao menos é o que me dizem — contei a ela, me esforçando para soar imparcial de novo. — Talvez nossas preferências sejam um sinal.

Seus lábios se curvaram levemente, dessa vez em um sorriso

— Talvez — repetiu. Então inclinou-se um pouco para o lado, e de repente a curiosidade brilhou em seus olhos. — É uma coisa que eu poderia ver?

Por um momento, a imagem se fez muito clara — o corpo de Bella ferido e ensanguentado em meus braços —, como se aquela visão tivesse sido minha, e não tirada da mente de Alice. Mas eu não precisava de vidência alguma para imaginar esse horror; a conclusão era óbvia.

— Claro que não — rosnei.

Ela se afastou com um susto, chocada e amedrontada pela fúria repentina. Recostei-me na cadeira também, querendo manter uma distância entre nós. Ela nunca ia entender, não é? Ela não faria nada para me ajudar a mantê-la viva.

— É assustador demais para mim? — perguntou, o tom de voz calmo.

Seu coração, no entanto, estava disparado.

— Se fosse isso, eu levaria você esta noite — sibilei. — Você *precisa* de uma dose saudável de medo. Nada pode ser mais benéfico para você.

— Então por quê? — quis saber, determinada.

Lancei um olhar ameaçador para ela, esperando que ficasse com medo. *Eu estava com medo.*

Seus olhos continuavam curiosos, impacientes, e nada mais. Ela aguardava a resposta, sem ceder.

Mas nosso tempo tinha acabado.

— Depois — disse, levantando-me. — Vamos nos atrasar.

Ela olhou em volta, desorientada, como se tivesse esquecido que era hora do almoço. Como se tivesse esquecido que estávamos na escola, surpresa por não estarmos sozinhos em algum lugar com um pouco de privacidade. Eu entendia bem essa sensação. Era difícil me lembrar do resto do mundo quando eu estava com ela.

Ela se levantou rapidamente, cambaleando, e pendurou a bolsa no ombro.

— Depois, então — falou, e vi a determinação no seu rosto.

Ela não me deixaria esquecer.

12. COMPLICAÇÕES

Bella e eu caminhamos em silêncio até a aula de biologia. Passamos por Angela Weber, parada na calçada e discutindo sobre um dever de casa com um garoto da sua aula de trigonometria. Examinei seus pensamentos superficialmente, já sabendo que não ia encontrar nada, mas acabei me surpreendendo com seu teor melancólico.

Ah, então Angela *queria* alguma coisa. Infelizmente, não era algo que daria para comprar em uma loja.

Senti-me estranhamente reconfortado por um instante ao ouvir os desejos frustrados de Angela. Fui invadido por uma sensação de afinidade e, naquele segundo, me senti em sintonia com a gentil garota humana.

Era curiosamente consolador saber que eu não era o único vivendo uma trágica história de amor. Havia corações partidos por toda parte.

Mas, no instante seguinte, me vi completamente irritado. Porque a história de Angela não *precisava* ser trágica. Ela era humana, ele era humano, e a diferença que parecia tão intransponível na cabeça dela era absolutamente ridícula quando comparada à minha situação. Não havia *motivo* para ela estar com o coração partido. Que desperdício de tristeza. Por que aquela história não poderia ter um final feliz?

Eu queria lhe dar um presente... Bem, ela teria exatamente o que queria. Conhecendo a natureza humana como eu conhecia, provavelmente nem seria muito difícil. Sondei a mente do garoto ao seu lado, o objeto de sua afeição, e ele não parecia contrário à ideia, apenas frustrado pela mesma dificuldade que ela.

Agora eu só precisava plantar a sugestão.

O plano surgiu facilmente. O roteiro se escreveu sem nenhum esforço de minha parte. Eu precisaria da ajuda de Emmett... e convencê-lo a participar disso era a única dificuldade real. A natureza humana era bem mais fácil de manipular do que a imortal.

Fiquei satisfeito com minha solução, com o presente que escolhi para Angela. Era uma ótima forma de me distrair dos meus problemas. Queria que os meus fossem tão fáceis de resolver.

Meu humor já estava um pouco melhor quando Bella e eu nos sentamos. Talvez eu devesse ser mais positivo. Talvez houvesse alguma solução que eu não estivesse vendo, da mesma maneira que a solução de Angela era tão invisível para ela. Não era provável... Mas por que perder tempo me rendendo à desesperança? Eu não tinha tempo a perder quando se tratava de Bella. Cada segundo contava.

O Sr. Banner entrou puxando um antigo rack audiovisual. Ele ia pular uma parte da matéria pela qual não tinha muito interesse — doenças genéticas —, e por isso nós veríamos um filme pelos três dias seguintes. *O óleo de Lorenzo* não era uma história muito animadora, mas isso não impediu a agitação da turma. Nada de anotações, nem matéria de prova. Os humanos vibraram.

Para mim não fazia diferença. Eu não planejava prestar atenção em nada além de Bella.

Não puxei minha cadeira para longe da dela hoje para me dar espaço para respirar. Em vez disso, sentei-me bem ao seu lado como qualquer humano normal faria. Mais perto do que nos sentamos em meu carro, perto o bastante para o lado esquerdo do meu corpo se sentir submerso no calor da pele dela.

Era uma experiência estranha, ao mesmo tempo agradável e estressante, mas eu preferia isso a me sentar à sua frente, do outro lado da mesa. Ia além da minha zona de conforto, e ainda assim não demorou para eu perceber que não era suficiente. Eu não estava satisfeito. Ficar perto dela assim só me fazia querer ficar ainda mais perto.

Eu a acusara de ser um ímã para problemas. Naquele instante, isso parecia ser literalmente verdade. *Eu* era o perigo, e a cada centímetro que me aproximava dela, a atração que exercia sobre mim ficava ainda mais forte.

Então o Sr. Banner desligou as luzes.

Era estranho como isso fazia diferença, levando-se em consideração que a ausência de luz não dificultava a minha visão. Eu ainda podia enxergar tão perfeitamente quanto antes. Via cada cantinho da sala e seus mínimos detalhes.

Então por que senti toda aquela eletricidade no ar? Talvez por saber que eu era o único que podia enxergar perfeitamente? Que Bella e eu estávamos invisíveis aos outros? Como se estivéssemos a sós, só nós dois escondidos na sala escura, sentados muito perto um do outro.

Minha mão se moveu em direção à dela sem que eu sentisse. Queria tocar sua mão, segurá-la no escuro. Seria um erro tão terrível? Se minha pele a incomodasse, ela só teria que afastar a mão.

Puxei minha mão de volta, cruzei decididamente os braços e cerrei os punhos. Chega de erros, prometi a mim mesmo. Segurar a mão dela só ia me fazer querer mais... querer outro toque insignificante, chegar um pouco mais perto. Eu podia sentir isso. Um novo tipo de desejo crescia dentro de mim, ameaçando meu autocontrole.

Chega de erros.

Bella, assim como eu, cruzou os braços firmemente e cerrou os punhos.

No que você está pensando?, queria muito sussurrar para ela, mas a sala estava silenciosa demais até para uma conversa em voz baixa.

O filme começou, iluminando um pouco a escuridão. Bella olhou para mim de soslaio. Notou a postura rígida do meu corpo — semelhante à dela — e sorriu. Seus lábios se entreabriram, e seus olhos pareciam um cálido convite.

Ou talvez eu só estivesse vendo o que queria ver.

Retribuí o sorriso. Ela pareceu ficar sem ar por um instante e desviou rapidamente o olhar.

Isso só piorou as coisas. Eu não podia ler seus pensamentos, mas de repente tive certeza de que estava certo antes: ela *queria* que eu a tocasse. Ela sentia aquele mesmo desejo perigoso que eu.

A eletricidade crepitava entre meu corpo e o dela.

Bella não movia nem um músculo com o passar do tempo, mantendo a postura rígida e controlada como a minha. De vez em quando, olhava para mim de novo e, com um choque repentino, eu sentia aquela corrente atravessar meu corpo.

A hora passava lentamente, e ainda assim não lentamente o bastante. Aquilo tudo era tão novo que eu poderia ficar sentado daquele jeito com ela por dias, só para viver a sensação por completo.

À medida que os minutos passavam, eu era atormentado por diversos conflitos internos, uma verdadeira batalha entre a racionalidade e o desejo.

Por fim, o Sr. Banner acendeu as luzes de novo.

Sob a forte iluminação das lâmpadas fluorescentes, a atmosfera da sala voltou ao normal. Bella suspirou e alongou os braços, flexionando os dedos à sua frente. Devia ter sido desconfortável para ela manter aquela posição por tanto tempo. Era mais fácil para mim... a imobilidade vinha naturalmente.

Ri da expressão de alívio no rosto dela.

— Bom, isso foi interessante — falei.

— Hmmm — murmurou ela, claramente entendendo a que eu me referia, ainda que não comentasse nada.

O que eu não daria para ouvir o que ela estava pensando *naquele exato momento*.

Suspirei. Mesmo que eu desejasse com toda a minha força, isso não me ajudaria em nada.

— Vamos? — perguntei, ficando de pé.

Ela fez uma careta e se levantou sem firmeza, as mãos estendidas como se estivesse com medo de cair.

Eu poderia oferecer minha mão. Ou poderia segurá-la de leve pelo cotovelo, para apoiá-la. Com certeza não seria uma transgressão tão terrível.

Chega de erros.

Seguimos em completo silêncio em direção ao ginásio, o vinco entre os olhos de Bella em evidência, sinal de que estava perdida em pensamentos. Eu também estava.

Um breve contato com a pele dela não a machucaria, argumentava meu lado egoísta.

Eu poderia muito bem moderar a pressão da minha mão. Não era exatamente difícil. Meu senso tátil era mais bem desenvolvido do que o dos humanos: eu podia fazer malabarismo com uma dúzia de cálices de cristal sem quebrar nenhum, podia acariciar uma bolha de sabão sem estourá-la. Desde que estivesse em pleno controle.

Bella era como uma bolha de sabão, frágil e efêmera. *Passageira.*

Por quanto tempo eu poderia justificar minha presença em sua vida? Quanto tempo eu tinha? Teria outra chance como aquela, como aquele momento, aquele segundo? Ela não estaria sempre ao meu alcance.

Bella se virou quando chegamos à entrada do ginásio e arregalou os olhos ao notar minha expressão. Não falou nada. Olhei para minha imagem no reflexo de seus olhos e vi o conflito que se agitava em meu interior. Observei meu rosto mudar quando meu lado racional perdeu a discussão.

Levantei a mão de forma inconsciente. Como se Bella fosse feita do mais fino cristal, frágil feito a bolha que eu imaginara, e meus dedos acariciaram delicadamente a pele quente de sua bochecha. Senti seu calor se intensificar sob meu toque e a pulsação de seu sangue acelerar sob a pele translúcida.

Chega, ordenei, embora minha mão ansiasse por envolver o rosto dela. *Chega.*

Foi difícil afastar minha mão de seu rosto, não chegar mais perto dela do que eu já estava. Mil possibilidades diferentes percorreram minha mente em um instante... mil maneiras diferentes de tocá-la. Contornar seus lábios com a ponta do dedo. Envolver seu queixo com a palma da minha mão. Tirar o prendedor de seus cabelos e entrelaçar meus dedos neles. Meus braços contornando sua cintura, abraçando-a firmemente junto do meu corpo.

Chega.

Forcei-me a dar as costas, a me afastar dela. Meus movimentos eram rígidos... iam completamente contra a minha vontade.

Deixei minha mente se demorar um pouco mais para observá-la, enquanto eu saía apressado, quase correndo da tentação. Captei os pensamentos de Mike Newton — os mais altos por ali —, que acompanhava Bella passar por ele distraída, o olhar perdido e as bochechas vermelhas. O garoto parecia furioso, e de repente meu nome se misturava a alguns xingamentos em sua cabeça. Não pude deixar de dar um discreto sorriso.

Minha mão formigava. Flexionei-a e então cerrei o punho, mas não parava de sentir fisgadas indolores.

Não, eu não a machucara... mas mesmo assim tocá-la tinha sido um erro.

Era como carvão em brasa, como se uma versão entorpecida da ardência da sede tivesse se espalhado por todo o meu corpo.

Na próxima vez que estivesse perto dela, conseguiria me impedir de tocá-la de novo? E se a tocasse uma segunda vez, conseguiria parar por aí?

Chega de erros. Já bastava. *Saboreie a lembrança, Edward,* disse a mim mesmo amargamente, *e controle suas mãos.* Era isso ou teria que me obrigar a ir embora... de algum jeito. Não poderia continuar perto dela se insistisse em cometer erros.

Respirei fundo e tentei acalmar meus pensamentos.

Emmett me encontrou em frente ao prédio de literatura inglesa.

— Ei, Edward. — *Ele parece melhor. Estranho, mas melhor. Feliz.*

— Oi, Em.

Eu parecia feliz? Acho que sim. Apesar do caos na minha cabeça, sentia algo perto disso.

Parabéns por ficar de boca fechada, garoto. Rosalie vai arrancar sua língua.

Suspirei.

— Sinto muito por ter deixado você sozinho nessa. Está irritado comigo?

— Claro que não. Rose vai superar. Tinha que acontecer mesmo. — *Com o que Alice viu que está por vir...*

Não queria pensar nas visões de Alice naquele instante. Olhei fixamente para a frente, cerrando os dentes.

Enquanto procurava uma distração, vi Ben Cheney entrar na sala de espanhol mais à frente. Ah... ali estava minha chance de dar o presente de Angela Weber.

Parei de andar e puxei Emmett pelo braço.

— Espera um segundo.

O que houve?

— Sei que não mereço, mas você me faria um favor?

— Que favor? — perguntou ele, curioso.

Então lhe expliquei baixinho, numa velocidade que tornava as palavras incompreensíveis ao ouvido humano, como era mesmo minha intenção.

Emmett ficou me encarando quando terminei, os pensamentos tão vazios quanto seu rosto.

— Então? — perguntei. — Vai me ajudar?

Ele levou um minuto para responder.

— Mas *por quê?*

— Ah, vamos lá, Emmett. Por que *não?*

Quem é você e o que fez com meu irmão?

— Não é você que reclama que a escola é sempre a mesma coisa? Isso é um pouco diferente, não é? Considere um experimento... um experimento sobre a natureza humana.

Meu irmão me encarou mais um pouco antes de ceder.

— Bem, é *mesmo* diferente, isso eu tenho que admitir. Está bem. — Ele bufou e deu de ombros. — Vou ajudar.

Abri um sorriso, sentindo-me mais entusiasmado com relação ao plano agora que ele tinha aceitado participar. Rosalie era um pé no saco, mas sempre ficaria lhe devendo uma por ter escolhido Emmett. Eu não podia pedir um irmão melhor.

Emmett não precisaria praticar. Sussurrei suas falas ao entrarmos na sala.

Ben já estava sentado à mesa atrás da minha, separando o dever de casa para entregar. Emmett e eu nos sentamos e fizemos a mesma coisa. A sala ainda não estava em silêncio: o burburinho das conversas em voz baixa continuaria até a Sra. Goff chamar a atenção da turma. Ela não estava com pressa, pois continuava avaliando os testes da última aula.

— Então — disse Emmett, a voz mais alta do que o necessário. — Você já chamou a Angela Weber para sair?

O farfalhar dos papéis cessou abruptamente, e Ben pareceu congelar, a atenção de repente focada em nossa conversa.

Angela? Eles estão falando da Angela?

Ótimo. Consegui atrair a atenção dele.

— Não — respondi, balançando lentamente a cabeça para parecer arrependido.

— Por que não? — improvisou Emmett. — Está faltando coragem?

Franzi a testa para ele.

— Não. Ouvi falar que ela está interessada em outra pessoa.

Edward Cullen ia chamar a Angela *para sair? Mas... não. Não gosto disso. Não quero esse cara perto dela. Ele... não é a pessoa certa para ela. Não é... seguro.*

Eu não previra o cavalheirismo, o instinto protetor. Tinha pensado em despertar ciúme. Mas aquilo também servia.

— Vai deixar isso deter você? — perguntou Emmett em tom de deboche, improvisando de novo. — Não está pronto para uma competiçãozinha?

Fuzilei-o com o olhar, mas aproveitei a deixa.

— Olha, acho que ela gosta mesmo desse tal de Ben. Não vou tentar convencê-la do contrário. Existem outras garotas por aí.

A reação na cadeira atrás de mim foi elétrica.

— Quem? — perguntou Emmett, de volta ao roteiro.

— Um colega de laboratório disse que era um garoto chamado Cheney. Acho que não sei quem é.

Contive o riso. Somente os arrogantes dos Cullen podiam fingir não conhecer cada aluno daquela escola minúscula.

Ben virava a cabeça de um lado para outro, em choque. *Eu? Ela prefere sair comigo do que com Edward Cullen? O que diabos ela viu em* mim*?*

— Edward — disse Emmett em um tom mais baixo, indicando o garoto com os olhos. — Ele está sentado bem atrás de você — balbuciou, de maneira tão óbvia que o humano pôde facilmente identificar as palavras.

— Ah... — murmurei em resposta.

Virei-me na cadeira e olhei de relance para o garoto atrás de mim. Por um segundo, os olhos negros por trás dos óculos pareceram assustados, mas então ele se aprumou e endireitou os ombros, ofendido por minha avaliação claramente depreciativa. Ergueu o queixo, e um rubor enfurecido escureceu sua pele morena.

— Ah, tá — deixei escapar de maneira arrogante enquanto me virava de volta para Emmett.

Ele se acha melhor do que eu. Mas a Angela não. Vou mostrar a ele...

Perfeito.

— Mas você não disse que ela ia ao baile com o Yorkie? — perguntou Emmett, bufando ao dizer o nome do garoto de quem muitos debochavam por ser meio desajeitado.

— Aparentemente foi uma decisão de grupo. — Eu queria deixar tudo muito claro para o Ben. — Angela é tímida. Se o Be... enfim, se um cara não tiver coragem de convidá-la, ela nunca vai chamá-lo.

— Você gosta de garotas tímidas — disse Emmett, de volta ao improviso. *Garotas quietinhas. Garotas como... hmmm, sei lá. Bella Swan?*

Sorri para ele.

— Exato. — Então voltei à encenação. — Talvez Angela se canse de esperar. Talvez seja uma boa ideia convidá-la para o baile de formatura.

Não, não vai mesmo, pensou Ben, endireitando-se na cadeira. *E daí se ela é mais alta do que eu? Se ela não se importa, eu também não. Ela é a garota mais legal, bonita e inteligente da escola... e ela gosta de* mim.

Gostei do Ben. Ele parecia inteligente e sincero. Talvez merecesse mesmo uma garota como Angela.

Ergui o polegar para Emmett por baixo da mesa quando a Sra. Goff se levantou e cumprimentou a turma.

Está bem, Edward, tenho que admitir... isso até que foi um pouco divertido, pensou Emmett.

Sorri, feliz por ter conseguido dar um empurrãozinho naquela história de amor. Eu tinha certeza de que Ben seguiria com o plano, e Angela receberia meu presente anônimo. Minha dívida estava paga.

Como os humanos eram tolos. Deixar quinze centímetros de altura atrapalharem sua felicidade.

Meu sucesso me deixou bem-humorado. Sorri de novo ao me acomodar na cadeira e me preparar para a diversão. Afinal, como Bella ressaltara no almoço, eu nunca a vira em ação na aula de educação física.

Os pensamentos de Mike foram os mais fáceis de identificar no murmúrio de vozes que corriam pelo ginásio. Eu havia me familiarizado com a mente dele nas últimas semanas. Com um suspiro, me resignei a ouvir o que estava acontecendo através dele. Pelo menos podia ter certeza de que ele iria prestar atenção em Bella.

Concentrei-me bem a tempo de ouvi-lo se oferecer para ser a dupla dela no badminton. Ao fazer a sugestão, passaram por sua mente outras atividades que ele e Bella podiam fazer em dupla. Meu sorriso desapareceu na mesma hora. Cerrei os dentes e procurei me lembrar de que ainda não era permitido matar Mike Newton.

— *Obrigada, Mike... Sabe que não precisa fazer isso.*

— *Não se preocupe, vou me manter fora de seu alcance.*

Ela sorriu para ele, e imagens de vários acidentes — sempre ligados de alguma forma a Bella — passaram pela mente de Mike.

Ele começou jogando sozinho, enquanto Bella hesitava no fundo da quadra, segurando cuidadosamente a raquete, como se fosse explodir caso a movesse rápido demais. Então o treinador Clapp passou por perto e ordenou que Mike deixasse Bella jogar.

Ah, não, pensou Mike enquanto Bella se aproximava com um suspiro, segurando a raquete em um ângulo estranho.

Jennifer Ford arremeteu a peteca diretamente contra Bella com um pensamento presunçoso. Mike viu Bella avançar, balançando a raquete metros longe do alvo, e correu para conseguir o voleio.

Acompanhei, preocupado, o caminho da raquete de Bella. Como era esperado, a raquete bateu na rede e saltou de volta para ela, acertando-a bem na testa antes de girar e, em seguida, atingir o braço de Mike produzindo um baque sonoro.

Ai, ai. Caramba. Vai ficar roxo.

Bella massageava a testa. Era difícil ficar sentado naquela sala de aula sabendo que ela estava machucada. Mas o que eu poderia fazer, mesmo se estivesse lá? E não parecia sério. Hesitei, atento.

O treinador riu.

— *Sinto muito, Newton.* — *Essa garota é a maior azarada que já vi na vida. Eu não deveria obrigar ninguém a ficar perto dela.*

Então virou-se de costas deliberadamente e foi acompanhar outro jogo, deixando Bella livre para voltar ao seu antigo papel de espectadora.

Ai, pensou Mike mais uma vez, massageando o braço. Então se virou para Bella.

— *Você está bem?*

— *Sim, e você?* — perguntou ela, sem jeito.

— *Acho que vou sobreviver.* — *Não quero parecer um bebê chorão, mas, caramba, como dói!*

Mike girou o braço, encolhendo-se de dor.

— *Vou ficar aqui atrás* — disse Bella, o rosto mostrando constrangimento em vez de dor.

Talvez Mike tivesse levado a pior nessa. Com certeza, era o que eu *desejava*. Pelo menos, ela não estava mais jogando. Bella segurava a raquete com tanto cuidado às costas, o rosto cheio de remorso... que tive que fingir que tossia para disfarçar o riso.

Qual é a graça?, quis saber Emmett.

— Conto mais tarde — murmurei.

Bella não se arriscou mais no jogo. O treinador a ignorou e deixou Mike jogar sozinho.

Terminei tranquilamente o teste antes do fim da aula, e a Sra. Goff me liberou mais cedo. Eu ouvia atentamente os pensamentos de Mike ao atravessar o campus. Ele resolvera perguntar a Bella sobre mim.

Jessica jura que os dois estão namorando. Por quê? Por que ele tinha que escolher justo ela?

Mike estava totalmente alheio ao fato de que, na verdade, era *ela* quem tinha me escolhido.

— E aí?

— E aí o quê? — perguntou ela.

— Você e o Cullen, hein? — *Você e o esquisito. Não sabia que o cara ser rico era tão importante para você...*

Cerrei os dentes ao ouvir aquela suposição degradante.

— Isso não é da sua conta, Mike.

Ela ficou na defensiva. Então é verdade. Droga.

— Não gosto disso.

— Não tem que gostar ou não — rebateu ela.

Por que ela não consegue ver que ele é uma aberração? Aliás, todos eles. A maneira como Edward olha para ela. Me dá até arrepios.

— Ele olha para você como se... Como se você fosse uma coisa de comer.

Eu me encolhi, esperando pela reação dela.

O rosto de Bella ficou vermelho-vivo, e ela comprimiu os lábios como se estivesse prendendo a respiração. Então, de repente, deixou escapar uma risada.

Agora ela está rindo de mim. Ótimo.

Mike lhe deu as costas, os pensamentos irritados, e foi para o vestiário se trocar.

Recostei-me à parede do ginásio e tentei me recompor.

Como ela pôde rir diante da acusação de Mike... tão certeira que comecei a achar que Forks já estava ficando alerta *demais*. Por que Bella riria da sugestão de que eu poderia matá-la, se sabia que era totalmente verdade?

Qual era o *problema* dela?

Será que tinha um senso de humor mórbido? Isso não batia com a ideia que eu fazia dela, mas como eu podia ter certeza? Ou talvez minha ideia do anjo tolo fosse verdadeira em um aspecto: Bella não sentia medo. Corajosa era uma boa palavra para descrevê-la. Outros diriam estúpida, mas eu sabia que ela era inteligente. Independentemente da razão, seria essa estranha falta de medo o que a colocava constantemente em perigo? Talvez fosse uma coisa boa ela sempre me ter por perto.

E, de repente, meu humor começou a melhorar.

Se pudesse me disciplinar, me tornar seguro, talvez ficar perto dela fosse a coisa certa a se fazer.

Ao passar pelas portas do ginásio, seus ombros pareciam tensos, e ela mordia o lábio — um claro sinal de ansiedade. Mas assim que seus olhos encontraram os meus, relaxou um pouco, e um sorriso largo surgiu em seu rosto. Era uma expressão estranhamente serena. Ela se aproximou de mim sem hesitar, só parando quando já estava tão perto que o calor de seu corpo me atingiu como uma onda quebrando na praia.

— Oi — sussurrou.

Fui mais uma vez invadido por uma felicidade sem precedentes.

— Olá — falei, e então, como de repente estava muito bem-humorado, não resisti a provocá-la: — Como foi a educação física?

O sorriso vacilou em seu rosto.

— Legal.

Ela não sabia mentir.

— É mesmo? — perguntei, insistindo no assunto.

Ainda estava preocupado com a cabeça dela. Será que estava dolorida? Mas os pensamentos de Mike Newton ficaram tão altos que interromperam minha concentração.

Eu odeio esse cara. Queria que ele morresse. Espero que caia de um penhasco naquele carro reluzente dele. Por que não a deixa em paz? Deveria andar com os outros esquisitões iguais a ele...

— Que foi? — perguntou Bella.

Voltei a focar seu rosto. Ela então olhou para Mike, que se afastava, e depois para mim de novo.

— O Newton está me dando nos nervos — admiti.

Seu sorriso desapareceu. Bella devia ter se esquecido de que minha habilidade me permitira observar sua desastrosa última hora, ou esperava que eu não a tivesse usado.

— Não estava ouvindo de novo, estava?

— Como está a sua cabeça?

— Você é inacreditável! — disse ela, então se virou e saiu furiosa em direção ao estacionamento.

Seu rosto tinha ficado completamente vermelho... estava constrangida.

Acompanhei seus passos, esperando que a raiva passasse rápido. Normalmente, Bella não demorava muito a me perdoar.

— Foi você quem disse que eu nunca a tinha visto na educação física... — expliquei. — Isso me deixou curioso.

Ela não respondeu, só franzia a testa.

Bella parou de repente no estacionamento ao ver que o caminho para o meu carro estava bloqueado por um grupo de alunos, quase todos homens.

Queria saber a que velocidade dá para chegar com essa coisa.

Olha só esse câmbio borboleta. Só vi um desses em revistas.

Belas saídas de ar laterais!

Claro, seria ótimo ter sessenta mil dólares dando bobeira assim...

E era por isso que Rosalie só deveria usar o carro dela fora da cidade.

Abri caminho pela multidão de humanos vidrados no carro da minha irmã enquanto seguia até o meu. Após um segundo de hesitação, Bella me seguiu.

— Chamativo — murmurei quando ela entrou.

— Que carro é esse? — perguntou.

— Um M3.

Ela franziu a testa.

— Eu não falo a língua da *Car and Driver*.

— É um BMW. — Revirei os olhos e então me concentrei em dar a ré sem atropelar ninguém.

Tive que olhar fixamente para alguns garotos que não pareciam dispostos a sair do caminho. Meio segundo bastou para convencê-los.

— Ainda está com raiva? — perguntei.

A fisionomia dela parecia mais relaxada.

— Com certeza.

Suspirei. Talvez eu não devesse ter tocado no assunto. Ah, bem. Acho que eu podia tentar consertar as coisas.

— Pode me perdoar se eu pedir desculpas?

Ela pensou por um instante.

— Talvez... Se for sincero — concluiu. — *E* se me prometer que não vai fazer isso de novo.

Eu não ia mentir para ela, e não tinha como concordar com *aquilo*. Talvez se eu lhe oferecesse outra coisa em troca.

— E se eu for sincero *e* concordar em deixar você dirigir no sábado?

Estremeci só de pensar nisso. A ruguinha na altura dos olhos surgiu enquanto ela avaliava a nova proposta.

— Feito.

Agora o meu pedido de desculpas... Eu nunca tinha tentado deixar Bella tonta de propósito, mas aquele parecia um bom momento. Olhei no fundo de seus olhos enquanto me afastava da escola, perguntando-me se estava fazendo aquilo direito. Usei meu tom mais persuasivo.

— Então me desculpe por ter aborrecido você.

O coração dela começou a bater mais rápido e mais alto do que antes. Ela arregalou os olhos. Parecia atordoada.

Abri um meio sorriso. Pelo visto, eu tinha conseguido. É claro que agora estava tendo um pouco de dificuldade em desviar meus olhos dos dela também. Igualmente tonto. Que bom que eu já conhecia aquela estrada de cor.

— Estarei na sua porta na manhã de sábado, bem cedo — acrescentei, concluindo o acordo.

Ela arqueou a sobrancelha e piscou rapidamente, balançando a cabeça para clarear a mente.

— Hmmm, não vai ajudar nos problemas com o Charlie se um Volvo desconhecido aparecer de repente na entrada de casa.

Ah, ela não me conhecia nem um pouco.

— Não era minha intenção aparecer de carro.

— Como... — começou a perguntar.

Eu a interrompi. A resposta só provocaria outra rodada de perguntas.

— Não se preocupe com isso. Eu estarei lá, sem carro.

Ela virou a cabeça e por um segundo deu a impressão de que iria insistir, mas então pareceu mudar de ideia.

— Já é depois? — perguntou ela, lembrando-me da nossa conversa inacabada no refeitório mais cedo.

Eu deveria ter respondido à sua outra pergunta. Aquela era muito mais difícil.

— Acho que já é depois — concordei, a contragosto.

Estacionei em frente à casa dela, o corpo tenso enquanto pensava em como explicar... sem tornar minha natureza monstruosa muito evidente, sem assustá-la de novo. Ou seria errado minimizar meu lado sombrio?

Ela esperou com a mesma expressão educada e interessada que exibira no almoço. Se eu não estivesse tão nervoso, sua calma absurda teria me feito rir.

— E você ainda quer saber por que não pode me ver caçar? — perguntei.

— Bom, eu estava me perguntando sobre sua reação — disse ela.

— Eu não a assustei? — quis saber, certo de que ela negaria.

— Não. — Era uma mentira tão óbvia.

Tentei não rir, mas não consegui.

— Desculpe por assustá-la. — E então meu sorriso desapareceu junto ao bom humor momentâneo. — Foi só a ideia de você estar lá... enquanto nós caçávamos.

— Seria tão ruim assim?

A imagem mental já era demais: Bella, completamente vulnerável em meio à escuridão; eu, fora de controle... Tentei tirar aquilo da cabeça.

— Extremamente.

— Porque...?

Respirei fundo, concentrando-me por um instante no ardor da sede. Sentindo-a, controlando-a, provando meu controle sobre ela. Nunca mais seria controlado pela sede... Eu desejava que isso fosse verdade com todas as minhas forças. *Seria* seguro eu ficar perto dela. Olhei fixamente para as nuvens bem-vindas, sem de fato vê-las, desejando que minha determinação fizesse alguma diferença se eu estivesse caçando e sentisse o cheiro dela.

— Quando caçamos — comecei a explicar, pensando em cada palavra antes de falar —, nós nos entregamos aos nossos sentidos... e nossa mente fica um pouco distraída. Em especial o olfato. Se você estivesse perto de mim quando eu perdesse o controle desse jeito...

Balancei a cabeça em agonia diante do pensamento do que iria — não do que *poderia*, mas do que certamente *iria* — acontecer.

Ouvi o coração dela acelerar, e então, inquieto, tentei interpretar seus olhos.

O rosto de Bella estava contido, o olhar, sério. A boca ligeiramente contraída pelo que eu imaginava que fosse preocupação. Mas preocupação com o quê? Sua própria segurança? Havia alguma esperança de que eu tivesse finalmente esclarecido a realidade? Continuei olhando fixamente para ela, tentando traduzir sua expressão ambígua em fatos concretos.

Bella me encarava de volta. Os olhos dela se arregalaram após um instante, e as pupilas dilataram, embora a luz não tivesse mudado.

Minha respiração acelerou, e de repente o silêncio no carro parecia um zumbido, como na sala escura da aula de biologia daquela tarde. A corrente elétrica entre nós surgiu de novo, e meu desejo de tocá-la pareceu, brevemente, mais forte do que minha sede.

A eletricidade pulsante me dava a sensação de ter batimentos de novo. Meu corpo cantava junto. Como se eu fosse humano. Mais do que qualquer coisa no mundo, eu queria sentir o calor dos lábios dela tocando os meus. Por um segundo, lutei desesperadamente para encontrar a força, o controle... para ser capaz de levar meus lábios tão perto de sua pele.

Ela puxou o ar numa respiração entrecortada, e só então percebi que, quando eu começara a respirar mais rápido, sua respiração parara por completo.

Fechei os olhos, tentando cortar a conexão entre nós.

Chega de erros.

A existência de Bella estava atada a milhares de processos químicos delicadamente equilibrados, todos tão fáceis de se romper: a expansão rítmica de seus pulmões, aquele fluxo constante de oxigênio significava vida ou morte para ela. A cadência palpitante de seu frágil coração podia ser interrompida por tantas doenças, ou acidentes estúpidos, ou... por mim.

Eu duvidava de que qualquer membro da minha família — com a exceção, talvez, de Emmett — hesitaria por um instante se lhe oferecessem uma chance de voltar ao que éramos, se pudessem trocar a imortalidade pela mortalidade de novo. Rosalie e eu, Carlisle também, todos nos atiraríamos no fogo por isso. E arderíamos pelos dias e séculos que fossem necessários.

A maioria dos outros da nossa espécie valorizava a imortalidade acima de tudo. Havia até humanos que ansiavam por isso, que procuravam em lugares sombrios por aqueles que pudessem lhes dar o mais sombrio dos presentes.

Mas não nós. Não minha família. Daríamos qualquer coisa para voltar a ser humanos.

Mas nenhum de nós, nem mesmo Rosalie, já desejara tão desesperadamente poder voltar a ser humano como eu naquele instante.

Abri os olhos e me concentrei nos defeitos microscópicos do para-brisa, como se houvesse uma solução oculta nas imperfeições do vidro. A eletricidade não diminuíra, e tive que me concentrar para manter as mãos no volante.

Voltei a sentir um formigamento na mão direita, de quando eu a tocara mais cedo.

— Bella, acho que você devia entrar agora.

Ela obedeceu imediatamente, sem falar nada, saindo do carro e batendo a porta na mesma hora. Será que sentia o potencial para o desastre tanto quanto eu?

Será que ela sofria ao me deixar, assim como eu sofria ao vê-la ir embora? Meu único consolo era que eu a veria em breve. Mais cedo do que ela me veria. Sorri ao pensar nisso, então desci o vidro da janela do carro e me inclinei para falar com ela mais uma vez. Era mais seguro assim, com o calor do seu corpo fora do carro.

Ela se virou para ver o que eu queria, curiosa.

Sempre tão curiosa, embora eu tivesse respondido quase todas as suas várias perguntas. Mas minha própria curiosidade ainda não tinha sido completamente satisfeita. Aquilo não era justo.

— Ah, Bella?

— Sim?

— Amanhã é a minha vez.

Ela franziu a testa.

— Sua vez de quê?

— De fazer as perguntas.

No dia seguinte, quando estivéssemos em um lugar mais seguro, cercado por testemunhas, eu teria minhas respostas. Sorri ao concluir isso, então desviei o olhar, porque Bella não se mexia para ir embora. Mesmo com ela fora do carro, o eco da eletricidade crepitava no ar. Eu queria sair também e acompanhá-la até a porta para ter uma desculpa para ficar mais tempo ao seu lado.

Chega de erros. Pisei fundo no acelerador, e então suspirei quando ela desapareceu atrás de mim. Parecia que eu estava sempre correndo em direção a Bella ou para longe dela, sem nunca parar. Teria que descobrir uma maneira de segurar as pontas se algum dia quiséssemos ter paz.

De fora, minha casa estava tranquila e silenciosa quando passei diante dela, a caminho da garagem. Mas eu podia ouvir a agitação lá dentro — tanto das vozes quanto dos pensamentos. Lancei um olhar melancólico em direção ao meu carro preferido — por ora, ainda intocado — antes de, como no conto de fadas, sair para encarar o lindo ogro sob a ponte. Mal consegui concluir a curta caminhada antes de ser abordado.

Rosalie saiu, decidida, assim que ouviu meus passos. Ficou parada na base da escada, com os dentes à mostra.

Parei a uns vinte metros de distância com uma postura nada agressiva. Eu sabia que merecia isso.

— Sinto muito, Rose — falei, antes mesmo que ela pudesse organizar os pensamentos para atacar.

Provavelmente, ela não teria a chance de dizer muito mais do que isso.

Rose endireitou os ombros e ergueu o queixo.

Como pôde ser tão idiota?

Emmett desceu lentamente a escada atrás dela. Eu sabia que, se Rosalie me atacasse, Emmett tentaria nos separar. Não para me proteger. Mas para impedi-la de me provocar a ponto de eu revidar.

— Sinto muito — falei novamente.

Percebi que ela estava surpresa com a falta de sarcasmo em minha voz, com minha rápida capitulação. Mas ainda estava muito irritada para aceitar minhas desculpas.

Está feliz agora?

— Não — respondi, a dor em minha voz mostrava com clareza minha sinceridade.

Então por que fez isso? Por que contou a ela? Só porque ela perguntou?

As palavras em si não eram tão duras... mas seu tom mental vinha carregado de farpas pingando ácido. O rosto de Bella também estava em sua mente — uma caricatura do rosto que eu tanto amava. Por mais que Rosalie me odiasse naquele momento, isso não era nada comparado ao ódio que ela sentia por Bella. Ela queria acreditar que esse ódio era justificado, fundamentado apenas pelo meu mau comportamento... que Bella era um problema apenas porque representava um perigo para nós. Uma regra quebrada. A humana sabia demais.

Mas eu podia ver como seu julgamento era moldado pelo ciúme. Era mais do que o fato de eu achar Bella muito mais atraente do que Rosalie. Seu ciúme tinha se distorcido e mudado de foco. Bella tinha tudo o que Rosalie queria. Era humana. Tinha escolhas. Rose se sentia ultrajada por Bella colocar tudo isso em risco, flertar com a escuridão quando tinha outras opções.

Rose pensava que aceitaria até trocar de rosto com a garota que achava feia, se pudesse conquistar sua humanidade de volta na barganha.

Embora tentasse não pensar nisso tudo enquanto esperava pela minha resposta, Rosalie não conseguia tirar essas ideias por completo da mente.

— Por quê? — perguntou em voz alta, quando me mantive em silêncio. Não queria que eu continuasse a ler sua mente. — Por que contou a ela?

— Na verdade, estou surpreso que tenha conseguido — disse Emmett antes que eu pudesse responder. — Você raramente diz essa palavra, até mesmo entre nós. Não é a sua preferida.

Ele pensava em como Rose e eu éramos parecidos nesse sentido, como nós dois evitávamos o título da não vida que detestávamos. Emmett não tinha esse tipo de reserva.

Como seria me sentir do mesmo jeito que Emmett? Ser tão prático, tão livre de arrependimentos? Ser capaz de aceitar tão facilmente e seguir em frente?

Rose e eu seríamos pessoas mais felizes se pudéssemos seguir seu exemplo.

Ver isso — nossas similaridades — tão claramente tornava ainda mais fácil perdoar as alfinetadas venenosas que Rose ainda direcionava a mim.

— Você não está enganado — respondi a Emmett. — Duvido que algum dia eu consiga dizer essa palavra.

Emmett inclinou a cabeça, intrigado. Atrás dele, dentro de casa, eu podia sentir a surpresa do restante da plateia. Somente Alice não reagiu.

— Então *como*? — sibilou Rosalie.

— Não perca a cabeça — falei, sem muita esperança. Ela ergueu as sobrancelhas. — Não foi uma violação intencional. Mas provavelmente deveríamos ter previsto isso.

— Do que você está falando? — disparou ela.

— Bella é amiga do bisneto de Ephraim Black.

Rosalie ficou paralisada de surpresa. Emmett também não esperava por essa resposta. Os dois não estavam mais preparados do que eu para o rumo que as coisas haviam tomado.

Carlisle apareceu à porta. Aquilo tinha virado mais do que uma briga de irmãos.

— Edward?

— Deveríamos ter previsto isso, Carlisle. É claro que os anciãos avisariam à geração seguinte quando nós decidimos retornar. E é claro que a geração seguinte não acreditaria. Para eles, tudo não passa de uma lenda boba. O garoto que respondeu às perguntas de Bella não acreditava em nada do que estava lhe contando.

Eu não temia a reação de Carlisle. Sabia como ele reagiria. Mas fiquei muito atento ao quarto de Alice, para ouvir o que Jasper achava.

— Você tem razão — disse Carlisle. — Naturalmente, as coisas se desenrolariam desse jeito. — Ele deixou escapar um suspiro. — É mesmo um grande azar que o descendente de Ephraim conheça pessoas tão inteligentes.

Jasper ouviu a resposta de Carlisle e ficou preocupado. Mas pensava mais em ir embora de Forks com Alice do que em silenciar os quileutes. Alice já avaliava as ideias dele para o futuro e se preparava para refutá-las. Não tinha a menor intenção de partir.

— Azar coisa nenhuma — disse Rosalie, com os dentes cerrados. — Se a garota sabe de alguma coisa, a culpa é do Edward.

— É verdade — concordei rapidamente. — A culpa é minha. E sinto *muito*.

Ah, por favor, Rosalie direcionou o pensamento a mim. *Chega de encenação. Pare de bancar o coitadinho.*

— Não estou fingindo — falei. — Sei que sou culpado por tudo isso. Criei uma grande confusão.

— Alice lhe contou que eu estava pensando em tacar fogo no seu carro, não é?

Abri um ligeiro sorriso.

— Contou. Mas mereço isso. E, se fizer você se sentir melhor, vá em frente.

Ela me encarou por bastante tempo, pensando em levar adiante a destruição. Um teste, para ver se eu estava blefando.

Dei de ombros.

— É só um brinquedo, Rose.

— Você mudou — disse ela entre os dentes novamente.

Assenti.

— Eu sei.

Rosalie me deu as costas e saiu em direção à garagem. Mas era ela quem estava blefando. Se não me afetaria, não havia por que fazer aquilo. De toda a família, ela era a única que adorava carros tanto quanto eu. O carro era bonito demais para ser destruído sem motivo.

Emmett acompanhou-a com o olhar.

— Imagino que você não vá me contar a história toda agora.

— Não sei do que você está falando — repliquei inocentemente.

Ele revirou os olhos antes de seguir Rosalie.

Olhei para Carlisle e balbuciei o nome de Jasper.

Ele assentiu. *Sim, posso imaginar. Vou falar com ele.*

Alice surgiu à porta.

— Ele está à sua espera — disse ela a Carlisle.

Carlisle sorriu com certa ironia. Embora estivéssemos mais do que habituados com Alice, por vezes ela era bem peculiar. Carlisle deu uma batidinha afetuosa em sua cabeça ao passar.

Sentei-me no alto da escada com Alice ao meu lado, nós dois ouvindo a conversa lá em cima. Alice não estava nem um pouco tensa — sabia como tudo ia terminar. Ela me mostrou, e minha tensão também se esvaiu. O conflito terminou antes mesmo de começar. Jasper admirava Carlisle tanto quanto cada um de nós, e estava feliz em seguir sua liderança... até achar que Alice poderia estar em perigo. Agora eu entendia a perspectiva de Jasper um pouco melhor. Era estranho ver tudo que eu não entendia antes de Bella surgir em minha vida. Ela me transformara mais do que eu achava que fosse possível mudar sem deixar de ser eu mesmo.

13. OUTRA COMPLICAÇÃO

Não senti a culpa de sempre ao voltar ao quarto de Bella naquela noite, embora soubesse que deveria. Mas aquela parecia a ação mais correta, a única coisa certa a fazer. Eu estava lá para deixar minha garganta arder o máximo possível. Precisava treinar para ignorar o cheiro dela. Era possível. Não podia permitir que isso fosse um problema entre nós.

Na prática não era tão fácil, mas eu sabia que podia ajudar. Treinar. Abraçar a dor. Que essa fosse a reação mais forte. Vencer completamente o elemento do desejo.

Bella não parecia ter um sono pacífico. E eu tinha ainda menos paz, vendo-a se virar de um lado para outro, inquieta, e ouvindo-a sussurrar meu nome repetidamente. A atração física, aquela química avassaladora da aula no escuro era ainda mais forte no breu da noite em seu quarto. Embora ela desconhecesse minha presença, parecia senti-la também.

Ela acordou mais de uma vez. Na primeira, nem chegou a abrir os olhos, só enfiou a cabeça sob o travesseiro e gemeu. Tive sorte... uma segunda chance que eu não merecia, já que não a aproveitei para ir embora como deveria. Em vez disso, sentei-me no chão, no canto mais escuro do quarto, e confiei que seus olhos humanos não me encontrariam ali.

Ela não me viu quando se levantou e foi ao banheiro, nem quando tomou um copo d'água. Movia-se com irritação, talvez frustrada por não conseguir dormir direito.

Eu queria poder fazer algo, como fizera com a coberta quente do armário. Mas só podia observar enquanto eu ardia, sem ter como ajudá-la. Foi um alívio quando ela finalmente mergulhou em um estado inconsciente e sem sonhos.

Quando o céu passou de negro a cinza, eu já estava em meio às árvores. Prendi a respiração, dessa vez para impedir que o cheiro dela escapasse. Recusava-me a deixar que o ar puro da manhã apagasse o ardor em minha garganta.

Ouvi Bella tomar café da manhã com o pai, esforçando-me para encontrar as palavras nos pensamentos de Charlie. Era fascinante... Eu podia adivinhar as razões por trás das palavras que ele dizia em voz alta, quase podia *sentir* suas intenções, mas nunca as via se traduzirem em frases completas, como os pensamentos de todos os outros. Queria que os pais dele ainda estivessem vivos. Seria interessante descobrir a origem desse traço.

A combinação de seus pensamentos inarticulados e as palavras que dizia bastou para que eu juntasse as peças de seu estado de espírito naquela manhã. Ele estava preocupado com a filha, física e emocionalmente. Assim como eu, também estava aflito com a ideia de Bella passear sozinha por Seattle, só que de maneira menos obsessiva. Por outro lado, ele não estava tão atualizado quanto eu. Charlie não fazia ideia do número de vezes em que a vida dela tinha estado por um triz recentemente.

Ela formulou sua resposta com muito cuidado, mas tecnicamente suas palavras não eram mentira. Era óbvio que ela não planejava lhe contar sobre a mudança de planos. Ou sobre mim.

Charlie também não compreendia por que Bella não queria ir ao baile de primavera no sábado. Será que ela estava desapontada? Sentia-se rejeitada? Os garotos da escola estavam sendo cruéis? Ele não sabia o que fazer. Bella não *parecia* triste, mas Charlie desconfiava de que a filha esconderia qualquer coisa negativa dele. Decidiu, então, que ligaria para a mãe dela para pedir conselhos.

Pelo menos, era o que eu *achava* que ele estava pensando, mas podia ter interpretado mal algumas partes.

Busquei meu carro enquanto Charlie enchia o dele de coisas. Assim que dobrou a esquina, parei na entrada da garagem para esperar por Bella. Vi a cortina se mexer na janela do quarto dela, então ouvi seus passos descendo depressa a escada.

Fiquei no banco em vez de sair e abrir a porta para ela como talvez devesse. Mas achei que era mais importante ver a cena. Ela nunca agia como eu esperava, e eu precisava ser capaz de prever corretamente. Precisava estudá-la, aprender como ela se movia quando estava por conta própria, tentar prever suas motivações. Ela hesitou por um instante fora do carro, depois abriu a porta e entrou, com um sorriso discreto e um pouco tímido, achei.

Bella usava um suéter cor de café de gola rulê. Não era apertado, mas se moldava bem ao seu corpo, e senti falta do suéter feio.

Eu deveria estar avaliando as reações dela, mas de repente tinha me deixado dominar pelas minhas. Não sabia como me sentia tão tranquilo com tudo o que pesava sobre nós, mas estar com ela era um antídoto para a dor e a ansiedade.

Respirei fundo — não *todo* tipo de dor — e sorri.

— Bom dia. Como está hoje?

Seu rosto revelava claramente a noite mal dormida. Sua pele translúcida não escondia nada. Mas eu sabia que ela não ia reclamar.

— Bem, obrigada — disse ela com outro sorriso.

— Parece cansada.

Bella se esquivou, jogando o cabelo para a frente num movimento que parecia habitual, obscurecendo parte do lado esquerdo de seu rosto.

— Não consegui dormir.

Sorri para ela.

— Nem eu.

Ela riu, e absorvi o som de sua felicidade.

— Acho que tem razão — disse ela. — Imagino que eu tenha dormido um pouco mais do que você.

— Posso apostar que dormiu.

Ela me espiou por entre o cabelo, o brilho dos olhos revelando algo que reconheci. Curiosidade.

— Então, o que fez na noite passada?

Ri baixinho, feliz por ter uma desculpa para não mentir para ela.

— Sem chance. É meu dia de fazer perguntas.

O pequeno vinco entre as sobrancelhas reapareceu.

— Ah, é verdade. O que quer saber?

Seu tom era ligeiramente cético, como se não acreditasse que eu tinha algum real interesse. Ela parecia não fazer ideia de como eu estava curioso.

Havia tantas coisas que eu não sabia... Resolvi começar com algo simples.

— Qual é a sua cor preferida?

Ela revirou os olhos, ainda duvidando do meu nível de interesse.

— Muda de um dia para o outro.

— Qual é a sua cor preferida hoje?

Ela pensou por um segundo.

— Talvez marrom.

Achei que ela estava debochando de mim, e mudei o tom para combinar com seu sarcasmo.

— Marrom?

— Claro — disse ela, inesperadamente na defensiva. Talvez eu devesse ter previsto isso. Ela não gostava de julgamentos. — Marrom é quente. Eu *sinto falta* do marrom. Tudo o que deve ser marrom... Troncos de árvores, pedras, terra... Fica o tempo todo coberto por uma coisa verde e mole por aqui!

Seu tom lembrou a reclamação que ela fizera dormindo, na outra noite. *É verde demais* — tinha sido isso que ela quis dizer? Encarei seu rosto, reconhecendo que estava certa. Sinceramente, olhando em seus olhos, percebi que marrom também era minha cor preferida. Não conseguia imaginar outro tom mais bonito.

— Tem razão — concordei. — Marrom é quente.

Seu rosto ficou vermelho e, inconscientemente, ela se escondeu ainda mais atrás do cabelo. Então, com todo o cuidado e me preparando para qualquer reação inesperada, coloquei seu cabelo atrás do ombro para ver melhor seu rosto. A única reação que notei foi a aceleração repentina de seu coração.

Segui com o carro para o estacionamento da escola e parei perto da vaga de sempre, que já estava ocupada por Rosalie.

— Que música está em seu CD player agora? — perguntei, girando a chave na ignição.

Nunca me permitira ficar tão perto enquanto ela dormia, e o desconhecido me provocava.

Ela inclinou a cabeça para o lado por um instante, como se tentasse lembrar.

— Ah, claro — disse ela. — É um do Linkin Park. *Hybrid Theory*.

Não era o que eu esperava.

Enquanto eu pegava o mesmo álbum do compartimento de CDs do carro, tentei imaginar o que aquele significava para ela. Não parecia combinar com nenhum dos seus estados de espírito, pelo menos nenhum que eu tenha presenciado, mas, por outro lado, tinha muita coisa sobre ela que eu não sabia.

— De Debussy a isto? — indaguei.

Ela olhava fixamente para a capa, e eu não consegui decifrar sua expressão.

— Qual é sua música preferida?

— Hmmm — murmurou, ainda examinando a arte da capa. — "With You", eu acho.

Pensei rapidamente na letra.

— Por quê?

Ela abriu um sorriso ligeiro e deu de ombros.

— Não tenho certeza.

Bem, aquilo não ajudava muito.

— Seu filme preferido?

Ela pensou um pouco antes de responder.

— Acho que não consigo escolher um só.

— Filmes preferidos, então?

Ela assentiu, descendo do carro.

— Hmmm. Com certeza *Orgulho e Preconceito*, aquele de seis horas com o Colin Firth. *Um Corpo Que Cai*. E... *Monty Python em Busca do Cálice Sagrado*. Tem outros, mas não estou lembrando agora...

— Pode me contar quando lembrar — sugeri ao andarmos até sua aula de inglês. — Enquanto pensa nisso, me diga qual é seu cheiro preferido.

— Lavanda. Ou... talvez de roupa limpa.

Ela olhava para a frente, mas seus olhos se voltaram para mim por um segundo e suas bochechas ficaram levemente rosadas.

— Algo mais? — encorajei-a, perguntando-me o que aquele olhar queria dizer.

— Não. Só isso.

Não sei bem por que ela omitiria parte da resposta a uma pergunta tão simples, mas podia jurar que era o caso.

— Que doce você prefere?

Dessa vez, ela me pareceu bem decidida.

— Alcaçuz preto e balas ácidas.

Sorri diante de seu entusiasmo.

Estávamos em frente à sua sala de aula, mas Bella hesitou à porta. Eu também não tinha a menor pressa de me separar dela.

— Para onde você mais gostaria de viajar? — perguntei, presumindo que ela não responderia "Comic-Con".

Ela estreitou os olhos ao pensar. Em sala, o Sr. Mason pigarreava para atrair a atenção da turma. Ela ia acabar se atrasando.

— Pense um pouco e me responda na hora do almoço — sugeri.

Ela riu e estendeu a mão para a maçaneta, então se virou para mim de novo. Seu sorriso desapareceu, e aquele pequeno vinco ressurgiu entre seus olhos.

Eu podia ter perguntado no que ela estava pensando, mas isso a atrasaria e provavelmente lhe causaria problemas. E eu achava que sabia. Pelo menos, sabia como eu me sentia ao deixar aquela porta se fechar entre nós.

Então me forcei a abrir um sorriso encorajador. Ela entrou depressa quando o Sr. Mason começou a falar.

Segui rapidamente para minha aula, sabendo que passaria o dia ignorando tudo ao meu redor de novo. Fiquei decepcionado, porque ninguém falou com ela durante as aulas da manhã, então não descobri mais nenhuma informação. Só pequenos vislumbres de Bella olhando para o nada, com ar distraído. O tempo se arrastava enquanto eu esperava para vê-la de novo com meus próprios olhos.

Quando ela saiu da aula de trigonometria, eu já estava à sua espera. Os outros alunos ficaram olhando e especulando, mas Bella simplesmente correu em minha direção com um sorriso.

— *A Bela e a Fera* — anunciou. — E *O Império Contra-Ataca*. Sei que é o preferido de todo mundo, mas...

Ela deu de ombros.

— Por um bom motivo — confirmei.

Andávamos lado a lado. Eu já achava natural diminuir meus passos para acompanhá-la e baixar a cabeça para me aproximar dela.

— Pensou na minha pergunta sobre a viagem?

— Sim... Acho que à ilha Prince Edward. Por causa de *Anne de Green Gables*, sabe? Mas também gostaria de ir a Nova York. Nunca estive em uma cidade grande cheia de prédios altos. Só lugares amplos, como Los Angeles e Phoenix. Gostaria de tentar chamar um táxi. — Ela riu. — E, se eu pudesse ir a qualquer lugar mesmo, gostaria de ir à Inglaterra. Ver todas as coisas sobre as quais andei lendo.

Isso levava à minha próxima sequência de perguntas, mas eu queria ser detalhista antes de prosseguir.

— Quais os lugares preferidos dentre os que já conhece?

— Hmmm. Gostei do píer de Santa Monica. Minha mãe disse que Monterey era melhor, mas nunca fomos tão longe assim na costa. Quase não saíamos do Arizona. Nunca tínhamos muito tempo para viajar e ela não queria perder parte desse tempo dentro do carro. Minha mãe gostava de conhecer lugares que eram supostamente assombrados... Jerome, os domos, praticamente qualquer cidade fantasma. Nunca vimos nenhum fantasma, mas ela dizia que era minha culpa. Eu era tão cética que assustava todos eles. — Bella riu de novo. — Minha mãe adora a Feira Renascentista, vamos àquela em Gold Canyon todo ano... Bem, perdi a deste ano, acho. Uma vez vimos os cavalos selvagens em Salt River. Isso foi muito legal.

— Qual o lugar mais distante de casa a que você já foi? — perguntei, começando a ficar um pouco preocupado.

— Aqui, acho — disse ela. — Mais distante ao norte de Phoenix, pelo menos. Mais distante a leste... Albuquerque, mas eu era muito nova na época e não me lembro de nada. Mais distante a oeste provavelmente a praia em La Push.

De repente, Bella ficou em silêncio. Perguntei-me se estava pensando em sua última visita a La Push e em tudo o que descobrira lá. Estávamos na fila do refeitório naquele momento, e ela logo escolheu o que queria, em vez de esperar que eu comprasse um item de cada. Também se apressou em pagar.

— Você nunca saiu do país? — insisti ao chegarmos à nossa mesa vazia.

Parte de mim queria saber se o fato de me sentar ali tinha tornado aquela mesa uma zona proibida para sempre.

— Ainda não — disse ela, animada.

Embora ela só tivesse tido dezessete anos para explorar o mundo, fiquei surpreso. E... culpado. Ela vira tão pouco, ainda não aproveitara quase nada do que a vida tinha a oferecer. Era impossível que realmente soubesse o que queria.

— *Gattaca* — disse ela, pensativa, ao morder uma maçã. Não notara minha súbita mudança de humor. — Gostei desse também. Você viu?

— Vi. Também gostei.

— Qual é o *seu* filme preferido?

Balancei a cabeça e sorri.

— Não é a sua vez.

— Sério, sou muito entediante. Você não deve ter mais nada para perguntar.

— É o meu dia — lembrei-lhe. — E não estou nem um pouco entediado.

Ela comprimiu os lábios, como se quisesse discutir mais sobre meu nível de interesse, mas então sorriu. Acho que realmente não acreditava em mim, mas decidira ser justa. Era *mesmo* o meu dia de fazer perguntas.

— E quanto aos livros?

— Você não pode me obrigar a escolher um preferido — respondeu ela, decidida.

— Tudo bem. Quero saber *todos* os seus livros preferidos.

— Por onde eu começo? Hmmm, *Mulherzinhas*. Foi o primeiro livro grande que li. Ainda o leio praticamente todo ano. Todos os da Austen, embora não seja uma grande fã de *Emma*...

Sobre Austen, eu já sabia, após ter visto a antologia surrada no dia em que ela estava lendo ao ar livre, mas fiquei curioso a respeito da exceção.

— Por que não?

— Ah, ela é muito convencida.

Sorri, e ela continuou sem que eu precisasse insistir.

— *Jane Eyre*. Também já li esse várias vezes. É minha heroína preferida. Tudo das irmãs Brontë. *O sol é para todos*, obviamente. *Fahrenheit 451*. Todos de *As Crônicas de Nárnia*, mas principalmente *A viagem do peregrino da alvorada*. *E o vento levou*. Douglas Adams, David Eddings, Orson Scott Card, Robin McKinley... Já citei L. M. Montgomery?

— Presumi quando me falou sobre os lugares para onde pretende viajar.

Ela assentiu, então pareceu em conflito.

— Quer que eu continue? São muitos.

— Claro — assegurei. — Continue.

— Não estou colocando em nenhuma ordem — avisou. — Minha mãe tinha vários livros de Zane Grey. Alguns ótimos. Shakespeare, principalmente as comédias. — Ela sorriu. — Está vendo, fora de ordem. Hmmm, tudo da Agatha Christie. Os livros de dragão de Anne McCaffrey... e, por falar em grandes dragões, *Tooth and Claw*, de Jo Walton. *A princesa prometida*, que é muito melhor do que o filme... — Ela tamborilou os lábios com os dedos. — Tem um milhão de outros, mas não estou lembrando agora.

Ela parecia um pouco estressada.

— Está ótimo por enquanto.

Bella explorara muito mais no campo da ficção do que na vida real, e eu estava surpreso por ela ter citado um livro que eu ainda não tinha lido... Eu precisava arranjar um exemplar de *Tooth and Claw.*

Dava para notar elementos das histórias em sua formação, personagens que tinham moldado o contexto do seu mundo. Havia um pouco de Jane Eyre nela, uma porção de Scout Finch e Jo March, algo de Elinor Dashwood e Lucy Pevensie. E eu tinha certeza de que acharia outras conexões quando descobrisse mais sobre ela.

Era como montar um quebra-cabeça com centenas de milhares de peças e sem a imagem completa para servir de guia. Demorado, com muitas pistas falsas, mas no final eu conseguiria ver o quadro todo.

Ela interrompeu meus pensamentos.

— *Em Algum Lugar do Passado.* Adoro esse filme. Não acredito que não me lembrei logo dele.

Não era um dos meus preferidos. A ideia de que dois apaixonados só pudessem ficar juntos depois da morte me incomodava. Mudei de assunto.

— Agora me fale sobre suas músicas preferidas.

Ela parou para engolir de novo. E então, inesperadamente, ficou vermelha.

— Qual é o problema? — perguntei.

— Bem, não sou... uma pessoa musical, eu acho. Aquele CD do Linkin Park foi um presente do Phil. Ele vem tentando atualizar meus gostos.

— E do que você gostava antes do Phil?

Ela suspirou, erguendo as mãos.

— Só ouvia o que minha mãe tinha em casa.

— Música clássica?

— Às vezes.

— E nas outras vezes?

— Simon e Garfunkel. Neil Diamond. Joni Mitchell. John Denver. Esse tipo de coisa. Ela é como eu... ouve o que a mãe costumava ouvir. Gostava de cantar junto quando viajávamos de carro. — De repente, sua covinha assimétrica apareceu junto de um largo sorriso. — Lembra quando conversamos sobre as definições do que era assustador? — Ela riu. — Até ouvir minha mãe e eu tentando alcançar as notas mais agudas da trilha sonora de *O Fantasma da Ópera*, você não tem como saber o que é sentir medo de verdade.

Caí na gargalhada com ela, mas queria poder ver e ouvir tudo aquilo. Eu a imaginava em uma estrada iluminada, percorrendo o deserto com as janelas abaixadas, o sol acentuando o brilho avermelhado de seu cabelo. Queria saber como a mãe dela era, e até mesmo que carro dirigia, para visualizar a cena mais precisamente. Queria estar lá com ela, ouvi-la cantar mal, vê-la sorrir ao sol.

— Programa de TV preferido?

— Não sou muito de ver TV.

Fiquei pensando se ela estava com medo de entrar em detalhes, achando que eu ficaria entediado. Quem sabe uma rodada de perguntas rápidas a ajudasse a relaxar?

— Coca ou Pepsi?

— Dr. Pepper.

— Sorvete preferido?

— De cookie.

— Pizza?

— De muçarela. Sem graça, mas é verdade.

— Time de futebol?

— Hmmm, próxima?

— Basquete?

Ela deu de ombros.

— Não gosto de esportes.

— Balé ou ópera?

— Balé, eu acho. Nunca fui a uma ópera.

Eu sabia muito bem que aquelas perguntas tinham outra utilidade além de me ajudar a aprender tudo o que podia sobre ela. Também estava descobrindo coisas que poderiam agradá-la. Presentes que poderia lhe dar. Lugares aonde poderia levá-la. Coisas pequenas e grandes. Era presunçoso ao extremo pensar que eu poderia permanecer por tanto tempo assim na vida dela. Mas bem que eu gostaria...

— Qual é sua pedra preciosa preferida?

— Topázio — respondeu de forma decidida, mas então de repente seus olhos se estreitaram, e o rubor tomou conta do seu rosto.

Acontecera a mesma coisa quando eu lhe perguntara sobre os cheiros. Naquela hora, eu tinha deixado pra lá, mas dessa vez não. Com certeza outra curiosidade não respondida seria um grande tormento.

— Por que isso a deixou... sem graça?

Eu não sabia ao certo se captara a emoção certa.

Bella balançou rapidamente a cabeça, encarando as mãos.

— Não é nada.

— Eu gostaria de entender.

Então voltou a balançar a cabeça, ainda se recusando a olhar para mim.

— Por favor, Bella?

— Próxima pergunta.

Eu estava louco para saber. Frustrado.

— Me diga — insisti, e minha voz soou rude.

Fiquei envergonhado na mesma hora.

Ela não ergueu os olhos. E torcia sem parar uma mecha de cabelo entre os dedos.

Mas finalmente respondeu:

— É a cor dos seus olhos hoje. Acho que se você me fizesse essa pergunta há duas semanas, eu diria ônix.

Assim como minha atual cor favorita era marrom-claro.

Seus ombros murcharam, e de repente reconheci aquela postura. Era a mesma do dia anterior, quando ela hesitara em me responder se acreditava que se importava mais comigo do que eu com ela. Eu a colocara na mesma situação de novo, de confirmar seu interesse em mim sem receber nenhuma garantia em troca.

Reprimindo minha curiosidade, voltei às perguntas. Talvez minha fascinação óbvia por cada detalhe de sua personalidade a convencesse do nível obsessivo do meu interesse.

— Que tipo de flores prefere?

— Hmmm, dálias. Pela aparência. Lavanda e lilás pelo perfume.

— Você não gosta de assistir a esportes, mas já jogou em um time?

— Só na escola, quando me obrigavam.

— Sua mãe nunca a colocou num time de futebol?

Ela deu de ombros.

— Minha mãe gostava de deixar os finais de semana livres para aventuras. Fui escoteira por um tempo, e uma vez ela me colocou numa aula de dança, mas foi um *erro*. — Então ergueu as sobrancelhas como se me desafiasse a duvidar. — Ela achava que seria conveniente porque dava para eu ir andando para a aula depois da escola, mas nenhuma conveniência valia aquele caos.

— Caos? Sério? — perguntei, cético.

— Se eu ainda tivesse o número da Sra. Kamenev, ela confirmaria minha história.

Bella ergueu os olhos de repente. Ao nosso redor, os outros alunos recolhiam suas coisas. Como o tempo havia passado tão depressa?

Ela seguiu o exemplo dos outros e ficou de pé, e me levantei junto, recolhendo os restos na bandeja enquanto ela pendurava a mochila no ombro. Então estendeu a mão para pegar a bandeja.

— Pode deixar — falei.

Ela bufou baixinho, um pouco exasperada. Ainda não gostava que cuidassem dela.

Não consegui me concentrar em minhas perguntas não respondidas enquanto íamos para a aula de biologia. Estava me lembrando do dia anterior, perguntando-me se aquela mesma tensão, acompanhada de anseio e eletricidade, estaria presente hoje. E, como era de se esperar, assim que as luzes se apagaram, o mesmo desejo avassalador voltou. Eu deixara minha cadeira mais afastada da dela, mas isso não ajudou muito.

Meu lado egoísta ainda argumentava que segurar sua mão não seria assim tão errado, e até mesmo sugeria que poderia ser uma boa forma de testar as reações dela, de me preparar para quando ficássemos sozinhos. Tentei ignorar o máximo que pude a voz egoísta e a tentação.

Bella também estava tentando, dava para ver. Ela se inclinou para a frente, o queixo apoiado nos braços, e notei que se agarrava à beira da mesa com tanta força que os nós de seus dedos estavam brancos. Isso me fazia pensar com que tipo de tentação ela estava lutando. Ela não olhou para mim naquela aula. Nem uma vez.

Havia tanta coisa que eu não entendia sobre ela. Tanta coisa que não podia perguntar.

Meu corpo estava ligeiramente inclinado na direção dela. Voltei para o lugar.

Quando as luzes se acenderam, Bella suspirou, e, se eu tivesse que adivinhar, diria que tinha sido de *alívio*. Mas alívio de quê?

Acompanhei-a até a aula seguinte, travando a mesma batalha interna do dia anterior.

Ela parou à porta e me encarou com seus olhos claros e profundos. Aquilo era expectativa? Ou confusão? Um convite ou um alerta? O que *ela* queria?

É só uma pergunta, disse a mim mesmo quando minha mão a procurou por vontade própria. *Outro tipo de pergunta.*

Preparado, sem respirar, deixei que as costas da minha mão deslizassem por seu rosto, da têmpora até o queixo fino. Como no dia anterior, sua pele se aqueceu ao meu toque, seu coração acelerou. E ela inclinou a cabeça uma fração de centímetro, parecia querer mais.

Outro tipo de resposta.

Afastei-me rapidamente de novo, sabendo que esse aspecto do meu autocontrole estava comprometido, minha mão começando a sentir aquela mesma fisgada indolor.

Emmett já estava sentado quando cheguei à aula de espanhol. Ben Cheney também. Eles não foram os únicos a notar minha presença. Eu ouvia a curiosidade dos outros alunos, os pensamentos envolvendo o nome de Bella e o meu, as especulações...

Ben era o único humano da sala que não pensava em Bella. Minha presença o alterara um pouco, mas não de forma antagônica. Ele conversara com Angela, e os dois tinham combinado de se encontrar no fim de semana. Ela fora calorosa ao seu convite, então ele estava nas nuvens. Embora desconfiasse das minhas intenções, Ben sabia que eu havia catalisado sua felicidade. Desde que eu ficasse longe de Angela, ele não tinha nada contra mim. Eu notava até um indício de gratidão, embora ele não fizesse ideia de que esse também era exatamente o resultado que eu desejara. Parecia um garoto inteligente... e subiu no meu conceito.

Bella estava no ginásio, mas, como na segunda metade da aula de ontem, não participou da atividade. Seu olhar parecia distante sempre que Mike Newton olhava para ela. Obviamente estava com a cabeça em outro lugar. Mike imaginava que qualquer coisa que tentasse lhe dizer não seria muito bem recebida.

Acho que nunca tive muita chance, pensou ele, meio resignado, meio emburrado. *Como foi que isso aconteceu? Foi do dia para a noite. Acho que quando o Cullen quer alguma coisa, não leva muito tempo para conseguir.* As imagens que se seguiram, as ideias dele sobre o que eu havia *conquistado* eram ofensivas. Parei de ouvir.

Eu não gostava da perspectiva dele. Como se Bella não tivesse vontade própria. Com certeza fora ela quem me escolhera, não é? Se tivesse me pedido para deixá-la em paz, eu teria dado meia-volta e ido embora. Mas ela quis que eu ficasse, e continuava querendo.

Meus pensamentos foram trazidos de volta à chamada da aula de espanhol e naturalmente sintonizaram a voz mais familiar, mas minha mente estava presa à Bella, como sempre, então por um instante não me dei conta do que eu estava ouvindo.

De repente trinquei os dentes com tanta força que até os humanos perto de mim ouviram. Um garoto olhou ao redor em busca da fonte do rangido.

Ops, pensou Emmett.

Cerrei os punhos e tentei me concentrar em ficar sentado.

Desculpe, estava tentando não pensar nisso.

Olhei para o relógio. Mais quinze minutos e eu poderia socar a cara dele.

Não foi por mal. Ei, eu estou do seu lado, está bem? Sinceramente, Jasper e Rose estão sendo idiotas de apostar contra Alice. Vai ser a aposta mais fácil que já venci.

Uma aposta sobre aquele fim de semana, se Bella sobreviveria ou não.

Quatorze minutos e meio.

Emmett se encolheu na cadeira, sabendo bem o que minha imobilidade indicava.

Deixe isso pra lá, Ed. Você sabe que não foi nada de mais. De qualquer forma, nem é sobre a garota. Você sabe melhor do que eu o que está acontecendo com Rose. Algo entre vocês dois, eu acho. Ela ainda está com raiva, por isso não admitiria para todo mundo que, na verdade, está torcendo por você.

Ele sempre dava a Rosalie o benefício da dúvida e, embora eu fizesse justamente o contrário — *nunca* lhe dava o benefício da dúvida —, não concordava com ele dessa vez. Rosalie adoraria me ver perder essa. Ficaria feliz da vida se as escolhas erradas de Bella recebessem o que Rosalie considerava ser a recompensa justa. E continuaria com ciúme quando a alma de Bella deixasse seu corpo para o que quer que a esperasse depois disso.

E Jazz... bem, você já sabe. Ele está cansado de ser o elo mais fraco. Você é tipo perfeito demais, com todo o seu autocontrole, e isso o irrita às vezes. Com Carlisle é diferente. Admita, você é um pouco... convencido.

Treze minutos.

Para Emmett e Jasper, aquilo tudo não passava de um poço pegajoso de areia movediça que eu criara para mim. Desse certo ou errado, para eles, no fim, era mais uma das minhas histórias. Bella nem fazia parte da equação. Sua vida era apenas um elemento na aposta.

Não leve para o lado pessoal.

E havia outro jeito? Doze minutos e meio.

Quer que eu saia da aposta? Eu saio.

Suspirei e relaxei um pouco a rigidez da minha postura.

Qual era o sentido de alimentar minha raiva? Eu deveria culpá-los por sua incapacidade de entender? Como isso seria possível para eles?

Aquilo era tão insignificante... Exasperante, sim, mas... eu pensaria diferente se não fosse minha vida que tivesse mudado? Se eu não tivesse conhecido Bella?

Independentemente disso, eu não tinha tempo para brigar com Emmett naquele momento. Ia me encontrar com Bella na saída do ginásio. Havia várias outras peças do quebra-cabeça para descobrir.

Ouvi o alívio de Emmett quando saí depressa assim que o sinal tocou, ignorando-o.

Bella abriu um enorme sorriso ao passar pela porta do ginásio e me ver. Fui invadido pelo mesmo alívio que sentira no carro naquela manhã. Todo o peso das minhas dúvidas e dos tormentos pareceu sair dos meus ombros. Eu sabia que ainda era bem real, mas aquele fardo era muito mais fácil de carregar quando eu a via.

— Conte um pouco sobre onde você mora — pedi ao seguirmos para o carro. — Do que mais sente falta?

— Hmmm... da minha casa? Ou de Phoenix? Do que você está falando?

— De tudo.

Ela me encarou, intrigada. Eu estava mesmo falando sério?

— Por favor? — insisti ao segurar a porta para ela.

Ela ergueu uma das sobrancelhas ao entrar, ainda em dúvida.

Mas quando entrei e ficamos a sós de novo, ela pareceu relaxar.

— Você nunca foi a Phoenix?

Sorri.

— Não.

— Certo — disse ela. — É claro. O sol. — Ela especulou silenciosamente sobre isso por um instante. — Cria algum tipo de problema para você...?

— Claro.

Eu não ia tentar explicar aquilo. Era algo que só vendo para entender bem. Além disso, Phoenix ficava perto demais das terras que os clãs agressivos do sul reivindicaram, mas também não era algo sobre o qual eu quisesse falar naquele momento.

Ela esperou, perguntando-se se eu entraria em detalhes.

— Então me conte sobre esse lugar que eu nunca vi — encorajei-a.

Bella pensou por um instante.

— A cidade é praticamente horizontal, nada tem mais do que um ou dois andares. Há alguns arranha-céus novos no centro da cidade, mas ficam muito longe de onde eu morava. Phoenix é enorme. Dá para passar o dia inteiro dirigindo pelos subúrbios. Muito estuque, azulejo e cascalho. Não é tudo macio e mole como aqui... é tudo duro, e a maioria das coisas tem espinhos.

— Mas você gosta.

Ela assentiu com um sorriso.

— É tão... aberto. Céu para todo lado. As elevações que chamamos de montanhas não passam de colinas... firmes e espinhosas. O vale parece uma tigela grande e rasa, o tempo todo banhado pela luz do sol. — Ela ilustrava a forma com as mãos. — As plantas parecem arte moderna comparadas às daqui... cheias de ângulos e pontas. A maioria espinhosa. — Outro sorriso. — Mas são todas abertas também. Mesmo quando têm folhas, são só penugens esparsas. Nada pode se esconder ali. Nada deixa o sol de fora.

Parei o carro em frente à sua casa. No lugar de sempre.

— Bem, às vezes chove — continuou ela. — Mas lá é diferente. Mais emocionante. Muitos trovões, raios e inundações repentinas, não é só essa garoa que não para. E o cheiro também é melhor. Por causa do creosoto.

Eu conhecia os arbustos perenes do deserto a que ela se referia. Já os vira pela janela do carro no sul da Califórnia, mas só à noite. Não pareciam grande coisa.

— Nunca senti cheiro de creosoto — admiti.

— Só dá para sentir quando chove.

— Como é?

Ela refletiu.

— Doce e amargo ao mesmo tempo. Lembra um pouco cheiro de resina, um pouco o de remédio. Mas isso não parece nada atraente. É um cheiro de *frescor*. Como um deserto limpo. — Ela riu. — Não ajudei muito, não é?

— Ajudou, sim. O que mais eu perdi ao não conhecer o Arizona?

— Saguaros, mas tenho certeza de que já viu fotos.

Concordei.

— São maiores do que se imagina, quando a gente vê ao vivo. Pega todos os novatos de surpresa. Você já morou em algum lugar com cigarras?

— Já. — Eu ri. — Moramos em Nova Orleans por um tempo.

— Então você sabe como é — disse ela. — Trabalhei numa estufa no verão passado. Os guinchos estridentes são como unhas arranhando um quadro-negro. Isso me deixava maluca.

— O que mais?

— Hmmm. As cores são diferentes. As montanhas, ou colinas, sei lá, são quase todas vulcânicas. As rochas são arroxeadas. Tão escuras que conservam bastante calor do sol. Assim como o asfalto. No verão, nunca esfria... Fritar um ovo na calçada não é lenda urbana. Mas há muito verde nos campos de golfe. Algumas pessoas também têm gramados, embora eu ache loucura. Enfim, o contraste de cores é bem legal.

— Qual é o seu lugar preferido para passar o tempo?

— A biblioteca. — Ela sorriu. — Se eu já não tivesse me revelado uma grande nerd, imagino que isso deixaria óbvio. Acho que li todos os livros de ficção da biblioteca mais próxima da minha casa. O primeiro lugar aonde fui quando tirei a carteira de motorista foi a biblioteca do centro da cidade. Eu poderia morar lá.

— Onde mais?

— No verão, íamos à piscina do Cactus Park. Minha mãe me colocou na aula de natação antes mesmo que eu aprendesse a andar. Sempre saía alguma notícia no jornal sobre uma criança que tinha se afogado, e isso a deixava apavorada. No inverno, íamos ao Roadrunner Park. Não é muito grande, mas tinha um laguinho. Colocávamos barquinhos de papel na água quando eu era criança. Mas nada muito emocionante...

— Acho tudo isso incrível. Não me lembro muito da minha infância.

Seu sorriso provocador desapareceu, e ela ergueu as sobrancelhas.

— Deve ser difícil. E estranho.

Foi minha vez de dar de ombros.

— É tudo o que sei da minha. Não tem com que se preocupar.

Ela ficou em silêncio por um bom tempo, refletindo.

Esperei o máximo que pude antes de finalmente perguntar:
— No que você está pensando?
Ela deu um sorriso mais discreto.
— Tenho muitas perguntas. Mas eu sei...
Falamos ao mesmo tempo:
— Hoje é o meu dia.
— Hoje é o seu dia.

Até nossas gargalhadas foram sincronizadas, e pensei em como era estranhamente fácil estar com ela daquele jeito. Perto o suficiente. O perigo parecia distante. Eu estava me divertindo tanto que quase nem notava a ardência na garganta, embora não estivesse entorpecida. Só não merecia tanto a minha atenção quanto Bella.

— E aí, já lhe convenci sobre Phoenix? — perguntou após mais um instante de silêncio.

— Acho que preciso ser persuadido mais um pouco.

Ela ponderou.

— Tem um tipo de acácia... não sei como se chama. É bem parecida com as outras, espinhosa, meio morta. — Seu rosto de repente transpareceu saudade. — Mas, na primavera, fica coberta de flores amarelas felpudas que parecem pompons. — Ela demonstrou o tamanho, fingindo segurar uma flor entre o polegar e o indicador. — O cheiro delas é... ótimo. Diferente de tudo que conheço. Suave, delicado... Você sente de leve o aroma na brisa e de repente já se foi. Eu devia tê-lo incluído entre meus cheiros preferidos. Adoraria que alguém fizesse uma vela ou algo assim com esse perfume. — Então ela continuou, mudando repentinamente de assunto: — E o pôr do sol é incrível. Sério, você nunca vai ver nada parecido por aqui. — Ela pensou por mais um instante. — Mas mesmo no meio do dia, o *céu*... Isso é o mais importante, o céu não é azul como o céu aqui... isso quando dá para vê-lo aqui. É mais claro, mais pálido. Às vezes é quase branco. E está por toda parte. — Ela enfatizou as palavras com a mão, traçando um arco sobre a cabeça. — Há muito mais céu por lá. Se você se afasta um pouco das luzes da cidade, dá para ver um milhão de estrelas. — Então ela abriu um sorriso melancólico. — Você devia ir lá conferir uma noite dessas.

— Você acha lindo.

Ela assentiu.

— Acho que não é um consenso. — Fez uma pausa, pensativa, mas percebi que havia mais, então deixei que pensasse um pouco. — Gosto do... minimalismo — concluiu Bella. — É um lugar sincero. Não esconde nada.

Pensei em tudo que se escondia dela ali, e me perguntei se Bella tinha alguma noção disso, da escuridão invisível reunida ao seu redor. Mas ela me encarou sem nenhum julgamento.

Não acrescentou mais nada, e pela maneira como se encolhia me perguntei se mais uma vez ela achava que estava falando demais.

— Você sente muita falta de tudo isso — ponderei.

Seu rosto não se anuviou como eu esperava.

— No início, sim.

— E agora?

— Acho que acabei me acostumando com tudo aqui.

Então sorriu como se estivesse mais do que simplesmente resignada com a floresta e a chuva.

— Agora conte sobre sua casa em Phoenix.

Ela deu de ombros.

— Nada de diferente. Estuque e azulejo, como eu disse. Um andar, três quartos, dois banheiros. Sinto mais falta do meu banheirinho. Dividir o banheiro com Charlie é estressante. Do lado de fora da casa temos cascalho e cactos. Tudo lá dentro é meio vintage, no estilo dos anos 1970: painéis de madeira, linóleo, tapete felpudo, balcões de fórmica em tom mostarda, tudo. Minha mãe não é muito fã de reformas. Ela diz que coisas antigas têm personalidade.

— Como é o seu quarto?

Sua expressão me fez pensar que eu não tinha entendido alguma piada.

— Agora ou quando eu morava lá?

— Agora?

— Acho que virou um estúdio de ioga ou algo assim. Minhas coisas estão guardadas na garagem.

Encarei-a, bastante surpreso.

— O que você vai fazer quando voltar?

Ela não pareceu preocupada.

— Vamos dar um jeito de enfiar a cama lá.

— Não tem um terceiro quarto?

— É o ateliê da minha mãe. Só uma intervenção divina para fazer uma cama caber naquele lugar.

Bella riu de um jeito descontraído. Eu achava que ela planejava passar mais tempo com a mãe, mas percebi que falava como se seu tempo em Phoenix fosse coisa do passado. Notei o alívio que essa informação despertava em mim, mas tentei disfarçar.

— Como era seu quarto quando você morava lá?

Um leve rubor surgiu em seu rosto.

— Hmmm, bagunçado. Não sou a pessoa mais organizada.

— Conte-me mais sobre isso.

Ela voltou a me encarar com aquele olhar de *você só pode estar brincando*, mas, quando viu que não mudei de ideia, cedeu, explicando as formas com as mãos.

— É um quarto pequeno. Uma cama de solteiro na parede do fundo e uma cômoda na da frente, sob a janela, com um corredor bem apertado no meio. Eu tinha um closet, o que seria muito legal se na época eu o mantivesse arrumado a ponto de conseguir entrar nele. Meu quarto aqui é maior e menos bagunçado, mas só porque ainda não estou aqui há tempo o bastante para criar o caos.

Tentei não demonstrar nada, disfarçando o fato de que eu conhecia muito bem o quarto dela aqui e também minha surpresa ao saber que o quarto dela em Phoenix era ainda *mais* bagunçado.

— Hmmm... — Ela me encarou para ver se eu queria saber mais, e fiz que sim para encorajá-la. — O ventilador de teto está quebrado, só a luz funciona, então eu tinha um ventilador grande e barulhento em cima da cômoda. No verão, parecia um túnel de vento. Mas é muito melhor para dormir do que a chuva daqui. O barulho da chuva não é *consistente* o bastante.

Ao pensar na chuva, conferi o céu e fiquei espantado ao notar que já escurecera. Eu não entendia como o tempo diminuía quando eu estava com ela. Como nosso tempo juntos já podia estar no fim?

Ela interpretou mal minha preocupação.

— Terminou? — perguntou, parecendo aliviada.

— Nem cheguei perto... — respondi. — Mas seu pai vai chegar logo.

— Charlie! — exclamou, como se tivesse esquecido que ele existia. — Que horas são? — perguntou ao olhar para o relógio do painel.

Olhei para as nuvens. Embora estivessem densas, dava para perceber onde o sol devia estar atrás delas.

— É a hora do crepúsculo — observei.

A hora em que os vampiros saem para brincar. Quando não precisamos mais ter medo de que uma nuvem traiçoeira possa nos causar algum problema, quando podemos aproveitar o restante de luz no céu sem nos preocuparmos em sermos expostos.

Percebi que ela me observava curiosamente, tentando desvendar o que havia por trás do que eu dissera.

— É a hora do dia mais segura para nós — expliquei. — A hora mais fácil. Mas também a mais triste, de certa forma... O fim de outro dia, a volta da noite. — Tantos anos de noite... Tentei disfarçar o peso em minha voz. — A escuridão é tão previsível, não acha?

— Gosto da noite — disse ela, sendo do contra, como de costume. — Sem o escuro, nunca veríamos as estrelas. — Sua expressão mudou ao franzir a testa. — Não que a gente veja muitas por aqui.

Ri da cara que ela fez. Então ainda não tinha se reconciliado totalmente com Forks. Pensei nas estrelas de Phoenix que Bella descrevera e me perguntei se eram como as do Alasca: tão claras, brilhantes e *próximas*. Queria poder levá-la lá naquela noite para compararmos. Mas Bella tinha uma vida para seguir.

— Charlie chegará daqui a alguns minutos. — Eu ouvia vagamente seus pensamentos e calculava que ele estivesse a pouco mais de um quilômetro dali, vindo lentamente naquela direção, a mente fixa em Bella. — Então, a não ser que queira dizer a ele que vai comigo no sábado...

Eu entendia que havia vários motivos para Bella não querer que seu pai soubesse do nosso envolvimento. Mas eu queria... não só porque precisava daquele encorajamento extra para mantê-la em segurança, não só porque achava que a ameaça à minha família me ajudaria a controlar o monstro dentro de mim. Eu adoraria... que ela *quisesse* que o pai soubesse de mim. Quisesse que eu fizesse parte da vida normal que ela levava.

— Ah, não, obrigada — respondeu depressa.

É claro que era um desejo impossível. Como tantos outros.

Bella começou a arrumar suas coisas, preparando-se para ir embora.

— Então amanhã é a minha vez? — perguntou ela, encarando-me com seus olhos brilhantes e curiosos.

— Claro que não! Não lhe disse que não tinha acabado?

Ela franziu a testa, confusa.

— O que mais pode ter para perguntar?

Tudo.

— Vai descobrir amanhã.

Charlie estava se aproximando. Estendi a mão para abrir a porta para ela, e ouvi seu coração batendo alto e descompassado. Nossos olhares se encontraram, e novamente me *pareceu* um convite. Será que eu podia tocar seu rosto só mais uma vez?

Mas fiquei paralisado, a mão na maçaneta da porta.

Outro carro seguia em direção à esquina da rua. Não era o de Charlie. Ele ainda estava a duas quadras dali. Eu não prestara muita atenção àqueles pensamentos nada familiares, pois presumira que pertenciam a alguém que seguia para uma das outras casas da rua.

Até que uma palavra chamou minha atenção.

Vampiros.

Acho que é seguro o bastante para o garoto. Não há por que esbarrarmos em nenhum vampiro por aqui, a mente pensava, *mesmo que este seja um território neutro. Espero não ter errado em trazê-lo para a cidade.*

Quais eram as chances?

— Nada bom — murmurei.

— Que foi? — perguntou ela, ansiosa ao tentar processar a mudança em minha expressão.

Não havia nada que eu pudesse fazer. Que azar.

— Outra complicação — admiti.

O carro entrou na ruazinha, seguindo diretamente para a casa de Charlie. Quando os faróis iluminaram meu carro, ouvi uma reação jovem e entusiasmada vindo de outra mente dentro do velho Ford Tempo.

Uau. É um S60 R? Nunca tinha visto um. Que máximo! Quem será que tem um desses por aqui? Aerofólio dianteiro com pintura customizada... pneus semi-slick... Essa coisa deve rasgar a estrada. Preciso dar uma olhada no escapamento.

Não me concentrei no garoto, embora outro dia com certeza poderia ter me divertido com aquele interesse todo. Abri a porta, bem mais do que o necessário, então me afastei de Bella e me inclinei para a frente, em direção aos faróis que se aproximavam, à espera.

— Charlie está chegando — avisei a ela.

Bella desceu depressa sob a chuva, mas não teve tempo de entrar antes que nos vissem juntos. Bateu a porta do carro, mas ficou parada, observando o veículo que se aproximava.

O Ford parou de frente para o meu, os faróis iluminando meu carro.

E de repente os pensamentos do homem mais velho gritavam de choque e pavor.

Um frio! Vampiro! Cullen!

Olhei fixamente para seus olhos através do para-brisa.

Eu não tinha como identificar sua semelhança com o avô. Nunca vira Ephraim em sua forma humana. Mas aquele só podia ser Billy Black e seu filho, Jacob.

Como se para confirmar minha suspeita, o garoto se curvou para a frente com um sorriso.

Ah, é a Bella!

Uma pequena parte de mim notou que, sim, com certeza ela conquistara mais do que informações enquanto bisbilhotava na praia com ele, em La Push.

Porém, eu estava mais concentrado no pai, que conhecia nosso segredo.

Ele dissera a verdade... aquele território era neutro. Eu tinha tanto direito de estar ali quanto ele, e Billy sabia disso. Dava para notar pela tensão de seu rosto assustado e irritado, pela forma como trincava os dentes.

O que isso está fazendo aqui? O que devo fazer?

Estávamos em Forks havia dois anos e ninguém tinha se ferido. Mas seu horror era tanto que parecia que havíamos feito uma nova vítima por dia.

Encarei-o fixamente, contraindo os lábios para deixar os dentes à mostra numa reação automática à sua hostilidade.

Mas criar confusão não ajudaria em nada. Carlisle não ficaria nem um pouco feliz se eu fizesse algo que preocupasse o velho. Eu só podia esperar que ele respeitasse melhor nosso tratado do que seu filho.

Saí em disparada, o garoto apreciando o som dos meus pneus — no limite da legalidade para trafegar normalmente pelas ruas — cantando no asfalto molhado. Então virou-se para avaliar o escapamento do carro enquanto eu me afastava.

Passei por Charlie ao dobrar a esquina seguinte, reduzindo automaticamente ao notar sua cara fechada reprovando minha velocidade. Ele seguiu para casa, e ouvi a surpresa abafada em seus pensamentos — sem palavras, mas clara o bastante — ao ver o carro parado à sua espera. Na mesma hora, esqueceu o Volvo prateado que acabara de passar por ele em alta velocidade.

Parei a duas ruas dali e estacionei discretamente ao lado da floresta, entre dois terrenos amplos. Em segundos, eu estava encharcado, escondido pelos galhos grossos do abeto que dava para o quintal de Bella, o mesmo lugar em que me escondera naquele primeiro dia ensolarado.

Era difícil acompanhar Charlie. Eu não ouvia nada de preocupante em seus pensamentos vagos. Só entusiasmo... Então devia ter ficado bem feliz com a visita. Nada que fora dito lhe aborrecera... ainda.

A cabeça de Billy era um emaranhado fervilhante de perguntas enquanto ele cumprimentava Charlie e era levado para dentro. Até onde eu podia ver, Billy ainda não tomara nenhuma decisão. Fiquei feliz em ouvir pensamentos sobre o tratado misturados à sua agitação. Com sorte, aquilo bastaria para segurar sua língua.

O garoto foi atrás de Bella quando ela escapou para a cozinha. Ah, a paixão estava clara em todos os seus pensamentos. Mas não era desgastante para mim ouvir a mente dele, como era com Mike Newton e os outros admiradores de Bella. Havia algo de muito... interessante na mente de Jacob Black. Era pura e aberta. Lembrava um pouco a de Angela, só que não tão reservada. De repente lamentei que aquele garoto tivesse nascido meu inimigo. Sua mente era uma das poucas em que era tranquilo estar. Quase serena.

Na sala, Charlie notara que Billy estava distraído, mas não perguntara nada. Havia tensão entre os dois... Um antigo desentendimento de muito tempo antes.

Jacob perguntava a Bella sobre mim. Ao ouvir meu nome, ele riu.

— Acho que isso explica, então — disse o garoto. — Estava me perguntando por que meu pai agiu de um jeito tão estranho.

— É verdade — ponderou Bella com uma inocência exagerada. — Ele não gosta dos Cullen.

— Velho supersticioso — murmurou o garoto.

Sim, deveríamos ter previsto que seria assim. É claro que os membros mais jovens da tribo veriam essas histórias apenas como lenda, algo constrangedor e até divertido, ainda mais porque os membros mais velhos as levavam muito a sério.

Os dois se juntaram aos pais na sala. Bella não tirava os olhos de Billy enquanto ele e Charlie assistiam à televisão. Parecia que, assim como eu, ela estava esperando alguma quebra no tratado.

Mas nada aconteceu. Os Black foram embora antes que ficasse muito tarde. Afinal, era dia de semana. Segui os dois a pé de volta à fronteira entre nossos territórios, só para ter certeza de que Billy não pediria ao filho para voltar. Mas seus pensamentos ainda estavam confusos. Havia nomes que eu desconhecia, pessoas com quem ele conversaria naquela noite. Mesmo que continuasse em pânico, sabia o que os outros anciãos diriam. Ver um vampiro cara a cara o perturbara, mas isso não mudava nada.

Ao passarem do ponto em que eu podia ouvi-los, tive quase certeza de que não havia nenhum perigo novo. Billy seguiria as regras. Que escolha ele tinha? Se violássemos o tratado, não havia nada que os velhos pudessem fazer a respeito. Tinham perdido as presas. Se *eles* quebrassem o tratado... Bem, nós estávamos ainda mais fortes do que antes. Éramos sete e não mais cinco. Com certeza, isso os deixaria mais cautelosos, embora Carlisle nunca nos permitisse usar nossa força dessa forma.

Em vez de voltar direto para a casa de Bella, decidi passar no hospital primeiro. Meu pai tinha pegado o plantão noturno.

Ouvi seus pensamentos na ala de emergência. Estava examinando o motorista de um caminhão de entrega de Olympia com um ferimento profundo na mão. Entrei na recepção e logo vi Jenny Hancock no balcão. Estava distraída conversando com a filha adolescente ao telefone e mal me viu acenar ao passar por ela.

Não quis interromper, então passei direto pela cortina atrás da qual Carlisle trabalhava e segui até seu escritório. Ele reconheceria o som dos meus passos — desacompanhados de batimentos cardíacos — e depois meu cheiro. Assim saberia que eu queria vê-lo e que não era uma emergência.

Ele me encontrou no escritório pouco depois.

— Edward? Está tudo bem?

— Sim. Só queria que você soubesse logo... Billy Black me viu na casa da Bella hoje. Ele não disse nada a Charlie, mas...

— Hmmm — fez Carlisle.

Estamos aqui há tanto tempo que seria uma pena se as coisas ficassem tensas de novo.

— Provavelmente não é nada — falei. — Ele só não estava preparado para ficar tão perto de um *frio*. Os outros vão tranquilizá-lo. Afinal, o que podem fazer?

Carlisle franziu a testa. *Você não deveria pensar assim.*

— Embora eles tenham perdido seus protetores, não oferecemos perigo.

— Não. É claro que não.

Ele balançou lentamente a cabeça, pensando na melhor coisa a fazer. Não parecia haver nenhuma, a não ser ignorar aquele encontro desafortunado. Eu chegara à mesma conclusão.

— Você vai... voltar logo para casa? — perguntou Carlisle de repente.

Fiquei sem jeito quando ele formulou a pergunta.

— Esme está chateada comigo?

— Não é bem *chateada*... — respondeu ele.

Ela se preocupa. Sente sua falta.

Suspirei e assenti. Bella estaria segura em casa por algumas horas. Provavelmente.

— Vou para casa agora — declarei.

— Obrigado, filho.

Passei a noite com minha mãe, deixando-a cuidar de mim um pouco. Assim que cheguei, ela me fez vestir roupas secas... mais para proteger o chão que passara tanto tempo limpando do que qualquer outra coisa. Os outros haviam saído, e vi que tinha sido a pedido dela. Carlisle ligara para avisar que eu estava a caminho. Apreciei o silêncio. Nós nos sentamos juntos ao piano, e toquei enquanto conversávamos.

— Como você *está*, Edward? — Foi sua primeira pergunta. E não tinha nada de casual. Ela esperava ansiosamente pela minha resposta.

— Não sei direito — respondi com sinceridade. — Tenho altos e baixos.

Ela ouviu as notas por alguns instantes, tocando às vezes alguma tecla que harmonizaria com a melodia.

Ela faz você sofrer.

Balancei a cabeça.

— Eu causo meu próprio sofrimento. Não é culpa dela.

Não é culpa sua também.

— Eu sou o que sou.

E isso não é culpa sua.

Abri um sorriso amarelo.

— Você culpa Carlisle?

Não. Você culpa?

— Não.

Então por que culpar a si mesmo?

Eu não tinha uma resposta. Sinceramente, não me ressentia com Carlisle pelo que ele tinha feito, mas ainda assim... não tinha que haver um culpado? Essa pessoa não seria eu?

Detesto vê-lo sofrer.

— Não é sofrido sempre.

Ainda não.

Essa garota... ela faz você feliz?

Suspirei.

— Sim... quando eu mesmo não atrapalho as coisas. Ela faz, sim.

— Então está tudo bem.

Esme parecia aliviada.

Minha boca se retorceu.

— É só isso?

Ela ficou em silêncio, refletindo sobre minhas respostas, imaginando o rosto de Alice, pensando nas visões da minha irmã. Ela sabia da aposta e também que eu descobrira. Estava chateada com Jasper e Rose.

Se ela morrer, o que vai acontecer com ele?

Eu me encolhi, afastando os dedos das teclas.

— Sinto muito — disse Esme rapidamente. — Não tive a intenção...

Balancei a cabeça, e ela ficou em silêncio. Olhei para minhas mãos, frias e ossudas, inumanas.

— Não sei como... — sussurrei. — Como eu superaria isso. Não consigo ver nada... nada além disso.

Ela passou os braços em torno dos meus ombros, entrelaçando os dedos com força.

— Isso não vai acontecer. Sei que não.

— Queria ter tanta certeza assim.

Olhei para as mãos dela, tão parecidas com as minhas, e ao mesmo tempo nem tanto. Eu não podia odiá-las do mesmo jeito. Eram de pedra também, mas não... não eram mãos de um monstro. Eram mãos de uma mãe, gentis e carinhosas.

Tenho certeza. Você não vai machucá-la.

— Então você apostou com Alice e Emmett.

Ela se afastou e me deu um tapinha no ombro.

— Isso não é assunto para brincadeira.

— Não, não é.

Mas quando Jasper e Rosalie perderem, não vou ficar chateada se Emmett esfregar um pouco a vitória na cara deles.

— Ele não vai desapontá-la, tenho certeza.

Nem você vai me desapontar, Edward. Ah, meu filho, como eu amo você. Quando a parte difícil passar, vou ficar muito feliz, sabe? Acho que vou adorar essa menina.

Olhei para ela com as sobrancelhas erguidas.

Você não faria a crueldade de mantê-la longe de mim, não é?

— Agora você está falando que nem a Alice.

— Não sei por que ainda insiste em lutar contra o que ela diz. É melhor abraçar o inevitável.

Franzi a testa, mas voltei a tocar o piano.

— Você está certa — falei após um instante. — Não vou machucá-la.

É claro que não.

Ela manteve os braços à minha volta e, após alguns instantes, apoiei a cabeça na dela. Esme suspirou e me abraçou ainda mais forte. Isso fez com que eu me sentisse um pouco como uma criança. Como dissera a Bella, eu não tinha lembranças da minha infância, nada concreto. Mas os braços de Esme ao meu redor despertavam alguma lembrança sensorial. Minha primeira mãe também devia me abraçar, e isso me confortava da mesma maneira.

Quando a música terminou, suspirei e endireitei os ombros.

Você vai à casa dela agora?

— Vou.

Ela fechou a cara, confusa. *O que faz lá a noite toda?*

Sorri.

— É meu momento de pensar... e arder. E ouvir.

Ela tocou no meu pescoço.

— Não fico feliz em saber que isso lhe causa dor.

— Essa é a parte mais fácil. Não é nada, sério.

E a parte mais difícil?

Pensei naquilo por um instante. Havia várias respostas possíveis, mas uma me parecia *mais* verdadeira.

— Acho que é... não poder ser humano com ela. Meu maior desejo é simplesmente impossível.

Ela franziu as sobrancelhas.

— Vai ficar tudo bem, Esme.

Para mim, era tão fácil mentir para ela. Eu era o único que podia mentir naquela casa.

Vai, sim. Ela não podia estar em melhores mãos.

Ri, mais uma vez sem achar graça. Porém, tentaria provar que minha mãe estava certa.

14. MAIS PERTO

O quarto de Bella estava tranquilo naquela noite. Mesmo a chuva forte, que em geral a deixava inquieta, parecia não incomodá-la. Apesar da dor, eu também estava em paz, ainda mais calmo do que em minha casa, nos braços da minha mãe. Enquanto dormia, Bella murmurou meu nome, como fazia com frequência, sorrindo.

Durante o café da manhã, Charlie comentou que Bella estava de bom humor, e foi minha vez de sorrir. Pelo menos eu também a fazia feliz.

Ela entrou rapidamente no meu carro hoje, com um sorriso largo, parecendo tão ansiosa quanto eu para estarmos juntos.

— Dormiu bem? — perguntei a ela.

— Dormi. Como foi a sua noite?

Sorri.

— Agradável.

Bella contraiu os lábios.

— Posso perguntar o que você fez?

Eu imaginava como ficaria curioso se tivesse que passar oito horas desacordado, sem consciência do que acontecia com ela. Mas não estava pronto para responder a essa pergunta agora... ou talvez nunca estivesse.

— Não. Ainda é a *minha* vez.

Ela suspirou e revirou os olhos.

— Acho que não tem nada que eu não tenha contado.

— Conte-me mais sobre sua mãe.

Era um dos meus assuntos favoritos, já que obviamente era um dos dela.

— Certo. Hmm, minha mãe é meio... indomável, eu acho? Não tipo um tigre, mas um pardal, um cervo ou algum outro animal selvagem. Ela só não fica bem presa, eu acho. Minha avó, que era supernormal, aliás, e não fazia ideia de quem minha mãe tinha puxado, costumava chamá-la de levada da breca. Tenho a sensação de que minha mãe não foi uma adolescente fácil. Mas, enfim, para ela é muito difícil ficar em um mesmo lugar por muito tempo. Então poder ir para novos lugares com Phil sem ter um destino em mente... Acho que nunca a vi tão feliz. Mas ela se esforçou muito por mim. Tentou se contentar com aventuras no fim de semana e em mudar de emprego toda hora. Fiz meu máximo para deixá-la livre das coisas mundanas. Imagino que Phil vá fazer o mesmo. Eu me sinto... uma filha ruim. Porque estou um pouco aliviada, sabe? — Com o rosto tomado pela culpa, Bella ergueu as mãos. — Agora ela não precisa mais ficar presa a mim. É um peso a menos. E Charlie... Nunca pensei nele como alguém que precisasse de mim, mas ele precisa. Essa casa é vazia demais para ele.

Assenti, pensativo, vasculhando aquela mina de informações. Eu gostaria de conhecer a mulher que havia moldado tanto do caráter de Bella. Parte de mim preferia que Bella tivesse vivido uma infância mais fácil e convencional, em que pudesse ter sido *criança*. Mas ela não seria a mesma pessoa e, para dizer a verdade, não parecia ressentida. Gostava de cuidar dos outros, gostava de ser útil.

Talvez esse fosse o segredo, o verdadeiro motivo da atração que sentia por mim. Ninguém havia precisado tanto dela.

Deixei-a na porta de sua primeira aula, e a manhã transcorreu como a do dia anterior. Alice e eu parecíamos zumbis na aula de educação física. Fiquei observando o rosto de Bella pelos olhos de Jessica Stanley mais uma vez, notando, assim como a garota humana, que Bella parecia estar em outro lugar.

Por que será que Bella não quer falar sobre isso?, Jessica se perguntou. *Quer ele todo para ela, imagino. A não ser que estivesse dizendo a verdade antes, e eles realmente não estão juntos.* Sua mente repassou a negativa de Bella na quarta-feira de manhã — *não foi nada disso*, quando Jessica perguntou se tínhamos nos beijado — e sua dedução de que Bella parecia decepcionada.

Isso seria tortura, pensou Jessica. *Olhar e não poder tocar.*

A palavra me sobressaltou.

Tortura? Sem dúvida era um exagero, mas... isso realmente causaria sofrimento a Bella, por menor que fosse? Claro que não, já que ela compreendia a situação. Franzi a testa e notei o olhar interrogativo de Alice. Balancei a cabeça para minha irmã.

Ela parece feliz, pensava Jessica, observando Bella com o olhar perdido na janela. *Ela deve ter mentido para mim. Ou alguma coisa mudou.*

Ah! Alice ficou imóvel de repente, o que me alertou junto de sua exclamação mental. A imagem em sua mente era a do refeitório em um futuro próximo e...

Bem, até que enfim!, pensou ela, abrindo um sorriso enorme.

As imagens continuaram: Alice naquele dia, de pé atrás de mim no refeitório, encarando Bella. A breve apresentação. Como tudo ia começar ainda não estava definido. Variava, dependendo de algum outro fator. Mas seria em breve, se não hoje.

Suspirei, distraído ao acertar a peteca e mandá-la para o outro lado. Voou melhor do que se eu estivesse concentrado. Marquei um ponto quando o professor apitou para sinalizar o término da aula. Alice já estava se dirigindo para a porta.

Não seja tão chorão. Não é nada de mais. E já vi que você não vai me impedir.

Fechei os olhos e balancei a cabeça.

— Não, *não vai* ser nada de mais — concordei baixinho enquanto caminhávamos juntos.

— Eu sei ser paciente. Um passo de cada vez.

Revirei os olhos.

Era sempre um alívio quando eu podia parar a observação secundária e ver Bella com meus próprios olhos, mas eu ainda estava pensando nas suposições de Jessica quando Bella entrou. Ela abriu um sorriso largo e caloroso, e também me pareceu muito feliz. Eu não devia me preocupar com impossibilidades quando não a incomodavam.

Havia algumas perguntas que eu relutara em fazer até então. Porém, ainda preocupado com os pensamentos de Jessica, de repente fiquei mais curioso do que reticente.

Nós nos sentamos no que havia se tornado nossa mesa de sempre, e Bella começou a beliscar a comida que eu pegara para ela. Dessa vez, eu tinha sido mais rápido.

— Conte-me sobre seu primeiro encontro — pedi.

Seus olhos se arregalaram e suas bochechas coraram. Ela hesitou.

— Você não vai me contar?

— Só não sei bem... o que realmente conta.

— Use os requisitos mínimos — sugeri.

Ela olhou para o teto, pensando.

— Bem, então acho que seria com Mike... Outro Mike! — acrescentou ela rapidamente quando minha expressão mudou. — Era meu parceiro de dança no sexto ano. Ele me convidou para sua festa de aniversário, onde íamos ver um filme. — Ela sorriu. — *Nós Somos os Campeões 2*. Fui a única que apareceu. Mais tarde, as pessoas disseram que era um encontro. Não sei quem começou esse boato.

Eu vira algumas fotos de escola na casa do pai dela, então tinha uma referência mental para a Bella de onze anos. As coisas parecem não ter sido tão diferentes para ela naquela época.

— Talvez esses requisitos mínimos estejam baixos demais.

Ela sorriu.

— Foi você quem pediu.

— Então continue.

Ela fez uma careta enquanto pensava.

— Umas amigas minhas resolveram ir patinar no gelo com alguns meninos. Elas precisavam que eu fosse para ninguém ficar sobrando. Eu não teria ido se tivesse me dado conta de que meu par seria Reed Merchant. — Ela estremeceu de leve. — E, claro, logo descobri que patinar no gelo tinha sido uma péssima ideia. Os machucados foram leves, mas o lado bom foi ficar sentada na lanchonete e passar o resto da noite lendo.

Ela sorriu de forma quase... triunfante.

— Que tal falar sobre um encontro de verdade?

— Tipo alguém me convidando para sair com antecedência e depois a gente indo a algum lugar juntos?

— Isso me parece uma definição viável.

Ela abriu o mesmo sorriso triunfante.

— Então sinto muito dizer, mas nunca fiz nada assim.

Franzi a testa.

— Ninguém nunca convidou você para sair antes de se mudar para cá? Sério?

— Não sei. Será que era um encontro? Ou só amigos saindo? — Ela deu de ombros. — Não que isso fizesse muita diferença. Nunca tive tempo para nenhuma das duas coisas. Então as pessoas pararam de me convidar.

— Você estava mesmo ocupada? Ou dava as mesmas desculpas que dá aqui?

— Estava ocupada — insistiu ela, um pouco ofendida. — Cuidar da casa toma muito tempo, e eu também sempre trabalhei meio período, sem contar a escola. Se eu quiser ir para a faculdade, vou precisar de uma bolsa integral e...

— Um minutinho só — interrompi. — Antes de passarmos para o próximo assunto, eu gostaria de terminar esse. Se você não estivesse tão ocupada, teria aceitado algum desses convites?

Ela inclinou a cabeça, reflexiva.

— Na verdade, não. Quer dizer, talvez só para sair um pouco. Não eram garotos muito interessantes.

— E outros garotos? Que não convidaram você?

Ela balançou a cabeça, os olhos parecendo não esconder nada.

— Eu não estava prestando muita atenção.

Meus olhos se estreitaram.

— Então nunca conheceu ninguém que quisesse de verdade?

Ela suspirou de novo.

— Não em Phoenix.

Nós nos encaramos por um momento, enquanto eu processava o fato de que, assim como ela era meu primeiro amor, de acordo com o que Bella estava dizendo, eu também era... sua primeira paixão, no mínimo. Esse fato me agradou de uma maneira estranha, mas também me incomodou. Sem dúvida era um jeito nada saudável de começar a vida amorosa. E eu sabia que ela seria a primeira e a última para mim. Mas não seria assim para um coração humano.

— Eu sei que hoje não é meu dia, mas...

— Não, não é.

— Poxa — insistiu ela. — Acabei de contar sobre meu histórico vergonhoso de ausência de encontros.

Sorri.

— O meu é bem parecido, na verdade. Tirando as festas de aniversário enganosas e a patinação no gelo. Também não tenho prestado muita atenção.

Ela parecia não acreditar em mim, mas era verdade. Eu também tinha recebido algumas ofertas que recusei. Não era o mesmo tipo de oferta, admiti para mim mesmo, imaginando a tristeza de Tanya.

— Para que faculdade você gostaria de ir? — perguntei.

— Hmm... — Ela balançou de leve a cabeça, como se estivesse se acostumando ao novo assunto. — Bem, eu achava que a Universidade Estadual do Arizona era a mais prática, porque poderia morar em casa. Mas como minha mãe agora está sempre se mudando, acho que tenho mais opções. Tem que ser uma faculdade no estado, algo com preço razoável, mesmo com a bolsa de estudos. Quando me mudei para cá... Bem, fiquei feliz por Charlie não morar perto da Universidade de Washington para que *essa* fosse uma opção prática.

— Você está menosprezando os pumas do nosso querido estado?

— Nada contra a instituição, o problema é o clima.

— E se você pudesse estudar em qualquer uma, se o valor não fosse um problema, qual escolheria?

Enquanto Bella considerava minha pergunta sobre esse futuro hipotético, tentei imaginar um futuro do qual *eu* pudesse participar. Bella aos vinte, vinte e dois, vinte e quatro... Quantos anos até ela enjoar de mim, imutável como eu era? Eu aceitaria esse prazo de validade se isso significasse que ela poderia ser saudável, humana e feliz. Se ao menos eu pudesse não ser um perigo para ela, me encaixar nesse futuro feliz por cada segundo que ela permitisse...

Mais uma vez, me perguntei como poderia pôr isso em prática e estar com ela sem afetar negativamente sua vida. Ficar na primavera de Perséfone, mantendo-a a salvo do meu submundo.

Era fácil ver que ela não seria feliz levando uma vida como a minha. Bem fácil. Mas pelo tempo que ela me quisesse, eu a seguiria. Isso significaria muitos dias dentro de casa, mas era um preço tão insignificante que mal era digno de nota.

— Eu teria que pesquisar um pouco. A maioria das universidades chiques fica em áreas de neve. — Ela sorriu. — Fico imaginando como devem ser as universidades no Havaí.

— Maravilhosas, sem dúvida. E depois da faculdade? O que você quer fazer?

Percebi que para mim era muito importante conhecer os planos *dela* para o futuro. Assim eu não os atrapalharia. Assim poderia moldar esse futuro improvável na melhor versão para ela.

— Alguma coisa com livros. Sempre achei que seria professora como... Bem, não *exatamente* como minha mãe. Se eu pudesse, gostaria de ser professora universitária, talvez em uma faculdade comunitária. Aulas de inglês eletivas, assim todos os que se inscrevessem estariam lá por vontade própria.

— É isso que você sempre quis fazer?

Ela deu de ombros.

— Acho que sim. Já pensei em trabalhar em uma editora, como produtora editorial ou algo assim. — Franziu o nariz. — Mas aí pesquisei melhor. É muito mais fácil conseguir um emprego como professora. Mais prático.

Todos os seus sonhos tinham as asas podadas, não eram como os dos adolescentes comuns, prontos para conquistar o mundo. Claramente era uma consequência de ter enfrentado a realidade antes do que deveria.

Bella mordeu o bagel, pensativa. Eu me perguntei se ainda estava pensando no futuro ou em outra coisa. Gostaria de saber se ela me visualizava nesse futuro.

Minha mente se voltou para o dia seguinte. A perspectiva de um dia inteiro com ela deveria ter me animado. Seria bastante tempo! Mas eu não parava de pensar no momento em que ela enxergaria o que eu realmente era. Eu não conseguiria mais me esconder atrás da minha fachada humana. Tentei imaginar sua reação, e embora muitas vezes tivesse me enganado ao tentar prever seus sentimentos, sabia que ela só poderia reagir de duas maneiras. A única reação possível além da repulsa seria o horror.

Eu queria acreditar que havia uma terceira opção. Que ela perdoaria o que eu era, como já havia feito tantas vezes. Que me aceitaria apesar de tudo. Mas eu não conseguia imaginar isso.

Será que eu teria coragem de cumprir minha promessa? Será que poderia viver comigo mesmo se escondesse isso dela?

Pensei na primeira vez que vi Carlisle ao sol. Eu era muito jovem na época, ainda obcecado por sangue, mas aquela visão chamou minha atenção de uma maneira única. Embora eu tivesse plena confiança em Carlisle, embora já tivesse começado a amá-lo, senti muito medo. Era algo impossível, estranho demais. O instinto de me defender foi forte, e precisei de um bom tempo até que seus pensamentos calmos e tranquilizadores tivessem algum efeito sobre mim. Ele acabou me convencendo a dar um passo à frente, com mais confiança, para que eu visse que o fenômeno não me faria mal.

E ainda me lembrava de mim sob a luz brilhante da manhã, percebendo — com um impacto maior do que já sentira até então — que eu não tinha qualquer relação com o meu antigo eu. Que eu não era mais humano.

Mas não era justo me esconder dela. Seria uma mentira por omissão.

Tentei imaginá-la comigo na campina, como seria a cena se eu não fosse um monstro. Era um lugar muito bonito e tranquilo. Como eu queria que ela pudesse desfrutar dele comigo...

Edward, pensou Alice com urgência e um quê de pânico que me fez ficar imóvel.

De repente, fui surpreendido por uma das visões de Alice, e me vi diante de um círculo brilhante de luz do sol. Foi desorientador, porque estava me imaginando com Bella bem ali, na pequena campina aonde ninguém mais ia, então no começo não tive certeza se estava vendo a mente de Alice ou a minha.

Mas era diferente; essa imagem era do futuro, não do passado. Bella olhava para mim, um arco-íris dançando em seu rosto, os olhos insondáveis. Então eu *era* corajoso o suficiente, afinal.

É o mesmo lugar, pensou Alice, a mente inundada por um horror que não correspondia à visão. Tensão, talvez. Horror? O que ela queria dizer com *o mesmo lugar*?

E então eu vi.

Edward!, protestou Alice em tom estridente. *Eu a amo, Edward!*

Mas ela não amava Bella como eu. Essa ideia era absurda. De alguma maneira, algo a cegara e a fizera ver impossibilidades. Mentiras.

Não havia se passado nem meio segundo. Bella ainda estava mastigando, pensando sobre algum mistério que eu nunca desvendaria. Ela não tinha visto a expressão de pavor que passou por meu rosto durante um segundo.

Era só uma visão antiga. Não era mais válida. Tudo havia mudado desde então.

Edward, nós precisamos *conversar.*

Alice e eu não tínhamos nada para conversar. Balancei a cabeça de leve, apenas uma vez. Bella não viu.

Os pensamentos de Alice se tornaram um comando. Ela empurrou a imagem insuportável de volta para minha mente.

Eu a amo, Edward. Não vou deixar você ignorar isso. Vamos embora e vamos resolver isso. Você tem até o fim da aula. Arranje uma desculpa... Ah!

Sua visão inofensiva durante a aula de educação física interrompeu suas ordens. A breve apresentação. Vi exatamente como aconteceria. Então, aquela visão ofensiva, inválida e desatualizada era o catalisador que faltava? Cerrei os dentes.

Tudo bem. Nós iríamos conversar. Eu sacrificaria meu tempo com Bella naquela tarde para mostrar a Alice que ela estava errada. Na verdade, eu sabia que não descansaria até que a fizesse entender isso, que a fizesse admitir que estava errada dessa vez.

Ela viu o futuro se alterar quando mudei de ideia. *Obrigada.*

Considerando que a guinada repentina na minha tarde era uma questão de vida ou morte, foi estranho quão deprimente me pareceu perder um tempo com o qual tinha contado. Era para ser algo pequeno, só alguns minutos, na verdade.

Tentei afastar o horror que Alice havia infligido em mim para não estragar os minutos que me restavam.

— Eu devia ter deixado você vir no seu carro hoje — falei, me esforçando ao máximo para não demonstrar meu desespero.

Seus olhos se voltaram para os meus de repente. Ela engoliu em seco.

— Por quê?

— Vou sair com a Alice depois do almoço.

— Ah. — Seu rosto mostrava decepção. — Está tudo bem, não é uma caminhada tão longa.

Franzi a testa.

— Não vou deixar você ir a pé para casa. — Ela realmente achava que eu a abandonaria? — Vamos lá pegar sua picape e deixar aqui para você.

— Não trouxe a chave — disse Bella, suspirando. Aquele era um obstáculo enorme e intransponível para ela. — Não me importo mesmo de ir andando.

— Seu carro estará aqui com a chave na ignição — falei. — A não ser que tenha medo de que alguém possa roubá-lo.

O barulho do motor dela já servia de alarme. Talvez fosse até mais alto. Forcei uma risada ao pensar nisso, mas saiu estranha.

Bella estreitou os lábios e seus olhos ficaram indecifráveis.

— Tudo bem — disse ela.

Estava duvidando das minhas habilidades?

Tentei abrir um sorriso confiante — eu *estava* confiante de que não falharia em uma tarefa tão simples —, mas meus músculos estavam tensos demais para fazer isso direito. Pelo visto, ela não notou. Parecia estar lidando com a própria decepção.

— E aí, aonde vocês vão? — perguntou Bella, por fim.

Alice me mostrou a resposta para essa pergunta.

— Caçar. — Percebi que minha voz estava subitamente mais sombria. Eu teria encontrado tempo para isso, de qualquer jeito. A necessidade dessa excursão era tão frustrante quanto vergonhosa. Mas eu não mentiria para ela sobre esse assunto. — Se vou ficar sozinho com você amanhã, preciso tomar todas as precauções. — Olhei no fundo de seus olhos, perguntando-me se ela conseguia ver o medo nos meus. A visão de Alice era mais forte que minha compostura. — Sabe que pode cancelar a hora que quiser...

Por favor, vá embora. Não olhe para trás.

Bella olhou para baixo, o rosto mais pálido do que antes. Será que finalmente ia me ouvir? A visão de Alice ficaria sem sentido se Bella me dissesse para deixá-la em paz. Eu sabia que conseguiria fazer isso, caso Bella me pedisse. Meu coração estava pronto para ser despedaçado.

— Não — sussurrou ela, e meu coração se apertou por outro motivo. Ele se despedaçaria mais tarde, e seria muito pior. Bella olhou para mim. — Não posso.

— Talvez tenha razão — sussurrei.

Talvez Bella estivesse, no fim das contas, tão presa quanto eu.

Ela se inclinou na minha direção, estreitando os olhos devido a algo que parecia preocupação.

— A que horas vejo você amanhã?

Respirei fundo, tentando me acalmar e afastar a sensação de catástrofe iminente. Eu me forcei a falar em um tom mais alegre.

— Isso depende... É sábado, não quer dormir mais um pouco?

— Não — respondeu ela de imediato.

Tive vontade de sorrir.

— A mesma hora de sempre, então. Charlie estará em casa?

Ela abriu um largo sorriso.

— Não, amanhã ele vai pescar.

Seu prazer evidente com isso era tão grande quanto minha irritação com a atitude dela. Por que Bella estava decidida a ficar completamente à minha mercê, à mercê do meu pior lado?

— E se você não voltar para casa? — perguntei com os dentes cerrados. — O que ele vai pensar?

O rosto dela estava tranquilo.

— Não faço a menor ideia. Ele sabe que vou lavar roupa. Talvez pense que caí na máquina de lavar.

Olhei feio para ela. Aquela piada não era nada engraçada. Ela retribuiu o olhar de reprovação por um instante, então relaxou e mudou de assunto.

— O que vão caçar hoje?

Foi tão estranho. Por um lado, ela não parecia levar o perigo a sério. Por outro, aceitava com a maior naturalidade do mundo as facetas mais terríveis da minha vida.

— Qualquer coisa que encontrarmos no parque. Não vamos muito longe.

— Por que vai com a Alice?

Alice estava ouvindo atentamente agora.

Franzi a testa.

— Alice é a mais... favorável.

Havia outros adjetivos que eu gostaria de dizer para que Alice ouvisse, mas confundiria Bella.

— E os outros? — Bella quase sussurrou, sua voz mudando de curiosa para apreensiva. — São o quê?

Ela ficaria horrorizada se soubesse com que facilidade todos ouviam aquele sussurro.

Também havia muitas maneiras de responder a essa pergunta. Escolhi a menos assustadora.

— Incrédulos, principalmente.

Com certeza era uma descrição apropriada.

Ela olhou de relance para o canto do refeitório, onde minha família estava sentada. Alice os avisara, então todos olhavam em outra direção.

— Eles não gostam de mim — sugeriu ela.

— Não é isso — respondi rapidamente.

Rá!, pensou Rosalie.

— Eles não entendem por que não posso deixar você sozinha — continuei, tentando ignorar Rose.

Bem, não deixa de ser verdade.

Bella fez uma careta.

— Nem eu, aliás.

Balancei a cabeça, pensando em sua suposição ridícula de antes sobre eu não gostar tanto dela quanto ela de mim. Achei que já tivesse explicado isso.

— Eu lhe disse... Você não se vê com tanta clareza. Não é como ninguém que eu conheça. Você me fascina.

Ela não pareceu convencida. Talvez eu tivesse que ser mais específico.

Sorri para Bella. Apesar de todas as minhas preocupações, era importante que ela entendesse isso.

— Com minhas vantagens — rocei dois dedos na testa com naturalidade —, tenho uma apreensão da natureza humana maior do que a média. As pessoas são previsíveis. Mas você... Nunca faz o que espero. Sempre me pega de surpresa.

Ela desviou o olhar e havia um quê de insatisfação em seu rosto. Esse detalhe específico claramente não a convencera.

— Essa parte é bem fácil de explicar — continuei, esperando os olhos dela se voltarem para mim. — Mas tem mais... — Muito mais. — E não é tão fácil de colocar em palavras...

Vai ficar me encarando, sua cara de morcego insuportável?

O rosto de Bella ficou pálido. Ela parecia imóvel, como se não conseguisse desviar os olhos do fundo do refeitório.

Eu me virei rapidamente e lancei um olhar ameaçador para Rosalie, mostrando os dentes. Rosnei baixinho para ela.

Rose me olhou pelo canto do olho e virou a cara. Olhei para Bella no instante em que ela se virava para me encarar.

Ela que começou, pensou Rosalie, mal-humorada.

Os olhos de Bella estavam arregalados.

— Desculpe por isso — murmurei depressa. — Ela só está preocupada. — Fiquei irritado de ter que defender o comportamento de Rosalie, mas não consegui pensar em outra explicação. E por trás da hostilidade de Rose, *havia* um problema real. — Entenda... Não é perigoso só para mim se, depois de passar tanto tempo com você tão publicamente...

Não consegui terminar a frase. Tomado pelo horror e pela vergonha, olhei para minhas mãos, as mãos de um monstro.

— Se? — insistiu ela.

Como eu poderia não responder agora?

— Se isso terminar... mal.

Deixei a cabeça cair na palma das mãos. Não queria ver os olhos dela quando compreendesse o que eu estava dizendo. Depois de todo esse tempo tentando ganhar sua confiança, agora teria que deixar claro que eu não a merecia.

A coisa certa a fazer era avisá-la. Aquele seria o momento em que ela iria embora. E isso era bom. Minha primeira reação, a rejeição instintiva do pânico de Alice, estava passando. Eu não podia prometer a Bella que não representava um perigo para ela.

— E agora tem que ir embora?

Olhei lentamente para ela.

Seu rosto estava calmo, havia um quê de tristeza naquele franzido entre as sobrancelhas, mas nada de medo. A completa confiança que vi quando ela entrou no meu carro em Port Angeles mais uma vez estava evidente em seus olhos. Embora eu não merecesse, Bella ainda confiava em mim.

— Sim — falei.

Minha resposta a fez franzir ainda mais a testa. Ela deveria ter sentido apenas alívio com minha partida, porém, em vez disso, estava triste.

Eu queria poder tocar aquele pequeno vinco entre suas sobrancelhas e apagá-lo. Queria que Bella sorrisse outra vez.

Obriguei-me a sorrir para ela.

— Provavelmente é melhor. Ainda teremos que suportar quinze minutos de um filme na aula de biologia... Não acho que possa aguentar mais.

Imaginei que devia ser verdade; eu não teria aguentado. Teria cometido mais erros.

Ela retribuiu o sorriso, e era óbvio que entendia pelo menos parte do que eu quis dizer.

Então Bella se sobressaltou em sua cadeira, assustada.

Ouvi Alice se aproximar atrás de mim. Não fiquei surpreso. Já tinha visto essa parte.

— Alice — cumprimentei.

Vi o reflexo de seu sorriso animado nos olhos de Bella.

— Edward — respondeu ela, imitando meu tom de voz.

Segui meu roteiro.

— Alice, Bella — falei, apresentando-as da forma mais concisa possível. Mantive os olhos fixos em Bella e gesticulei sem entusiasmo com uma das mãos. — Bella, Alice.

— Oi, Bella. Que bom *finalmente* conhecer você.

A ênfase foi sutil, mas irritante. Olhei-a de relance.

— Oi, Alice — respondeu Bella, a voz um pouco insegura.

Não vou testar minha sorte, prometeu Alice.

— Está pronto? — perguntou ela em voz alta.

Como se já não soubesse minha resposta.

— Quase. Encontro você no carro.

Vou parar de atrapalhar agora. Obrigada.

Bella observou Alice se afastar e fez uma leve careta. Quando minha irmã saiu pela porta, ela se virou sem pressa para me encarar.

— Devo dizer "divirtam-se" ou esse é o sentimento errado? — perguntou.

Sorri para ela.

— Não, "divirtam-se" é tão bom quanto qualquer outra coisa.

— Então, divirtam-se — disse ela, um pouco desanimada.

— Vou tentar. — Mas era uma mentira. A única coisa que eu faria seria sentir saudades dela enquanto estivesse longe. — E você procure ficar sã e salva, por favor. — Não importava quantas vezes eu tivesse que me despedir, o mesmo pânico voltava sempre que eu pensava nela desprotegida.

— Sã e salva em Forks... — murmurou. — Mas que desafio.

— Para você, *é mesmo* um desafio — apontei. — Promete?

Ela suspirou, mas seu sorriso era bem-humorado.

— Prometo tentar me manter sã e salva. Vou lavar roupa hoje à noite... Deve ser muito perigoso.

Não gostei de ser lembrado da nossa conversa anterior.

— Não caia.

Ela tentou manter o rosto sério, mas não conseguiu.

— Farei o máximo.

Era muito difícil ir embora. Eu me obriguei a levantar. Ela também ficou de pé.

— A gente se vê amanhã — disse ela, suspirando.

— Parece muito tempo para você, não é?

Estranho como também parecia muito tempo para mim.

Ela assentiu, abatida.

— Estarei lá de manhã — prometi.

Alice estava certa sobre uma coisa: eu não parava de cometer erros. Mais uma vez, não conseguia me conter e me inclinei sobre a mesa, passando os dedos pela bochecha dela. Antes que pudesse fazer algo do qual me arrependesse, dei meia-volta e a deixei para trás.

Minha irmã já me esperava no carro.

— Alice...

Uma coisa de cada vez. Temos que resolver algo primeiro, não é?

Imagens da casa de Bella passaram por sua mente. Um porta-chaves vazio na parede da cozinha. Eu no quarto de Bella, examinando a cômoda e a mesa de cabeceira. Alice literalmente farejando a sala. Alice outra vez, em um cômodo pequeno com uma máquina de lavar, sorrindo e segurando um molho de chaves.

Dirigimos bem rápido até a casa de Bella. Eu teria encontrado a chave sozinho — cheiro de metal era fácil de seguir, ainda mais misturado à oleosidade dos dedos dela —, mas o jeito de Alice sem dúvida era mais rápido.

As imagens foram se refinando. Alice entraria sozinha, eu vi, pela porta da frente. Ela cogitou vários esconderijos diferentes para uma chave extra e encontrou-a quando resolveu olhar sob o beiral da porta da frente.

Quando chegamos à casa, Alice levou apenas alguns segundos para seguir o plano que já havia traçado. Depois de trancar a porta da frente, deixando o ferrolho destravado como o encontrara, Alice entrou na picape de Bella. O motor roncou tão alto quanto um trovão. Mas não havia ninguém em casa para reparar.

A viagem de volta à escola foi mais demorada, limitada pela velocidade máxima que aquela picape velha conseguia atingir. Eu me perguntei como Bella aguentava, mas pelo visto ela preferia dirigir devagar, de qualquer maneira. Alice estacionou na vaga que meu Volvo ocupara antes e desligou o motor barulhento.

Olhei para o gigante enferrujado, imaginando Bella ali dentro. O veículo sobrevivera à van de Tyler com um mero arranhão, mas obviamente não tinha airbags nem era equipado para acidentes. Senti minhas sobrancelhas se franzirem.

Alice subiu no banco do carona.

Aqui, pensou ela, estendendo um pedaço de papel e uma caneta.

Eu os peguei.

— Sou obrigado a admitir que você é útil.

Você não conseguiria viver sem mim.

Escrevi um breve bilhete e o deixei sobre o banco do motorista da picape de Bella. Sabia bem que aquilo não tinha nenhum efeito real, mas tive esperança de que a lembraria de sua promessa. De fato me fez sentir um pouco menos aflito.

15. POSSIBILIDADE

— Agora, Alice — disse enquanto fechava a porta.

Ela suspirou. *Sinto muito. Queria não ter que...*

— Não é *real* — interrompi, conduzindo o carro para fora do estacionamento. Eu nem precisava pensar na estrada. Já a conhecia muito bem. — É só uma visão antiga. De antes de tudo. Antes de eu saber que a amava.

Na cabeça dela, lá estava outra vez, a pior visão de todas, o potencial agonizante que me torturara por tantas semanas, o futuro que Alice vira no dia em que tirei Bella do caminho da van.

O corpo de Bella em meus braços, retorcido, pálido e sem vida... Um corte irregular, com bordas azuladas, em seu pescoço quebrado... Seu sangue vermelho nos meus lábios, o carmesim brilhando em meus olhos.

A visão nas lembranças de Alice arrancou um rosnado furioso da minha garganta: uma resposta involuntária à dor que atravessou meu corpo.

Alice ficou paralisada, os olhos ansiosos.

É o mesmo lugar, Alice havia percebido naquele dia no refeitório, os pensamentos tomados por um horror que eu não tinha compreendido de primeira.

Eu nunca olhara além da imagem central horrível, afinal eu quase não suportava vê-la. Mas Alice tinha muito mais décadas de experiência examinando suas visões. Ela sabia encarar a situação sem envolver seus sentimentos, ser imparcial, examinar a visão sem estremecer diante dela.

Alice tinha sido capaz de absorver os detalhes... como a paisagem.

A cena terrível acontecera na mesma campina onde eu planejava levar Bella no dia seguinte.

— *Não* pode continuar sendo válida. Você não *viu* de novo, apenas lembrou.

Alice balançou a cabeça devagar.

Não é só uma memória, Edward. Estou vendo agora.

— Nós vamos para outro lugar.

Em sua cabeça, o cenário da visão começou a girar como um caleidoscópio, ora brilhante, ora sombrio, e depois brilhante de novo. O primeiro plano permanecia o mesmo. Eu me encolhi numa tentativa de me afastar das cenas, tentando tirá-las do olho da minha mente, desejando poder cegá-lo.

— Vou cancelar — falei. — Ela já me perdoou por não ter cumprido minhas promessas antes.

A visão cintilou, tremeluziu e depois voltou a ficar nítida.

O sangue dela é muito forte para você, Edward. À medida que for ficando próximo dela...

— Vou ficar distante de novo.

— Acho que não vai funcionar. Não funcionou antes.

— Eu vou embora.

Alice estremeceu ao ouvir a agonia em minha voz, e a imagem em sua cabeça tremeluziu outra vez. As estações mudavam ao fundo, mas as figuras centrais permaneciam do mesmo jeito.

— Continua lá, Edward.

— Como isso é *possível*? — rosnei.

— Porque se for embora, você vai acabar voltando — disse ela com uma voz implacável.

— Não. Eu consigo ficar longe. Sei que consigo.

— Você não consegue — retrucou com toda a calma. — Talvez... se fosse só o seu próprio sofrimento...

Sua mente percorreu vários futuros possíveis. O rosto de Bella visto de milhares de ângulos diferentes, sempre tingido de cinza, longe do sol. Ela estava mais magra, com as maçãs do rosto anormalmente côncavas, olheiras profundas, inexpressiva. Alguém poderia chamá-la de cadavérica, mas seria apenas uma metáfora. Não era como nas outras visões.

— O que houve? Por que ela está assim?

— Porque você foi embora. Ela não está... bem.

Eu odiava quando Alice falava daquele jeito, como se o futuro fosse o presente, como se a tragédia estivesse acontecendo naquele momento.

— Melhor do que outras opções — falei.

— Você acha mesmo que conseguiria deixá-la assim? Não acha que voltaria para ver como ela está? Realmente acha que, quando a visse nesse estado, não falaria com ela?

Enquanto Alice fazia essas perguntas, vi as respostas em sua mente. Vi a mim mesmo nas sombras, observando. Voltando escondido para o quarto de Bella. Vendo-a viver um pesadelo, enroscada em posição fetal, os braços junto ao peito, ofegando por ar, mesmo durante o sono. Alice se encolheu também, envolvendo os joelhos com os braços tensos, por solidariedade.

Claro que Alice estava certa. Tive um eco das emoções que sentiria nessa versão do futuro e soube que sim, eu voltaria, só para ver como ela estava. E, então, quando a visse... eu a acordaria. Não conseguiria vê-la sofrer.

Os futuros se realinharam na mesma visão inevitável, apenas adiada por um tempo.

— Eu não deveria ter voltado — sussurrei.

E se eu nunca tivesse aprendido a amá-la? E se eu não soubesse o que estava perdendo?

Alice balançava a cabeça.

Tive algumas visões enquanto você estava longe...

Esperei que ela me mostrasse, mas Alice estava muito concentrada em apenas olhar para o meu rosto naquele momento. Tentando *não* me mostrar.

— Que visões? O que você viu?

Os olhos dela denunciavam seu sofrimento. *Não foram muito agradáveis. Em algum momento, se não tivesse voltado quando voltou, se nunca a tivesse amado, você teria vindo atrás dela de qualquer jeito. Para... caçá-la.*

Nada de cenas novas, mas eu não precisava delas para entender. Eu me afastei de Alice, quase perdendo o controle do carro. Pisei no freio e saí da estrada. Os pneus rasgaram as samambaias e jogaram musgo no pavimento.

Aquele pensamento surgira no começo, quando o monstro estava quase desenfreado. A ideia de que não havia garantia de que eu não a seguiria, aonde quer que ela fosse.

— Sugira algo que funcione! — falei, explodindo. Alice se afastou ao ouvir meu grito. — Diga qual é o outro caminho! Mostre-me como ficar longe, para onde ir!

Em seus pensamentos, outra visão de repente substituiu a primeira. Um suspiro de alívio passou pelos meus lábios quando o horror desapareceu. Mas essa visão não era muito melhor.

Alice e Bella, abraçadas, as duas brancas como mármore, duras como diamante. Algumas sementes de romã e ela estaria presa no submundo comigo. Sem volta. Primavera, luz do sol, família, futuro, alma, tudo seria roubado dela.

A probabilidade é de mais ou menos sessenta por cento. Talvez até sessenta e cinco. Ainda há uma boa chance de você não matar Bella.

Seu tom era de encorajamento.

— Ela vai morrer de qualquer jeito — sussurrei. — Vou fazer o coração dela parar de bater.

— Não foi bem isso que eu quis dizer. Estou lhe dizendo que ela tem futuros além da campina... Mas primeiro ela precisa enfrentar a campina, metaforicamente falando, se é que você me entende.

Seus pensamentos... era difícil descrever... *se expandiram* como se ela estivesse pensando em tudo ao mesmo tempo. Eu via um emaranhado de fios, cada um deles uma linha comprida de imagens congeladas, cada fio um futuro contado em momentos, todos enroscados em um nó confuso.

— Não estou entendendo.

Todos os caminhos de Bella estão convergindo para um ponto, todos estão entrelaçados. Esse ponto pode estar na campina ou em outro lugar, mas ela está presa a esse momento de decisão. Sua decisão, e a dela... Alguns fios continuam do outro lado. Outros...

— Não.

Minha voz saiu falha, sentia a garganta apertada.

Você não tem como evitar, Edward. Vai ter que enfrentar esse momento. Mesmo sabendo que pode acabar de um jeito ou de outro, vai ter que enfrentá-lo.

— Como eu posso salvá-la? Me diga!

— Não sei. Você vai ter que encontrar a resposta sozinho, no meio desse caos. Não consigo ver que forma exatamente esse momento terá, mas acho que haverá uma espécie de teste ou desafio. Consigo ver isso, mas não tenho como ajudar. Só vocês dois podem decidir.

Meus dentes rangeram.

Você sabe que eu te amo, então me escute agora. Adiar esse momento não vai mudar nada. Leve-a para a campina, Edward, e — por mim, mas especialmente por você — traga-a de volta.

Deixei minha cabeça cair nas mãos. Eu me senti doente, como um humano danificado, vítima de uma enfermidade.

— Que tal uma boa notícia? — perguntou Alice em tom gentil, tentando me animar.

Olhei para ela, que deu um sorrisinho.

É sério.

— Então fale logo.

— Vi um terceiro caminho, Edward — contou ela. — Se você conseguir passar pela crise, há um novo caminho possível.

— Um novo caminho? — repeti, confuso.

— Não é garantido. Mas olhe.

Outra imagem em sua mente. Não era tão nítida quanto as outras. Um trio na sala apertada da casa de Bella. Eu estava no sofá velho, com Bella ao meu lado, o braço por cima de seus ombros em um gesto descontraído. Alice estava sentada no chão ao lado de Bella, apoiada em sua perna de tal forma que demonstrava intimidade. Alice e eu estávamos com a mesma aparência de sempre, mas aquela era uma versão de Bella que eu nunca tinha visto. Sua pele ainda era macia e pálida, rosada nas bochechas, saudável. Os olhos ainda eram calorosos, castanhos e humanos. Mas ela estava diferente. Analisei as mudanças e entendi o que estava vendo.

Bella não era mais uma garota, e sim uma mulher. As pernas pareciam um pouco mais compridas, como se ela tivesse crescido alguns centímetros, e o corpo esbelto ganhara algumas curvas sutis. O cabelo era escuro como o breu, como se ela tivesse tomado muito pouco sol nos anos que estavam por vir. A cena não parecia ser tantos anos à frente, talvez três ou quatro. Mas ela ainda era humana.

Fui inundado por alegria e sofrimento. Ela ainda era humana, mas estava envelhecendo. Esse era o futuro extremo e improvável com o qual eu poderia conviver. O futuro que não lhe roubava a vida, nem a vida após a morte. O futuro que a afastaria de mim alguma hora, de forma tão inevitável quanto o dia virava noite.

— Continua não sendo muito provável, mas achei que você ia gostar de saber que essa possibilidade existe. Se vocês dois superarem a crise, isso pode acontecer.

— Obrigado, Alice — sussurrei.

Mudei a marcha e voltei com o carro para a estrada, passando na frente de uma minivan que andava abaixo do limite de velocidade. Acelerei automaticamente, sem perceber o que fazia.

Claro, essa é a parte que depende de você. Alice ainda estava visualizando o trio improvável no sofá. *Não leva em consideração os desejos dela.*

— O que quer dizer com isso? Os desejos dela?

— Nunca pensou que Bella pode não querer perdê-lo? Que uma vida mortal curta pode não ser longa o suficiente para ela?

— Isso é loucura. Ninguém escolheria...

— Não precisamos discutir isso agora. Primeiro a crise.

— Obrigado, Alice — repeti, dessa vez em tom ácido.

Ela riu. Foi um som apreensivo, como o de um pássaro. Ela estava tão nervosa quanto eu, quase tão horrorizada pelas possibilidades trágicas quanto eu fiquei.

— Sei que você também a ama — murmurei.

Não é a mesma coisa.

— Verdade.

Afinal, Alice tinha Jasper. O centro do universo dela estava em segurança ao seu lado, e era ainda mais indestrutível do que a maioria. A alma dele não pesava em sua consciência, não trazia dúvidas. Alice só trouxera felicidade e paz a Jasper.

Eu te amo. Você consegue.

Eu queria acreditar nela, mas sabia quando suas palavras tinham uma base sólida e quando não passavam de simples esperança.

Dirigi em silêncio até os limites do parque nacional e encontrei um lugar discreto onde parar o carro. Alice não se mexeu quando estacionei. Ela viu que eu precisava de um tempo.

Fechei os olhos e tentei não ouvir Alice, não ouvir nada, concentrar meus pensamentos em uma decisão. Uma resolução. Apertei as têmporas com força.

Alice disse que eu teria que tomar uma decisão. Queria gritar que já havia escolhido, que não havia decisão a tomar, mas, embora todo o meu ser parecesse ansiar apenas pela segurança de Bella, eu sabia que o monstro continuava vivo.

Como eu faria para matá-lo? Silenciá-lo para sempre?

Ah, ele estava quieto naquele momento. Escondido. Guardando forças para a luta que estava por vir.

Por alguns momentos, considerei seriamente me matar. Era a única forma de garantir que o monstro não sobreviveria.

Mas como? Carlisle havia esgotado a maioria das possibilidades no início de sua vida imortal e nunca chegara perto de pôr um ponto final na própria história, apesar de sua determinação. Eu não conseguiria fazer isso sozinho.

Qualquer membro da minha família seria capaz de acabar comigo, mas eu sabia que nenhum deles atenderia ao pedido, por mais que eu implorasse. Mesmo Rosalie, que sem dúvida diria estar com raiva suficiente para me matar, que era capaz de gritar e me ameaçar, não o faria. Porque, embora às vezes me odiasse, ela sempre me amou. E eu sabia que, se estivesse no lugar de qualquer um deles, também me sentiria e agiria assim. Eu não faria mal a qualquer membro da minha família, não importava quanto estivessem sofrendo ou quanto desejassem uma escapatória.

Havia outros vampiros... mas os amigos de Carlisle não me ajudariam. Nunca o trairiam dessa maneira. Só consegui pensar em um lugar aonde poderia ir para acabar com o monstro de forma rápida... mas isso colocaria Bella em perigo. Embora não tivesse sido eu a contar a verdade sobre mim, ela sabia coisas que não poderia saber. Não era nada que pudesse colocá-la em perigo, a menos que eu fizesse algo idiota, como ir para a Itália.

Era uma pena que o tratado quileute estivesse tão sem força. Três gerações atrás, eu só precisaria ir até La Push. Essa ideia se tornara inútil.

Portanto, tais formas de matar o monstro não serviriam.

Alice parecia tão certa de que eu tinha que seguir em frente, encarar a situação. Mas como esta poderia ser a decisão certa quando existia o risco de matar Bella?

Estremeci. Era uma possibilidade tão dolorosa que eu não conseguia imaginar como o monstro passaria por cima da minha aversão e me subjugaria. Ele não revelou nada, apenas continuou aguardando sua chance, em silêncio.

Suspirei. Havia alguma escolha senão encarar a situação de frente? Será que ainda contava como coragem se a pessoa não tinha escolha? Eu achava que não.

Tudo o que me restava fazer, ao que parecia, era me agarrar à minha decisão com ambas as mãos, com toda a minha força. Eu seria mais forte que meu monstro. Não machucaria Bella. Eu faria a coisa mais correta que me restava. Eu seria quem ela precisava que eu fosse.

E então, de repente, enquanto eu pensava nessas palavras, não me pareceu mais tão impossível. Claro que eu seria capaz de fazer isso. Eu poderia ser o Edward que Bella queria, de quem ela precisava. Poderia me agarrar àquele esboço do futuro com o qual eu conseguia conviver, e torná-lo real. Por Bella. Claro que eu conseguiria se fosse por ela.

Pareceu mais sólida, essa decisão. Mais clara. Abri os olhos e encarei Alice.

— Ah. Melhorou — disse ela. Em sua cabeça, o emaranhado de fios ainda parecia um labirinto confuso para mim, mas ela conseguia interpretá-lo melhor do que eu. — Setenta por cento. Seja lá o que você estiver pensando, continue assim.

Talvez a resposta fosse simplesmente aceitar o futuro imediato. E enfrentá-lo. Sem subestimar meu próprio mal. Prevenindo-me. Preparando-me.

E naquele momento eu podia cuidar do preparativo mais básico. Era por isso que estávamos ali.

Alice viu o que eu estava prestes a fazer, então saiu do carro e começou a correr antes que eu tivesse tempo de abrir a porta. Aquilo tinha certa graça, e eu quase sorri. Ela nunca poderia me superar na corrida e sempre tentava trapacear.

Então comecei a correr também.

Por aqui, pensou Alice quando eu estava quase a alcançando. Sua mente estava à frente, procurando por uma presa. Mas, embora eu sentisse o cheiro de várias opções próximas, era óbvio que não se tratavam do que ela queria. Alice estava ignorando tudo que encontrava.

Eu não sabia direito o que ela estava procurando com tanto afinco, mas a segui sem hesitar. Alice ignorou mais alguns rebanhos de veados, levando-me mais fundo na floresta e seguindo para o sul. Eu a vi procurando no futuro, nos vendo em diferentes pontos do parque, todos familiares. Ela começou a seguir para o leste, voltando para o norte mais uma vez. O que estava procurando?

Então seus pensamentos se firmaram no movimento furtivo em um arbusto, um vislumbre de uma pele amarelada.

— Obrigado, Alice, mas...

Shhh! Estou caçando.

Revirei os olhos, mas continuei atrás dela, afinal estava tentando fazer uma gentileza para mim. Não havia como ela saber que não faria diferença. Nos últimos tempos, eu me obrigava a comer tanto que tinha dúvidas de que notaria a diferença entre um leão e um coelho.

Não demorou muito para encontrarmos sua visão, agora que Alice estava concentrada nela. Quando os movimentos do animal se tornaram audíveis, ela diminuiu a velocidade para me deixar assumir a liderança.

— É melhor não, a população de leões do parque...

O tom mental de Alice soou exasperado. *Aproveite a vida um pouco.*

Nunca houve muito sentido em brigar com Alice. Dei de ombros e passei por ela. Naquele momento senti o perfume. Foi fácil aceitar e deixar o sangue me puxar para a frente enquanto eu perseguia a presa.

Foi relaxante parar de pensar por alguns minutos. Simplesmente ser outro predador, o predador do topo da cadeia alimentar. Ouvi Alice indo para o leste, em busca de uma refeição própria.

O leão ainda não tinha notado minha presença. Ele também estava indo para o leste em busca de uma presa. O dia de algum outro animal terminaria melhor, graças a mim.

Eu o alcancei em um segundo. Ao contrário de Emmett, eu não via sentido em dar ao animal a chance de reagir. Não faria diferença no fim, e não era mais humano liquidá-lo rapidamente? Quebrei o pescoço do leão e logo suguei o sangue daquele corpo quente. Eu não estava com muita sede, então não senti um grande alívio. Mais uma vez, estava me obrigando a comer.

Quando terminei, segui o cheiro de Alice em direção ao norte. Ela havia encontrado uma corça adormecida, deitada em meio a arbustos. Alice caçava de um jeito mais parecido com o meu do que com o de Emmett. A criatura parecia ter morrido dormindo.

— Obrigado — falei a ela, para ser educado.

De nada. Há um rebanho maior mais para o oeste.

Ela se levantou e saiu na frente mais uma vez. Contive um suspiro.

Nós dois terminamos depois de mais uma presa. Eu estava cheio demais de novo, e minhas entranhas pareciam desconfortavelmente líquidas. Mas fiquei surpreso que ela estivesse pronta para parar.

— Não me importo de continuar — falei, perguntando-me se ela havia notado que eu ficaria de fora da próxima rodada e só estava sendo educado.

— Vou sair amanhã de novo com Jasper — contou ela.

— Ele não acabou de...

— Acabei de decidir que precisamos de mais preparativos — disse ela, sorrindo.

Uma nova possibilidade.

Vi nossa casa em sua mente. Carlisle e Esme aguardavam ansiosos na sala de estar. A porta se abriu, eu entrei, e, ao meu lado, segurando minha mão...

Alice riu e tentei manter minha expressão sob controle.

— Como? — perguntei. — *Quando?*

— Em breve.

Talvez domingo...

— *Este* domingo?

Sim, depois de amanhã.

Bella estava perfeita na visão: humana e saudável, sorrindo para meus pais. Ela usava a blusa azul que destacava a beleza de sua pele.

Mas não sei direito como isso pode acontecer. É só uma das possibilidades, mas quero que Jasper esteja preparado.

Jasper estava ao pé da escada, assentindo educadamente para Bella, os olhos dourados.

— Isso vem... depois do nó do caos?

É um dos fios.

Eles giraram outra vez em sua mente, feito longas cordas de possibilidades. Tantas delas convergiam no dia seguinte... e um número menor continuava do outro lado.

— Qual a probabilidade agora?

Ela comprimiu os lábios. *Setenta e cinco por cento?* Ela pensou como uma pergunta, e percebi que estava sendo generosa.

Fala sério, pensou ela quando viu meus ombros caídos. *Você apostaria no seu sucesso com essa probabilidade. Eu estou apostando.*

Automaticamente, mostrei os dentes.

— Ah, me poupe. Como se eu fosse perder a oportunidade. A questão não é só Bella. Estou bem confiante de que ela vai ficar bem. É uma chance de ensinar Rosalie e Jasper a terem mais respeito — disse ela.

— Você não é onisciente.

— Sou quase.

Eu não conseguia acompanhar seu bom humor.

— Se você fosse onisciente, poderia me dizer o que fazer.

Você vai dar um jeito, Edward. Eu sei que vai.

Se ao menos eu tivesse essa certeza também...

Meus pais eram os únicos em casa quando voltamos. Emmett sem dúvida avisara os outros de que era melhor sumirem. Para mim, não fazia diferença. Eu não tinha energia para me importar com o jogo idiota deles. Alice também foi em busca de Jasper. Fiquei grato pela redução das conversas mentais. Isso ajudou um pouco enquanto eu tentava me concentrar.

Carlisle estava esperando ao pé da escada, e era difícil bloquear seus pensamentos, que ecoavam todas as perguntas para as quais eu tinha acabado de implorar respostas a Alice. Eu não queria admitir para ele as fraquezas que me impediam de fugir antes de causar mais estragos. Não queria que Carlisle soubesse do horror que teria acontecido se eu não tivesse voltado a Forks quando voltei, quão baixo meu monstro teria sido.

Acenei com a cabeça de forma tensa ao passar por ele. Carlisle soube o que isso significava: eu estava ciente de todos os seus medos e não tinha uma boa resposta. Suspirando, ele assentiu de volta. Então subiu a escada devagar, e eu o ouvi se juntar a Esme em seu escritório. Não conversaram. Tentei ignorar os pensamentos dela ao analisar a expressão dele, sua preocupação, seu sofrimento.

De todos eles, até mesmo Alice, Carlisle era quem entendia melhor como era para mim aquele falatório interminável, os monólogos e a confusão que viviam dentro da minha cabeça; era ele quem morava comigo havia mais tempo. Então, sem dizer uma palavra, ele levou Esme à grande janela que com frequência usávamos como saída. Em segundos, os dois estavam longe o suficiente para que eu não ouvisse nada. Silêncio, finalmente. Naquele momento, a única confusão que eu tinha na cabeça era provocada por mim mesmo.

Primeiro me movi devagar, pouco mais rápido que um humano, enquanto tomava banho, limpando os resíduos da floresta da pele e do cabelo. Assim como no carro mais cedo, eu me sentia danificado, debilitado, como se minha força tivesse sido sugada. Tudo isso era fruto da minha imaginação, é claro. Seria um verdadeiro milagre, uma dádiva, se de alguma forma eu pudesse de fato perder minha força. Se pudesse ser fraco, inofensivo, sem representar perigo para ninguém.

Quase tinha me esquecido do meu medo anterior — um medo tão vaidoso —, de que Bella fosse me achar repulsivo quando revelasse meu verdadeiro eu à luz do sol. Tive nojo de mim mesmo por perder um instante que fosse com essa preocupação egoísta. Mas, ao procurar roupas limpas, tive que pensar nisso outra vez. Não porque importava se ela sentiria nojo de mim, mas porque eu tinha uma promessa a cumprir.

Eu não pensava muito na hora de escolher as roupas; na verdade, mal pensava nisso. Alice abastecia meu armário com uma grande variedade de peças que pareciam combinar. O objetivo principal das roupas era nos ajudar a nos misturarmos aos humanos, seguir a moda atual, minimizar nossa palidez e cobrir o máximo possível de pele sem que parecêssemos estar na estação errada. Alice sempre tentava ousar dentro dessas restrições, incomodada com a missão de nos fazer passar despercebidos. Ela escolhia as próprias roupas e cuidava do guarda-roupa de todos nós como uma forma de expressão artística. Nossa pele ficava coberta, a tonalidade pálida nunca contrastava com tons mais escuros, e sem dúvida nos vestíamos de acordo com a moda atual. Mas *não* erámos simples humanos, isso era óbvio. Parecia um luxo inofensivo, assim como os carros que dirigíamos.

A não ser pelos gostos inovadores de Alice, todas as minhas roupas tinham como principal objetivo cobrir o máximo de pele. Para cumprir a promessa que eu fizera a Bella, eu precisaria expor mais do que minhas mãos. Quanto menos eu revelasse, mais facilidade ela teria para desconsiderar minha anomalia. Ela *precisava* me ver como eu era.

Foi então que me lembrei de uma camisa esquecida no fundo do armário, uma que eu nunca tinha usado.

A camisa era incomum. Em geral, Alice não comprava nada que não conseguisse nos *ver* usando. Ela costumava seguir as regras à risca. Lembrei-me da tarde em que eu tinha visto, dois anos antes, a camisa pendurada junto de várias aquisições novas, mais para o fundo, como se Alice soubesse que a peça era um equívoco.

— Por que comprou isso? — perguntei a ela naquela ocasião.

Alice deu de ombros.

Não sei. Ficava bem no modelo.

Não havia nada oculto em seus pensamentos. Ela parecia igualmente confusa em relação àquela compra impulsiva. E, no entanto, Alice também não me deixou jogar a camisa fora.

Nunca se sabe, insistiu ela naquela tarde. *Vai que algum dia você queira usar.*

Peguei a camisa naquele momento e senti uma estranha onda de admiração. Um calafrio, quase, se eu fosse capaz de sentir algo do tipo. As premonições misteriosas dela iam tão longe, estendendo tão profundamente seus tentáculos no futuro, que nem mesmo ela compreendia todas as suas atitudes. De alguma forma, ela sentiu, anos antes de Bella decidir se mudar para Forks, que em algum momento eu enfrentaria esse julgamento bizarro.

Talvez ela *fosse mesmo* onisciente, no fim das contas.

Vesti a camisa branca de algodão, incomodado ao ver a palidez dos meus braços nus no espelho. Eu a abotoei, suspirei e depois a desabotoei. O objetivo era expor minha pele, mas eu não precisava estar tão exposto desde o primeiro momento. Peguei um suéter bege e o vesti por cima. Fiquei muito mais à vontade daquele jeito, só com o colarinho da camisa branca aparecendo acima da gola, bem coberto, como estava acostumado. Talvez eu ficasse de suéter. Talvez revelar tudo fosse o caminho errado.

Eu não estava mais me movendo tão devagar. Era quase cômico que, com todos os temores e decisões em minha mente, o medo mais familiar, aquele que ditara quase todas as minhas atitudes nos últimos tempos, ainda me controlasse com tanta facilidade.

Eu não via Bella fazia horas. Será que ela estava em segurança?

Como era estranho que eu ainda conseguisse me preocupar com os milhões de perigos que não eram *eu*. Nenhum deles era tão mortal. Ainda assim... e se ela não estivesse segura?

Embora eu sempre tivesse planejado passar a noite sentindo o perfume de Bella, algo mais importante naquela noite do que em qualquer outra, naquele momento percebi que eu tinha pressa em vê-la.

Cheguei cedo e, é claro, estava tudo bem. Bella ainda estava lavando roupa. Ouvi os estalos e esguichos da máquina de lavar desnivelada e senti o cheiro do amaciante saindo do escapamento quente da secadora. Parte de mim teve vontade de sorrir ao pensar em sua provocação no almoço, mas esse lampejo de humor era fraco demais para superar meu pânico contínuo. Também ouvi Charlie assistindo a um noticiário esportivo na sala. Seus pensamentos calmos pareciam suaves, sonolentos. Tive certeza de que Bella não havia mudado de ideia e lhe contado sobre seus planos reais para o dia seguinte.

Apesar de tudo, a noite tranquila e sem imprevistos dos Swan tinha um efeito tranquilizador. Eu me empoleirei na árvore de sempre e deixei que a cena me acalmasse.

Comecei a sentir inveja do pai de Bella. Ele tinha uma vida simples. Nada grave lhe pesava a consciência. O dia seguinte seria apenas um dia normal, com passatempos familiares e agradáveis que ele aguardava com prazer.

Mas no outro dia...

Não estava a seu alcance garantir como o outro dia seria para ele. Será que estava ao meu?

Fiquei surpreso ao ouvir o som de um secador de cabelo no banheiro que eles dividiam. Bella, em geral, não fazia isso. Pelo que eu tinha visto nas minhas noites de vigilância protetora — ainda que imperdoáveis —, ela ia dormir com o cabelo úmido, deixando-o secar ao longo da noite. Eu me perguntei o porquê da mudança. A única explicação em que consegui pensar era que ela queria que o cabelo estivesse bonito no dia seguinte. E, como a pessoa que ela planejava ver era eu, isso só podia significar que ela queria que ficasse bonito para mim.

Eu poderia estar errado. Mas se estivesse certo... Que irritante! Que encantador! Sua vida nunca tinha corrido tanto perigo, e ela se importava se eu, a própria criatura que ameaçava sua vida, ia gostar de sua aparência.

Levou mais tempo do que o de costume, mesmo descontando a demora extra devido ao secador, para que as luzes do quarto dela se apagassem, e ouvi uma movimentação silenciosa lá dentro antes que isso acontecesse. Curioso, sempre curioso demais, senti que esperei horas até ter certeza de que havia aguardado o tempo necessário para ela pegar no sono.

Uma vez lá dentro, percebi que não precisava ter esperado tanto. Ela dormia mais serena do que o normal naquela noite, o cabelo espalhado pelo travesseiro, os braços relaxados ao lado do corpo. Em um sono profundo, ela nem sequer murmurava.

Seu quarto revelou de imediato a fonte do tumulto silencioso que eu tinha ouvido. Pilhas de roupas estavam jogadas sobre todas as superfícies, e havia algumas na cama, debaixo de seus pés descalços. Mais uma vez senti uma mistura de prazer e pesar ao saber que ela queria ficar bonita para mim.

Comparei os sentimentos, a ânsia dolorida e a felicidade desmedida, com minha vida antes de Bella. Eu andara tão cansado, tão farto do mundo, como se tivesse experimentado todas as emoções que poderiam ser sentidas. Que tolo eu fui. Mal havia tomado um gole do que a vida tinha para me oferecer. Só agora estava ciente de tudo o que perdi e do quanto ainda precisava aprender. Havia tanto sofrimento pela frente, mais do que alegria, sem dúvida. Mas a alegria era tão doce e forte que eu jamais me perdoaria por perder um segundo dela.

Pensei no vazio de uma vida sem Bella, e isso me fez lembrar de uma noite na qual eu não pensava havia muito tempo.

Era dezembro de 1919. Já fazia mais de um ano desde que Carlisle havia me transformado. Meus olhos tinham passado do vermelho brilhante a um âmbar suave, embora o estresse de mantê-los assim fosse constante.

Carlisle me mantivera o mais isolado possível enquanto eu enfrentava aqueles primeiros meses descontrolados. Depois de quase um ano, tive certeza de que a loucura havia passado, e Carlisle aceitou minha autoavaliação sem questionar. Ele se preparou para me introduzir de volta à sociedade humana.

No início, era apenas uma noite aqui e ali: o mais bem alimentado possível, caminhávamos pela rua principal de uma cidade pequena depois que o sol estivesse abaixo da linha do horizonte. Era uma grande surpresa para mim a facilidade que tínhamos em nos misturar às pessoas. Os rostos humanos eram tão diferentes dos nossos: a pele opaca e cheia de marcas, as feições malfeitas, arredondadas e irregulares, as cores manchadas da pele imperfeita. Aqueles olhos turvos e reumáticos deviam estar quase cegos, pensei, se acreditavam que pertencíamos ao mundo deles. Levei vários anos para me acostumar aos rostos humanos.

Eu estava tão concentrado em controlar meu instinto assassino durante aqueles passeios que mal reconheci como linguagem a cacofonia do pensamento que me açoitava; era apenas um barulho. À medida que minha capacidade de ignorar a sede foi ficando mais forte, os pensamentos da multidão se tornaram mais claros, mais difíceis de ignorar; o perigo do primeiro desafio suplantado pela irritação do segundo.

Passei naqueles primeiros testes, se não com facilidade, pelo menos com resultados perfeitos. O desafio seguinte era viver entre eles por uma semana.

Carlisle escolheu o porto movimentado de Saint John, em Nova Brunswick, reservando quartos em uma pequena estalagem perto das docas do West Side. Além do nosso senhorio idoso, todos os vizinhos que encontrávamos eram marinheiros e estivadores.

    Foi um desafio árduo. Eu estava cercado por todos os lados. O cheiro do sangue humano era onipresente. Eu sentia cheiro de mãos humanas nos tecidos do nosso quarto, cheiro do suor humano que entrava pelas janelas. Isso maculava cada respiração.

    Porém, embora fosse jovem, eu também era obstinado e estava determinado a ser bem-sucedido. Eu sabia que Carlisle me tinha em alta conta pelo meu progresso rápido, e agradá-lo havia se tornado minha principal motivação. Mesmo em minha relativa quarentena até aquele momento, eu já tinha ouvido o suficiente dos pensamentos humanos para saber que meu mentor era único. Ele era digno da minha idolatria.

    Eu já sabia qual era seu plano de fuga caso o desafio estivesse além das minhas capacidades, por mais que ele tivesse tentado escondê-lo de mim. Era quase impossível para ele guardar segredo. Apesar de parecermos estar cercados por sangue humano, uma fuga rápida seria possível pelas águas geladas do porto. Estávamos a poucas quadras das profundezas cinzentas e opacas. Se a tentação estivesse perto de me vencer, ele me pediria para fugir.

    Mas Carlisle acreditava que eu era capaz, que eu era talentoso, forte e *inteligente* demais para ser vítima dos meus desejos mais baixos. Devia ter percebido minha reação a seus elogios internos. Eles me deixaram arrogante, acho, mas também me transformaram no homem que vi em sua mente, determinado a merecer a aprovação que ele já havia me dado.

    Carlisle era de fato muito astuto.

    E também muito bondoso.

    Era meu segundo Natal como imortal, embora tenha sido o primeiro ano em que pude apreciar a mudança das estações; no ano anterior, eu estava atormentado demais pelo frenesi de um vampiro recém-criado para ter ciência de muita coisa. Eu sabia que, em seu íntimo, Carlisle se preocupava com as coisas que me fariam falta. A família e os amigos que eu conhecera em meus anos humanos, as tradições que alegravam o clima sombrio. Ele não precisava se preocupar. As grinaldas e as velas, a música e as reuniões...

Nada disso parecia se destinar a mim. Eu as olhava como se estivessem a uma distância intransponível.

Certa noite, no meio dessa semana, ele me mandou sair para um passeio sozinho pela primeira vez. Levei minha tarefa muito a sério e fiz tudo a meu alcance para parecer o mais humano possível, embrulhando-me em camadas grossas de roupas, fingindo sentir frio. Uma vez lá fora, mantive o corpo rígido diante de todas as tentações, meus movimentos lentos e deliberados. Passei por alguns homens que voltavam para casa das docas geladas. Nenhum deles se dirigiu a mim, mas não me esforcei para evitá-los. Eu pensava em minha vida futura, quando estaria tão controlado e à vontade quanto Carlisle, e imaginei um milhão de passeios como aquele. Carlisle colocara sua vida em suspenso para cuidar de mim, mas eu estava determinado a deixar de ser um fardo e, em breve, me tornar um recurso à sua disposição.

Eu estava bastante orgulhoso de mim mesmo quando voltei para o nosso quarto, tirando a neve do meu gorro de lã. Carlisle estaria ansioso para ouvir meu relato, e eu estava ansioso para contar tudo a ele. Afinal, não tinha sido tão difícil assim estar entre eles tendo apenas minha força de vontade como proteção. Fingi naturalidade ao entrar pela porta, percebendo tarde demais o cheiro forte de resina.

Eu estava me preparando para deixar Carlisle espantado com a facilidade do meu sucesso, mas ele estava me esperando com outra surpresa.

As camas haviam sido empilhadas com todo o cuidado no canto, a mesa bamba fora empurrada para trás da porta a fim de abrir espaço para um abeto tão grande que o galho mais alto encostava no teto. As folhas em forma de agulha estavam úmidas, e a neve ainda era visível em alguns pontos, tamanha a rapidez com que ele derretera os tocos de vela nas pontas dos galhos. Todos brilhavam, refletindo a luz quente e amarela no rosto liso de Carlisle. Ele abriu um largo sorriso.

Feliz Natal, Edward.

Percebi, um pouco envergonhado, que minha grande conquista, meu passeio solitário, não tinha passado de uma artimanha. E então fiquei feliz mais uma vez ao pensar que Carlisle confiava tanto no meu autocontrole que estava disposto a me mandar para um teste falso apenas para me fazer uma surpresa.

— Obrigado, Carlisle — respondi rapidamente. — E um feliz Natal para você.

Para dizer a verdade, eu não sabia direito como me sentia em relação a isso. De alguma forma parecia... juvenil, como se minha vida humana fosse apenas um estágio larval que eu deixara para trás, junto de todas as suas armadilhas, e nesse novo momento esperassem que eu voltasse a rastejar pela lama, embora tivesse asas. Eu me senti velho demais para aquilo, mas, ao mesmo tempo, fiquei tocado por Carlisle tentar me proporcionar um retorno momentâneo às minhas antigas alegrias.

— Trouxe enfeites — contou ele. — Achei que você gostaria de me ajudar a ornamentar.

Em sua mente, vi o que aquilo significava para ele. Ouvi, não pela primeira vez, a culpa profunda que ele sentia por ter me colocado nessa vida. Ele me proporcionaria qualquer pequeno prazer humano que pensasse ser possível. E eu não seria tão mimado a ponto de recusar e estragar o prazer que ele tinha com o gesto.

— Claro — concordei. — Imagino que vai ser bem rápido este ano.

Ele riu e foi reavivar as brasas na lareira.

Não foi difícil relaxar e aderir à sua visão de festa em família, ainda que fosse uma família muito pequena e incomum. Embora tivesse facilidade em desempenhar meu papel, persistia a sensação de que eu não pertencia ao mundo do qual fingia fazer parte. Eu me perguntei se com o passar do tempo me acostumaria à vida que Carlisle havia criado, ou se sempre me sentiria deslocado. Será que eu me parecia mais com um vampiro verdadeiro do que ele? Uma criatura sanguinária demais para abraçar suas sensibilidades mais humanas?

Minhas perguntas foram respondidas com o passar do tempo. Por mais que não percebesse naquela época, eu ainda era um recém-criado, e tudo ficou mais fácil com a idade. A sensação de alienação foi sumindo, e eu descobri que de fato pertencia ao mundo de Carlisle.

No entanto, naquela época em particular, minhas preocupações me deixavam mais vulnerável do que deveriam aos pensamentos de um estranho.

Na noite seguinte, fomos nos encontrar com amigos. Meu primeiro evento social.

Já passava da meia-noite. Tínhamos deixado a cidade e ido até as colinas ao norte, procurando uma área distante o suficiente dos humanos para que eu pudesse caçar com segurança. Mantive o controle sobre mim mesmo, esforçando-me para refrear os sentidos ansiosos que lutavam para se libertar e que queriam me conduzir pela noite até algo que saciaria minha sede. Precisávamos ter certeza de que estaríamos longe o suficiente da população. Depois de liberar esses poderes, eu não teria a força necessária para me afastar do cheiro de sangue humano.

Aqui deve ser seguro, pensou Carlisle com aprovação, e diminuiu a velocidade para me deixar assumir a liderança da caçada. Talvez encontrássemos alguns lobos, que também caçavam na neve espessa. Naquele clima, era mais provável que precisássemos tirar os animais das tocas.

Deixei meus sentidos livres; fazer isso trazia um alívio notável, como se relaxasse um músculo que esteve contraído por muito tempo. No começo, tudo que eu conseguia sentir era o cheiro da neve limpa e dos galhos vazios das árvores caducifólias. Reconheci o alívio da ausência de cheiros humanos, sem desejo, sem dor. Corremos em silêncio pela floresta densa.

E então senti um cheiro novo, ao mesmo tempo familiar e estranho. Era doce, distinto e mais puro que neve fresca. Havia uma espécie de brilho na fragrância que só se parecia com dois aromas que eu conhecia: o de Carlisle e o meu. Mas as semelhanças paravam por aí.

Parei de correr de repente. Carlisle sentiu o cheiro e ficou imóvel ao meu lado. Por menos de um segundo, ouvi sua ansiedade. E então ela se tornou reconhecimento.

Ah, Siobhan, pensou ele, acalmando-se na mesma hora. *Eu não sabia que ela estava nesta parte do mundo.*

Olhei para ele com curiosidade, sem saber se podia falar em voz alta. Eu me sentia apreensivo, apesar da calma dele. O desconhecido me deixava alerta.

Somos velhos amigos, ele me garantiu. *Acho que já é hora de você conhecer outros da nossa espécie. Vamos encontrá-los.*

Ele parecia sereno, mas detectei uma preocupação discreta por trás dos pensamentos que ele punha em palavras para mim. Perguntei-me pela primeira vez por que nunca havíamos tido contato com outros vampiros até então. Pelas explicações de Carlisle, eu sabia que não éramos tão raros. Ele devia ter decidido me esconder dos outros. Mas por quê? Ele não temia qualquer perigo físico naquele momento. Qual poderia ser sua motivação?

O cheiro era bastante fresco. Eu conseguia distinguir dois rastros. Lancei um olhar curioso para ele.

Siobhan e Maggie. Onde será que está Liam? Os três formam um clã. Em geral viajam juntos.

Clã. Eu conhecia essa palavra, mas sempre pensava nela no contexto dos grandes grupos militarizados que dominavam as aulas de história de Carlisle. O clã Volturi, e, antes deles, os romenos e os egípcios. Mas se essa Siobhan podia ter um clã de três, será que a palavra também servia para nós? Carlisle e eu éramos um clã? Aquilo não parecia nos descrever. Era uma palavra muito... fria. Ou talvez meu entendimento da palavra fosse imperfeito.

Levamos algumas horas para alcançar as vampiras, pois elas também estavam correndo. Seu rastro nos fez adentrar ainda mais na paisagem erma e nevada, o que foi uma sorte. Se tivéssemos chegado muito perto de lares humanos, Carlisle teria me pedido para ficar para trás. Usar meu olfato para rastrear não era muito diferente de quando ia caçar, e eu sabia que seria dominado pelos sentidos se cruzasse com um rastro humano.

Quando chegamos tão perto que dava para ouvir o som de seus pés correndo à nossa frente — elas não estavam tentando ser furtivas, e obviamente não se preocupavam se estavam sendo seguidas —, Carlisle gritou bem alto:

— Siobhan!

O movimento à frente cessou por um instante, até que elas começaram a voltar, e o som mostrava uma assertividade que me deixou tenso, apesar da calma de Carlisle. Ele parou de correr e eu parei ao seu lado. Ele nunca estivera errado sobre nada antes, mas ainda assim agachei quase automaticamente.

Calma, Edward. No início, é difícil encontrar um predador igual. Mas não há nada a temer. Confio nela.

— Claro — sussurrei, e logo me endireitei ao lado dele, embora não conseguisse relaxar minha postura rígida.

Talvez fosse por isso que ele havia mantido seus outros conhecidos longe de mim. Talvez esse estranho instinto de defesa fosse forte demais quando alguém já estava sobrecarregado pelo furor de ser um recém-criado. Contraí ainda mais os músculos. Eu não o decepcionaria.

— É você, Carlisle? — soou uma voz, o tom claro e grave como o de um sino de igreja.

A princípio, apenas uma vampira emergiu das árvores cobertas de neve. Era a maior mulher que eu já vira, mais alta que Carlisle ou eu, com ombros mais largos e membros mais grossos. No entanto, não havia nada de masculino nela. Suas formas eram muito femininas, agressiva e vigorosamente femininas. Parecia óbvio que ela não pretendia se passar por humana naquela noite: usava uma simples camisola de linho sem mangas, com uma corrente de prata como cinto.

A última vez que eu havia reparado em uma mulher *daquela* maneira fora em outra vida, e foi difícil saber para onde olhar. Voltei os olhos para seu rosto, que, como o corpo, era intensamente feminino. Seus lábios eram grossos, os olhos de um vermelho intenso e enormes, emoldurados por cílios mais grossos que as folhas dos galhos dos pinheiros. O cabelo preto brilhoso estava preso em um coque cheio, atravessado de qualquer jeito por duas hastes finas de madeira que o mantinham no lugar.

Foi um alívio estranho olhar para outro rosto tão parecido com o de Carlisle: perfeito, liso, sem as irregularidades dos rostos humanos. A simetria era reconfortante.

Meio segundo depois, a outra vampira apareceu, saindo de trás da mulher maior. Essa era menos notável, apenas uma garota pequena, quase uma criança. Enquanto a mulher alta parecia ter tudo em abundância, essa garota era a *carência* encarnada. Parecia esquálida sob o vestido simples e escuro, os olhos cautelosos grandes demais para o rosto, que, no entanto, assim como o de sua companheira, era reconfortantemente impecável. Só o cabelo da garota era abundante, um emaranhado indomável de cachos bem ruivos que pareciam irremediavelmente embaraçados.

A fêmea maior saltou em direção a Carlisle, e precisei de todo meu autocontrole para não pular entre os dois e detê-la. Percebi, naquele instante, ao observar a musculatura de seus braços e pernas enormes, que eu só poderia *tentar* impedi-la. Foi um pensamento humilhante. Talvez Carlisle também estivesse protegendo meu ego ao me manter isolado.

Ela o abraçou, envolvendo-o com os braços nus. Os dentes claros estavam expostos, mas parecia ser apenas um sorriso amigável. Carlisle abraçou sua cintura e riu.

— Olá, Siobhan. Já faz muito tempo.

Siobhan o soltou, mas manteve as mãos nos ombros dele.

— Onde você se escondeu, Carlisle? Estava começando a ficar preocupada, achando que algo indesejável tivesse acontecido com você.

A voz dela era quase tão grave quanto a dele, um contralto vibrante, o mesmo sotaque melódico dos estivadores irlandeses transformado em algo mágico.

Os pensamentos de Carlisle se voltaram para mim, centenas de lampejos do nosso último ano. Ao mesmo tempo, Siobhan olhou de relance para o meu rosto e então desviou sua atenção.

— Andei muito ocupado — disse Carlisle, mas eu estava mais focado nos pensamentos de Siobhan.

Quase um recém-criado... Mas esses olhos... estranhos, mas não do mesmo tom estranho dos de Carlisle. Âmbar em vez de dourado. Ele é bem bonito. Onde será que Carlisle o encontrou?

Siobhan deu um passo para trás.

— Estou sendo indelicada. Ainda não conheço seu companheiro.

— Permita-me fazer as apresentações. Siobhan, este é Edward, meu filho. Edward, esta é, como tenho certeza de que pôde perceber, minha amiga de longa data, Siobhan. E esta é Maggie.

A garota inclinou a cabeça para o lado, mas não para me cumprimentar. As sobrancelhas finas se aproximaram como se ela estivesse muito concentrada em algum quebra-cabeça.

Filho?, pensou Siobhan, a princípio surpresa com a palavra. *Ah, então ele escolheu criar seu companheiro depois de todo esse tempo. Interessante. Eu me pergunto por que agora? O garoto deve ter algo especial.*

Ele está falando a verdade, pensou Maggie ao mesmo tempo. *Mas isso não é tudo. Carlisle está deixando de dizer alguma coisa.*

Ela assentiu uma vez e depois olhou para Siobhan, que continuava me examinando.

— Edward, é um prazer conhecê-lo — disse Siobhan.

Ela estendeu a mão, o olhar fixo nas minhas íris, como se estivesse tentando identificar sua tonalidade exata.

Eu só conhecia a resposta dos humanos para uma apresentação assim. Peguei sua mão e a beijei de leve, notando a uniformidade fria de sua pele na minha.

— Muito prazer — respondi.

Que charmoso. Ela deixou a mão cair, abrindo um largo sorriso para mim. *Tão lindo... Qual será o dom dele? E por que Carlisle ficou tão interessado?*

Os pensamentos dela me deixaram surpreso — só quando usou a palavra "dom" foi que compreendi o que ela estava pensando antes, quando presumiu que eu devia ter algo de *especial* —, mas eu já tinha prática suficiente para esconder minha reação de seus olhos interessados.

Claro que ela estava certa. Eu tinha um dom. Mas... Carlisle ficara verdadeiramente surpreso quando entendeu minha habilidade. Eu soube, graças ao meu dom, que não era fingimento. Não havia mentiras ou dissimulações em seus pensamentos quando ele respondera minhas perguntas sobre sua motivação. Ele estava muito solitário. Minha mãe havia implorado para que salvasse minha vida. Meu rosto prometera inconscientemente alguma virtude que eu não sabia ao certo se tinha.

Eu ainda estava refletindo sobre até que ponto as suposições dela estavam certas ou erradas quando a mulher se voltou para Carlisle. Um último pensamento sobre mim perdurou enquanto ela se virava.

Pobre garoto. Imagino que Carlisle tenha imposto seus hábitos esquisitos ao rapaz. É por isso que seus olhos são tão estranhos. Que trágico ser privado da maior alegria desta vida.

Na época, essa conclusão não me incomodou tanto quanto suas outras especulações. Mais tarde — a conversa durou a noite toda e fomos obrigados a ficar longe de nossos quartos alugados até o sol se pôr de novo —, quando estávamos sozinhos outra vez, conversei com ele sobre o assunto. Carlisle me contou a história de Siobhan, seu fascínio pelos Volturi, sua curiosidade em relação aos talentos místicos dos vampiros e, por fim, a descoberta de uma garota estranha que parecia saber mais do que era humanamente possível. Siobhan transformara Maggie não por precisar de uma companhia ou por se preocupar com a garota, que poderia, em outras circunstâncias, ter sido seu jantar, mas porque queria adicionar mais um talento ao seu clã. Era uma maneira diferente de ver o mundo, uma maneira menos humana do que a que Carlisle preservava. Ele não revelara minha habilidade a Siobhan (isso explicava a reação estranha de Maggie quando fui apresentado; graças ao próprio dom, ela percebera que Carlisle estava escondendo algo), pois não sabia como Siobhan teria reagido ao descobrir que ele encontrara um dom raro e poderoso sem nem sequer ter procurado. Não passava de uma estranha coincidência que eu tivesse tal dom. Minha habilidade de ler mentes era parte de mim, então Carlisle não desejara que fosse diferente, assim como não optara por mudar a cor do meu cabelo ou o timbre da minha voz. No entanto, ele nunca tinha visto esse dom como um bem para seu uso ou do qual poderia tirar vantagem.

Eu pensava nessas revelações de vez em quando, cada vez menos à medida que o tempo passava. Comecei a me sentir mais à vontade no mundo humano, e Carlisle voltou ao seu trabalho de antes, atuando como cirurgião. Estudei medicina, entre muitos outros assuntos, enquanto ele estava fora, mas sempre a partir de livros, nunca no hospital. Poucos anos depois, Carlisle encontrou Esme, e voltamos a levar uma vida mais reclusa enquanto ela se adaptava. Foi um período agitado, cheio de novos conhecimentos e novos amigos, de forma que vários anos se passaram até que as palavras piedosas de Siobhan começassem a me incomodar.

Pobre garoto... Que trágico ser privado da maior alegria desta vida.

Ao contrário de sua outra conjectura — que logo caiu por terra, uma vez que eu podia contar com a honestidade e a transparência dos pensamentos de Carlisle —, essa ideia começou a ganhar força. Foram as palavras "da maior alegria desta vida" que acabaram levando à minha separação de Carlisle e Esme. Em busca daquela alegria prometida, tirei inúmeras vidas humanas, pensando que, ao usar meu *dom* de forma arrogante, eu poderia fazer mais bem do que mal.

Na primeira vez que provei sangue humano, meu corpo ficou em êxtase. Senti-me totalmente saciado e *bem*. Mais vivo do que antes. O sangue não era da melhor qualidade — o corpo da minha primeira presa estava saturado com drogas de sabor amargo —, mas ainda assim fez meu alimento habitual parecer água suja. E, no entanto... minha mente não abraçou por completo a gratificação que invadiu meu corpo. Não deixei de ver o horror daquele ato. Não consegui ignorar o que Carlisle pensaria da minha escolha.

Presumi que esses escrúpulos acabariam desaparecendo. Encontrei homens muito ruins que mantinham o corpo limpo, ainda que tivessem as mãos sujas, e provei sangue de melhor qualidade. Mentalmente, calculava o número de vidas que poderia estar salvando com aquela minha operação de juiz, júri e carrasco. Mesmo se eu estivesse salvando apenas uma vida a cada morte, apenas a próxima vítima da lista, não seria melhor do que ter deixado aqueles predadores humanos à solta?

Passaram-se anos até eu desistir. Não entendia por que o sangue não era o êxtase absoluto da existência, como Siobhan acreditava, nem por que a saudade que eu continuava sentindo de Carlisle e Esme era maior do que o apreço por minha liberdade, nem por que o fardo de cada morte parecia se acumular até eu estar prestes a desabar sob o peso de todas elas. Após voltar para Carlisle e Esme, ao longo dos anos em que me esforçava para reaprender toda a disciplina que havia abandonado, cheguei à conclusão de que Siobhan talvez não conhecesse nada superior à atração do sangue, mas eu havia nascido para algo melhor.

E no momento presente as palavras que outrora me assombraram, me compeliram, voltaram com uma força surpreendente.

Da maior alegria desta vida.

Não tive dúvidas. Naquele momento eu soube a que essa frase se referia. A maior alegria da *minha* vida era aquela garota frágil, corajosa, calorosa e perspicaz, dormindo tão calma ali perto. Bella. A maior alegria que a vida tinha para me oferecer e também a maior aflição, quando eu a perdesse.

Meu celular vibrou no bolso da camisa. Peguei-o, vi o número e o aproximei do ouvido.

— Sei que você não pode falar — disse Alice, baixinho —, mas achei que você ia querer saber. A probabilidade é de oitenta por cento agora. O que quer que você esteja fazendo, continue.

Ela desligou.

É claro que eu não podia confiar em sua voz tranquila sem ler seus pensamentos, e Alice sabia disso. Ela poderia mentir para mim ao telefone. Mas ainda assim me senti encorajado.

O que eu estava fazendo era me aquecer, me afogar, me afundar em meu amor por Bella. Não seria difícil continuar.

16. O NÓ

O SONO DE BELLA ERA TÃO PROFUNDO QUE FIQUEI AGONIADO. Pelo que naquele momento me parecia um bom tempo, desde que sentira seu cheiro pela primeira vez, eu não conseguia mais impedir meu estado de espírito de ir de um extremo a outro a cada minuto do dia. Aquela noite estava pior do que o normal. O fardo do perigo iminente provocou um pico de estresse mental como nenhum outro que eu enfrentara em cem anos.

E Bella dormia, o corpo relaxado, a testa lisa, um leve sorriso, a respiração suave como a constância de um metrônomo. Em todas as minhas noites com ela, Bella nunca estivera tão em paz. O que isso significava?

Eu só conseguia pensar que isso significava que ela não compreendia. Apesar de todos os avisos que eu lhe dera, ela ainda não acreditava na verdade. Confiava demais em mim. Estava errada em fazer isso.

Ela não se mexeu quando o pai espiou dentro do quarto. Ainda era cedo; o sol não havia nascido. Fiquei onde estava, certo de que não seria visto em meu canto escuro. Os pensamentos de seu pai estavam envoltos em arrependimento e culpa. Nada muito sério, pensei, era apenas por saber que ia deixá-la sozinha de novo. Por um momento ele vacilou, mas seu senso de dever — seus planos, companheiros, as caronas que havia prometido — o fez ir embora. Esse era meu melhor palpite.

Charlie fez bastante barulho ao pegar suas coisas de pescaria no armário debaixo da escada. Bella não reagiu à algazarra. Suas pálpebras nem sequer tremeram.

Depois que Charlie saiu, foi minha vez de ir, embora eu relutasse em deixar a serenidade do quarto dela. Apesar de tudo, seu sono tranquilo tinha acalmado meu espírito. Inspirei aquele ar de fogo pela última vez, prendendo-o dentro do peito e embalando a dor até que pudesse ser reabastecido.

O tumulto recomeçou assim que ela acordou; a calma que encontrara em seus sonhos desapareceu à luz do dia. O som de seus passos era apressado, e algumas vezes ela abriu as cortinas à minha procura, ao que parecia. Isso me deixou impaciente para estar com ela de novo, mas tínhamos combinado um horário e eu não queria interromper seus preparativos. Os meus já estavam concluídos, mas pareciam incompletos. Seria possível estar realmente pronto para um dia como aquele?

Eu gostaria de sentir a alegria do nosso encontro: um dia inteiro ao seu lado, respostas para todas as perguntas que eu fizesse, seu calor próximo de mim. Ao mesmo tempo, queria ser capaz de dar as costas para a casa dela naquele exato momento e fugir na direção contrária, queria ser forte o suficiente para correr até o outro lado do mundo e ficar lá, nunca mais a colocando em perigo. Mas lembrei-me da visão de Alice do rosto sombrio e arrasado de Bella e soube que eu jamais seria tão forte.

Acabei caindo em um humor amargo quando chegou a hora de sair das sombras da árvore e atravessar o gramado da frente da casa de Bella. Tentei apagar os indícios do meu estado de espírito do rosto, mas não conseguia me lembrar de como moldar meus músculos da maneira certa.

Bati baixinho à porta, sabendo que ela estava ouvindo, depois escutei seus pés tropeçarem nos últimos degraus da escada. Bella correu até a entrada e se atrapalhou com o ferrolho por bastante tempo, até que finalmente abriu a porta com tanta força que ela bateu na parede com um estrondo.

Bella me encarou e de repente ficou imóvel, a paz da noite anterior evidente em seu sorriso.

Meu humor também ficou mais leve. Respirei fundo, substituindo a velha queimação por uma dor renovada, mas a dor não se comparava à alegria de estar com ela.

Uma curiosidade errante me fez examinar suas roupas. Que peças ela havia escolhido, no fim das contas? Lembrei-me do conjunto na mesma hora, e me dei conta de que o suéter havia sido deixado em posição mais proeminente, estendido sobre o computador obsoleto, com uma camisa branca por baixo e a calça jeans ao lado. O suéter bege, a gola branca, a calça jeans de um azul não muito escuro... Eu não precisava olhar para baixo para confirmar que os tons e estilos eram quase idênticos.

Ri. Algo em comum outra vez.

— Bom dia.

— Qual é o problema? — perguntou ela.

Havia mil respostas para essa pergunta e fiquei perplexo por um instante, mas então ela olhou para si mesma e deduzi que estava procurando o motivo da minha risada.

— Estamos combinando — expliquei.

Ri mais uma vez enquanto ela percebia a coincidência, examinando minhas roupas e depois as próprias com um olhar surpreso. De repente, a surpresa se transformou em uma careta. Por quê? Eu não imaginava um motivo para que ela visse naquela coincidência algo além de uma simples piada. Será que havia alguma razão para que ela escolhesse essas roupas, alguma razão que a deixou com raiva por eu ter rido? Como perguntar sobre isso sem parecer estranho? Eu só podia ter certeza de que a motivação por trás de sua escolha não era a mesma que a minha.

Estremeci ao pensar no propósito por trás das minhas roupas e no que elas prenunciavam. Mas eu não me acovardaria. Não deveria querer me esconder dela. Ela merecia saber tudo.

Seu sorriso voltou enquanto ela me acompanhava até sua picape, assumindo de repente um ar afetado. Eu não voltaria atrás na promessa que tinha feito, mas não estava muito feliz. Sabia que não era racional. Ela dirigia aquela tranqueira velha por aí e nada de ruim havia lhe acontecido. É claro que coisas ruins pareciam esperar até que eu estivesse presente para ser sua testemunha horrorizada. Minha expressão deve tê-la feito pensar que eu estava chateado com o combinado.

— Fizemos um acordo — vangloriou-se, inclinando-se por cima do banco para destrancar a porta do carona.

Como eu queria que minhas preocupações fossem tão triviais...

O motor decrépito engasgou, voltando à vida com dificuldade. A armação de metal vibrou com tamanha violência que tive medo de que algo fosse se soltar.

— Para onde? — gritou ela, mais alto que a cacofonia.

Então engatou a marcha à ré e olhou por cima do ombro.

— Coloque o cinto... — insisti. — Eu já estou nervoso.

Ela olhou feio para mim, mas afivelou o cinto e depois suspirou.

— Para onde? — repetiu.

— Pegue a um-zero-um norte.

Ela manteve os olhos na estrada enquanto dirigia devagar pela cidade. Fiquei me perguntando se aceleraria quando pegássemos a estrada principal, mas ela se manteve a cinco quilômetros abaixo do limite de velocidade. O sol ainda estava baixo no horizonte, envolto por camadas finas de nuvens. De acordo com Alice, porém, estaria ensolarado ao meio-dia. Eu me perguntei se, nesse ritmo lento, estaríamos seguros na floresta antes que a luz do sol tocasse em mim.

— Você pretende deixar Forks antes do anoitecer? — perguntei, sabendo que ela defenderia sua picape na mesma hora.

Bella reagiu como esperado.

— Esta picape é velha o bastante para ser avó do seu carro — retrucou. — Tenha respeito.

Mas ela forçou o motor barulhento a ir um pouco mais rápido. Começamos a andar cinco quilômetros acima do limite de velocidade.

Fiquei um pouco aliviado quando finalmente estávamos livres do centro de Forks. Pouco tempo depois, havia mais floresta do que civilização do lado de fora da janela. O motor roncava feito uma britadeira moendo granito. Ela não tirou os olhos da estrada nem por um segundo. Eu queria dizer alguma coisa, perguntar o que ela estava pensando, mas não queria distraí-la. Havia algo quase feroz em sua concentração.

— Vire à direita na um-um-zero — instruí.

Ela assentiu, depois diminuiu a velocidade até estarmos quase nos arrastando para fazer a curva.

— Agora vamos seguir até o final do asfalto.

— E o que tem lá no final do asfalto? — quis saber Bella.

Uma floresta vazia. Zero testemunhas. Um monstro.

— Uma trilha.

Sua voz estava mais alta e mais tensa quando perguntou, ainda olhando para a estrada:

— Vamos andar?

A preocupação em sua voz me deixou apreensivo. Eu não tinha pensado nisso... A distância era bastante curta e a trilha não era difícil, não muito diferente da que havia atrás da casa dela.

— O problema é esse?

Havia algum outro lugar para onde levá-la? Eu não tinha um plano B.

— Não — respondeu ela depressa, mas sua voz continuava um pouco tensa.

— Não se preocupe — tranquilizei-a —, são só uns oito quilômetros e não vamos correr.

Na verdade — senti de repente uma onda de pânico ao perceber o quanto a distância era curta —, eu adoraria algo que nos fizesse demorar a chegar lá.

Ela franziu a testa mais uma vez. Depois de alguns segundos em silêncio, começou a morder o lábio inferior.

— No que está pensando?

Será que ela queria voltar? Teria mudado de ideia sobre tudo isso? Estava arrependida de ter aberto a porta de manhã?

— Só me perguntando aonde vamos — respondeu.

Bella pretendia falar em um tom descontraído, e não conseguiu por pouco.

— É um lugar aonde gosto de ir quando o tempo está bom.

Olhei pela janela e ela também. As nuvens não passavam de uma cobertura fina. Sumiriam em breve.

O que ela achava que veria quando o sol tocasse minha pele? Que imagem mental havia conjurado para explicar aquele passeio a si mesma?

— Charlie disse que hoje faria calor.

Pensei no pai dela ao lado do rio, aproveitando o dia agradável. Ele não sabia que estava em uma encruzilhada, que havia um possível pesadelo arrasador à espreita, pronto para engolir seu mundo inteiro.

— E você disse a Charlie que íamos sair? — perguntei, sem esperança.

Ela sorriu, os olhos na estrada.

— Não.

Gostaria que ela não parecesse tão feliz com isso. Ainda assim, eu sabia que havia uma testemunha, uma voz para falar em nome de Bella caso ela não voltasse para casa.

— Mas Jessica acha que vamos juntos a Seattle?

— Não — respondeu Bella, complacente —, eu disse a ela que você cancelou... O que é verdade.

O quê? Eu não tinha ouvido isso. Devia ter acontecido enquanto eu estava caçando com Alice. Bella tinha encoberto meus rastros como se *quisesse* que eu escapasse depois de assassiná-la.

— Ninguém sabe que você está comigo?

Ela pareceu um pouco incomodada com meu tom, mas então empinou o queixo e forçou um sorriso.

— Isso depende... Imagino que Alice saiba.

Tive que respirar fundo para manter a voz calma.

— Isso é muito útil, Bella.

O sorriso dela sumiu, mas não deu qualquer outra indicação de que tinha me ouvido.

— Está tão deprimida com Forks que ficou suicida?

— Você disse que podia causar problemas para você... — disse ela com toda a calma, já sem qualquer sinal de bom humor. — Que nós estejamos juntos publicamente.

Eu me lembrava perfeitamente da conversa, e me perguntei como ela podia ter entendido tão errado. Eu não tinha dito aquilo para que ela tentasse ficar ainda *mais* vulnerável a mim. Tinha dito para que ela fugisse de mim.

— Então você estava preocupada com os problemas que podia *me* causar... — perguntei quase rosnando, tentando colocar as palavras na ordem exata para que ela ouvisse como sua atitude era ridícula — ... se *você* não voltasse para *sua* casa?

Com os olhos fixos na estrada, ela assentiu uma vez.

— Como você não *vê* que estou errado? — sibilei, irritado demais para falar mais devagar e tornar a frase compreensível para ela.

Falar não estava funcionando. Eu teria que mostrar.

Bella parecia nervosa, mas de um jeito diferente, com os olhos *quase* se voltando para mim, mas nunca desviando por completo da estrada. Assustada com minha irritação, embora pelos motivos errados. Só estava com medo de ter me chateado. Eu não precisava ler sua mente para prever o padrão.

Como sempre, eu não estava realmente bravo com ela, apenas comigo mesmo. Sim, suas reações a mim eram sempre o oposto do que deveriam ser. Mas apenas porque, em outro sentido, eram as reações corretas. Bella era sempre gentil demais. Tinha uma confiança que eu não merecia, preocupava-se com meus sentimentos como se eles importassem. Era sua bondade que a colocava em perigo. Sua virtude, minha fraqueza, os dois opostos que nos uniam.

Chegamos ao fim da estrada asfaltada. Bella parou a picape no acostamento de solo argiloso e desligou o motor. O silêncio repentino foi quase um choque após a longa poluição auditiva. Ela soltou o cinto de segurança e deslizou rapidamente para fora da picape sem olhar para mim. De costas, tirou o suéter pela cabeça. Depois de alguns segundos confusos tentando tirá-lo, amarrou-o em volta da cintura. Fiquei surpreso ao ver que sua camisa não era apenas da mesma cor que a minha, como também deixava os braços nus até os ombros. Era mais do que eu estava acostumado a ver, mas, apesar do fascínio imediato que a visão despertou, o que mais senti foi preocupação. Qualquer coisa que atrapalhasse minha concentração era um perigo.

Suspirei. Não queria continuar com isso. Havia muitos motivos sérios, questões de vida ou morte, mas, naquele momento, meu maior medo era a expressão dela, a repulsa em seus olhos, quando finalmente me *visse*.

Eu encararia isso de frente. Fingiria ser corajoso, superior a esse medo egoísta, embora tudo não passasse de uma farsa.

Tirei meu suéter, sentindo-me muito exposto. Nunca mostrava tanto da minha pele perto de alguém que não fazia parte da minha família.

Cerrando o maxilar, saí da picape — deixando o suéter para trás, para não me sentir tentado a vesti-lo — e fechei a porta. Olhei para a floresta. Talvez se eu saísse da estrada e me embrenhasse nas árvores não me sentiria mais tão exposto.

Senti que ela me olhava, mas fui covarde demais para me virar. Em vez disso, olhei por cima do ombro.

— Por aqui. — As palavras saíram cortadas, rápidas demais.

Eu precisava controlar minha ansiedade. Comecei a andar para a frente devagar.

— A trilha? — Sua voz estava mais aguda do que o normal.

Olhei para ela de novo. Bella parecia nervosa ao passar pela frente da picape para me encontrar. Tantas coisas poderiam deixá-la assustada que eu não sabia qual delas era a responsável.

Tentei parecer uma pessoa normal, leve e divertida. Talvez eu pudesse diminuir sua apreensão, ou pelo menos a minha.

— Eu disse que havia uma trilha no final da estrada, e não que íamos pegá-la.

— Não tem trilha?

Bella pronunciou a palavra "trilha" como se estivesse se referindo ao último colete salva-vidas de um navio prestes a naufragar.

Endireitei os ombros, botei um sorriso falso no rosto e me virei para encará-la.

— Não vou deixar você se perder — prometi.

A reação foi ainda pior do que eu havia esperado. Bella ficou literalmente boquiaberta, feito uma personagem de um daqueles seriados de comédia com risadas forçadas. Ela olhou, virou a cabeça e então voltou a me encarar, os olhos percorrendo de cima a baixo minha pele nua.

E isso não era nada. Só minha pele pálida. Bem, minha pele extremamente pálida, cobrindo de maneira não humana meus músculos não humanos. Se já estava reagindo assim com minha pele na sombra...

Bella ficou cabisbaixa. Era como se meu desânimo de antes tivesse se transferido para ela, aterrissando com o peso de todos os meus cem anos. Talvez bastasse isso. Talvez ela já tivesse visto o suficiente.

— Quer ir para casa?

Se ela quisesse me abandonar, se quisesse ir embora naquele exato momento, eu a deixaria ir. Eu a veria partir e aguentaria firme. Não sabia como, mas daria um jeito.

Seus olhos brilharam com uma reação insondável, e ela exclamou:

— Não!

A negativa saiu tão rápida que foi quase um protesto. Ela correu para o meu lado, chegando tão perto que eu só precisaria me inclinar alguns centímetros para roçar meu braço no dela.

O que aquilo significava?

— Qual é o problema? — perguntei.

Seus olhos ainda expressavam sofrimento, um sofrimento que não fazia sentido diante de suas atitudes. Ela queria ir embora ou não?

Sua voz estava baixa e quase inexpressiva quando ela respondeu.

— Não sou boa andarilha. Terá que ter muita paciência.

Não acreditei muito nela, mas era uma mentira gentil. Sua preocupação com a ausência de uma trilha convencional estava evidente, mas isso não era motivo para sua expressão pesarosa. Inclinei-me para mais perto e abri o sorriso mais amável possível, tentando receber outro de volta. Eu odiava o vislumbre de tristeza que se demorava nos cantos de seus lábios, em seus olhos.

— Posso ser paciente... — garanti, em um tom mais leve. — Se me esforçar muito.

Ela abriu um sorrisinho diante das minhas palavras, mas um canto da boca se recusava a se erguer.

— Vou levar você para casa — prometi.

Talvez Bella achasse que não tinha escolha a não ser enfrentar aquele desafio mortal, como se devesse isso a mim. Ela não me devia nada. Era livre para ir embora quando quisesse.

Fiquei surpreso com sua reação. Em vez de aceitar aliviada a saída que eu estava oferecendo, ela fez cara feia para mim. Quando falou, seu tom era mordaz.

— Se quiser que eu atravesse os oito quilômetros pela selva antes do pôr do sol, é melhor começar a andar.

Olhei para ela, pasmo, esperando por mais — por algo que mostrasse como eu a havia ofendido —, mas Bella apenas ergueu o queixo e estreitou os olhos como se me desafiasse.

Sem saber o que mais eu podia fazer, estendi o braço para convidá-la a seguir adiante, levantando um galho com a outra mão. Ela passou por baixo, pisando com firmeza e afastando um galho menor do caminho.

Ficou *mesmo* mais fácil na floresta. Ou talvez eu só precisasse de um tempo para processar a reação inicial dela. Segui na frente, segurando folhas e galhos para liberar seu caminho. Ela olhava para baixo, não como se estivesse evitando me encarar, mas como se não confiasse no chão. Notei quando torceu o nariz ao passar por cima de algumas raízes e então compreendi: sem dúvida uma pessoa desajeitada ficaria insegura com um terreno irregular. No entanto, isso ainda não explicava sua tristeza anterior ou a irritação que veio depois.

Na floresta, muitas coisas eram mais fáceis do que eu havia esperado. Lá estávamos totalmente sozinhos, sem testemunhas, mas não parecia perigoso. Mesmo nas poucas vezes em que nos deparamos com um obstáculo — um tronco caído, uma pedra alta demais para ela —, instintivamente estendi a mão para ajudá-la, e não foi mais difícil tocá-la ali do que era na escola. "Não foi difícil" talvez não fosse a descrição correta. Foi emocionante, agradável, como tinha sido antes. Quando a levantei com toda a delicadeza, ouvi seu coração ficar acelerado. Imaginei que meu coração soaria igual se também pudesse bater.

Provavelmente parecia seguro — ou pelo menos seguro o suficiente — porque eu sabia que aquele não era o lugar. Alice nunca tinha me visto matando Bella no meio da floresta. Se ao menos eu não tivesse a visão de Alice dentro da minha cabeça... Por outro lado, *não* saber que aquele era um futuro possível, não ter me preparado para isso, poderia ser a ignorância que levaria à morte de Bella. Tudo era muito circular e indecifrável.

Não pela primeira vez, desejei ter como desacelerar minha mente. Obrigá-la a funcionar na velocidade humana, mesmo que só por um dia, uma hora, para que eu não tivesse *tanto* tempo para ficar obcecado pelos mesmos problemas sem solução.

— Qual foi o seu aniversário favorito? — perguntei a ela.

Estava desesperado por alguma distração.

Sua boca se contraiu formando algo entre um sorriso irônico e uma careta.

— O que foi? — indaguei. — Não é meu dia de fazer perguntas?

Ela riu e balançou a mão como se afastasse meu receio.

— Não tem problema. É que não sei a resposta, só isso. Não gosto muito de aniversários.

— Isso é... incomum.

Não me lembrava de ter conhecido nenhum outro adolescente que pensasse da mesma maneira.

— É muita pressão — disse ela, dando de ombros. — Os presentes e tal. E se você não gostar deles? Precisa parecer feliz para não magoar ninguém. E as pessoas ficam *olhando* para você.

— Sua mãe não tem um talento natural para dar bons presentes? — adivinhei.

Seu sorriso em resposta foi enigmático. Percebi que ela não diria nada negativo sobre a mãe, embora obviamente tivesse seus traumas.

Andamos quase um quilômetro em silêncio. Fiquei esperando que ela falasse mais ou fizesse uma pergunta que revelasse seus pensamentos, mas

Bella manteve os olhos fixos no chão da floresta, concentrada. Tentei de novo.

— Quem foi seu professor favorito no ensino fundamental?

— A Sra. Hepmanik — respondeu, sem pestanejar. — Do segundo ano. Ela quase sempre me deixava ficar lendo durante a aula.

Sorri.

— Um exemplo.

— Quem foi seu professor favorito da escola primária?

— Não lembro — falei.

Ela fez uma careta.

— Certo. Desculpe, eu não achei que...

— Não precisa se desculpar.

Levei quase mais quinhentos metros para pensar em uma pergunta que ela não pudesse me devolver com tanta facilidade.

— Cachorro ou gato?

A cabeça dela se inclinou para o lado.

— Não sei direito... Acho que talvez gatos? Gostam de carinho, mas são independentes, não é?

— Você nunca teve um cachorro?

— Nunca tive nenhum dos dois. Minha mãe diz que é alérgica.

Sua resposta foi estranhamente cética.

— Você não acredita nela?

Bella parou de novo, sem querer ser desleal.

— Bem — disse ela devagar —, já a flagrei fazendo carinho no cachorro de várias pessoas.

— Eu me pergunto por que será... — falei, fingindo refletir.

Bella riu. Era um riso despreocupado, sem qualquer traço de amargura.

— Levei um tempão para convencer minha mãe a me deixar ter um peixe. Até que entendi que o medo dela era de ficar presa em casa. Já lhe disse que ela adorava viajar nos finais de semana, sempre que podíamos, para visitar alguma cidadezinha ou algum monumento histórico que ainda não conhecia. Aí, quando mostrei aquele bloco que vai soltando a comida aos poucos e alimenta o peixe por uma semana, ela finalmente cedeu. Renée não suporta ficar presa. Quer dizer, ela já tinha a mim, não é? Uma âncora enorme mudando sua vida já era suficiente. Ela não queria outra.

Mantive o rosto neutro. Sua percepção — da qual eu não duvidava, pois ela sempre me desvendava com facilidade — lançou uma luz mais sombria à minha interpretação do seu passado. Será que a necessidade que Bella tinha de cuidar dos outros não era decorrente das dificuldades de sua mãe, mas da ideia de que precisava conquistar um lugar só dela? Fiquei com raiva ao pensar que Bella poderia ter se sentido indesejada em algum momento, como se precisasse provar seu valor. Tive um desejo muito estranho de ficar ao seu dispor de um jeito que fosse socialmente aceitável, para lhe convencer de que sua simples existência era mais que suficiente.

Ela não percebeu que eu tentava controlar minha reação. Dando mais uma risada, continuou:

— Acho que foi até bom não termos nada maior que um peixe-dourado. Eu não era muito boa cuidando de animais de estimação. Pensei que talvez tivesse dado comida demais para o primeiro peixe, então tentei dar menos para o segundo, mas isso foi um erro. E no terceiro — ela olhou para mim, perplexa —, sinceramente não sei qual era o problema dele. Vivia pulando para fora do aquário. Um dia não o encontrei rápido o suficiente. — Bella franziu a testa. — Três vítimas. Acho que sou uma assassina em série.

Foi impossível não rir, mas ela não pareceu ofendida. Riu comigo.

Quando paramos de rir, a luz mudou. O sol que Alice prometera tinha passado das copas das árvores, e o nervosismo e a ansiedade voltaram na mesma hora.

Eu sabia que essa emoção — "medo de palco" era o termo mais adequado em que eu conseguia pensar — era na verdade ridícula. E daí se Bella me achasse repulsivo? Se me rejeitasse, enojada? Tudo bem, nesse caso. Tudo ótimo. Era o menor dos males que poderia me afligir naquele dia. Será que a vaidade, o ego frágil, era mesmo uma força tão poderosa? Nunca acreditei que tivesse tanto poder sobre mim, e achava que não seria diferente naquele momento. Ficar obcecado com essa possível reação me impedia de ficar obcecado com outras coisas, como com a rejeição que se seguiria ao asco. Bella se afastando de mim e eu me dando conta de que tinha que deixá-la ir. Será que ela ficaria tão assustada comigo que não me deixaria acompanhá-la até a picape? Eu precisaria pelo menos levá-la de volta para a estrada em segurança. Então ela poderia ir embora sozinha.

Embora meu corpo parecesse prestes a desmoronar com o sofrimento dessa possibilidade, havia algo muito pior: o desafio iminente que Alice tinha visto. Falhar nesse teste... Eu não conseguia nem imaginar. Como eu poderia viver com isso? Como encontraria uma maneira de *parar* de viver?

Estávamos tão perto...

Bella notou a mudança na luz quando passamos por uma parte da floresta com as copas menos cheias. Ela franziu a testa com ar brincalhão.

— Ainda não chegamos?

Fingi estar alegre também.

— Quase. Está vendo aquela claridade ali?

Ela estreitou os olhos para a floresta diante de nós, a concentração franzindo aquele ponto entre as sobrancelhas.

— Hmmm, deveria ver?

— Talvez seja cedo demais para os *seus* olhos — sugeri.

Ela deu de ombros.

— Hora de ir ao oftalmologista.

O silêncio pareceu ficar mais pesado conforme avançávamos. Deu para perceber o momento em que Bella viu a claridade da campina. Ela sorriu quase inconscientemente e apertou o passo. Não encarava mais o chão; seus olhos estavam fixos no brilho do sol atravessando as copas. Sua ansiedade apenas aumentou minha relutância. Mais tempo. Só mais uma ou duas horas... Podíamos parar ali? Será que ela me perdoaria se eu voltasse atrás?

Mas eu sabia que não havia motivo para adiar aquele momento. Alice tinha visto que chegaríamos a isso, mais cedo ou mais tarde. Evitar não facilitaria nada.

Bella foi na frente, sem hesitar, empurrando as folhas das samambaias e entrando na campina.

Desejei poder ver seu rosto. Era fácil imaginar como o local devia estar lindo em um dia como aquele. Senti o aroma das flores silvestres, mais doce no calor, e ouvi o riacho do outro lado. Os insetos zumbiam e, ao longe, os pássaros chilravam e cantavam. Naquele momento não havia pássaros por perto, pois minha presença bastava para afugentar todos os animais maiores.

Quase reverente, Bella foi até a luz dourada, que deixou seu cabelo com um halo de ouro e fez resplandecer sua pele clara. Seus dedos acariciavam as flores mais altas, e eu me lembrei mais uma vez de Perséfone. A primavera personificada.

Eu poderia tê-la observado por muito tempo, talvez para sempre, mas era esperar demais que a beleza do lugar a fizesse se esquecer do monstro nas sombras. Ela se virou, os olhos arregalados de espanto, um sorriso curioso, e me encarou. Com expectativa. Como não me mexi, ela começou a andar lentamente na minha direção. Ergueu o braço, oferecendo a mão e tentando me animar.

Meu desejo de ser humano naquele momento foi tão forte que quase me paralisou.

Mas eu não era humano, e chegara a hora de demonstrar a disciplina perfeita. Ergui a mão, num aviso. Ela entendeu, mas não teve medo. Bella deixou o braço cair e ficou onde estava. Esperando. Curiosa.

Respirei fundo o ar da floresta, registrando conscientemente o perfume abrasador de Bella pela primeira vez em horas.

Mesmo tendo plena confiança nas visões de Alice, eu não tinha certeza de como poderia haver mais possibilidades nessa história. Teria que terminar agora, não? Bella me veria e reagiria como deveria ter feito desde o começo: ficaria aterrorizada, enojada, horrorizada... e não ia querer mais nada comigo.

Senti que nunca faria algo mais difícil do que isso, mas obriguei meus pés a se moverem e me debrucei de leve.

Eu encararia isso de frente.

Mas... eu não aguentaria ver a primeira reação em seu rosto. Bella se mostraria gentil, mas seria impossível disfarçar o instante inicial de choque e repulsa. Por isso eu lhe daria um momento para se recompor.

Fechei os olhos e caminhei em direção à luz do sol.

17. CONFISSÕES

SENTI O SOL, SEU TOQUE QUENTE NA MINHA PELE, E FIQUEI FELIZ por não conseguir ver isso também. Não queria olhar para mim mesmo naquele momento. Pelo meio segundo mais longo que já tinha vivido, tudo ficou em silêncio. Então Bella gritou:

— Edward!

Meus olhos se abriram de supetão, e eu tinha certeza de que a veria fugindo de tudo que eu revelara ser.

Mas Bella estava correndo direto para mim em uma rota de colisão, a boca aberta de angústia. Suas mãos estavam parcialmente estendidas, e ela tropeçou na grama alta. Sua expressão não era de terror, e sim de desespero. Eu não entendi o que ela estava fazendo.

Não podia deixar que me tocasse, não importava sua intenção. Precisava que ela se mantivesse a distância, segura. Ergui a mão de novo, a palma estendida para ela.

Bella hesitou, então estremeceu, transbordando ansiedade.

Enquanto encarava seus olhos, vi meu reflexo e pensei ter compreendido. Espelhado nos seus olhos, eu mais parecia um homem em chamas. Embora eu tivesse desmentido os mitos, ela devia ter se agarrado a eles inconscientemente, porque estava preocupada. Com medo de que algo acontecesse com o *monstro*, e não com *ela*.

Bella deu um passo na minha direção, então hesitou quando dei meio passo para trás.

— Isso machuca você? — sussurrou.

Sim, eu tinha razão. Mesmo naquele momento, ela não estava preocupada consigo mesma.

— Não — sussurrei de volta.

Ela deu outro passo à frente, com mais cuidado. Baixei a mão. Bella ainda queria estar próxima de mim.

Sua expressão mudou conforme se aproximava. A cabeça inclinada, a princípio estreitando os olhos, depois arregalados. Mesmo com tanto espaço entre nós, eu via os efeitos da luz refratando na minha pele, brilhando como um prisma na dela. Bella deu um passo para o lado, depois outro, mantendo distância enquanto me circundava. Permaneci totalmente paralisado, sentindo seus olhos tocarem minha pele quando ela saiu do meu campo de visão. Sua respiração ficou mais acelerada que o normal, o coração bombeando mais rápido.

Ela reapareceu à minha direita, e então, quando completou o círculo e me encarou de novo, reparei que um minúsculo sorriso começou a surgir discretamente.

Como ela podia sorrir?

Bella se aproximou, parando a pouco mais de vinte centímetros de mim. Sua mão estava erguida, encolhida junto ao peito, como se quisesse estendê-la e me tocar, mas tivesse medo. A luz do sol estilhaçava em mim e dançava em seu rosto.

— Edward — murmurou ela, com assombro na voz.

— Está com medo agora? — perguntei, em voz baixa.

Era como se minha pergunta fosse totalmente inesperada, como se fosse um choque.

— Não.

Encarei seus olhos, mais uma vez tentando lê-la e falhando.

Ela estendeu a mão para mim, muito devagar, observando minha expressão. Achei que talvez quisesse que eu a mandasse parar. Mas não fiz isso. Seus dedos cálidos tocaram meu pulso. Observou com atenção a luz que ia dançando da minha pele para a dela.

— O que você está pensando? — sussurrei.

Naquele momento, o mistério constante era mais uma vez profundamente doloroso.

Bella balançou a cabeça de leve, parecendo ter dificuldade com as palavras.

— Eu estou... — Ela encarou meus olhos. — Não sabia... — Respirou fundo. — Nunca vi nada tão lindo... Nunca imaginei que algo tão lindo pudesse existir.

Eu a observei, em choque.

Minha pele estava brilhando, o sintoma mais óbvio da minha doença. No sol, eu era ainda menos humano do que em qualquer outro momento. E ela achava que eu era... lindo.

Minha mão se ergueu automaticamente, virando-se para segurar a dela, mas me forcei a baixá-la para que não a tocasse.

— Mas é muito estranho — falei.

Sem dúvida ela conseguiria compreender que isso era parte do horror.

— É incrível — corrigiu.

— Você não sente repulsa pela minha óbvia falta de humanidade?

Embora eu tivesse quase certeza de qual seria sua resposta, ainda foi impressionante para mim.

Ela deu um meio sorriso.

— Não sinto repulsa.

— Pois deveria.

Seu sorriso aumentou.

— Eu acho que a humanidade é supervalorizada.

Com cuidado, afastei meu braço de seus dedos cálidos, escondendo-o às costas. Ela valorizava tão pouco a humanidade. Não percebia o que significaria perdê-la, não entendia a gravidade dessa perda.

Bella deu mais meio passo à frente, o corpo tão próximo que seu calor se tornou mais pronunciado, mais presente que o do sol. Ela ergueu o rosto para mim, e a luz deixou seu pescoço dourado, o jogo de sombras enfatizando o curso de sangue pela artéria logo atrás de sua mandíbula.

Meu corpo reagiu por instinto — veneno explodindo, músculos se tensionando, pensamentos sumindo.

Como surgia rápido! Estávamos nessa arena de visões havia poucos segundos.

Parei de respirar e dei um longo passo para longe dela, erguendo a mão mais uma vez em aviso.

Bella não tentou me seguir.

— Eu... sinto muito — sussurrou, o tom das palavras se erguendo, transformando aquilo em uma pergunta.

Ela não sabia pelo que estava pedindo desculpas.

Com cuidado, relaxei e deixei os pulmões inspirarem de forma controlada. Seu cheiro não estava mais pungente que o normal — não me dominou de súbito, como eu temia que acontecesse.

— Preciso de um tempo — expliquei.

— Tá bom — respondeu, ainda sussurrando.

Eu dei a volta ao redor dela, com passos lentos e decididos, e caminhei até o centro da campina. Sentei-me em um trecho de grama mais baixa e controlei os músculos como tinha feito antes. Respirei cuidadosamente, inspirando e expirando, ouvindo o som de seus passos hesitantes cruzando a mesma distância, sentindo sua fragrância quando ela se sentou ao meu lado.

— Tudo bem se eu me sentar aqui? — perguntou ela, cuidadosa.

Eu assenti.

— Só me deixe... me concentrar.

Os olhos dela estavam arregalados de confusão, de preocupação. Eu não queria explicar. Fechei os meus.

Não era covardia, falei para mim mesmo. Ou não era *só* covardia. Eu precisava mesmo me concentrar.

Então me concentrei no cheiro dela, no som do sangue atravessando as câmaras do seu coração. Só a meus pulmões era permitido o movimento. Todas as outras partes do meu corpo estavam aprisionadas em uma imobilidade rígida.

O *coração* de Bella, eu me lembrei quando meus sistemas involuntários reagiram aos estímulos. A vida de Bella.

Eu sempre tinha tanto cuidado para *não* pensar no sangue dela — não podia evitar o aroma, mas o fluido, o movimento, o pulso, a liquidez ardente, essas eram coisas em que eu não podia pensar. Mas naquele momento deixei que aquilo permeasse minha mente, invadisse meu sistema, atacasse meu controle. O jorrar e latejar, o bater e escorrer. O ímpeto pelas artérias maiores, as ondulações nas veias menores. O calor, calor que atingia em ondas minha pele exposta apesar da distância entre nós. O sabor dele queimando minha língua e fazendo doer minha garganta.

Eu me mantive refém e observei. Uma pequena parte da minha mente conseguia se manter distante, pensar em meio àquele ataque. Com aquela pequena parte de racionalidade, examinei cada reação minha em detalhes.

Calculei a quantidade de força necessária para controlar cada resposta e pesei a força que eu possuía em relação a essa necessidade. A conta quase não batia, mas eu acreditava que minha força de vontade era maior que minha natureza bestial. Ligeiramente maior.

Esse era o nó de Alice? Ainda não parecia... completo.

O tempo todo Bella estava sentada quase tão imóvel quanto eu, concentrada em seus pensamentos secretos. Será que ela conseguia imaginar qualquer parte do turbilhão na minha mente? Como explicava a si mesma essa paralisação estranha e silenciosa? O que quer que pensasse disso, seu corpo estava calmo.

O tempo pareceu desacelerar com sua pulsação. O som dos pássaros em árvores distantes se aquietou. A cascata do riacho de alguma forma enlanguesceu. Meu corpo relaxou, e até minha boca parou de salivar depois de um tempo.

Duas mil trezentas e sessenta e quatro batidas do seu coração depois, eu me senti mais controlado do que me sentia havia dias. Encarar as coisas era a chave, como Alice previra. Será que eu estava pronto? Como eu poderia ter certeza? Como algum dia poderia ter certeza?

E como poderia interromper esse longo momento de silêncio que eu impusera? Estava começando a parecer estranho para mim, então Bella devia estar sentindo o mesmo havia algum tempo.

Mudei de posição e me deitei na grama, uma das mãos casualmente atrás da cabeça. Fingir os sinais físicos de emoção era um hábito antigo. Talvez se eu tentasse demonstrar relaxamento, ela acreditasse.

Bella só suspirou baixinho.

Esperei para ver se falaria alguma coisa, mas ela continuou tão quieta quanto antes, pensando o que quer que estivesse pensando, sozinha naquele lugar remoto com um monstro que refletia o sol como um milhão de prismas. Eu sentia seus olhos na minha pele, mas já não supunha que estivesse enojada. O peso imaginário de seu olhar — agora que eu sabia ser de admiração, que ela me achava belo apesar de tudo — trouxe de volta aquela corrente elétrica que eu sentira com Bella no escuro, uma imitação de vida correndo pelas minhas veias.

Eu me permiti me perder nos ritmos do corpo dela, permiti que o som, o calor e o cheiro se misturassem, e percebi que ainda conseguia dominar meus desejos inumanos, mesmo enquanto a corrente fantasma me atravessava sob a pele.

Isso exigiu a maior parte da minha atenção. E inevitavelmente esse período de espera silenciosa acabaria. Ela teria muitas perguntas — muito mais incisivas, eu imaginava. Eu devia mil explicações diferentes a ela. Será que eu conseguiria lidar com tudo de uma vez?

Decidi lidar com mais algumas tarefas, enquanto ainda me mantinha conectado ao ritmo de seu sangue. Queria ver se a distração seria demais.

Primeiro, reuni informações. Triangulei a localização exata das aves que conseguia ouvir, e então pelo canto de cada uma identifiquei as espécies. Analisei o esguicho irregular que revelava a vida no riacho, e depois de comparar a quantidade de água movimentada com o tamanho do peixe, deduzi o animal mais provável. Categorizei os insetos mais próximos — diferente de seres mais desenvolvidos, insetos ignoravam minha espécie como se fôssemos pedras — pela velocidade do movimento das asas e pela elevação do voo, ou pelos sons fracos de suas patas no solo.

Enquanto continuava a classificar, comecei também a fazer cálculos. Se naquele momento havia 4.913 insetos na área da campina, que tinha em torno de 1.025 metros quadrados, quantos insetos em média haveria nos pouco mais de 3.700 quilômetros quadrados do Parque Nacional Olympic? E se a população de insetos diminuísse um por cento a cada três metros de elevação? Puxei da memória o mapa topográfico do parque e comecei a fazer as contas.

Ao mesmo tempo, pensei em músicas que pouco havia ouvido no meu século de vida — nada comum que eu tivesse escutado mais de uma vez. Músicas que ouvira ao passar pela porta aberta de um bar, canções de ninar peculiares ceceadas por crianças em seus berços enquanto eu corria pela noite, tentativas descartadas de estudantes de música que escreviam seus projetos teatrais nos prédios adjacentes à minha sala de aula da faculdade. Cantarolei os versos rapidamente, apontando todas as razões pelas quais cada composição estava fadada ao fracasso.

O sangue dela ainda pulsava, seu calor ainda aquecia, e eu ainda ardia. Mas conseguia me conter. Meu controle não diminuiu. Eu estava no comando. O suficiente.

— Você falou alguma coisa? — sussurrou ela.

— Só estou... cantando — admiti.

Não sabia como explicar o que estava fazendo com mais clareza que isso, e ela não insistiu na pergunta.

Eu sentia que o silêncio estava terminando, e isso não me assustava. Estava ficando quase confortável, me sentindo forte, no controle da situação. Talvez eu tivesse passado pelo nó afinal. Talvez estivéssemos em segurança do outro lado, e todas as visões esperançosas de Alice estivessem a caminho de se concretizarem.

Quando a mudança na sua respiração indicou uma nova direção nos seus pensamentos, fiquei intrigado em vez de preocupado. Esperava uma pergunta, mas em vez disso ouvi o atrito de seu corpo contra a grama quando se inclinou até mim, e o som da pulsação em sua mão se aproximou.

A ponta de um dedo macio e quente traçou as costas da minha mão. Foi um toque muito sutil, mas a resposta na minha pele foi elétrica. Uma ardência diferente da que sentia na garganta, e ainda mais perturbadora. Meus cálculos e lembranças auditivas balbuciaram e pararam, e ela dominou toda a minha atenção, mesmo com seu coração latejando, úmido, a meros trinta centímetros do meu ouvido.

Abri os olhos, ansioso para ver sua expressão e tentar adivinhar seus pensamentos. Não me decepcionei. Seus olhos brilhavam com assombro de novo, e vi um ligeiro sorriso. Ela encontrou meu olhar e seu sorriso cresceu. Eu a imitei.

— Eu não assusto você?

Eu não tinha feito Bella fugir. Ela queria estar ali, comigo.

Seu tom era brincalhão quando respondeu:

— Não mais do que de costume.

Ela se aproximou e pousou a mão no meu antebraço, descendo devagar em direção ao pulso. Sua pele parecia febril junto à minha, mas, embora um tremor atravessasse seus dedos, não havia medo no toque. Minhas pálpebras se fecharam mais uma vez enquanto eu tentava conter minha reação. A corrente elétrica parecia um terremoto que me abalava profundamente.

— Importa-se? — perguntou ela, sua mão interrompendo o passeio.

— Não — respondi rápido. Então, porque queria que ela entendesse um pouco da minha experiência, continuei: — Nem imagina como é.

Eu mesmo não podia ter imaginado antes daquele momento. Ia além de qualquer prazer que já tinha sentido.

Seus dedos traçaram meu braço de novo até o cotovelo, contornando as formas dali. Ela ajeitou o corpo e sua outra mão procurou a minha. Senti um puxão de leve e percebi que Bella queria virar minha mão. Assim que obedeci, porém, suas mãos se paralisaram e ela prendeu a respiração.

Ergui os olhos, logo percebendo meu erro: eu me movera como um vampiro, não como um humano.

— Desculpe — murmurei.

Mas, quando nos encaramos, percebi que não havia causado nenhum mal verdadeiro. Ela se recuperara da surpresa sem que o sorriso deixasse seu rosto.

— É muito fácil ser eu mesmo com você — expliquei, então deixei as pálpebras se fecharem de novo para poder me concentrar por completo na sensação de sua pele tocando a minha.

Quando Bella começou a tentar erguer minha mão, senti uma pressão. Respondi ao movimento, sabendo que, para ela, erguer minha mão sem que eu ajudasse já lhe exigiria muito esforço. Eu era um pouco mais pesado do que parecia.

Ela segurou a mão perto do próprio rosto. Seu hálito quente ardeu na minha palma. Ajudei a acertar o ângulo conforme a pressão dos seus dedos indicava. Abri os olhos e a vi me encarando, fagulhas multicoloridas dançando pelo rosto quando a luz se movia para cá e para lá pela minha pele. Suas sobrancelhas estavam franzidas mais uma vez. Que pergunta a atormentava agora?

— Diga o que está pensando — pedi gentilmente, mas será que ela percebia que eu estava implorando? — Não saber ainda é estranho para mim.

Sua boca se contorceu um pouco, e a sobrancelha esquerda se ergueu alguns centímetros.

— Sabe de uma coisa, todos nós nos sentimos assim o tempo todo.

Todos nós. A vasta família da humanidade que não me incluía. Seu povo, sua espécie.

— É uma vida difícil. — As palavras não soaram como a piada que eu pretendia que fossem. — Mas você não me contou.

— Eu é que queria poder saber o que você está pensando... — respondeu ela, devagar.

Obviamente queria falar mais alguma coisa.

— E?

Sua voz estava baixa; um humano teria dificuldade em ouvi-la.

— E queria poder acreditar que você é real. E queria não ter medo.

Uma pontada de dor me atingiu. Eu estava errado. Eu a amedrontara, afinal. É claro que sim.

— Não quero que sinta medo.

Era um pedido de desculpas e um lamento.

Fiquei surpreso quando ela deu um sorriso quase travesso.

— Bom, não me refiro exatamente ao medo, embora certamente dê para pensar nisso.

Como ela poderia estar brincando? O que queria dizer? Eu me endireitei, tão ansioso por respostas que não conseguia mais fingir desprendimento.

— Do que tem medo, então?

Percebi como nossos rostos estavam próximos. Seus lábios mais perto do que nunca dos meus. Não mais sorrindo, mas entreabertos. Ela respirou pelo nariz e seus olhos se fecharam parcialmente. Ela se esticou mais para perto como se tentasse sentir melhor o meu cheiro, o queixo inclinando-se um centímetro para cima, o pescoço esticando-se para a frente, a jugular exposta.

E eu reagi.

O veneno inundou minha boca, minha mão livre se moveu por vontade própria para capturá-la, minha mandíbula se abriu quando ela se inclinou para me encontrar.

Eu me joguei para longe dela. A loucura ainda não chegara às minhas pernas, que me lançaram do outro lado da campina. Eu me movi tão rápido que não tive tempo de soltar minha mão das dela com cuidado; eu a puxara com força. Meu primeiro pensamento ao pousar agachado na sombra das árvores foram suas mãos, e o alívio me tomou quando vi que ainda estavam ligadas a seus pulsos.

Alívio seguido de nojo. Ódio. Repulsa. Todas as emoções que eu temia ver nos olhos dela naquele dia multiplicadas por cem anos, e a certeza de que eu as merecia, e merecia ainda mais. Monstro, pesadelo, destruidor de vidas, mutilador de sonhos... meus e dela.

Se eu fosse algo melhor, se eu fosse de alguma forma mais forte, em vez de um atalho para a morte, naquele momento teria acontecido nosso primeiro beijo.

Será que eu havia fracassado no teste? Será que não havia mais esperança?

Os olhos dela estavam brilhantes, o branco da esclera à mostra em torno das íris escuras. Fiquei observando enquanto ela piscava e focava a visão, se concentrando na minha nova posição. Nós nos encaramos por um longo momento.

Seu lábio inferior tremeu por um instante, então ela abriu a boca. Eu esperei, tenso, a recriminação. Que ela gritasse comigo, dizendo para eu nunca mais me aproximar.

— Desculpe... Edward — sussurrou ela quase em silêncio.

É claro.

Tive que respirar fundo antes de responder.

Calibrei o volume da minha voz de modo que fosse alto o suficiente para ela ouvir, tentando manter o tom gentil.

— Me dê um minuto.

Ela se reclinou alguns centímetros. Seus olhos ainda estavam arregalados.

Respirei mais uma vez. Ainda conseguia sentir seu gosto de onde eu estava. Ele alimentava aquela ardência constante, mas não mais que isso. Eu me sentia... como normalmente me sentia perto dela. Não havia mais nenhum indício na minha mente ou no meu corpo, nenhuma sensação de que o monstro espreitava tão perto da superfície. De que eu poderia explodir tão fácil. Isso me fez querer gritar e arrancar árvores pela raiz. Se eu não conseguia sentir meus limites, perceber o gatilho, como poderia protegê-la de mim mesmo?

Eu conseguia imaginar Alice me apoiando. Eu *tinha* protegido Bella. *Nada* havia acontecido. Mas, embora Alice tivesse visto isso, assistido a essa cena quando o ponto em que eu cedia ainda estava no futuro e não já no passado, ela não poderia saber a sensação. De perder o controle de mim mesmo, de ser mais fraco que meus piores impulsos. De não ser capaz de parar.

Mas você parou. Seria o que ela diria. Ela não poderia saber como isso *não era suficiente*.

Bella não tirou os olhos de mim. Seu coração batia duas vezes mais rápido que o normal. Rápido demais. Não podia ser saudável. Queria segurar sua mão e dizer que estava tudo bem, que ela estava bem, estava segura, que não havia nada com que se preocupar — mas isso seria uma mentira óbvia.

Eu ainda me sentia... normal — o que se tornara normal nos últimos meses, pelo menos. Sob controle. Exatamente como me sentira antes, quando minha confiança quase a matara.

Caminhei de volta devagar, me perguntando se deveria manter distância. Mas não parecia correto gritar meu pedido de desculpas do outro lado da campina. Não confiava em mim mesmo o bastante para ficar tão próximo dela quanto antes. Parei a alguns passos, a uma distância em que era possível conversar, e me sentei no chão.

Tentei colocar tudo que estava sentindo em palavras:

— Lamento muito.

Bella piscou e então seus olhos se arregalaram de novo; seu coração martelava rápido demais. Sua expressão estava paralisada. As palavras não pareciam significar nada para ela, era como se nem as houvesse registrado.

Eu imediatamente soube que seria uma má ideia, mas mesmo assim voltei ao meu padrão de tentar manter o clima descontraído. Estava desesperado para que o choque e a paralisia deixassem seu rosto.

— Você entenderia se eu dissesse que fui apenas humano?

Levando um segundo a mais do que eu gostaria, ela assentiu — apenas uma vez. Tentou sorrir com minha tentativa grosseira de deixar a situação mais leve, mas aquele esforço só piorou sua expressão. Ela pareceu incomodada e depois, por fim, assustada.

Eu já vira medo em seu rosto antes, mas sempre fora apaziguado em pouco tempo. Toda vez que parcialmente desejara que ela percebesse que eu não valia o imenso risco, Bella discordara. O medo em seus olhos nunca tinha sido de *mim*.

Até aquele momento.

O cheiro do seu medo saturava o ar, amargo e metálico.

Era exatamente o que eu havia esperado. O que sempre falei para mim mesmo que queria. Que ela me desse as costas. Que ela se salvasse e me deixasse ardendo sozinho.

Seu coração continuava disparado, e eu quis rir e chorar. Estava conseguindo o que queria.

E tudo porque ela se aproximara apenas um centímetro a mais. Chegara quase perto o bastante para sentir meu cheiro, e o julgara agradável, assim como achara meu rosto atraente e todas as minhas armadilhas, convidativas.

Tudo em mim fazia com que ela quisesse se aproximar, exatamente como planejado.

— Sou o melhor predador do mundo, não sou? — Não tentei esconder a amargura na minha voz. — Tudo em mim convida você... Minha voz, meu rosto, até meu *cheiro*. — Era tão *exagerado*. Qual o objetivo do meu charme, das minhas armadilhas? Eu não era uma planta carnívora, esperando que a presa pousasse na minha boca. Por que eu não podia ser tão repulsivo do lado de fora como era por dentro? — Como se eu precisasse disso!

Agora eu me sentia fora de controle, mas não do mesmo jeito. Todo o meu amor, meu desejo e minha esperança estavam se reduzindo a pó, mil séculos de sofrimento se estendendo à minha frente, e *eu não queria mais fingir*. Se não podia ter felicidade por ser um monstro, então que eu fosse um monstro.

Fiquei de pé e disparei como seu coração, dando duas voltas ao redor da borda da clareira, me perguntado se ela sequer conseguia ver o que eu estava mostrando.

Parei de repente no ponto em que estivera antes. Era por isso que eu não precisava de uma voz bonita.

— Como se pudesse ser mais rápida do que eu.

Eu ri com a ideia, a imagem da comédia grotesca na minha mente. O som da minha risada ricocheteou em ecos ásperos nas árvores.

E, depois da caça, havia a captura.

O galho mais baixo do abeto antigo ao meu lado estava ao alcance da mão. Eu arranquei o galho da árvore sem nenhum esforço. A madeira guinchou e protestou, a casca e as farpas explodindo no local do ferimento. Eu avaliei o peso do galho por um momento na mão. Mais ou menos trezentos e noventa quilos. Não era o suficiente para vencer a briga com a cicuta do outro lado da clareira à direita, mas o bastante para causar algum dano.

Atirei o galho na árvore de cicuta, mirando em um nó a uns nove metros do chão. Meu projétil acertou em cheio, a ponta mais grossa do galho se esmagando com um estrondo ensurdecedor e se desintegrando em lascas de madeira que choveram nas samambaias abaixo com um ruído fraco. Uma fissura surgiu do centro do nó e serpenteou alguns metros nas duas direções. A árvore de cicuta tremeu uma vez, o choque atingindo as raízes e o chão. Eu me perguntei se tinha matado a planta. Teria que esperar alguns meses para saber. Com sorte ela se recuperaria; a campina era perfeita.

Tão pouco esforço da minha parte. Eu não precisara usar mais que uma minúscula fração da minha força. Ainda assim, tanta violência. Tanta dor.

Em dois passos eu estava de pé ao lado de Bella, a apenas um braço de distância.

— Como se pudesse lutar comigo.

A amargura desaparecera de minha voz. Minha performance não tinha me custado energia alguma, mas drenara parte de minha ira.

Durante todo aquele tempo, ela não havia se movido. Permanecia paralisada, os olhos abertos e imóveis. Nós nos encaramos pelo que pareceu um longo momento. Eu ainda estava com muita raiva de mim mesmo, mas não havia mais nenhum ardor nisso. Tudo parecia sem sentido. Eu era o que era.

Ela se mexeu primeiro. Só um pouco. Suas mãos estavam largadas no colo depois que eu me projetara para longe dela, mas naquele momento uma delas se abriu. Seus dedos se estenderam de leve na minha direção. Devia ser um movimento inconsciente, mas era estranhamente similar a quando ela dissera "Volte" enquanto dormia, estendendo a mão para *algo*. Naquele momento eu desejara que ela estivesse sonhando comigo.

Aquilo acontecera na noite anterior a Port Angeles, ao dia em que percebi que ela já sabia o que eu era. Se eu soubesse o que Jacob Black lhe contara, nunca teria acreditado que ela sonharia comigo, pensaria apenas em pesadelos. Mas nada disso importava para ela.

Ainda havia terror em seus olhos. É claro que sim. Mas também parecia haver um pedido. Será que havia alguma chance de Bella querer que eu voltasse para ela? Mesmo se quisesse, será que eu deveria?

Sua dor, minha maior fraqueza — como Alice me mostrara que seria. Eu odiava vê-la assustada. Destruía-me saber quanto eu merecia aquele medo, porém mais do que qualquer um desses fardos, eu não *aguentaria* vê-la de luto. Isso me tirou a capacidade de tomar qualquer decisão minimamente acertada.

— Não tenha medo — implorei em um sussurro. — Eu prometo... — Não, essa tinha se tornado uma palavra fraca demais. — Eu *juro* nunca machucar você. Não tenha medo.

Eu me aproximei devagar, sem fazer nenhum movimento que Bella não tivesse tempo de antecipar. Fui me sentando aos poucos, calculando cada estágio, de forma que me coloquei mais uma vez onde tinha começado. Eu me abaixei um pouco, para que meu rosto estivesse no nível do dela.

O ritmo do seu coração desacelerou. Suas pálpebras relaxaram, voltando à posição de sempre. Era como se minha proximidade a acalmasse.

— Perdoe-me, por favor — pedi. — Eu posso me controlar. Você me pegou de guarda baixa. Mas agora estou me comportando melhor. — Que pedido de desculpas patético. Ainda assim, despertou um breve sorriso. E, como um tolo, recaí no meu padrão imaturo de tentar ser engraçado. — Hoje não estou com sede, é sério.

Eu cheguei a piscar para ela. Dava para achar que eu tinha treze anos, e não cento e quatro.

Mas Bella riu. Um pouco sem fôlego, um pouco tensa, mas ainda assim era uma risada, com alegria e alívio reais. Seus olhos ficaram mais carinhosos, seus ombros relaxaram e suas mãos se abriram de novo.

Pareceu tão *certo* repousar minha mão na dela outra vez. Não deveria, mas foi essa a sensação.

— Você está bem?

Ela fitou nossas mãos, depois ergueu os olhos em direção aos meus por um momento, e finalmente baixou o olhar de novo. Começou a traçar as linhas da palma da minha mão com a ponta do dedo, como tinha feito antes do meu frenesi. Então seus olhos se voltaram para os meus, e um sorriso se abriu devagar até que a covinha do seu queixo surgiu. Não havia julgamento ou arrependimento naquele sorriso.

Sorri de volta, me sentindo como se só então pudesse apreciar a beleza daquele lugar. O sol, as flores e o ar dourado de repente se revelaram para mim, alegres e clementes. Recebi o presente da clemência *dela*, e meu coração de pedra encheu-se de gratidão.

O alívio e a confusão que misturavam alegria e culpa subitamente me lembraram do dia em que eu chegara em casa, tantas décadas antes.

Eu também não estava pronto para isso naquela época. Planejara esperar. Queria que meus olhos estivessem dourados de novo antes que Carlisle me visse. Mas ainda estavam de um laranja estranho, um âmbar que tendia mais para o vermelho. Vinha tendo dificuldade para me adaptar à minha dieta anterior. Nunca tinha sido tão difícil. Sentia medo de, sem a ajuda de Carlisle, não conseguir segui-la. De voltar aos meus velhos hábitos.

Preocupava-me ter aquela evidência tão óbvia nos meus olhos. Eu me perguntava qual era a pior recepção que eu poderia esperar. Será que ele simplesmente me expulsaria? Será que teria dificuldade de me encarar, de ver a decepção que eu me tornara? Ele exigiria uma penitência? Eu faria, não importava o que ele pedisse. Será que meus esforços para melhorar o comoveriam, ou será que ele só veria meu fracasso?

Não era difícil encontrá-los; eles não tinham se afastado muito do lugar em que eu os havia deixado. Talvez para facilitar meu retorno?

A casa era a única naquele lugar alto e selvagem. O sol do inverno brilhava nas janelas quando me aproximei de baixo, e por isso não conseguia ver se havia alguém lá dentro. Em vez de pegar o caminho mais curto pelas árvores, eu me aproximei através de um campo aberto, coberto de nuvens, em que — mesmo contra o sol forte — eu seria fácil de ver. Eu me movi devagar. Não queria correr. Poderia assustá-los.

Foi Esme quem me viu primeiro.

— Edward! — Eu a ouvi gritar, embora ainda estivesse a mais de um quilômetro e meio dali.

Em menos de um segundo a vi correr por uma porta lateral, disparando por entre as pedras que cercavam o cume da montanha e levantando uma nuvem pesada de cristais de neve atrás de si.

Edward! Ele voltou para casa!

Não era a imagem que eu estava esperando. Mas, por outro lado, ela ainda não tinha visto meus olhos com clareza.

Edward? Será possível?

Meu pai vinha logo atrás, alcançando-a com seus passos longos.

Não havia nada além de uma esperança desesperada em seus pensamentos. Nenhum julgamento. Pelo menos por enquanto.

— Edward! — gritou Esme com um tom inconfundível de esperança na voz.

Então ela se lançou em mim, abraçando meu pescoço com força, beijando meu rosto sem parar.

Por favor não vá embora de novo.

Um segundo depois, Carlisle abraçou a nós dois.

Obrigado, pensou ele, a mente agitada e sincera. *Obrigado por voltar para nós.*

— Carlisle... Esme... Eu sinto muito. Eu...

— Shhh, não — sussurrou Esme, encaixando a cabeça no meu pescoço e respirando fundo para sentir meu perfume.

Meu menino.

Eu olhei para Carlisle com os olhos bem abertos. Sem esconder nada.

Você está aqui. Carlisle me encarou de volta sem nada além de felicidade na mente. Embora ele soubesse o que a cor dos meus olhos significava, não havia nenhum amargor na sua alegria. *Não precisa pedir desculpas.*

Lentamente, mal conseguindo acreditar que poderia ser tão simples, ergui os braços e retribuí o abraço da minha família.

Senti a mesma aceitação imerecida naquele momento, e mal conseguia crer que aquilo tudo — meu mau comportamento, tanto voluntário quanto involuntário — ficara para trás. Mas o perdão de Bella parecia afastar todas as trevas.

— Então, onde estávamos mesmo, antes de eu ser tão rude? — Me lembrava de onde *eu* estava. A centímetros de seus lábios entreabertos. Arrebatado pelo mistério de sua mente.

Ela piscou duas vezes.

— Sinceramente, não me lembro.

Era compreensível. Eu respirei aquele fogo e soltei o ar de volta, desejando que de alguma forma me causasse algum dano.

— Acho que estávamos falando sobre por que você tinha medo, além do motivo óbvio.

O medo óbvio devia ter afastado o outro de sua mente.

Mas ela sorriu e baixou os olhos para a minha mão de novo.

— Ah, sim.

Mais nada.

— E então? — insisti.

Em vez de me encarar, ela começou a traçar desenhos na minha mão. Tentei ler as sequências, torcendo para que fosse uma figura ou até letras — E-D-W-A-R-D-V-Á-E-M-B-O-R-A —, mas não consegui encontrar qualquer sentido. Só mais mistérios. Outra pergunta que ela nunca responderia. Eu não merecia respostas.

Suspirei.

— Eu me frustro com tanta facilidade.

Com isso ela ergueu o rosto, seus olhos questionando os meus. Nós nos encaramos por alguns segundos, e me surpreendi com a intensidade do seu olhar. Sentia que estava lendo a mim com mais sucesso do que eu jamais conseguira lê-la.

— Eu estava com medo... — começou ela, e percebi, grato, que estava afinal respondendo à minha pergunta — ... porque, bom, por motivos óbvios, não posso *ficar* com você... — Seus olhos baixaram para nossas mãos de novo quando ela disse a palavra "ficar". Eu a entendi claramente, para variar. Consegui compreender que, quando disse "ficar", ela não queria dizer naquele momento sob o sol, durante a tarde ou na semana seguinte. Ela queria dizer o mesmo que eu. *Ficar sempre. Ficar para sempre.* — E tenho medo de que goste de ficar com você, muito mais do que deveria.

Pensei em tudo que seria necessário se, afinal, eu a forçasse a fazer exatamente o que descrevia. Se eu a fizesse ficar para sempre. Todos os sacrifícios que ela teria que aguentar, todas as perdas que teria que chorar, todos os arrependimentos dolorosos, todos os olhares sofridos e sem lágrimas.

— Sim. — Foi difícil concordar com ela, mesmo com toda aquela dor recente na memória. Eu queria tanto aquilo. — É de fato motivo para ter medo. Querer ficar comigo. — Tão egoísta, eu. — Não é nada bom para você.

Ela franziu o cenho, olhando para a minha mão, como se não gostasse da minha afirmação tanto quanto eu.

Era um caminho perigoso para sequer se considerar. Hades e sua romã. Com quantas sementes tóxicas eu já a havia infectado? O suficiente para que Alice a visse pálida e triste pela minha ausência. Mas eu me sentia como se também estivesse infectado. Preso. Um viciado sem chance de recuperação. Não conseguia formar por completo aquela ideia na minha cabeça. *Deixá-la.* Como eu sobreviveria? Alice me mostrara a angústia de Bella pela minha ausência, mas como ela me veria naquela versão do futuro, se olhasse? Eu acreditava que não passaria de uma sombra, um ser destruído, inútil, quebrado, vazio.

Falei esse pensamento em voz alta, mais até para mim mesmo.

— Eu deveria ter me afastado há muito tempo. Deveria ir embora agora. Mas não sei se *consigo*.

Bella ainda fitava nossas mãos, mas seu rosto corou.

— Não quero que vá embora — murmurou.

Queria que eu ficasse com ela. Tentei lutar contra a felicidade e a entrega a que isso ameaçava me levar. Será que a escolha ao menos era minha, ou seria somente dela naquele momento? Será que eu ficaria ali até que ela me dissesse para partir? Suas palavras pareciam ecoar na brisa. *Não quero que vá embora.*

— É exatamente este o motivo para que eu vá. — Certamente quanto mais tempo passássemos juntos, mais difícil seria nos separarmos. — Mas não se preocupe. Sou essencialmente uma criatura egoísta. Quero demais sua companhia para fazer o que deveria.

— Fico feliz por isso.

Ela disse essas palavras de forma simples, como se fosse óbvio. Como se qualquer garota fosse ficar feliz por seu monstro favorito ser egoísta demais para colocar sua segurança à frente dos desejos dele.

Meu humor piorou, mas minha raiva era voltada somente a mim mesmo. Com um controle rígido, retirei a mão das dela.

— Não fique! Não é só sua companhia que eu anseio! Jamais se esqueça *disso.* Jamais se esqueça de que sou mais perigoso para você do que para qualquer outra pessoa.

Ela me observou, confusa. Não havia medo em seus olhos. A cabeça estava um pouco inclinada para a esquerda.

— Acho que não entendo exatamente o que quer dizer... Pelo menos essa última parte — disse, o tom lógico.

Isso me fez lembrar da nossa conversa no refeitório, quando ela me perguntou sobre caçadas. Parecia que estava reunindo informações para um relatório. Estava especialmente interessada nele, mas ainda assim não passava de uma pesquisa acadêmica.

Não pude evitar sorrir com sua expressão. Minha raiva sumiu tão rápido quanto surgiu. Por que perder tempo com a ira quando havia tantas outras emoções agradáveis à minha disposição?

— Como posso explicar? — murmurei.

Era natural que ela não tivesse ideia do que eu estava falando. Não tinha sido muito específico quando contei sobre minha reação ao seu cheiro. É claro que não; era uma coisa horrível, algo de que me envergonhava profundamente. Sem mencionar o horror evidente do assunto. De fato não sabia como explicar.

— E sem assustar você de novo... Hmmm — falei.

Os dedos dela se esticaram em direção aos meus. E eu não consegui resistir. Coloquei minha mão gentilmente de volta na dela. A boa vontade do seu toque, a forma desejosa com que ela dobrava os dedos em volta dos meus, tudo ajudava a acalmar meus nervos. Eu sabia que estava prestes a contar tudo a ela — sentia a verdade se revirando dentro de mim, pronta para entrar em erupção. Mas eu não tinha ideia de como ela absorveria aquilo, mesmo sendo tão generosa como sempre era comigo. Eu saboreei o momento de aceitação, sabendo que poderia terminar a qualquer segundo.

Suspirei.

— É incrivelmente agradável, o calor.

Ela sorriu e olhou para nossas mãos com fascínio nos olhos.

Não havia como evitar. Eu teria que ser horrivelmente explícito. Pisar em ovos só a confundiria, e ela precisava saber a verdade. Respirei fundo.

— Todo mundo gosta de sabores diferentes, certo? Algumas pessoas adoram sorvete de chocolate, outras preferem morango.

Argh. Parecia pior em voz alta do que eu imaginara, uma tentativa de aproximação muito ruim. Bella assentiu com o que parecia uma concordância educada, mas tirando isso sua expressão não se modificou. Talvez ela levasse um minuto para compreender.

— Desculpe pela analogia com comida... — falei. — Não consegui pensar em outra forma de explicar.

Ela sorriu — um sorriso com humor e simpatia reais. Sua covinha ressurgiu. A expressão de Bella me fez sentir como se estivéssemos nessa situação ridícula juntos, não como oponentes e sim parceiros, colaborando para encontrar uma solução. Não conseguia pensar em nada de que eu gostaria mais — além, é claro, do impossível. Que eu pudesse ser humano também. Sorri de volta, mas sabia que meu sorriso não era genuíno nem inocente como o dela.

Suas mãos apertaram a minha, me dizendo para continuar.

Falei devagar, tentando usar a melhor analogia possível, embora percebesse meu fracasso no mesmo instante.

— Veja bem, cada pessoa tem um cheiro diferente, tem uma essência diferente. Se você trancar um alcoólatra em uma sala cheia de cerveja choca, ele vai ficar feliz em bebê-la. Mas poderia resistir, se fosse um alcoólatra em recuperação. Agora digamos que você tenha colocado naquela sala uma taça de conhaque de cem anos, o conhaque mais raro e mais refinado... E enchido a sala com seu aroma quente... Como acha que ele se comportaria?

Será que eu estava traçando uma imagem muito condescendente de mim mesmo? Descrevendo uma vítima trágica em vez de um verdadeiro vilão?

Ela olhou fundo nos meus olhos, e, enquanto eu automaticamente tentava ler sua reação interna, tive a sensação de que ela estava tentando ler a minha também.

Repensei minhas palavras e me perguntei se a analogia era *forte* o bastante.

— Talvez esta não seja a comparação correta — cogitei. — Talvez eu deva fazer de nosso alcoólatra um viciado em heroína.

Ela sorriu, não tão abertamente quanto antes, mas com um toque de rebeldia.

— Então o que está dizendo é que sou seu tipo preferido de heroína?

Quase ri, surpreso. Ela estava fazendo o que eu sempre tentava fazer — uma piada para deixar o clima mais leve, para diminuir a tensão —, só que com sucesso.

— Sim, você é *exatamente* meu tipo preferido de heroína.

Certamente era uma afirmação horrível, mas, de alguma forma, eu senti alívio. Era tudo por causa dela, de seu apoio e sua compreensão. Era inacreditável o fato de que, de alguma forma, ela conseguia perdoar *tudo* isso. Como?

Mas ela havia voltado ao modo pesquisadora.

— Isso acontece com frequência? — perguntou, curiosa, a cabeça inclinada para o lado.

Mesmo com minha habilidade única de ler pensamentos, era difícil fazer comparações exatas. Não sentia verdadeiramente as sensações da pessoa que eu estava ouvindo; só sabia o que pensava sobre aqueles sentimentos.

Eu não chegava sequer a interpretar a sede como o restante da minha família. Para mim, a sede era como um fogo ardendo. Jasper a descrevia como uma ardência também, mas para ele era como ácido em vez de chama, uma sensação química e abafada. Rosalie pensava naquilo como uma secura extrema, uma necessidade aterradora em vez de uma força externa. Emmett tendia a avaliar sua sede da mesma forma; eu imaginava que isso fosse natural, já que Rosalie havia sido a primeira e mais frequente influência na sua segunda vida.

Então eu sabia dos momentos em que os outros tinham dificuldade para resistir, e quanto não foram capazes de fazê-lo, mas não conhecia por completo a potência da tentação. Poderia tentar adivinhar, porém, com base no nível normal de controle de cada um. Era uma técnica imperfeita, mas achei que seria o bastante para saciar a curiosidade de Bella.

Isso era ainda mais horripilante. Não consegui olhá-la nos olhos enquanto respondia. Em vez disso, encarei o sol, que se aproximava do topo das árvores. Cada segundo que se passava me doía mais do que nunca — segundos que nunca mais teria com ela. Desejei que não precisássemos gastar esses preciosos instantes em algo tão desagradável.

— Falei com meus irmãos sobre isso. Para Jasper, todos vocês são a mesma coisa. Ele é o mais novo em nossa família. É uma luta para ele se privar de tudo isso. Não teve tempo para desenvolver a sensibilidade às diferenças de cheiro, de sabor... — Eu me encolhi, percebendo tarde demais aonde minhas palavras haviam me levado. — Desculpe — completei depressa.

Bella bufou de leve, exasperada.

— Não ligo. Por favor, não se preocupe em me ofender, nem em me assustar, o que for. Esse é o seu jeito de pensar. Posso entender isso, ou pelo menos posso tentar. Só explique como puder.

Tentei me acalmar. Precisava aceitar que, por algum milagre, Bella era capaz de saber as coisas mais sombrias sobre mim e não ficar aterrorizada. Capaz de não me odiar por isso. Se ela era forte o bastante para ouvir tudo aquilo, eu precisava ser forte o bastante para dizer a verdade. Olhei de novo para o sol, sentindo o tempo se esvair em sua queda lenta.

— Então... — recomecei devagar. — Jasper não tem certeza se já se deparou com alguém que fosse tão... atraente como você é para mim. O que me faz pensar que não. Emmett está na estrada há mais tempo, por assim dizer, e ele me compreendeu. Disse que foram duas vezes, para ele, uma mais forte do que a outra.

Enfim a encarei. Ela estreitava levemente os olhos, em uma concentração intensa.

— E para você?

Essa resposta era fácil, sem necessidade de adivinhações.

— Nunca.

Ela pareceu refletir sobre aquela palavra por um longo momento. Queria saber o que significava para Bella. Então seu rosto relaxou um pouco.

— O que o Emmett fez? — perguntou num tom descontraído.

Como se isso fosse só um conto de fadas que eu estava lhe narrando, como se o bem sempre vencesse no final e — embora a jornada fosse difícil em alguns momentos — nada verdadeiramente perverso ou permanentemente cruel pudesse acontecer.

Como eu poderia contar a ela sobre aquelas duas vítimas inocentes? Humanos com medos e esperanças, pessoas com famílias e amigos que as amavam, seres imperfeitos que mereciam uma chance de melhorar, de tentar. Um homem e uma mulher com nomes agora marcados em simples lápides em cemitérios esquecidos.

Será que ela nos consideraria melhores ou piores se soubesse que Carlisle tinha exigido nossa presença nos funerais? Não só naqueles dois, mas nos de quaisquer vítimas de nossos erros e falhas. Seríamos um pouco menos malditos por termos ouvido aqueles que melhor conheciam aquelas pessoas descrevendo suas vidas interrompidas? Por termos testemunhado as lágrimas e os lamentos de dor? A ajuda financeira que tínhamos oferecido de forma anônima para garantir que não haveria sofrimento físico desnecessário parecia uma vergonha, em retrospecto. Que recompensa medíocre.

Ela desistiu de esperar uma resposta.

— Acho que sei.

Sua expressão tinha se tornado tristonha. Será que estava condenando Emmett enquanto me oferecia tanta clemência? No total, ele cometera menos crimes que eu, embora fossem muito mais que dois. Me doía que ela pensasse mal dele. Seria essa — a particularidade de duas vítimas — a ofensa que a faria fugir?

— Até o mais forte de nós cai do galho, não é? — perguntei com a voz fraca.

Será que isso poderia ser perdoado também?

Talvez não.

Ela fez uma careta, se afastando de mim. Não mais que dois centímetros, mas parecia um quilômetro. Seus lábios se franziram.

— O que está pedindo? Minha permissão?

O tom amargo de sua voz parecia sarcasmo.

Então esse era seu limite. Eu achei que ela estava sendo extraordinariamente gentil e compreensiva, até demais, na verdade. Mas a realidade é que ela só havia subestimado minha depravação. Devia ter pensado que, apesar de todos os meus avisos, eu só havia sido tentado. Que sempre havia tomado a decisão correta, como em Port Angeles, me afastando do banho de sangue.

Eu dissera naquela mesma noite que, apesar de todos os esforços, minha família cometera erros. Será que ela não havia se dado conta de que eu estava confessando assassinatos? Não era de surpreender que estivesse aceitando tudo com tanta facilidade; ela achava que eu sempre era forte, que só tinha "quases" na minha consciência. Bom, isso não era culpa dela. Eu nunca havia admitido explicitamente que matara alguém. Nunca havia dito a ela o número de vítimas.

A expressão de Bella se suavizou enquanto eu perdia a cabeça. Tentei pensar em como me despedir de forma que ela soubesse quanto a amava, mas não se sentisse ameaçada por esse amor.

— Quer dizer — começou ela de repente, com a voz tranquila —, não há esperança, então?

Em uma fração de segundo eu repensei nossa conversa e percebi que havia interpretado mal sua reação. Quando eu havia pedido perdão por pecados do passado, ela pensara que estava explicando um crime futuro e iminente. Que eu planejava...

— Não, não! — Tive que me esforçar para pronunciar as palavras na velocidade humana, tal era minha pressa para que ela as ouvisse. — É claro que há esperança! Quer dizer, é claro que eu não vou...

Te matar. Não consegui terminar a frase. Essas palavras me traziam angústia, assim como imaginar sua morte. Meus olhos fitaram os dela, tentando comunicar tudo que eu não conseguia dizer.

— É diferente para nós — prometi. — Emmett... topou com estranhos por acaso. Foi há muito tempo e ele não tinha tanta... prática, tanto cuidado, como tem agora.

Ela avaliou minhas palavras, ouviu as partes que eu não dissera.

— Então, se tivéssemos nos encontrado... — Ela parou, procurando o cenário certo. — Hã, em um beco escuro ou coisa parecida...

Ah, lá estava, a verdade amarga.

— Juntei todas as minhas forças para não pular naquela sala cheia de jovens e...

Te matar. Meus olhos desviaram dos dela. Tanta vergonha.

Ainda assim, não podia deixar que ela mantivesse qualquer ilusão lisonjeira sobre mim.

— Quando você passou por mim — admiti —, eu podia ter estragado tudo o que Carlisle construiu para nós naquele exato momento. Se não tivesse renegado minha sede pelos últimos anos, por tantos anos, não teria sido capaz de me refrear.

Eu via a sala de aula com clareza na minha mente. A memória fotográfica era mais uma maldição que uma bênção. Será que eu precisava me lembrar com tal precisão de cada segundo daquela hora? Do medo que dilatara suas pupilas, do reflexo do meu semblante monstruoso nelas? Do modo como seu cheiro destruíra tudo que havia de bom em mim?

Sua expressão estava distante. Talvez estivesse se lembrando também.

— Deve ter pensado que eu estava possuído.

Ela não negou.

— Eu não entendi o motivo — disse numa voz frágil. — Como podia me odiar com tanta rapidez...

Ela intuíra a verdade naquele momento. Havia compreendido que de fato eu a tinha *odiado*. Quase tanto quanto a desejara.

— Para mim, foi como se você fosse uma espécie de demônio, conjurado de meu inferno pessoal para me arruinar. — Era doloroso reviver aquela emoção, me lembrar de como foi vê-la como *presa*. — A fragrância que vinha de sua pele... Pensei que me enlouqueceria naquele primeiro dia. Naquela hora que passou, pensei em cem maneiras diferentes de atrair você para fora da sala comigo, ficar sozinho com você. E combati cada uma delas, pensando em minha família, o que eu faria a eles. Tive que fugir, sair dali antes que pudesse pronunciar as palavras que a fariam me seguir... Você teria vindo.

Como deve ter sido para ela saber disso? Como ela alinhava esses fatos opostos? Eu, possível assassino, e eu, possível amado? O que ela pensava da minha confiança, minha certeza de que ela teria seguido um homicida?

Bella ergueu o queixo um centímetro.

— Sem dúvida nenhuma — concordou.

Nossas mãos continuavam cuidadosamente entrelaçadas. As dela estavam quase tão imóveis quanto as minhas, com a exceção do sangue que pulsava nelas. Eu me perguntei se ela sentia o mesmo medo que eu — o medo de que nossas mãos precisassem se separar, e que ela não encontrasse a coragem e o perdão suficientes para uni-las de novo.

Era um pouco mais fácil confessar quando eu não estava olhando nos olhos dela.

— E depois — continuei —, enquanto eu tentava reorganizar meu horário numa tentativa insensata de evitá-la, você estava ali... Naquela sala quente e apertada, o cheiro era enlouquecedor. Foi por muito pouco que não a peguei ali mesmo. Só havia outro ser humano frágil na sala... Seria tão fácil lidar com aquilo.

Senti um calafrio correr dos seus braços para as mãos. A cada nova tentativa de explicação eu me via usando palavras mais aterradoras. Eram as palavras corretas, as palavras verdadeiras, mas também eram tão feias.

Não havia mais como parar, porém, e ela ficou sentada, quieta e quase imóvel enquanto as palavras explodiam de mim, mais confissões misturadas a explicações. Eu contei sobre minha tentativa malsucedida de fuga, a arrogância que me trouxe de volta; como aquela arrogância havia determinado nossas interações, e como a frustração diante de seus pensamentos impenetráveis havia me torturado; como seu cheiro nunca deixara de ser ao mesmo tempo tortura e tentação. Minha família entrava e saía da história, e me perguntei se ela via como eles influenciavam minhas ações o tempo todo. Eu contei como salvá-la da van de Tyler havia mudado minha perspectiva, me forçado a ver que ela era mais que apenas um risco e uma irritação.

— No hospital? — perguntou Bella, quando minhas palavras cessaram.

Ela observou meu rosto com compaixão e um desejo sincero de ouvir o próximo capítulo. Eu não me chocava mais com sua benevolência, mas sempre me pareceria um milagre.

Expliquei meus receios, não aqueles relacionados ao ato de salvá-la, mas de me expor e por consequência expor minha família, de modo que ela compreendesse meu amargor naquele dia, no corredor vazio. Isso naturalmente levou às reações variadas da minha família, e eu me perguntei o que Bella achava do fato de que alguns deles queriam silenciá-la da forma mais permanente que existia. Ela não estremeceu com isso, nem demonstrou qualquer temor. Que estranho devia ser, descobrir a história toda, as trevas agora misturadas à luz que ela conhecia.

Contei como eu tinha tentado fingir total indiferença a ela depois daquele incidente, apenas para proteger a todos nós, e como havia fracassado.

Eu me perguntei em silêncio, não pela primeira vez, onde eu estaria naquele exato momento se não tivesse agido de forma tão instintiva naquele dia no estacionamento da escola. Se, como descrevera de forma tão grotesca para ela, tivesse ficado longe e deixado que ela morresse em um acidente de carro, e depois me revelasse para as testemunhas humanas da forma mais monstruosa. Minha família teria que fugir de Forks imediatamente. Imaginei a reação deles a essa versão dos acontecimentos. Seria quase... o oposto. Rosalie e Jasper não teriam ficado irritados. Um pouco arrogantes, mas compreensivos. Carlisle ficaria profundamente decepcionado, mas ainda disposto a perdoar. Será que Alice choraria pela amiga que nunca chegaria a conhecer? Só Esme e Emmett reagiriam de forma quase idêntica às reações iniciais: Esme com preocupação pelo meu bem-estar, Emmett dando de ombros.

Eu sabia que teria alguma noção do desastre que me acometera. Mesmo tão no início, depois de trocarmos poucas palavras, meu fascínio por ela já era forte. Mas será que eu teria imaginado a vastidão da tragédia? Acho que não. Eu teria sofrido, sem dúvida, e então seguiria minha vida incompleta e vazia sem nunca perceber quanto havia perdido. Sem nunca conhecer a felicidade verdadeira.

Teria sido mais fácil perdê-la naquela ocasião, eu sabia. Assim como nunca teria conhecido a alegria, não teria sofrido a profundeza da dor que agora eu sabia existir.

Contemplei seu rosto doce e gentil, que se tornara tão querido, tão central para o meu mundo. A única coisa que eu queria olhar até o fim dos tempos.

Ela me encarava de volta, com o mesmo assombro nos olhos.

— E por tudo isso — concluí minha longa confissão —, teria sido melhor se tivesse mesmo exposto a todos nós naquele primeiro momento, do que se agora, aqui... sem testemunhas, nem nada que me impeça... que eu viesse a machucar você.

Seus olhos se arregalaram, não de medo ou surpresa. Fascínio.

— Por quê?

Essa explicação seria tão difícil quanto as outras, e incluiria muitas palavras que eu odiava usar, mas também havia palavras que eu gostaria muito que ela ouvisse.

— Isabella... Bella. — Era um prazer dizer seu nome. Era quase uma confissão. *É a esse nome que pertenço.*

Soltei com cuidado uma das mãos e acariciei seu cabelo macio e aquecido pelo sol. A alegria daquele simples toque, a certeza de que eu tinha a liberdade de tocá-la desta forma, era demais. Segurei suas mãos de novo.

— Eu não poderia conviver comigo mesmo se a ferisse. Você não sabe como isso me torturou. — Eu odiava tirar os olhos de sua expressão compreensiva, mas era difícil demais ver seu *outro* rosto, o das visões de Alice, sobreposto a esse. — Pensar em você, imóvel, lívida, fria... Nunca mais vê-la corar de novo, nunca mais ver esse lampejo de intuição em seus olhos quando você vê através de meus pretextos... Seria insuportável.

Aquela palavra não chegava perto de descrever a angústia por trás da imagem. Mas eu já tinha superado a parte terrível, e podia dizer as coisas que queria dizer a ela havia tanto tempo. Fitei seus olhos de novo, alegre por essa confissão.

— Você é, agora, a coisa mais importante do mundo para mim. A mais importante de toda a minha vida.

Assim como a palavra "insuportável" não era suficiente, essas palavras também eram meros ecos dos sentimentos que tentavam descrever. Quis que ela pudesse ver nos meus olhos quanto eram inadequadas. Ela sempre foi melhor em ler minha mente do que eu em ler a dela.

Bella encarou minha expressão exultante por um momento, um rubor surgindo em suas bochechas, mas então baixou os olhos para nossas mãos. Eu me maravilhei com a beleza de sua compleição, vendo apenas perfeição e nada mais.

— Já sabe como me sinto, é claro — disse ela, a voz não muito mais alta que um sussurro. — Eu estou aqui... O que, numa tradução grosseira, significa que eu preferiria estar morta a ficar longe de você.

Eu não imaginava ser possível sentir tanta euforia e tanto arrependimento ao mesmo tempo. Ela *me* queria. Êxtase. Ela estava arriscando a própria vida por mim. Inaceitável.

Ela fez uma careta, os olhos ainda baixos.

— Sou uma idiota.

Eu ri da sua conclusão. De certo ponto de vista, tinha razão. Qualquer espécie que corresse tão diretamente para os braços do seu predador mais perigoso não sobreviveria por muito tempo. Era bom que ela fosse tão diferente.

— Você é *mesmo* uma idiota — brinquei.

E eu nunca deixaria de dar graças por isso.

Bella ergueu o rosto com um sorriso travesso, e nós rimos juntos. Era um alívio tão grande rir depois das minhas terríveis revelações que minha risada foi da graça à mais pura alegria. Tive certeza de que ela sentia o mesmo. Estávamos em completa sintonia por um momento perfeito.

Embora fosse impossível, nós pertencíamos um ao outro. Tudo estava errado nesta cena — um assassino e uma inocente tão próximos, maravilhados com a presença um do outro, totalmente em paz. Era como se de alguma forma houvéssemos ascendido para um mundo melhor, em que tais possibilidades eram reais.

De repente me lembrei de uma pintura que vira muitos anos antes.

Sempre que cruzávamos o interior em busca de cidades onde ficar, Carlisle costumava fazer viagens paralelas para procurar antigas paróquias. Ele não conseguia se segurar, pelo visto. Algo nas estruturas simples de madeira, em geral escuras pela falta de boas janelas, nas tábuas do assoalho e nos bancos encerados e lisos, cheirando a camadas infinitas de toques humanos, lhe trazia uma calma reflexiva. Pensamentos sobre seu pai e sua infância vinham à tona, mas o final violento parecia distante naqueles momentos. Ele só se lembrava das coisas agradáveis.

Em um daqueles passeios, achamos uma antiga casa de culto quaker a uns cinquenta quilômetros ao norte da Filadélfia. Era uma construção pequena, menor que um celeiro, com um exterior de pedra e uma decoração espartana na parte de dentro. Tão simples eram os pisos de madeira e os bancos de costas retas que quase fiquei chocado ao ver um adorno na parede dos fundos. Carlisle também se interessou, e nós dois fomos dar uma olhada.

Era uma pintura relativamente pequena, de pouco menos de um metro quadrado. Eu imaginava que era mais antiga que a igreja ao seu redor. O artista claramente não tinha treinamento formal, porque seu estilo era amador. Ainda assim, havia algo na imagem simples e malfeita que transmitia emoção. Havia uma vulnerabilidade agradável nos animais retratados, um tipo de ternura quase dolorosa. Fiquei estranhamente emocionado diante daquele universo mais gentil que o artista criara.

Um mundo melhor, pensara Carlisle.

O tipo de mundo em que o presente momento poderia existir, pensei então, e senti aquela ternura dolorosa novamente.

— E então o leão se apaixonou pelo cordeiro... — sussurrei.

Os olhos de Bella ficaram muito abertos e acessíveis por um segundo, então ela corou de novo e baixou o olhar. Controlou a respiração por um momento, e seu sorriso travesso voltou.

— Que cordeiro imbecil — brincou ela, insistindo na piada.

— Que leão masoquista e doentio — retruquei.

Mas eu não tinha certeza de que aquilo era verdade. Por um lado, sim, eu estava me causando dor desnecessária de propósito e gostando, a definição básica de masoquismo. Mas a dor era o preço... e a recompensa era muito maior que a dor. Sinceramente, o preço era ínfimo. Eu pagaria dez vezes mais.

— Por quê? — murmurou ela, hesitante.

Sorri para Bella, desejoso de entender sua mente.

— Sim?

Uma fraca linha de preocupação começou a surgir na sua testa.

— Diga por que fugiu de mim antes.

Suas palavras me trouxeram dor física, pesando na boca do estômago. Não consegui entender por que ela desejaria relembrar um momento tão horrendo.

— Você não sabe por quê?

Ela balançou a cabeça e franziu as sobrancelhas.

— Não, quer dizer, *exatamente* o que eu fiz de errado? — Suas palavras eram sérias e determinadas. — Não vou poder baixar a guarda, está vendo, então é melhor eu começar a aprender o que não devo fazer. Isto, por exemplo... — Ela passou a ponta dos dedos pelas costas da minha mão até o pulso, deixando uma trilha de fogo indolor — ... parece não fazer mal nenhum.

Típico dela, achar que aquilo era sua responsabilidade.

— Você não fez nada de errado, Bella. A culpa foi minha.

Ela ergueu o queixo. Poderia significar teimosia, se seus olhos não estivessem tão pidões.

— Mas eu quero ajudar, se puder, a não dificultar ainda mais as coisas para você.

Meu primeiro instinto era de continuar insistindo que o problema era meu e que ela não deveria se preocupar. Ainda assim, eu sabia que ela estava só tentando me compreender, mesmo com todas as minhas estranhas e monstruosas características. Ela ficaria mais feliz se eu simplesmente respondesse à sua pergunta da forma mais clara possível.

Mas como explicar a sede? Uma vergonha.

— Bom... Foi o modo como você se aproximou. A maioria dos humanos se intimida conosco por instinto, são repelidos por nossa estranheza... Eu não esperava que você chegasse tão perto. E o cheiro de seu pescoço...

Eu me interrompi, torcendo para não a ter deixado enojada.

Sua boca estava franzida, como se lutasse contra um sorriso.

— Tudo bem, então. Nada de pescoço exposto.

Ela encolheu o queixo junto ao ombro direito com exagero.

Claramente sua intenção era diminuir minha ansiedade, e funcionou. Tive que rir de sua expressão.

— Não, é sério — insisti —, foi mais a surpresa do que qualquer outra coisa.

Ergui a mão de novo e a apoiei de leve no seu pescoço, sentindo a incrível maciez de sua pele, o calor que vinha dali. Meu polegar correu pelo seu maxilar. O pulso elétrico que só ela conseguia despertar começou a zunir pelo meu corpo.

— Está vendo — sussurrei. — Perfeitamente bem.

A pulsação dela começou a disparar também. Eu a sentia sob a minha mão, ouvia seu coração galopante. Um tom cor-de-rosa tomou sua face, do queixo até a testa. O som e a visão de sua reação, em vez de despertar minha sede de novo, pareceu só acelerar a explosão de minhas reações mais humanas. Eu não me lembrava de um dia ter me sentido assim tão vivo; duvidava que já tivesse acontecido, mesmo quando *estava* vivo.

— O rubor em seu rosto é lindo — murmurei.

Retirei minha mão esquerda da dela com gentileza e a ergui de modo a apoiar seu rosto entre minhas palmas. Suas pupilas se dilataram e seus batimentos cardíacos aceleraram ainda mais.

Queria tanto beijá-la naquele momento. Seus lábios macios e sorridentes, levemente entreabertos, me hipnotizavam e me atraíam. Mas, embora essas novas emoções humanas parecessem muito mais fortes que qualquer outra coisa, eu ainda não confiava por completo em mim mesmo. Eu sabia que precisava de mais um teste. Achava que tinha passado pelo nó de Alice, mas ainda sentia que faltava algo. Percebi naquele momento o que mais precisava fazer.

Uma coisa que eu sempre evitara, que nunca deixara minha mente explorar.

— Fique completamente parada — avisei.

A respiração dela ficou presa na garganta.

Eu me aproximei devagar, observando sua expressão em busca de qualquer indicação de que aquilo a deixava desconfortável. Não encontrei nada.

Por fim, deixei minha cabeça se inclinar para a frente, girando o rosto para apoiar a bochecha na base de seu pescoço. O calor de sua vida de sangue quente pulsava através da pele frágil e invadia a rocha fria que era meu corpo. Aquela pulsação saltava sob o meu toque. Mantive a respiração compassada como uma máquina, inspirando e expirando, controlada. Esperei, observando cada acontecimento minúsculo dentro de meu corpo. Talvez tenha esperado mais que o necessário, mas aquele era um lugar muito agradável para se estar.

Quando tive certeza de que não havia armadilhas me aguardando ali, prossegui.

Com cuidado, reajustei a posição, usando movimentos lentos e firmes, para que nada a surpreendesse ou assustasse. Conforme minhas mãos se moveram do queixo para os ombros, ela estremeceu, e por um momento perdi o controle cuidadoso sobre minha respiração. Eu me recuperei, me acalmando de novo, então movi a cabeça de modo que minha orelha ficasse diretamente sobre seu coração.

O som, já alto antes, pareceu me envolver por todos os lados. A terra sob meus pés não parecia mais tão firme, como se balançasse devagar no ritmo do seu coração.

Um suspiro me escapou contra a vontade:

— *Ah*.

Eu queria continuar assim para sempre, imerso no som do seu coração e aquecido pela sua pele. Era o momento do teste final, porém, e eu queria que acabasse logo.

Pela primeira vez, enquanto eu respirava a ardência de seu perfume, me permiti imaginar. Em vez de impedir aqueles pensamentos, interrompendo-os e escondendo-os fora da minha mente consciente, permiti que ficassem livres. Não surgiram por vontade própria, não mais, mas me forcei a ver o que sempre havia evitado.

Imaginei-me experimentando seu sangue... drenando-a.

Eu tinha experiência suficiente para saber como seria o alívio; como se pudesse saciar completamente minha necessidade mais primitiva. O sangue dela tinha mais apelo para mim do que o de qualquer outro humano que já havia encontrado. Só podia imaginar que o alívio e o prazer seriam ainda mais intensos.

Seu sangue apaziguaria minha garganta árida, apagando todos os meses de fogo. Seria como se eu nunca tivesse ardido por ela; a dor seria totalmente mitigada.

A doçura do seu sangue na minha língua era mais difícil de imaginar. Eu sabia que nunca havia experimentado nenhum sangue que combinasse tão perfeitamente com meus desejos, mas tinha certeza de que satisfaria qualquer sede que já tivera.

Pela primeira vez em três quartos de século — o tempo que sobrevivera sem sangue humano —, eu estaria totalmente satisfeito. Meu corpo ficaria forte e completo. Levaria semanas para que eu voltasse a sentir sede.

Repeti a sequência de eventos até o final, surpreendendo-me ao ver, mesmo quando me libertava dos tabus, como eles pouco me apeteciam naquele momento. Mesmo ignorando a sequência inevitável — o retorno da sede, o vazio de um mundo sem ela —, eu não sentia vontade de agir para tornar aquele cenário realidade.

Também vi muito claramente naquele momento que não havia um monstro separado de mim, que nunca houvera. Desejando separar minha mente de meus desejos, eu havia — como era de hábito — personificado aquela parte odiada de mim mesmo para distanciá-la das partes que considerava serem *eu*. Assim como havia criado a harpia para ter com quem brigar. Era uma estratégia de enfrentamento, embora não fosse muito boa. Melhor me ver inteiro, bom e ruim, e lidar com essa realidade.

Minha respiração permaneceu constante, a ardência de seu cheiro se mostrou um bem-vindo contraste em relação à abundância de outras sensações físicas que me dominavam enquanto nos abraçávamos.

Eu pensei ter entendido um pouco melhor o que havia acontecido comigo antes, naquela reação violenta que nos aterrorizara. Eu estava tão convencido de que *poderia* ficar dominado pela sede que, quando realmente *fiquei*, foi quase uma confirmação de minhas suspeitas. Minha ansiedade, as visões angustiantes pelas quais tinha ficado obcecado, além dos meses de dúvida que abalaram minha antiga confiança, tudo se somou para enfraquecer a determinação que agora eu sabia *sem dúvidas* que era suficiente para proteger Bella.

Até a visão terrível de Alice de repente se tornou menos vibrante, as cores se esmaecendo. O poder de me abalar estava enfraquecendo porque, e isso era óbvio agora, *aquele futuro era totalmente impossível*. Bella e eu deixaríamos esse lugar de mãos dadas, e minha vida finalmente começaria.

Nós havíamos passado pelo nó.

Eu não tinha dúvidas de que Alice via isso também, e se alegrava.

Embora estivesse excepcionalmente confortável na minha atual situação, também estava ávido por começar o restante da minha vida.

Eu me reclinei para trás, deixando minhas mãos traçarem os braços de Bella, que então envolveram a lateral do meu corpo. Estava cheio de felicidade só por ver seu rosto de novo.

Ela me observou curiosa, alheia às ocorrências vultuosas na minha mente.

— Não vai mais ser tão difícil — prometi, embora percebesse, enquanto falava, que minhas palavras provavelmente não faziam muito sentido para ela.

— Foi muito difícil para você? — perguntou, com um olhar sempre compreensivo.

Sua preocupação me acalentou por completo.

— Não tanto quanto eu imaginei que seria. E você?

Ela me encarou com um olhar descrente.

— Não, não foi ruim... para mim.

Bella fazia parecer tão fácil ser abraçada por um vampiro. Mas devia precisar de mais coragem do que demonstrava.

— Você entendeu o que eu quis dizer.

Ela abriu um grande sorriso, meio torto e sincero. Era óbvio que, se *fosse* necessário algum esforço para aturar minha proximidade, ela nunca admitiria.

Exultante. Essa era a única palavra em que eu conseguia pensar para descrever o que estava sentindo. Não era uma palavra que usava muito em relação a mim mesmo. Cada pensamento na minha cabeça queria se derramar pelos lábios. Eu queria ouvir todos os pensamentos dela. Isso, pelo menos, não era novidade. Todo o resto era novo. Tudo havia mudado.

Peguei a mão de Bella — sem primeiro avaliar exaustivamente esse ato —, apenas porque queria senti-la na pele. Eu me sentia livre para ser espontâneo pela primeira vez. Esses novos impulsos não tinham nenhuma relação com os antigos.

— Olhe aqui. — Coloquei a palma de sua mão na minha bochecha. — Sente como está quente?

Sua reação a esse meu primeiro ato espontâneo foi melhor do que eu esperava. Seus dedos tremiam ao tocar minha bochecha. Os olhos dela se arregalaram e o sorriso sumiu. Seu batimento cardíaco e sua respiração se aceleraram.

Antes que eu pudesse me arrepender, ela se aproximou e sussurrou:

— Não se mexa.

Um tremor atravessou meu corpo.

Seu pedido era fácil de realizar. Eu me congelei na imobilidade absoluta que os humanos eram incapazes de imitar. Não sabia o que ela pretendia — acostumar-se à minha *falta* de sistema circulatório parecia improvável —, mas estava ansioso para descobrir. Fechei os olhos. Não sabia se tinha feito isso para libertá-la da vergonha pela minha análise ou porque não queria distrações naquele momento.

A mão dela começou a se mover bem devagar. Primeiro acariciou minha bochecha. As pontas dos dedos roçaram minhas pálpebras fechadas e depois desenharam um meio círculo embaixo dos olhos. Onde sua pele encontrava a minha, deixava um rastro de calor e arrepios. Ela traçou a ponte do meu nariz e então, com o tremor nos dedos ainda mais intenso, o formato dos meus lábios.

Meu corpo gélido derreteu. Deixei a boca se entreabrir para que eu pudesse respirar tão perto dela.

Um dedo acariciou meu lábio inferior de novo, e aí sua mão se afastou. Senti o ar frio entre nós quando ela se inclinou para trás.

Abri os olhos e encontrei seu olhar. O rosto estava corado, o coração, ainda acelerado. Senti um eco fantasmagórico de seu ritmo no meu próprio corpo, embora não houvesse sangue para ditá-lo.

Eu *queria*... tantas coisas. Coisas de que não sentira necessidade em toda a minha vida imortal antes de conhecê-la. Coisas que certamente não quisera antes de ser imortal. E senti que algumas delas, coisas que sempre achei impossíveis, poderiam, de fato, ser muito possíveis.

Mas, embora me sentisse confortável com ela naquele momento, em relação à minha sede, eu ainda era forte demais. Muito mais forte do que ela, cada membro do meu corpo rígido como aço. Deveria sempre pensar em sua fragilidade. Levaria tempo para aprender como me mover ao seu lado.

Ela olhou para mim, esperando, imaginando o que eu pensava de *seus* toques.

— Eu queria... queria que você sentisse a... complexidade — tentei explicar. — A confusão que eu sinto. Que você pudesse entender.

Uma mecha de seu cabelo, afastada pelo vento, dançou ao sol, refletindo a luz com um brilho avermelhado. Aproximei a mão para sentir a textura daquela madeixa entre os dedos. E então, estando tão próximo dela, não consegui resistir e fiz carinho em seu rosto. A pele de sua bochecha parecia um veludo exposto ao sol.

Ela inclinou a cabeça na direção da minha mão, mas manteve os olhos atentos ao meu rosto.

— Me diga — pediu, num suspiro.

Eu não conseguia sequer imaginar por onde começar.

— Não acho que consiga. Eu lhe falei, por um lado, a fome... a sede... que... — abri um sorriso de desculpas — ... criatura deplorável que sou, eu sinto por você. E acho que você pode entender isso, até certo ponto. Mas, como você não é viciada em nenhuma substância ilegal, provavelmente não pode ter uma empatia completa. Mas...

Meus dedos pareceram buscar os lábios dela por vontade própria. Eu os toquei de leve. Finalmente. Eram mais macios do que eu imaginava. Mais quentes.

— Existem outras fomes — continuei. — Fomes que eu nem sequer entendo, que me são estranhas.

Ela me lançou aquele olhar levemente cético de novo.

— Posso entender isso *melhor* do que você pensa.

— Não estou acostumado a me sentir tão humano — admiti. — É sempre assim?

A corrente selvagem que atravessava meu sistema, a atração magnética que me puxava para a frente, a sensação de que jamais estaríamos próximos o suficiente.

— Para mim? — Ela parou, pensando nisso por um instante. — Não, nunca. Não até agora.

Segurei suas mãos nas minhas.

— Não sei como ficar perto de você — avisei. — Não sei se posso.

Onde colocar os limites de modo a mantê-la em segurança? Como impedir que aquele desejo egoísta me fizesse forçar os limites além do que seria prudente?

Ela mudou de posição e se aproximou de mim. Fiquei bem quieto, tomando cuidado enquanto ela apoiava a lateral do rosto na pele nua do meu peito — nunca me sentira tão grato pela influência de Alice no meu guarda-roupa quanto naquele momento.

Suas pálpebras se fecharam. Ela suspirou, contente.

— Isso basta.

O convite não era algo a que eu pudesse resistir. Eu sabia que era capaz de fazer isso do jeito certo. Com um cuidado meticuloso, envolvi-a com o mais leve toque dos meus braços, abraçando-a verdadeiramente pela primeira vez. Plantei os lábios no topo de sua cabeça, respirando seu cheiro cálido. Um primeiro beijo, embora disfarçado... e não correspondido.

Ela deu uma risadinha.

— Você é melhor nisso do que imagina.

— Tenho instintos humanos... — murmurei junto ao cabelo dela. — Podem estar bem enterrados, mas estão presentes.

A passagem do tempo não significava nada enquanto eu a abraçava, meus lábios junto ao seu cabelo. Seu coração passou a se mover com languidez, sua respiração era lenta e constante na minha pele. Só percebi a mudança quando a sombra das árvores nos tocou. Sem o reflexo da minha pele, a campina de repente pareceu mais sombria, como se fosse noite em vez de tarde.

Bella deu um suspiro profundo. Dessa vez não de contentamento, mas de tristeza.

— Você tem que ir — adivinhei.

— Achei que não pudesse ler minha mente.

Eu sorri e plantei um último beijo no topo de sua cabeça.

— Está ficando mais clara.

Estávamos ali fazia um bom tempo, embora parecessem meros segundos. Ela tinha necessidades humanas que estava ignorando. Pensei na longa e lenta caminhada até ali, e tive uma ideia.

Eu me afastei, relutante em terminar nosso abraço, não importava o que viria depois, e coloquei as mãos de leve nos seus ombros.

— Posso lhe mostrar uma coisa? — perguntei.

— Me mostrar o quê? — questionou ela, com um traço de suspeita na voz.

Percebi que meu tom estava um pouco animado demais.

— Vou lhe mostrar como *eu* viajo na floresta.

Bella fez uma careta, incerta, e o vinco entre suas sobrancelhas ressurgiu, mais fundo que antes, mesmo quando eu quase a atacara. Isso me surpreendeu um pouco; em geral ela era tão curiosa e destemida.

— Não se preocupe — garanti —, você estará segura e chegaremos à sua picape muito mais rápido.

Dei um sorriso encorajador.

Ela pensou nisso por um minuto, depois sussurrou:

— Vai se transformar em morcego?

Não consegui segurar a risada. Nem queria. Não conseguia me lembrar de me sentir tão livre para ser eu mesmo. É claro que isso não era de todo verdade; eu sempre era livre e aberto quando estava a sós com a minha família. Porém nunca me sentia *assim* com a minha família — extasiado, selvagem, todas as células do meu corpo vivas de uma forma nova e elétrica. Estar com Bella intensificava todas as sensações.

— Como se eu não tivesse ouvido essa antes! — brinquei, quando consegui voltar a falar.

Ela sorriu.

— Tudo bem, tenho certeza de que faz isso o tempo todo.

Fiquei de pé em um instante, estendendo a mão para ela. Bella me encarou, indecisa.

— Venha, sua medrosa — insisti. — Suba nas minhas costas.

Ela me observou por um momento, hesitando. Eu não sabia se estava desconfiada da minha ideia, ou se só não sabia exatamente como se aproximar. A proximidade física era nova para nós, e ainda havia muita timidez.

Concluindo que o problema era a segunda opção, facilitei para ela.

Eu a ergui do chão e com gentileza ajeitei seus membros ao meu redor como se fosse sua garupa. Sua pulsação se acelerou e ela perdeu o fôlego, mas, depois que estava no lugar, seus braços e pernas se prenderam em mim. Eu me senti abraçado pelo calor do seu corpo.

— Sou um pouco mais pesada do que a sua mochila.

Ela parecia preocupada... Achava que eu não conseguiria aguentar seu peso?

— Rá! — exclamei, brincando.

Percebi como era fácil: não carregar seu peso insignificante, mas tê-la literalmente em volta de mim. Minha sede foi tão completamente ofuscada pela felicidade que mal me causou qualquer dor consciente.

Tirei sua mão de onde estava, agarrada ao meu pescoço, e segurei a palma junto ao meu nariz. Inalei o mais profundamente que pude. Sim, lá estava a dor. Real, mas corriqueira. O que era um pouco de fogo frente a toda essa luz?

— Fica cada vez mais fácil — sussurrei.

Parti em uma corrida tranquila, escolhendo a rota mais suave de volta ao nosso ponto de partida. Levaria alguns segundos a mais para percorrer o caminho mais longo, mas ainda assim chegaríamos à picape dela em minutos, em vez de horas. Era melhor do que levá-la em um caminho mais íngreme.

Outra experiência nova e alegre. Sempre amei correr — por quase cem anos, tinha sido minha mais pura felicidade física. Mas naquele momento, compartilhando isso com ela, sem qualquer distância entre nós, física ou mental, percebi que poderia haver muito mais prazer em apenas correr do que jamais imaginei. Eu me perguntava se isso a emocionava tanto quanto a mim.

Uma questão me incomodava. Eu tive pressa para levá-la para casa assim que ela pareceu desejar isso. No entanto... sem dúvida deveríamos ter concluído aquele importantíssimo interlúdio com um final adequado, uma espécie de marca em nosso novo entendimento, talvez? Uma bênção. Mas fui apressado demais para perceber o que estava faltando até que já estávamos em movimento.

Não era tarde demais. Meu corpo ficou elétrico de novo quando pensei nisso: um beijo de verdade. Antes eu pensara que era impossível. Antes eu sofrera por pensar que essa impossibilidade parecia doer nela tanto quanto em mim. Naquele momento tive certeza de que era possível... e que não demoraria para acontecer. A eletricidade ricocheteou em meu estômago, e me perguntei por que os seres humanos tinham pensado em batizar uma sensação tão estranha de "frio na barriga".

Eu diminuí a velocidade até parar a alguns passos de onde ela havia estacionado.

— Divertido, não? — perguntei, ansioso para saber o que ela achara.

Bella não respondeu, e seus membros continuaram agarrados à minha cintura e ao pescoço. Alguns segundos de silêncio se passaram. Qual era o problema?

— Bella?

Sua respiração voltou num arquejo, e percebi que ela estava prendendo o ar. Eu deveria ter notado.

— Acho que preciso me deitar — falou com a voz fraca.

— Ah. — Eu precisava mesmo praticar com *humanos*. Eu nem tinha pensado na possibilidade de ela ficar enjoada. — Me desculpe.

Esperei ela se soltar, mas Bella não relaxou sequer um músculo.

— Acho que preciso de ajuda — sussurrou.

Com movimentos lentos e gentis, primeiro liberei suas pernas, depois os braços, então girei de forma a segurá-la junto ao meu peito.

Sua aparência me assustou de início, mas eu já tinha visto aquela palidez esverdeada antes. Eu também a segurara nos braços naquele dia, mas estávamos numa situação completamente diferente dessa vez.

Eu me ajoelhei e a pousei sobre algumas samambaias macias.

— Como se sente?

— Acho que estou tonta.

— Coloque a cabeça entre os joelhos — aconselhei.

Ela obedeceu na mesma hora, como se fosse uma reação que já repetira muitas vezes.

Eu me sentei ao seu lado. Ouvindo sua respiração controlada, percebi que estava mais nervoso do que a situação exigia. Eu sabia que não era nada sério, só um leve enjoo, mas ainda assim... vê-la pálida e indisposta me incomodava mais do que era razoável.

Alguns minutos depois, ela tentou levantar a cabeça. Ainda estava pálida, mas não tão esverdeada. Uma camada fina de suor cobria sua testa.

— Parece que não foi uma grande ideia — murmurei, me sentindo um idiota.

Ela deu um sorriso fraco.

— Não, foi muito interessante — mentiu.

— Rá! — falei, chateado. — Você está branca feito um fantasma... Não, está branca feito eu!

Ela respirou fundo, bem devagar.

— Acho que deveria ter fechado os olhos — disse, fazendo exatamente isso.

— Lembre-se disso da próxima vez.

A cor do seu rosto estava voltando, e minha tensão diminuía conforme suas bochechas ficavam mais coradas.

— Próxima vez! — repetiu ela, num gemido afetado.

Sua reclamação exagerada me fez rir.

— Exibido — resmungou.

Seu lábio inferior se projetou, arredondado e carnudo. Parecia tão incrivelmente macio. Eu imaginei como seria maleável, me aproximando ainda mais.

Eu me virei, ficando de joelhos na sua frente. Sentia-me nervoso, inquieto, impaciente e inseguro. O desejo de estar próximo dela me lembrava da sede que antes me controlava. Isso também era um desafio, algo impossível de ignorar.

Sua respiração era quente no meu rosto. Eu me aproximei.

— Abra os olhos, Bella.

Ela obedeceu devagar, erguendo o olhar para mim, exibindo por um momento os cílios densos antes de erguer o queixo para que nossos rostos se alinhassem.

— Fiquei pensando, enquanto estava correndo... — me interrompi. Esse não era o começo mais romântico.

Ela estreitou os olhos.

— Em não bater nas árvores, espero.

Dei uma risada enquanto ela tentava conter um sorriso.

— Não seja boba, Bella... Correr é algo instintivo, que faço sem pensar.

— Exibido — repetiu, com mais ênfase dessa vez.

Nós tínhamos desviado do assunto. Era surpreendente que isso sequer fosse possível, considerando como nossos rostos estavam próximos. Eu sorri e mudei de abordagem.

— Não, estava pensando que há uma coisa que quero experimentar.

Coloquei as mãos de leve nas laterais de seu rosto, deixando bastante espaço para ela se afastar se desejasse.

Bella perdeu o fôlego e automaticamente ajeitou a cabeça mais para perto da minha.

Eu usei um oitavo de segundo para verificar se estava tudo bem, testando cada sistema do meu corpo para ter total certeza de que nada me pegaria de surpresa. Minha sede estava controlada, relegada à última posição da minha lista de necessidades físicas. Regulei a pressão das mãos, dos braços, de como meu torso se curvava para ela, de forma que meu toque na sua pele fosse mais leve que a brisa. Embora soubesse que a precaução era desnecessária, prendi a respiração. Todo cuidado era pouco, afinal.

Ela cerrou as pálpebras.

Eu diminuí a distância entre nós e encostei os lábios de leve nos dela.

Embora pensasse estar preparado, não estava totalmente pronto para a combustão.

Que estranha alquimia era aquela, como o toque de lábios podia ser muito mais que o toque dos dedos? Não tinha lógica que um simples contato com essa parte específica da pele pudesse ser tão mais poderoso que qualquer coisa que eu já tivesse experimentado. Foi como se um novo sol explodisse e nascesse onde nossas bocas se encontraram, e meu corpo inteiro foi preenchido até explodir com a sua luz.

Só tive um instante para lidar com a potência daquele beijo antes que a alquimia impactasse Bella.

Ela arfou, os lábios se abrindo junto aos meus, seu hálito quase febril ardendo na minha pele. Os braços em volta do meu pescoço, os dedos enfiados no meu cabelo. Ela usou isso como impulso para pressionar ainda mais os lábios nos meus. Seus lábios pareciam mais quentes que antes, preenchidos pelo sangue fresco. Eles se abriram mais, num convite...

Um convite que não seria seguro aceitar.

Com a mais delicada das forças, afastei o rosto dela do meu, deixando as pontas dos dedos na sua pele para mantê-la minimamente afastada. Tirando essa pequena mudança, me mantive imóvel e tentei, se não ignorar a tentação, pelo menos me dissociar dela. Notei o retorno desagradável de algumas reações predatórias — um excesso de veneno na boca, uma tensão no estômago —, mas eram respostas superficiais. Não podia dizer que meus comportamentos eram completamente racionais, mas pelo menos não eram determinados por uma paixão de *sede*. Uma paixão muito mais agradável me dominava. Sua natureza, porém, não eliminava a necessidade de contê-la.

A expressão de Bella demonstrava surpresa e vergonha.

— Epa — disse.

Não consegui evitar pensar no que suas ações inocentes poderiam ter precipitado apenas algumas horas antes.

— Está atenuando as coisas — concordei.

Ela não tinha noção do progresso que eu fizera hoje, mas sempre agiu como se eu tivesse perfeito controle de mim mesmo, até quando isso não era verdade. Era um alívio finalmente sentir que merecia aquela confiança.

Bella tentou se aproximar de novo, mas minhas mãos detiveram seu rosto.

— Será que devo...?

— Não — garanti —, é tolerável. Espere um momento, por favor.

Eu queria tomar todo o cuidado para não deixar nada me escapar. Meus músculos já haviam relaxado, e o fluxo de veneno se dissipara. A vontade de abraçá-la e continuar a alquimia do beijo era um impulso mais difícil de negar, mas usei minhas décadas de prática do autocontrole para tomar a decisão correta.

— Pronto — falei quando estava totalmente calmo.

Ela tentava conter outro sorriso.

— Tolerável? — perguntou.

Eu ri.

— Sou mais forte do que eu pensava. — Nunca teria acreditado que conseguiria me controlar naquele momento. Foi de fato um progresso muito rápido. — É bom saber disso.

— Queria poder dizer o mesmo. Desculpe.

— Você é *apenas* humana, afinal de contas.

Ela revirou os olhos com a minha piada ruim.

— Muito obrigada.

A luz que preenchera meu corpo durante o nosso beijo permanecia. Eu sentia tanta felicidade que não sabia como contê-la. A alegria excessiva e a comoção geral me fizeram ter medo de não estar sendo responsável o bastante. Eu deveria levá-la para casa. Não era tão difícil pensar no fim da utopia daquela tarde porque iríamos embora juntos.

Fiquei de pé e ofereci minha mão. Dessa vez ela a pegou rápido, e eu a puxei para que ficasse de pé. Bella vacilou, parecendo instável.

— Ainda está fraca por causa da corrida? — perguntei. — Ou foi minha perícia no beijo?

Dei uma risada alta.

Ela usou a mão livre para segurar meu pulso a fim de se equilibrar.

— Não tenho certeza — brincou. — Ainda estou tonta. Acho que é um pouco dos dois.

Seu corpo vacilou mais para perto de mim. Pareceu intencional, não fruto da tontura.

— Talvez deva me deixar dirigir.

Todo o desequilíbrio desapareceu. Ela se empertigou.

— Ficou maluco?

Se ela fosse dirigir, eu precisaria que mantivesse as duas mãos no volante, e eu não poderia fazer nada para distraí-la. Se eu fosse dirigir, no entanto, haveria muito mais possibilidades.

— Dirijo melhor do que você em seu melhor dia. Você tem reflexos muito mais lentos.

Sorri para que soubesse que estava brincando. Mais ou menos.

Ela não questionou esse fato.

— Tenho certeza de que isso é verdade, mas não acho que meus nervos, ou minha picape, possam aguentar.

Tentei fazer aquela coisa de deixá-la tonta, de que ela me acusara antes. Ainda não tinha certeza do que estava falando.

— Um pouco de confiança, por favor, Bella.

Não funcionou, talvez porque ela estivesse olhando para baixo. Enfiou a mão no bolso da calça jeans, tirou a chave do carro e envolveu o chaveiro com os dedos. Ela olhou para cima de novo e balançou a cabeça.

— Nada disso — falou. — Nem pensar.

Ela começou a caminhar em direção à estrada, dando a volta e passando por mim. Se ainda estava tonta ou se era só desajeitada, eu não sabia dizer. Mas ela tropeçou no segundo passo, e eu a segurei antes que caísse. Em seguida a puxei para o meu peito.

— Bella — falei, suspirando.

Toda a aura de brincadeira se esvaíra de seus olhos, e ela se inclinou para mim, o rosto erguido na direção do meu. Beijá-la imediatamente parecia uma ideia fantástica e terrível. Eu me obriguei a ser cauteloso.

— Já gastei muito esforço pessoal a essa altura para manter você viva. — Lembrei em um tom brincalhão. — Não vou deixar você se sentar ao volante de um carro quando nem consegue andar direito. E, além disso, as pessoas não deixam que os amigos dirijam bêbados — concluí, citando o slogan de uma antiga campanha de trânsito. Era uma referência datada para ela, que só tinha três anos quando a campanha foi lançada.

— Bêbada? — reclamou.

Dei um meio sorriso.

— Está embriagada com minha presença.

Ela suspirou, aceitando a derrota.

— Não posso contestar isso.

Erguendo o punho, ela deixou a chave cair na minha mão.

— Vá com calma... — avisou. — Meu carro é um cidadão idoso.

— Muito sensata.

Ela fez uma careta.

— E você não está nada afetado? Com a minha presença?

Afetado? Ela transformara por completo cada parte de mim. Eu mal me reconhecia.

Pela primeira vez em um século, eu estava *grato* por ser o que era. Ser um vampiro, em todos os aspectos — tirando o perigo em que isso a colocava —, de repente era aceitável para mim, porque foi isso que me permitiu viver o bastante para encontrar Bella.

As décadas que eu enfrentara não teriam sido tão difíceis se eu soubesse o que me aguardava, que minha existência caminhava em direção a algo melhor do que eu poderia ter imaginado. Não tinham sido anos de tempo perdido, como eu pensara. Haviam sido anos de progresso, em que eu refinara, preparara e dominara a mim mesmo para que pudesse ter *isso* nos dias atuais.

Eu ainda não tinha muita certeza sobre esse novo eu; o êxtase violento que permeava cada uma das minhas células parecia insustentável a longo prazo. Ainda assim, nunca mais queria voltar ao antigo eu. De repente aquele Edward parecia inacabado, incompleto. Era como se faltasse metade dele.

Teria sido impossível, para ele, fazer isto: eu me inclinei e pousei os lábios no canto da mandíbula de Bella, logo acima da artéria pulsante. Deixei meus lábios tocarem de leve a pele do maxilar até o queixo, depois dei beijos de volta até a orelha, sentindo a textura aveludada de sua pele quente sob a leve pressão. Voltei devagar para o queixo, tão perto de sua boca. Ela estremeceu nos meus braços, lembrando-me que o que era uma calidez sem precedentes para mim era um inverno gelado para ela. Afrouxei o toque.

— Ainda assim — sussurrei no ouvido dela. — Tenho reflexos melhores.

18. A MENTE DOMINA A MATÉRIA

Minha insistência em dirigir tinha sido uma ótima ideia. Havia, claro, todas as coisas que estariam fora de cogitação se ela precisasse concentrar seus sentidos humanos na estrada: dar as mãos, olhar nos olhos, lidar com tamanha felicidade. Porém, havia mais do que isso. A sensação de estar tão satisfeito a ponto de explodir de pura luz não diminuíra nem um pouco. Eu sabia como aquela sensação era arrebatadora para mim; não tinha certeza de como afetaria um organismo humano. Era muito mais seguro deixar meu organismo não humano se preocupar com a estrada.

As nuvens mudavam à medida que o sol se punha. De vez em quando, um feixe tênue e avermelhado de luz atingia meu rosto. Pensei no pânico que teria sentido no dia anterior, caso fosse exposto dessa forma. Agora, só tinha vontade de rir. Eu me sentia cheio de risos, como se a luz dentro de mim precisasse dessa via de escape.

Curioso, liguei o rádio do carro. Fiquei surpreso ao ver que não estava sintonizado em nenhuma estação. Depois, considerando o barulho do motor, deduzi que ela não via muito sentido em colocar música. Girei o botão até encontrar uma estação com uma qualidade decente. Estava tocando Johnny Ace, e sorri. "Pledging My Love". Prometendo o meu amor. Muito apropriado.

Comecei a cantar junto, sentindo-me meio piegas, mas, ao mesmo tempo, desfrutando a oportunidade de dizer aquelas palavras para Bella. *Para todo o sempre, só você eu vou amar.*

Ela não desviou os olhos de mim em momento algum, sorrindo com o que eu já podia identificar precisamente como deslumbramento.

— Gosta de música dos anos 1950? — perguntou, ao fim da canção.

— A música dos anos 1950 era boa. Muito melhor do que a dos anos 1960, ou dos 1970, nossa! — Sem dúvida havia exceções excelentes, mas, na época, os artistas que mais tocavam nas poucas opções de rádio não eram os meus preferidos. Nunca gostei de música disco. — A dos anos 1980 era suportável.

Ela estreitou os lábios por um instante, os olhos nervosos, como se alguma coisa a inquietasse.

— Vai me dizer um dia qual é a sua idade? — perguntou em voz baixa.

Ah, ela estava com medo de me deixar desconfortável. Dei um sorriso descontraído.

— Isso importa muito?

Ela pareceu aliviada com minha resposta tranquila.

— Não, mas ainda assim fico imaginando... Não há nada como um mistério não resolvido para manter a gente acordada à noite.

E aí foi a minha vez de ficar inquieto.

— Eu me pergunto se isso vai perturbar você.

Ela não ficara enojada pelo fato de eu não ser humano, mas será que teria uma reação diferente ao número de anos que nos separavam? Em vários sentidos bem verdadeiros, eu ainda tinha dezessete anos. Será que ela veria as coisas dessa forma?

O que ela já teria imaginado? Uma contagem em milênios, castelos góticos e sotaques da Transilvânia? Bom, nada disso era impossível. Carlisle conhecia esses tipos de vampiro.

— Experimente — desafiou.

Encarei-a, procurando a resposta nas profundezas de seus olhos. Suspirei. Eu não deveria ter desenvolvido mais coragem depois de tudo o que nós havíamos passado? Mas ali estava eu, apavorado com a possibilidade de assustá-la. Obviamente, não havia outro caminho a seguir senão o da franqueza absoluta.

— Nasci em Chicago, em 1901 — admiti.

Concentrei-me na estrada para que ela não se sentisse julgada enquanto fazia as contas, mas não pude evitar uma espiada com o canto do olho. Ela fingiu estar serena, e percebi que tentava modular suas reações com cautela. Não queria parecer amedrontada, assim como eu não queria assustá-la.

Quanto mais nos conhecíamos, mais parecíamos espelhar os sentimentos um do outro. Entrando em sintonia.

— Carlisle me encontrou em um hospital no verão de 1918 — continuei. — Eu tinha dezessete anos e estava morrendo de gripe espanhola.

Esse comentário a desconcertou. Estava chocada, os olhos arregalados.

— Não me lembro muito bem... — tranquilizei-a. — Foi há muito tempo, e as lembranças humanas diminuem.

Essa informação não pareceu acalmá-la por completo, mas ela assentiu. Não disse uma palavra, esperando mais detalhes.

Eu tinha acabado de me comprometer mentalmente a agir com total franqueza, mas percebi que precisaria impor certos limites. Havia coisas que ela deveria saber... porém não seria sensato compartilhar todos os pormenores. Talvez Alice tivesse razão. Talvez, se sentisse algo semelhante ao que eu sentia naquele momento, Bella achasse vital prolongar esse sentimento. *Ficar* comigo, como dissera na campina. Eu sabia que não seria tarefa simples negar qualquer coisa a Bella. Escolhi as palavras com cuidado.

— Lembro como foi, quando Carlisle... me *salvou*. Não é fácil, não é uma coisa de que se possa esquecer.

— E seus pais? — perguntou Bella, com a voz tímida, e relaxei, contente que tenha optado por não explorar minha resposta.

— Eles já haviam morrido da doença. Eu estava sozinho. — Não eram palavras difíceis de dizer. Essa parte da minha história mais parecia algo que me contaram do que uma recordação genuína. — Foi por isso que ele me escolheu. Com todo o caos da epidemia, ninguém sequer ia perceber que eu tinha desaparecido.

— Como foi que ele... salvou você?

Pelo visto, não seria possível evitar as perguntas difíceis. Refleti sobre o que era importante não contar para ela.

Minhas palavras tangenciaram a questão central.

— Foi difícil. Não há muitos de nós com o autocontrole necessário para fazer isso. Mas Carlisle sempre foi o mais humano, o mais compassivo de nós... Não acredito que se possa encontrar alguém igual a ele em toda a história. — Avaliei meu pai por um momento, e me perguntei se essas palavras estavam à sua altura. Depois, segui compartilhando o que achei seguro ela saber. — Para mim, foi simplesmente muito, muito doloroso.

Enquanto outras lembranças que poderiam ter sido dolorosas, sobretudo a perda de minha mãe, eram nebulosas e vagas, a memória *daquela* dor era excepcionalmente clara. Eu me encolhi de leve. Se algum dia Bella *realmente* fizesse o pedido de novo, com total conhecimento do que significava ficar comigo, essa lembrança seria suficiente para me fazer negá-lo. Estremeci com a ideia de Bella passar pela mesma dor.

Ela assimilou minha resposta, lábios franzidos e olhos cerrados enquanto refletia. Eu queria ouvir sua reação, mas sabia que, se perguntasse, enfrentaria mais perguntas incisivas. Continuei minha história, na esperança de distraí-la.

— Ele agiu por solidão. Esse em geral é o motivo por trás da decisão. Fui o primeiro da família de Carlisle, embora ele tenha encontrado Esme logo depois. Ela havia caído de um penhasco. Levaram-na diretamente para o necrotério do hospital, mas, de alguma forma, seu coração ainda batia.

— Então você precisa estar morrendo para se tornar...

Não consegui distraí-la o bastante. Bella ainda tentava entender o mecanismo. Apressei-me para redirecionar a conversa.

— Não. Carlisle é assim. Ele nunca faria isso com alguém que tivesse alternativas. Diz ele que é mais fácil, porém, se o sangue estiver fraco.

Voltei a olhar para a estrada. Não deveria ter acrescentado isso. Fiquei pensando se estava me aproximando das respostas que ela procurava porque parte de mim queria que ela soubesse, queria que ela descobrisse uma maneira de ficar comigo. Eu precisava controlar melhor minha língua. Precisava reprimir meu lado egoísta.

— E Emmett e Rosalie?

Sorri. Provavelmente ela notou que eu estava sendo evasivo, mas decidiu não insistir para me deixar à vontade.

— Carlisle trouxe Rosalie à nossa família em seguida. Ele esperava que ela fosse para mim o que Esme é para ele, mas só percebi isso muito mais tarde... Ele era cauteloso com seus pensamentos perto de mim.

Recordei-me da repulsa que senti quando ele finalmente baixou a guarda. Rosalie não fora um acréscimo bem-vindo no início — para falar a verdade, a vida ficou mais complicada para todos nós desde a sua chegada —, e foi assustador descobrir que Carlisle visualizara uma relação ainda mais íntima para nós dois. Compartilhar o nível da minha aversão seria uma atitude pouco educada. Deselegante.

— Mas ela nunca foi mais do que uma irmã. — Talvez essa fosse a maneira mais gentil de resumir aquele capítulo de nossa vida. — Apenas dois anos depois, ela encontrou Emmett. Ela estava caçando... Estávamos nos Apalaches naquela época... E encontrou um urso prestes a acabar com a vida dele. Ela o levou para Carlisle, a mais de cento e cinquenta quilômetros de distância, com medo de não conseguir fazer aquilo sozinha.

Estávamos morando perto de Knoxville — em termos de clima, não era o lugar ideal para nós. Tínhamos que ficar dentro de casa quase todos os dias. Não seria, porém, uma situação de longo prazo. Carlisle estava pesquisando estudos patológicos na faculdade de medicina da Universidade do Tennessee. Algumas semanas, alguns meses... não era pedir muito. Tínhamos acesso a diversas bibliotecas, e a vida noturna de Nova Orleans estava a uma distância confortável para criaturas rápidas como nós. No entanto, Rosalie, que havia superado a fase de recém-criada, mas ainda não se sentia à vontade perto de seres humanos, rejeitava a ideia de se divertir. Em vez disso, ela se lamentava e choramingava, encontrando defeito em qualquer sugestão de lazer ou desenvolvimento pessoal. Para ser justo, talvez ela não choramingasse tanto em voz alta. Esme não ficava tão irritada quanto eu.

Rosalie preferia caçar sozinha. Ainda que eu devesse tomar conta dela, o fato de eu não me esforçar em cumprir essa tarefa era motivo de alívio para nós dois. Ela sabia agir com cuidado. Fomos todos treinados a refrear nossos impulsos até estarmos em regiões despovoadas. E, embora relutasse em atribuir qualquer virtude a essa intrusa indesejável, até eu precisei admitir que Rosalie tinha um dom impressionante para o autocontrole. Isso se devia principalmente à teimosia e, em minha opinião, a um desejo de ser melhor do que eu.

Assim, quando o som dos passos de Rosalie — mais rápidos e pesados do que o normal — interrompeu a calma da madrugada naquele verão em Knoxville, com seu odor familiar acompanhado pelo forte aroma de sangue humano e por pensamentos selvagens e incoerentes, minha primeira suposição *não* foi que ela tinha cometido um erro.

No primeiro ano da segunda vida de Rosalie, antes que ela desaparecesse em suas incontáveis missões de vingança, seus pensamentos a traíam clara e integralmente. Eu sabia o que estava planejando e informei a Carlisle. Na primeira vez, ele a aconselhou com delicadeza, incentivando-a a deixar o passado para trás, certo de que, desse modo, ela o esqueceria e sofreria menos. A vingança não traria de volta o que ela tinha perdido. Porém, quando seus conselhos foram recebidos apenas com uma fúria implacável, Carlisle a ajudou a adotar uma atitude mais discreta em suas incursões. Nenhum de nós questionava seu direito à vingança. E não podíamos deixar de pensar que o mundo seria um lugar melhor sem os estupradores e assassinos que haviam tirado sua vida.

Achei que ela tivesse encontrado todos. Seus pensamentos ficaram calmos por um bom tempo, não mais obcecados com o desejo de esmagar e dilacerar, mutilar e desfigurar.

No entanto, quando o cheiro de sangue inundou a casa como um tsunami, imediatamente supus que ela havia descoberto outro cúmplice de sua morte. Embora eu não a visse com bons olhos de maneira geral, era forte a minha crença em sua habilidade de não causar danos.

Todas as minhas expectativas caíram por terra quando ela gritou em pânico, pedindo a ajuda de Carlisle. E então, sob o som estridente de sua angústia, captei o som de um fraco batimento cardíaco.

Saí correndo do meu quarto, encontrando-a no salão da frente antes que terminasse seu grito. Carlisle já estava lá. Rosalie, com o cabelo desgrenhado, algo fora do comum, o vestido predileto tão manchado de sangue que a bainha estava tingida de vermelho-vivo, carregava nos braços um homem gigantesco. Ele estava quase inconsciente, os olhos vagando pelo cômodo, perdidos. Sua pele exibia cortes profundos, revelando alguns ossos claramente fraturados.

— Salve este homem! — Rosalie quase berrou para Carlisle. — Por favor!

Por favor, por favor, por favor, suplicava em pensamentos.

Eu vi o que as palavras lhe custaram. Quando inspirou, ela sentiu o sangue fresco próximo à boca e tremeu diante daquela potência. Tentou não ficar muito perto do homem, virando o rosto para o outro lado.

Carlisle compreendeu a angústia de Rosalie. Ele rapidamente tirou o sujeito dos seus braços e, com delicadeza, deitou-o no tapete do salão. O homem estava em um estado tão grave que nem gemia.

Observei em choque aquele quadro estranho, automaticamente prendendo a respiração. Eu devia ter saído de casa, me afastado de todo aquele sangue. Ouvi os pensamentos de Esme, retrocedendo rapidamente. Assim que captou o odor de sangue, ela percebeu que precisava fugir, apesar de estar tão confusa quanto eu.

É tarde demais, pensou Carlisle, examinando o homem. Ele não queria decepcionar Rosalie; embora claramente estivesse infeliz nessa segunda vida que Carlisle lhe dera, ela raramente lhe pedia alguma coisa. E nunca com esse nível de angústia. *Ele deve ser alguém da família*, pensou Carlisle. *Não posso machucar Rosalie de novo.*

O homem corpulento — não muito mais velho do que eu, percebi, quando analisei seu rosto — fechou os olhos. Sua respiração curta falhava.

— O que você está esperando? — gritou Rosalie.

Ele está morrendo! Está morrendo!

— Rosalie, eu... — Carlisle estendeu as mãos ensanguentadas, impotente.

Então uma imagem surgiu na mente de Rosalie, e entendi exatamente o que ela estava pedindo.

— Ela não quer que você cure o rapaz — afirmei rapidamente. — Quer que você o *salve*.

Os olhos de Rosalie cintilaram para mim, um olhar de imensa gratidão alterando seus traços de um jeito que eu nunca tinha visto. Por um instante, lembrei-me de como ela era linda.

Não tivemos que esperar muito pela decisão de Carlisle.

Ah! Ele entendeu. E então vi tudo o que estava disposto a fazer por Rosalie, quanto achava que devia a ela. Nem pensou duas vezes.

Ele já estava se ajoelhando ao lado do homem sem forças quando nos mandou sair.

— Não é seguro vocês ficarem aqui — disse ele, inclinando o rosto em direção ao pescoço do homem.

Agarrei o braço coberto de sangue de Rosalie e corri porta afora. Ela não se opôs. Saímos da casa, parando apenas no rio Tennessee, e mergulhamos.

Lá, na lama fria da margem do rio, Rosalie deixou o sangue escorrer do vestido e da pele, e tivemos nossa primeira conversa de verdade.

Ela não falou muito, apenas me mostrou em sua mente como encontrara o homem à beira da morte, um completo estranho, e como algo em seu rosto fez aquele futuro parecer intolerável. Ela não tinha palavras para explicar por quê. Não tinha palavras para dizer *como* — como conseguira concluir sua viagem angustiante sem matá-lo. Eu a vi correr por quilômetros, mais rápido do que nunca, desejando ardentemente saciar sua sede durante todo o caminho. Enquanto ela revivia os momentos, sua mente estava desprotegida e vulnerável. Ela também tentava compreender o que tinha acontecido, quase tão confusa quanto eu.

Eu não estava esperando mais um acréscimo à família. Nunca fui especialmente interessado nos desejos e necessidades de Rosalie. Porém, de repente, vendo a situação através de seus olhos, só pude torcer por sua felicidade. Pela primeira vez, estávamos do mesmo lado.

Não poderíamos voltar tão cedo, embora Rosalie estivesse extremamente ansiosa para saber o que estava acontecendo. Garanti a ela que Carlisle teria ido nos buscar se a notícia fosse ruim. Assim, só nos restaria esperar até que a situação se acalmasse.

Aquelas horas nos transformaram. Quando Carlisle finalmente veio nos chamar, voltamos para casa como irmãos.

A lembrança de como comecei a amar minha irmã não me tomou muito tempo, mas Bella ainda esperava pelo restante da história. Pensei no ponto em que tinha parado: Rosalie, ensanguentada, mantendo a maior distância possível entre seu rosto e o de Emmett. Sua postura evocou uma recordação mais recente: eu lutando para carregar Bella, ainda zonza, até a enfermaria. Foi uma interessante justaposição de imagens.

— Mal consigo imaginar como a viagem foi difícil para ela — concluí.

Nossos dedos estavam entrelaçados. Ergui nossas mãos e, com as costas da minha, afaguei seu rosto.

A última faixa de luz vermelha no céu se tornou roxo-escura.

— Mas ela conseguiu — disse Bella após um curto silêncio, ansiosa para que eu continuasse.

— Sim. Ela viu alguma coisa no rosto de Emmett que lhe deu forças. — Impressionante como estava certa. Incrível ver que eles combinavam perfeitamente, como as duas metades de um todo. Destino ou sorte fora do comum? Nunca cheguei a uma conclusão. — E eles estão juntos desde então. Às vezes moram separados de nós, como um casal. — Ah, como eu gostava desses momentos. Eu adorava Emmett e Rosalie separadamente, mas lidar com eles quando eu podia ouvi-los, com meu inevitável alcance mental, era uma verdadeira tortura. — Quanto mais novos fingimos ser, mais tempo podemos ficar em um determinado lugar. Forks parecia perfeita, então todos nos matriculamos no colégio. — Dei uma risada. — Imagino que tenhamos que ir ao casamento deles daqui a alguns anos, *de novo*.

Rosalie adorava se casar. A oportunidade de fazer isso várias vezes era provavelmente sua parte preferida da imortalidade.

— E Alice e Jasper? — perguntou Bella.

— Alice e Jasper são duas criaturas muito raras. Os dois desenvolveram uma consciência, como costumamos dizer, sem nenhuma orientação externa. Jasper pertencia a outra... família. — Evitei a palavra correta, reprimindo um tremor ao pensar em suas origens. — Um tipo *muito* diferente de família. Ele estava deprimido e vagava sozinho. Alice o encontrou. Como eu, ela possui certos dons que estão além da norma da nossa espécie.

Isso surpreendeu Bella a ponto de romper sua fachada de serenidade.

— É mesmo? Mas você disse que era o único que podia ouvir os pensamentos das pessoas.

— E é verdade. Ela sabe outras coisas. Ela *vê* coisas... Coisas que podem acontecer, coisas que estão chegando. — E que agora nunca aconteceriam. O pior já tinha passado. No entanto... ainda me incomodava o fato de que a nova visão, aquela que era suportável para mim, tivesse sido tão nebulosa. A outra visão, de Alice e Bella brancas e frias, fora muito mais nítida. Isso não importava. Não podia importar. Eu tinha revertido um futuro impossível, e triunfaria sobre esse também. — Mas é muito subjetivo — continuei, sentindo aspereza na voz. — O futuro não está gravado em pedra. As circunstâncias mudam.

Fitei sua pele em tons de creme e damasco. Parte de mim conferia se Bella estava com a mesma aparência de sempre, e, quando ela percebeu meu olhar, virei o rosto. Eu nunca tinha certeza do que ela podia ler em meus olhos.

— Que tipo de coisas ela vê? — quis saber Bella.

Eu lhe ofereci respostas seguras, as profecias comprovadas.

— Ela viu Jasper e entendeu que ele procurava por ela antes de saber de sua existência. — A união deles fora algo mágico. Sempre que Jasper pensava nisso, toda a família relaxava em uma agradável sensação de felicidade, tão poderosas eram as emoções que ele compartilhava. — Ela viu Carlisle e nossa família, e eles se uniram para nos encontrar.

Eu tinha perdido o primeiro encontro, quando Alice e Jasper se apresentaram para um Carlisle extremamente desconfiado, uma Esme amedrontada e uma Rosalie hostil. A aparência bélica de Jasper havia deixado todos apreensivos, mas Alice, é claro, sabia exatamente o que dizer para acalmar os ânimos. Ela visualizara cada versão possível daquele encontro crucial, e então escolhera a melhor. Emmett e eu não estávamos ausentes por acaso. Ela preferira o cenário mais sereno, sem os principais defensores da família em casa.

Quando Emmett e eu chegamos, apenas alguns dias mais tarde, nos surpreendemos ao ver que eles já estavam totalmente inseridos na dinâmica familiar. Ficamos chocados, e Emmett se preparou para um confronto no segundo em que pôs os olhos em Jasper. Alice, porém, correu até mim e me envolveu num abraço, antes que alguém pudesse dizer qualquer coisa.

Eu não me assustei com essa ação, que poderia ter sido interpretada como um ataque. Os pensamentos dela mostravam tanta confiança em mim, tanto *amor* por mim, que cogitei ter passado pela primeira perda de memória da minha segunda vida. Aquela pequena imortal me conhecia perfeitamente, melhor do que qualquer pessoa da minha família antiga ou atual. Quem era ela?

Ah, Edward! Até que enfim! Meu irmão! Finalmente estamos juntos!

E então, com os braços em volta da minha cintura — e meus próprios braços pousando com hesitação em seus ombros —, ela repassou mentalmente toda a sua vida desde a primeira memória até aquele instante, e depois avançou no tempo, revelando os melhores momentos de nossos próximos anos juntos. Foi muito esquisito perceber que, de uma hora para outra, eu também a conhecia.

— Esta é a Alice, Emmett — falei, ainda abraçando minha nova irmã. A postura de Emmett passou de agressiva para perplexa. — Ela faz parte da nossa família. E aquele é o Jasper. Você vai gostar muito dele.

Havia tantas histórias envolvendo Alice, tantos milagres e fenômenos, paradoxos e enigmas, que eu poderia passar o resto da semana contando para Bella apenas uma versão resumida. Em vez disso, dei-lhe alguns dos detalhes mais simples e técnicos.

— Ela é mais sensível a não humanos. Sempre vê, por exemplo, quando outro grupo da nossa espécie está se aproximando. E qualquer ameaça que eles possam representar.

Alice também se tornara uma das defensoras da família.

— E existem muitos da... sua espécie? — perguntou Bella, soando um pouco abalada por essa ideia.

— Não, não são muitos — tranquilizei-a. — Mas a maioria não se acomoda em um único lugar. Só os que são como nós, que desistiram de caçar pessoas — ergui a sobrancelha e apertei sua mão —, podem viver juntos com os humanos por um determinado tempo. Só encontramos uma família como a nossa em uma pequena aldeia do Alasca. Moramos juntos por um tempo, mas éramos tantos que ficamos expostos demais. — Além disso, os avanços de Tanya, a matriarca desse clã, eram tão insistentes que beiravam o assédio. — Aqueles de nós que vivem... de forma diferente... tendem a ficar juntos.

— E os outros?

Tínhamos chegado à casa dela. Estava vazia, nenhuma luz nas janelas. Estacionei em sua vaga costumeira e desliguei o motor. No escuro, o silêncio repentino pareceu muito íntimo.

— Nômades, em sua maioria — respondi. — Às vezes todos nós vivemos desse jeito. Fica tedioso, como qualquer outra coisa. Mas nossos caminhos se cruzam de vez em quando, porque a maioria de nós prefere o norte.

— Por que isso?

Sorri e a cutuquei de leve com o cotovelo.

— Não viu como foi hoje à tarde? Acha que posso andar pela rua à luz do sol sem provocar acidentes de trânsito? Há um motivo para termos escolhido a península de Olympic, um dos lugares menos ensolarados do mundo. É bom ser capaz de sair à luz do dia. Você não acreditaria em como pode ser cansativo viver à noite por oitenta anos.

— Então é daí que vêm as lendas — disse ela, balançando a cabeça.

— Provavelmente.

Na verdade, havia uma fonte precisa por trás das lendas, mas eu preferia não entrar nesse assunto. Os Volturi estavam muito distantes e muito focados em sua missão de policiar o mundo dos vampiros. À exceção das histórias que forjaram para proteger a privacidade dos imortais, nada que fizessem afetaria a vida de Bella.

— E Alice veio de outra família, como Jasper? — perguntou ela.

— Não, e isso *é mesmo* um mistério. Alice não se lembra de nada de sua vida humana.

Eu tinha visto aquela primeira memória. O sol da manhã brilhante, uma leve névoa pairando no ar. Grama espessa ao redor, vastos carvalhos sombreando o local onde ela despertou. À parte isso, um vazio, nenhum sentimento de identidade ou propósito. Ela observou a própria pele pálida reluzindo ao sol, sem saber o que ou quem era. E então a primeira visão tomou conta dela.

O rosto de um homem, impetuoso, mas também frágil, marcado por cicatrizes, mas belo. Profundos olhos vermelhos e longos cabelos dourados. Com aquele rosto veio uma nítida sensação de estar em casa. Em seguida, ela o viu falar um nome.

Alice.

Seu próprio nome, percebeu.

As visões lhe mostraram quem era, ou construíram a imagem de quem se tornaria. Foi a única ajuda que teve.

— E ela não sabe quem a criou — contei a Bella. — Despertou sozinha. Quem a criou desapareceu, e nenhum de nós entende por que, ou como, ele pôde fazer isso. Se ela não tivesse aquele outro sentido, se não tivesse visto Jasper e Carlisle e descobrisse que um dia se tornaria uma de nós, provavelmente teria se transformado numa completa selvagem.

Bella refletiu em silêncio. Eu tinha certeza de que era difícil para ela assimilar a ideia. Minha família havia levado certo tempo para aceitar também. Pensei em qual seria sua próxima pergunta.

Então seu estômago roncou, e percebi que tínhamos passado o dia todo juntos sem que ela comesse nada. Ah, eu precisava ficar mais atento às suas necessidades humanas!

— Desculpe, estou impedindo você de jantar.

— Eu estou bem, de verdade — retrucou, rápido demais.

— Nunca passei tanto tempo com alguém que se alimenta de comida — me desculpei. — Eu me esqueci. — Isso não justificava.

Sua expressão era realmente sincera quando respondeu, vulnerável:

— Quero ficar com você.

Novamente, a palavra *ficar* parecia carregar um peso muito maior do que o normal.

— Não posso entrar? — perguntei suavemente.

Ela arregalou os olhos, desconcertada com a ideia.

— Gostaria de entrar?

— Sim, se não houver problema.

Talvez ela achasse que eu precisava de um convite explícito para entrar na casa. A ideia me fez sorrir, mas depois franzi a testa quando senti uma pontada de culpa. Precisaria contar a verdade para ela. De novo. Mas como fazer uma revelação tão vergonhosa?

Refleti sobre isso enquanto saía do carro e abria a porta do carona para ela.

— Muito humano — comentou Bella.

— Definitivamente está vindo à tona.

Andamos lado a lado em velocidade humana, atravessando o quintal silencioso e sombreado como se fosse uma coisa comum. Ela olhou para mim algumas vezes, com um sorriso. No trajeto, estiquei o braço rapidamente e tirei a chave da casa de seu esconderijo, então abri a porta. Ela hesitou, fitando o corredor escuro.

— A porta estava destrancada? — perguntou.

— Não, usei a chave que estava embaixo do beiral.

Recoloquei a chave no lugar enquanto ela acendia a luz da varanda. Quando se virou, me observou com as sobrancelhas erguidas, a luz amarela lançando sombras incômodas em seu rosto. Dava para ver que ela tentava parecer austera, mas os cantos dos lábios estavam estranhos, como se ela reprimisse um sorriso.

— Estava curioso sobre você — confessei.

— Você me espionou?

Não achei que fosse algo engraçado, mas ela parecia prestes a rir.

Eu deveria ter confessado tudo naquele momento, mas acompanhei seu tom brincalhão.

— O que mais se pode fazer à noite?

Foi a escolha errada, uma escolha covarde. Ela escutou apenas a piada, não a confissão. Novamente era estranho perceber que, embora os terríveis pesadelos sobre o futuro estivessem resolvidos, ainda havia muito a temer. Esse problema, claro, se devia apenas a mim, ao meu comportamento extremamente condenável.

Ela balançou a cabeça ligeiramente, depois fez um gesto para que eu entrasse. Passei pelo corredor e acendi as luzes no caminho, para que ela não tropeçasse no escuro. Sentei-me na pequena mesa da cozinha e olhei ao redor, examinando os ângulos que eram invisíveis do lado de fora da janela. O cômodo era organizado e quente, brilhando com uma tinta amarela extravagante que, em sua vã tentativa de imitar a luz do sol, não deixava de ser agradável. Tudo cheirava a Bella, o que poderia ter sido bem penoso, mas descobri que apreciava aquilo de uma maneira estranha. Masoquista, na verdade.

Ela me encarava com uma expressão difícil de decifrar. Um tanto perplexa, talvez um pouco fascinada. Como se ela não tivesse certeza de que eu era real. Sorri e indiquei a geladeira. Ela andou até lá com um largo sorriso. Torci para que ela tivesse algum alimento fácil de preparar. Talvez eu devesse levá-la para jantar? Mas a ideia de nos juntarmos a uma multidão de estranhos parecia errada. Nosso novo entendimento ainda era especial demais, recente demais. Qualquer obstáculo que forçasse o silêncio seria insuportável. Eu a queria para mim.

Bella só levou um minuto para encontrar uma opção aceitável. Tirou um pouco de comida de uma panela e a aqueceu no micro-ondas. Dava para sentir o aroma de orégano, cebola, alho e molho de tomate. Alguma receita italiana. Ela fitou o prato atentamente enquanto ele girava.

Talvez eu aprendesse a cozinhar. Não ser capaz de apreciar os sabores da mesma maneira que os seres humanos certamente seria um obstáculo, mas parecia haver uma boa dose de matemática no processo, e eu sabia que teria condições de reconhecer os aromas corretos.

De repente, tive certeza de que essa seria apenas a primeira de nossas calmas noites em casa, e não apenas uma situação fora do comum. Teríamos anos dessa convivência. Ela e eu juntos, desfrutando apenas a companhia um do outro. Tantas horas... a luz dentro de mim parecia se expandir e crescer, e mais uma vez achei que eu fosse explodir.

— Com que frequência? — perguntou Bella, sem me olhar.

Meus pensamentos estavam tão arraigados nessa fantástica imagem do futuro que não a entendi de imediato.

— Hum?

Ela continuou olhando para o micro-ondas.

— Com que frequência você vem aqui?

Ah, claro. Hora de tomar coragem. Hora de ser franco, sem pensar nas consequências. Se bem que, depois do nosso dia juntos, eu tinha quase certeza de que no final ela me perdoaria. Pelo menos, essa era a minha esperança.

— Venho aqui quase toda noite.

Ela se virou para me olhar, surpresa.

— Por quê?

Sinceridade.

— Você é interessante quando dorme. Você fala.

— Não! — Ela engoliu em seco.

O sangue subiu para suas faces e não parou ali, colorindo até sua testa. O cômodo ficou ligeiramente mais quente à medida que o rubor aquecia o ar à sua volta. Ela se apoiou na bancada de trás, agarrando-a com tanta força que seus dedos ficaram brancos. A única emoção que eu conseguia detectar em seu rosto era choque, mas certamente outras viriam em seguida.

— Está com raiva de mim?

— Isso depende! — deixou escapar, ofegante.

Depende? Fiquei pensando no que poderia amenizar meu crime. O que o tornaria menos ou mais terrível? Senti-me enojado ao pensar que talvez ela não quisesse tirar conclusões até saber exatamente o nível da minha invasão. Será que ela me achava um depravado? Um maníaco? Que eu a espiava das sombras, na expectativa de que ela se expusesse de alguma forma? Se meu estômago pudesse ficar embrulhado, isso teria acontecido.

Será que ela acreditaria se eu tentasse explicar minha agonia de ficar longe dela? Alguém acreditaria nas catástrofes que eu imaginara, pensando que talvez ela não estivesse em segurança? Todas tão inverossímeis. No entanto, se eu precisasse me separar dela naquele momento, sabia que os mesmos perigos impossíveis começariam a me atormentar de novo.

Longos segundos se passaram, o micro-ondas anunciou com um apito que a comida estava quente, mas Bella não falou mais nada.

— Depende de...? — provoquei.

Bella resmungou as palavras:

— Do que você ouviu!

Senti uma onda de alívio ao saber que ela não me achava capaz de um tipo mais vil de vigilância. Sua única preocupação era vergonha pelo que eu podia ter ouvido? Bom, nesse caso, eu poderia tranquilizá-la. *Ela* não tinha nada do que se envergonhar. Dei um salto e segurei rapidamente suas mãos. Parte de mim vibrou pelo fato de eu poder fazer isso com tanta facilidade.

— Não fique chateada! — supliquei.

Ela estava olhando para baixo. Curvei-me para que nossos rostos ficassem na mesma altura, e esperei que ela olhasse para mim.

— Você sente falta da sua mãe. Se preocupa com ela. E quando chove — murmurei —, o som te deixa inquieta. Você costumava falar muito da sua casa, mas agora é menos frequente. Uma vez você disse: "É verde *demais*."

Ri em silêncio, tentando provocar um sorriso. Com certeza ela veria que não havia motivo algum para constrangimento.

— Mais alguma coisa? — perguntou, erguendo a sobrancelha.

O modo como virou o rosto, seus olhos disparando para baixo e para cima, me fez entender por que ela estava preocupada.

— Você disse meu nome — admiti.

Ela inspirou e depois soltou um longo suspiro.

— Muito?

— Quanto chama de "muito", exatamente?

Ela baixou o olhar.

— Ah, não!

Estiquei os braços e a abracei cuidadosamente. Ela se apoiou no meu peito, ainda escondendo o rosto.

Será que, para ela, eu poderia sentir qualquer outra coisa que não a mais pura alegria ao ouvir meu nome saindo de seus lábios? Era um dos meus sons prediletos, além do som de sua respiração, de seu coração...

Sussurrei minha resposta em seu ouvido:

— Não fique constrangida. Se eu pudesse sonhar, seria com você. Não me envergonharia disso.

Como eu já desejei ser capaz de sonhar com ela! Como ansiei por isso. E agora a realidade era melhor do que os sonhos. Eu não gostaria de perder nem um segundo da realidade em troca de qualquer tipo de inconsciência.

Seu corpo relaxou. Ela suspirou com um som alegre, como um gemido ou um ronronar de satisfação.

Será que era isso mesmo? Eu não receberia nenhum castigo pelo meu comportamento atroz? Isso mais parecia uma recompensa. Eu sabia que merecia uma penitência mais séria.

Dei-me conta de outro som, e não eram as batidas de seu coração ressoando nos meus braços. Um carro se aproximava, e os pensamentos do motorista estavam muito silenciosos. Cansados depois de um dia cheio.

Ansiosos pela promessa de comida e conforto que as luzes quentes das janelas ofereciam. Mas eu não tinha certeza absoluta de que era isso mesmo que ele pensava.

Eu não queria me mexer. Mergulhei o rosto no cabelo de Bella e esperei até que ela também ouvisse o carro do pai. Seu corpo ficou tenso.

— Seu pai pode saber que eu estou aqui? — perguntei.

Ela hesitou.

— Não sei.

Rocei meus lábios rapidamente em seu cabelo e soltei-a com um suspiro.

— Em outra ocasião, então...

Saí do cômodo e disparei escada acima, até a escuridão do pequeno corredor entre os quartos. Eu já estivera ali, procurando um cobertor para Bella.

— Edward! — sussurrou ela da cozinha.

Ri só o suficiente para ela saber que eu estava perto.

O pai de Bella aproximou-se da porta com passos pesados, raspando as botas duas vezes no capacho. Enfiou a chave na fechadura e grunhiu quando a maçaneta girou com a chave, indicando que a porta já estava destrancada.

— Bella? — chamou, ao abri-la.

Seus pensamentos registraram o cheiro de comida no micro-ondas, e seu estômago roncou.

Me dei conta de que Bella *ainda* não tinha comido. Provavelmente foi bom Charlie ter nos interrompido. Nesse ritmo, eu a mataria de fome.

No entanto, uma pequena parte de mim estava um pouco... melancólica. Quando perguntei se ela queria que o pai soubesse da minha presença, do fato de que nós estávamos juntos, esperava ouvir uma resposta diferente. É claro que ela tinha muito a considerar antes de me apresentar ao pai. Ou talvez nunca quisesse contar a ele que tinha alguém como eu apaixonado por ela, e isso era perfeitamente compreensível. Mais do que compreensível.

E, para falar a verdade, teria sido complicado conhecer oficialmente o pai dela vestido daquele jeito. Ou melhor, *pouco* vestido daquele jeito. Acho que eu deveria ficar agradecido por sua hesitação.

— Aqui! — Bella chamou o pai.

Ouvi a resposta murmurada enquanto ele abria a porta, e depois o som de suas botas ao se dirigir à cozinha.

— Posso comer um pouco disso? — perguntou Charlie. — Estou morto de fome.

Era fácil entender os sons de Bella se movimentando pela cozinha enquanto Charlie se sentava, mesmo sem um conjunto mais conveniente de pensamentos para me ajudar. Barulho de mastigação. Bella finalmente estava comendo. A geladeira abrindo e fechando. O micro-ondas apitando. Um líquido — espesso demais para ser água, provavelmente leite — sendo despejado em copos. Um prato posto com cuidado na mesa de madeira. Pernas de cadeira arrastando pelo chão quando Bella se sentou.

— Obrigado — agradeceu Charlie, e então os dois ficaram mastigando por um bom tempo.

Bella quebrou o silêncio agradável.

— Como foi seu dia? — Sua entonação soava distraída, como se sua mente estivesse em outro lugar.

Sorri.

— Foi bom. Os peixes estavam mordendo a isca... E você? Conseguiu fazer tudo o que queria?

— Na verdade, não... O tempo estava bom demais para ficar em casa. — Sua resposta casual não foi tão relaxada quanto a dele.

Ela não era boa em esconder coisas do pai.

— Estava um lindo dia — concordou Charlie, parecendo alheio à oscilação na voz da filha.

Uma cadeira se mexeu de novo.

— Com pressa? — perguntou Charlie.

Bella engoliu em seco.

— É, estou cansada. Vou dormir cedo.

Ouvi o som de seus passos até a pia, e então a água começou a correr.

— Você parece meio agitada — continuou Charlie.

Ele não estava tão distraído quanto eu pensava. Eu não perderia essas nuances se os pensamentos dele não fossem tão difíceis de acessar. Tentei analisá-los. Os olhos de Bella disparando para o corredor. Sua face ficando repentinamente vermelha. Era tudo que ele parecia ter percebido. Então uma súbita confusão de imagens, nebulosas e descontextualizadas. Um Impala 1971 amarelo-mostarda. O ginásio da Forks High School, decorado com papel crepom. O balanço em uma varanda e uma garota com presilhas verdes brilhantes no cabelo claro. Dois assentos de vinil vermelho na bancada cromada de uma lanchonete cafona. Uma garota com cabelos encaracolados longos e escuros, andando por uma praia sob o luar.

— Pareço? — perguntou Bella, com uma inocência simulada.

A água corria na pia, e eu podia ouvir o som da esponja roçando o prato.

Charlie ainda estava pensando na lua.

— É sábado — comentou de repente.

Aparentemente, Bella não sabia como responder. Eu também não entendi aonde ele queria chegar.

Por fim, ele continuou:

— Não tem planos para esta noite?

As imagens faziam um pouco mais de sentido. Noites de sábado em sua juventude? Talvez.

— Não, pai, só quero dormir um pouco. — Ela não soava nem um pouco cansada.

Charlie suspirou.

— Nenhum dos meninos da cidade faz seu tipo, hein?

Talvez ele temesse que a filha não tivesse uma experiência normal de adolescência? Que estivesse perdendo alguma coisa? Por um segundo, senti uma intensa pontada de dúvida. Será que eu também deveria ficar preocupado com isso, com o que ela estava deixando de lado por minha causa?

Mas então a certeza e a sensação de *plenitude* que tive na campina me inundaram. Nós tínhamos sido feitos um para o outro.

— Não, nenhum dos meninos chamou minha atenção ainda. — O tom de Bella era ligeiramente condescendente.

— Pensei que talvez aquele Mike Newton... Você disse que ele era simpático.

Por *essa* eu não esperava. Uma lâmina afiada de raiva se retorceu em meu peito. Não era raiva, reconheci. Ciúme. Eu não sabia dizer se já tinha odiado tanto uma pessoa quanto aquele rapaz inútil e insignificante.

— Ele é *só* um amigo, pai.

Não entendi se Charlie ficou aborrecido ou aliviado com a resposta. Talvez uma mistura dos dois.

— Bom, de qualquer forma, você é boa demais para todos eles. Espere até entrar na faculdade para começar a procurar.

— Parece uma boa ideia — concordou Bella, sem hesitar.

Ela saiu da cozinha e começou a subir a escada. Seus passos eram lentos, provavelmente para enfatizar sua alegação de que estava com sono, e tive tempo de sobra para entrar no quarto antes dela. Só para o caso de Charlie vir atrás. Certamente não estava nos planos de Bella que o pai me encontrasse ali, seminu, escutando a conversa.

— Boa noite, querida! — gritou Charlie.

— Te vejo de manhã, pai — respondeu ela, com uma voz que tentava soar cansada, mas falhava completamente.

Pareceu errado me sentar na habitual cadeira de balanço, invisível no canto escuro. Foi um esconderijo quando eu não queria que ela me visse no quarto. Quando eu a enganava.

Deitei-me na cama, o lugar mais óbvio do quarto, para indicar que eu não tentaria mais disfarçar minha presença.

Eu sabia que, naquele cômodo, seu odor tomaria conta de mim. O cheiro de sabão estava fresco — ela devia ter lavado os lençóis havia pouco tempo —, mas não superava a fragrância de Bella. Por mais avassalador que fosse, era também dolorosamente agradável estar tão cercado pela prova de sua existência.

Assim que entrou no quarto, Bella parou de arrastar os pés. Bateu a porta e correu discretamente até a janela. Passou por mim sem me olhar. Abriu a janela e se curvou para fora, encarando a noite.

— Edward? — sussurrou.

Talvez minha posição não fosse tão óbvia assim, afinal de contas. Ri baixinho da minha tentativa fracassada de ficar visível, e respondi:

— Sim?

Ela girou tão rápido que quase perdeu o equilíbrio. Com uma das mãos, agarrou o parapeito da janela para se firmar. Levou a outra ao pescoço.

— Ah! — arfou.

Quase em câmera lenta, deslizou pela parede até se sentar no chão de madeira.

Mais uma vez, tive a sensação de que não fazia nada certo. Pelo menos nessa ocasião foi mais engraçado do que apavorante.

— Desculpe.

Ela assentiu.

— Me dê um minuto para meu coração voltar a bater.

Na verdade, seu coração estava disparado por causa do susto que eu lhe dera.

Sentei-me, com movimentos deliberados e lentos, como um ser humano. Ela me observava, os olhos cravados em cada movimento, um sorriso começando a surgir.

Reparar em seus lábios me deu a sensação de que ela estava longe demais. Me abaixei e a peguei no colo com cuidado, minhas mãos envolvendo seus braços, e depois a acomodei a apenas alguns centímetros de mim. Muito melhor.

Coloquei a mão sobre a dela, recebendo o calor de sua pele com alívio.

— Por que não se senta aqui comigo?

Ela abriu um sorriso.

— Como está o coração? — perguntei, embora sentisse as leves vibrações dançando no ar de tão forte que ele batia.

— Me diga você — rebateu. — Sei que você o ouve melhor do que eu.

Verdade. Ri enquanto seu sorriso aumentava.

O clima agradável ainda não tinha mudado; as nuvens se separaram, e um brilho prateado de luar tocava a pele de Bella, fazendo-a parecer uma figura celestial. Fiquei pensando no que ela via quando estava diante de mim. Seus olhos pareciam cheios de deslumbramento, assim como os meus deviam estar.

Lá embaixo, a porta da frente se abriu e se fechou. Não havia outros pensamentos perto da casa além da narrativa confusa de Charlie. Me perguntei aonde ele estaria indo. Não era longe... Ouvi um rangido de metal, um estrépito abafado. Algo parecido com um diagrama, um plano, lampejou em sua mente.

Ah. A picape de Bella. Fiquei um pouco surpreso ao ver Charlie chegando a esse extremo para investigar as ações da filha.

Eu estava prestes a mencionar o comportamento estranho dele quando a expressão de Bella se alterou de repente. Seus olhos deslizaram para a porta do quarto e depois se voltaram para mim.

— Posso ter um minuto como ser humano? — perguntou.

— Certamente — respondi de pronto, achando graça na frase.

Ela franziu bruscamente as sobrancelhas e a testa.

— Parado — exigiu, em um tom firme.

Foi a ordem mais fácil que eu já tinha recebido. Não consegui pensar em nada que me faria sair daquele quarto.

Forcei uma voz tão séria quanto a dela.

— Sim, senhora. — Me endireitei e congelei todos os meus músculos. Ela sorriu, satisfeita.

Bella levou um minuto para juntar suas coisas e então saiu do quarto. Nem tentou esconder o som da porta se fechando. Outra porta bateu com mais força. O banheiro. Supus que parte daquilo era para convencer Charlie de que ela não estava aprontando nada terrível. Era pouco provável que ele imaginasse o que *de fato* estava acontecendo. Mas foi um esforço inútil. Charlie só entrou em casa um pouco depois. Ainda assim, o som do chuveiro no andar de cima pareceu deixá-lo confuso.

Enquanto esperava por Bella, finalmente pude examinar a pequena coleção de livros e discos perto da cama. Não havia muitas surpresas, depois de todo o meu interrogatório. Encontrei apenas um volume de capa dura em sua biblioteca, *Tooth and Claw*, o único dos seus favoritos que eu nunca tinha lido. Ainda não conseguira tempo para preencher essa lacuna — estava ocupado demais seguindo Bella por todo lado como um guarda-costas insano. Abri o livro e comecei a ler.

Enquanto lia, me dei conta de que Bella estava levando mais tempo do que o normal. A ansiedade de sempre veio à tona: ela finalmente tinha visto algo em mim que a faria me evitar. Tentei não pensar nisso. Poderia haver um milhão de motivos para a demora de Bella. Concentrei-me na leitura. Dava para ver por que era um de seus preferidos — um livro ao mesmo tempo estranho e agradável. Obviamente, qualquer história abordando o triunfo do amor combinaria com meu humor naquele momento.

A porta do banheiro se abriu. Coloquei o livro de volta no lugar — anotando mentalmente a página, 166, para lê-lo mais tarde — e reassumi minha pose de estátua. No entanto, fiquei decepcionado; em vez de retornar, ela desceu a escada arrastando os pés. Seus passos pararam no último degrau.

— Boa noite, pai — gritou ela.

Os pensamentos de Charlie pareceram ligeiramente embaralhados, mas não consegui discernir mais nada.

— Boa noite, Bella — murmurou ele.

E então ela disparou escada acima, saltando degraus com uma pressa notável. Abriu a porta de repente — seus olhos começaram a procurar por mim no escuro antes mesmo de ela entrar — e depois a fechou com força. Quando me avistou no exato lugar onde me deixara, um enorme sorriso estampou seu rosto.

Rompi minha imobilidade perfeita para retribuí-lo.

Ela hesitou por um segundo; passou os olhos rapidamente por seu pijama surrado e então cruzou os braços, quase como se pedisse desculpas.

Compreendi melhor a demora de antes. Não era medo de monstros, mas um medo muito mais trivial. Timidez. Era fácil imaginar como, longe do sol e da magia da campina, ela poderia se sentir insegura. Tudo aquilo era novo para mim também.

Voltei aos velhos hábitos, tentando brincar para tirá-la de sua insegurança. Com um sorriso, avaliei o novo traje e comentei:

— Está bonita.

Ela franziu a testa, mas seus ombros relaxaram.

— Não — insisti. — Fica bem em você.

Talvez fosse uma descrição imprecisa demais. Com os longos cabelos molhados se enrolando como algas em volta do ombro, e com o rosto brilhando ao luar, Bella não estava só "bonita". Nossa língua precisaria de uma nova palavra para definir uma figura parte deusa, parte náiade.

— Obrigada — murmurou ela, e depois se sentou perto de mim, tão perto quanto antes.

Dessa vez, ficou de pernas cruzadas. Seu joelho tocou minha perna, um ponto de intenso calor.

Fiz um gesto em direção à porta e à sala logo abaixo, onde os pensamentos de seu pai ainda estavam confusos.

— Para que tudo isso? — perguntei.

Ela abriu um sorriso leve e convencido.

— Charlie pensa que estou escapulindo de casa.

— Ah. — Eu me perguntei se eu e Bella tínhamos feito uma leitura parecida de Charlie naquela noite. — E por quê?

Ela arregalou os olhos, simulando inocência.

— Pelo visto, eu pareço meio animada demais.

Entrando na brincadeira, coloquei a mão em seu queixo e delicadamente ergui seu rosto para o luar, como se quisesse examiná-lo melhor. No entanto, tocar seu rosto afastou qualquer piada da minha mente.

— Na verdade, você parece quente — murmurei e, sem parar para pensar em possíveis consequências, me inclinei e aproximei minha bochecha da dela, tocando-a. Meus olhos se fecharam por vontade própria.

Inalei o aroma de Bella. Sua pele ardia deliciosamente junto à minha.

Ela tinha a voz rouca quando falou.

— Tenho a impressão... — Ela perdeu a voz por um instante, mas depois pigarreou e continuou: — ... de que é muito mais fácil para você, agora, ficar perto de mim.

— Você acha?

Pensei sobre isso conforme deixava meu nariz deslizar pelo seu queixo. A dor física em minha garganta nunca cessara, nem um pouco, embora não diminuísse em nada o prazer de tocá-la. Enquanto partes da minha mente se perdiam na glória daquele momento, outras não paravam de calibrar as ações de cada músculo, monitorando qualquer reação corporal. Exigia bastante da minha capacidade mental, era verdade, mas uma mente imortal tinha bastante espaço à disposição. Isso de forma alguma prejudicava o momento.

Levantei seu cabelo molhado, encostando meus lábios na pele incrivelmente macia abaixo de sua orelha.

Ela suspirou e estremeceu.

— Muito, muito mais fácil.

— Hmmm. — Foi meu único comentário.

Eu estava muito ocupado explorando seu pescoço iluminado pelo luar.

— Então eu estava me perguntando... — começou ela, mas depois ficou em silêncio quando meus dedos desenharam a frágil linha de sua clavícula.

Sua respiração oscilou novamente.

— Sim? — incentivei, meus dedos mergulhando na cavidade acima do osso.

Sua voz estava mais aguda e trêmula quando perguntou:

— Por que acha que isso aconteceu?

Dei uma risada.

— A mente domina a matéria.

Ela se afastou de mim, e eu congelei, imediatamente em alerta. Será que eu tinha ido longe demais? Tinha sido inconveniente? Ela me encarou, parecendo tão surpresa quanto eu. Esperei que dissesse alguma coisa, mas ela apenas me fitou com olhos profundos como o oceano. Seu coração estava tão acelerado que ela parecia ter acabado de correr uma maratona. Ou talvez estivesse com muito medo.

— Fiz alguma coisa errada? — perguntei.

— Não... Ao contrário. — Ela esboçou um sorriso. — Está me deixando louca.

Ligeiramente chocado, só consegui perguntar:

— É mesmo?

Seu coração ainda estava pulsando forte... não de medo, mas de *desejo*. Saber disso deixou meu corpo elétrico, quase em sobrecarga.

O sorriso que dei em resposta foi provavelmente grande demais.

Ela sorriu da mesma forma.

— Gostaria de uma salva de palmas? — perguntou.

Será que ela me via como uma pessoa tão autoconfiante assim? Será que não percebia que tudo isso estava totalmente fora da minha zona de conforto? Eu era bom em muitas coisas, em grande parte devido à minha capacidade sobre-humana. Eu sabia quando podia ser confiante. E não era o caso.

— É uma surpresa agradável. Nos últimos cem anos, mais ou menos — fiz uma pausa e, antes de continuar, quase ri de sua reação um tanto convencida; ela adorava minha sinceridade —, nunca imaginei uma coisa dessas. — Na verdade, nem mesmo parecido. — Não acreditava que um dia iria encontrar alguém com quem quisesse ficar... de outra maneira, não como meus irmãos e irmãs. — Talvez o amor romântico sempre pareça um pouco bobo para as pessoas que ainda não o vivenciaram. — E então descobri, apesar de tudo ser novo para mim, que sou bom nisso... Em ficar com você...

Raramente eu me via sem palavras, mas nunca tinha sentido essa emoção, nem tinha um nome para ela.

— Você é bom em tudo — disse Bella, seu tom de voz sugerindo que era algo tão óbvio que nem precisava ser dito.

Dei de ombros, fingindo concordar, e depois ri baixinho com ela, tomado por uma sensação de alegria e deslumbramento.

Ela parou de rir, e a ruga de preocupação surgiu entre as sobrancelhas.

— Mas como pode ser tão fácil agora? Esta tarde...

Embora estivéssemos mais em sintonia do que nunca, eu precisava lembrar que a tarde na campina tinha sido uma experiência bem diferente para mim e para ela. Como Bella poderia entender as mudanças pelas quais eu havia passado naquelas horas em que ficamos juntos ao sol? Apesar da nossa nova intimidade, eu sabia que nunca conseguiria explicar exatamente como eu tinha chegado a esse ponto. Ela nunca saberia o que eu me permiti imaginar.

Suspirei, escolhendo as palavras. Eu queria que ela entendesse tudo que eu pudesse compartilhar.

— Não é *fácil*. — Nunca seria. Sempre seria doloroso. Nada disso importava. O *possível* era tudo o que eu pedia. — Mas hoje à tarde, eu ainda estava... indeciso. — Seria essa a melhor palavra para descrever meu súbito ataque de violência? Não conseguia pensar em outra. — Lamento muito por isso, foi imperdoável da minha parte me comportar daquele jeito.

Seu sorriso ficou benevolente.

— Não foi imperdoável.

— Obrigado — murmurei antes de voltar a explicar. — A questão é que eu não tinha certeza se era forte o bastante... — Peguei a mão dela; em contato com minha pele, era como brasa fumegante contra gelo. Foi um gesto instintivo, e fiquei surpreso ao ver que, de certa maneira, isso me deixou mais à vontade para falar. — E enquanto ainda havia essa possibilidade de que eu fosse... — Inspirei seu aroma do ponto mais cheiroso, a parte interna do pulso, apreciando a dor ardente. — ... dominado, eu era... suscetível. Até que eu decidi que tinha *força* suficiente, que não havia nenhuma possibilidade de que eu fosse... De que eu um dia pudesse...

Minha frase ficou no ar, inacabada, quando finalmente olhei-a nos olhos. Agarrei suas mãos.

— E não existe essa possibilidade agora.

Eu não sabia dizer se era uma afirmação ou uma pergunta. Se fosse uma pergunta, ela parecia muito segura quanto à resposta. E eu queria cantar de alegria, porque ela estava *certa*.

— A mente domina a matéria — repeti.

— Caramba, essa foi fácil. — Ela estava rindo novamente.

Também ri, acompanhando sem esforço seu humor exuberante.

— Fácil para *você*! — brinquei.

Liberei uma das mãos e toquei a ponta do seu nariz com o indicador.

De repente, o clima leve pareceu inadequado, um tanto incômodo. Todas as minhas ansiedades giraram em minha cabeça como um redemoinho. Meu bom humor desapareceu, e, com a voz entrecortada, acabei fazendo mais um alerta.

— Estou tentando. Se acabar sendo... demais, tenho quase certeza de que conseguirei ir embora.

A insatisfação no rosto de Bella mostrava um inesperado sinal de afronta. Mas eu ainda não tinha terminado minha advertência.

— E será mais difícil amanhã. Passei o dia todo com seu cheiro na minha cabeça e me acostumei a ele. Se ficar longe de você o tempo que for, terei que começar de novo. Mas não do zero, imagino.

Ela aproximou o corpo do meu e depois recuou, como se tivesse se dado conta do gesto. Me lembrei de quando ela havia encolhido o queixo antes. *Nada de pescoço exposto.*

— Então não vá embora.

Respirei fundo para retomar o controle — uma inspiração tranquilizante e abrasadora — e me forcei a não entrar em pânico. Será que ela percebia que o convite em suas palavras repercutia o meu maior desejo?

Sorri, desejando manifestar no rosto uma suavidade semelhante. Era tão natural para ela.

— Isso é bom para mim. Coloque os grilhões... Sou seu prisioneiro.

Enquanto falava, segurei seus pulsos delicados, rindo da imagem em minha mente. Podiam me prender com ferro, ou aço, ou qualquer liga mais forte ainda não descoberta, mas nenhum desses materiais me deixaria paralisado como o olhar daquela garota humana e frágil.

— Você parece mais otimista do que de costume. Não o vi assim antes — observou ela.

Otimista... Uma observação sagaz. Meu eu anterior, tão cético, parecia completamente diferente.

Aproximei-me mais de Bella, seus pulsos ainda presos em minhas mãos.

— Não é para ser assim? A glória do primeiro amor, essas coisas? É inacreditável, não é, a diferença entre ler sobre uma coisa, vê-la em fotos e experimentá-la?

Ela concordou, pensativa.

— Muito diferente. Mais... *poderoso* do que imaginei.

Refleti sobre a primeira vez que senti a diferença entre uma emoção captada direta e indiretamente.

— Por exemplo, a emoção do ciúme — falei. — Li sobre isso umas cem vezes, vi atores que o retrataram em mil peças e filmes. Eu acreditava que o entendia com muita clareza. Mas foi um choque para mim... Lembra o dia em que Mike convidou você para o baile de primavera?

— Quando você começou a falar comigo de novo. — Suas palavras soaram como uma correção, como se eu estivesse priorizando a parte errada da lembrança.

Mas eu estava pensando no que acontecera pouco antes, revivendo nos mínimos detalhes a primeira vez na vida que senti aquela emoção específica.

— Fiquei surpreso com o surto de ressentimento — ponderei —, quase de fúria, que senti... Inicialmente não reconheci o que era. Fiquei ainda mais exasperado do que de costume por não saber o que você estava pensando, por que o rejeitara. Seria simplesmente pelo bem da sua amiga? Haveria outra pessoa? Eu sabia que não tinha o direito de me importar com uma coisa nem outra. *Tentei* não me importar. — Meu humor foi mudando com o passar da história. Dei uma risada. — E depois a fila começou a se formar.

Como eu imaginava, o olhar bravo que Bella me lançou só me deu vontade de rir outra vez.

— Eu esperei, irracionalmente ansioso para ouvir o que você diria a eles, para ver sua expressão. Não pude negar o alívio que senti ao ver a irritação em seu rosto. Mas não podia ter certeza. Foi a primeira noite em que vim aqui.

Um leve rubor começou a colorir sua face, mas ela se aconchegou mais, mostrando mais intensidade do que constrangimento. A atmosfera voltou a se transformar, e me vi no meio de uma confissão pela centésima vez no dia. Continuei com um sussurro mais suave.

— Eu lutei a noite toda, enquanto via você dormir, com o abismo entre o que eu sabia que era *certo*, moral, ético, e o que eu *queria*. Sabia que, se continuasse a ignorá-la, como devia fazer, ou se me afastasse por alguns anos até você ir embora, um dia você diria sim a Mike, ou a outro igual a ele. Isso me deu raiva.

Raiva e uma imensa tristeza, como se tivessem me tirado todas as cores e os propósitos.

No que pareceu um movimento inconsciente, ela balançou a cabeça, rejeitando essa visão do seu futuro.

— E então — falei —, enquanto você estava dormindo, disse meu nome.

Em retrospecto, parecia que aqueles breves segundos tinham sido o momento decisivo, o divisor de águas. Embora eu tivesse me questionado um milhão de vezes naquele momento, quando a ouvi dizer meu nome, não me sobrara escolha.

— Falou com tanta clareza — continuei, a voz baixa como um respiro — que no começo pensei que estivesse acordada. Mas você se virou inquieta e murmurou meu nome mais uma vez, então suspirou. A sensação que me tomou depois foi perturbadora, surpreendente. E eu sabia que não podia mais ignorar você.

Seu coração bateu mais forte.

— Mas o ciúme... é uma coisa estranha — continuei. — É muito mais poderoso do que eu havia pensado. E é irracional! Agora há pouco, quando Charlie perguntou sobre aquele ser desprezível do Mike Newton...

Não terminei a frase, decidindo que seria melhor não revelar meus sentimentos intensos por aquele garoto infeliz.

— Eu devia saber que você estava ouvindo — balbuciou ela.

Não havia a opção de *não* ouvir qualquer coisa que acontecesse tão perto.

— É claro.

— *Isso* deixou você com ciúme, não é? — Seu tom de voz, antes contrariado, se tornou incrédulo.

— Sou novo nisso — lembrei a ela. — Você está revivendo o que há de humano em mim, e tudo parece mais forte porque é novo.

Inesperadamente, um sorrisinho convencido surgiu em seus lábios.

— Mas, sinceramente, você se incomoda com *isso* depois de me dizer que Rosalie... Rosalie, a encarnação da pura beleza, *Rosalie*... era para ser sua. Com ou sem Emmett, como posso competir com isso?

Ela falou aquilo como se fosse uma verdade inquestionável. Como se o ciúme fosse racional o bastante para medir a beleza da pessoa em questão e depois provocar um sentimento proporcional.

— Não existe competição — assegurei.

Delicada e vagarosamente, puxei-a pelos pulsos para mais perto, até sua cabeça descansar logo abaixo do meu queixo. Seu rosto queimava contra minha pele.

— Eu *sei* que não existe competição. É esse o problema — murmurou ela.

— É claro que Rosalie *é mesmo* linda à maneira dela... — Eu não podia negar a beleza de Rosalie, mas era algo pouco natural, exacerbado, às vezes mais perturbador do que atraente. — Mas mesmo que não fosse minha irmã, mesmo que seu lugar não fosse ao lado de Emmett, ela não me faria sentir nem um décimo, não, nem um centésimo da atração que sinto por você. Por quase noventa anos andei entre a minha espécie e a sua... O tempo todo pensando que eu era completo sozinho, sem perceber o que procurava. E sem encontrar nada, porque você ainda não estava viva.

Senti sua respiração tocar minha pele quando ela sussurrou uma resposta.

— Não é justo. Não tive que esperar tanto. Por que foi tudo tão fácil para mim?

Ninguém nunca mostrara tanta solidariedade a quem não merecia. Ainda assim, fiquei surpreso ao ver que ela considerava os próprios sacrifícios tão insignificantes.

— Tem razão. Eu devia mesmo dificultar as coisas para você. — Juntei seus dois pulsos na minha mão esquerda, deixando a direita livre para deslizar de leve por seu cabelo molhado. A textura, escorregadia, não estava tão distante das algas que imaginei antes. Torci uma mecha entre os dedos enquanto enumerava suas privações. — Você só tem que arriscar sua vida a cada segundo que passa comigo, isso não é nada de mais. Só precisa dar as costas para sua natureza, sua humanidade... Que valor tem isso?

— Muito pouco — sussurrou ela, junto à minha pele. — Não me sinto privada de nada.

Talvez não fosse surpresa o rosto de Rosalie surgir em meu pensamento. Nas últimas sete décadas, ela me ensinara mil aspectos diferentes da humanidade que eram dignos de luto.

— Ainda não.

Algo em minha voz fez com que Bella se desvencilhasse do meu abraço, afastando-se do meu peito para me encarar. Eu estava a ponto de soltá-la quando um fator externo se intrometeu no nosso momento de êxtase.

Dúvida. Constrangimento. Preocupação. As palavras não eram mais claras do que o habitual, e não havia muito tempo para especulações.

— O que...? — começou ela, mas, antes que pudesse proferir a pergunta, fiz um movimento brusco.

Ela se viu sozinha na cama quando disparei para o canto escuro onde passava as noites.

— Deite-se — sussurrei, alto o suficiente apenas para Bella identificar a urgência.

Não me surpreendi por ela não ter ouvido os passos de Charlie subindo a escada. A bem da verdade, ele parecia estar agindo furtivamente.

Ela reagiu rápido, mergulhando embaixo da colcha e se encolhendo em posição fetal. A mão de Charlie já estava girando a maçaneta. Quando a porta se abriu com um estalo, Bella inspirou profundamente e depois expirou devagar. O movimento era exagerado, quase teatral.

Hum. Foi a única reação que pude ouvir de Charlie. Quando Bella forçou outra respiração sonolenta, Charlie fechou a porta com cuidado. Fiquei esperando a porta do quarto dele se fechar e as molas do colchão rangerem antes de voltar para perto de Bella.

Ela devia estar esperando pelo sinal verde, ainda encolhida debaixo das cobertas, exagerando sua respiração lenta e regular. Se Charlie tivesse observado por mais tempo, com mais atenção, provavelmente teria descoberto que ela estava fingindo. Bella não era muito boa em enganar as pessoas.

Seguindo esses novos e estranhos instintos — que ainda iriam me trazer problemas —, deitei-me na cama e deslizei para debaixo da colcha, enlaçando-a com o braço.

— Você é uma péssima atriz... — falei, descontraído, como se fosse perfeitamente rotineiro me deitar ao seu lado daquela forma. — Eu diria que essa carreira está vetada para você.

O coração dela martelou alto, mas sua voz soou tão relaxada quanto a minha.

— Droga.

Ela se aninhou em mim, mais próxima do que antes, então parou de se mexer e suspirou de felicidade. Imaginei se cairia no sono assim, nos meus braços. Parecia improvável, dado o ritmo de seu coração, mas ela não voltou a falar.

De repente, as notas de sua canção vieram à minha cabeça. Comecei a cantarolar quase automaticamente. A música parecia combinar com o quarto dela, o lugar que lhe servira de inspiração. Bella não comentou nada, mas seu corpo ficou rígido, como se estivesse ouvindo com atenção.

Parei para perguntar:

— Quer que eu cante para você dormir?

Fiquei surpreso quando ela riu baixinho.

— Ah, sei. Como se eu pudesse dormir com você aqui!

— Você faz isso o tempo todo.

— Mas sem *saber* que você estava aqui. — Seu tom de voz ficou mais rude.

Achei bom que ela ainda estivesse aborrecida com as minhas transgressões. Eu sabia que precisava de algum tipo de castigo, que ela deveria me responsabilizar pela minha atitude. No entanto, não se afastou de mim. Eu não conseguia imaginar nenhum castigo pesado enquanto ela permitisse que eu a abraçasse.

— Então, se não quer dormir...? — perguntei.

Será que dormir era igual a comida? Será que eu estava sendo egoísta, privando-a de algo vital? Mas como eu poderia ir embora se ela queria que eu ficasse?

— Se não quero dormir...? — repetiu minhas palavras.

— O que quer fazer, então? — quis saber.

Ela me avisaria se estivesse exausta? Ou fingiria estar bem?

Bella demorou um tempo para responder.

— Não tenho certeza — respondeu por fim, e me perguntei que opções haviam passado por sua cabeça.

Eu tinha sido muito ousado me deitando ali com ela, mas parecia algo estranhamente natural. Será que ela sentia o mesmo? Ou apenas me achou audacioso? Será que isso fazia com que ela, assim como eu, imaginasse outras coisas? Era nisso que ela estava pensando?

— Conte-me quando decidir.

Eu não faria nenhuma sugestão. Deixaria tudo a cargo dela.

Era mais fácil falar. Diante do seu silêncio, acabei me aconchegando mais a ela, deixei meu rosto roçar seu queixo, inspirando tanto seu aroma quanto seu calor. O fogo já estava tão entranhado em mim que era fácil reparar em outras coisas. Sempre pensei em seu aroma com medo e desejo. Mas comentei que havia muitas camadas de beleza no seu cheiro que eu não tinha sido capaz de apreciar antes.

— Achei que estivesse dessensibilizado — murmurou ela.

Retomei minha metáfora anterior para explicar.

— Só porque estou resistindo ao vinho, não quer dizer que não possa apreciar o aroma. Você tem um perfume floral, de lavanda... ou frésia. — Soltei uma risada. — É de dar água na boca.

Ela engoliu em seco, depois falou com um desinteresse fingido.

— É, o dia parece perdido quando não há *alguém* me dizendo que meu cheiro é apetitoso.

Ri novamente e suspirei. Eu sempre lamentaria essa parte da minha reação, mas já não me sentia culpado por isso. Um pequeno espinho, totalmente irrelevante diante da beleza da rosa.

— Decidi o que quero fazer — anunciou.

Esperei ansioso.

— Quero saber mais de você.

Bom, não era tão interessante para mim, mas eu faria tudo o que ela pedisse.

— Pergunte o que quiser.

— Por que você faz isso? — murmurou, mais baixo do que antes. — Ainda não entendo como pode se esforçar tanto para resistir ao que você... *é*. Por favor, não me entenda mal, é claro que fico feliz que resista. Só não vejo por que você se dá ao trabalho de fazer isso.

Achei bom ela ter me perguntado. Era importante. Tentei encontrar a melhor maneira de explicar, mas as palavras me faltaram algumas vezes.

— É uma boa pergunta e você não é a primeira a fazê-la. Os outros, ou seja, a maioria de nossa espécie que se satisfaz com a nossa sina, também não entendem por que vivemos assim. Mas veja bem, só porque recebemos... certa mão de cartas... não quer dizer que não possamos levantar as apostas... Superar as fronteiras de um destino que nenhum de nós quis. Tentar reter o máximo de humanidade essencial que pudermos.

Será que me expressei com clareza? Será que ela entenderia?

Bella não fez nenhum comentário, nem se mexeu.

— Dormiu? — sussurrei, tão baixinho que ela não acordaria, se fosse o caso.

— Não — respondeu de imediato. E não acrescentou mais nada.

Era frustrante e hilário ver como nada tinha mudado apesar de tudo estar mudando. Eu sempre ficaria aflito com seus pensamentos silenciosos.

— Está curiosa só sobre isso? — encorajei.

— Não exatamente.

Eu não conseguia ver seu rosto, mas sabia que estava sorrindo.

— O que mais quer saber?

— Por que pode ler mentes... Por que só você? — questionou. — E Alice, vendo o futuro... Por que isso acontece?

Eu gostaria de ter uma resposta melhor. Dei de ombros e respondi com sinceridade:

— Não sabemos realmente. Carlisle tem uma teoria... Ele acredita que todos trazemos para esta vida algumas das nossas características humanas mais fortes, e que elas se intensificam... Como nossa mente e nossos sentidos. Ele acha que eu devo ter sido muito sensível aos pensamentos dos que me cercavam. E que Alice tinha alguma precognição, onde quer que estivesse.

— O que ele trouxe para a nova vida? E os outros?

Essa resposta era mais fácil; eu já pensara nisso inúmeras vezes.

— Carlisle trouxe sua compaixão. Esme trouxe sua capacidade de amar intensamente. Emmett trouxe sua força. Rosalie, sua... — Bom, Rose trouxe sua beleza. Porém, essa parecia uma resposta pouco inteligente tendo em vista nossa conversa anterior. Se o ciúme de Bella fosse minimamente doloroso como o meu, eu não lhe daria motivo para senti-lo de novo. — ... sua... tenacidade. Ou você pode chamar de teimosia. — Certamente também era verdade. Ri baixinho, imaginando como ela teria sido em sua fase humana. — Jasper é muito interessante. Ele foi muito carismático em sua primeira vida, capaz de influenciar quem estivesse por perto a ver as coisas da maneira dele. Agora ele pode manipular as emoções dos que o cercam... Acalmar um grupo de pessoas irritadas, por exemplo, ou inflamar uma turba letárgica. É um dom muito sutil.

Bella voltou a ficar em silêncio. Não me surpreendi; era muita coisa para processar.

— Então, onde tudo começou? — perguntou, afinal. — Quer dizer, Carlisle transformou você e antes alguém deve tê-lo transformado, e assim por diante...

Novamente, minha resposta seria apenas uma hipótese.

— Bom, de onde você veio? Da evolução? Da criação? Não podemos ter evoluído da mesma maneira que as outras espécies, predador e presa? Ou...

— Embora nem sempre eu concordasse com a fé inabalável de Carlisle, suas respostas eram tão prováveis quanto quaisquer outras. Às vezes, talvez porque sua mente fosse tão firme, elas pareciam *as mais* prováveis. — Se não acredita que tudo neste mundo simplesmente aconteceu sozinho, o que eu mesmo tenho dificuldade de aceitar, é complicado acreditar que a mesma força que criou o delicado peixe-anjo e o tubarão, o bebê foca e a baleia assassina, possa ter criado nossas espécies juntas?

— Vamos esclarecer uma coisa. — Ela estava tentando soar tão séria quanto antes, mas eu sabia que vinha uma piada. — Eu sou o bebê foca, não é?

— É — concordei, rindo.

Fechei os olhos, beijando sua cabeça.

Ela se mexeu e mudou de posição. Estaria desconfortável? Preparei-me para soltá-la, mas ela se acomodou de novo, aninhada no meu peito. Sua respiração parecia só um pouco mais profunda do que antes. Seu coração havia relaxado, adotando um ritmo regular.

— Está pronta para dormir? — murmurei. — Ou tem mais alguma pergunta?

— Só um milhão delas, ou dois.

— Temos amanhã, e depois de amanhã, e o dia seguinte...

Fora poderoso aquele pensamento na cozinha, a ideia de passar muitas outras noites em sua companhia. Era ainda mais poderoso ali, abraçado com ela no escuro. Se Bella quisesse, não precisaríamos passar muito tempo longe um do outro. Teríamos menos tempo separados do que juntos. Será que ela também sentia uma alegria avassaladora?

— Tem certeza de que não vai desaparecer de manhã? Afinal de contas, você é um ser mítico. — Ela fez a pergunta sem nenhum traço de humor na voz. Parecia uma preocupação genuína.

— Não vou deixá-la — prometi.

Eu sentia como se estivesse fazendo um juramento, uma promessa. Esperava que ela percebesse isso.

— Mais uma, então, por hoje...

Esperei pela pergunta, mas Bella não continuou. Fiquei intrigado quando seu coração voltou a bater de maneira irregular. O ar à minha volta me aquecia com a pulsação de seu sangue.

— O que é?

— Não, deixa pra lá — respondeu rapidamente. — Mudei de ideia.

— Bella, pode me perguntar qualquer coisa.

Ela não disse nada. Eu não conseguia imaginar um assunto que a fizesse hesitar a essa altura. Seu coração acelerou novamente, e resmunguei:

— Pensei que seria menos frustrante não ouvir seus pensamentos. Mas está ficando cada vez *pior*.

— Fico feliz que não possa ler meus pensamentos — rebateu ela imediatamente. — Já é bem difícil com você me ouvindo falar dormindo.

Estranho que essa fosse sua única objeção ao fato de eu espreitá-la, mas eu estava ansioso demais para ouvir a pergunta não formulada, a que fez seu coração acelerar, e não me preocuparia com isso naquele momento.

— Por favor? — implorei.

Seu cabelo roçou meu peito enquanto ela negava com a cabeça.

— Se não me disser, vou supor que é algo muito pior do que é na realidade. — Esperei, mas o blefe não a abalou. Para falar a verdade, eu não tinha suposição alguma, fosse banal ou séria. Tentei suplicar de novo: — Por favor?

— Bom... — hesitou, mas pelo menos começou a falar.

Ou não. Silêncio outra vez.

— Sim? — encorajei.

— Você disse que Rosalie e Emmett vão se casar logo... — Sua voz diminuiu, me deixando confuso com aquela linha de raciocínio. Será que queria um convite?

— Esse... casamento... é igual ao dos humanos?

Por mais rápido que meu cérebro funcionasse, levei um segundo para entender. Deveria ter sido mais óbvio. Eu precisava ter em mente que, quando seu coração começava a acelerar, quase nunca — pelo menos, em minha experiência com ela — tinha a ver com medo. Geralmente era atração física. E essa linha de raciocínio deveria mesmo me chocar quando eu tinha acabado de *me deitar na cama dela*?

Ri da minha própria estupidez.

— É *aí* que quer chegar?

Minha pergunta soou leve, mas eu não pude evitar uma reação física a esse assunto. Uma forte onda de eletricidade perpassou meu corpo, e tive que resistir ao impulso de me reposicionar para que nossos lábios se encontrassem. Essa não era a resposta correta. Não podia ser. Porque havia uma óbvia segunda pergunta implícita à primeira.

— Sim, imagino que deve ser igual — respondi. — Eu lhe disse, a maioria dos desejos humanos está presente, só fica escondida por desejos mais poderosos.

— Ah.

Ela não continuou. Talvez eu estivesse errado.

— Existe alguma razão por trás da sua curiosidade? — perguntei.

Ela suspirou.

— Bom, eu fiquei me perguntando... sobre você e eu... um dia...

Não, eu não estava errado. Senti uma tristeza repentina pressionar o meu peito. Como eu gostaria de ter uma resposta diferente.

— Não acho que... *isso* — evitei a palavra *sexo* porque ela fizera a mesma coisa — seja possível para nós.

— Porque seria difícil demais para você? — sussurrou ela. — Se eu ficasse assim tão... perto?

Era difícil não imaginar... Tentei me concentrar de novo.

— Certamente isso é um problema — respondi devagar. — Mas não era no que eu estava pensando. É só que você é tão macia, tão *frágil*. Tenho que calcular meus atos a cada momento em que estamos juntos para não machucá-la. Posso matá-la com muita facilidade, Bella, simplesmente por acidente. — Estiquei a mão com cuidado e toquei sua face. — Se eu for precipitado demais... Se por um segundo não estiver prestando a devida atenção, posso estender a mão, querendo tocar seu rosto, e esmagar seu crânio por engano. Você não sabe como é incrivelmente *quebradiça*. Eu não posso, jamais, perder qualquer controle quando estou com você.

Admitir esse obstáculo parecia menos vergonhoso do que confessar minha sede. Afinal de contas, minha força simplesmente era parte de mim. Bom, minha sede também, mas a intensidade da sede perto de Bella era pouco natural. Parecia indefensável, infame. Mesmo ali, sob controle, eu me sentia arrasado por sentir essa sede.

Bella refletiu sobre a minha resposta por um bom tempo. Talvez minhas palavras tivessem sido mais assustadoras do que eu pretendia. Mas como ela poderia entender se eu amenizasse demais a verdade?

— Está com medo? — perguntei.

Outra pausa.

— Não — respondeu ela lentamente. — Eu estou bem.

Ficamos em silêncio por mais um instante. Eu não estava feliz com o rumo dos meus pensamentos durante aquele momento de silêncio. Embora ela já tivesse me contado muitas coisas de seu passado que não sugerissem isso... embora ela tivesse tocado no assunto com tanta timidez... não pude deixar de me perguntar. Sempre havia essa dúvida. A essa altura, eu já sabia muito bem que, se ignorasse minha curiosidade invasiva, ela começaria a me remoer.

Tentei soar indiferente.

— Mas agora estou curioso... *Você* já...?

— É claro que não — respondeu imediatamente, não brava, mas incrédula. — Eu disse que nunca senti isso por ninguém, nem de longe.

Será que ela pensou que eu não estava prestando atenção?

— Eu sei — tranquilizei-a. — Mas sei o que outras pessoas pensam. Sei que o amor e o desejo nem sempre andam de mãos dadas.

— Para mim, andam. Pelo menos agora eles existem para mim dessa forma.

O uso do plural foi uma espécie de reconhecimento. Eu sabia que ela me amava. O fato de que ambos também sentíamos *desejo* certamente complicaria as coisas.

Decidi responder à próxima pergunta antes que ela a fizesse.

— Isso é bom. Temos pelo menos uma coisa em comum.

Ela suspirou, mas soou como um suspiro de satisfação.

— Seus instintos humanos... — falou, devagar. — Bom, você me acha atraente *nesse* sentido, afinal?

Ri alto com sua pergunta. E havia algum sentido em que eu *não* a quisesse? Mente e alma e corpo; e não menos *corpo* do que os outros dois. Alisei o cabelo em sua nuca.

— Posso não ser humano, mas ainda sou um homem.

Ela bocejou, e abafei outra risada.

— Respondi a suas perguntas, agora você precisa dormir.

— Não sei se consigo...

— Quer que eu vá embora? — sugeri, embora eu realmente odiasse a ideia.

— Não! — Em sua exaltação, a resposta saiu muito mais alta do que os sussurros que estávamos usando.

Nada aconteceu. Charlie continuava a roncar como antes.

Dei outra risada, então me aproximei ainda mais dela. Com os lábios colados em sua orelha, comecei a cantarolar de novo, o som quase tão baixo quanto minha respiração.

Percebi o momento em que ela entrou em um estado de inconsciência. Todo sinal de alerta abandonou seus músculos, até eles ficarem relaxados e lânguidos. Sua respiração se tornou mais lenta e suas mãos se enroscaram no peito, quase como em oração.

Eu não queria nem me mexer. Nunca mais, na verdade. Eu sabia que em algum momento ela se viraria e eu teria que me afastar para não acordá-la, mas, por ora, nada podia ser mais perfeito. Eu ainda não estava acostumado com essa alegria, e não parecia algo com que alguém *pudesse* se acostumar. Eu desfrutaria aquilo enquanto fosse possível, sabendo que, independentemente do que acontecesse no futuro, a chance de ter vivido esse dia paradisíaco compensaria qualquer dor por vir.

— Edward — sussurrou Bella, dormindo. — Edward... eu te amo.

19. LAR

Fiquei pensando se algum dia eu teria uma noite mais feliz do que aquela. Parecia pouco provável.

Enquanto dormia, Bella disse diversas vezes que me amava. Mais do que as palavras em si, seu tom de plena felicidade era tudo o que eu queria. Eu realmente a fazia feliz. Isso não compensava todo o resto?

Por fim, no início da manhã, ela caiu em um sono mais profundo. Eu sabia que ela não falaria mais nada. Depois de terminar seu livro — que passou a ser um dos meus favoritos também —, refleti principalmente sobre o dia seguinte, sobre a visão de Alice que mostrava Bella visitando minha família. Ainda que eu a tivesse visto com clareza na mente de Alice, era difícil acreditar. Será que Bella ia querer isso? Será que eu queria?

Pensei na amizade de Alice e Bella, embora as duas ainda não tivessem trocado uma palavra. Agora que me sentia seguro em relação ao futuro que eu buscava — e à probabilidade de ele se concretizar —, *realmente* parecia um pouco cruel manter Alice afastada dela. O que Bella acharia de Emmett? Eu não tinha cem por cento de certeza de que Emmett iria se comportar. Ele acharia hilário dizer algo desagradável ou assustador. Talvez, se eu prometesse algo que ele quisesse... Uma luta? Uma partida de futebol americano? Tinha de haver um preço que ele aceitaria. Eu já tinha visto que Jasper se manteria a distância, mas será que por orientação de Alice, ou a visão que ela tivera dependia de uma ação minha? Obviamente, Bella já conhecia Carlisle, mas seria diferente agora. Percebi que a ideia de ela passar algum tempo com ele me agradava. Ele era o melhor de nós. Passar um tempo ao lado dele com certeza a faria ter uma opinião mais certeira sobre todos nós. E Esme ficaria radiante ao conhecer Bella. Pensar na alegria de Esme quase foi suficiente para me convencer.

Havia apenas um obstáculo, na verdade.

Rosalie.

Percebi que precisaria fazer toda uma preparação antes de pensar em levar Bella à minha casa. E isso significava deixá-la por alguns momentos.

Olhei para ela, imersa nos sonhos. Eu já estava no chão ao lado da cama quando ela começou seus movimentos noturnos. Eu me apoiei na borda do colchão, a mão estendida, uma mecha de seu cabelo enrolada no meu dedo. Suspirei e me afastei. Eu não tinha opção. Ela nem ia perceber minha ausência. Mas *eu* sentiria falta *dela* mesmo nesse curto interlúdio.

Corri para casa, esperando concluir minhas tarefas o mais rápido possível.

Alice havia feito a parte dela, como sempre. A maioria das coisas que eu queria resolver eram apenas detalhes. Alice sabia quais eram as questões mais vitais e, como era de se esperar, quando cheguei em casa Rosalie já estava aguardando na varanda, sentada no degrau mais alto da escada.

Alice não havia contado muita coisa a ela. Logo que a encontrei, notei que seu rosto parecia um pouco confuso, como se ela não tivesse ideia do que estava esperando. Assim que me viu, sua confusão se transformou em irritação.

Ah, não!

— Rose, por favor — pedi. — Podemos conversar?

Eu devia ter percebido que Alice estava ajudando você.

— E a si mesma, um pouco.

Rosalie se levantou, limpando a calça.

— Por favor, Rose?

Está bem! Está bem. Diga o que tem a dizer.

Estendi o braço em convite.

— Quer dar uma volta comigo?

Ela franziu os lábios, mas concordou. Eu a conduzi pelo caminho em volta da casa até a beira do rio, que já estava escuro como a noite. No início, caminhamos em silêncio ao longo da margem, em direção ao norte. Não havia nenhum som além do barulho da água.

Escolhi aquele caminho de propósito. Esperava que a fizesse se lembrar do dia no qual eu pensara mais cedo, quando ela trouxera Emmett para casa. A primeira vez que encontramos um denominador comum.

— Podemos ir direto ao assunto? — resmungou ela.

Embora parecesse apenas irritada, o que eu ouvia em sua mente ia além. Ela estava nervosa. Ainda com medo de que eu estivesse com raiva da aposta? Um pouco envergonhada, talvez.

— Quero pedir um favor — falei. — Não vai ser fácil para você, eu sei.

Essa não era a conversa que ela estava esperando. Mas meu tom gentil só serviu para irritá-la mais.

Você quer que eu seja legal com a humana, adivinhou.

— Isso. Não precisa gostar dela, se não quiser. Mas ela é parte da minha vida, o que faz com que seja parte da sua também. Eu sei que você não pediu por isso, e que não é o que quer.

Não, não é, concordou ela.

— Você não pediu minha permissão para trazer Emmett para casa — lembrei a ela.

Ela torceu o nariz com desdém.

Foi bem diferente.

— Mais permanente, com certeza.

Rosalie parou de andar, e eu fiz o mesmo. Ela me encarou com um olhar surpreso e desconfiado.

O que você quer dizer com isso? Não está falando de algo permanente?

Seus pensamentos estavam tão focados nessas perguntas que até me surpreendi quando ela mudou de assunto.

— Você ficou *ferido* quando escolhi Emmett? Isso machucou você de alguma forma?

— Claro que não. Você escolheu muito bem.

Ela voltou a torcer o nariz, indiferente ao meu elogio.

— Pode me dar a chance de provar que também fiz uma boa escolha?

Rosalie me deu as costas e voltou a andar, abrindo uma trilha em meio à mata selvagem.

Não consigo olhar para ela. Quando olho para ela, não a vejo como pessoa. Vejo apenas um desperdício.

Contra minha vontade, senti minha raiva inflamar. Contive um rosnado e tentei me recompor. Rosalie olhou por cima do ombro e notou a mudança na minha expressão. Então parou e se virou para mim de novo. Suas feições se suavizaram.

Desculpe. Não era minha intenção que isso soasse tão cruel. Simplesmente não consigo... não consigo ficar vendo isso.

— Ela pode ter *tudo*, Edward — sussurrou Rosalie, com firmeza, o corpo rígido. — Uma vida inteira de possibilidades pela frente, e ela vai jogar *tudo* fora. Tudo que eu perdi. Não *suporto* ficar assistindo.

Olhei para ela, abalado.

Eu tinha me irritado com o ciúme estranho de Rosalie, que de fato surgira com a minha preferência por Bella. Isso foi muito mesquinho de sua parte. Mas o que ela compartilhava agora era diferente, muito mais profundo. Pela primeira vez desde que eu salvara a vida de Bella, tive a sensação de que compreendia Rosalie.

Estendi a mão com cuidado para tocar seu braço, esperando que fosse afastá-lo. Mas ela se manteve imóvel.

— Não vou deixar isso acontecer — prometi, com um tom tão firme quanto o dela.

Rosalie observou meu rosto por bastante tempo. Uma imagem de Bella surgiu em sua mente. Não era a representação perfeita das visões de Alice, parecia mais uma caricatura, na verdade. Mas seu pensamento era claro. A pele de Bella estava pálida, os olhos, vermelhos e brilhantes. A imagem era marcada por uma forte repulsa.

Não é esse o seu objetivo?

Balancei a cabeça, igualmente enojado.

— Não. Não, eu quero que ela tenha *tudo*. Não vou tirar nada dela, Rose. Você entende? Não vou machucá-la dessa forma.

Ela ficou agitada também.

Mas... como acha que isso vai... funcionar?

Dei de ombros, fingindo uma indiferença que eu não sentia.

— Quanto tempo até ela ficar entediada com um cara de dezessete anos? — falei. — Você acha que consigo mantê-la interessada até os vinte e três? Talvez vinte e cinco? Uma hora... Bella vai seguir a vida dela.

Tentei controlar minha expressão, esconder o quanto aquelas palavras me afetavam, mas Rosalie percebeu a verdade.

Você está jogando um jogo perigoso, Edward.

— Vou encontrar um jeito de sobreviver. Depois que ela for embora...

Estremeci, minha mão perdendo a força e desabando.

— Não foi isso que eu quis dizer — retrucou ela.

Olhe, você não está à altura dos meus padrões pessoais, mas não existe nenhum homem humano que chegue aos seus pés, e você sabe disso.

Balancei a cabeça.

— Um dia ela vai querer mais do que eu posso oferecer. — Havia muita coisa que eu não podia dar a Bella. — Você ia querer mais, não ia? Se estivesse no lugar dela, e Emmett no meu?

Rosalie levou minha pergunta a sério e pensou a respeito. Imaginou Emmett exatamente como ele era agora, o sorriso fácil, as mãos estendidas para ela. E se imaginou humana novamente, ainda linda, mas menos estonteante, segurando as mãos dele. Então imaginou sua versão humana se afastando dele. Nenhuma das duas imagens pareceu satisfazê-la.

Mas eu sei o que perdi, pensou ela, o tom de voz abatido. *E acho que ela não vai encarar as coisas da mesma forma.*

— Vou parecer uma senhora de oitenta anos agora — continuou ela em voz alta, num tom subitamente mais descontraído. — Mas... você sabe como são os jovens de hoje em dia. — Ela abriu um leve sorriso. — Só se preocupam com o aqui e o agora, não pensam nem nos próximos cinco anos, que dirá nos próximos cinquenta. O que vai fazer quando ela pedir que você a transforme?

— Vou explicar a ela por que é errado. Vou explicar tudo o que ela vai perder.

E quando ela implorar?

Hesitei, pensando no sofrimento de Bella na visão de Alice, as bochechas ossudas, o corpo curvado de agonia em posição fetal. E se minha presença, e não minha ausência, fosse o motivo desse sofrimento? Eu a imaginei tomada pela amargura de Rosalie.

— Vou negar.

Rose percebeu a firmeza em meu tom, e vi que finalmente entendeu minha determinação. Ela assentiu.

Ainda acho que é muito perigoso. Não sei se você é forte o bastante.

Ela se virou e começou a voltar lentamente para casa. Acompanhei seu ritmo.

— Essa não era a vida que você queria — falei, devagar. — Mas, nos últimos setenta anos, mais ou menos, você diria que teve pelo menos cinco anos de pura felicidade?

Imagens dos melhores momentos de sua vida passaram por sua mente, todos girando em torno de Emmett, embora eu percebesse que, obstinada como sempre, ela se recusava a concordar comigo.

Sorri discretamente.

— Dez anos, até? — insisti.

Ela não respondeu.

— Me deixe ter meus cinco anos, Rosalie — sussurrei. — Sei que não vai durar. Me deixe ser feliz enquanto é possível. Seja parte dessa felicidade. Seja minha irmã, e, se não puder amar minha escolha como eu amo a sua, será que pode pelo menos fingir suportá-la?

Minhas palavras gentis e serenas pareceram atingi-la em cheio. Seus ombros ficaram subitamente tensos, frágeis.

Não sei se consigo, Edward. Ver tudo o que desejo... fora do meu alcance... é doloroso demais.

Seria mesmo doloroso para ela, eu sabia disso. Mas também sabia que sua mágoa e tristeza não chegariam nem perto do sofrimento que me aguardava. A vida de Rosalie acabaria voltando ao que era. Emmett estaria lá o tempo todo para confortá-la. Mas eu... eu perderia tudo.

— Vai pelo menos tentar? — perguntei, com a voz mais séria do que antes.

Ela diminuiu o ritmo dos passos por alguns segundos e ficou olhando para os pés. Por fim, seus ombros se curvaram, e ela assentiu.

Posso tentar.

— Existe uma chance... — falei. — Alice viu Bella indo até nossa casa de manhã.

Os olhos dela se inflamaram, furiosos novamente.

Eu preciso de mais tempo que isso.

Ergui as mãos, tentando apaziguá-la.

— Leve o tempo que precisar.

Fiquei triste e cansado ao ver que ela voltou a exibir uma expressão desconfiada. Talvez ela não fosse forte o suficiente. Pareceu perceber o julgamento em meu rosto. Desviou o olhar e de repente correu para casa. Eu a deixei ir.

Minhas outras tarefas não levaram tanto tempo, tampouco foram tão difíceis. Jasper concordou prontamente com meu pedido. Minha mãe ficou feliz, cheia de expectativa. O que eu queria de Emmett não era mais necessário; ele sem dúvida estaria com Rosalie, e ela iria para algum lugar bem distante.

Bem, era um começo. Pelo menos Rose prometeu tentar.

Até parei um segundo e vesti roupas limpas. Embora a camisa que Alice me dera muito tempo antes não tivesse causado nenhum dos infortúnios que eu temia — e *tivesse* me proporcionado alguns prazeres imprevistos —, eu ainda a considerava de um estranho mau gosto. Eu me sentia mais confortável em minhas roupas habituais.

Ao sair, passei por Alice, que estava apoiada no pilar da escada da varanda, perto de onde Rosalie se sentara mais cedo. Seu sorriso era arrogante.

Tudo parece perfeito para a visita da Bella. Exatamente como eu tinha previsto.

Eu queria reforçar que o que passava pela cabeça dela ainda era apenas uma visão, sujeita a mudanças, mas por que me dar ao trabalho?

— Você não está levando os desejos da Bella em consideração — lembrei a ela.

Ela revirou os olhos.

Alguma vez Bella já disse não para você?

Era um argumento interessante.

— Alice, eu...

Ela me interrompeu, já sabendo qual seria minha pergunta.

Veja com os próprios olhos.

Ela visualizou os fios entrelaçados do futuro de Bella. Alguns eram sólidos, outros insubstanciais, outros desvaneciam em meio à névoa. Estavam mais ordenados agora, não mais emaranhados em um nó confuso. Foi um alívio perceber que o futuro mais tenebroso estava totalmente fora de cena. Mas lá no fio mais firme, a Bella de olhos vermelhos e pele de diamante ainda ocupava o lugar mais proeminente. A visão que eu estava procurando só fazia parte das linhas mais nebulosas, fios periféricos. Bella aos vinte, Bella aos vinte e cinco anos. Visões frágeis, borradas nas bordas.

Alice abraçou as pernas com força. Ela não precisava ler pensamentos nem ver o futuro para perceber a frustração nos meus olhos.

— Isso nunca vai acontecer — decretei.

Alguma vez você já disse não para Bella?

Olhei irritado para ela enquanto descia a escada, e então saí correndo.

Pouco depois, eu estava no quarto de Bella. Tirei Alice da cabeça e deixei que a serenidade de seu sono tranquilo me envolvesse. Ela mal parecia ter se mexido. E, no entanto, minha ausência — ainda que breve — havia mudado as coisas. Eu me sentia... inseguro de novo. Em vez de me sentar ao lado da cama, como antes, me vi de volta à velha cadeira de balanço. Eu não queria ser presunçoso.

Charlie se levantou pouco depois do meu retorno, antes que os primeiros sinais do amanhecer começassem a iluminar o céu. Eu tinha quase certeza, a julgar por seus hábitos e pensamentos turvos porém alegres, que ele ia pescar novamente. De fato, após uma rápida olhada no quarto de Bella — quando a viu adormecida de maneira mais convincente do que na noite anterior —, ele desceu os degraus na ponta dos pés e começou a vasculhar seu equipamento de pesca debaixo da escada. Saiu de casa assim que as nuvens ganharam uma fraca luminosidade cinza. Mais uma vez, ouvi o rangido enferrujado do capô da picape de Bella. Fui rapidamente até a janela para ver o que ele ia fazer.

Charlie apoiou o capô no suporte e reconectou os cabos da bateria que deixara pendendo nas laterais. Não era um problema especialmente difícil de resolver, mas talvez ele tivesse concluído que Bella nem tentaria consertar sua picape no escuro. Eu me perguntei aonde ele imaginava que ela fosse.

Depois de um breve momento colocando varas e equipamentos no porta-malas de sua viatura policial, Charlie partiu. Voltei para onde estava antes e esperei Bella acordar.

Mais de uma hora depois, quando o sol já estava alto por trás da camada espessa de nuvens, Bella finalmente começou a despertar. Jogou um dos braços sobre o rosto, como se quisesse bloquear a luz, em seguida gemeu baixinho e rolou para o lado, cobrindo a cabeça com o travesseiro.

— Ah! — disse, ofegante, sentando-se na cama ainda zonza.

Seus olhos tentavam recuperar o foco, e era nítido que ela procurava por alguma coisa.

Eu nunca a tinha visto assim, logo depois de acordar. Eu me perguntei se seu cabelo sempre ficava desse jeito, ou se eu era responsável por ele estar tão extraordinariamente despenteado.

— Seu cabelo parece um monte de feno... Mas gosto assim — falei, e seus olhos se voltaram rapidamente para mim.

Uma expressão de alívio tomou conta de seu rosto.

— Edward! Você ficou!

Ela se esforçou para ficar de pé, ainda desajeitada por ter passado tanto tempo imóvel, e em seguida correu na minha direção, jogando-se em meus braços. De repente, senti que minha preocupação em parecer presunçoso era um pouco boba.

Eu a peguei no colo com facilidade. Ela ficou chocada com a própria impulsividade, e eu ri de sua expressão constrangida.

— É claro — disse a ela.

Seu coração acelerou, soando confuso. Tivera pouco tempo para sair do repouso e entrar no modo corrida. Acariciei seus ombros, na esperança de acalmá-la.

Ela apoiou a cabeça no meu ombro e sussurrou:

— Eu tinha certeza de que era um sonho.

— Você não é tão criativa assim — brinquei.

Eu não lembrava como era sonhar, mas, pelo que ouvia em outras mentes humanas, não me parecia algo muito coerente ou detalhado.

Bella se levantou subitamente. Tirei as mãos do caminho enquanto ela tentava se equilibrar.

— Charlie! — exclamou ela, assustada.

— Ele saiu há uma hora... Depois de reconectar os cabos da bateria do seu carro, devo acrescentar. Tenho que admitir que fiquei decepcionado. Será que isso realmente a impediria, se você estivesse decidida a sair?

Ela balançou o corpo, oscilando dos dedos dos pés aos calcanhares, os olhos indecisos se movendo do meu rosto para a porta, e vice-versa. Alguns segundos se passaram enquanto ela parecia travar um debate interno.

— Em geral você não é tão confusa de manhã — falei, embora eu não soubesse, na verdade.

Era a primeira vez que eu a via logo depois de acordar, ainda não totalmente desperta. Mas esperava que — como ela geralmente fazia quando eu presumia alguma coisa —, Bella discordasse e me explicasse qual era o dilema que estava enfrentando. Estendi os braços para que ela soubesse que seria bem-vinda — extremamente bem-vinda — de volta, se quisesse.

Ela se inclinou na minha direção, em seguida franziu a testa.

— Preciso de outro minuto humano.

Claro. Eu tinha certeza de que ficaria melhor nisso.

— Vou esperar — prometi.

Ela havia me pedido para ficar e, até que me dissesse para ir embora, eu continuaria esperando.

Dessa vez, não houve nenhuma longa demora. Ouvi Bella abrindo e fechando armários e batendo portas. Ela estava com pressa. Escutei a escova passando com força por seu cabelo, e o som me fez estremecer.

Ela não levou mais do que alguns minutos para voltar. Dois pontos vermelhos marcavam suas bochechas, e seus olhos estavam brilhantes e ansiosos. No entanto, dessa vez ela se moveu com mais cuidado ao se aproximar de mim, parando, insegura, com os joelhos a um centímetro dos meus. Parecia não se dar conta de que estava retorcendo as mãos de maneira apreensiva.

Eu só podia supor que ela estivesse tímida novamente, sentindo a mesma coisa que senti ao voltar para o quarto dela naquela manhã: inquietação por termos passado um tempo separados. E — pelo menos da minha parte — não havia absolutamente nenhuma necessidade disso.

Eu a tomei cuidadosamente nos braços. Ela se aninhou com prazer no meu peito, suas pernas por cima das minhas.

— Bem-vinda de volta — murmurei.

Ela suspirou, satisfeita. Seus dedos desceram pelo meu braço direito, lentos e minuciosos, depois subiram outra vez enquanto eu me balançava preguiçosamente para a frente e para trás, movendo-me no ritmo de sua respiração.

As pontas dos seus dedos percorreram meu ombro, então se detiveram na gola da minha camisa. Ela se inclinou para trás, olhando para o meu rosto com uma expressão consternada.

— Você *saiu*?

Sorri.

— Não podia sair à luz do dia com as roupas que eu vim... O que os vizinhos iam pensar?

A insatisfação de Bella se intensificou. Eu não queria explicar as tarefas que precisei cumprir, então disse a única coisa que com certeza a distrairia:

— Você tem um sono muito profundo, não perdi nada. O falatório veio antes disso.

Como previsto, Bella gemeu.

— O que você ouviu?

Foi impossível manter o tom de piada. Quando eu disse a verdade, era como se minhas entranhas se contorcessem de alegria.

— Você disse que me amava.

Ela baixou os olhos e escondeu o rosto no meu ombro.

— Você já sabia disso — sussurrou.

O calor de sua respiração impregnou o tecido de algodão da minha camisa.

— Mesmo assim, foi bom ouvir — murmurei junto a seu cabelo.

— Eu te amo.

As palavras não tinham perdido a capacidade de me comover. Pelo contrário, eram ainda mais avassaladoras. Escolher dizê-las, sabendo que eu estava ouvindo, significava muita coisa.

Eu queria palavras ainda mais fortes, palavras que descrevessem com precisão o que ela se tornara para mim. Não havia mais nada em mim que não estivesse totalmente atrelado a ela. Eu me lembrei da nossa primeira conversa, me lembrei de achar, na época, que eu não tinha uma vida de fato. Isso não era mais verdade.

— Agora você é a minha vida — sussurrei.

Embora nuvens espessas ainda cobrissem o céu, enterrando profundamente o sol, o quarto de alguma forma foi invadido por uma luz dourada. O ar ficou mais limpo, mais puro que o normal. Ficamos nos balançando lentamente, meus braços em torno dela, saboreando a perfeição.

Voltei a pensar, como havia feito tantas vezes nas últimas vinte e quatro horas, que eu ficaria totalmente satisfeito com o universo se nunca mais tivesse que me mover. A julgar pelo jeito como seu corpo se unia ao meu, achei que ela devia sentir o mesmo.

Ah, mas eu tinha responsabilidades. Precisava manter minha alegria desmedida sob controle e ser prático.

Abracei-a um pouco mais forte por um segundo e em seguida forcei meus braços a relaxar.

— Hora do café da manhã — sugeri.

Bella hesitou, talvez tão avessa quanto eu à ideia de qualquer distância entre nós. Então afastou um pouco o corpo do meu, inclinando-se para que eu visse seu rosto.

Seus olhos estavam arregalados de terror. Sua boca se abriu e suas mãos voaram para proteger o pescoço.

Fiquei tão horrorizado com o desespero dela que não consegui processar o que estava acontecendo. Meus sentidos se agitaram freneticamente ao nosso redor feito tentáculos, procurando por qualquer perigo que nos ameaçasse.

E então, antes que eu pudesse pular da janela com ela nos braços e correr para um lugar seguro, sua expressão relaxou com um sorriso malicioso. Finalmente entendi a conexão entre minhas palavras e a reação dela, e entendi sua piada. Ela riu.

— Brincadeirinha! E você disse que eu não sabia atuar!

Levei meio segundo para me recompor. O alívio fez com que eu me sentisse fraco, mas o choque também me deixou agitado.

— Não foi engraçado.

— Foi muito engraçado e você sabe disso — insistiu ela.

Não pude deixar de sorrir. Se as piadas de vampiro se tornassem algo frequente entre nós, eu daria um jeito de suportar. Por ela.

— Devo reformular o que disse? — perguntei. — Hora do café da manhã para os humanos.

Ela sorriu.

— Ah, tudo bem.

Embora eu estivesse disposto a aceitar um futuro de piadas ruins, não estava totalmente pronto para deixá-la se safar daquela.

Eu me movi com extremo cuidado, mas não devagar. Queria que ela ficasse tão chocada quanto eu fiquei — só não tão assustada —, então a coloquei no meu ombro e saí correndo do quarto.

— Ei! — reclamou ela, a voz oscilando com meu movimento, e eu diminuí um pouco a velocidade ao descer a escada.

— Caramba — disse ela, ofegando, quando a coloquei delicadamente em uma das cadeiras da cozinha.

Ela olhou para mim e sorriu, nem um pouco abalada.

— O que temos para o café?

Franzi a testa. Eu ainda não tivera tempo de aprender a fazer comida humana. Bem, eu sabia o básico sobre a aparência que deveria ter, então provavelmente conseguiria improvisar...

— Hã... — Hesitei. — Não sei bem. O que quer comer?

Espero que algo simples.

Bella riu da minha confusão e se levantou, esticando os braços acima da cabeça.

— Está tudo bem — assegurou ela —, eu me viro sozinha. — Ela ergueu uma das sobrancelhas e acrescentou, com um sorriso travesso: — Observe-me caçar.

Era esclarecedor e fascinante observá-la em seu ambiente natural. Eu nunca a tinha visto tão confiante e tão à vontade. Estava claro que poderia encontrar tudo que procurava com uma venda nos olhos. Primeiro uma tigela, depois — esticando-se na ponta dos pés —, uma caixa de cereal em uma prateleira alta. Ela girou para abrir a geladeira enquanto tirava uma colher da gaveta, que em seguida fechou com o quadril. Foi só depois de colocar tudo na mesa que ela hesitou.

— Quer que eu faça alguma coisa para você?

Revirei os olhos.

— Coma, Bella.

Ela pegou uma colherada do lodo intragável e mastigou rapidamente, olhando para mim. Depois de engolir, perguntou:

— Qual é a programação de hoje?

— Hmmm... — Eu pretendia abordar esse assunto com calma, mas estaria mentindo se dissesse que não tinha ideias. — O que diria de conhecer minha família?

O rosto dela empalideceu. Bem, se a resposta fosse não, assunto encerrado. Questionei como Alice tinha errado essa previsão.

— Está com medo agora? — Minha pergunta soou quase como se eu quisesse ouvir uma confirmação.

De fato, eu estava esperando por *alguma coisa* que fosse demais para ela.

A resposta era óbvia em seus olhos, mas mesmo assim ela respondeu.

— Estou — disse, com a voz baixa e trêmula, o que me surpreendeu.

Ela nunca admitia quando estava com medo. Ou, pelo menos, nunca admitia quando estava com medo de *mim*.

— Não se preocupe. Vou proteger você — prometi, com um sorriso discreto.

Eu não estava tentando convencê-la. Poderíamos fazer um milhão de outras coisas naquele dia que não lhe dariam a sensação de que sua vida corria risco. Mas era importante ela saber que eu sempre me colocaria à sua frente para enfrentar qualquer perigo, fosse um meteoro ou um monstro.

Bella balançou a cabeça.

— Não estou com medo *deles*. Tenho medo de que eles não... gostem de mim. Eles não estranhariam se você levasse alguém... — Ela franziu a testa. — ... como eu... para sua casa? Eles sabem que eu sei sobre eles?

Uma onda súbita e inesperada de raiva me abalou. Talvez fosse porque ela estava certa, pelo menos com relação a Rosalie. Eu detestava quando Bella se referia a si mesma dessa maneira, como se houvesse algo de errado com ela, e não o contrário.

— Ah, eles já sabem de tudo — falei, e a raiva ficou evidente em minha voz. Tentei sorrir, mas percebi que isso não suavizou meu tom. — Eles fizeram umas apostas ontem, sabia? Se eu traria você de volta. Mas por que alguém apostaria contra Alice, não consigo imaginar. — Percebi que estava retratando minha família de forma negativa, mas era justo que ela soubesse. Tentei controlar minha ira. — De qualquer modo, não temos segredos em nossa família. Não é viável, com minha leitura de pensamento, Alice vendo o futuro e tudo isso.

Ela sorriu de leve.

— E Jasper fazendo você se sentir todo alvoroçado para despejar tudo o que sabe, não se esqueça.

— Você prestou atenção.

— De vez em quando sei fazer isso. — Ela franziu a testa enquanto refletia, depois assentiu. Quase como se estivesse aceitando o convite. — Então Alice me viu chegando?

Bella falou em tom casual, como se o assunto fosse bastante mundano. *Eu*, no entanto, fiquei surpreso, porque aparentemente ela estava concordando em conhecer minha família. Como se a visão de Alice significasse que não havia escolha.

O fato de ela aceitar a palavra de Alice sem titubear tocou meu ponto mais sensível. Eu odiava pensar que, mesmo naquele momento, podia estar arruinando a vida de Bella.

— Alguma coisa assim — admiti, virando o rosto para a janela como se estivesse olhando o quintal.

Eu não queria que ela notasse meu incômodo. Sentia seus olhos em mim, e percebi que não estava disfarçando muito bem.

Forçando-me a deixar o clima mais leve, olhei para ela e dei o sorriso mais natural possível.

— Isso é bom? — perguntei, gesticulando para o cereal dela. — Francamente, não parece muito apetitoso.

— Bom, não é um urso irritado, mas...

Ela parou de falar enquanto processava minha reação, depois se concentrou em sua comida, mastigando rapidamente.

Bella também estava refletindo sobre alguma coisa, com o olhar perdido enquanto mastigava, mas eu duvidava de que nossos pensamentos estivessem em sintonia.

Virei-me novamente para a janela, deixando-a comer em paz. Observei o pequeno quintal, lembrando-me do dia ensolarado em que a fiquei observando. Lembrei-me da escuridão das nuvens que a engoliam. Era muito fácil voltar àquele desespero, questionar todas as minhas boas intenções e enxergá-las como simples egoísmo.

Eu me virei para Bella aflito, mas ela me encarava com olhos destemidos. Confiava em mim, como sempre. Respirei fundo.

Eu seria digno da confiança dela. Sabia que sim. Quando ela me olhava daquele jeito, não havia nada que eu não fosse capaz de fazer.

Bem, então Alice estava certa em relação a essa profecia menor e mais simples. Isso não era surpresa. Fiquei imaginando até que ponto Bella tinha aceitado só para me agradar. Provavelmente foi sua grande motivação. Havia algo intimamente relacionado a isso que eu queria muito, mas temi que ela concordasse de novo só por minha causa. Eu poderia pelo menos compartilhar minha opinião e ver como ela reagiria.

— E você devia me apresentar a seu pai também, imagino — sugeri casualmente.

Ela ficou surpresa.

— Ele já conhece você.

— Como seu namorado, eu quero dizer.

Os olhos dela se estreitaram.

— Por quê?

— Não é esse o costume?

Eu aparentava estar tranquilo, mas a reação dela tinha me incomodado.

— Não sei — admitiu ela. Sua voz estava mais baixa, menos segura, quando ela continuou: — Não é necessário, sabe? Não espero que você... Quer dizer, você não precisa fingir por minha causa.

Então ela achava que isso era algo indesejável, que eu só estava fazendo por obrigação?

— Não estou fingindo — jurei.

Ela olhou para a comida, mexendo apaticamente o resto do cereal.

Talvez fosse melhor chegar logo no *não*.

— Vai ou não contar a Charlie que sou seu novo namorado?

Ainda olhando para baixo, ela perguntou com timidez:

— E você é isso mesmo?

Não era a rejeição que eu temia. Obviamente, eu estava deixando alguma coisa passar. Será que ela não queria me apresentar a Charlie porque eu não era humano? Ou será que havia outro motivo?

— Esse é um uso curioso da palavra "novo", admito.

— Tive a impressão de que você era algo mais, na verdade — sussurrou ela, o rosto ainda abaixado, como se estivesse conversando com a mesa.

Sua expressão me fez pensar novamente na conversa tensa que tivemos no almoço, em como ela havia achado que nossos sentimentos eram desiguais, que os meus eram menos intensos. Eu não conseguia entender como pedir para conhecer o pai dela a conduzira a esse raciocínio. A menos que... Será que o problema era a impermanência da palavra *namorado*? Era um conceito muito humano e *transitório*. De fato, a palavra não continha nem uma fração do que eu desejava ser para ela, mas era a palavra que Charlie ia entender.

— Bem, não sei se precisamos dar a ele todos os detalhes sórdidos — respondi suavemente. Estendi a mão e, com um dedo, ergui o rosto dela para ver seus olhos. — Mas ele vai precisar de alguma explicação para me ver tanto por aqui. Não quero que o chefe Swan consiga uma ordem de restrição contra mim.

— Você vai fazer isso? — perguntou ela, ansiosa, ignorando minha piada. — Realmente vai estar aqui?

— Pelo tempo que você quiser.

Até que me mandasse embora, eu pertencia a ela.

Bella me encarou com um olhar intenso, quase fulminante.

— Sempre vou querer você.

Ouvi novamente a certeza de Alice: *Alguma vez você já disse não para Bella?*

Ouvi as perguntas de Rosalie: *O que vai fazer quando ela pedir que você a transforme? E quando ela implorar?*

Mas Rosalie estava certa a respeito de uma coisa. Quando Bella disse "sempre", a palavra não carregara o mesmo significado para nós dois. Para ela, significava apenas um tempo muito longo. Significava que ela ainda não conseguia ver o fim. Como alguém que tinha vivido apenas dezessete anos poderia compreender o que significavam cinquenta anos ou até mesmo a eternidade? Ela era humana, não uma imortal gélida. No decorrer de poucos anos, se reinventaria diversas vezes. Suas prioridades mudariam conforme seu mundo se ampliasse. As coisas que queria no momento não seriam as mesmas que ia querer mais tarde.

Fui lentamente até ela, sabendo que meu tempo estava acabando. Tracei o contorno de seu rosto com a ponta dos dedos.

Ela olhou para mim, tentando entender.

— Isso o deixa triste? — perguntou.

Eu não sabia como responder. Apenas observei seu rosto, com a sensação de que podia vê-lo mudar microscopicamente a cada batida de seu coração.

Bella não desviou o olhar. Eu me perguntei o que estaria vendo no meu rosto, se passava pela sua cabeça que ele nunca ia mudar.

A sensação de areia escorrendo por uma ampulheta se intensificou. Suspirei. Não havia tempo a perder.

Olhei para a tigela quase vazia.

— Já terminou?

Ela se levantou.

— Sim.

— Vá se vestir... Vou esperar aqui.

Sem dizer uma palavra, ela obedeceu.

Eu precisava de um minuto sozinho. Não sabia ao certo por que estava perdido em tantos pensamentos sombrios. Precisava me controlar. Tinha que agarrar cada segundo de felicidade que me fosse permitido, ainda mais porque esses segundos estavam contados. Eu sabia que tinha uma capacidade inacreditável de arruinar até os melhores momentos com minhas dúvidas malditas e reflexões intermináveis. Se eu teria apenas alguns anos, não desperdiçaria nenhum deles me torturando.

Da cozinha, ouvi os sons de Bella brigando com seu guarda-roupa. Não havia tanta comoção como duas noites antes, quando ela estava se preparando para nosso passeio na campina, mas chegava perto. Eu esperava que ela não se preocupasse muito com sua aparência diante da minha família. Alice e Esme já a amavam incondicionalmente. Os outros não iam reparar em suas roupas, iam ver apenas uma garota humana corajosa o suficiente para visitar uma casa cheia de vampiros. Até Jasper ficaria impressionado com isso.

Quando ela desceu a escada correndo, eu já tinha me recomposto. Ia me concentrar no dia que teríamos pela frente. Ia me concentrar nas próximas doze horas ao lado de Bella. Com certeza isso bastaria para me manter sorrindo.

— Tudo bem. Estou decente — disse ela enquanto descia dois degraus por vez.

Ela quase colidiu comigo ao chegar ao último, mas eu a segurei a tempo. Bella olhou para mim com um grande sorriso, e todas as minhas dúvidas desapareceram.

Como eu esperava, ela estava vestindo a blusa azul que usara para ir a Port Angeles. Talvez fosse a minha favorita. Estava linda. E também gostei do penteado. Não havia mais como se esconder atrás dos cabelos.

Impulsivamente, passei os braços em volta dela e a abracei. Inspirei seu perfume e sorri.

— Errado de novo — provoquei. — Você está totalmente *in*decente... Ninguém devia ser uma tentação tão grande, não é justo.

Bella tentou se afastar, e eu relaxei os braços. Ela se inclinou para trás apenas o suficiente para observar meu rosto.

— Tentação, como? — perguntou, cautelosa. — Posso trocar...

Na noite anterior, Bella havia me perguntado se eu me sentia atraído por ela como mulher. Embora eu achasse que isso era tão óbvio que chegava a ser ridículo, de alguma forma, talvez ela ainda não tivesse entendido.

— Você é *tão* absurda. — Ri e beijei sua testa, deixando que a sensação de sua pele em meus lábios percorresse meu corpo como uma onda de eletricidade. — Devo explicar como é tentadora para mim?

Lentamente, meus dedos percorreram sua coluna, explorando a curva na base das costas, parando sobre o contorno do quadril. Embora quisesse provocá-la, logo também me deixei levar pelo momento. Meus lábios roçaram sua têmpora, e ouvi minha respiração acelerar para acompanhar o ritmo de seu coração. Seus dedos tremeram em meu peito.

Bastou que eu inclinasse a cabeça para seus lábios macios e quentes ficarem a um fio de distância dos meus. Com cuidado, ciente do poder da alquimia, meus lábios tocaram os dela.

Enquanto todo o meu corpo transbordava luz e eletricidade, esperei a reação dela, pronto para me afastar caso as coisas saíssem do controle. Ela foi mais cuidadosa dessa vez, ficando quase imóvel. Até seu tremor havia parado.

Movendo-me com toda a cautela possível, considerando o que eu estava sentindo, pressionei os lábios com mais firmeza nos dela, saboreando seu contorno suave. Minhas ações não estavam tão sob controle quanto deveriam. Deixei que meus lábios se abrissem, querendo sentir o hálito dela na minha boca.

Nesse momento, suas pernas pareceram ceder, e ela deslizou pelos meus braços em direção ao chão.

Eu a peguei de imediato. Levantei sua cabeça com a mão esquerda, mas ela pendeu para trás, sem forças. Os olhos dela estavam fechados, e os lábios, brancos.

— Bella? — gritei, em pânico.

Ela arfou alto, e suas pálpebras tremularam. Percebi que eu não ouvia o som de sua respiração havia algum tempo... mais tempo do que deveria.

Outra respiração irregular, e seus pés se esforçaram para encontrar o chão.

— Você... — Ela suspirou, com os olhos ainda semicerrados. — ... me... fez... desmaiar.

Ela havia *parado de respirar* para me beijar. Provavelmente em uma tentativa equivocada de tornar aquilo mais fácil para mim.

— O que vou fazer com você? — perguntei, quase rosnando. — Ontem eu a beijei, e você me atacou! Hoje você desmaia nos meus braços!

Ela riu, engasgando-se com o próprio riso enquanto seus pulmões tentavam obter o oxigênio necessário. Eu ainda sustentava a maior parte de seu peso.

— É nisso que dá ser bom em tudo — murmurei.

— É esse o problema. Você é bom *demais*. — Ela respirou fundo. — Muito, muito bom.

— Está enjoada?

Pelo menos seus lábios não tinham ficado esverdeados. Um delicado tom de rosa se insinuou enquanto eu os observava.

— Não — respondeu ela, com a voz mais firme. — Não é o mesmo tipo de desmaio. Não sei o que aconteceu. Acho que me esqueci de respirar.

Eu percebi.

— Não posso levar você a lugar nenhum desse jeito — resmunguei.

Ela respirou fundo, em seguida se endireitou nos meus braços. Piscou depressa algumas vezes e ergueu o queixo em sua posição mais teimosa.

— Eu estou bem. — Sua voz estava mais forte, eu tive que admitir. E a cor já havia voltado ao seu rosto. — Sua família vai pensar que sou louca mesmo, que diferença faz?

Eu a examinei cuidadosamente. Sua respiração tinha se estabilizado. Seu coração parecia bater mais forte do que pouco tempo antes. Ela já sustentava o próprio peso sem dificuldade. O rosa em suas bochechas ficava mais intenso a cada segundo, realçado pelo azul vívido da blusa.

— Gosto muito dessa cor em sua pele — comentei.

Isso a fez corar ainda mais.

— Olhe — disse ela, interrompendo minha análise —, estou tentando ao máximo não pensar no que estou prestes a fazer, então, será que podemos ir?

Sua voz também tinha recobrado a firmeza habitual.

— E você não está preocupada porque vai conhecer uma casa cheia de vampiros, mas sim porque acha que esses vampiros não vão aprová-la, não estou certo?

Ela sorriu.

— Está certo.

Balancei a cabeça.

— Você é inacreditável.

O sorriso dela aumentou. Ela pegou minha mão e me puxou para a porta.

Decidi fingir que já tínhamos um acordo sobre o carro em que iríamos sem nem perguntar a Bella. Deixei que ela fosse na frente até sua picape e, em seguida, abri rapidamente a porta do carona para ela. Bella não se opôs, nem ao menos olhou de cara feia para mim. Considerei isso um bom sinal.

Enquanto eu dirigia, Bella ficou alerta, olhando pela janela e observando as casas passarem. Dava para perceber seu nervosismo, mas também imaginei que estivesse curiosa. Quando via que não íamos parar em determinada casa, perdia todo o interesse e passava para a próxima. Eu me perguntei como ela imaginava que minha casa seria.

Depois que saímos da cidade, ela pareceu ainda mais apreensiva. Olhou furtivamente para mim algumas vezes, como se quisesse perguntar alguma coisa, mas, quando me flagrou olhando para ela, voltou-se rapidamente para a janela, o rabo de cavalo chicoteando suas costas. Seus pés começaram a dar batidinhas ritmadas no chão da picape, embora eu não tivesse ligado o rádio.

Quando virei na entrada que levava até a casa, ela se endireitou no banco, e seus joelhos passaram a bater no mesmo ritmo dos pés. Seus dedos pressionaram a porta com tanta força que as pontas ficaram brancas.

Ao ver que o caminho se estendia, ela franziu a testa. E, de fato, parecia que estávamos indo para algum lugar tão remoto e desabitado quanto a campina. A ruga de estresse apareceu entre suas sobrancelhas.

Estendi a mão e acariciei seu ombro, e ela abriu um sorriso tenso antes de se virar outra vez para a janela.

Por fim, passamos pela última parte da floresta e entramos em um gramado. Ainda à sombra dos grandes cedros, a mudança não pareceu tão abrupta.

Era estranho ver aquela casa familiar e imaginá-la aos olhos de outra pessoa. Esme tinha muito bom gosto, então eu sabia que objetivamente a casa era bonita. Mas será que Bella veria uma estrutura aprisionada no tempo, pertencente a outra época, ainda que fosse claramente nova e consistente? Como se tivéssemos voltado no tempo para encontrar a casa, em vez de ela ter envelhecido até nos encontrar?

— Caramba — sussurrou Bella.

Desliguei o motor, e o silêncio reforçou a impressão de que poderíamos estar em outro período da história.

— Gosta? — perguntei.

Ela me olhou de relance, depois voltou a observar a casa.

— Tem... certo charme.

Eu ri e puxei de leve seu rabo de cavalo, então saí do carro. Menos de um segundo depois, eu já segurava a porta aberta para ela.

— Pronta?

— Nem um pouquinho... — Ela riu, ofegante. — Vamos.

Bella passou a mão pelo cabelo, procurando mechas embaraçadas.

— Você está linda — garanti, e peguei sua mão.

A palma estava úmida e não tão quente como de costume. Acariciei as costas de sua mão com o polegar, tentando comunicar em silêncio que ela estava totalmente segura e que tudo ficaria bem.

Ela começou a andar mais devagar conforme subíamos os degraus da varanda, e sua mão tremia.

Hesitar só ia prolongar sua inquietação. Abri a porta, já sabendo exatamente o que nos aguardava.

Meus pais estavam onde eu os tinha visto em minha mente, e exatamente onde Alice havia previsto. Eles se afastaram alguns passos da porta, dando a Bella espaço para respirar. Esme parecia estar tão nervosa quanto Bella, embora manifestasse seu nervosismo mantendo-se completamente imóvel, enquanto Bella ficava agitada. A mão de Carlisle descansava em suas costas de um jeito reconfortante. Ele estava acostumado a interagir normalmente com humanos, mas Esme era tímida. Era raro ela se aventurar sozinha no mundo dos mortais. Sendo muito caseira, ficava satisfeita em deixar que nós levássemos o mundo até ela quando necessário.

Os olhos de Bella percorreram a sala, absorvendo tudo. Ela estava logo atrás de mim, como se usasse meu corpo de escudo. Eu me senti imediatamente relaxado dentro de casa, mas ela com certeza sentia o oposto. Apertei sua mão.

Carlisle sorriu calorosamente para Bella, e Esme fez o mesmo.

— Carlisle, Esme, esta é Bella.

Eu me perguntei se Bella teria notado o orgulho em minha voz quando a apresentei.

Carlisle se aproximou com uma lentidão proposital. Estendeu a mão, um pouco cauteloso.

— É muito bem-vinda aqui, Bella.

Talvez por já conhecer Carlisle, Bella de repente pareceu mais à vontade. Com uma postura confiante, deu um passo à frente para cumprimentá-lo — mantendo nossos dedos entrelaçados — e apertou a mão dele sem reagir ao toque frio. Já devia estar acostumada, àquela altura.

— É bom vê-lo novamente, Dr. Cullen — disse ela, soando sincera.

Que menina corajosa, pensou Esme. *Ah, ela é encantadora.*

— Por favor, pode me chamar de Carlisle.

Bella abriu um sorriso.

— Carlisle — repetiu ela.

Esme se juntou a Carlisle, movendo-se de forma igualmente lenta e cautelosa. Tocou o braço dele com uma das mãos e estendeu a outra. Bella a apertou sem hesitar, sorrindo para minha mãe.

— É muito bom conhecer você — disse Esme, afeto irradiando de seu sorriso.

— Obrigada — respondeu Bella. — Fico feliz por conhecê-la também.

Embora as palavras fossem bem convencionais de ambos os lados, as duas falavam com tanta sinceridade que a conversa revelou um significado mais profundo.

Adorei ela, Edward! Obrigada por trazê-la para me conhecer!

Sorri diante do entusiasmo de Esme.

— Onde estão Alice e Jasper? — perguntei, mas na verdade foi uma deixa para eles.

Estava ouvindo os dois aguardando no topo da escada, Alice cronometrando sua entrada perfeita.

Pelo visto, o que eu devia perguntar era o que ela estava esperando.

— Oi, Edward! — disse ela, ao aparecer.

Em seguida, desceu correndo os degraus — realmente correndo, de um jeito nada humano — e parou a poucos centímetros de Bella. Carlisle, Esme e eu ficamos chocados, mas Bella nem piscou, nem mesmo quando Alice inclinou o rosto e beijou sua bochecha.

Lancei um olhar de advertência, mas ela não estava prestando atenção em mim. Oscilava entre aquele momento e mil outros futuros, feliz por finalmente dar início àquela amizade. Os sentimentos dela eram bonitos, mas não consegui apreciá-los. Mais da metade das suas memórias futuras continham uma Bella pálida e sem vida, muito perfeita e fria.

Alice estava alheia à minha reação, totalmente concentrada em Bella.

— Seu cheiro é bom — comentou ela. — Não tinha percebido.

Bella corou, e os três desviaram o olhar.

Tentei pensar em uma forma de diminuir o constrangimento, mas então, como mágica, não havia mais constrangimento. Eu estava completamente à vontade, e senti a tensão de Bella se dissipar.

Jasper desceu a escada logo depois de Alice, sem correr, mas tampouco se movendo com o mesmo cuidado de Carlisle e Esme. Nem precisava se esforçar. Todas as suas ações já pareceriam naturais e certas.

Na verdade, estava exagerando um pouco.

Dirigi-lhe um olhar irônico, e ele sorriu para mim, depois parou junto ao pilar da escada. Manteve-se a uma distância que poderia parecer estranha, mas é claro que só pareceria estranha se ele quisesse.

— Olá, Bella.

— Oi, Jasper. — Ela deu um sorriso espontâneo, então olhou para Esme e Carlisle. — É ótimo conhecer vocês todos... Vocês têm uma bela casa.

— Obrigada — respondeu Esme. — Ficamos felizes por você ter vindo.

Ela é perfeita.

Bella olhou de novo para a escada, com expectativa. Mas eu sabia que ninguém mais apareceria naquela manhã.

Esme também entendeu o olhar.

Sinto muito. Ela não estava pronta. Emmett está tentando acalmá-la.

Será que eu deveria inventar uma desculpa para a ausência de Rosalie? Antes que eu decidisse o que dizer, Carlisle chamou minha atenção.

Edward.

Olhei automaticamente para ele. Sua intensidade contrastava com o clima descontraído que Jasper havia criado.

Alice viu alguns visitantes. Desconhecidos. No ritmo em que estão se movendo, vão chegar aqui amanhã à noite. Achei que você deveria saber imediatamente.

Assenti, meus lábios formando uma linha fina. Que momento infeliz para isso acontecer. Bem, o lado positivo era que eu poderia explicar a Bella por que ia sequestrá-la. Ela entenderia. Charlie, não. Eu teria que elaborar o plano mais seguro, que causasse o mínimo de transtorno possível. Ou melhor, *nós* teríamos. Ela certamente teria opiniões.

Olhei para Alice em busca de um esclarecimento visual, mas ela estava pensando no clima.

— Você toca? — perguntou Esme, e vi que Bella estava admirando meu piano.

Bella balançou a cabeça.

— Nem um pouco. Mas é lindo. É seu?

Esme riu.

— Não. Edward não lhe disse que era músico?

Bella me lançou um olhar estranho, como se aquela notícia fosse irritante. Não entendi por quê. Será que Bella tinha algum preconceito secreto contra pianistas?

— Não — respondeu ela a Esme. — Mas acho que eu devia ter suspeitado.

O que ela quer dizer com isso, Edward?, perguntou Esme, como se eu soubesse a resposta. Felizmente, minha mãe parecia tão confusa que Bella se sentiu obrigada a explicar.

— Edward sabe fazer de tudo, não é? — esclareceu.

Carlisle conteve o riso, mas Jasper caiu na gargalhada. Alice estava assistindo à conversa que aconteceria dali a vinte segundos; isso já era passado para ela.

Como uma boa mãe, Esme me dirigiu seu melhor olhar de reprovação.

— Espero que não tenha se exibido... Que grosseria.

— Só um pouco — admiti, rindo também.

Ele parece tão feliz, pensou Esme. *Nunca o vi assim. Graças a Deus ele finalmente a encontrou.*

— Na verdade, ele tem sido muito modesto — corrigiu Bella.

Seus olhos se voltaram para o piano.

— Bem, toque para ela — incentivou Esme.

Lancei um olhar de advertência para minha mãe.

— Acabou de dizer que me exibir era grosseria.

Esme também estava segurando o riso.

— Toda regra tem sua exceção.

Se ela ainda não estiver totalmente apaixonada, depois disso vai ficar.

Continuei olhando para ela, impassível.

— Gostaria de ouvir você tocar — disse Bella.

— Então está combinado.

Esme colocou a mão no meu ombro e me empurrou para o piano.

Tudo bem, se era isso que eles queriam... Segurei a mão de Bella para que ela fosse comigo. Havia sido ideia dela, afinal.

Até aquele momento, eu nunca tinha ficado inseguro em relação à minha música, até porque só tinha tocado para minha família ou amigos próximos, e, além de Esme, a maioria mal parecia notar o que eu estava fazendo. Então essa era uma sensação nova. Se Esme não tivesse insinuado que eu havia me exibido antes, talvez aquilo não parecesse tão forçado.

Eu me sentei em uma ponta da banqueta e puxei Bella para colocá-la ao meu lado. Ela sorriu para mim, ansiosa. Franzi a testa enquanto a observava, indicando que eu só estava fazendo aquilo porque ela havia pedido.

Escolhi a música que tinha composto para Esme: era uma música alegre, triunfante, que combinava com o clima do dia.

Quando comecei a tocar, observei a reação de Bella pelo canto do olho. Eu não precisava olhar para as teclas, mas não queria que ela se sentisse pressionada.

Bastaram os primeiros compassos para deixá-la boquiaberta.

Jasper riu de novo, e desta vez Alice riu também. Bella ficou tensa, mas não se virou. Seus olhos se estreitaram, a atenção sempre fixa nos meus dedos, seguindo-os enquanto se moviam pelas teclas.

Ouvi Alice subindo a escada no momento em que Carlisle pensou: *Bem, acho que já ficamos aqui tempo o suficiente. Não queremos sobrecarregá-la.*

Esme ficou desapontada, mas seguiu Alice para o andar de cima. Todos iam fingir que aquele era apenas um dia normal, que não era nada de mais ter um humano em casa. Um a um, eles saíram para se dedicar ao que estariam fazendo se eu não tivesse levado a mortal para nossa casa.

Bella ainda estava totalmente focada no movimento das minhas mãos, mas não parecia estar tão... empolgada quanto antes? Suas sobrancelhas se franziram. Eu não entendi sua expressão.

Tentei animá-la, virando o rosto para chamar sua atenção e piscando para ela. Isso geralmente a fazia sorrir.

— Gosta dessa? — perguntei.

Ela inclinou a cabeça para o lado, e então pareceu notar algo. Seus olhos se arregalaram novamente.

— *Você* compôs? — perguntou ela, o tom estranhamente acusatório.

Fiz que sim.

— É a preferida de Esme — acrescentei, como se pedisse desculpas, mas sem entender por quê.

Bella olhou para mim, desolada. Seus olhos se fecharam, e sua cabeça balançou lentamente de um lado para outro.

— Qual é o problema? — perguntei.

Ela abriu os olhos e sorriu, mas não era um sorriso feliz.

— Eu me sinto extremamente insignificante — admitiu ela.

Fiquei atordoado por um momento. Esme tinha feito aqueles comentários sobre eu me exibir, e supus que fossem o cerne da questão. A ideia de que minha música conquistaria qualquer parte indecisa do coração de Bella estava obviamente equivocada.

Como explicar que tudo o que eu sabia fazer, coisas que me pareciam ridiculamente fáceis por ser quem eu era, não tinham importância nenhuma? Não me tornavam especial ou superior. Como lhe mostrar que tudo o que eu era jamais me colocaria à sua altura? Que ela era o grande objetivo que eu tentava alcançar havia tanto tempo?

Eu só conseguia pensar em uma maneira de fazer isso. Criei uma transição simples e passei para outra música. Ela observou minha expressão, esperando uma resposta. Toquei a estrutura principal da nova melodia, com esperança de que ela a reconhecesse.

— Você me inspirou nesta aqui — murmurei.

Será que ela sentia que aquela música tinha vindo do âmago do meu ser? E que meu âmago, assim como tudo que eu era, estava totalmente centrado nela?

Por alguns instantes, deixei que as notas musicais preenchessem os espaços que minhas palavras nunca conseguiriam. A melodia se expandiu enquanto eu tocava, afastando-se de sua antiga escala menor e alcançando uma resolução mais feliz.

Tentei acalmar seus medos anteriores.

— Eles gostam de você, sabia? Especialmente Esme.

Bella provavelmente tinha percebido isso sozinha.

Ela se virou para espiar.

— Aonde eles foram?

— Deram-nos privacidade com muita sutileza, imagino.

— *Eles* gostam de mim — murmurou. — Mas Rosalie e Emmett...

Balancei a cabeça, impaciente.

— Não se preocupe com Rosalie. Ela vai aparecer.

Ela franziu os lábios, sem se convencer.

— E Emmett?

— Bem, é verdade que ele acha que *sou mesmo* um lunático. — Dei uma risada. — Mas não tem problemas com você. Está tentando acalmar Rosalie.

Bella suspirou, cabisbaixa.

— O que a incomoda?

Respirei fundo e expirei devagar, tentando ganhar tempo. Eu queria compartilhar apenas as partes necessárias e dizê-las de um jeito que não a magoasse muito.

— Rosalie é a que mais luta com... com o que somos — expliquei. — É difícil para ela ter alguém de fora sabendo a verdade. E ela tem um pouco de inveja.

— A *Rosalie* tem inveja *de mim*?

Ela parecia não saber se eu estava brincando.

Dei de ombros.

— Você é humana. Ela também queria ser.

— Ah... — Essa revelação a deixou chocada por um instante. Mas então voltou a franzir o rosto. — Mas até o Jasper...

A sensação de que tudo era perfeitamente natural e simples desapareceu assim que Jasper parou de se concentrar em nós. Imaginei que Bella estivesse se lembrando do momento em que ele apareceu. Não mais sob sua influência, devia ter notado pela primeira vez a distância estranha que ele mantivera dela.

— Na verdade, a culpa é minha. Como eu falei para você, ainda não tem muito tempo desde que ele começou a viver como a gente. Alertei-o para manter distância.

Eu disse essas palavras de maneira leve, mas, depois de um segundo, Bella estremeceu.

— Esme e Carlisle? — perguntou rapidamente, como se estivesse ansiosa para mudar de assunto.

— Ficam felizes por me verem feliz. Na verdade, Esme não se importaria se você tivesse três olhos e pés de pato. Em todo esse tempo, ela sempre se preocupou comigo, com medo de que houvesse alguma coisa ausente em minha constituição básica, que eu fosse jovem demais quando Carlisle me transformou... Ela está em êxtase. Sempre que encosto em você, ela praticamente explode de alegria.

Ela contraiu os lábios.

— Alice parece muito... entusiasmada.

Tentei manter a compostura, mas ouvi um pingo de frieza na minha resposta.

— Alice tem um jeito próprio de ver as coisas.

Sua expressão estava tensa durante a maior parte da nossa conversa, mas de repente ela sorriu.

— E não vai me explicar isso, não é?

É claro que ela havia reparado nas minhas reações estranhas toda vez que Alice era mencionada; eu não tinha sido muito sutil. Pelo menos ela estava sorrindo agora, feliz por me pegar no flagra. Bella claramente não sabia *por que* eu estava irritado com Alice, mas, por ora, ficou satisfeita em mostrar que *sabia* que eu estava escondendo alguma coisa. Não respondi; imaginei que ela não estivesse esperando uma resposta.

— Então, o que Carlisle estava dizendo a você antes? — perguntou ela.

Franzi o cenho.

— Percebeu isso, não foi?

Bem, eu sabia que disso não poderia escapar.

— Claro que sim.

Pensei em seu pequeno tremor quando falei sobre Jasper... Eu detestava a ideia de alarmá-la novamente, mas ela *deveria* sentir medo.

— Ele queria me contar algumas novidades... — admiti. — Não sabia se era algo que eu deveria compartilhar com você.

Ela endireitou a postura, alerta.

— E você vai?

— Preciso, porque ficarei um pouco... insuportavelmente protetor nos próximos dias... ou semanas... e não gostaria que pensasse que sou naturalmente um tirano.

Minha brincadeira não a deixou mais tranquila.

— Qual é o problema? — perguntou ela.

— Não há exatamente nada de errado. Alice só viu alguns visitantes chegando logo. Eles sabem que estamos aqui e estão curiosos.

Ela repetiu a palavra em um sussurro:

— Visitantes?

— Sim... Bom, eles não são como nós, é claro... Em seus hábitos de caça, quero dizer. Não devem entrar na cidade, mas certamente não vou perder você de vista até irem embora.

Ela estremeceu tanto que senti o movimento na banqueta onde estávamos sentados.

— Enfim, uma reação racional! — murmurei. Pensei em todas as coisas horríveis a meu respeito que ela havia aceitado sem nem sequer pestanejar. Aparentemente, apenas *outros* vampiros eram assustadores. — Estava começando a pensar que você não tinha nenhum senso de autopreservação.

Ela ignorou o comentário e voltou a observar minhas mãos se movendo sobre as teclas. Depois de alguns segundos, respirou fundo e expirou lentamente. Será que tinha processado mais um pesadelo com tanta facilidade?

Pelo visto, sim. Ela examinou a sala, virando a cabeça devagar enquanto esquadrinhava minha casa. Eu podia imaginar o que ela estava pensando.

— Não era o que esperava, não é? — indaguei.

Ela ainda estava catalogando o ambiente.

— Não.

Eu me perguntei o que a teria surpreendido mais: as cores claras, o espaço aberto, a parede de vidro? Tudo tinha sido cuidadosamente projetado por Esme para *não* parecer uma fortaleza ou um hospício.

Eu sabia o que um ser humano comum teria previsto.

— Não tem caixões, nem crânios empilhados nos cantos. Também não acredito que tenha teias de aranha... Que decepção deve estar sendo para você.

Ela não reagiu à minha piada.

— É tão claro... e aberto.

— É o único lugar em que nunca precisamos nos esconder.

Enquanto concentrava minha atenção em Bella, a música que eu estava tocando retornou às suas raízes. Eu me vi no momento mais sombrio, no momento em que a verdade óbvia se tornava inevitável: Bella era perfeita. Qualquer interferência do meu mundo seria uma tragédia.

Era tarde demais para salvar a música. Deixei que ela terminasse como antes, com aquela nota de tristeza.

Às vezes era tão fácil acreditar que Bella e eu éramos perfeitos um para o outro. No calor do momento, quando a impulsividade me guiava e tudo acontecia tão naturalmente... eu acreditava nisso. Mas sempre que encarava as coisas com lógica, sem permitir que a emoção vencesse a razão, ficava claro que eu só podia fazer mal a ela.

— Obrigada — sussurrou Bella.

Seus olhos nadavam em lágrimas. Enquanto eu observava, ela passou rapidamente os dedos por elas, para secá-las.

Aquela era a segunda vez que eu via Bella chorar. Na primeira, eu a havia magoado. Não intencionalmente, mas, ao sugerir que nunca poderíamos ficar juntos, eu a fizera sofrer.

Agora ela estava chorando porque a música que eu compus para ela a comoveu. Lágrimas de alegria. Será que ela havia entendido o que ficara implícito na composição?

Uma lágrima ainda reluzia no canto do seu olho esquerdo, brilhando na claridade da sala. Um pedaço minúsculo e límpido de Bella, um diamante efêmero. Movido por um instinto estranho, estendi a mão para pegá-la com a ponta do dedo. Redonda sobre a minha pele, ela cintilava quando eu mexia a mão. Levei rapidamente o dedo à língua, provando sua lágrima, absorvendo aquela minúscula partícula de Bella.

Carlisle passara muitos anos tentando entender nossa anatomia imortal; era uma tarefa difícil, baseada quase sempre em suposições e observações. Não havia cadáveres de vampiros disponíveis para estudo.

Sua melhor hipótese sobre nossos sistemas vitais era de que nossa estrutura interna devia ser microscopicamente porosa. Embora pudéssemos engolir qualquer coisa, nosso corpo só aceitava sangue. Esse sangue era absorvido por nossos músculos e funcionava como um combustível. Quando o combustível se esgotava, nossa sede ficava mais forte para nos encorajar a repor o suprimento. Nada além de sangue parecia alimentar nosso corpo.

Engoli a lágrima. Talvez ela nunca deixasse meu corpo. Mesmo depois que Bella me abandonasse, depois que todos os anos solitários passassem, talvez eu sempre tivesse esse pedaço dela dentro de mim.

Bella me olhou com curiosidade, mas eu não tinha nenhuma explicação a oferecer. Em vez disso, voltei à questão anterior.

— Quer ver o resto da casa? — ofereci.

— Sem caixões? — confirmou ela.

Eu ri e fiquei de pé, ajudando-a a se levantar da banqueta.

— Sem caixões.

Eu a levei até o segundo andar; ela já tinha visto a maior parte do primeiro, exceto a cozinha intocada e a sala de jantar, que não eram visíveis da porta da frente. Enquanto subíamos, seu interesse era evidente. Ela examinava tudo: o corrimão, o piso de madeira clara, o revestimento que, como uma moldura, enfeitava o corredor do segundo andar. Era como se estivesse se preparando para uma prova. Contei quem era o dono de cada quarto, e ela assentiu após cada informação, pronta para o teste.

Eu estava prestes a fazer a curva e subir o próximo lance de escada, quando Bella parou de repente. Ela estava olhando para alguma coisa com uma expressão confusa. Ah.

— Pode rir — falei. — É *mesmo* meio irônico.

Ela não riu. Estendeu a mão como se quisesse tocar a cruz grossa de carvalho pendurada ali, escura e sombria em contraste com a madeira mais clara, mas seus dedos não chegaram a concluir a ação.

— Deve ser muito antiga — murmurou Bella.

Dei de ombros.

— Mais ou menos do início de 1630.

Ela me encarou, a cabeça inclinada para o lado.

— Por que vocês mantêm isso aqui?

— Nostalgia. Pertenceu ao pai de Carlisle.

— Ele colecionava antiguidades? — sugeriu ela, soando como se já soubesse que o palpite estava errado.

— Não — respondi. — Ele mesmo entalhou. Ficava pendurada na parede acima do púlpito na paróquia em que ele pregava.

Bella olhou para a cruz, com um olhar intenso. Permaneceu imóvel por tanto tempo que fiquei angustiado outra vez.

— Você está bem? — murmurei.

— Qual a idade de Carlisle? — perguntou ela.

Suspirei, tentando conter o velho pânico. Será que essa história seria a gota d'água? Analisei cada minúscula contração muscular em seu rosto enquanto explicava.

— Ele acabou de comemorar o aniversário de 362 anos. — Ou quase isso. Tinha escolhido um dia para agradar Esme, mas era apenas um palpite. — Carlisle nasceu em Londres, por volta de 1640, segundo ele acredita. O tempo não era marcado com precisão na época, pelo menos pelas pessoas comuns. Mas foi pouco antes do governo de Cromwell. Ele era filho único de um pastor anglicano. A mãe morreu dando à luz. Seu pai era um homem intolerante. À medida que os protestantes chegavam ao poder, ele apoiou com veemência a perseguição de católicos romanos e outras religiões. Também acreditava fortemente na realidade do mal. Ele liderou a perseguição de bruxas, de lobisomens... e de vampiros.

Ela manteve a compostura durante a maior parte do tempo, como se fosse imune aos fatos. Mas, quando eu disse a palavra *vampiros*, seus ombros ficaram tensos e ela prendeu a respiração por alguns segundos.

— Eles queimaram muita gente inocente... É claro que não era tão fácil capturar as criaturas que de fato procuravam.

Isso ainda assombrava Carlisle, os inocentes que seu pai havia assassinado. E mais ainda os assassinatos nos quais Carlisle esteve involuntariamente envolvido. Eu via com bons olhos o fato de que essas lembranças eram nebulosas e ficavam cada vez mais indistintas.

Eu conhecia as histórias dos anos humanos de Carlisle tão bem quanto as minhas próprias. Enquanto descrevia sua malfadada descoberta de um antigo clã londrino, me perguntei se isso soaria real para ela. Era uma história irrelevante, ambientada em um país que ela não conhecia, separada de sua existência por tantos anos que Bella não tinha nem contexto para entendê-la.

No entanto, ela parecia fascinada conforme eu descrevia o ataque que havia infectado Carlisle e matado seus companheiros, deixando de fora os detalhes nos quais preferia que ela não pensasse. Quando o vampiro, movido pela sede, se virou e atacou seus algozes, ele só mordeu Carlisle duas vezes com os dentes cobertos de veneno: uma mordida na palma da mão estendida e outra no bíceps. Houve um confronto, o vampiro lutando para dominar rapidamente quatro homens antes que o resto do bando se aproximasse. Depois do ocorrido, Carlisle levantou a hipótese de que o vampiro planejava drenar o sangue de todos, mas escolheu a autopreservação em vez de uma refeição mais generosa, agarrando os homens que podia carregar e fugindo. O medo dele não era aquele bando de homens, é claro; aqueles cinquenta homens com armas toscas representavam tanto perigo para ele quanto uma nuvem de borboletas. Os Volturi, contudo, estavam a menos de mil e quinhentos quilômetros de distância. Àquela altura, suas leis já estavam estabelecidas havia um milênio, e a exigência de que os imortais fossem discretos pelo bem de todos era universalmente aceita. A história de um vampiro visto em Londres, tendo cinquenta testemunhas e cadáveres exsanguinados como prova, não seria muito bem recebida em Volterra.

A natureza das feridas de Carlisle foi infeliz. O talho na mão passou longe de qualquer vaso importante, o corte no braço não atingiu nem a artéria braquial, nem a veia basílica. Isso causou uma propagação muito mais lenta do veneno, e um período de transformação mais longo. Como a conversão de mortal para imortal era a coisa mais dolorosa que já tínhamos experimentado, uma versão estendida não era o ideal, para dizer o mínimo.

Eu conhecia a dor da versão estendida. Carlisle estava... inseguro quando decidiu me transformar e me receber como seu primeiro companheiro. Ele havia passado muito tempo com outros vampiros mais experientes — incluindo os Volturi —, e sabia que uma mordida bem localizada resultaria em uma conversão mais rápida. No entanto, nunca tinha encontrado um vampiro *igual* a ele. Todos os outros eram obcecados com sangue e poder. Ninguém mais ansiava por uma vida benevolente e familiar como ele. Carlisle se perguntava se sua conversão lenta e os pontos ineficazes de entrada da infecção teriam sido, de alguma forma, responsáveis por essa diferença. Então, ao criar seu primeiro filho, decidiu imitar as próprias feridas. Ele sempre se sentiu mal por isso, especialmente porque descobriu, mais tarde, que o método de conversão não tinha nenhuma influência sobre a personalidade e os desejos do novo imortal.

Ele não teve tempo de testar quando encontrou Esme. Ela estava muito mais perto da morte do que eu. Para salvá-la, era necessário instilar o máximo de veneno em seu organismo no ponto mais próximo possível do coração. Ou seja, o processo foi muito mais frenético com ela do que comigo, e ainda assim Esme era a mais amável de todos nós.

E Carlisle era o mais forte. Contei a Bella o que pude sobre a conversão extraordinariamente disciplinada dele. E me vi editando coisas que talvez não devesse ter editado, mas não queria detalhar a dor insuportável de Carlisle. Talvez, considerando sua curiosidade óbvia em relação ao processo, tivesse sido bom descrevê-la; talvez isso a tivesse convencido a deixar o assunto de lado.

— Então havia terminado, e ele percebeu no que se transformara — expliquei.

O tempo todo, enquanto estava perdido em meus pensamentos contando aquela história familiar, eu observava as reações de Bella. Na maior parte do tempo, ela manteve a mesma expressão; acho que queria aparentar um interesse atento, totalmente desprovido de qualquer repúdio emocional desnecessário. No entanto, Bella estava tensa demais para que essa estratégia fosse convincente. Sua curiosidade era genuína, mas eu queria saber o que ela realmente achava, não o que queria que eu pensasse.

— Como está se sentindo? — perguntei.

— Estou bem — respondeu ela.

Mas a expressão de tranquilidade vacilou um pouco. Ainda assim, a única coisa que vi em seu rosto foi o desejo de saber mais. Então aquela história não tinha sido o suficiente para assustá-la.

— Imagino que tenha mais algumas perguntas para mim.

Ela sorriu, totalmente segura, sem demonstrar nenhum medo.

— Algumas.

Sorri de volta.

— Então, venha. Eu vou lhe mostrar.

20. CARLISLE

Voltamos pelo longo corredor até o gabinete de Carlisle. Parei na porta, esperando o convite dele.

— Entrem — disse meu pai.

Eu a conduzi para dentro e observei Bella examinar, animada, aquele novo ambiente. Era mais escuro que o resto da casa; o mogno lembrava a primeira casa de Carlisle. Os olhos dela percorreram as fileiras e mais fileiras de livros. Eu a conhecia bem o suficiente para saber que estar em meio a tantos livros era como um sonho para ela.

Carlisle marcou a página do exemplar que estava lendo e se levantou para nos receber.

— O que posso fazer por vocês? — perguntou.

É claro que ele tinha ouvido toda a nossa conversa no corredor e sabia que estávamos ali para escutar o capítulo seguinte. Ele não se incomodara por eu ter compartilhado sua história; não parecia surpreso por eu ter contado tudo a ela.

— Queria mostrar a Bella um pouco da nossa história. Bom, da sua história, na verdade.

— Não queríamos incomodá-lo — disse Bella, baixinho.

— De forma alguma — assegurou Carlisle. — Por onde querem começar?

— Pelo cocheiro — respondi.

Coloquei a mão no ombro dela e a virei gentilmente para a parede atrás de nós. Ouvi os batimentos cardíacos de Bella reagirem ao meu toque, e em seguida a risada quase silenciosa de Carlisle diante dessa reação.

Interessante, pensou ele.

Os olhos de Bella se arregalaram enquanto ela examinava a parede abarrotada de quadros do gabinete de Carlisle. Eu podia imaginar como à primeira vista aquela parede devia desorientar qualquer um. Havia setenta e três pinturas, de todos os tamanhos, técnicas e cores, reunidas como um quebra-cabeça de peças retangulares que cobria a parede por completo. O olhar dela não conseguia se deter em nenhum ponto.

Peguei a mão de Bella e a conduzi ao início. Carlisle nos seguiu. Como na página de um livro, a história começava na pintura mais à esquerda. Era uma obra discreta, monocromática, que se assemelhava a um mapa. Na verdade, *era* parte de um mapa, pintado à mão por um cartógrafo amador, um dos poucos originais que haviam sobrevivido aos séculos.

As sobrancelhas dela se franziram.

— Londres em 1650 — expliquei.

— A Londres da minha juventude — acrescentou Carlisle alguns metros atrás de nós.

Bella se encolheu, surpresa com a proximidade dele. É claro que ela não tinha ouvido seus passos. Apertei a mão dela, tentando acalmá-la. Aquela casa era um lugar estranho para ela, mas nada ali a machucaria.

— Vai contar a história? — perguntei a ele, e Bella se virou para Carlisle.

Sinto muito, eu gostaria de poder.

Ele sorriu para Bella e disse em voz alta:

— Eu poderia, mas na verdade estou um pouco atrasado. Ligaram do hospital hoje de manhã... O Dr. Snow tirou o dia de folga. Além disso — ele olhou para mim —, você conhece as histórias tão bem quanto eu.

Carlisle sorriu calorosamente para Bella ao sair. Depois que ele foi embora, ela se virou para examinar o pequeno quadro mais uma vez.

— O que aconteceu, então? — perguntou pouco depois. — Quando Carlisle percebeu o que havia acontecido com ele.

Automaticamente, olhei para uma pintura maior, uma coluna acima e uma fileira abaixo. Não era uma imagem alegre: uma paisagem deserta e sombria, um céu coberto de nuvens opressivas, cores que pareciam sugerir que o sol nunca mais ia voltar. Carlisle tinha visto aquele quadro pela janela de um pequeno castelo na Escócia. A pintura lembrava tão perfeitamente o período mais sombrio de sua vida que ele quis ficar com ela, por mais dolorosa que a lembrança fosse. Para ele, a existência daquela paisagem devastada significava que ele era compreendido.

— Quando ele entendeu no que tinha se transformado, rebelou-se contra isso. Quis se destruir. Mas não é tão fácil.

— Como? — perguntou ela, surpresa.

Continuei olhando para o vazio sugestivo da pintura enquanto descrevia as tentativas de suicídio de Carlisle.

— Ele pulou de grandes alturas. Tentou se afogar no mar... Mas era jovem na nova vida, e muito forte. É incrível que tenha sido capaz de resistir... capaz de não se alimentar... — Olhei rapidamente para ela, mas Bella ainda encarava a pintura. — ... Enquanto ainda era tão novo. O instinto é mais forte nesse período, controla tudo. Mas ele sentia tanta repulsa por si mesmo que teve forças para tentar se matar de inanição.

— Isso é possível? — sussurrou ela.

— Não, não há muitas maneiras de sermos mortos.

Ela abriu a boca para fazer a pergunta óbvia após essa revelação, mas acrescentei rapidamente para distraí-la:

— Então ele ficou com muita fome e por fim enfraqueceu. Afastou-se o máximo que pôde dos humanos, reconhecendo que sua força de vontade também se enfraquecia. Durante meses, vagou à noite, procurando pelos lugares mais solitários, abominando a si mesmo...

Descrevi a noite em que ele descobriu outra maneira de viver, quando decidiu se alimentar apenas de sangue animal e como foi sua recuperação até se tornar uma criatura racional. Então contei de sua ida para o continente...

— Ele *nadou* até a França? — interrompeu ela, incrédula.

— As pessoas atravessam o canal da Mancha a nado o tempo todo, Bella — observei.

— Acho que é verdade. Só pareceu engraçado no contexto. Continue.

— Nadar é fácil para nós...

— Tudo é fácil para *vocês* — reclamou ela.

Sorri, esperando para ter certeza de que ela não queria falar mais nada.

Bella franziu a testa.

— Não vou interromper de novo, eu prometo.

Meu sorriso aumentou, pois eu sabia qual seria sua reação à próxima parte.

— Porque, tecnicamente, não precisamos respirar.

— Vocês...

Eu ri e levei o dedo aos seus lábios.

— Não, não, você prometeu. Quer ouvir a história ou não?

Ela falou mesmo assim, com os lábios tocando meu dedo.

— Não pode me contar uma coisa dessas e esperar que eu não diga nada.

Deixei que minha mão tocasse a lateral do pescoço dela.

— Você não precisa *respirar*? — perguntou Bella.

Dei de ombros.

— Não, não é necessário. É só um hábito.

— Quanto tempo pode ficar... sem *respirar*?

— Indefinidamente, imagino. Não sei. — O máximo de tempo que eu havia passado sem respirar tinham sido alguns dias, todos debaixo d'água. — É um tanto desagradável... ficar sem o olfato.

— Um tanto desagradável — repetiu ela, a voz pouco mais que um sussurro.

As sobrancelhas dela estavam franzidas, os olhos estreitos, os ombros rígidos. A conversa, que parecia tão engraçada para mim instantes antes, perdeu subitamente a graça.

Nós éramos muito diferentes. Embora um dia tivéssemos pertencido à mesma espécie, agora compartilhávamos poucas características superficiais. Ela devia estar finalmente sentindo o peso da distorção, a distância entre nós. Afastei a mão da pele dela. Meu toque anormalmente frio só deixaria essa lacuna mais óbvia.

Analisei sua expressão ansiosa, esperando para ver se aquela verdade finalmente seria demais para ela. Depois de alguns longos segundos, o estresse em seus traços diminuiu. Seus olhos se focaram nos meus, e uma inquietação diferente surgiu no rosto dela.

Sem hesitar, ela tocou na minha bochecha.

— O que foi?

Preocupação comigo novamente. Então, ao que parecia, aquilo não tinha sido a *gota d'água* que eu tanto temia.

— Continuo esperando que aconteça — confessei.

Bella ficou confusa.

— Que aconteça o quê?

Respirei fundo.

— Sei que, a certa altura, algo que direi a você ou algo que você verá será demais. E então você vai fugir de mim, aos gritos. — Tentei sorrir para ela, mas não fui muito convincente. — Não vou impedi-la. Quero que isso aconteça, porque quero que fique segura. E, no entanto, quero ficar com você. É impossível conciliar os dois desejos...

Ela endireitou os ombros, o queixo erguido.

— Não vou fugir para lugar nenhum — prometeu.

Tive que sorrir diante de sua demonstração de coragem.

— Veremos.

— Então, continue... — insistiu Bella, fazendo uma leve careta diante da minha resposta duvidosa. — Carlisle nadou para a França.

Avaliei o humor dela por mais um segundo, em seguida me voltei para os quadros. Dessa vez, apontei para a mais pomposa de todas as pinturas, a mais colorida e extravagante. Era para ser um retrato do julgamento final, mas metade das figuras parecia envolvida em algum tipo de orgia, e a outra metade, em um combate violento e sangrento. Apenas os juízes, suspensos acima do pandemônio em balaustradas de mármore, permaneciam serenos.

Aquela pintura tinha sido um presente. Carlisle jamais escolheria aquilo para si mesmo. Mas quando os Volturi praticamente o obrigaram a aceitar aquela lembrança de seu tempo juntos, ele não teve como recusar.

Carlisle tinha certo carinho por aquela obra chamativa — e pelos vampiros soberanos e distantes retratados nela —, então a guardou junto de seus quadros favoritos. Afinal, os Volturi tinham sido muito generosos com ele de várias formas. E Esme gostava do pequeno retrato de Carlisle escondido em meio ao caos.

Enquanto eu descrevia os primeiros anos de Carlisle na Europa, Bella ficou estudando a pintura, tentando assimilar todas as figuras retratadas e o turbilhão de cores. Percebi que minha voz foi se tornando menos casual. Era difícil pensar no processo de Carlisle para dominar sua natureza, para se tornar uma bênção para a humanidade em vez de um parasita, sem sentir novamente toda a admiração que sua jornada despertava.

Sempre invejei seu autocontrole perfeito, mas, ao mesmo tempo, acreditava que era impossível replicá-lo. Percebi naquele momento que havia escolhido o caminho mais fácil, o que exigia menos resistência, admirando muito Carlisle sem nunca me dedicar ao esforço de me tornar mais *parecido* com ele. Aquele curso intensivo de autocontrole que Bella estava me obrigando a fazer poderia ter sido bem menos difícil se eu tivesse me dedicado mais nas últimas sete décadas.

Bella estava me encarando. Toquei na imagem à nossa frente para que ela voltasse sua atenção para a história.

— Ele estava estudando na Itália quando descobriu outros lá. Eram muito mais civilizados e mais instruídos do que os espectros dos esgotos de Londres.

Bella se concentrou no quadro que eu indiquei e de repente caiu na risada, um pouco sobressaltada. Ela havia reconhecido Carlisle, apesar do manto que ele usava na pintura.

— Solimena foi muito inspirado pelos amigos de Carlisle. Em geral os pintava como deuses. Aro, Marcus, Caius. — Apontei cada um enquanto dizia os nomes. — Os patronos noturnos das artes.

O dedo dela hesitou diante da tela.

— O que aconteceu com eles?

— Ainda estão lá. Como sempre, por quem sabe quantos milênios. Carlisle ficou com eles apenas por um breve tempo, algumas décadas. Ele admirava muito sua civilidade, seu refinamento, mas eles insistiam em tentar curar sua aversão à sua "fonte natural de alimento", como diziam. Tentaram convencê-lo e ele tentou persuadi-los, sem sucesso. Àquela altura, Carlisle decidiu tentar o Novo Mundo. Sonhava em encontrar outros iguais a ele. Estava muito solitário, como pode imaginar.

Mencionei brevemente os acontecimentos das décadas seguintes, enquanto Carlisle enfrentava seu isolamento até, por fim, pensar em um plano de ação. A história ficou mais pessoal, e também mais repetitiva. Bella já tinha ouvido parte dela: Carlisle me encontrando no leito de morte e tomando a decisão que havia mudado meu destino. Decisão que agora afetaria o destino de Bella.

— E assim fechamos o círculo — concluí.

— Então você sempre esteve com Carlisle? — perguntou ela.

Com um instinto infalível, ela havia feito justamente a pergunta que eu menos queria responder.

— Quase sempre — respondi.

Coloquei a mão na cintura dela para levá-la para fora do gabinete, desejando poder também afastá-la daquela linha de raciocínio. Mas eu sabia que ela não ia permitir. Sem dúvida...

— Quase?

Suspirei, relutante. Mas a honestidade devia prevalecer sobre a vergonha.

— Bem — confessei —, eu tive um típico ataque de rebeldia adolescente... Uns dez anos depois que... nasci... fui criado, como quiser chamar. Não concordava com a vida de abstinência e me ressentia dele por refrear meu apetite. Então parti para ficar sozinho por algum tempo.

— É mesmo? — Sua entonação não era o que eu esperava.

Em vez de sentir repulsa, Bella parecia ansiosa para ouvir mais. Isso não combinava com a reação dela na campina, quando pareceu muito surpresa ao descobrir que eu havia cometido assassinatos, como se essa verdade nunca tivesse lhe ocorrido. Talvez ela houvesse se acostumado com a ideia.

Começamos a subir a escada. Agora ela parecia indiferente ao que a cercava; olhava apenas para mim.

— Isso não lhe dá repulsa? — perguntei.

Ela pensou por meio segundo.

— Não.

Considerei aquela resposta perturbadora.

— E por que não? — insisti, quase exigindo que ela respondesse.

— Acho que... parece razoável. — Sua explicação terminou em um tom mais alto, como se fosse uma pergunta.

Razoável. Eu ri, o som áspero demais.

Mas em vez de mostrar a ela todas as maneiras pelas quais aquilo não era razoável ou perdoável, acabei me justificando.

— Desde a época de meu novo nascimento tive a vantagem de saber o que todos à minha volta pensavam, tanto humanos como não humanos. Foi por isso que precisei de dez anos para desafiar Carlisle... Eu podia ler sua sinceridade impecável, entender exatamente por que ele vivia daquela maneira.

Eu me perguntava se teria me desviado do meu caminho se não tivesse conhecido Siobhan e outros como ela. Se eu não soubesse que todas as criaturas como eu (ainda não tínhamos encontrado Tanya e suas irmãs) achavam o modo de vida de Carlisle ridículo. Se eu conhecesse apenas Carlisle e nunca tivesse descoberto outro código de conduta, acho que teria ficado. Eu tinha vergonha de ter me deixado influenciar por outros que não chegavam aos pés dele. Mas invejava a liberdade deles. E achei que seria capaz de viver acima do abismo moral no qual todos tinham afundado. Porque eu era *especial*. Balancei a cabeça diante da minha arrogância.

— Precisei de mais alguns anos para voltar para Carlisle e me comprometer novamente com seu modo de viver. Pensei que estaria isento da depressão que acompanha a consciência. Como eu sabia os pensamentos de minhas presas, podia desprezar os inocentes e perseguir somente os maus. Se eu seguisse um assassino por uma viela escura, onde ele atacaria uma jovem, se eu a salvasse, certamente não seria tão horrível.

Eu tinha salvado muitos humanos assim, mas isso nunca pareceu equilibrar a balança. Muitos rostos surgiam em minhas lembranças, os culpados que eu havia executado e os inocentes que eu tinha salvado.

Mas um rosto permanecia, culpado e inocente ao mesmo tempo.

Era setembro de 1930. Tinha sido um ano muito ruim. Por toda parte, os humanos se esforçavam para sobreviver a falências bancárias, secas e tempestades de areia. Agricultores que haviam perdido suas terras, acompanhados da família, se mudavam para cidades que não tinham como acomodá-los. Na época, me perguntei se o desespero e o medo generalizados nas mentes à minha volta contribuíam para a melancolia que começava a me atormentar, mas acho que já naquela época eu sabia que minha depressão se devia totalmente às minhas escolhas.

Eu estava de passagem por Milwaukee, como havia passado por Chicago, Filadélfia, Detroit, Columbus, Indianápolis, Mineápolis, Montreal, Toronto, cidade após cidade, e depois voltado várias vezes, um verdadeiro nômade pela primeira vez na vida. Eu nunca me afastava muito para o sul — sabia que era melhor não caçar perto daquela incubadora de exércitos infernais de recém-criados —, nem para o leste, pois também evitava Carlisle, mais por vergonha do que por autopreservação, nesse caso. Nunca passava mais do que alguns dias no mesmo lugar, nunca interagia com os humanos que não estava caçando. Mais de quatro anos depois, localizar as mentes que eu procurava se tornara algo simples. Eu sabia onde era mais provável encontrá-las e quando costumavam estar ativas. A facilidade com que achava minhas vítimas ideais era perturbadora; havia muitas.

Talvez isso também contribuísse para minha melancolia.

As mentes que eu caçava em geral eram indiferentes a toda compaixão humana e à maioria das emoções que não fossem ganância e desejo. Havia uma frieza e um foco que as destacavam das mentes normais e menos perigosas ao redor. É claro que a maioria tinha levado algum tempo para chegar a esse ponto, quando se viam mais como predadores do que outra coisa. Então sempre havia uma série de vítimas que eu não conseguia salvar. Eu só podia salvar a próxima.

Ao procurar essas mentes, eu era capaz de abafar tudo que fosse mais humano durante a maior parte do tempo. Mas naquela noite em Milwaukee, enquanto me movia silenciosamente pela escuridão — caminhando quando havia testemunhas, correndo quando não havia —, outro tipo de mente chamou minha atenção.

Era a mente de um rapaz pobre que morava em um cortiço na periferia do distrito industrial. Sua angústia era tão intensa que invadiu minha consciência, embora naqueles dias eu andasse extremamente angustiado também. Mas, ao contrário dos outros que temiam a fome, o despejo, o frio e as doenças — tantas formas de privação —, aquele homem temia a si mesmo.

Não posso. Não posso. Não posso fazer isso. Não posso. Não posso. Era como um mantra repetido sem parar em sua mente. Mas nunca se transformava em algo mais forte, nunca se tornava *não vou*. Ele pensava nessas negativas ao mesmo tempo em que planejava.

O homem não tinha feito nada... ainda. Havia apenas sonhado com o que queria. Havia apenas observado a menina no prédio mais adiante no beco, sem nunca ter falado com ela.

Fiquei um pouco desorientado. Eu nunca havia condenado à morte alguém que não tivesse sujado as mãos. Mas parecia provável que aquele homem logo fosse fazer isso. E a garota em sua mente era apenas uma criança.

Sem saber o que fazer, decidi esperar. Talvez ele vencesse a tentação.

Eu duvidava. Meu estudo recente sobre o que havia de mais vil na natureza humana deixava pouco espaço para o otimismo.

No beco em que ele morava, onde as construções se apoiavam de forma precária umas nas outras, havia uma casa estreita cujo telhado havia desabado recentemente. Ninguém podia chegar ao segundo andar com segurança, então foi ali que fiquei escondido, imóvel, enquanto o ouvia nos dias que se seguiram. Examinando os pensamentos das pessoas aglomeradas nas habitações caindo aos pedaços, não demorei muito para encontrar o rosto magro da criança em pensamentos diferentes, mais saudáveis. Localizei o quarto onde ela morava com a mãe e dois irmãos mais velhos e a vigiei dia e noite. Isso foi fácil; a menina tinha apenas cinco ou seis anos, portanto não se afastava muito de casa. A mãe a chamava de volta sempre que ela sumia de vista. Seu nome era Betty.

O homem também a observava quando não estava perambulando pelas ruas em busca de trabalho. Mas mantinha distância dela durante o dia. Era à noite que parava diante da janela, escondendo-se nas sombras enquanto uma única vela queimava no quarto da família da menina. Ele marcou a que horas a vela era apagada. Descobriu a localização da cama da criança (apenas uma almofada recheada de jornal sob a janela aberta). Estava começando a fazer frio à noite, mas os odores no prédio superlotado eram desagradáveis. Todos mantinham as janelas abertas.

Não posso fazer isso. Não posso. Não posso. O mantra continuava, mas ele começou a se preparar. Um pedaço de corda que encontrou na sarjeta. Trapos que arrancou de um varal durante sua vigilância noturna e que funcionariam como mordaça. Ironicamente, ele escolheu guardar sua coleção na mesma casa em ruínas onde eu me escondi. Havia um espaço vazio e profundo sob a escada caída. Era para lá que ele planejava levar a criança.

Ainda assim, eu esperei, relutante em punir antes de ter certeza do crime.

A parte mais difícil, a que o fazia relutar, era que ele sabia que teria que matá-la depois. Era desagradável, e ele não gostava de pensar em *como* faria isso. Mas esse escrúpulo também foi superado. Demorou mais uma semana.

A essa altura, eu já estava com muita sede e entediado com a repetição em sua mente. No entanto, sabia que não poderia justificar meus assassinatos a menos que agisse de acordo com as regras que havia me imposto. Punir apenas os culpados, apenas aqueles que fariam muito mal a outras pessoas se fossem poupados.

Fiquei estranhamente decepcionado na noite em que ele foi buscar a corda e a mordaça. Contrariando toda a lógica, esperava que ele, no fim das contas, fosse inocente.

Segui o homem até a janela aberta junto da qual a criança dormia. Ele não me ouviu atrás dele, e não teria me visto nas sombras caso se virasse. A repetição em sua cabeça havia cessado. Ele havia concluído que *podia*. Podia fazer aquilo.

Esperei até ele enfiar o braço pela janela, até seus dedos roçarem o braço de Betty, tentando segurá-la...

Agarrei-o pelo pescoço e pulei para o telhado três andares acima, onde aterrissamos com um baque discreto.

É claro que ele ficou aterrorizado com os dedos gelados em volta de seu pescoço, perplexo com o voo repentino, confuso com o que estava acontecendo. Mas quando o virei para que me encarasse, de alguma forma ele entendeu. Ele não viu um homem quando olhou para mim. Viu meus olhos negros vazios, minha pele mortalmente pálida, e viu o *julgamento*. Embora não tenha chegado nem perto de adivinhar o que eu era, ele estava totalmente certo a respeito do que estava acontecendo.

O homem se deu conta de que eu havia salvado a criança dele e ficou aliviado. Não indiferente como os outros, não frio e seguro.

Eu não fiz nada, pensou, enquanto eu dava o bote. As palavras não eram uma defesa. Ele estava feliz por ter sido detido.

Aquela foi minha única vítima tecnicamente inocente, que não viveu para se tornar um monstro. Interromper sua progressão para o mal tinha sido a coisa certa a fazer, a única opção.

Quando eu pensava nelas, em cada uma das pessoas que havia executado, não me arrependia de nenhuma das mortes individualmente. O mundo era um lugar melhor com cada uma daquelas perdas. Mas de alguma forma isso não importava.

E, no final, sangue era apenas sangue. Saciava minha sede por alguns dias ou semanas, e só. Embora houvesse prazer físico, ele era maculado pelos tormentos em minha mente. Apesar da minha teimosia, eu não conseguia mais evitar a verdade. Eu era mais feliz sem sangue humano.

O número total das mortes se tornou demais para mim. Alguns meses depois, desisti da minha missão egoísta, desisti de tentar encontrar algum significado naquela matança.

— Mas à medida que o tempo passava — continuei, me perguntando se ela teria percebido o que eu não estava contando —, comecei a ver o monstro em meus olhos. Não podia escapar da dívida de tantas vidas humanas roubadas, mesmo sendo justificado. E voltei para Carlisle e Esme. Eles me receberam como o filho pródigo. Era mais do que eu merecia.

Eu me lembrei do abraço que me deram, dos pensamentos alegres deles quando voltei.

O olhar de Bella para mim naquele momento também era mais do que eu merecia. Supus que minha defesa tivesse funcionado, por mais frágil que me parecesse. Mas àquela altura Bella já devia estar acostumada a encontrar justificativas para mim. Eu não imaginava de que outra forma ela suportaria ficar perto de mim.

Chegamos à última porta do corredor.

— Meu quarto — falei, segurando a porta aberta.

Esperei a reação dela. O exame minucioso voltou. Ela analisou a vista do rio, a grande quantidade de prateleiras para meus CDs, o aparelho de som, a ausência de móveis tradicionais, seus olhos saltando de um detalhe para outro. Eu me perguntei se meu quarto seria tão interessante para ela quanto o dela tinha sido para mim.

Ela fitou o tecido revestindo as paredes.

— Acústica boa?

Eu ri e assenti, depois liguei o aparelho de som. Mesmo com o volume baixo, os alto-falantes embutidos nas paredes e no teto davam a impressão de estarmos em um concerto. Ela sorriu e em seguida foi até a prateleira de CDs mais próxima.

Era surreal vê-la no centro de um espaço que quase sempre funcionava como um refúgio solitário. Tínhamos passado a maior parte do nosso tempo juntos no mundo humano (na escola, na cidade, na casa dela), e isso sempre fazia com que eu me sentisse um intruso, um peixe fora d'água. Menos de uma semana antes, eu não teria acreditado que ela ficaria tão relaxada e à vontade no meu mundo. Não era uma intrusa; ela se encaixava perfeitamente naquele lugar. Era como se meu quarto nunca tivesse estado completo até aquele momento.

E ela não estava ali sob nenhum pretexto. Eu não tinha mentido; pelo contrário, havia confessado todos os meus pecados. Ela sabia de tudo, e ainda assim queria estar naquele quarto, sozinha comigo.

— Como organiza tudo? — perguntou ela, tentando entender minha coleção.

Minha mente estava tão envolvida no prazer de tê-la ali que levei um segundo para responder.

— Hmmm, por ano, e depois por preferência pessoal dentro de cada ano.

Bella percebeu minha distração. Ela olhou para mim, tentando entender por que eu estava olhando para ela tão intensamente.

— O que foi? — perguntou, passando timidamente a mão pelo cabelo.

— Eu estava preparado para sentir... alívio. Você, sabendo de tudo, sem que eu precise guardar segredos. Mas não esperava sentir mais do que isso. *Gosto* disso. Me faz... feliz.

Nós sorrimos juntos.

— Que bom — disse ela.

Foi fácil perceber que Bella não estava dizendo nada além da verdade. Não havia dúvidas em seus olhos. Ela sentia tanto prazer em estar no meu mundo quanto eu sentia em estar no dela.

Um lampejo de inquietação alterou minha expressão. Pensei em sementes de romã pela primeira vez em algum tempo. Parecia certo tê-la ali, mas será que isso era só meu egoísmo me cegando? Nada havia feito com que ela tivesse medo de mim, mas isso não significava que ela *não* devesse ter medo. Sempre tinha sido destemida demais para o próprio bem.

Bella observou a mudança na minha expressão.

— Você ainda está esperando que eu fuja aos gritos, não é?

Quase isso. Assenti.

— Odeio desapontá-lo — disse ela com a voz séria —, mas você não é tão assustador quanto pensa. Na verdade, não acho você nada assustador.

Foi uma mentira bem contada, ainda mais considerando sua inabilidade em mentir, mas eu sabia que ela havia feito aquela piada principalmente para que eu não ficasse chateado ou preocupado. Embora às vezes lamentasse a profundidade de sua indulgência em relação a mim, isso de fato melhorou meu humor. Tinha sido uma piada engraçada, e não resisti à vontade de fazer uma brincadeira também.

Sorri, mostrando demais os dentes.

— Você *realmente* não devia ter dito isso.

Ela havia pedido para me ver caçar, afinal de contas.

Eu me encolhi em uma paródia da minha verdadeira posição de caça, uma versão descontraída e bem-humorada. Expondo ainda mais os dentes, rosnei baixinho; foi quase um ronronar.

Ela começou a se afastar, embora não houvesse medo em seu rosto. Pelo menos, não medo de danos físicos. Na verdade, Bella parecia estar com um pouco de medo de se tornar o alvo da própria piada.

Ela engoliu em seco.

— Você não faria isso.

Eu pulei.

Ela não conseguiu ver grande parte da ação, pois eu me movi à velocidade de um imortal.

Atravessando o quarto em um salto, tomei-a nos braços. Eu me posicionei como uma espécie de armadura ao redor dela, de modo que, quando colidíssemos com o sofá, ela não sentisse o impacto.

De propósito, aterrissei de costas. Apoiei Bella no meu peito, ainda encolhida em meus braços. Ela parecia um pouco desorientada, como se não tivesse certeza se estava de cabeça para baixo ou não. Bella tentou se sentar, mas eu não tinha terminado minha argumentação.

Ela me olhou de cara feia, mas seus olhos estavam arregalados demais para que a expressão fosse convincente.

— O que estava dizendo mesmo? — perguntei, e minha voz saiu como um rosnado brincalhão.

Ela tentou recuperar o fôlego.

— Que você é um monstro muito, muito... terrível.

Sorri para ela.

— Muito melhor assim.

Alice e Jasper estavam subindo a escada. Ouvi nos pensamentos de Alice que ela não via a hora de nos fazer um convite. Ela também estava muito curiosa com os barulhos de luta vindo do meu quarto. Como não estava concentrada em mim, não sabia o que ia encontrar quando chegasse, e a brincadeira que tinha nos deixado daquela forma já era coisa do passado.

Bella ainda tentava se desvencilhar.

— Hmmm. Posso me levantar agora?

Eu ri de sua falta de ar persistente. Apesar do excesso de confiança dela, eu tinha conseguido assustá-la de verdade.

— Podemos entrar? — perguntou Alice do corredor, em voz alta, para que Bella ouvisse.

Eu me sentei, agora com Bella no colo. Não havia necessidade de fingir ali, embora eu imaginasse que seria necessário manter uma distância mais respeitosa na frente de Charlie.

Alice já estava entrando no quarto quando respondi:

— Entrem.

Enquanto Jasper hesitava na porta, Alice se sentou no meio do meu tapete, exibindo um grande sorriso.

— Parecia que você estava almoçando a Bella, então viemos ver se podíamos dividir — brincou ela.

Bella se encolheu, olhando para mim em busca de reafirmação. Sorri e a apertei mais contra o peito.

— Desculpe, não acredito ter o suficiente de sobra.

Jasper entrou no quarto atrás dela, sem conseguir se conter. As emoções ali dentro eram quase inebriantes para ele. Naquele momento, eu soube que os sentimentos de Bella eram os mesmos que os meus, pois não havia desequilíbrio no clima de felicidade com o qual Jasper tanto se deliciava.

— Na verdade — disse Jasper, mudando de assunto, e eu vi que estava tentando controlar o que sentia, se conter. O clima era avassalador. — Alice disse que vai haver uma boa tempestade esta noite, e Emmett quer jogar. Está dentro?

Fiz uma pausa, olhando para Alice.

Rápido como um raio, ela esquadrinhou algumas centenas de imagens desse possível futuro. Rosalie não aparecia lá, mas Emmett não perderia uma partida. Em algumas versões, o time dele vencia, em outras, o meu. Bella ficava na plateia, encantada com aquela exibição sobrenatural.

— É claro que deve trazer Bella — encorajou ela, me conhecendo o suficiente para entender minha hesitação.

Ah. Jasper foi pego de surpresa. Internamente, reajustou sua ideia do que estava por vir. Ele não poderia relaxar, como planejara. Mas depois de vivenciar as emoções que Bella e eu despertávamos um no outro... era uma troca que estava disposto a aceitar.

— Quer ir? — perguntei a Bella.

— Claro — respondeu ela rapidamente. E depois de uma breve pausa: — Hmmm, aonde vamos?

— Precisamos esperar pelos trovões para jogar — expliquei. — Você vai ver por quê.

Sua preocupação se tornou mais óbvia.

— Vou precisar de guarda-chuva?

Eu ri diante da preocupação dela, e Alice e Jasper fizeram o mesmo.

— Vai? — perguntou Jasper a Alice.

Outro lampejo de imagens, dessa vez acompanhando o curso da chuva.

— Não. A tempestade vai cair na cidade. Deve estar seco o bastante na clareira.

— Que bom, então — disse Jasper.

Ele descobriu que estava empolgado com a ideia de passar mais tempo com Bella e comigo. O entusiasmo emanava de seu corpo, contaminando o resto de nós. A expressão de Bella mudou de cautelosa para ansiosa.

Legal, pensou Alice, feliz por seu plano ter dado certo. Ela também queria passar um tempo com Bella. *Vou deixá-los resolverem os detalhes.*

— Vamos ver se Carlisle quer ir — disse ela, levantando-se do chão.

Jasper a cutucou de leve.

— Como se você não soubesse.

Ela já estava do lado de fora num piscar de olhos. Jasper foi mais devagar, saboreando cada segundo perto de nós. Ele parou para fechar a porta ao sair, uma desculpa para se demorar um pouco mais.

— O que vamos jogar? — perguntou Bella assim que a porta se fechou.

— *Você* vai assistir. Nós vamos jogar beisebol.

Ela olhou para mim, desconfiada.

— Vampiros gostam de beisebol?

Respondi com uma seriedade dissimulada:

— É o típico passatempo americano.

21. O JOGO

O tempo passava sempre muito rápido. Bella logo teria que comer alguma coisa e, em geral, não havia comida na minha casa, mas eu pretendia dar um jeito nisso em breve. Estava na hora de voltar ao mundo dos humanos. Contanto que estivéssemos juntos, não era um sacrifício, e sim um prazer.

Bem, uma refeição, um tempo para aproveitar ao máximo a companhia dela, e então eu teria que deixá-la. Presumi que Bella fosse querer conversar a sós com Charlie antes de me apresentar. Mas, assim que entramos em sua rua, ficou evidente que minhas expectativas para aquela tarde seriam frustradas.

Um Ford Tempo 1987, que já vira dias melhores, estava estacionado na vaga em que Charlie costumava parar. E, sob a proteção parca do telhado da varanda, havia um garoto e um homem em uma cadeira de rodas.

Bella chegou antes dele, pensou o velho. *Isso não é bom.*

Ah, é a Bella! Os pensamentos do garoto foram muito mais empolgados.

Eu só imaginava um motivo para Billy Black ficar insatisfeito ao ver Bella chegar antes do pai. E esse motivo envolvia a quebra do tratado. Eu teria a confirmação muito em breve; Billy ainda não tinha me visto.

— Será que ele esqueceu quem o tratado protege de fato? — sibilei.

Bella me olhou, confusa, mas eu devia ter falado tão rápido que não lhe dei a chance de entender minhas palavras.

Jacob me viu no banco do motorista um segundo antes de Billy.

De novo esse cara. Bella deve estar saindo com ele. A empolgação do garoto desapareceu.

NÃO! O pensamento de Billy foi um grito, e depois um rosnado mental. *Não.*

Ouvi seus medos se atropelando. Ele deveria mandar o filho correr? Era tarde demais? E então a culpa.

Como ele sabia?

Vi que eu tinha razão: aquela não era uma visita despretensiosa.

Ao estacionar a picape no meio-fio, mantive contato visual com o homem alarmado.

— Isso está passando dos limites — falei com clareza.

Torci para que ele fizesse leitura labial.

Bella entendeu na mesma hora.

— Ele veio alertar Charlie?

Ela pareceu horrorizada com a ideia.

Assenti, sem interromper o contato visual com Billy. Um segundo depois, ele olhou para baixo.

— Eu cuido disso — sugeriu Bella.

Eu queria descer da picape e andar furioso até aquela dupla indefesa, avançando na direção deles de forma intimidadora com os dentes à mostra — tão perto que todos os pequenos indícios do que eu era saltariam aos olhos do velho — e rosnando um alerta com uma voz que pareceria qualquer coisa, menos humana. Queria observá-lo se arrepiar e ouvir seu coração disparar em pânico, mas sabia que não era uma boa ideia. Por um lado, Carlisle não ia gostar. Por outro, embora o garoto conhecesse bem as lendas, nunca acreditaria nelas. A não ser que eu mostrasse que eram verdade, exibindo meu lado menos humano.

— Provavelmente é melhor assim — concordei. — Mas cuidado. A criança não faz ideia.

Por um momento, um lampejo de irritação surgiu no rosto de Bella. Fiquei confuso, até que ela falou:

— Jacob não é muito mais novo do que eu.

Ela se ofendera com a palavra *criança*.

— Ah, eu sei — provoquei.

Bella suspirou e pôs a mão na maçaneta, tão chateada quanto eu por nos separarmos.

— Leve-os para dentro, assim posso ir embora. Voltarei ao anoitecer — prometi.

— Quer minha picape?

— Posso ir *a pé* para casa mais rápido do que com esta picape.

Ela sorriu, mas logo o sorriso desapareceu.

— Não precisa ir embora — murmurou.

— Na verdade, preciso. — Olhei para Billy Black. Ele me encarava outra vez, mas desviou os olhos depressa quando nossos olhares se cruzaram. — Depois que você se livrar deles... — Senti um sorriso exagerado surgindo. — ... ainda terá que preparar Charlie para conhecer seu novo namorado.

— Muito obrigada — reclamou ela.

Mas, mesmo que estivesse obviamente preocupada com a reação de Charlie, dava para ver que Bella levaria isso adiante. Ela me daria um rótulo em seu mundo humano, e isso me permitiria fazer parte dele.

Dei um leve sorriso.

— Volto logo.

Examinei mais uma vez os humanos na varanda. Jacob Black estava constrangido, tendo pensamentos aborrecidos sobre o pai arrastá-lo até ali para espionar Bella e o namorado. Billy Black continuava apavorado, esperando que eu simplesmente assassinasse todos eles com requintes de crueldade. Aquilo era uma afronta.

Nesse estado de espírito, me inclinei para dar um beijo de despedida em Bella. Só para provocar o velho, dei um beijo no pescoço dela, e não nos lábios.

A gritaria agonizante na cabeça dele quase foi abafada pelo som do coração disparado de Bella, e desejei que aqueles humanos irritantes sumissem dali.

Mas agora Bella olhava para Billy, avaliando sua irritação.

— *Não demore* — ordenou.

Depois de me lançar um olhar breve e desconsolado, Bella abriu a porta e desceu.

Fiquei imóvel enquanto ela corria sob a garoa fina até a porta.

— Oi, Billy. Oi, Jacob — cumprimentou com um entusiasmo forçado. — Charlie passou o dia fora... Espero que não estejam aguardando há muito tempo.

— Não muito — disse o homem, baixinho. Ele continuava olhando para mim de vez em quando. Segurava uma sacola de papel pardo. — Eu só queria trazer isto.

— Obrigada. Por que não entram por um minuto e se secam?

Destrancando a porta e convidando-os para entrar com um gesto e um sorriso estampado no rosto, Bella agia como se não percebesse o olhar penetrante do homem. Ela aguardou os dois entrarem.

— Deixe eu levar isso — disse a Billy, enquanto se virava para fechar a porta.

Ela me fitou por um instante, e então fechou a porta.

Desci depressa da picape de Bella e fui ocupar minha árvore de sempre antes que qualquer um pudesse chegar às janelas que tinham vista para aquele lado do gramado. Eu não iria embora enquanto os Black estivessem lá. Se voltaríamos a nos desentender com a tribo, eu precisava saber exatamente quão longe Billy estava disposto a ir naquele momento.

— Foi pescar de novo? No lugar de sempre? Talvez eu passe por lá para vê-lo.

Com ainda mais urgência. Não sabia que a situação ia tão mal. Pobre Bella, ela não percebe...

— Não — interpôs Bella, incisiva, ao mesmo tempo que eu rangia os dentes. — Ele foi a um lugar novo... Mas não faço ideia de onde fica.

Mesmo através das paredes, dava para sentir que o tom dela era claramente hostil. Billy também percebeu.

O que está acontecendo? Ela não quer que eu encontre Charlie. Ela não tem como saber por que tenho que alertá-lo.

Eu via a expressão de Bella conforme o homem a analisava: os olhos faiscando, o queixo erguido em teimosia. Aquilo o fazia se lembrar de uma das filhas, a que nunca o visitava.

Preciso falar a sós com ela.

— Jake — disse ele com calma —, por que não pega aquela foto nova de Rebecca no carro? Vou deixar para o Charlie também.

— Onde está?

Os pensamentos claros e genuínos de Jacob agora eram sombrios, relembrando o beijo na picape. Aquilo o afetou de uma maneira bem diferente do pai. Jacob sabia que Bella, por ser mais velha, não pensava nele como gostaria, mas comprovar esse pensamento o desanimara. Ele fungou uma vez e então estremeceu, distraído.

Tem alguma coisa podre aqui, pensou ele, e fiquei imaginando se Jacob se referia ao presente do pai na sacola. Eu não havia sentido nada estranho pela manhã.

— Acho que vi na mala — disse Billy, mentindo com facilidade. — Talvez tenha que procurar.

Nem Billy nem Bella tornaram a falar até Jacob sair pela porta, com os ombros caídos e uma expressão triste. Ele se arrastou até o carro, ignorando a chuva, e, suspirando, começou a revirar uma pilha de roupas velhas e tralhas esquecidas. Jacob ainda relembrava o beijo, tentando definir até que ponto Bella estava envolvida comigo.

Billy e ela se encaravam no corredor.

Por onde eu começo?

Antes que ele pudesse dizer qualquer coisa, Bella lhe deu as costas e foi para a cozinha. Ele a observou por um instante enquanto se afastava e então a seguiu.

A porta da geladeira rangeu ao ser aberta, e alguns sons se seguiram.

Billy a viu bater a porta e se virar para encará-lo. Ele percebeu uma postura defensiva nos lábios dela.

Bella falou primeiro, em tom hostil. Tinha concluído que não havia razão para se fazer de desentendida.

— Charlie vai demorar a voltar.

Bella deve ter os próprios motivos para manter aquilo em segredo. Ela também precisa saber. Talvez eu consiga alertá-la com poucas palavras, sem quebrar o tratado.

— Obrigada novamente pelo peixe frito.

As palavras dela evidenciavam uma dispensa, mas Billy achou que Bella não se surpreendeu ao vê-lo permanecer no mesmo lugar. Ela suspirou e cruzou os braços.

— Bella... — disse Billy, perdendo seu tom de voz casual. Agora era mais grave, severo.

Ela se manteve tão imóvel quanto um humano consegue ficar e esperou que ele prosseguisse.

— Bella — repetiu —, Charlie é um de meus melhores amigos.

— Sim.

Ele pronunciou as palavras com cuidado.

— Percebi que você anda saindo com um dos Cullen.

— Sim — repetiu ela, mal disfarçando a hostilidade agora.

Ele não respondeu no mesmo tom.

— Talvez não seja da minha conta, mas não acho que seja uma boa ideia.

— Tem razão — retrucou ela. — *Não é* da sua conta.

Quanta raiva.

A voz do homem foi ficando mais grave à medida que ele escolhia as palavras com cuidado.

— Você não deve saber disso, mas a família Cullen tem uma fama ruim na reserva.

Muito cauteloso. Ele estava quase passando do limite.

— Na verdade, sei disso. — As palavras de Bella foram ríspidas, contrastando com as dele. — Mas essa fama pode não ser merecida, não é? Porque os Cullen nunca colocaram os pés na reserva, colocaram?

Aquilo o deixou surpreso e pensativo.

Ela sabe! Ela sabe? Como? E como ela poderia...? Não pode ser. Não é possível que ela saiba de toda a verdade.

A repulsa em seus pensamentos me fez ranger os dentes outra vez.

— É verdade — cedeu ele, por fim. — Você parece... bem informada sobre os Cullen. Mais informada do que eu esperava.

— Talvez ainda mais bem informada do que você.

O que será que eles contaram a ela para que os defenda tanto? Não pode ter sido a verdade. Algum conto de fadas romântico, sem dúvida. Bem, está claro que nada do que eu disser vai convencê-la.

— Talvez. — Ele estava aborrecido por ter que concordar com ela. — Charlie está bem informado?

Billy viu a expressão de Bella se tornar evasiva.

— Charlie gosta muito dos Cullen.

Charlie não sabe de nada.

— Não é problema meu — disse Billy. — Mas pode ser problema de Charlie.

Bella avaliou a expressão dele por bastante tempo.

A garota parece uma advogada.

— Mas também seria problema meu pensar se é ou não problema de Charlie, não é? — perguntou ela.

Aquilo não tinha o tom de uma pergunta.

Mais uma vez, eles ficaram se encarando.

Por fim, Billy suspirou.

Charlie não teria mesmo acreditado em mim. Não posso aborrecê-lo outra vez. Mas preciso ficar de olho nessa situação.

— Sim. Acho que também é problema seu.

Bella relaxou.

— Obrigada, Billy — disse ela, com mais suavidade agora.

— Mas pense no que está fazendo, Bella — insistiu Billy.

Sua resposta foi muito rápida:

— Tudo bem.

Outro pensamento chamou minha atenção. Não me preocupei muito com a busca sem sentido de Jacob por estar muito concentrado no impasse entre Billy e Bella. Mas agora ele se dava conta...

Ah, cara, sou um idiota. Ele queria me tirar da casa.

Agoniado ao pensar no que o pai podia estar fazendo para constrangê-lo, e com uma pontada de culpa e medo de que Bella pudesse ter contado a ele sobre a quebra do tratado, Jacob bateu o porta-malas do carro e correu até a porta da frente.

Billy ouviu o barulho e soube que seu tempo tinha acabado. Ele fez um último apelo:

— O que eu queria dizer era... não faça o que está fazendo.

Bella não respondeu, mas sua expressão estava mais gentil agora. Billy, por um momento esperançoso, pensou que ela estava lhe dando ouvidos.

Jacob abriu a porta com um estrondo. Billy olhou por cima do ombro, então não pude ver a reação de Bella.

— Não tem foto nenhuma no carro — reclamou Jacob.

— Hmmm. Acho que deixei em casa — disse Billy.

— Que ótimo — retorquiu o filho com sarcasmo.

— Bem, Bella, diga ao Charlie... — Billy aguardou um instante antes de continuar. — ... que passamos por aqui.

— Vou dizer — respondeu ela, o tom de voz ácido outra vez.

Jacob ficou surpreso.

— Já estamos indo embora?

— Charlie vai chegar tarde — explicou Billy, já se dirigindo para a porta.

Afinal, qual foi o objetivo de vir até aqui?, reclamou Jacob em pensamento. *Meu pai está perdendo o juízo.*

— Ah. Bom, acho que a gente se vê depois, Bella.

— Claro — disse ela.

— Cuide-se — acrescentou Billy, com um quê de alerta.

Ela não respondeu.

Jacob ajudou o pai a passar pela soleira e descer o degrau da varanda. Bella acompanhou os dois até a porta. Deu uma olhada rápida para a picape vazia, acenou para Jacob e então bateu a porta enquanto o garoto auxiliava o pai a subir no carro.

Por mais que eu quisesse ficar com Bella e conversar sobre o que acabara de acontecer, sabia que minha tarefa ainda não tinha terminado. Ouvi os passos dela escada acima enquanto eu pulava da árvore e atravessava o bosque atrás de sua casa.

Era muito mais difícil seguir os Black a pé em plena luz do dia. Não dava para acompanhar direito o ritmo deles pela rodovia. Eu me esquivava de um lado para outro por entre ramos densos na floresta, tentando ouvir os pensamentos de qualquer um que estivesse perto o bastante para me ver. Cheguei antes dos dois à saída de La Push e arrisquei uma arrancada a toda velocidade pela rodovia chuvosa enquanto o único carro visível seguia na direção contrária. No lado esquerdo da estrada, eu tinha bastante cobertura. Esperei o velho Ford aparecer e então corri em paralelo por entre as árvores escuras.

Os dois não conversavam. Fiquei imaginando se eu tinha perdido alguma recriminação por parte de Jacob. A mente do garoto não parava de reprisar aquele beijo, e ele concluiu, mal-humorado, que Bella tinha gostado *muito* daquilo.

A mente de Billy estava absorta em uma lembrança. Fiquei surpreso por também me lembrar daquele evento. Por outra perspectiva.

Acontecera dois anos e meio antes. Minha família estava em Denali na época, apenas uma breve visita por cordialidade durante uma de nossas mudanças de lares semipermanentes. Os preparativos para a mudança de volta a Washington incluíam uma tarefa singular. Carlisle já tinha um emprego em vista, e Esme comprara às cegas uma casa para reformar. Nossos históricos escolares falsos já tinham sido enviados para a Forks High School. Mas a última etapa da preparação era a mais importante — e também a mais atípica. Embora já tivéssemos retornado para ex-casas antes — depois de um longo período afastados —, nunca tínhamos avisado de antemão que estávamos voltando.

Carlisle começou pela internet. Ele encontrara uma genealogista amadora chamada Alma Young, que trabalhava na Makah Reservation. Passando-se por mais um entusiasta da história da família, ele quis saber sobre descendentes de Ephraim Black que ainda habitassem a região. A Srta. Young pareceu empolgada ao dar as boas notícias para Carlisle: o neto e os bisnetos de Ephraim moravam em La Push, logo ao sul do litoral. Claro que ela não se importava em passar o número de telefone a Carlisle. Tinha certeza de que Billy Black ficaria emocionado ao saber sobre um primo muito distante.

Eu estava em casa quando Carlisle fez a ligação, então obviamente ouvi tudo que ele falou. Billy relembrava seu lado da história.

Aquele tinha sido um dia como outro qualquer. As gêmeas haviam saído com amigos, então só Billy e Jacob estavam em casa. Billy ensinava o garoto a esculpir um leão-marinho em um pedaço de madeira quando o telefone tocou. Ele foi com a cadeira de rodas até a cozinha, deixando o menino tão concentrado em sua tarefa que mal percebeu que o pai se afastara.

Billy achou que fosse Harry, ou talvez Charlie. Então atendeu o telefone animado:

— *Alô?!*

— *Alô? É Billy Black?*

O homem não reconheceu a voz do outro lado da linha, mas havia algo de incisivo e seguro que por algum motivo o deixou na defensiva.

— *É, aqui é Billy. Quem fala?*

— *Meu nome é Carlisle Cullen* — *respondeu a voz suave, mas intensa.*

Foi como se o chão sumisse. Por um breve segundo, Billy achou que estivesse tendo um pesadelo.

Esse nome e essa voz incisiva faziam parte de uma lenda, de uma história de terror. Embora ele tivesse sido alertado e preparado para aquilo, tudo acontecera havia muito tempo. Billy nunca acreditara de verdade que um dia precisaria reviver aquela história de terror.

— *Meu nome significa algo para você?* — *perguntou a voz, e Billy notou quão jovem parecia. Não com centenas de anos, como deveria ter.*

Billy se esforçou para responder:

— *Sim* — *disse com rispidez.*

Ele pensou ter ouvido um leve suspiro.

— *Que bom* — *respondeu o monstro.* — *Isso torna mais fácil para nós cumprirmos nosso dever.*

A mente de Billy se esvaziou ao perceber o que o monstro dizia. Ele se referia ao tratado. Billy se esforçou para se lembrar dos acordos secretos que memorizara com tanta precisão. Se o monstro dizia que tinha um dever a cumprir, então aquilo só podia significar uma coisa.

Todo o sangue se esvaíra do rosto de Billy, e as paredes pareciam oscilar ao seu redor, embora ele soubesse que estava em segurança sentado em sua cadeira de rodas.

— Vocês vão voltar — falou com a voz engasgada.

— Vamos — confirmou o monstro. — Sei que para você deve ser... desagradável ouvir isso. Mas garanto que sua tribo não corre perigo, nem o povo de Forks. Nós não mudamos nosso estilo de vida.

Billy não conseguiu pensar em nenhuma resposta. Estava preso àquele tratado desde antes de nascer. Queria se opor, ameaçar... mas, com ou sem acordo, não havia nada que pudesse fazer.

— Vamos morar fora de Forks.

Então o monstro destilou uma sequência de números, e Billy demorou um tempo para perceber que se tratavam de coordenadas, longitude e latitude. Ele procurou algo com o que escrever e se viu com uma caneta preta, mas sem papel.

— Repita — exigiu com a voz rouca.

Os números foram repetidos mais devagar, e Billy os anotou no braço.

— Não sei quanto você sabe sobre o tratado...

— Eu o conheço — interrompeu Billy.

Os bebedores de sangue ficavam com um raio de oito quilômetros no entorno da localização de seu refúgio, que era proibido para qualquer membro da tribo. Era uma área pequena se comparada às terras que pertenciam à tribo, mas naquele momento parecia muita coisa.

Como eles convenceriam as crianças a obedecer a essa regra? Ele pensou nas filhas teimosas e no filho tranquilo. Nenhum deles acreditava nas histórias. E, ainda assim, se cometessem um erro... eles se tornariam alvos.

— É claro — disse o monstro, educado. — Também estamos bem cientes do tratado. Não há nada com que se preocupar. Sinto muito por qualquer transtorno que isso lhe cause, mas não afetaremos seu povo de forma alguma.

Billy apenas ouviu, a mente vazia outra vez.

— Nosso plano atual é viver em Forks por mais ou menos uma década.

Billy sentiu o coração parar. Dez anos.

— Meus filhos vão frequentar a escola local. Não sei se as crianças de sua tribo vão à escola...

— Não — sussurrou Billy.

— Bem, se alguma delas quiser ir, posso garantir que não será perigoso.

A imagem do rosto dos jovens de Forks veio à mente de Billy. Será que não havia nada que pudesse fazer para protegê-los?

— Vou lhe passar meu telefone. Ficaríamos felizes em ter um cordial...

— Não — respondeu Billy, mais firme dessa vez.

— É claro. O que lhe deixar mais confortável.

Então um pensamento cheio de pavor se impôs. O monstro falara sobre filhos...

— Quantos? — perguntou Billy.

Pela voz, ele parecia estar sendo estrangulado.

— Não entendi. Quantos o quê?

— Quantos vocês são?

Pela primeira vez, havia um quê de hesitação na voz suave e confiante.

— Mais dois se juntaram à nossa família muitos anos atrás. Somos sete agora.

Com muita calma, Billy desligou o telefone.

Então tive que parar de correr. Ainda não havia chegado ao limite definido pelo tratado, mas essa lembrança me deixou relutante em arriscar. Virei-me para o norte e segui para casa.

Não extraí nada de muito útil dos pensamentos de Billy. Eu tinha certeza de que ele seguiria o padrão de sempre: voltar para sua zona de segurança e entrar em contato com seus companheiros. Eles discutiriam sobre a informação nova — que era bem insignificante — e chegariam à conclusão de sempre. Não havia nada que pudessem fazer. O tratado era a única defesa que tinham.

Imaginei que a amizade de longa data de Billy e Charlie fosse o motivo do conflito. Billy tentaria de todas as maneiras obter permissão para alertar Charlie. Um dos frios escolhera sua única filha como... vítima, alvo, refeição; tentei adivinhar como Billy descreveria nossa relação.

Sem dúvida, os outros, mais imparciais do que ele, insistiriam em seu silêncio.

Apesar de tudo, a tentativa anterior de Billy de alertar Charlie sobre o perigo que era ter Carlisle trabalhando no hospital não dera muito certo. Incluir elementos fantásticos com certeza não ajudaria em nada. O próprio Billy reconhecia isso.

Eu estava quase em casa. Contaria as novidades a Carlisle e apresentaria minha análise da situação. Não havia muito mais o que fazer. Eu tinha certeza de que a reação dele seria a de sempre. Assim como os quileutes, não tínhamos escolha a não ser seguir o tratado à risca.

Disparei pela autoestrada outra vez quando notei que não havia carros passando em nenhuma das pistas. Assim que cheguei à entrada de casa, ouvi o som de um motor familiar vindo da garagem. Parei de súbito no meio da pista e aguardei.

O BMW vermelho de Rosalie completou a curva e freou de repente.

Acenei desanimado.

Sabe que eu atropelaria você se isso não fosse estragar o carro.

Assenti.

Rosalie fez o motor rugir mais uma vez antes de suspirar.

— Imagino que você tenha ouvido falar sobre o jogo.

Só me deixe passar, Edward. Dava para ver em sua mente que ela ia sair sem destino. Só queria estar longe dali. *Emmett vai ficar. Isso basta, não?*

— Por favor?

Ela fechou os olhos e respirou fundo.

Não entendo por que isso é tão importante para você.

— Você é importante para mim, Rose — falei com simplicidade.

Todo mundo vai se divertir mais sem mim.

Dei de ombros. Ela provavelmente tinha razão.

Não vou ser boazinha.

Sorri.

— Ninguém espera que você seja *boazinha*. Só peço que seja tolerante.

Rosalie hesitou.

— Não vai ser tão ruim — prometi. — Talvez você ganhe de lavada e me faça parecer péssimo.

Ela conteve um sorriso.

Emmett e Jasper vão ficar no meu time.

Ela sempre escolhia os mais musculosos.

— Combinado.

Ela respirou fundo mais uma vez e se arrependeu do nosso acordo no mesmo instante. Tentou se imaginar no lugar de Bella e... foi difícil.

— Não vai acontecer nada hoje à noite, Rosalie. Ela não vai tomar nenhuma decisão. Vai assistir ao jogo, só isso. Encare como um experimento.

Isso quer dizer... que pode dar errado?

Olhei-a com impaciência. Ela revirou os olhos.

— Se não der certo, vamos nos reunir e encontrar outra solução.

Rosalie tinha uma infinidade de outras soluções, a maioria profana, mas estava pronta para se render. Ela tentaria... Porém, dava para ver que não se esforçaria muito para ser civilizada. Pelo menos era um começo.

Imagino que eu deva me trocar, então.

E, com isso, minha irmã engatou a ré e acelerou de volta para a garagem, disparando a toda velocidade antes de sumir de vista. Peguei um caminho mais curto seguindo uma reta pela floresta.

Em casa, Emmett assistia a quatro partidas de beisebol diferentes ao mesmo tempo na tela gigante, mas desviou os olhos do aparelho ao ouvir o som do carro de Rosalie guinchando ao entrar na garagem.

Fiz um gesto em direção à TV.

— Nada do que você vir aí vai ajudá-lo a vencer hoje à noite.

Você convenceu Rosalie a jogar?

Assenti, e ele abriu um largo sorriso.

Estou lhe devendo uma.

Cerrei os lábios.

— É sério?

Ele ficou intrigado, pois estava óbvio que eu queria algo.

Claro, o que você quer?

— Que você se comporte bem perto da Bella.

Rose passou correndo pela sala e então subiu a escada, nos ignorando de propósito.

Emmett considerou meu pedido.

Isso envolve exatamente o quê?

— Não aterrorizá-la de propósito.

Ele deu de ombros.

— É justo.

— Ótimo.

Estou feliz que você esteja de volta.

Os últimos meses tinham se arrastado de forma incomum para Emmett, primeiro com meu estado de espírito e depois com minha ausência.

Quase me desculpei, mas sabia que ele não estava mais chateado comigo. Emmett vivia no presente.

— Onde estão Alice e Jasper?

Emmett voltara a assistir às partidas.

Caçando. Jasper quer estar preparado. Engraçado... Ele pareceu animado para hoje à noite, mais do que eu esperava.

— Engraçado mesmo — concordei, embora o motivo disso me fizesse refletir.

Edward, querido, estou ouvindo você encharcando o assoalho. Por favor, vista algo seco e limpe o chão.

— Desculpe, Esme!

Dessa vez, me arrumei para Charlie, pegando uma de minhas melhores jaquetas impermeáveis e que eu quase nunca usava. Queria parecer alguém que levava o clima a sério e se preocupava em evitar o frio e a chuva. Eram os pequenos detalhes que deixavam os humanos à vontade.

Quase sem perceber, coloquei a tampinha da garrafa no bolso da minha calça jeans de novo.

Enquanto secava o chão, pensei no curto caminho até a clareira de beisebol à noite e percebi — depois do dia anterior — que Bella poderia não estar muito disposta a correr comigo até o local do jogo. Eu sabia que teríamos que correr *alguma* distância, mas quanto mais curta, melhor.

— Posso pegar seu Jeep emprestado? — pedi a Emmett enquanto me dirigia à porta.

Jaqueta maneira. Ele deu uma risadinha. *Tente mesmo se manter seco e confortável.*

Esperei com uma expressão exagerada de paciência.

— Claro — concordou ele. — Mas agora é você que me deve uma.

— Estou lisonjeado por estar em dívida com você.

Disparei de volta ao som de sua risada.

Houve uma breve conversa com Carlisle. Assim como eu, ele não via outra possibilidade a não ser continuar onde estávamos. E então eu poderia voltar correndo para Bella.

De todos os carros da casa, o Jeep de Emmett era, em muitos aspectos, o mais chamativo, em especial pelo tamanho. Contudo, com aquele aguaceiro não havia muita gente na rua, e a chuva não deixaria ninguém ver direito quem dirigia. As pessoas pensariam que aquele veículo gigante era de alguém de fora da cidade.

Eu não tinha certeza de quanto tempo Bella precisaria, então entrei em uma rua antes do quarteirão dela para ter certeza de que estava pronta.

Antes mesmo de chegar ao fim da rua, dava para ver que os pensamentos de Charlie estavam agitados. Ela devia ter começado a contar. Captei um lampejo do rosto de Emmett na mente dele. De onde veio isso?

Parei o carro próximo a uma área da floresta que ficava entre as casas e mantive o motor ligado.

Eu estava tão perto agora que conseguia distinguir suas vozes. As casas ao redor não estavam em silêncio, mas aquelas outras vozes, físicas e mentais, eram fáceis de ignorar. Eu estava tão sintonizado com o som da voz de Bella que a ouviria em meio a um estádio lotado.

— É o Edward, pai — dizia ela.

— Ele é...? — quis saber Charlie.

Tentei encontrar algum sentido no que diziam sobre mim.

— Mais ou menos, eu acho — admitiu ela.

— Ontem à noite você disse que não estava interessada em nenhum dos rapazes da cidade — protestou ele.

— Bom, Edward não mora na cidade, pai... E, de qualquer forma, ainda é uma fase meio inicial, sabe? Não me constranja com toda aquela conversa de namorado, está bem?

Eu conseguira juntar os fragmentos da conversa. Tentei entender pelas emoções de Charlie quão desnorteado ele estava com a revelação da filha, mas o pai de Bella parecia mais estoico que nunca essa noite.

— Quando é que ele chega?

— Vai aparecer daqui a alguns minutos.

Bella parecia mais agitada com a situação do que o pai.

— Aonde ele vai levar você?

Bella suspirou de forma teatral.

— Espero que você pare com essa Inquisição Espanhola depois disso. Vamos jogar beisebol com a família dele.

Fez-se silêncio por um instante, e então Charlie começou a rir.

— *Você* vai jogar beisebol?

Pelo tom de Charlie, ficou óbvio que, apesar de ter um padrasto jogador, Bella não era grande fã de esportes.

— Bom, provavelmente vou ficar assistindo a maior parte do tempo.

— Deve gostar mesmo desse rapaz.

Charlie pareceu mais desconfiado dessa vez. Pelo que vi em sua mente, ele tentava calcular desde quando essa relação vinha se desenrolando. Isso serviu para renovar suas suspeitas da noite anterior.

Engatei a ré e voltei rapidamente à estrada. Bella havia terminado de preparar o terreno, e eu estava ansioso para ficar com ela outra vez.

Estacionei atrás da picape e disparei para a porta. Charlie dizia:

— Você me mima demais.

Toquei a campainha e vesti o capuz. Eu era bom em me passar por humano, mas agora aquilo parecia mais importante do que nunca.

Ouvi os passos de Charlie vindo até a porta, seguidos de perto pelos de Bella. A mente de Charlie parecia oscilar entre ansiedade e divertimento. Ainda estava achando engraçada a ideia de Bella estar disposta a participar de uma partida de beisebol. Eu tinha quase certeza de que era isso.

Charlie abriu a porta, os olhos fixos na direção dos meus ombros; ele esperava alguém mais baixo. Reajustou o olhar e então cambaleou, dando meio passo para trás.

Eu já tinha passado por aquilo diversas vezes no passado, então não precisava de pensamentos mais óbvios para entender. Como qualquer humano normal, estar de repente a apenas alguns centímetros de um vampiro causaria uma descarga súbita de adrenalina. O medo faria seu estômago se revirar por uma fração de segundo, e então a razão retomaria o controle. Sua mente o forçaria a ignorar todas as pequenas discrepâncias que me identificavam como não humano. Seus olhos recuperariam o foco, e ele não veria nada além de um adolescente.

Eu o vi chegar a essa conclusão, de que eu era apenas um garoto normal. Sabia que ele ficaria pensando naquela reação, tentando encontrar o motivo.

De repente, a imagem de Carlisle lampejou em sua mente, e achei que ele deveria estar comparando nossos rostos. Não éramos muito parecidos, mas a semelhança da nossa cor de pele bastava para a maioria das pessoas. Talvez aquilo não bastasse para Charlie. Definitivamente, algo o incomodava.

Nervosa, Bella observava por cima do ombro do pai.

— Entre, Edward.

Charlie deu um passo para trás e fez um gesto para que eu o seguisse. Bella teve que se afastar para não trombar com ele.

— Obrigado, chefe Swan.

Ele meio que sorriu, quase contra a vontade.

— Pode me chamar de Charlie. Me dê seu casaco.

Tirei-o rapidamente.

— Obrigado, senhor.

Charlie indicou a pequena sala de estar.

— Sente-se aqui, Edward.

Bella fez uma careta, claramente querendo sair logo de casa.

Optei pela poltrona. Parecia um pouco ousado escolher o sofá, onde Bella se sentaria ao meu lado... ou o próprio Charlie. O melhor provavelmente era manter a família unida em um primeiro encontro oficial.

Bella não gostou da minha escolha. Pisquei para ela enquanto Charlie se acomodava.

— Então, eu soube que vai levar minha menina para ver um jogo de beisebol. — O divertimento tomou conta de seu semblante.

— Sim, senhor, o plano é esse.

Ele deu uma gargalhada.

— Bem, imagino que deva lhe dar os parabéns por esse feito.

Por educação, acompanhei sua risada.

Bella levantou-se de supetão.

— Muito bem. Chega de se divertirem às minhas custas. Vamos.

Apressando-se para o corredor da entrada, ela enfiou a própria jaqueta com pressa. Charlie e eu a seguimos. Peguei minha jaqueta no caminho e a vesti.

— Não chegue muito tarde, Bella — advertiu Charlie.

— Não se preocupe, Charlie. Vou trazê-la para casa cedo — falei.

Ele me encarou com firmeza por um instante.

— Cuide da minha menina, está bem?

Bella suspirou de forma dramática mais uma vez.

Senti mais satisfação do que pensei que fosse sentir quando falei:

— Ela estará segura comigo, eu prometo, senhor.

E estava confiante de que isso era verdade.

Bella saiu pela porta.

Charlie e eu rimos de novo, embora dessa vez minha risada tenha sido mais genuína. Sorri e acenei para ele enquanto saía.

Não fui muito longe. Bella tinha parado na varanda, olhando para o Jeep de Emmett. Charlie surgiu atrás para ver o que retardara a determinação de Bella em fugir dali.

Ele assobiou, surpreso.

— Coloquem o cinto — disse com seriedade.

A voz do pai a impeliu a se mover. Ela saiu correndo debaixo do temporal. Mantive a velocidade humana, mas usei minhas pernas consideravelmente mais compridas para chegar primeiro à porta do carona e abri-la para Bella. Ela hesitou por um instante, olhando para o banco, então para o chão, depois para o banco de novo. Respirou fundo e flexionou as pernas, como se fosse pular. Charlie não podia nos ver direito pela janela do Jeep, então eu a ajudei a alcançar o banco. Ela arfou, surpresa.

Dei a volta no carro, acenando para Charlie outra vez. Ele acenou de volta com indiferença.

Dentro do carro, Bella se atrapalhava com o cinto de segurança. Com uma fivela em cada mão, ela me olhou e perguntou:

— O que é tudo isso?

— É um cinto de quatro pontos de *off-road*.

Ela franziu a testa.

— Ah, não.

Depois de procurar por um instante, ela encontrou um pino, mas não conseguiu encaixá-lo em nenhuma das duas fivelas. Ri com a expressão confusa de seu rosto, então afivelei tudo no lugar certo. As batidas do coração dela soaram mais altas do que a chuva no teto do carro quando minhas mãos roçaram a pele de seu pescoço. Deixei meus dedos percorrerem sua clavícula antes de me ajeitar no banco do motorista e ligar o carro.

Ao nos afastarmos da casa, ela falou, soando um pouco alarmada:

— Mas é um... hã... Jeep *bem grande* esse que você tem.

— É de Emmett. Não achei que você ia querer correr o caminho todo — confessei.

— Onde vocês guardam essa coisa?

— Reformamos um dos anexos da casa e fizemos uma garagem.

Ela deu uma olhada no cinto atrás de mim.

— Não vai colocar o cinto de segurança?

Apenas olhei para ela.

Bella franziu a testa e começou a revirar os olhos, mas então parou no meio do movimento.

— Correr o caminho *todo*? — A voz dela soou mais aguda do que o normal. — Ainda vamos ter que correr parte do caminho?

— Você não vai correr — lembrei a ela.

Bella gemeu.

— Eu vou é ficar enjoada.

— Mantenha os olhos fechados, vai ficar bem.

Ela mordeu o lábio com um pouco mais de força.

Eu queria acalmá-la, afinal estaria segura comigo. Inclinei-me para dar um beijo em sua cabeça. Então hesitei.

O cabelo molhado de chuva alterara o cheiro dela de um jeito que eu não esperava. O ardor em minha garganta, que parecia tão estável instantes antes, me tomou de súbito em uma explosão repentina. Um gemido de dor escapou antes que eu pudesse impedir.

Eu me ajeitei no banco, abrindo espaço entre nós. Ela me encarava, confusa. Tentei explicar:

— Você cheira tão bem na chuva.

Seu rosto tinha uma expressão cautelosa quando ela perguntou:

— De um jeito bom ou de um jeito ruim?

Suspirei.

— Os dois, sempre os dois.

A chuva fustigava o para-brisa como se fosse granizo, impiedosa e barulhenta, parecendo mais sólida do que líquida. Virei na estrada de terra que nos levaria por uma trilha na floresta. Seguiríamos até onde o Jeep tivesse acesso. Isso cortaria alguns quilômetros de corrida.

Bella olhava pela janela, parecendo perdida em pensamentos. Questionei se minha resposta a chateara. Mas então notei como ela se apoiava com força na janela, a outra mão agarrada na lateral do banco. Reduzi a velocidade, passando por cima dos buracos e das pedras com a maior suavidade possível.

Ao que parecia, qualquer outro meio de viagem a não ser sua picape pré-histórica era um suplício para ela. Talvez aquela estrada irregular a tornasse menos resistente a viajar da maneira mais conveniente.

A estrada sumiu em uma pequena clareira cercada por abetos muito juntos, onde havia espaço apenas para um veículo manobrar e descer de volta pela montanha. Desliguei o carro e de repente fez-se um silêncio quase absoluto. A tempestade tinha ficado para trás; agora só garoava.

— Desculpe, Bella. Temos que ir a pé a partir daqui.

— Sabe de uma coisa? Vou esperar por aqui mesmo.

Ela parecia sem fôlego outra vez. Tentei interpretar sua expressão para saber se realmente falava sério. Não dava para dizer se ela estava assustada ou se era só teimosia.

— O que aconteceu com toda a sua coragem? — quis saber. — Você foi extraordinária hoje de manhã.

Ela deu um breve sorriso.

— Ainda não me esqueci da última vez.

Dei uma volta rápida no carro até chegar ao lado dela, pensando naquele sorriso. Será que ela estava me provocando?

Abri a porta, mas Bella não se mexeu. O cinto de quatro pontos devia estar prendendo-a no banco. Comecei a soltar as fivelas com agilidade.

— Vou ficar com isso — protestou, mas eu já tinha terminado quando ela completou: — Você vai na frente.

Analisei sua expressão por um momento. Bella parecia um pouco nervosa, mas não apavorada. Eu não queria que ela desistisse de andar comigo assim. Em primeiro lugar, porque era a forma mais rápida de nos locomovermos. E mais do que isso... antes de Bella, correr era a coisa que mais me fazia feliz. Queria dividir isso com ela.

Mas, antes, teria que convencê-la a me dar outra chance.

Talvez eu pudesse tentar uma forma mais interessante de *deixá-la tonta*.

Pensei em tudo que já tínhamos feito juntos. Nos primeiros dias, eu costumava interpretar mal suas reações, mas agora enxergava tudo por um novo ponto de vista. Eu sabia que, se a olhasse nos olhos com intensidade, ela perderia a linha de raciocínio. E que, se a beijasse, ela esqueceria todo o resto: bom senso, instintos de autopreservação e até mesmo funções básicas, como respirar.

— Hmmm... — Pensei em como proceder. — Parece que terei que mexer na sua memória.

Tirei-a do Jeep e a coloquei com delicadeza no chão. Ela me encarou, meio nervosa, meio empolgada.

Bella ergueu as sobrancelhas.

— Mexer com minha memória?

— Algo parecido.

No início de tudo, notei que eu causava um efeito mais forte nela sempre que tentava ouvir com mais intensidade seus pensamentos secretos. Fascinado por essa ineficácia, tentei outra vez. Encarei seus olhos escuros e cristalinos. Estreitei os meus e me esforcei com veemência em meio ao silêncio. Claro, não havia nada para ouvir.

Ela piscou algumas vezes, o nervosismo se transformando em... uma espécie de torpor.

Eu sabia que estava no caminho certo.

Cheguei mais perto, apoiando as mãos na capota, encurralando-a. Ela deu um passo para trás, encostando as costas na porta. Será que precisava de mais espaço? Ela ergueu o queixo, o rosto inclinado em um ângulo perfeito para que eu a beijasse. Provavelmente não me queria longe dela. Eu me aproximei mais. Ela semicerrou os olhos, os lábios se entreabriram um pouco.

— Agora, com o que exatamente está se preocupando? — murmurei.

Ela piscou várias vezes e respirou fundo, um pouco ofegante. Eu não sabia muito bem o que fazer quanto a esses frequentes lapsos de respiração. Será que precisava lembrá-la de respirar de vez em quando?

— Bom... — Ela engoliu em seco, então inspirou com força de novo. — Hmmm, com bater numa árvore e morrer. E também com ficar enjoada.

Sorri ao ouvir a ordem das preocupações, então me forcei a assumir a expressão anterior de intensidade. Bem devagar, me inclinei e encostei os lábios na pequena cavidade na base de seu pescoço. A respiração dela ficou entrecortada e o coração bateu descompassado.

Falei, com os lábios encostados na sua pele:

— Ainda está preocupada?

Ela precisou de um tempo para recuperar a voz.

— Sim? — sussurrou a palavra sem muita certeza. — Com bater em árvores e ficar enjoada?

Bem devagar, inclinei a cabeça para cima, percorrendo seu pescoço com meus lábios. Sussurrei a pergunta seguinte logo abaixo do contorno do seu maxilar, fazendo-a fechar os olhos de vez.

— E agora?

Sua respiração saía em arquejos curtos.

— Árvores? — sussurrou. — Enjoo por causa da viagem?

Rocei os lábios em uma de suas bochechas, então dei um beijo leve em uma pálpebra e depois na outra.

— Bella, você não acha realmente que eu bateria numa árvore, acha?

Meu tom era de uma reprimenda gentil. Afinal, era ela que achava que eu era bom em tudo. E se eu questionasse sua fé em mim?

— Não — sussurrou —, mas *eu* posso bater.

Lenta e deliberadamente, beijei sua bochecha até parar bem perto do canto da boca.

— Eu deixaria uma árvore machucar você?

Meu lábio superior tocou seu lábio inferior com uma leve pressão.

— Não — respondeu ela, suspirando. A voz suave, quase um murmúrio.

Meus lábios roçavam levemente os dela enquanto eu sussurrava:

— Está vendo? Não há motivo para temer, há?

— Não — concordou ela com um suspiro trêmulo.

E então, embora eu pretendesse deixar apenas *ela* tonta, me vi completamente arrebatado.

Minha mente parecia não estar mais no comando. Meu corpo assumira o controle da mesma forma que fazia quando eu caçava; impulso e sede se sobrepondo à razão. Só que agora minha ânsia não era por antigos desejos que eu tivera tempo de dominar. Havia novas paixões, e eu ainda não sabia como administrá-las.

Meus lábios tocaram os dela com intensidade e segurei seu rosto junto ao meu. Queria sentir sua pele completamente colada ao meu corpo. Queria segurá-la tão perto que nunca mais nos separaríamos.

Essa nova chama — sem dor, que assolava apenas minha capacidade de raciocínio — queimou ainda mais quando seus braços envolveram com força meu pescoço, e seu corpo se moldou ao meu. O calor e a pulsação de seu coração se mesclaram a mim, percorreram meu corpo. A sensação me dominava.

Os lábios dela se abriram junto aos meus, num só movimento, e parecia que cada parte de mim não conseguia pensar em mais nada a não ser intensificar o beijo.

Ironicamente, foi meu instinto mais básico que a salvou.

Seu hálito quente explodiu em minha boca, e meus reflexos involuntários reagiram; o veneno fluiu, os músculos se retesaram. O choque bastou para me fazer retomar o controle.

Cambaleei para trás, me afastando dela, sentindo suas mãos deslizarem por meu pescoço e meu peito.

O horror invadiu minha mente.

Quão perto eu tinha chegado de machucá-la? De *matá-la*?

Assim como eu via claramente seu rosto alarmado diante de mim, também via um mundo sem ela. Considerei esse destino tantas vezes que agora não precisava imaginar a imensidão desse vazio, a agonia dessa ideia. Eu sabia que era um mundo no qual eu não perduraria.

Ou... um mundo em que ela seria infeliz. Se, por pura inocência, sua língua tivesse encostado na ponta de um dos meus dentes afiados como lâminas...

— Droga, Bella! — disparei, mal ouvindo as palavras que saíam de meus lábios. — Você vai me matar, juro que vai.

Estremeci, enojado de mim mesmo.

Matá-la com certeza me mataria também. A vida dela era minha única vida; minha frágil e finita vida.

Ela pôs as mãos nos joelhos, tentando recuperar o fôlego.

— Você é indestrutível — murmurou.

Bella estava quase certa em relação à minha resistência física, tão diferente da dela, mas não sabia que minha existência estava completamente atada à sua. E não sabia como chegara perto de se extinguir.

— Eu podia ter acreditado nisso antes de conhecer *você*. — Respirei fundo. Não parecia seguro ficar a sós com ela. — Agora vamos sair daqui antes que eu faça alguma idiotice.

Fui em sua direção, e ela pareceu entender a necessidade de nos apressarmos. Não fez nenhuma objeção quando a coloquei em minhas costas. Bella envolveu-me com os braços e as pernas, e por um instante precisei me esforçar para manter meu corpo sob controle.

— Não se esqueça de fechar os olhos — avisei.

Ela enfiou o rosto em meu ombro.

A corrida não era longa, mas foi o tempo necessário para eu me recompor. Pelo visto eu não podia confiar em nada no que dizia respeito a meus instintos; só porque eu me sentia confiante em manter o autocontrole sob um aspecto não significava que eu tinha qualquer outra coisa sob controle. Precisaria recuar e criar um limite específico para protegê-la. Teria que limitar nosso contato físico de forma que não afetasse sua capacidade de respirar e a minha de pensar. O mais patético era a segunda preocupação ser mais importante do que a primeira.

Bella se manteve imóvel durante o curto trajeto. Ouvi sua respiração constante, e seus batimentos pareciam estáveis, apenas ligeiramente acelerados. Ela continuou se segurando mesmo depois que parei.

Estiquei a mão para trás e toquei em seu cabelo.

— Acabou, Bella.

Ela afrouxou os braços primeiro, respirando bem fundo, e então relaxou as pernas tensas. De repente, o calor de seu corpo tinha desaparecido.

— Ai! — esbravejou ela.

Virei-me para encontrá-la esparramada desajeitadamente, como uma boneca jogada no chão. A surpresa em seus olhos ia se transformando em indignação, como se não soubesse como havia acabado daquele jeito, mas não tivesse dúvida de quem era a culpa.

Não sei por que aquilo era tão engraçado. Talvez eu só estivesse muito agitado. Talvez fosse o intenso alívio que eu começava a sentir agora que aquela situação arriscada ficara no passado outra vez. Ou eu só precisava desestressar.

Qualquer que fosse o motivo, caí na gargalhada e não consegui parar.

Bella revirou os olhos diante da minha reação, suspirou e se levantou. Tentou limpar a lama da jaqueta com uma expressão resignada que só me fez rir ainda mais.

Ela me olhou de cara feia e então saiu pisando com força.

Contive o riso e disparei atrás dela, segurando-a com delicadeza pela cintura e tentando fazer minha voz soar séria ao perguntar:

— Aonde vai, Bella?

Ela não olhou para mim.

— Ver o jogo de beisebol — respondeu. — Você não parece mais estar interessado em jogar, mas tenho certeza de que os outros se divertirão sem você.

— Está indo pelo caminho errado — informei.

Ela bufou com irritação, ergueu o queixo em um ângulo mais teimoso ainda, deu meia-volta e seguiu bruscamente na direção oposta. Peguei-a pela cintura outra vez. Aquela também não era a direção certa.

— Não fique chateada — pedi. — Não consegui evitar. Devia ter visto a sua cara.

Deixei outra risada escapar, mas tentei reprimir a seguinte.

Ela finalmente ergueu a cabeça, encontrando meu olhar. A raiva brilhava em seus olhos.

— Ah, então só você pode ficar chateado?

Lembrei que ela não era uma grande fã de dois pesos e duas medidas.

— Eu não fiquei chateado com você — garanti a ela.

Sua voz saiu ácida ao citar minhas palavras:

— "Bella, você vai me matar."

Meu humor ficou mais sombrio, mas não desapareceu por completo. No calor da emoção, falei com mais veracidade do que pretendia.

— *Essa* foi simplesmente a declaração de uma realidade.

Ela se contorceu em meus braços, tentando se afastar. Toquei sua bochecha com uma das mãos para que não escondesse o rosto de mim.

Antes que eu pudesse continuar, Bella insistiu:

— Você ficou irritado!

— Sim — concordei.

— Mas acaba de dizer...

— Que não estava irritado com *você*. — Não havia mais graça agora. Ela estava se culpando. — Não entende isso, Bella? Não compreende?

Ela franziu a testa, confusa e frustrada.

— Compreendo o quê?

— Eu nunca tenho raiva de você... — expliquei. — Como poderia? Corajosa, confiante... *quente*, como você é.

Indulgente, gentil, solidária, sincera, *boa*... Essencial, crucial, vital... Eu poderia continuar por um tempo, mas ela me interrompeu.

— Então por quê...? — sussurrou.

Presumi que aquele pensamento incompleto seguia para algo como: *Por que me rechaçou com tanta crueldade?*

Segurei seu rosto entre minhas mãos, tentando falar tanto com meus olhos quanto com palavras, tentando dar ênfase a cada uma delas.

— Eu me enfureço comigo mesmo. Por não conseguir manter você longe do perigo. Minha própria existência a coloca em risco. Às vezes eu me odeio de verdade. Eu devia ser mais forte, devia ser capaz de...

Fiquei surpreso ao sentir seus dedos em meus lábios, me interrompendo.

— Não — murmurou ela.

A confusão desaparecera de seu rosto, deixando apenas bondade em seu rastro.

Segurei sua mão e a pressionei em meu rosto.

— Eu te amo — disse a ela. — É uma desculpa ruim para o que estou fazendo, mas ainda é verdadeira.

Bella me olhou com tanto carinho, tanta... adoração. Parecia haver apenas uma resposta para um olhar desses.

Teria que ser uma resposta controlada. Não havia mais espaço para impulsividade.

— Agora, por favor, procure se comportar — murmurei mais para mim do que para ela.

Com delicadeza, encostei meus lábios nos dela por um breve instante.

Bella ficou imóvel, prendendo o fôlego. Endireitei-me rapidamente, aguardando que ela voltasse a respirar.

Bella suspirou.

— Você prometeu ao chefe Swan que me levaria para casa cedo, lembra? É melhor irmos.

Mais uma vez, ela me ajudava. Eu queria que minha fraqueza não a obrigasse a ser tão forte.

— Sim, senhora.

Eu a soltei, segurando uma de suas mãos para conduzi-la pelo caminho certo. Estávamos a poucos metros de ultrapassar o limite daquele bosque e entrar em um imenso campo aberto que minha família chamava simplesmente de *clareira*. As árvores tinham sido devastadas por uma geleira muito tempo antes, e agora apenas uma camada fina de solo cobria o leito da rocha abaixo. As únicas coisas que cresciam ali eram mato e samambaias. Era um bom lugar para nossos jogos.

Carlisle preparava as bases enquanto Alice e Jasper praticavam alguns truques que ela queria aperfeiçoar: se Jasper decidisse com antecedência correr em determinada direção, Alice poderia prever seu movimento e arremessar para a nova posição antes mesmo que ele deixasse algo transparecer. Aquilo não lhes dava tanta vantagem, mas, por sermos rivais tão equiparados, qualquer coisa tinha o potencial de deixá-los mais competitivos.

Esme nos aguardava, e Emmett e Rosalie estavam sentados perto dela. Quando surgimos à vista de todos, vi Rosalie puxar a mão das de Esme antes de dar as costas e se afastar.

Bom, ela não tinha prometido que seria boazinha. Eu sabia que estar ali já era uma tremenda concessão da parte dela.

Isso é ridículo.

Esme não concordava comigo. Ela tentara bajular Rose para melhorar seu humor, mas não tivera sucesso, e agora sentia-se exasperada.

Vai ficar tudo bem quando começarmos, pensava Emmett. Assim como eu, ele estava aliviado só por Rose ter ido.

Esme e Emmett vieram ao nosso encontro. Lancei um olhar de advertência para ele, que sorriu para mim.

Não se preocupe, eu prometi.

Ele analisou Bella com interesse. Uma coisa era estar cercado por humanos enquanto estávamos no mundo deles, mas outra bem diferente era ter um visitando o nosso. Era empolgante. Ainda mais uma humana que, para ele, era praticamente uma de nós agora. Emmett só tivera experiências positivas com os acréscimos familiares. Estava ansioso para incluir Bella também.

Eu podia ter ficado feliz com o entusiasmo de Emmett, mas, por trás daquele fascínio por algo novo, via que ele não duvidava da versão de Alice.

Eu seria paciente. Com o tempo, todos acabariam entendendo.

— Foi você que ouvimos, Edward? — perguntou Esme.

Ela falou um pouco mais alto que o necessário para que Bella não ficasse de fora da conversa.

— Parecia um urso sufocando — acrescentou Emmett.

Bella sorriu com timidez.

— Foi ele.

Emmett sorriu para ela, encantado com sua coragem em embarcar na brincadeira.

Alice vinha em disparada até nós. Presumi que não deveria me preocupar por estar sendo tão *ela mesma*. Ela previa o que assustaria ou não Bella melhor do que eu poderia adivinhar.

Alice parou a alguns centímetros de distância.

— Está na hora — entoou solenemente no estilo oráculo, em prol de Bella.

Um trovão estilhaçou o silêncio bem naquele momento. Balancei a cabeça.

— Sinistro, não é? — murmurou Emmett para Bella, dando uma piscadela quando ela pareceu surpresa por ele estar falando com ela.

Bella abriu um largo sorriso, só um pouco hesitante.

Meu irmão olhou para mim.

Gostei dela.

— Vamos! — incentivou Alice, pegando a mão de Emmett.

Ela sabia exatamente quanto tempo podíamos jogar sem restrições e não queria perder nem um minuto. Emmett estava tão ansioso quanto ela para começar. Juntos, correram em direção a Carlisle.

Posso conversar a sós com Bella? Eu queria que ela se sentisse confortável comigo, pediu Esme.

Vi quanto aquilo significava para Esme: que Bella a visse como pessoa e amiga, não como algo a ser temido. Assenti e me virei para Bella.

— Está pronta para assistir ao jogo?

Sorri, inferindo pelos comentários de Charlie que aquela noite era um ponto fora da curva para Bella. Bom, eu torcia para que conseguíssemos mantê-la entretida.

— Vai nessa!

Ri daquele falso entusiasmo e então dei a Esme o espaço que ela queria, correndo atrás de Emmett e Alice.

Ouvi Esme conversar com Bella enquanto me juntava aos outros. Não havia nenhuma informação que quisesse revelar ou extrair, ela apenas queria interagir com Bella, mas ainda assim fiquei atento. Meu foco se dividiu entre aquela conversa e a que acontecia ao meu redor.

— Edward e eu já escolhemos os times — sentenciou Rosalie. — Jasper e Emmett ficam comigo.

Alice não estava surpresa. Emmett gostava daquela vantagem. Jasper ficou menos empolgado, porque preferia jogar no time de Alice a jogar contra ela. Carlisle, como eu, estava feliz com o envolvimento de Rosalie no jogo.

Esme reclamava do nosso péssimo espírito esportivo, claramente preparando Bella para o pior.

Carlisle pegou uma moeda.

— Escolha, Rose.

— Ela já escolheu os times! — protestei.

Carlisle olhou para mim e então para Alice, que já tinha visto que a moeda daria cara.

— Rose — repetiu ele, e então jogou a moeda para cima.

— Cara.

Suspirei, e minha irmã sorriu. Carlisle pegou a moeda com elegância e a virou no antebraço.

— Cara — confirmou.

— Vamos começar rebatendo — disse ela.

Carlisle assentiu, e ele, Alice e eu fomos assumir nossas posições.

Esme contava a Bella sobre seu primeiro filho, e fiquei surpreso pelo tom íntimo que a conversa tinha ganhado. Essa era a ferida mais dolorosa de Esme, mas ela mostrava-se comedida e tranquila ao falar sobre o assunto. Fiquei me perguntando por que decidira compartilhar aquilo.

Ou talvez Esme não tivesse decidido, de fato. Bella era uma boa ouvinte... Eu mesmo não sentira vontade de revelar cada segredo obscuro que já guardara? O jovem Jacob Black não quebrara um tratado ancestral só para lhe agradar? Ela devia causar esse efeito em todo mundo.

Fui para o fundo do campo, do lado esquerdo. Ainda ouvia com clareza a voz de Bella.

— Não se importa, então? Que eu seja... completamente inadequada para ele?

Coitadinha, pensou Esme. *Isso deve ser tão assustador para ela.*

— Não — respondeu para Bella, e dava para ver que era verdade. Tudo o que Esme queria era que eu fosse feliz. — É você quem ele quer. Vai dar certo, de algum jeito.

Mas, assim como Emmett, ela só via uma opção. Fiquei feliz por estar distante e Bella não ter como ler minha expressão com clareza.

Alice aguardou Esme assumir sua posição de árbitro, com Bella ao lado, antes de subir no montinho do arremessador.

— Tudo bem. Podem bater — gritou Esme.

Alice fez o primeiro arremesso. Emmett, empolgado demais, rebateu com tanta força que o taco sibilou ao passar rente à bola e a pressão do ar alterou a linha reta do arremesso. Jasper pegou a bola no ar e a lançou de volta para Alice.

— Foi um *strike*? — Ouvi Bella sussurrar para Esme.

— Se não rebaterem, é *strike* — respondeu ela.

Alice fez outro arremesso na direção do rebatedor. Emmett reajustara sua posição. Eu já estava correndo antes mesmo de ouvir a explosão do taco colidindo com a bola.

Alice já tinha visto para onde a bola iria e que eu seria rápido o bastante. Aquilo acabava um pouco com a graça do jogo — sinceramente, Rose já devia estar cansada de saber que não deveria deixar Alice e eu no mesmo time —, mas eu pretendia vencer dessa vez.

Voltei correndo com a bola, ouvindo Esme dizer que Emmett estava fora assim que retornei para a margem da clareira.

— Emmett rebate com mais força, mas Edward é o que corre mais rápido — explicava Esme para Bella.

Sorri para as duas, feliz ao ver que Bella parecia se divertir. Seus olhos estavam arregalados, mas seu sorriso era genuíno.

Emmett assumiu a posição de Jasper no *home plate* enquanto Jasper pegava o taco para rebater, embora fosse a vez de Rosalie. Isso era irritante; com certeza ficar a menos de três metros de Bella não podia ser um fardo tão grande. Eu estava começando a me arrepender de ter insistido que ela viesse.

O plano de Jasper não era ver quão rápido eu corria, afinal ele tinha noção de que não conseguia rebater tão longe quanto Emmett. Em vez disso, acertou a bola com a ponta do taco, o que a direcionou para mais perto de Carlisle, deixando claro que ele seria o jogador da vez a correr atrás dela. Carlisle disparou para pegá-la com a luva e então disputou a corrida com Jasper até a primeira base. Foi por pouco, mas o pé esquerdo de Jasper tocou a base um instante antes do de Carlisle.

— Salva — declarou Esme.

Bella se ergueu na ponta dos pés, as mãos tampando os ouvidos, o franzido entre as sobrancelhas claramente visível, mas ela relaxou assim que viu Carlisle e Jasper de pé outra vez. Ela me olhou e voltou a sorrir.

A tensão era palpável quando Rosalie assumiu o posto de rebatedora. Embora Bella estivesse fora de seu campo de visão quando Rose olhou para Alice no montinho do arremessador, os ombros de Rosalie se curvaram na direção oposta a Bella. Sua postura estava rígida e a aversão em seu rosto era nítida.

Olhei para Rose com ar crítico, e ela fez uma careta.

Você que me quis aqui.

Rose estava tão distraída que o primeiro arremesso de Alice passou batido e foi direto para a mão de Emmett. Ela franziu ainda mais a testa e tentou se concentrar.

Alice arremessou a bola para Rose de novo, que dessa vez rebateu com perfeição, lançando a bola para além da terceira base. Comecei a correr, mas Alice tinha sido mais rápida. Porém, em vez de eliminar Rose, ela disparou rumo ao *home plate*. Jasper já estava no meio do caminho entre a terceira base e o *home*. Ele baixara o ombro como se pretendesse bloquear Alice para longe do *plate*, assim como fizera com Carlisle, mas Alice não esperou que ele concluísse o movimento. Ela executou uma manobra ágil de um meio giro, meio escorregão, passando por ele e então encostando a luva em suas costas. Esme disse que Jasper estava fora, mas Rosalie se aproveitou da distração para chegar à segunda base.

Dava até para adivinhar qual seria a próxima jogada antes mesmo de Emmett trocar de lugar com Jasper outra vez. Emmett faria uma rebatida de sacrifício para Rosalie chegar ao *home*. Alice vira o mesmo, mas parecia que eles seriam bem-sucedidos. Voltei para a linha das árvores, mas, se eu corresse para o lugar onde Alice vira a bola indo antes que Emmett de fato a rebatesse, Esme nos penalizaria por trapaça. Retesei os músculos, pronto para correr atrás... não da bola, mas da visão de Alice.

Emmett rebateu mais alto do que longe, sabendo que a gravidade era mais lenta do que eu. Funcionou, e trinquei os dentes quando Rosalie pisou no *home plate*.

No entanto, Bella estava encantada. Batia palmas e exibia um sorriso enorme, impressionada com a partida. Rosalie não expressou gratidão pelo aplauso espontâneo de Bella — nem ao menos olhou para ela; em vez disso, revirou os olhos para mim —, mas fiquei surpreso por notar que ela estava um tanto... comovida. Presumi que isso não fosse tão incomum, afinal eu sabia quanto Rosalie gostava de ser admirada.

Talvez eu devesse contar alguns dos elogios que Bella fizera sobre sua beleza... mas era provável que ela não acreditasse. Se olhasse para Bella agora, veria sua admiração evidente. Aquilo provavelmente comoveria Rose ainda mais, mas ela se recusava a olhar.

Ainda assim, fiquei esperançoso. Pouco tempo e vários elogios... Juntos podíamos conquistar Rose.

Emmett também apreciava o entusiasmo de Bella. Ele já gostava dela mais do que eu esperava e achava o jogo mais divertido com um público tão animado. E assim como Rose gostava de ser admirada, Emmett adorava se divertir.

Carlisle, Alice e eu corremos para perto de Esme e Bella enquanto o time de Rosalie se espalhava pelo campo. Bella me cumprimentou com os olhos bem abertos e um grande sorriso.

— O que está achando? — perguntei.

Ela riu.

— De uma coisa eu tenho certeza: nunca mais vou conseguir ficar sentada vendo um jogo da liga principal de beisebol.

— Até parece que você já fez muito isso.

Ela contraiu a boca, pensativa.

— Estou meio decepcionada.

Ela não parecia nada decepcionada.

— Por quê?

— Bom, seria ótimo se eu pudesse encontrar só uma coisa em que você não seja melhor do que todo mundo do planeta.

Aff.

Rosalie não foi a única a bufar, mas foi quem fez isso mais alto.

O flertezinho vai demorar muito?, quis saber Rosalie. *A tempestade não vai durar para sempre.*

— Estou pronto — falei para Bella.

Peguei o taco que Emmett havia largado e me dirigi ao *plate*.

Carlisle se agachou atrás de mim. Alice me mostrou a direção do arremesso de Jasper.

Escorei a bola.

— Covarde! — rugiu Emmett ao se impulsionar para baixo a fim de pegar a bola, que quicava de forma imprevisível.

Rose me esperava na segunda base, mas cheguei lá com folga. Ela fechou a cara para mim, e sorri de volta.

Carlisle entrou no *plate* e se posicionou. Eu ouvia o que ele pretendia fazer e a predição de Alice de que ele seria bem-sucedido. Eu me preparei, os músculos a postos. Jasper lançou uma rápida bola curva, e Carlisle posicionou seu taco no ângulo certo.

Eu queria ter conseguido avisar a Bella para tampar o ouvido outra vez.

O som da rebatida de Carlisle não tinha uma explicação convincente para ser chamado de trovão. Por sorte, os humanos não eram desconfiados, não *queriam* acreditar em nada que não fosse natural.

Eu corria a toda, ouvindo desde o eco da explosão até Rosalie correndo pela floresta. Se ela fosse rápida o bastante... Mas, não, Alice viu que a bola cairia no chão.

Alcancei o *home plate* antes que a bola chegasse à metade do caminho até seu destino final. Carlisle protegia a primeira base. Bella piscou várias vezes quando parei de repente a poucos metros dela, como se não tivesse conseguido acompanhar minha corrida.

— Jasper! — chamou Rosalie de algum lugar bem no interior da floresta.

Carlisle passou voando pela terceira base. O som da bola zunindo em nossa direção assobiou por entre as árvores. Jasper disparou rumo ao *plate*, mas Carlisle deslizou por baixo dele antes que a bola chegasse à mão de Jasper.

— Salva — gritou Esme.

— Perfeito — parabenizou Alice, erguendo a mão para nos cumprimentar.

Carlisle e eu batemos na mão dela.

Todos ouvíamos Rosalie ranger os dentes.

Fui para o lado de Bella, entrelaçando meus dedos nos dela sem apertá-los. Ela me olhou com um sorriso, as bochechas e o nariz rosados por causa do frio, mas os olhos brilhando de animação.

Alice pensava em centenas de maneiras de acertar a bola enquanto pegava o taco, mas não conseguiu encontrar um jeito de passar por Jasper e Emmett. Emmett rondava a terceira base, sabendo que Alice não tinha força para superar Rosalie no quesito defesa.

Jasper arremessou uma bola rápida, e Alice a rebateu em direção ao lado direito do campo. Ele correu atrás da bola até a primeira base, pegou-a e tocou a base antes que Alice chegasse a ela.

— Fora.

Apertei os dedos de Bella novamente e voltei ao jogo.

Dessa vez, decidi rebater na direção de Rosalie, mas Jasper fez um arremesso lento, me privando da velocidade de que eu precisava. Rebati uma bola rasteira, mas só consegui alcançar a primeira base antes de Rose me bloquear.

Carlisle rebateu a bola no chão rochoso, esperando que ela quicasse alto o suficiente para que eu tivesse chance de chegar às bases, mas Jasper saltou e a pôs em jogo outra vez rápido demais. Emmett me alcançou na terceira base.

Alice analisava as possibilidades conforme se aproximava do *plate*, mas as perspectivas não eram promissoras. Mesmo assim, ela fez o melhor que pôde, rebatendo a bola com o máximo de força direto para a linha de falta direita. Jasper não mordeu a isca, nem mesmo tentou eliminar Alice tocando nela antes de lançar a bola de volta para Emmett, que parecia uma muralha diante do *home plate*. Eu não tinha muito o que fazer. Não havia como passar por ele, mas, se nosso time ficasse preso nas bases, de acordo com as regras da família aquilo significava um fim de *inning* automático.

Fui para cima de Emmett, que pareceu animado com minha escolha, mas, antes que pudesse ao menos tentar contorná-lo, Rosalie já estava reclamando:

— Esme... ele está tentando forçar um "fora".

Isso também era contra as regras da família.

É claro que Emmett me eliminaria. Não havia como passar por ele.

— Trapaceiro! — sibilou Rose.

Esme me lançou um olhar de reprovação.

— Rose tem razão. Volte para sua posição.

Dei de ombros e saí do campo.

O time de Rose levou a melhor dessa vez. Tanto ela quanto Jasper conseguiram pontuar após uma das rebatidas fortes de Emmett, embora eu tenha quase certeza de que ela trapaceou de alguma forma. A trajetória da bola mudou no meio do voo, quase como se algo muito pequeno tivesse alterado seu curso, mas eu estava muito no interior da floresta para ver de onde aquele projétil viera. Pelo menos eu tinha tempo de eliminar Emmett. A bola voadora de Rosalie foi lenta demais; Alice conseguiu saltar para pegá-la. Jasper alcançou a base outra vez, mas parei a bola alta e curva de Emmett antes que ela chegasse à floresta, e Carlisle e eu encurralamos Jasper a caminho da terceira base.

Conforme o jogo progredia, eu observava Bella para descobrir se estava entediada. Mas, sempre que eu olhava, ela parecia totalmente entretida. Era algo novo para ela, pelo menos. Eu sabia que não parecíamos muito humanos jogando beisebol. Fiquei monitorando suas expressões, esperando a novidade passar. Ainda tínhamos algumas horas de tempestade, e Emmett e Jasper não queriam desperdiçar nem um segundo. Porém, se Bella estivesse muito cansada ou com frio, eu pediria para me retirar do jogo. Estremeci só de pensar em como Rosalie lidaria com isso. Ah, bom, ela ia sobreviver.

Os bons modos iam sendo deixados de lado conforme o placar alternava a pontuação, e fiquei imaginando o que Bella pensaria de nós mesmo depois de ter sido alertada por Esme. Mas, quando Rosalie me chamou de "trapaceiro patético" (por eu saber exatamente qual árvore escalar para pegar uma de suas bolas altas) e depois de "suíno leproso" (quando a eliminei diante da terceira base), Bella riu com Esme. Rosalie não era a única distribuindo insultos durante o jogo, e dessa vez Carlisle não era o único que *não* xingava. Mas eu me comportava de forma exemplar, embora visse que isso irritava Rosalie mais do que se eu a estivesse xingando de volta.

Então eu saía ganhando de todo jeito.

Estávamos no décimo primeiro *inning* — em nosso jogo, o *inning* durava pouco mais do que alguns minutos; não parávamos em determinado número de entradas, e sim encerrávamos de acordo com a tempestade —, e Carlisle ia rebater primeiro. Alice via outra rebatida forte, e torci para que um de nós estivesse na base. Como era de se esperar, Emmett — ao assumir sua posição no montinho do arremessador — não resistiu e arremessou uma bola rápida para Carlisle, o que lhe deu tanto poder para acertar a bola com força que ela passou longe de onde Rosalie torcia para que ela parasse. O som reverberou para além das montanhas, mais parecido com uma explosão do que com um trovão.

Enquanto aquele barulho ecoava ao nosso redor, outro som chamou minha atenção.

— Ah!

Alice ofegou como se alguém tivesse lhe dado um soco.

As imagens apareciam em torrente em sua cabeça. Uma avalanche de novos futuros espiralava de forma incompreensível, parecendo desconexos. Alguns brilhavam com uma intensidade ofuscante e outros eram tão escuros que não dava para ver nada. Uma infinidade de paisagens, a maioria desconhecida.

Do futuro que ela previra com plena confiança, não restava mais nada. Qualquer que fosse a mudança, era tão grande que não deixava nenhuma parte do nosso destino ilesa. Alice e eu estremecemos de pânico.

Ela se concentrou. Com rapidez, refez o caminho até o começo das novas visões. As imagens entrelaçadas se afunilaram para um momento preciso muito próximo do nosso presente, quase imediato.

Três rostos desconhecidos. Três vampiros que ela via correndo em nossa direção.

Disparei para o lado de Bella, considerando sair correndo com ela dali imediatamente. Mas havia futuros em que aparecíamos sozinhos, em clara desvantagem numérica...

— Alice? — chamou Esme.

Jasper correu para o lado de Alice mais rápido do que eu até Bella.

— Eu não vi... — sussurrou Alice. — Não sabia.

Ela estava comparando as visões. As mais antigas mostravam que três estranhos se aproximariam da nossa casa na noite seguinte. Era um futuro para o qual eu estava preparado; nessa versão, Bella e eu estaríamos muito longe dali.

Algo mudara os planos deles. Ela avançou um pouco, apenas alguns minutos, nessa nova linha do tempo. Havia a possibilidade de um encontro amigável, apresentações, um pedido. Alice percebeu o que tinha acontecido. Mas tudo em que eu conseguia me concentrar era no fato de que Bella aparecia nessa visão, quieta ao fundo.

A essa altura, estávamos reunidos em um círculo com Alice no meio.

Carlisle inclinou-se, chegando mais perto e colocando uma das mãos no braço dela.

— O que é, Alice?

Ela balançou a cabeça, como se tentasse forçar as imagens em sua mente a se organizarem de um jeito que fizesse sentido.

— Eles estavam viajando muito mais rápido do que eu pensava. Posso ver que tive a perspectiva errada antes.

— O que mudou?

Jasper estava com Alice havia tanto tempo que entendia melhor do que qualquer um, além de mim, como a habilidade dela funcionava.

— Eles nos ouviram jogando. — Na versão amigável dos acontecimentos, os desconhecidos revelavam essa informação. — E isso alterou o rumo deles.

Todos olharam para Bella.

— Quanto tempo? — perguntou Carlisle, virando-se para mim.

Não era uma distância fácil para minha audição captar. Como já era tarde em uma noite tempestuosa, não havia muitos humanos nas montanhas ao redor, o que ajudava. O fato de não haver outros vampiros na região ajudava mais ainda. A mente dos vampiros era um pouco mais ressoante para mim; eu os ouvi bem ao longe, identificando a localização com facilidade. Então sabia exatamente onde estavam — auxiliado pelas paisagens que tinha visto na visão de Alice —, mas só conseguia captar os pensamentos mais intensos.

— Menos de cinco minutos — falei. — Estão correndo... Querem jogar.

Os olhos de Carlisle se fixaram em Bella outra vez.

Você precisa tirá-la daqui.

— Acha que consegue?

Alice se concentrou no desdobramento de uma das possibilidades. Tentar escapar com Bella nas costas.

Ela não reduzia muito minha velocidade — não era seu peso que dificultava, e sim ter que me movimentar com mais cuidado para evitar que ela se machucasse —, porém eu sabia que não conseguiria correr tão rápido. Esse desdobramento se conectava com o outro futuro que eu vira: nós dois cercados, em desvantagem...

Os desconhecidos não eram tão entusiastas de beisebol a ponto de serem descuidados. Alice viu que o trio chegaria à clareira por três ângulos diferentes, para nos observar, antes de se reagruparem e se apresentarem. Se qualquer um deles me ouvisse correndo, poderia me seguir para investigar.

Balancei a cabeça.

— Não, não carregando...

Os pensamentos de Carlisle se turvaram em apreensão.

— Além disso — sibilei —, a última coisa de que precisamos é que eles sintam o cheiro e comecem a caçar.

— Quantos? — quis saber Emmett.

— Três — grunhiu Alice.

Emmett bufou. O som era tão inapropriado em relação à tensão do momento que só pude encará-lo sem entender.

— Três? — zombou ele. — Que venham, então.

Carlisle considerava as opções, mas eu já vira que só havia uma. Emmett tinha razão. Estávamos em um bom número, e os desconhecidos teriam que ser suicidas para começar uma briga.

— Vamos continuar o jogo — concordou Carlisle, embora eu não precisasse ler mentes para saber que aquela decisão o desagradava. — Alice disse que estavam simplesmente curiosos.

Alice começou a combinar todas as possibilidades de um encontro ali na clareira; como tínhamos tomado uma decisão, as imagens ficaram mais concretas. A maioria parecia pacífica, embora todas apresentassem um começo tenso. Havia alguns pontos fora da curva no espectro de desfechos em que algo gerava um impasse, mas esses eram menos claros. Alice não conseguia ver o que desencadearia o conflito... alguma decisão a ser tomada. Nenhuma versão resultava em um combate físico ali na clareira.

Mas havia muita coisa que ela ainda não conseguia determinar. Vi o sol ofuscante outra vez, mas nenhum de nós conseguia entender *onde* ela o via.

Eu sabia que a decisão de Carlisle era a única possível, mas me sentia completamente aflito. Como tinha deixado algo assim acontecer?

— Edward... — sussurrou Esme.

Eles estão com sede? Estão caçando agora?

Nos pensamentos deles, não aparecia a sede, e na visão de Alice, a cada segundo mais clara, seus olhos estavam vermelhos de saciedade.

Neguei com a cabeça.

Pelo menos isso.

Ela estava quase tão horrorizada quanto eu. Seus pensamentos, como os meus, ficaram desorientados com a possibilidade de Bella estar em perigo iminente. Embora Esme não lutasse, dava para ver como aquilo a deixava agressiva. Ela defenderia Bella como se fosse um de seus filhos.

— Você pega, Esme — ordenei. — Agora eu sou o juiz.

Esme assumiu meu lugar, mas seu foco estava em Bella.

Ninguém se sentia à vontade para se afastar muito. Todos ficaram próximo ao campo, os ouvidos bem treinados focados na floresta. Como Esme, Alice não tinha intenção de se afastar muito de Bella. Seus pensamentos protetores não eram exatamente como os de Esme — não tão maternais —, mas eu via que ela também defenderia Bella a qualquer custo.

Apesar da aflição que me consumia e me deixava enjoado, senti uma imensa gratidão pelo comprometimento delas.

— Solte os cabelos — murmurei para Bella.

Não era bem um disfarce, mas a maior evidência de que ela era humana — além do cheiro e dos batimentos cardíacos — era o tom de sua pele. Quanto mais pudéssemos esconder...

Na mesma hora, ela soltou o rabo de cavalo e balançou o cabelo, deixando-o cair ao redor do rosto. Era óbvio que tinha compreendido a necessidade de se esconder.

— Os outros estão chegando agora. — Seu tom de voz era baixo, mas estável.

— Sim — respondi. — Fique muito quieta e não saia do meu lado, por favor.

Arrumei algumas mechas de cabelo em uma posição que camuflasse melhor seu rosto.

— Isso não vai ajudar — murmurou Alice. — Poderia sentir o cheiro dela do outro lado do campo.

— Eu sei — retruquei.

— O que Esme perguntou a você? — sussurrou Bella.

Pensei em mentir. Ela já devia estar apavorada. Mas falei a verdade.

— Se eles estavam com sede.

O coração dela disparou, então retomou o ritmo, mais rápido do que antes.

Eu estava vagamente ciente de que os outros fingiam dar continuidade à partida, mas, focado no que estava por vir, acabei não vendo nada daquela farsa.

Alice observou suas visões se tornarem cada vez mais concretas. Vi como eles se separariam, quais rotas tomariam e onde se reagrupariam antes de nos confrontar. Fiquei aliviado ao ver que nenhum deles passaria pela trilha que Bella usara mais cedo, antes de entrar na clareira. Talvez por isso a visão de Alice sobre a reunião cordial, ainda que cautelosa, continuava firme. É claro, infinitas possibilidades surgiriam quando eles chegassem ali. Eu me via diversas vezes protegendo Bella, os outros sempre ao meu lado... quer dizer, Rosalie flanqueando Emmett, pois ela parecia não se interessar em proteger ninguém a não ser ele. Havia outros futuros desdobramentos tênues que acabariam em combate, mas eram tão insubstanciais quanto névoa. Eu não conseguia ver muito bem o resultado.

Eu ouvia suas mentes se aproximando, ainda distantes, porém mais claras. Era óbvio que nenhum deles sentia qualquer hostilidade pela minha família, embora a que abria o caminho para o bando — a mulher ruiva que Alice vira — se sentisse inquieta e ansiosa. Estava preparada para correr se percebesse qualquer indicação de que éramos agressivos. Os homens estavam apenas animados com a possibilidade de um pouco de diversão. Pareciam confortáveis em se aproximar de um grupo de desconhecidos, e presumi que fossem nômades familiarizados com o funcionamento das coisas aqui no norte.

Estavam se separando agora, fazendo a diligência prevista antes de se exporem.

Se Bella não estivesse aqui, se tivesse recusado o convite de passar a noite nos vendo jogar... Bem, provavelmente eu estaria com ela. E Carlisle teria me ligado para avisar que alguns desconhecidos haviam aparecido mais cedo. Eu ficaria nervoso, é claro, mas saberia que não tinha feito nada de errado.

Porque eu deveria ter previsto essa possibilidade. O barulho produzido por jogos de vampiros é um som muito específico. Se tivesse parado para pensar em todos os acasos possíveis, se não tivesse tomado como verdade absoluta a visão de Alice sobre a chegada dos desconhecidos no dia seguinte — me programado para isso, por assim dizer —, se tivesse sido mais prudente do que entusiasmado...

Tentei imaginar como eu teria me sentido se esse encontro houvesse ocorrido seis meses antes, sem nunca ter visto o rosto de Bella. Acho que eu teria ficado... indiferente. Quando visse a mente dos visitantes, teria certeza de que não havia nada com que me preocupar. Provavelmente, me sentiria até animado com os recém-chegados e com a variedade que trariam ao padrão costumeiro do nosso jogo.

Agora, eu não sentia nada além de apreensão, pânico... e culpa.

— Desculpe, Bella — sussurrei para que só ela ouvisse. Os desconhecidos estavam próximos demais para que eu arriscasse falar mais alto. — Foi idiotice, uma irresponsabilidade, expor você dessa forma. Desculpe-me.

Ela apenas me olhou, o branco dos olhos aparecendo ao redor da íris. Fiquei imaginando se ela continuava em silêncio por causa do meu alerta ou se era porque não tinha nada a dizer. Os desconhecidos se reagruparam no canto sudoeste da clareira. Seus movimentos se tornaram audíveis. Mudei de posição para que meu corpo ocultasse o dela e comecei a bater os pés no ritmo de seus batimentos cardíacos, esperando disfarçá-los ao criar outra fonte plausível para o som.

Carlisle se virou na direção do som dos passos se aproximando, e os outros seguiram sua deixa. Não deixaríamos de lado nenhuma de nossas vantagens, mas fingiríamos contar com nada além dos nossos vastos sentidos vampirescos para nos guiar.

Paralisados, imóveis como se tivéssemos sido talhados nas pedras à nossa volta, nós aguardamos.

22. A CAÇADA

Quando os três vampiros chegaram à clareira, eu já os conhecia tão bem que seus rostos eram quase familiares, como se não os estivesse vendo pela primeira vez.

O menor e mais feio dos dois homens começou à frente, mas rapidamente foi ficando para trás em uma manobra ensaiada.

Estava concentrado em saber quantos éramos, em avaliar a ameaça. Presumiu que fôssemos dois ou talvez três bandos aliados que tinham se reunido para o jogo. Ele estava bem atento a Emmett, imenso ao lado de Carlisle. E também prestava atenção em mim e na minha óbvia agitação: era estranho um vampiro parecer ansioso. Nenhum deles sabia como interpretar o fato de eu não parar de bater o pé no chão.

Por uma fração de segundo, lutei com a sensação de que havia algo errado com a contagem dele, mas eu precisava me concentrar em coisa demais para ter tempo de investigar melhor aquela impressão.

O homem na liderança era mais alto e mais bonito que a média, até mesmo para um vampiro. Seus pensamentos eram bastante confiantes. Seu clã não pretendia fazer nenhum mal. Embora, naturalmente, o grande grupo de clãs tivesse se surpreendido pela aproximação de estranhos, ele tinha certeza de que tudo logo se resolveria. Ele também reagira ao tamanho de Emmett e à minha tensão, mas logo se distraíra com Rosalie.

Será que ela já está com alguém? Hmmm, eles parecem mesmo estar em casais.

Os olhos dele observaram com cautela o restante de nós, antes de se voltarem para Rose.

A mulher ruiva estava mais tensa do que qualquer um ali, o corpo quase vibrando de ansiedade. Além disso, sentia dificuldade em manter seu olhar penetrante longe de Emmett.

São muitos. Laurent é um tolo.

Ela já catalogara milhares de rotas de fuga. No momento, achava que sua maior chance era correr para o norte, em direção ao mar de Salish, onde não poderíamos seguir seu cheiro. Perguntei-me por que ela não optara pela costa do Pacífico, muito mais próxima, mas eu não tinha como saber seus motivos enquanto ela não pensasse neles.

Eu esperava que a mulher procurasse abrigo, e os outros a seguissem, mas isso não acontecia nas visões de Alice.

A ruiva observava o homem de aparência mais comum, torcendo para que ele saísse correndo. Seus olhos voltaram a procurar Emmett, e ela acabou se aproximando relutantemente, seguindo os outros de perto.

Os dois homens também não conseguiam tirar os olhos de Emmett por muito tempo. Parei, então, para observar meu irmão. Ele parecia ainda maior do que de costume aquela noite, e havia algo de enervante em sua tensa imobilidade.

Laurent, o líder, ainda estava confiante com seu plano. Se nossos clãs podiam se dar bem entre si, então poderíamos nos entender com o dele. Todos se acalmariam e poderíamos até jogar. E Laurent teria a chance de conhecer a loura estonteante...

Ele sorriu de um jeito amistoso, aproximando-se mais devagar, e parou a alguns metros de Carlisle. Seu olhar passou de Rosalie para Emmett, depois para mim, e então voltou para Carlisle.

— Pensamos ter ouvido um jogo. — Ele tinha um leve sotaque francês, mas a voz em sua mente falava em inglês. — Meu nome é Laurent, estes são Victoria e James.

Aquele viajante sofisticado e seus dois seguidores mais selvagens não pareciam ter muito em comum. A mulher ficou irritada com a apresentação; parecia praticamente consumida por uma necessidade urgente de escapar. O outro homem, James, achava graça na confiança de Laurent. Adorava e se deliciava com a natureza imprevisível desse encontro e estava ansioso para ver como reagiríamos.

Vic ainda não fugiu, pensava ele. *Então provavelmente não vai dar em nada.*

Carlisle sorriu para Laurent, a expressão sincera e amigável desarmando momentaneamente até mesmo o receio da assustada Victoria. Por um segundo, o trio voltou sua atenção para ele em vez de Emmett.

— Sou Carlisle — apresentou-se. — Esta é minha família, Emmett e Jasper, Rosalie, Esme e Alice, Edward e Bella.

À medida que falava, Carlisle gesticulava vagamente em nossa direção, tentando não chamar atenção para mim ou para Bella, logo atrás. Laurent e James reagiam à informação de que não pertencíamos a bandos diferentes, mas eu não estava completamente concentrado.

No segundo em que Carlisle dissera o nome de Jasper, percebi o que estava ignorando até então.

Jasper — marcado por cicatrizes em cada parte visível de sua pele, alto, esguio e feroz como um leão à espreita, o olhar embrutecido pela lembrança das mortes — devia ser a maior fonte de preocupação para aqueles três no momento. Seu aspecto bélico com certeza influenciaria aquela negociação.

Dei uma espiada nele pelo canto do olho e me vi... terrivelmente entediado. Parecia não haver nada menos interessante no mundo do que aquele vampiro comum parado docilmente ao lado do nosso grupo.

Comum? Dócil? *Jasper?*

Ele estava tão concentrado que, se fosse humano, seu corpo estaria pingando de suor.

Eu nunca o vira fazer aquilo antes, nem mesmo imaginara que era possível. Seria algo que desenvolvera durante os anos em que vivera no sul? Camuflagem?

Ao mesmo tempo, Jasper suavizava a tensão em torno dos recém-chegados e fazia qualquer um que olhasse em sua direção se sentir particularmente desinteressado. Nada podia ser mais monótono do que observar aquele homem na parte de trás do grupo, tão sem graça e sem importância...

E não só ele... Jasper encobria Alice, Esme e Bella com a mesma névoa de tédio.

E era por isso que nenhum dos recém-chegados tinha percebido ainda. Não por causa dos cabelos bagunçados de Bella nem do meu esforço ridículo de bater o pé no chão. Eles não conseguiam ver além daquela sensação mundana, estudá-la com mais atenção. Bella era só mais uma entre muitos, nada que merecesse maior análise.

Jasper usava suas habilidades para proteger os membros vulneráveis da nossa família. Eu podia ouvir sua concentração. Ele não conseguiria manter aquela camuflagem se as coisas se tornassem físicas, mas por ora envolvera Bella em uma proteção muito mais inteligente do que eu poderia ter imaginado.

Mais uma vez, fui inundado pela gratidão.

Pisquei com força e voltei a me concentrar nos desconhecidos. Eles haviam sido envolvidos pelo carisma de Carlisle, embora não tivessem esquecido o tamanho intimidador de Emmett ou minha intensidade.

Tentei absorver a calma tranquilizadora que Jasper emanava, mas, embora pudesse ver seu efeito nos outros, não conseguia acessá-la. Percebi que Jasper deixava que vissem o que ele queria, e isso me incluía ali no canto, uma ameaça, uma distração.

Bem, com certeza eu podia assumir esse papel.

— Tem vaga para mais alguns jogadores? — perguntou Laurent, no mesmo tom amigável de Carlisle.

— Na verdade, estávamos terminando — respondeu Carlisle, de forma calorosa. — Mas certamente nos interessaríamos, em outra ocasião. Pretendem ficar na área por muito tempo?

— Nós vamos para o norte, mas ficamos curiosos para ver quem estava nos arredores. Não encontramos companhia há muito tempo.

— Não, esta região em geral é vazia, a não ser por nós e visitantes ocasionais como vocês.

A cordialidade de Carlisle, aliada à influência de Jasper, aos poucos conseguia conquistá-los. Até a ruiva nervosa começava a se acalmar. Seus pensamentos testavam aquela sensação de segurança, analisando tudo de uma maneira que era estranha para mim. Fiquei me perguntando se ela sabia o que Jasper estava fazendo, mas a mulher não parecia desconfiada. Era mais como se questionasse os próprios instintos.

James ficou um pouco decepcionado ao notar que o jogo não ia acontecer. E também... que o confronto fora amenizado. Sentia falta da agitação do desconhecido.

Laurent assimilava a postura e a confiança de Carlisle. Queria saber mais a nosso respeito. Perguntava-se que artifício usávamos para disfarçar nossos olhos e por quê.

— Qual é sua área de caça? — perguntou Laurent.

Isso era normal, uma pergunta esperada entre nômades, mas me preocupei de que pudesse assustar Bella. Seja lá o que estivesse sentindo, ela continuava atrás de mim, o mais imóvel e silenciosamente possível para uma humana. As batidas de seu coração e, consequentemente, as do meu pé no chão, não tinham mudado.

— A área da península de Olympic, aqui, a área costeira de vez em quando — disse Carlisle, sem mentir, mas também sem desencorajar Laurent de suas suposições. — Mantemos residência permanente aqui perto. Há outra base permanente como a nossa perto de Denali.

Isso surpreendeu os três. Laurent parecia apenas confuso, mas qualquer coisa inesperada se transformava em medo na mente da mulher aflita. Todos os efeitos dos esforços de Jasper desapareceram em um instante para ela. James, no entanto, ficou intrigado. Aquilo era novo e diferente. Não só nosso clã era imenso, mas aparentemente não éramos nômades. Talvez aquele desvio não tivesse sido um completo desperdício.

— Permanente? — perguntou Laurent, perplexo. — Como conseguem isso?

James ficou feliz ao ouvir Laurent falar, assim teria sua curiosidade saciada sem nenhum esforço. De certa forma, sua relutância em chamar atenção me lembrava a camuflagem muito mais efetiva de Jasper. Eu me perguntava por que ele preferia agir com tanta cautela. Aquilo não parecia se alinhar com seu anseio por diversão.

Ou será que, assim como Jasper, ele tinha algo a esconder?

— Por que não nos acompanham à nossa casa para podermos conversar com mais conforto? — propôs Carlisle. — É uma história bem longa.

Victoria estremeceu, e vi que ela se mantinha ali por pura força de vontade. Já sabia qual seria a resposta de Laurent e, ah, como queria sair correndo. James encarou-a com um olhar encorajador, que não aliviou em nada o estresse dela. Ainda assim, seguiria o que ele decidisse fazer.

Podia ser assim tão fácil? Seria bem simples nos separarmos se eles aceitassem o convite, e Carlisle e Emmett levassem os desconhecidos para longe dali. Graças a Jasper, talvez nunca descobrissem o que escondíamos deles.

Tentei examinar a visão que Alice tinha do futuro — o que era um pouco mais difícil no momento, já que tinha que ignorar o potente véu de tédio de Jasper, que tentava, com todas as forças, me convencer de que com certeza havia *alguma coisa* mais interessante do que aquilo.

Alice estava concentrada nos futuros possíveis mais próximos. E fiquei surpreso em ver que todos terminavam em um impasse. Alguns dos confrontos possíveis estavam mais claros do que antes.

Então *não* seria assim tão fácil.

Na mente de Laurent, não ouvi nada além de interesse e o iminente consentimento. James estava de acordo. Victoria procurava uma armadilha, rígida de pavor.

Nenhum deles tinha a menor intenção de causar problemas ou de examinar os membros de nosso grupo mais atentamente. O que mudaria a cabeça deles?

Eu só conseguia pensar em um fator que pudesse ser tão certo e não se deixava afetar por qualquer decisão ou capricho.

O clima.

Preparei-me, sabendo que não havia nada que eu pudesse fazer. Os olhos de Jasper encontraram os meus. Ele podia sentir minha angústia.

— Parece muito interessante, e nós aceitamos — disse Laurent. — Viemos caçando desde Ontário e já faz um tempo que não temos a oportunidade de nos limpar.

Victoria estremeceu, tentando atrair sutilmente a atenção de James, mas ele a ignorou.

— Não se ofendam, por favor, mas gostaríamos que refreassem a caça nesta região — alertou Carlisle. — Temos que continuar não sendo notados, você compreende.

A voz de Carlisle soava perfeitamente segura. Eu invejava sua confiança.

— É claro — concordou Laurent. — Certamente não invadiríamos seu território. De qualquer forma, acabamos de nos alimentar nos arredores de Seattle.

Laurent riu, e o coração de Bella ficou descompassado pela primeira vez. Mudei um pouco o ritmo do meu pé, tentando disfarçar a alteração. Nenhum dos desconhecidos pareceu notar.

— Mostraremos o caminho, se quiserem correr conosco — sugeriu Carlisle, e apenas Alice e eu sabíamos que já era tarde demais para seu plano dar certo. Estava tão perto agora... as visões dela se apressando para colidir com o presente. — Emmett e Alice, vocês podem ir com Edward e Bella para pegar o Jeep.

Aconteceu exatamente na hora em que ele disse o nome de Bella.

Apenas uma brisa suave, uma oscilação sutil vinda de uma nova direção, uma aberração causada pela tempestade que avançava para o oeste. Tão sutil. Tão inevitável.

O cheiro de Bella, fresco e instantâneo, chegou com uma lufada ao rosto dos desconhecidos.

Todos eles foram afetados, mas enquanto Laurent e Victoria ficaram predominantemente confusos com o aroma delicioso que vinha não se sabia de onde, James entrou na mesma hora em modo de caça. A camuflagem de Jasper não era forte o bastante para dissuadir aquele tipo de foco.

Não havia mais por que fingir. Como se lesse meus pensamentos, Jasper retirou a camuflagem, mantendo apenas Alice e ele ainda protegidos. Percebi que era melhor fazer isso e que, se ele tentasse continuar escondendo Bella, só alertaria os nômades para suas habilidades extras. Ainda assim, senti uma pontada de traição.

Mas essa era apenas a menor parte da minha percepção. A maioria das minhas faculdades mentais estava sobrecarregada pela fúria.

James se lançou à frente, agachando-se. Em sua mente não havia nada além da caçada e do foco na gratificação imediata.

Então lhe dei algo mais em que pensar.

Agachei-me em frente à Bella, pronto a me lançar para cima do caçador antes que ele pudesse se aproximar, todas as minhas habilidades concentradas nos pensamentos dele. Rugi em advertência, sabendo que apenas a autopreservação tinha alguma chance de distraí-lo àquela altura.

Minha fúria era tanta que eu meio que desejava que ele ignorasse minha ameaça.

O foco de seus olhos se ampliou, distanciando-se de Bella, enquanto me avaliava. Notei a surpresa em sua mente. Ele parecia... *incrédulo* por eu ter me posicionado para bloqueá-lo. O que me levava a crer que estava acostumado a agir sem que ninguém oferecesse resistência. James hesitou, oscilando entre a prudência e o desejo. Seria tolice ignorar os outros — não era uma disputa só entre nós dois. Mas ele mal podia resistir ao meu desafio. E não tinha certeza de que queria resistir.

— O que é isso? — gritou Laurent.

Não desviei meu foco nem por um segundo diante de sua reação.

Vi o estratagema nos pensamentos de James antes mesmo que ele se mexesse. E já estava pronto para bloquear seu novo ângulo antes mesmo que ele concluísse o movimento. Seus olhos se estreitaram, e ele reavaliou o perigo que eu representava.

Mais rápido do que eu pensava. Rápido demais?

Ele desconfiava de nós agora. De todos nós. Por que não notara a garota antes? Era tão óbvio, a pele de damasco macia e fosca em contraste com a nossa.

— Ela está conosco — ouvi Carlisle dizer já com outro tom, sem nenhum resquício da cordialidade anterior.

James lançou um olhar para ele e voltou a notar Emmett, imenso e ansioso, ao lado de Carlisle.

Fiquei surpreso com a frustração de James. Ele não queria ser cuidadoso. Estava doido para lutar. No entanto — ainda preparado para o ataque —, desviou parte de seu foco para captar qualquer movimento feito por Victoria, mas ela estava paralisada de medo.

Minha atenção estava comprometida quando Laurent finalmente reagiu.

— Vocês trouxeram um lanche? — perguntou ele, sem conseguir acreditar.

Como James, deu mais um passo na direção de Bella, ainda que seu movimento tivesse sido motivado mais por instinto do que violência.

Aquilo não fazia a menor diferença para mim. Girei ligeiramente o corpo, sem nunca desviar os olhos da maior ameaça ali, e rosnei furioso na direção de Laurent, mostrando os dentes. Ao contrário de James, Laurent recuou imediatamente.

James se mexeu de novo, testando minha concentração. Eu já estava pronto para bloqueá-lo antes mesmo que ele terminasse de se mover. Seus lábios se retraíram, mostrando os dentes.

— Eu disse que ela está conosco — repetiu Carlisle, a voz mais próxima a um rosnado que eu já ouvira.

— Mas ela é *humana* — ressaltou Laurent.

Ainda não havia nenhuma agressividade em sua mente. Estava só perplexo e assustado. Não conseguia entender aquela situação, mas percebia que o ataque irrefletido de James poderia levar os três à morte. Olhou para Victoria, verificando sua reação assim como James fizera. Como se ela fosse algum tipo de cata-vento.

Foi Emmett quem reagiu ao que Laurent falara. Não sei se aquilo era obra de Jasper, mas o chão pareceu tremer quando Emmett deu mais um passo em direção ao conflito... talvez fosse apenas Emmett sendo Emmett.

— Sim — rosnou ele, o tom livre de qualquer emoção ou inflexão.

Sua voz gélida pareceu cruzar diretamente o centro do confronto, deixando o ar mais frio.

Eu tinha quase certeza de que aquilo era coisa de Jasper, mas não dividi meu foco para ter certeza.

Fosse o que fosse, tinha sido eficaz. O caçador ficou de pé novamente, saindo da posição de ataque.

Li suas reações minuciosamente, mantendo minha postura defensiva no caso de ser um truque. Eu esperava raiva, frustração. Já vira que James era arrogante e não estava acostumado a ter obstáculos em seu caminho. Ter que ceder a uma força maior que a sua com certeza o enfureceria.

Mas, em vez disso, uma repentina excitação correu por seus pensamentos. Sem nunca desviar completamente os olhos de Bella ou de mim, com sua visão periférica James avaliou as ameaças que enfrentava. Não com medo ou irritação, mas com um estranho e desenfreado prazer. Ele continuava sem dar muita atenção a Jasper e Alice, vendo-os apenas como números em um censo. A forma ameaçadora de Emmett de repente parecia um desafio muito instigante.

— Parece que temos muito a aprender um sobre o outro — observou Laurent em tom apaziguador.

E então a inexplicável euforia de James deu lugar ao planejamento. À estratégia. As lembranças de vitórias passadas. E, pela primeira vez, percebi — tomado de pavor e pânico — que ele não era um mero caçador.

— De fato — concordou Carlisle, a voz ríspida.

Eu queria muito saber o que Alice via naquele instante, mas não podia me dar ao luxo de perder qualquer detalhe dos pensamentos do meu adversário.

Ouvi James relembrar os momentos em que encurralara alvo após alvo ao longo dos anos, reviver os detalhes de suas perseguições mais exaustivas, catalogar tudo que superara para chegar às suas presas. Nenhum dos desafios anteriores era maior do que o que enfrentava agora. Oito — não, sete, corrigiu-se. Um clã de sete, entre os quais certamente havia alguns dotados de habilidades extras, e uma humana indefesa que cheirava melhor do que qualquer refeição que fizera no último século.

Emocionante.

Ele não podia fazer nada agora, com tantos ali para protegê-la.

Espere eles se separarem. Aproveite esse tempo para fazer um reconhecimento.

— Mas gostaríamos de aceitar seu convite — dizia Laurent a Carlisle.

James ouvia a conversa por alto, absorto em seus planos. Isso até Laurent acrescentar:

— E é claro que não faremos mal à garota humana. Não caçaremos em seu território, como eu disse.

Essas palavras chegaram a James, atravessando seu foco vigilante e seu estado de euforia. Então tirou os olhos de mim para encarar Laurent, perplexo, mas Laurent olhava para Carlisle e não viu o choque se transformar em ódio.

Como ousa falar por mim?

O ardor de sua reação deixou claro que aquele clã não permaneceria intacto. Pude ouvir que James decidira usar Laurent enquanto fosse conveniente, mas, quando não tivesse mais utilidade, preferiria matá-lo a deixá-lo para trás. Ao que parecia, seu desejo de acabar com Laurent se baseava completamente naquele único comentário; não conseguia encontrar outra fonte de ressentimento. Concluí que era fácil provocar James e que ele era implacável.

James nem sequer considerava a possibilidade de Victoria escolher Laurent. Perguntei-me se James e ela estavam juntos, mas seus pensamentos não entregavam nenhum sentimento especial por Victoria. Cheguei à conclusão de que deviam estar juntos havia mais tempo do que a aliança com Laurent. Eram o grupo original, e Laurent, o intruso. Isso combinava com a facilidade com que James pensava em se livrar do outro integrante.

— Vamos lhes mostrar o caminho — disse Carlisle, menos como uma oferta e mais como uma ordem. — Jasper, Rosalie, Esme?

Jasper não gostava nem um pouco da ideia de se separar de Alice, principalmente com as coisas indo de mal a pior daquele jeito. Mas não podia discutir com Carlisle naquele momento. Precisávamos apresentar uma frente unida, e ele não queria chamar a atenção para si mesmo. Carlisle não fazia ideia da proteção que Jasper estava gerando, e este se resignou a mantê-la pelo máximo de tempo possível. Se precisássemos lutar, ele queria que fosse uma emboscada.

Olhou para Alice, que assentiu. Ela estava confiante de que não corria perigo. Jasper aceitava isso, mas continuava frustrado. Alice correu para o lado de Bella.

Sem precisar combinar, Jasper, Esme e Rose aproximaram-se ao mesmo tempo de Carlisle, obstruindo a visão que James tinha de Bella.

James permanecia imperturbável. Seu desejo de atacar havia desaparecido. No momento, estava apenas planejando.

Emmett se afastou por último, mantendo os olhos em James enquanto chegava para trás até se posicionar ao meu lado.

Carlisle fez um gesto para que Laurent e seu clã seguissem em frente ao saírem da clareira. Laurent obedeceu prontamente, com Victoria logo atrás, a mente ainda repleta de rotas de fuga.

James hesitou por um segundo, e seus olhos voltaram a nos encarar. Eu sabia que não era possível ver Bella atrás de Emmett, mas ele não estava procurando por ela. Em vez disso, olhou diretamente para mim e sorriu.

Algo chamou a atenção dele — Alice desprotegida, agora que Jasper se afastava. Notei sua surpresa ao examinar o rosto dela pela primeira vez, talvez se perguntando por que não tinha pensado em observá-la antes, mas não exprimiu sua surpresa com palavras, e acabou se virando e correndo atrás dos outros. Carlisle e Jasper o seguiam de perto, com Rose e Esme logo atrás.

Tive que me controlar muito para minha voz não sair como um rosnado ou um grunhido.

— Vamos, Bella.

Ela parecia paralisada. Seus olhos estavam tão arregalados e vazios que me perguntei se conseguia entender o que eu dizia. Mas não tinha tempo de acalmá-la ou de tomar os devidos cuidados diante de seu estado de choque. Naquele exato momento, a prioridade era escapar.

Peguei-a pelo cotovelo e puxei-a na direção oposta à que os outros tinham desaparecido. Após um passo meio cambaleante, ela se equilibrou e começou a correr para me acompanhar. Emmett e Alice vinham atrás de nós, escondendo-a por precaução.

Eu tinha certeza de que James não seguiria Laurent até nossa casa. Assim que visse uma oportunidade, se afastaria dos outros e voltaria a seguir o rastro de Bella. Eu não sabia quanto tempo ele levaria para ter essa chance, mas tinha que agir como se já estivesse nos observando. Sendo assim, seria melhor deixá-lo pensar que nos moveríamos na velocidade de um humano. Duvidava que, quando o cheiro dela de repente ficasse mais fraco entre as árvores, ele ficasse surpreso por muito tempo, mas, se pudéssemos encobrir a maneira como viajávamos, ele teria que parar para reavaliar.

Os pensamentos de James estavam muito distantes para serem ouvidos, embora eu fizesse uma ideia de onde o grupo maior se encontrava. Só não tinha como saber se James ainda estava com eles. Se ele subisse até um dos picos em volta, teria uma boa visão de nossos movimentos. Eu me irritava com nossa velocidade... ou com a falta dela.

Emmett e Alice não comentaram nada sobre nosso ritmo. Os dois sabiam que podíamos ter plateia, embora Alice não conseguisse ver claramente o que James estava fazendo. O caminho dele não cruzaria com o nosso ali, não em um futuro próximo. Ela só vira os desconhecidos na clareira, para começo de conversa, porque tinham decidido interagir conosco. Não era fácil para ela ver alguém de fora a menos que estivesse com algum membro da nossa família. James estaria praticamente invisível até decidir nos abordar.

Pareciam ter se passado horas até chegarmos ao fim da clareira, mas eu sabia que tinham sido apenas minutos. Quando nos encontramos bem em meio às árvores a ponto de não sermos vistos por ninguém de fora, peguei Bella e coloquei-a nas minhas costas. Ela pareceu entender, e notei que não estava tão em choque assim. Então passou as pernas com força em torno da minha cintura e prendeu os braços em volta do meu pescoço, apoiando novamente o rosto em meu ombro.

Achei que fosse me sentir melhor, mais seguro, quando estivesse correndo, quando começássemos a nos afastar do perigo a uma velocidade aceitável, mas aquilo não ajudou em nada a dissolver o pânico que pesava em meu peito. Eu sabia que não passava de uma ilusão... Eu voava por entre as árvores o mais rápido que podia sem feri-la, mas não conseguia me livrar da sensação de que não estava fazendo nenhum progresso.

Mesmo quando alcançamos o Jeep, e em menos de um segundo eu já colocara Bella no banco traseiro, sentia-me como se estivesse ficando para trás.

— Prenda-a — sibilei para Emmett.

Ele decidira ficar atrás com Bella, reconhecendo que seria seu guarda-costas enquanto eu estivesse dirigindo. E ele queria mesmo isso, estava até ansioso.

Pela primeira vez, a disposição de Emmett para o humor fora reprimida — uma benção, já que eu não poderia suportá-la no momento. Seus ânimos estavam alterados, todos os pensamentos voltados para a violência.

Alice sentou-se ao meu lado e, sem que eu pedisse, examinava rapidamente todos os futuros que poderíamos enfrentar agora. Na maioria, havia uma estrada escura à nossa frente, passando a toda velocidade sob os pneus, sem nenhum destino claro por enquanto. Mas havia outros futuros na direção oposta, de volta a Forks, na casa de Bella ou na nossa, embora eu não pudesse imaginar o que me faria retornar.

Continuávamos aos solavancos pela estrada irregular, seguindo o mais rápido possível sem correr o risco de capotar o Jeep, mas eu não conseguia me livrar da sensação de que estava perdendo uma corrida.

Enquanto Alice continuava suas buscas — eu podia ver o sol ardendo novamente... por que escolheríamos um lugar como aquele se isso nos deixaria presos, sem poder sair ao ar livre? —, eu me concentrava no caminho. Finalmente estávamos de volta à estrada principal, e eu desejava com todas as minhas forças que estivéssemos em outro carro, qualquer outro... no meu, no de Rose, no de Carlisle. Aquele Jeep não era feito para correr. Mas não havia o que fazer.

Eu percebia vagamente o som da minha voz, rosnando xingamentos desarticulados, mas me parecia algo distante, como se não estivesse sob meu controle.

Aquele era o único som além do ronco do motor, os pneus na estrada molhada, a respiração ofegante de Bella no banco de trás e seu coração acelerado.

Alice agora via um quarto de hotel, mas podia ser em qualquer lugar. As cortinas estavam fechadas.

— Aonde vamos?

A pergunta de Bella parecia vir de longe também. Meus pensamentos estavam presos demais às visões de Alice ou paralisados de medo para eu conseguir formular uma resposta. Era quase como se a pergunta não se dirigisse a mim.

A voz dela soara trêmula, pouco mais que um sussurro. Mas de repente estava bem áspera.

— Droga, Edward! Aonde está me levando?

Afastei-me do confuso redemoinho dos futuros de Alice para voltar ao presente. Bella devia estar apavorada.

— Temos que tirar você daqui... levá-la para longe... agora — expliquei.

Achei que a ideia de estar *longe dali* seria bem recebida, mas de repente ela começou a gritar, lutando contra o cinto enquanto tentava se soltar.

— Dê a volta! Tem que me levar para casa!

Como eu explicaria que, por ora, ela havia perdido sua casa, que aquele caçador abominável lhe roubara mais do que isso naquela noite?

Mas a prioridade no momento era impedi-la de se jogar para fora do Jeep.

Emmett já se perguntava se devia contê-la. Então falei o nome dele, em tom baixo e firme, para que soubesse que era exatamente isso o que eu queria que fizesse. Ele segurou os punhos de Bella com cuidado em suas mãos enormes, imobilizando-os.

— Não! Edward! — berrou ela. — Não, não pode fazer isso!

Não sabia o que Bella pensava que eu estava fazendo. Será que achava que eu tinha escolha? O som de sua fúria, de seu desespero, dificultava minha concentração. Era como se eu fosse o responsável por feri-la, e não o risco oferecido pelo rastreador.

— Preciso fazer, Bella — sibilei. — Agora, por favor, fique quieta.

Eu precisava saber o que Alice estava vendo.

— Não fico! — gritou ela. — Tem que me levar de volta... Charlie vai chamar o FBI! Eles vão cair em cima da sua família... Carlisle e Esme! Eles vão ter que ir embora, se esconder para sempre!

Era isso que a preocupava? Acho que não devia me surpreender ao constatar que ela se torturava pelos motivos errados.

— Acalme-se, Bella. Já passamos por isso antes.

Então teríamos que recomeçar. Aquilo não tinha a menor importância no momento.

— Não por minha causa, não pode! — queixava-se ela com voz estridente. — Você não vai estragar tudo *por minha causa*!

Ela se debatia contra Emmett. A única parte imóvel do corpo dela eram as mãos presas. Emmett a encarava, confuso.

O que devo fazer?

Antes que eu pudesse dizer a Bella que ela estava enganada ou a Emmett que ele estava fazendo o que era necessário, Alice resolveu se juntar a mim no presente.

— Edward, encoste.

A calma em sua voz me irritou. Ela estava pensando no que Bella dizia, embora — *claramente* — nenhuma daquelas preocupações realmente importasse. Alice devia saber. Bella não entendia o que acontecera. Como poderia? Ela não tinha qualquer conhecimento do contexto.

Pisei fundo no acelerador, percebendo que Alice também não tinha todo o contexto. Apesar de sua presciência, havia coisas que ela não conseguia ver.

— Edward. — Alice ainda estava calma, o tom ponderado. — Vamos conversar sobre isso.

— Você não entende — explodi. — Ele é um rastreador, Alice, não *viu* isso? Ele é um rastreador!

Emmett reagiu com mais intensidade à palavra do que Alice. Porque é claro que ela *vira* isso... no instante em que eu resolvera gritar com ela.

Não conhecíamos, de fato, nenhum rastreador, fora as histórias que já ouvíramos. O mais poderoso deles estava muito distante, servindo na Itália. Carlisle conhecia um, mas, como ele não era nem um pouco sociável, nenhum de nós jamais se encontrou com Alistair. Emmett e Alice só sabiam que os rastreadores tinham o dom de encontrar coisas, encontrar pessoas. Não entendiam o conceito no sentido mais dinâmico. James não tinha apenas talento para encontrar pessoas. Rastrear era tudo para ele.

— Encoste, Edward — insistiu Alice, como se eu não tivesse falado nada.

Fulminei-a com o olhar, acelerando ainda mais o carro.

Não é assim que esta noite continua, pensou ela completamente segura.

— Encoste, Edward.

— Ouça, Alice — falei, furioso, querendo colocar tudo o que eu sabia na sua cabeça, em vez do contrário. Ela não entendia. — Eu vi a mente dele. Rastrear é a paixão dele, sua obsessão... E ele a quer, Alice... Quer *Bella* especificamente. Ele começará a caçada hoje à noite.

Alice não se abalou com minha explosão.

— Ele não sabe onde...

Interrompi, impaciente com sua recusa em *ver* as coisas.

— Quanto tempo acha que ele precisará para sentir o cheiro dela na cidade? Ele já tinha feito planos antes mesmo de Laurent abrir a boca.

Bella arfou, e então voltou a gritar desesperadamente.

— Charlie! Não pode deixá-lo lá! Não pode abandoná-lo!

— Ela tem razão — disse Alice, ainda muito calma.

Tirei um pouco o pé do acelerador sem nem perceber. Obviamente também não podia deixar Charlie em perigo. Mas como poderia estar em dois lugares ao mesmo tempo?

— Vamos considerar nossas opções por um minuto — persuadiu-me Alice.

Fiquei chocado com a imagem que vi de repente em sua mente. Não tinha notado Alice traçando aquele futuro — e a teria interrompido violentamente se tivesse —, mas de alguma forma ela o exibia ali claramente. Por completo.

Alice via uma versão do futuro em que o rastreador perdia o interesse e abandonava a caçada.

Não significa nada para ele se não houver um prêmio, explicou ela.

Parecia a visão antiga, mas eu sabia que era nova. Que acabara de ser gerada. Bella, os olhos ardendo em um vermelho tão vivo que quase brilhavam, as feições tão definidas quanto se tivessem sido talhadas em diamante, a pele mais branca que gelo.

Sem dúvida, o rastreador desaparecia naquela versão do futuro.

E os olhos brilhantes de Bella me fitavam friamente... com ar acusador.

Joguei o Jeep no acostamento e pisei fundo no freio. Paramos abruptamente.

— Não temos *opções* — rosnei para Alice.

— Não vou deixar o Charlie! — berrou Bella para mim.

— Precisamos levá-la de volta — interveio Emmett.

— Não.

Emmett olhou para mim pelo retrovisor.

— Ele não é páreo para nós, Edward. Não seria capaz de tocar nela.

— Ele vai esperar.

James gostava da espera. Emmett sorriu sem achar graça.

— Eu também posso esperar.

Eu queria arrancar os cabelos de tanta frustração.

— Você não *viu*... não entende! Quando ele se compromete com uma caçada, é inabalável. Vamos ter que matá-lo.

Emmett me encarou como se *eu* estivesse demorando a entender.

É claro que temos que matá-lo, pensou ele, mas as palavras que de fato falou foram mais brandas. Estava sendo estranhamente sensível, em consideração à frágil humana que prendia ali.

— Esta é uma opção.

— E a mulher — lembrei-lhe. — Ela está com ele. — Isso não afetou Emmett nem um pouco, então acrescentei, embora duvidasse: — Se houver uma luta, o líder ficará ao lado deles também.

— Nós estamos em número suficiente.

Será que ele estava contando com Rose e Esme? É claro que não. Emmett achava que podia fazer aquilo sozinho, como se eles fossem enfrentá-lo diretamente, sem truques.

— Há outra opção — repetiu Alice.

Isso vai acontecer de qualquer jeito. Por que não aceita logo e a deixa em segurança agora?

A fúria que tomou conta de mim parecia perigosa, como se eu pudesse de fato ferir Alice, apesar de amá-la. Tentei conter minha ira, liberando-a apenas através de palavras.

— *Não há outra opção!* — rugi, a centímetros do seu rosto.

Alice nem se encolheu.

Não seja idiota. Há muitos futuros, muitas reviravoltas que não posso prever. São inúmeras possibilidades. Você tem razão quando diz que ele não vai desistir... A menos que não tenha motivação para continuar.

Na cabeça de Alice, eu podia ver James caçando Bella por décadas enquanto eu tentava escondê-la. Milhares de artifícios e armadilhas. Claramente seria mais difícil matá-lo do que Emmett imaginara.

Bem, para mim não seria um problema ter que vigiá-la por décadas. Eu não trocaria sua vida por um futuro mais fácil.

Uma voz baixa e trêmula nos interrompeu.

— Alguém quer ouvir meu plano?

— Não — disparei, ainda fuzilando Alice com o olhar.

Ela retribuiu meu olhar furioso.

— Ouçam — continuou Bella. — Me levem de volta...

— *Não.*

— Você me leva de volta — insistiu ela, a voz mais firme e irritada. — Eu digo a meu pai que quero ir para Phoenix. Faço as malas. Vamos esperar até que esse rastreador esteja observando e depois fugimos. Ele vai nos seguir e deixar Charlie em paz. Charlie não vai mandar o FBI atrás da sua família. Depois você pode me levar para a droga do lugar que quiser.

Então ela não estava sendo completamente irracional, oferecendo-se em sacrifício pela vida de Charlie ou nossa proteção. Bella tinha um plano.

— Na verdade, não é má ideia — ponderou Emmett.

Ele não levava muita fé nas habilidades do rastreador. Preferia deixar uma trilha para ele seguir do que não ter a menor noção de onde o inimigo viria. Além disso, achava que seria mais rápido assim, e, apesar do que dissera antes, Emmett não tinha muita paciência.

Alice pensou a respeito, analisando como a determinação de Bella mudava seu futuro. Podia ver, ao menos, que o rastreador estaria lá para acompanhar a encenação.

— Pode dar certo — admitiu ela.

Novas visões rapidamente se sobrepuseram às antigas. Nós nos dividiríamos em três direções, deixando apenas o rastro que queríamos. Ela via Emmett e Carlisle caçando na floresta. Às vezes Rosalie estava lá também, às vezes eram Emmett e Jasper, mas nenhum grupo permanecia o mesmo.

— E não podemos deixar o pai dela desprotegido. Você sabe disso — acrescentou Alice, ainda assistindo ao desenrolar das imagens.

Dessa parte, ela tinha certeza. Nós voltaríamos e daríamos ao rastreador algo mais em que se concentrar além de Charlie.

Mas naquelas visões bem claras, o rastreador ficava perto demais de Bella. E, só de pensar nisso, eu sentia meus nervos, já à flor da pele, ainda mais tensos.

— É perigoso demais — murmurei. — Não quero que ele chegue nem a cem quilômetros dela.

— Edward, ele não vai nos pegar. — Emmett estava frustrado pelo que via como minha tentativa de evitar um confronto. Ele não percebia nenhum risco.

Alice analisou os resultados imediatos daquela decisão... uma decisão que *ela* tomava naquele momento, ao me ver paralisado pela incerteza. Não havia nenhuma versão que levasse a uma briga na casa de Charlie. O rastreador só ia esperar e observar.

— Não o vejo atacando — confirmou ela. — Ele vai tentar esperar até que a deixemos sozinha.

— Ele logo vai perceber que isso não vai acontecer.

— Eu *exijo* que me leve para casa — ordenou Bella, procurando deixar a voz mais assertiva.

Tentei pensar em meio àquela névoa de pânico, desespero e culpa. Fazia sentido montar nossa própria armadilha, em vez de esperar que o rastreador armasse a dele? *Parecia* certo, mas quando pensava em permitir que Bella ficasse perto dele, fazendo-a essencialmente de isca, não conseguia admitir isso.

— Por favor — sussurrou ela com dor em sua voz.

Pensei no rastreador encontrando Charlie em casa sozinho. Sabia que era *isso* que preocupava Bella. E não fazia ideia de como essa possibilidade a deixava em pânico e desesperada. Ninguém da minha família era vulnerável assim. Bella era minha única vulnerabilidade.

Tínhamos que levar o rastreador para longe de Charlie. Isso estava óbvio. Era a única parte do plano dela que realmente importava. Mas se não funcionasse da primeira vez, se o rastreador não visse nossa encenação, eu não arriscaria a sorte. Pensaríamos em outra opção. Emmett poderia tomar conta de Charlie quanto fosse necessário. Eu sabia que ele ficaria feliz em lidar com o rastreador sozinho. E também tinha certeza de que, depois de tudo que Jasper fizera para realçar os atributos de Emmett na clareira, o rastreador nunca se colocaria voluntariamente ao alcance dele.

— Você vai embora esta noite, quer o rastreador veja ou não — falei a Bella, sentindo-me abatido demais para erguer os olhos. — Vai dizer a Charlie que não suporta nem mais um minuto em Forks. Conte a ele uma história convincente. Faça suas malas com o que estiver à mão e entre em sua picape. Não me importo com o que ele lhe disser. Você terá quinze minutos. — Procurei-a pelo retrovisor, encontrando seu olhar. Parecia firme e decidida. — Ouviu? Quinze minutos a partir do momento em que passar pela porta.

Liguei novamente o motor, então fiz um retorno bem fechado, agora com um tipo diferente de pressa. Queria que a parte da *isca* acabasse o quanto antes.

— Emmett? — chamou Bella.

Pude ver pela mente de Emmett que ela olhava para as próprias mãos, ainda presas.

— Ah, desculpe — murmurou ele, libertando-a.

Emmett esperou que eu protestasse, depois relaxou quando não falei nada.

Agora que a decisão estava tomada, me concentrei nas visões de Alice novamente. Não havia muitas opções, talvez trinta versões consistentes. Na maioria, o rastreador apareceria na casa de Charlie cerca de dois minutos depois de nós, mantendo uma distância segura. Em algumas, ele chegava depois que tínhamos ido embora. Mas mesmo nessas, ele ignorava Charlie e seguia nosso rastro.

Depois disso, as possibilidades se estreitavam ainda mais. Iríamos para casa. O rastreador ficaria ainda mais distante, sem querer arriscar um confronto. A ruiva estaria à espera dele. Minha família se dividiria. Em nenhuma versão Laurent ajudava James e Victoria. Então só teríamos que nos dividir em três grupos.

A única coisa que eu não entendia era por que a formação desses três grupos continuava mudando. Não fazia sentido.

Independentemente disso, a próxima parte estava bem clara.

— É assim que vai acontecer — expliquei a Emmett. — Quando chegarmos à casa, se o rastreador não estiver lá, vou levá-la até a porta. Depois ela terá quinze minutos. — Olhei para Bella pelo retrovisor de novo. — Emmett, você fica na lateral da casa. Alice, você fica na picape. Eu vou ficar lá dentro pelo tempo que ela estiver. Depois que ela sair, vocês podem levar o Jeep para casa e contar a Carlisle.

— De jeito nenhum — contestou Emmett. — Eu vou com você.

Você me deve uma, lembra?

Eu não deveria ter ficado surpreso por ele querer me acompanhar. Provavelmente era por isso que os grupos no futuro estavam tão incertos.

— Pense bem, Emmett. Não sei quanto tempo vou ficar fora.

— Enquanto não soubermos até que ponto isso vai, eu vou com você.

Não havia nenhuma hesitação em sua mente. Talvez fosse melhor assim. Deixei aquilo pra lá.

Na mente de Alice, eu podia ver Carlisle e Jasper caçando na floresta agora.

— Se o rastreador *estiver* lá — prossegui —, vamos continuar dirigindo.

— Vamos chegar lá antes dele — insistiu Alice.

Era noventa e nove por cento certo, mas eu não ia me arriscar com uma versão isolada que estava menos clara que as outras.

— O que vamos fazer com o Jeep? — perguntou Alice.

— Você o levará para casa.

— Não vou levar — disse ela com absoluta certeza.

A visão de como nos dividiríamos mudou de novo.

Rosnei uma série de imprecações arcaicas na direção dela.

Bella interrompeu em voz baixa:

— Não cabemos todos na minha picape.

Como se fôssemos fugir naquela carroça. Mas não falei nada, sabendo como ela era apegada à picape. Não tinha energia para uma discussão sem sentido.

Como não respondi, ela sussurrou:

— Acho que devem me deixar ir sozinha.

Mais uma vez, eu não entendia bem o que ela pretendia. Naturalmente, devia pensar que era seu dever se sacrificar para que Charlie tivesse um número absurdo de guarda-costas.

— Bella, por favor, faça o que eu digo pelo menos desta vez — implorei, embora não parecesse uma súplica quando as palavras saíram por entre meus dentes cerrados.

— Olhe, o Charlie não é imbecil. Se você não estiver na cidade amanhã, ele vai ficar desconfiado.

Havia tantas camadas de significado no que ela falava que eu não conseguia entender. Esse era o verdadeiro motivo pelo qual estava disposta a se arriscar? Criar um álibi plausível para mim?

— Isso é irrelevante — falei num tom que eu pretendia que soasse definitivo. — Vamos nos certificar de que ele esteja seguro, e é só isso que importa.

— E esse rastreador? — rebateu ela. — Ele viu como você agiu esta noite. Vai pensar que você está comigo, aonde quer que vá.

Nós três congelamos, surpresos com a direção que as coisas tinham tomado. Até Alice. Ela vinha prestando atenção a outros futuros, além daquela conversa.

Emmett abraçou a lógica imediatamente.

— Edward, ouça o que ela diz. Acho que Bella tem razão.

— Sim, tem mesmo — concordou Alice.

Ela podia ver que Bella estava certa: qualquer grupo em que eu estivesse seria aquele que o rastreador escolheria para seguir. Isso prejudicaria o plano e tornaria um ataque praticamente impossível. E o que era pior: faria dela uma isca novamente, e desta vez havia muitos futuros possíveis para ter certeza de que ela ficaria segura.

Mas qual era a outra opção? *Deixar* Bella?

— Não posso fazer isso.

Bella voltou a falar, a voz tão calma quanto se seu primeiro pronunciamento já tivesse sido aceito.

— Emmett devia ficar também. Ele com certeza também ficou de olho em Emmett.

— Como é? — indagou Emmett, incomodado.

Mas Alice sabia bem o que ele contestava.

— Você terá uma oportunidade melhor de lidar com ele se ficar.

As divisões dos grupos, que antes se alteravam tão freneticamente, agora começavam a se estabelecer. Ela me via com Emmett e Carlisle, primeiro correndo pela floresta, e depois mudando de direção para caçar.

Onde estava Bella nesse futuro?

Olhei para Alice.

— Acha que devo deixá-la sozinha?

Vi a resposta nas visões dela antes que minha irmã pudesse me responder em voz alta. Um quarto padrão num hotel medíocre, Bella dormindo com o corpo bem encolhido, Alice e Jasper firmes e atentos como sentinelas no outro quarto.

— É claro que não. Jasper e eu cuidaremos dela.

— Não posso fazer isso.

Mas minha voz soava vazia agora. Eu não conseguia ver outro jeito. Se o rastreador iria atrás de mim, então eu *deveria* ficar o mais longe possível de Bella. Eu teria que controlar o pânico, a angústia, e pensar como um caçador. Tentei reprimir o pequeno prazer que surgia com a ideia de destruir o vampiro que dera início àquele pesadelo. A segurança de Bella era tudo o que importava.

Bella ainda não terminara de fazer sugestões.

— Fique aqui por uma semana — disse em voz baixa. Olhei para ela de novo pelo retrovisor. Bella não tinha a menor noção do que tivera início naquela noite. — Alguns dias? — concedeu, parecendo achar que eu estava me opondo à ideia.

Eu só podia rezar para que aquilo tudo acabasse mesmo em uma semana.

— Deixe que Charlie veja que você não me raptou e leve James a uma perseguição inútil — continuou ela. — Certifique-se de que ele esteja completamente longe do meu rastro. Depois venha me encontrar. Pegue um atalho, é claro, e depois Jasper e Alice poderão ir para casa.

Analisei a reação de Alice ao plano e senti o primeiro alívio da noite quando vi que era possível. Havia futuros em que eu encontraria Bella com Alice e Jasper. O destino particular que eu traçava envolvia permanecermos escondidos por muito tempo. O rastreador escaparia de mim. Mas havia muitas outras possibilidades se entrelaçando e desentrelaçando na mente de Alice. Em algumas delas, eu encontrava Bella para levá-la para casa. Mais uma vez, a brilhante luz do sol se intrometia, me desorientando. Onde nós estávamos?

— Onde encontro você? — perguntei.

Eram as decisões de Bella que definiam o futuro. Ela já devia saber a resposta.

— Em Phoenix — respondeu com voz segura.

Mas eu vira o ato seguinte na cabeça de Alice. Vira a história inventada que Bella contaria a Charlie, e sabia o que o rastreador ouviria.

— Não. Ele vai ouvir que é para lá que você vai — lembrei.

— E você vai fazer com que pareça um ardil, *obviamente* — disse Bella, parecendo irritada ao pronunciar a última palavra. — Ele vai concluir que sabemos que ele está ouvindo. E não vai acreditar que realmente fui aonde disse que vou.

— Ela é diabólica — comentou Emmett, rindo.

Eu não estava tão convencido.

— E se não der certo?

— Há milhões de pessoas em Phoenix — insistiu Bella, o tom ainda contrariado.

Eu me perguntava se era o medo que minava sua paciência. Sabia que ele tinha esgotado a minha.

— Não é tão difícil encontrar uma lista telefônica — reclamei.

Ela revirou os olhos.

— Eu não vou para a casa da minha mãe.

— Hã?

— Tenho idade suficiente para ter minha própria casa.

Alice decidiu interromper nossa briga inútil.

— Edward, vamos ficar com ela.

— O que *você* vai fazer em *Phoenix*?

— Ficar entre quatro paredes.

Emmett não tinha acesso às visões de Alice, mas a imagem na cabeça dele se aproximava daquilo que eu sabia que aconteceria. Emmett e eu na floresta, na trilha do rastreador.

— Eu até gosto disso — falou ele.

— Cale a boca, Emmett.

— Olhe, se tentarmos pegá-lo enquanto ela ainda estiver por perto, há uma chance muito maior de que alguém se machuque... Ela vai se machucar, ou você, tentando protegê-la. Agora, se o deixarmos só... — A cena na mente dele se transformou ao imaginar o rastreador encurralado, enquanto nos aproximávamos.

Se pudéssemos cuidar disso, se conseguíssemos resolver rapidamente essa história com o rastreador, aquela seria a escolha certa. Por que era tão difícil decidir?

Eu me sentiria melhor se houvesse qualquer evidência de que Bella estava preocupada com a própria segurança. De que entendia todos os riscos. Que não era apenas a vida dela em jogo.

Talvez essa fosse a chave. Ela nunca se preocupava consigo mesma... mas, comigo, sempre. Se eu pudesse fazer parecer que aquilo tudo tinha mais a ver com minha angústia do que com seu real risco de morrer, talvez ela fosse mais cautelosa.

Não estava conseguindo manter o controle. Falei pouco mais alto que um sussurro, preocupado de que pudesse acabar gritando.

— Bella.

Ela me encarou no retrovisor. Seu olhar parecia mais na defensiva do que assustado.

— Se alguma coisa acontecer com você... qualquer coisa... Eu vou te responsabilizar — falei com voz suave. — Entende isso?

Os lábios dela tremeram. Será que finalmente tinha se dado conta do perigo? Então engoliu em seco e murmurou:

— Sim.

Já era bom o bastante.

A mente de Alice estava em um milhão de lugares, muitos deles uma estrada ensolarada vista através de vidros escurecidos. Bella sempre estava sentada no banco de trás, o braço de Alice em volta dela, o olhar perdido à frente. Jasper observava do banco do motorista. Pensei em meu irmão, preso por tantas horas em um pequeno veículo com o cheiro de Bella.

— Jasper pode lidar com isso? — perguntei.

— Dê algum crédito a ele, Edward — repreendeu-me Alice. — Ele tem se saído muito, muito bem, considerando tudo que está acontecendo.

Mas sua mente correu por uma dezena de futuros possíveis, só por precaução. Jasper não perdia o foco em nenhum deles.

Avaliei Alice. Sua estatura pequena a fazia parecer frágil, mas eu sabia que ela era uma oponente poderosa. O rastreador ou qualquer outra pessoa a subestimaria. Isso devia valer alguma coisa. Ainda assim, me sentia desconfortável ao imaginá-la tendo que proteger Bella em uma luta.

— *Você* pode lidar com isso? — murmurei.

Ela estreitou os olhos de indignação... puro fingimento. Já previra a pergunta.

Eu poderia acabar com você de olhos vendados.

Então rosnou para mim, um som longo, alto e perturbadoramente feroz que ecoou nos vidros do Jeep e fez o coração de Bella disparar.

Por meio segundo, não pude deixar de rir da ridícula exibição de Alice, e então todo o humor desapareceu novamente. Como havíamos chegado àquilo? Como eu me permitiria ficar longe de Bella, independentemente de quanto seus guardiões fossem letais ao inimigo?

Outro pensamento desagradável passou pela minha mente. Bella e Alice sozinhas, dando início à prevista amizade. Alice contaria à Bella sua solução para aquele pesadelo?

Assenti uma vez, brevemente, para que ela soubesse que eu havia aceitado seu papel como protetora de Bella.

— Mas guarde suas opiniões para si mesma — alertei.

23. DESPEDIDAS

Aquelas foram nossas últimas palavras antes do retorno às pressas para Forks. Claro que o caminho parecia muito mais curto agora que eu estava apavorado com a ideia de chegar. Em pouco tempo estávamos na frente da casa de Bella, as luzes brilhando em cada janela dos dois andares. Os sons de um jogo de basquete vinham da sala. Esforcei-me para ouvir qualquer coisa que não fosse humana nas proximidades, mas o rastreador ainda não parecia ter chegado. E Alice não via nenhum futuro em que aquela pausa se transformasse em um ataque.

Talvez devêssemos ficar. Deixar Bella retomar sua vida normal enquanto nos tornávamos sentinelas perpétuas. Eu poderia contar com Emmett, Alice, Carlisle, Esme — e tinha quase certeza de que com Jasper também — para se juntarem a mim nessa vigília. O rastreador não conseguiria chegar até ela com tantos olhos — e mentes — alertas. Seria mais seguro unirmos nossas forças do que nos dividirmos em três grupos?

Mas, enquanto eu ponderava essa opção, Alice viu que o rastreador esperaria, que se adaptaria. Que, depois que o tédio se instalasse, ele daria início a uma guerra psicológica. Os amigos de Bella começariam a desaparecer no meio da noite. Seus professores favoritos. Os colegas de trabalho de Charlie. Humanos aleatórios sem nenhuma conexão com ela. Os números aumentariam a tal ponto que as suspeitas acabariam nos forçando a deixar a cidade de qualquer jeito. E eu podia imaginar como Bella se sentiria com todos aqueles inocentes pagando com a vida para que ela continuasse em segurança.

Então o plano original teria de bastar.

Era difícil processar a estranha sensação física que acompanhava aquela conclusão. Eu sabia que nenhum buraco de verdade se abrira em meu peito, mas a impressão era tão real que chegava a ser irritante. Eu me perguntei se seria alguma reação humana havia muito esquecida, que eu nunca sentira em minha vida imortal, porque talvez nunca tivesse tido uma razão como aquela para entrar em pânico.

Precisávamos ir embora logo. Embora soubesse que o objetivo era dar ao rastreador algo para seguir, eu ainda queria que Bella já estivesse muito longe dali quando ele chegasse.

— Ele não está aqui — contei para Emmett. Alice já sabia. — Vamos.

Alice e eu descemos do Jeep em silêncio, nossas mentes calculando distância e tempo. Alice via o rastreador aparecer enquanto ainda estivéssemos lá dentro. O som do ranger dos meus dentes parecia mais alto que o normal.

— Não se preocupe, Bella — dizia Emmett, numa voz que me pareceu otimista até demais, enquanto a soltava do cinto de quatro pontos. — Vamos resolver as coisas por aqui rapidamente.

— Alice — sibilei.

Ela correu para a picape, então se abaixou e deslizou sob os estribos. Em uma fração de segundo, agarrou-se contra o chassi, completamente invisível, até mesmo para um vampiro.

— Emmett.

Ele já estava em movimento, escalando a árvore do quintal da frente. Seu peso arqueou o pinheiro, mas logo ele passou para a árvore seguinte e continuaria se movimentando enquanto estivéssemos lá dentro. Era um lugar muito mais óbvio do que o escolhido por Alice, mas de onde estava ele poderia ver qualquer um que se aproximasse e, no mínimo, seria um robusto obstáculo.

Bella esperou que eu abrisse sua porta. Estava paralisada de pavor, e o único movimento perceptível era o das lágrimas que escorriam lentamente pelo seu rosto. Ela pareceu acordar quando a alcancei, deixando que eu a ajudasse a descer do carro. Fiquei surpreso em ver como era difícil tocá-la, sabendo que teria de deixá-la. O calor de sua pele queimava de uma maneira nova e dolorosa. Ignorando essa dor, passei o braço em volta dela, esperando que meu corpo a protegesse, e a levei em direção à casa na mesma hora.

— Quinze minutos — lembrei a ela.

Era tempo demais. Eu ansiava por sair logo daquele lugar visado.

— Eu consigo — respondeu com uma voz mais forte do que eu esperava, o maxilar firme.

Ao chegarmos à varanda, ela me puxou, me impedindo de avançar. Parei automaticamente, embora meus músculos se opusessem àquele atraso.

Seus olhos escuros me fitaram intensamente. E ela, então, levou as mãos ao meu rosto.

— Eu te amo — disse Bella, a voz um sussurro tenso como um grito. — Sempre o amarei, não importa o que acontecer.

O buraco em meu peito se escancarou como se fosse me partir ao meio.

— Nada acontecerá a você, Bella.

— Siga o plano, está bem? — insistiu ela. — Mantenha Charlie seguro por mim. Ele não vai ficar muito feliz comigo depois disso, e quero ter a chance de me desculpar.

Eu não sabia o que ela queria dizer com isso. Minha mente estava caótica demais para tentar decifrar seus raciocínios obscuros.

— Entre, Bella — insisti. — Precisamos nos apressar.

— Mais uma coisa. Não dê ouvidos a nada do que eu disser esta noite!

Antes que eu pudesse começar a compreender aquele pedido enigmático, Bella ficou na ponta dos pés e levou seus lábios aos meus, com uma força que eu imaginava ser contundente... para ela. Maior do que qualquer força que eu ousaria usar com ela, pelo menos.

Seu rosto estava todo vermelho quando ela se virou, afastando-se de mim. Suas lágrimas, que tinham diminuído durante nossa breve e incompreensível conversa, fluíam sem parar. Não consegui entender por que ela levantara uma perna até vê-la chutar com violência a porta da frente... que se abriu.

— Vá *embora*, Edward! — guinchou a plenos pulmões, mais alto até do que o som da TV.

Não tinha como Charlie perder nenhuma palavra.

Então bateu a porta na minha cara.

— Bella? — chamou Charlie, alarmado.

— Me deixe em paz! — respondeu ela, aos gritos.

Ouvi seus passos subindo intempestivamente a escada, e outra porta batendo.

Ela não ficara em silêncio no Jeep porque estava petrificada de pavor, e sim porque vinha se preparando. Bella tinha um roteiro. E calculei que meu papel era ficar fora de vista e em silêncio.

Charlie subiu correndo as escadas para encontrá-la, os passos vacilantes e instáveis. Imaginei que ele estivesse cochilando quando chegamos.

Escalei a lateral da casa, esperando ao lado da janela do quarto de Bella, para ver se Charlie a seguiria até lá. Não encontrei Bella a princípio, o que me causou um espasmo de pânico, mas então ela se levantou ao lado da cama, segurando uma bolsa de viagem e uma sacolinha de tricô.

Charlie bateu na porta com força. A maçaneta estremeceu — ela se lembrara de trancar o quarto —, e então as batidas recomeçaram.

— Bella, você está bem? O que aconteceu?

Abri a janela e entrei sem fazer barulho enquanto Bella gritava:

— Eu vou para *casa*!

— Ele magoou você? — perguntou Charlie pela porta, e me encolhi enquanto corria até a cômoda para ajudá-la a guardar as coisas.

Charlie não estava errado.

Apesar disso, Bella gritou:

— NÃO!

Ela se juntou a mim ao lado da cômoda, aparentemente esperando me encontrar ali. Segurou a bolsa de viagem aberta e fui jogando roupas lá dentro, tentando escolher itens variados. Não seria nada fácil ela se misturar se só tivesse camisetas do mesmo tipo.

A chave da picape estava no alto da cômoda. Guardei-a no bolso.

— Ele terminou com você? — perguntou Charlie tentando manter um tom moderado.

Essa pergunta não doeu.

Mas a resposta de Bella conseguiu me surpreender.

— Não! — gritou de novo, embora eu achasse que talvez um término fosse a desculpa mais fácil.

Eu me perguntei aonde o roteiro nos levaria.

Charlie golpeou a porta de novo, o ritmo impaciente.

— O que aconteceu, Bella?

Ela puxava inutilmente o zíper da bolsa cheia.

— *Eu* é que terminei com *ele*! — berrou.

Afastei sua mão e fechei o zíper, depois avaliei o peso da bolsa. Estava pesada demais para ela? Bella tentou pegá-la, impaciente, e passei a alça pelo seu ombro com cuidado.

Apoiei minha testa na dela por um precioso segundo.

— Estarei na picape... — Meu sussurro não disfarçava o desespero em minha voz. — Vá!

Empurrei-a em direção à porta, então passei de novo pela janela para estar no lugar certo quando ela saísse.

Emmett estava no chão, à minha espera, e fez um sinal com o queixo na direção leste.

Projetei minha mente na direção que ele indicara, e de fato o rastreador estava a pouco mais de oitocentos metros dali.

O grandão está de vigia esta noite. Preciso ter paciência.

Então ele vira Emmett nas árvores, mas não estava mais vendo nenhum de nós. Presumiria que eu estava ali, ou estaria preparado para uma emboscada? Desejei que Jasper estivesse conosco naquele momento. Se pudéssemos atacá-lo de três direções...

Edward, alertou Alice de seu esconderijo. Ela pensou nas possibilidades que seguiam minha linha de raciocínio. O rastreador era evasivo. Deixaríamos Bella vulnerável.

— O que houve? Pensei que você gostasse dele — perguntava Charlie, de volta ao andar de baixo.

Tomei uma decisão firme a respeito do que aconteceria em seguida.

Eu cuido disso, respondeu Alice. Então saiu de debaixo da picape e entrou escondida no Jeep. Depois de colocá-lo em ponto morto, afastou-o silenciosamente da entrada da garagem, com uma das mãos no batente da porta e estendendo a outra o máximo possível para mover o volante com dois dedos. Eu não queria que o ronco repentino do motor do Jeep distraísse Charlie da atuação de Bella. Era melhor que ele pensasse que eu já tinha ido embora.

Emmett observou Alice por meio segundo, então ergueu a sobrancelha para mim. *Quer que eu ajude?*

Fiz que não. *Charlie*, balbuciei para ele. *Siga-nos a pé.*

Emmett assentiu, em seguida pulou na árvore onde estaria visível de novo. Isso faria o rastreador manter distância. Mas ele não se retirou, mesmo quando viu Emmett. Estava fascinado com a cena e confiante de que poderia escapar de qualquer perseguição repentina. Isso me fazia querer provar que ele estava errado. Mas não podia correr o risco de cair em uma armadilha com Bella tão perto.

— Eu *gosto* dele — explicava Bella, as palavras trêmulas e abafadas.

Ela chorava sem parar, e eu sabia que não era tão boa atriz a ponto de forjar as lágrimas. A dor em sua voz era palpável. O abismo em meu peito se contraiu em resposta à sua agonia. Ela não deveria ter que fazer isso. Estava pagando pelo meu erro. Por minha loucura.

— É esse o problema — protestava ela. — Não *posso* mais fazer isso! Não posso criar mais raízes aqui! Não quero terminar presa nessa cidade *idiota* e chata como a mamãe! Não vou cometer o mesmo erro estúpido que ela cometeu. Eu *odeio* esse lugar... Não posso ficar aqui nem mais um minuto!

A reação mental de Charlie foi mais intensa e abrasadora do que eu esperava.

Ouvi os passos pesados de Bella se aproximarem da porta da frente. Subi na cabine da picape em silêncio, enfiei a chave e me abaixei. Emmett tinha se aproximado da porta da frente, escondido nas sombras. Ainda assim, a distância da porta até a picape parecia longa. Eu me concentrei no rastreador. Ele não tinha se mexido, ouvindo atentamente o drama que se desenrolava dentro de casa.

O que ele ouvia? Bella se preparando para fugir, para ir embora dali. Sem planos de voltar num futuro próximo.

Ele devia saber que Emmett o vira. E presumiria que Bella sabia que ele podia ouvi-la. Ou não?

— Bella, não pode ir embora agora — dizia Charlie em voz baixa e urgente. — Está tarde.

— Vou dormir na picape se ficar cansada.

Charlie imaginou a filha inconsciente na cabine escura da picape, ao lado de uma estrada no meio do nada, enquanto ao seu redor figuras escuras e amorfas se aproximavam cada vez mais. Não era o mais coerente dos pesadelos, mas meu pânico, primitivo e irracional, ecoava o dele.

— Espere só mais uma semana — implorava. — A Renée estará de volta.

Os passos de Bella pararam de repente. Ouvi um ruído baixo... Seus sapatos guinchando quando ela se virou para encará-lo?

— O quê?

Saí da picape e parei no meio do quintal da frente, hesitante. O que eu faria se as palavras do pai a confundissem e a atrasassem? Bella tinha noção de que o rastreador estava por perto?

— Ela ligou quando você estava fora. — Charlie se enrolava com as frases, tentando dizer tudo depressa. — As coisas não vão bem na Flórida, e se Phil não assinar um contrato no final da semana, eles vão voltar para o Arizona. O assistente técnico dos Sidewinders disse que eles podem ter um lugar para outro jogador de segunda base.

Charlie e eu esperamos, sem respirar, pela resposta dela.

— Tenho uma chave — murmurou Bella, e seus passos alcançaram a porta.

A maçaneta começou a girar. Corri de volta para a picape.

Suas palavras pareciam uma desculpa esfarrapada. O rastreador provavelmente presumiria que era uma história criada para enganar Charlie, o oposto da verdade.

A porta não abriu.

— Me deixe ir, Charlie — disse Bella.

Percebi que ela queria parecer irritada, mas a dor em sua voz se sobrepunha a qualquer outra emoção.

Enfim a porta se abriu. Bella passou com movimentos bruscos, e Charlie foi logo atrás, a mão estendida. Ela pareceu perceber isso e se encolheu, afastando-se.

Agachei-me no piso do carro, praticamente invisível. Mas não pude deixar de dar uma olhada pela janela. Bella resmungou sem se virar para o pai:

— Não deu certo, está bem? — Em seguida ela desceu da varanda, mas Charlie estava paralisado. — Eu realmente *odeio* Forks!

As palavras pareciam simples, mas uma angústia avassaladora se abateu sobre Charlie. Sua mente rodopiava, quase como se ele estivesse com vertigem. Em seus pensamentos havia outro rosto, muito parecido com o de Bella e também coberto de lágrimas. Mas os olhos dessa mulher eram de um tom de azul bem claro.

Parecia que Bella planejara com cuidado aquelas falas do roteiro. Charlie ficou lá de pé, atônito e arrasado, enquanto Bella corria desajeitada pelo pequeno gramado, a bolsa pesada comprometendo seu equilíbrio.

— Ligo para você amanhã! — gritou para Charlie enquanto atirava a pesada bolsa de viagem na carroceria da picape.

Ele ainda não se recuperara o suficiente para reagir.

Eu já não duvidava mais de que Bella entendesse a gravidade da situação. Sabia que ela jamais causaria aquele tipo de dor a ninguém, principalmente a seu pai, se houvesse algum outro jeito.

E eu a colocara naquela situação terrível.

Bella deu a volta pela frente da picape. O olhar rápido e assustado que lançou por cima do ombro não era para Charlie. Abriu a porta do carro e pulou no banco do motorista. Então estendeu a mão para girar a chave como se soubesse que estaria à sua espera na ignição. O rugido do motor quebrou o silêncio da noite. O rastreador não teria dificuldade em nos seguir.

Acariciei as costas de sua mão, querendo confortá-la, mas sabendo que nada podia melhorar as coisas.

Assim que saiu da garagem, ela tirou a mão direita do volante para que eu pudesse segurá-la. Bella seguia pela rua na velocidade máxima que sua picape permitia. Charlie não deixara seu posto à porta de casa, mas ao passarmos por uma curva da rua logo saímos de vista. Sentei no banco do passageiro.

— Encoste — sugeri.

Ela piscou para conter as lágrimas que escorriam pelo rosto e caíam na jaqueta impermeável que ainda usava. Passou por Alice, mas pareceu não notar o Jeep no acostamento. Eu me perguntava se ela conseguia ver alguma coisa.

Alice, ainda empurrando o Jeep para que o ruído do motor não alertasse Charlie, nos acompanhava com facilidade.

— Posso dirigir — insistiu Bella, mas sua voz soava fraca e arrastada.

Parecia exausta.

Ela mal se deu conta quando a puxei delicadamente por cima do meu colo e assumi o lugar do motorista. Procurei mantê-la bem junto a mim. Bella deixou-se cair no banco, sem forças.

— Você não conseguiria encontrar a casa — falei, dando uma desculpa, mas ela não parecia esperar por um motivo. Não se importava.

Já estávamos longe o suficiente da casa (embora eu ainda pudesse ouvir os pensamentos paralisados de Charlie, imóvel à porta), então Alice entrou no Jeep e ligou o motor. Quando os faróis se acenderam atrás de nós, Bella ficou tensa e virou para olhar pelo vidro traseiro, o coração acelerado.

— É só a Alice — tranquilizei-a, apertando sua mão esquerda.

— E o rastreador? — perguntou, baixinho.

Está nos seguindo agora. Alice ouviu o sussurro de Bella com facilidade, mesmo com o ruído do motor. *Emmett está esperando o rastreador se afastar da casa.*

— Ele ouviu o final de seu teatro — contei para ela.

— E Charlie? — perguntou, o sofrimento nítido em sua voz.

Alice me mantinha informado.

O rastreador passou da casa. Não o vejo voltar. Emmett está vindo nos encontrar.

— O rastreador nos seguiu — garanti a Bella. — Está correndo atrás de nós agora.

Isso não a confortou. Sua respiração ficou ofegante, e ela sussurrou para mim:

— Podemos escapar dele?

— Não — admiti.

Não naquela picape ridícula.

Bella se virou para olhar pela janela, embora eu tivesse certeza de que os faróis do Jeep não a deixariam ver mais nada. Alice analisava todos os futuros relacionados a Charlie que conseguia ver. Um humano que ela não conhecia não era a fonte mais fácil, mas não parecia que o caçador ou sua companheira apreensiva tinham qualquer plano de voltar.

Àquela altura, Emmett corria na estrada logo atrás de nós, e fiquei surpreso com suas intenções. Esperava que ele estivesse ansioso para pegar o rastreador que nos perseguia e dar um fim rápido e violento a todo aquele sofrimento. Em vez disso, seus pensamentos estavam concentrados em Bella. Seus poucos momentos como guarda-costas pareciam tê-lo afetado profundamente. Garantir que ela estivesse em segurança era sua prioridade no momento.

Bella despertava o lado protetor de todos.

Emmett imaginava que o rastreador observava tudo. Só Alice e eu sabíamos que ele nos seguia cuidadosamente a certa distância, atento apenas ao som da picape em meio à escuridão. Ele não se aproximaria mais naquela noite. Ainda assim, Emmett queria deixar claro que o rastreador teria de passar por ele para chegar a Bella. Deu um salto que o lançou por cima do Jeep e caiu direto na carroceria da picape. Lutei para manter o controle da direção quando o carro reagiu à sua chegada.

Bella deu um grito, a voz rouca.

Cobri sua boca com a mão, abafando o som para que ela pudesse me ouvir.

— É o Emmett! — esclareci.

Ela inspirou pelo nariz, desabando de novo. Tirei a mão e a puxei para junto de mim. Parecia que todos os músculos de seu corpo tremiam.

— Está tudo bem, Bella. Você vai ficar segura — murmurei, mas achava que ela nem estava me ouvindo.

Os tremores continuaram. Sua respiração era curta e ofegante.

Queria distraí-la, então falei com minha voz normal, como se não houvesse nenhum risco ou perigo:

— Não percebi que você ainda estava tão entediada com a vida na cidade pequena. Parecia que você estava se adaptando muito bem... Em especial recentemente. Talvez eu só estivesse me iludindo que estava tornando a vida mais interessante para você.

Talvez não fosse o comentário mais sensível, considerando como sua fuga a perturbara, mas consegui tirá-la daquele estado de abstração. Ela se remexeu e depois se endireitou no banco.

— Eu não fui gentil — sussurrou, ignorando minhas palavras frívolas e indo direto à parte dolorosa. Olhava para baixo, como se estivesse com vergonha de me encarar. — Foi a mesma coisa que minha mãe disse quando o deixou. Deu para ver que foi golpe baixo.

Eu tinha presumido que fosse algo assim, tendo em vista a imagem na mente de Charlie.

— Não se preocupe. Ele vai perdoá-la — prometi.

Bella me fitou intensamente, doida para acreditar no que eu dizia. Tentei sorrir para ela, mas não conseguia forçar meu rosto a obedecer.

Tentei de novo.

— Bella, vai ficar tudo bem.

Ela estremeceu.

— Mas não vai ficar tudo bem quando eu não estiver com você.

Suas palavras eram pouco mais do que um sussurro.

Passei o braço em torno dela, emocionado, sentindo o buraco em meu peito se ampliar ainda mais. Porque Bella tinha razão. Tudo parecia errado quando ela não estava comigo. Eu ainda não sabia bem como iria aguentar.

Tentei relaxar o rosto e falar com a voz mais suave possível.

— Vamos nos reunir daqui a alguns dias — disse, desejando muito que aquilo fosse verdade. Ainda me parecia mentira. Alice via tantos futuros diferentes... — Não se esqueça de que isso foi ideia sua.

Ela fungou.

— Foi a melhor ideia... É claro que foi minha.

Mais uma vez tentei sorrir, mas acabei desistindo.

— Por que isso aconteceu? Por que eu? — sussurrou ela sem rodeios, como se as perguntas fossem retóricas.

Respondi mesmo assim, a voz pesada.

— A culpa é minha... Fui um tolo por expô-la desse jeito.

Ela me encarou, surpresa.

— Não foi o que eu quis dizer.

Que outra razão poderia haver? De quem seria a culpa senão minha?

— Eu estava lá — continuou ela —, grande coisa. Isso não incomodou os outros dois. Por que esse James decidiu *me* matar? — Ela fungou de novo. — Tem tanta gente em toda parte, por que eu?

Era uma pergunta justa, inteligente. E havia mais do que uma resposta. Ela merecia uma explicação detalhada.

— Dei uma boa olhada na mente dele esta noite. Não tenho certeza se havia alguma coisa que eu pudesse ter feito para evitar isso, depois que ele a viu. A culpa praticamente é sua. — Mudei o tom de voz, esperando que ela notasse o humor irônico. — Se você não tivesse um cheiro tão delicioso e atraente, ele podia não ter se dado ao trabalho. Mas quando eu defendi você... — Lembrei-me da incredulidade de James, da indignação, até, quando viu que eu tentaria impedi-lo. A arrogância, a ira. — Bom, isso piorou as coisas. Ele não está acostumado a ser contrariado, por mais insignificante que seja o objeto. Ele se considera um caçador e mais nada. Sua existência é consumida pela caça e tudo o que ele quer da vida é um desafio. De repente estávamos lhe mostrando um lindo desafio... Um grande clã de lutadores fortes protegendo o elemento vulnerável. Você não acreditaria em como ele está eufórico agora. É seu jogo preferido, e estamos tornando o jogo ainda mais empolgante.

Independentemente de como eu analisasse, não havia como fugir daquilo. Quando decidi levá-la à clareira, aquele era o único resultado possível. Se eu não tivesse me oposto a James, talvez não tivesse despertado toda aquela paixão pela caçada.

— Mas se eu não estivesse perto, ele a teria matado imediatamente — murmurei, meio que para mim mesmo.

— Eu pensei... que não tinha para os outros... o cheiro que tenho para você — sussurrou ela, hesitante.

— Não tem. — Mesmo que só fisicamente, o que eu sentia por ela era algo muito mais intenso do que eu já vira na mente de qualquer outro imortal. — Mas isso não quer dizer que ainda não seja uma tentação para todos eles. Se você *fosse* atraente para o rastreador... ou para qualquer um deles... como é atraente para mim, isso teria significado uma luta lá mesmo.

Senti seu corpo estremecer junto ao meu.

Mas eu percebia agora que tudo teria sido mais fácil se uma luta tivesse acontecido naquela hora. Eu tinha certeza de que a ruiva assustada teria fugido e duvidava que Laurent ficasse do lado do rastreador quando obviamente se tratava de uma causa perdida. Mesmo que os três tivessem participado, nunca teriam sobrevivido. Principalmente com Jasper lançando um ataque surpresa em meio à sua cortina de fumaça, enquanto todos os olhos estivessem grudados em Emmett. Eu já vira muitas lembranças de Jasper e acreditava que ele poderia ter cuidado dos três sozinho. Não que Emmett fosse deixar.

E, se fôssemos um clã normal (embora não pudéssemos ser considerados normais devido ao tamanho), provavelmente teríamos atacado só pelo insulto.

Mas não éramos normais, éramos civilizados. Tentávamos viver de acordo com um padrão moral mais elevado. Um padrão mais pacífico e educado. Por causa do nosso pai.

Por causa de Carlisle, naquela noite tínhamos hesitado. Tínhamos preferido a via mais humana, porque era assim que agíamos, era esse nosso modo de vida.

Isso nos tornava mais... fracos?

Eu me encolhi ao pensar nisso, mas logo depois concluí que nossa escolha ainda era a correta, mesmo que nos tornasse mais fracos. Eu sentia isso. Essa crença ressoava profundamente em meus pensamentos, em meu ser... ou minha alma, se é que tal coisa existia. Seja lá o que fosse que movia meu corpo.

Mas nada disso importava naquele momento. Alice nos dava algum poder sobre o futuro, mas o passado estava tão perdido para nós quanto para qualquer pessoa. Nós *não* havíamos atacado, e ainda teríamos de enfrentar a versão mais complicada. A luta que se aproximava era inevitável.

— Não acho que tenha alternativa, a não ser matá-lo agora — murmurei. — Carlisle não vai gostar.

Mas ele entenderia, disso eu tinha certeza. Tínhamos dado ao rastreador a opção de ir embora. Ele não aceitara a oferta. Agora só nos restava matar ou morrer.

— Como se pode matar um vampiro? — perguntou Bella com a voz fraca, enquanto eu ainda ouvia o som das lágrimas reprimidas.

Essa era uma pergunta que eu devia ter previsto.

Naquele momento Bella olhou para mim com um medo diferente, quase como se tivesse receio de que essa tarefa lhe coubesse. É claro que, com ela, nunca dava para ter certeza.

Não procurei suavizar nada.

— A única maneira de ter certeza é dilacerá-lo, e depois queimar os pedaços.

— E os outros dois vão lutar ao lado dele?

— A mulher vai. — Isso se ela conseguir controlar o pavor. — Não tenho certeza sobre Laurent. Eles não têm um vínculo muito forte... Ele só está com os dois por conveniência. Ficou constrangido por James na campina.

Isso sem falar que James fizera planos de matar Laurent. Talvez eu pudesse alertá-lo. Isso com certeza o faria mudar de lado.

— Mas James e a mulher... vão tentar matar você? — sussurrou Bella, a voz distorcida pela dor.

E então eu entendi. É claro que ela estava apavorada pelo motivo errado, como sempre.

— Bella, não se *atreva* a perder tempo se preocupando comigo — sibilei. — Sua única preocupação é manter-se segura e... por favor, por favor... *procure* não ser imprudente.

Ela me ignorou.

— Ele ainda está me seguindo?

— Sim. Mas não vai atacar a casa. Não esta noite.

Não enquanto estivéssemos juntos. Será que nos dividirmos era exatamente o que o rastreador queria? Mas então me lembrei do que Alice via acontecer se tentássemos proteger Bella ali. Eu não gostava nem um pouco de Mike Newton, mas nem ele nem mais ninguém em Forks merecia morrer.

Virei em direção à entrada de casa, notando que não sentia nenhum alívio em chegar ali. Não havia lugar livre de perigo enquanto o rastreador vivesse.

Emmett continuava furioso. Eu queria lhe dizer onde o rastreador estava para apaziguar sua agitação, mas não podia correr o risco de ser ouvido. James já calculara que tínhamos habilidades especiais, e eu não pretendia ajudá-lo dando pistas sobre cada uma.

Percebi que os pensamentos dele chegavam à minha audição no momento em que Alice decidiu se manifestar.

Agora ele encontra a mulher do outro lado do rio. Eles se separam de novo e observam. Ela fica na encosta da montanha, ele, nas árvores.

A distância extra não me consolava.

A mentalidade excessivamente zelosa de guarda-costas que Emmett assumira operava a todo vapor àquela altura. Quando chegamos em casa, ele pulou da carroceria e caminhou até o lado do passageiro. Então abriu a porta e pegou Bella.

— Delicadamente — lembrei a ele em voz baixa.

Eu sei.

Eu poderia tê-lo detido. Aquilo não era necessário. Por outro lado, àquela altura nenhuma precaução poderia ser considerada excessiva. Se eu tivesse sido mais cauteloso, não estaríamos naquela situação.

Estranhamente, parecia de fato mais seguro que Emmett, imenso e indestrutível, levasse Bella em seus grandes braços — era quase impossível vê-la atrás deles. Em menos de um segundo, ele cruzou a porta. Alice e eu nos posicionamos ao seu lado na mesma hora.

Os outros membros da minha família estavam reunidos na sala, todos de pé, e bem no meio deles se encontrava Laurent.

Seus pensamentos estavam carregados de medo e pedidos de desculpas. O medo só aumentou quando Emmett colocou Bella cuidadosamente no chão ao meu lado e deu um passo à frente, um rosnado grave se formando em seu peito. Na mesma hora, Laurent deu um passo rápido para trás.

Carlisle lançou um olhar de advertência a Emmett, que sossegou. Esme estava ao lado de Carlisle, ora olhando meu rosto, ora o de Bella. Rosalie também fitava Bella, *fulminava* Bella com o olhar, mas fiz o que pude para ignorá-la. Eu tinha coisas mais importantes com que lidar.

Aguardei Laurent olhar para mim.

— Ele está nos perseguindo — falei, provocando os pensamentos que queria ouvir.

É claro que ele está rastreando a humana. E vai encontrá-la.

— Era o que eu temia — disse ele em voz alta.

Preciso sumir daqui, prosseguia Laurent em pensamento. *James não pode pensar que mudei de lado. A última coisa de que preciso é que ele venha atrás de mim depois.* Laurent reprimiu um calafrio. *Talvez eu possa lhe dizer que só estava reunindo informações. Mas a expressão dele quando nos separamos na floresta... É melhor eu desaparecer enquanto ele está envolvido nessa caçada.*

Meus dentes rangeram novamente. Laurent me observava, nervoso.

Ele conhecia James o suficiente para entender a ruptura que causara na clareira. Embora eu não tivesse a menor vontade de lhe fazer um favor, sabia que ele ficaria muito grato depois que James estivesse morto.

— Venha, meu amor — ouvi Alice sussurrar no ouvido de Jasper.

Eu não notara sua presença, principalmente ao chegarmos. Ele ainda estava se camuflando. Jasper não questionou Alice, nem em pensamento. Os dois subiram as escadas depressa, de mãos dadas. Laurent não se incomodou em vê-los sair, de tão eficaz que era o efeito provocado por Jasper. Vi que Alice anotaria o que fosse necessário explicar para que Laurent não pudesse ouvir. Ela não demoraria a arrumar uma bolsa com tudo de que precisariam.

— O que ele vai fazer? — perguntou Carlisle a Laurent, embora eu também pudesse responder.

— Eu lamento — disse Laurent, dando todos os sinais de estar sendo sincero. *Lamento ter conhecido esses demônios. Eu devia saber que não era uma boa ideia brincar com fogo. O maldito tédio me fez bancar o idiota.* — Quando seu rapaz ali a defendeu, receio que isso o tenha estimulado. — *É claro que sim. Ele garantiu que James nunca desistisse até os dois estarem mortos. Parece que esses desconhecidos vivem em um mundo diferente. Ou pensam que vivem. O mundo real está prestes a destruir essa fantasia.*

— Pode impedi-lo? — pressionou Carlisle.

Rá!

— Nada detém James depois que ele começa.

— Nós vamos detê-lo — grunhiu Emmett.

Laurent encarou-o com um olhar quase esperançoso.

Se fosse mesmo possível, com certeza tornaria minha vida bem mais fácil.

— Não podem derrotá-lo — alertou Laurent. Ele parecia ter certeza de que nos fazia um grande favor ao nos contar isso. — Jamais vi nada parecido com ele em cem anos. Ele é absolutamente letal. Foi por isso que me juntei ao clã dele.

Algumas lembranças dispersas de suas aventuras com James e Victoria passaram por sua cabeça, embora Victoria sempre fosse uma figura no fundo do cenário, à margem dos outros. James tornara a vida de Laurent interessante, mas o sadismo de seus massacres começara a incomodar Laurent nos últimos anos. E, àquela altura, ele já não via uma maneira segura de se libertar.

Ele queria poder se sentir otimista, mas vira James triunfar nas circunstâncias mais improváveis. Voltou os olhos para Bella, mas tudo o que via era uma garota humana, igual a tantos bilhões, nada que a distinguisse de nenhuma das outras.

Ele não pensou nas palavras antes de dizê-las em voz alta.

— Tem certeza de que vale a pena?

O rugido que escapou por entre meus dentes foi tão alto quanto uma explosão. Laurent imediatamente assumiu uma postura submissa, e Carlisle ergueu a mão.

Controle-se, Edward. Ele não é nosso inimigo.

Tentei aplacar minha fúria. Carlisle tinha razão, embora Laurent também não fosse nosso amigo.

— Temo que você tenha de tomar uma decisão — disse Carlisle.

Não me restam muitas opções, pensou Laurent. *Só posso desaparecer e torcer para James achar que não valho o esforço.* Sua mente voltou à conversa um pouco menos atribulada que estavam tendo antes da nossa chegada e se concentrou em uma informação. *É óbvio que perdi minha chance com esse grupo, mas talvez eu pudesse me cercar de outros amigos. Amigos com talentos especiais.*

— Fiquei intrigado com o modo de viver que vocês criaram por aqui. — Ele escolhia as palavras diplomaticamente, procurando fazer contato visual com cada um de nós. Meu acesso a seu monólogo interior arruinou o efeito para mim. — Mas não vou me intrometer. Não vejo um inimigo em nenhum de vocês, mas não me colocarei contra James. Acho que seguirei para o norte... para aquele clã em Denali.

Ele imaginou cinco desconhecidos como Carlisle. Eram lentos no ataque, mas andavam em bom número e contavam com membros muito talentosos. Talvez isso pudesse deter James por um tempo.

Um sentimento de gratidão fez Laurent tentar alertar Carlisle novamente.

— Não subestimem James. Ele tem uma mente brilhante e sentidos incomparáveis. Fica tão à vontade no mundo humano quanto vocês parecem estar, e ele não os enfrentará diretamente...

Alguns dos planos tortuosos de James lhe passaram pela cabeça. O rastreador tinha paciência... e senso de humor. Humor sádico.

— Lamento pelo que foi desencadeado aqui — continuou Laurent. — Eu realmente lamento.

Ele inclinou a cabeça, assumindo uma postura submissa de novo, mas buscou Bella com o olhar e depois o desviou. Estava perplexo diante dos riscos que corríamos pelo bem dela. *Eles não conhecem James*, concluiu. *Não acreditam em mim. Eu me pergunto quantos ele vai deixar vivos.*

Laurent nos achava fracos. Via nossa aparente domesticidade como uma deficiência. Eu me preocupara com a mesma coisa antes, mas não agora. A impressão que eu pretendia causar em James não era de *fraqueza*. Mas, por mim, Laurent podia continuar acreditando que James venceria. Ele poderia passar o próximo século escondido e apavorado, e eu não lamentaria.

— Vá em paz — disse Carlisle, numa mistura de ordem e oferta.

Os olhos de Laurent percorreram a sala, reconhecendo um modo de vida que ele deixara para trás havia muito tempo. Embora não vivêssemos em um palácio, e ele já tivesse morado em vários, existia ali uma atmosfera de permanência e santuário que Laurent não sentia havia séculos.

Ele acenou com a cabeça para Carlisle uma vez, e, por um breve instante, senti vindo do vampiro de cabelos escuros um estranho anseio com relação ao meu pai. Um sentimento de respeito e um desejo de pertencimento. Mas ele reprimiu a emoção antes que ela pudesse dominá-lo, e saiu correndo pela porta, sem intenção de diminuir o ritmo até chegar em segurança ao mar, onde seu cheiro não poderia mais ser rastreado.

Esme correu pela sala de estar para fechar as persianas de aço que cobriam as imensas janelas que compunham a parede dos fundos da casa.

— A que distância? — perguntou Carlisle para mim.

Laurent estava quase fora do meu alcance e não desacelerava. Não tinha a menor vontade de esbarrar em James na saída. Não ouviria nada do que diríamos. Procurei a mente de James. A visão de Alice me mostrara a direção. Ele também estava longe o bastante para não ouvir nossos planos.

— A uns cinco quilômetros depois do rio; está rondando para se encontrar com a mulher.

Ele se juntaria a ela em um terreno mais alto, de onde poderia observar em que direção correríamos.

— Qual é o plano? — perguntou Carlisle.

Embora eu soubesse que o rastreador não podia ouvir e as persianas ainda estivessem gemendo, procurei manter minha voz baixa.

— Vamos despistá-lo, depois Jasper e Alice a levarão para o sul.

— E então?

Eu sabia o que ele estava perguntando. Olhei bem em seus olhos e respondi:

— Assim que Bella estiver segura, vamos caçá-lo.

Embora Carlisle já esperasse por isso, ainda sentiu uma pontada de dor.

— Acho que não há alternativa.

Carlisle vinha protegendo escrupulosamente a vida por três séculos. E sempre conseguira chegar a um consenso com outros vampiros. Aquilo não seria fácil para ele, mas também não seria a primeira vez que enfrentaria dificuldades.

Precisávamos nos apressar, para não dar ao rastreador mais tempo do que o necessário antes de simularmos um rastro falso para ele seguir. Mas havia aspectos práticos que precisávamos abordar antes de sairmos correndo.

Olhei para Rose.

— Leve-a para cima e troque as roupas.

Tornar o cheiro confuso era o primeiro passo mais óbvio. Eu também levaria algo de Bella comigo para criar uma trilha que o incitaria.

Rosalie sabia disso, mas havia um brilho de incredulidade em seu olhar. *Você não vê o que ela fez conosco? Ela arruinou tudo! E você quer que eu a proteja?*

Então ela disparou o resto da resposta em voz alta, querendo que Bella também ouvisse.

— Por que deveria? O que ela é para mim? A não ser uma ameaça... Um perigo que você decidiu infligir a todos nós.

Bella recuou, como se Rosalie tivesse lhe dado um tapa.

— Rose... — murmurou Emmett, colocando a mão em seu ombro.

Ela se afastou. Emmett me procurou com os olhos, como se esperasse que eu fosse partir para cima dela.

Mas nada daquilo importava. As birras de garota mimada de Rose sempre foram irritantes, mas aquele surto mesquinho vinha numa hora péssima, e tempo era algo que eu não podia desperdiçar.

Se Rose havia decidido deixar de ser minha irmã naquela noite, a escolha era dela e eu aceitava.

— Esme?

Eu sabia qual seria sua resposta.

— É claro!

Esme compreendia o limite de tempo. Pegou Bella nos braços com cuidado, como Emmett fizera, embora o efeito fosse muito diferente, e subiu depressa as escadas.

— O que estamos fazendo? — Ouvi Bella perguntar do escritório de Esme.

Deixei Esme cuidar daquilo e me concentrei na minha parte. O rastreador e sua parceira impetuosa estavam fora do meu alcance. Eles não podiam nos ouvir, mas eu tinha certeza de que podiam nos ver. Veriam nossos veículos partirem. E nos seguiriam.

Do que nós precisamos?, perguntou Carlisle.

— Dos celulares via satélite. A bolsa esportiva grande. Os tanques estão cheios?

Eu cuido disso. Emmett saiu a toda pela porta, em direção à garagem. Sempre tínhamos vários galões de combustível prontos para emergências.

— O Jeep, a Mercedes e a picape dela também — sussurrei para ele.

Entendi.

Vamos nos dividir em três grupos? Carlisle também estava preocupado em dividir nossas forças.

— Alice vê que é o melhor caminho.

Ele aceitou.

Ele vai se machucar. Ele não pensa. Só se joga de cabeça. Isso é tudo culpa dela! Rosalie me dirigia uma torrente de queixas. Achei mais fácil me desligar dela. Fingir que ela não estava ali.

Qual é a minha parte?, queria saber Carlisle.

Hesitei.

— Alice viu você com Emmett e comigo. Mas não podemos deixar Esme vigiar Charlie sozinha...

Carlisle virou-se para Rosalie, o rosto muito sério.

— Rosalie. Você fará sua parte pela nossa família?

— Pela *Bella*? — disse ela com ar de deboche.

— Sim — respondeu Carlisle. — Como eu disse, pela nossa família.

Rosalie olhou para ele, ressentida, mas eu a ouvi considerar as opções. Se prolongasse aquele chilique e virasse as costas para todos nós, então Carlisle certamente ficaria ali com Esme, em vez de seguir na linha de frente, evitando que Emmett cometesse excessos perigosos. Rosalie só se preocupava com Emmett. Mas parte dela começava a se incomodar com meu visível distanciamento.

Finalmente revirou os olhos.

— É claro que não deixarei Esme ir sozinha. *Eu* me importo com essa família.

— Obrigado — respondeu Carlisle, com mais carinho do que eu achava necessário, e então saiu depressa da sala.

Emmett acabava de entrar pela porta da frente, trazendo pendurada no ombro a bolsa em que guardávamos alguns de nossos artigos esportivos. Aquela bolsa era grande o suficiente até para acomodar uma pessoa pequena. Cheia de equipamentos, realmente dava a impressão de que podia haver alguém lá dentro.

Alice apareceu no alto da escada, bem a tempo de ver Bella e Esme saindo do escritório. Juntas, ergueram Bella pelos cotovelos e desceram depressa as escadas. Jasper foi logo atrás. Estava visivelmente tenso e examinava as janelas da frente da casa com um olhar inquieto. Tentei me inspirar em seu ar impetuoso para me acalmar. Jasper era mais letal do que os milhares de vampiros que haviam tentado destruí-lo. Naquele mesmo dia, ele revelara novas habilidades que eu nunca imaginara, e eu tinha certeza de que estava guardando outros truques na manga. O rastreador não fazia ideia do que ia enfrentar. Bella estaria mais segura do que ninguém com Jasper de vigia. E com Alice junto, o rastreador não tinha como pegá-los de surpresa. Eu tentava acreditar nisso.

Carlisle já estava de volta com os celulares. Entregou um a Esme, e então fez um carinho em seu rosto. Ela olhou para ele com total confiança. Tinha certeza de que estávamos fazendo a coisa certa e que, por isso, daria tudo certo. Eu queria ter sua fé.

Ela me entregou um pedaço de tecido. Meias. O cheiro de Bella estava fresco e forte. Enfiei-as no bolso.

Alice pegou o outro celular com Carlisle.

— Esme e Rosalie levarão sua picape, Bella — disse Carlisle, como se pedisse permissão.

Fazer isso era a cara dele.

Bella assentiu.

— Alice, Jasper... Peguem a Mercedes. Vocês vão precisar dos vidros escuros no sul.

Jasper fez que sim. Alice já sabia disso.

— Vamos levar o Jeep. Alice, vão morder a isca?

Alice se concentrou, os punhos cerrados. Não era um processo simples, procurar coisas ligadas a pessoas com quem não tínhamos contato, mas ela tentava sintonizar nossos novos inimigos. Ela melhoraria com o tempo. Mas, com sorte, não precisaríamos disso. Se tudo desse certo, acabaríamos com aquilo no dia seguinte.

Vi o rastreador voando pelas copas das árvores, concentrado no Jeep em fuga. A ruiva mantinha distância, acompanhando o som da picape de Bella que seguia para o norte alguns minutos depois. Havia apenas pequenas variações.

Quando Alice terminou de analisar o futuro, nós dois ficamos confiantes.

— Ele vai perseguir você. A mulher seguirá a picape. É provável que consigamos partir depois disso.

Carlisle assentiu.

— Vamos.

Pensei que estava pronto. Os segundos que se passavam martelavam minha cabeça como um tambor. Mas eu não estava.

Bella parecia tão desolada ao lado de Esme, o olhar confuso, como se não conseguisse processar como tudo havia mudado tão rápido. Apenas uma hora antes, estávamos perfeitamente felizes. E agora ela estava sendo caçada, tendo que confiar em vampiros que mal conhecia para protegê-la. Bella nunca me parecera tão vulnerável como naquele momento, sozinha em uma sala cheia de desconhecidos não humanos.

Um coração morto podia se partir?

Eu estava ao seu lado. Passei meus braços firmemente à sua volta e tirei-a do chão. Seu calor era como areia movediça, e eu *queria* me afogar e não sair nunca dali. Beijei-a apenas uma vez, com medo de que todos os planos desmoronassem se eu não conseguisse me afastar dela. Parte de mim não se importava se todas as vidas humanas de Forks, La Push e Seattle fossem sacrificadas para mantê-la ao meu lado.

Eu tinha de ser mais forte que isso. Daria logo um fim àquele problema. E a deixaria em segurança de novo.

Parecia que todas as células do meu corpo estavam morrendo uma a uma quando a coloquei de volta no chão. Meus dedos se demoraram em seu rosto e depois arderam quando os afastei à força.

Mais forte que isso, lembrei a mim mesmo. Eu tinha de me desligar de toda essa agonia para poder fazer o meu trabalho. Destruir o perigo.

Eu me afastei dela.

Eu achava que sabia o que era arder.

Carlisle e Emmett me alcançaram. Peguei a bolsa com Emmett. Eu sabia o que o rastreador esperava — que eu fosse fraco demais para perdê-la de vista. Abracei a bolsa como se seu conteúdo fosse algo infinitamente mais precioso do que bolas de futebol e tacos de hóquei e desci depressa os degraus da frente da casa, acompanhado por meu irmão e meu pai.

Emmett subiu no banco de trás do Jeep, e coloquei a bolsa ao seu lado, então bati rapidamente a porta, tentando parecer furtivo. Em um segundo eu estava no banco do motorista, Carlisle já ao meu lado, e saímos a uma velocidade que teria horrorizado Bella se realmente estivesse conosco.

Eu não podia pensar assim. Tinha de confiar em Alice e Jasper e me concentrar em fazer minha parte.

O rastreador ainda estava longe demais para que eu pudesse ouvi-lo. Mas eu sabia que nos observava, nos seguia. Vira isso na mente de Alice.

Seguindo rumo ao norte na estrada, pisei fundo no acelerador. O Jeep era muito mais rápido que a picape, mas não rápido o suficiente para me adiantar tanto, mesmo na velocidade máxima a que eu podia chegar sem correr o risco de estragar o motor. Mas eu não queria fugir do rastreador naquele momento. Ele só veria que eu estava correndo muito, como se a fuga fosse mesmo o motivo. Eu esperava que James não percebesse que eu tinha escolhido o Jeep por causa disso. Ele não sabia o que mais eu tinha na garagem.

Por uma fração de segundo, o rastreador se aproximou o suficiente para que eu o ouvisse.

... pegar uma balsa? Se não fizer isso, tenho que dar uma volta muito grande. Eu podia cortar caminho...

— Ligue — falei, quase sem mexer a boca, embora soubesse que ele estava afastado para ver meu rosto.

Carlisle não levou o celular ao ouvido; manteve-o sobre a coxa, fora de vista, enquanto discava com uma das mãos. Todos ouvimos o clique abafado quando Esme atendeu. Ela não disse nada.

— Barra limpa — sussurrou Carlisle, e em seguida desligou.

E eu também me desliguei. Não tinha como ver o que Bella fazia naquele momento. Nenhuma chance de ouvir sua voz. Procurei afastar o desespero antes que me afogasse nele.

Tinha um trabalho a fazer.

24. EMBOSCADA

O rastreador escolheu correr atrás de nós para não ter que adivinhar que caminho faríamos. De vez em quando eu ouvia trechos de seus pensamentos, mas nunca passavam de algumas palavras ou uma imagem mental do Jeep. Ele nos seguia pelo terreno mais alto, nas montanhas, sem se preocupar quando ficava a quilômetros da estrada. Ele ainda nos via.

Eu não queria imaginar onde Bella estava, o que estaria fazendo e dizendo. Acabaria me distraindo. Mas ainda havia algumas pendências a resolver.

Sussurrei instruções para Carlisle, e ele digitou mensagens de texto para Alice. Provavelmente não era necessário, mas me senti melhor assim.

— Bella precisa de no mínimo três refeições a cada vinte e quatro horas. E é importante mantê-la hidratada. Ela precisa ter água à mão sempre. O ideal é que durma oito horas por noite.

Carlisle, ainda mantendo o celular baixo, digitava tão rápido quanto eu falava.

— E... — Eu hesitei. — Diga a Alice para não falar sobre nossa conversa no Jeep. Se Bella perguntar, mude de assunto. Diga que estou falando sério.

Carlisle lançou um olhar curioso, mas digitou a mensagem.

Imaginei Alice em seu celular, revirando os olhos.

Ela respondeu apenas com um *s*. Entendi que isso significava que Bella ainda estava acordada e Alice pretendia manter minhas instruções em segredo. Ela devia ter previsto uma reação desagradável caso me ignorasse.

Emmett estava pensando no que faria quando pusesse as mãos no rastreador. As cenas que imaginava eram agradáveis de assistir.

Quando tivemos que parar e reabastecer, usei um dos galões de gasolina que Emmett havia deixado no banco traseiro. As meias de Bella que estavam no meu bolso deixariam um leve traço de seu cheiro no ar. Movi-me depressa em um borrão, como se meu objetivo fosse fugir de novo, e fiquei satisfeito quando o rastreador se aproximou para observar. Por um momento, ele ficou a pouco mais de um quilômetro de distância. Desejei tirar vantagem da situação, transformar a fuga em emboscada, mas era cedo demais. Ainda estávamos muito perto da água.

Não tentei despistá-lo com nossa rota, apenas segui em direção ao destino na linha mais reta que as estradas curvas permitiam. Minha esperança era que o rastreador interpretasse isso como eu queria — que pensasse que tínhamos um destino em mente, um lugar onde poderíamos nos defender e eu me sentiria seguro. Ele não conhecia tanto sobre nós, mas uma coisa ele sabia: tínhamos mais recursos do que um nômade comum. Além disso, éramos muitos. Talvez ele imaginasse que tínhamos ainda mais aliados esperando nas florestas ao norte.

E eu *de fato* cogitara procurar a família de Tanya. Não tinha dúvidas de que nos ajudariam. Kate, em especial, seria uma excelente adição à nossa equipe de caça. Mas elas também estavam perto demais da água. Era possível que o rastreador visse os cinco juntos e fugisse para o oceano na mesma hora. Tudo o que precisava fazer para desaparecer era afundar no mar. Seria impossível rastrear alguém debaixo d'água. E ele poderia sair em qualquer lugar — cinco quilômetros mais adiante, na praia, ou no Japão. Nós jamais poderíamos segui-lo. Teríamos que nos reagrupar e começar de novo.

Eu estava indo em direção aos parques nacionais perto de Calgary, a cerca de mil quilômetros do mar mais próximo.

Quando atacássemos o rastreador, ele perceberia que tinha sido enganado e Bella não estava conosco. Ele fugiria e nós seguiríamos em seu encalço. Eu estava confiante de que era capaz de alcançá-lo, mas precisaria de um percurso longo o suficiente. Mil quilômetros me dariam uma margem de erro.

Eu queria terminar isso logo.

Dirigimos a noite inteira, desacelerando apenas quando eu ouvia um policial ou um radar de velocidade à frente. Eu me perguntei como o rastreador interpretava isso. Ele já imaginava que eu tinha habilidades extras. Isso sem dúvida revelava mais do que eu gostaria, mas a outra opção era ir devagar demais. Que ele interpretasse isto — a revelação de minhas habilidades — como outro sinal de que estávamos determinados a chegar a um destino específico. Um esconderijo? Ele devia estar curioso.

Desejei poder ouvir as conjecturas em sua cabeça, mas ele se mantinha longe o suficiente para que eu visse apenas relances esporádicos. Ele devia ter formulado uma teoria sobre meus talentos, e provavelmente tinha chegado perto.

O rastreador continuou a correr, incansável, e pelo pouco que pude ouvir divertia-se muito.

Sua diversão me irritou, mas isso era bom. Enquanto ele estivesse contente com o que estava fazendo, eu ganhava tempo para chegar à arena que escolhera para nossa emboscada.

Conforme o tempo passou, porém, fui ficando nervoso. O sol estava mais próximo do oeste do que do leste. Não fizemos nada de interessante além de parar para reabastecer algumas vezes — sempre deixando traços do cheiro de Bella. Mas será que ele ficaria entediado com aquela longa perseguição? Estaria disposto a seguir talvez por dias a fio, passando pelos territórios do norte até chegar ao Círculo Ártico, se continuássemos? Será que desistiria da perseguição antes de ter absoluta certeza de que Bella não estava no Jeep?

— Pergunte a Alice se ela vê o caçador desistir antes de começarmos.

Carlisle obedeceu na hora.

Alguns minutos depois, recebi uma mensagem com a letra *n*.

Isso me acalmou.

O sol se aproximou lentamente das montanhas a oeste conforme chegamos mais perto do meu alvo. Queria trazê-lo próximo o suficiente para ouvi-lo. Precisava fazer algo que despertasse seu interesse.

Estávamos em uma pequena estrada que levava a Calgary. Poderíamos ter continuado até Edmonton e esperado a noite cair, mas eu estava ficando cada vez mais ansioso. Queria parar de fugir e começar a caçar.

Entrei em uma estradinha vicinal que levava ao extremo sul do Parque Nacional Banff. A estrada acabava levando de volta a Calgary, mas não era a maneira mais rápida de chegar. Seria um novo comportamento, algo que não tínhamos feito até então. Isso despertaria seu interesse.

Carlisle e Emmett sabiam o que a mudança significava. Ambos ficaram subitamente tensos. Emmett ficou mais do que tenso — estava empolgado, ansioso para começar a luta.

O novo caminho logo nos conduziu para longe das terras vazias de início de primavera que ladeavam a estrada para Calgary. Começamos a subir e pouco tempo depois nos vimos cercados por árvores outra vez. A paisagem era muito parecida com nosso lar, apenas mais seca. Não consegui ouvir nenhuma outra mente nas redondezas. O sol estava do outro lado da montanha que subíamos.

— Emmett — falei. — Eu compro um Jeep novo para você.

Ele riu. *Não precisa se preocupar.*

Poderíamos fazer mais uma parada proposital no posto de gasolina, pois estava quase na hora, mas a mudança de ritmo deixaria o rastreador nervoso. Teríamos que ser rápidos.

— Quando eu falar "já" — avisei, esperando o primeiro contato com a mente do rastreador.

A mão de Emmett estava na maçaneta da porta.

Essa estrada era muito mais acidentada que a anterior. Passei por um buraco que fez o Jeep sair da pista. De repente, enquanto eu tentava controlar o veículo, ouvi a voz do rastreador.

... devem ter um lugar aqui perto...

— Já — rosnei.

Nós três nos jogamos para fora do Jeep em alta velocidade.

Aterrissei na ponta dos pés e corri em direção ao som dos pensamentos do rastreador antes que Emmett e Carlisle tivessem recuperado o equilíbrio.

Ora, ora, era uma armadilha, então!

O rastreador não pareceu nem chateado, nem assustado com a súbita inversão de papéis. Ainda estava se divertindo.

Corri o mais rápido que pude, passando em um borrão por entre as árvores que tínhamos acabado de ver. Carlisle e Emmett estavam atrás de mim, e Emmett atravessava a vegetação como um rinoceronte. Talvez seu ataque mais barulhento pudesse encobrir minha aproximação. Talvez o rastreador pensasse que eu estava mais para trás do que de fato estava.

Foi um grande alívio correr, me mover com minhas próprias forças depois da longa viagem preso no Jeep. Foi um alívio não ter que confiar na estrada e apenas seguir o caminho mais curto em direção ao meu alvo.

O rastreador também era rápido. Logo vi que reservar mil quilômetros para alcançá-lo havia sido a decisão correta.

Ele começou a descrever uma curva para oeste, em direção ao Pacífico distante, enquanto subíamos as Montanhas Rochosas pelo leste.

Carlisle e Emmett estavam ficando para trás. Seria essa a esperança do rastreador? Separar todos nós e enfrentar um de cada vez? Eu estava alerta, esperando outra mudança de rumo repentina. Seu ataque seria bem-vindo. Parte de mim era pura fúria, outra parte queria apenas que tudo terminasse logo.

Eu não conseguia ouvir sua mente — estava fora de alcance por pouco —, mas era fácil seguir seu cheiro.

Ele começou a seguir para o norte.

Ele correu e eu também. Minutos se passaram, depois horas.

Nós seguimos na direção nordeste.

Perguntei-me se ele tinha algum plano ou estava apenas correndo sem rumo para me despistar.

Eu mal conseguia ouvir o avanço de Emmett pela floresta. Deviam estar vários quilômetros atrás de mim àquela altura. Mas tive a impressão de ouvir algo mais adiante. O rastreador se movia sem dizer nada, mas não era silencioso. Eu estava cada vez mais perto.

E então os sons que denunciavam seu avanço sumiram.

Ele tinha parado? Estava à espreita para atacar?

Corri mais rápido, ansioso para cair em sua armadilha.

E então ouvi um esguicho distante, ao mesmo tempo que chegava a uma colina coberta de neve que terminava em um penhasco íngreme.

Lá embaixo havia um lago glacial profundo, longo e estreito, quase como um rio.

Água. Claro.

Fiquei tentado a mergulhar atrás dele, mas sabia que isso lhe daria uma vantagem. Havia quilômetros de margem onde ele poderia emergir. Eu teria que ser metódico, o que levaria tempo. Ele não tinha tal impedimento.

O jeito mais demorado seria percorrer o perímetro do lago à procura de seus vestígios. Eu teria que tomar cuidado para sua saída não passar despercebida. Ele não sairia na margem e voltaria a correr. Ele tentaria pular, abrir alguma distância entre a margem e seu cheiro.

O jeito um pouco mais rápido seria dividir o perímetro em três com Emmett e Carlisle.

Mas havia também um jeito *ainda mais* rápido.

Emmett e Carlisle estavam chegando. Voltei para encontrar Carlisle com a mão estendida. Levou apenas um segundo para ele entender o que eu queria. Ele me jogou o celular. Dei meia-volta e corri com eles, mandando uma mensagem para Alice.

Qual de nós encontra o rastro?

Chegamos ao penhasco que dava para o lago.

— Emmett — falei baixinho. — Você decide procurar na margem sul a partir daqui e seguir para o leste. Carlisle, você decide ir para o norte. E eu vou para a outra margem.

Visualizei minhas ações, meu mergulho na água azul-escura, a travessia até a margem oposta e depois a corrida na direção norte para encontrar Carlisle na ponta do lago.

O celular vibrou.

Emmett, dizia a mensagem. *Ponto ao sul.*

Mostrei-lhes a mensagem e devolvi o celular para Carlisle. Ele tinha uma bolsa impermeável para protegê-lo. Mergulhei e ouvi Emmett logo atrás de mim. Mantive meu corpo reto como uma faca, determinado a cair na água com o mínimo de barulho possível.

A água estava muito límpida e quase congelante. Nadei alguns metros abaixo da superfície, invisível na noite. Percebi que Emmett estava atrás de mim pelo som, mas ele quase não fazia barulho. Não conseguia ouvir Carlisle.

Saí do lago no ponto mais ao sul. Os únicos sons atrás de mim eram das gotas de água que escorriam de Emmett e atingiam a margem cheia de pedras.

Virei para a direita e Emmett foi para a esquerda.

Carlisle emergiu com uma pequena onda. Olhei para trás. O celular estava em sua mão outra vez, e ele estava chamando Emmett. Eu havia escolhido o caminho certo. Dito e feito: dali a alguns metros senti o cheiro do rastreador. Estava acima de nós — ele pulara para os galhos de um pinheiro alto. Escalei a árvore e encontrei seu rastro, que continuava pelos galhos das árvores ao redor.

E assim voltei a persegui-lo.

Enquanto voava pelos galhos, fiquei furioso. A perda de tempo no lago foi suficiente para que ele estivesse muitos quilômetros à frente.

Ele estava voltando pelo caminho de onde viemos. Será que iria para o sul? De volta para Forks, atrás do rastro de Bella? Seria uma jornada de sete horas, caso seguisse reto. Será que ele me daria essa oportunidade de alcançá-lo?

Mas, no decorrer da noite interminável, ele mudou de direção diversas vezes. Seguia principalmente para o oeste, em direção ao Pacífico, imaginei. E não parava de encontrar formas de se manter na liderança, de nos atrasar.

Uma vez foi um penhasco largo. Cada um de nós decidiu em que direção procuraria ao chegar lá embaixo, mas Alice só respondia com *n, n, n, n, n*. Sua visão do rastreador era tão limitada que ela só conseguia ver nossas reações ao seu rastro. Levei tempo demais para ver a marca na lateral do penhasco, onde ele havia aterrissado antes de escalar a pedra de lado.

Outra vez ele encontrou um rio. De novo nós imaginamos todos os lugares onde procuraríamos. Ele ficou na água por um bom tempo. Perdemos quase quinze minutos até Alice ver que Carlisle encontraria o cheiro do rastreador cinquenta e oito quilômetros a sudoeste.

Era enlouquecedor. Corremos, nadamos e atravessamos a floresta o mais rápido possível, mas ele apenas brincava conosco, sem jamais perder a vantagem. Ele era muito experiente e, eu tinha certeza, estava bastante confiante em seu sucesso. A vantagem era toda dele. Íamos ficando para trás, e depois de um tempo ele nos despistaria por completo.

Os milhares de quilômetros que me separavam de Bella me deixavam ansioso. Esse plano, de atraí-lo para longe, não ia passar de um pequeno atraso em sua verdadeira busca.

Mas o que mais poderíamos fazer? Tínhamos que continuar a perseguição e torcer para pegá-lo de alguma forma. Essa deveria ser nossa grande chance de detê-lo sem pôr Bella em perigo. E nosso esforço era patético.

Ele nos confundiu mais uma vez em outro lago glacial de quilômetros de extensão. Havia dezenas como esse de norte a sul dos vales canadenses, como se uma mão gigantesca tivesse cravado os dedos no centro do continente. O rastreador se aproveitava deles com frequência, e cada vez precisávamos imaginar nossas ações e aguardar um *C* ou *Em* ou *Ed* de Alice, ou um *s* ou um *n*. Ficamos mais rápidos no trabalho mental, mas cada pausa o deixava mais na dianteira.

O sol nasceu, mas estava muito nublado e o rastreador não diminuiu o ritmo. Eu me perguntei o que ele faria se o sol tivesse saído. Estávamos no lado oeste das montanhas e voltamos a encontrar cidades humanas. Provavelmente ele teria matado quaisquer testemunhas que houvesse no caminho, caso precisasse.

Eu não tinha dúvidas de que ele estava indo para o mar, em direção a uma fuga definitiva. Àquela altura estávamos muito mais perto de Vancouver do que de Calgary. Ele não parecia interessado em seguir para o sul, de volta a Forks. Estava indo ligeiramente para o norte.

Para ser sincero, ele não precisava de mais estratagemas. Tinha vantagem suficiente para correr direto para a costa sem que tivéssemos chance de alcançá-lo.

Mas então seu rastro nos conduziu a outro lago. Eu tinha noventa por cento de certeza de que ele estava brincando conosco. Já poderia ter escapado, mas era mais divertido nos fazer saltar seus obstáculos.

Só me restava esperar que sua arrogância saísse pela culatra, que ele cometesse um erro que o colocasse ao nosso alcance, mas duvidava muito disso. Ele era bom demais nesse jogo.

E ainda assim continuamos em seu encalço. Desistir não parecia uma opção.

No meio da manhã, Esme mandou uma mensagem.

Pode falar?

Alguma chance de ele me ouvir?, quis saber Carlisle.

— Quem me dera — falei, com um suspiro.

Carlisle ligou para Esme, e os dois conversaram enquanto corríamos. Ela não tinha notícias, estava apenas preocupada conosco. A ruiva ainda estava na área, mas não chegara a menos de oito quilômetros de Esme ou Rosalie. Esme contou que Rosalie havia feito um reconhecimento do local, e, ao que parecia, a ruiva tinha investigado a escola e a maioria dos edifícios públicos da cidade durante a noite. Não fora para o norte em direção à nossa casa, e o mais longe que chegara ao sul tinha sido a pista de pouso municipal, mas ela parecia estar se escondendo no leste, talvez ficando perto de Seattle para ter mais opções na hora de caçar. Fora até a casa de Charlie uma vez, mas só depois de ele sair para o trabalho. Esme nunca se afastara mais do que alguns metros de Charlie, o que era impressionante, pois ele não fazia ideia de sua presença.

Não havia mais nada, nenhuma pista. Ela e Carlisle trocaram um "eu te amo" em tom sofrido e então voltamos à perseguição tediosa. O rastreador se dirigia para o norte outra vez, divertindo-se demais para escolher a fuga fácil.

Estávamos no meio da tarde quando chegamos a outro lago, em forma de lua crescente e não tão grande quanto os outros que ele usara para nos atrasar. Sem precisar falar, cada um de nós decidiu as rotas de busca habituais. Alice respondeu na hora: *Emmett*. De volta para o sul então.

Quando sentimos seu cheiro de novo, fomos conduzidos até uma pequena cidade escondida na montanha. Era grande o suficiente para ter um fluxo leve de carros pelas ruas estreitas. Tivemos que desacelerar — e odiei fazer isso, mesmo sabendo que não importava. Estávamos atrasados demais para que nossa velocidade fizesse diferença. Mas foi um consolo pensar que ele provavelmente também teve que se mover na velocidade humana. Eu me perguntei por que ele se daria ao trabalho. Talvez estivesse com sede. Tinha certeza de que ele sabia que podia parar e se alimentar.

Fomos de prédio em prédio, confiando em meus sentidos para sabermos caso alguém estivesse vendo, correndo quando possível. Obviamente, não usávamos roupas quentes o suficiente para o clima do lugar — e se alguém nos examinasse com atenção veria que estávamos ensopados —, então tentei nos manter fora da vista dos humanos para não chamar a atenção de ninguém.

Chegamos à periferia da cidade sem encontrar nenhum cadáver, então ele talvez não estivesse tentando saciar a sede. O que estava procurando, então?

Ele mudou de direção para o sul.

Seguimos o rastro até um galpão grande e velho no meio de um campo aberto, cheio de arbustos espinhosos ainda nus devido ao inverno. As portas largas do galpão estavam escancaradas. O interior estava quase vazio, e encontramos apenas peças mecânicas jogadas e penduradas nas paredes. O cheiro levava ao galpão e ficava mais forte ali, como se ele tivesse ficado naquele lugar por um momento. Eu só conseguia pensar em um motivo para isso, e procurei o aroma de sangue. Nada. Só conseguia sentir cheiro de escapamento... e combustível.

Fiquei enjoado ao perceber o que não tinha entendido a princípio. Praguejando baixinho, saí do galpão e saltei por cima dos arbustos altos. Emmett e Carlisle me seguiram, de novo em alerta máximo após as horas maçantes de fracasso.

E ali, do outro lado, havia uma longa pista de terra batida, o mais plana possível, com cerca de sessenta metros de largura, que se estendia pelo menos por um quilômetro e meio a oeste.

Era uma pista de pouso particular.

Praguejei mais uma vez.

Eu tinha me concentrado demais na fuga pela água. Também havia a possibilidade de fuga pelo ar.

O avião devia ser pequeno e lento, não muito mais veloz que um carro. Não viajaria a mais de duzentos e trinta quilômetros por hora, se estivesse em boas condições. O pequeno hangar descuidado me fez pensar que provavelmente não estava. Ele teria que parar para abastecer com frequência se pretendia chegar longe.

Mas ele poderia fugir em qualquer direção, e não tínhamos como segui-lo.

Olhei para Carlisle, e seus olhos estavam tão decepcionados e sem alento quanto os meus.

Será que ele vai voltar para Forks para tentar rastreá-la de novo?

Franzi a testa.

— Até faria sentido, mas parece um pouco óbvio. Não é bem o estilo dele.

Para onde mais podemos ir?

Suspirei.

Devo ligar?

Eu assenti.

— Pode ligar.

Ele apertou o botão de rediscagem. Atenderam no primeiro toque.

— Alice?

— Carlisle — disse ela do outro lado da linha.

Eu me inclinei mais para perto, ansioso, mesmo que já conseguisse ouvir perfeitamente.

— Vocês estão totalmente seguros? — perguntou ele.

— Sim.

— Nós perdemos o rastro a cerca de duzentos e setenta quilômetros a nordeste de Vancouver. Ele pegou um avião pequeno. Nem imaginamos para onde está indo.

— Acabo de vê-lo — disse Alice com urgência, e ao mesmo tempo nada surpresa com nosso fracasso. — Ele está indo para uma sala em algum lugar, e não tenho pistas de onde fica, mas era diferente. Tinha espelhos cobrindo as paredes e uma faixa dourada que dava a volta no cômodo, como um lambril, e o lugar estava praticamente vazio, a não ser por uma velha TV emitindo um som em um canto. Também havia outra sala, bem escura, mas só consegui ver que ele estava assistindo a fitas VHS. Não tenho ideia do que isso significa. Mas o que quer que o tenha feito pegar esse avião... está levando a essas salas.

Não era informação suficiente para ajudar. O rastreador podia muito bem estar planejando descansar por um tempo, até onde sabíamos. Talvez quisesse nos fazer esperar. Nos deixar ansiosos. Parecia coerente com sua personalidade. Eu o imaginei em uma casa vazia em algum lugar aleatório, assistindo a filmes antigos enquanto aguardávamos seu retorno, agoniados. Era justamente isso que queríamos evitar.

A boa notícia era que Alice começara a ter visões dele independentemente de nós. Eu só podia torcer para que, conforme se familiarizasse com o rastreador, ela passasse a vê-lo mais vezes. Fiquei me perguntando se havia algum significado especial nas salas que ela descrevera, se havia alguma relação conosco. Talvez a visão quisesse dizer que acabaríamos caçando-o em um daqueles lugares. Se Alice conseguisse ver mais dos arredores, essa seria uma possibilidade. Foi um pensamento reconfortante.

Estendi a mão para pegar o celular, e Carlisle o entregou.

— Posso falar com a Bella, por favor?

— Sim. — Ela se afastou do aparelho. — Bella?

Ouvi os passos desajeitados de Bella quando ela correu pelo cômodo e, se eu não estivesse tão abatido, teria sorrido.

— Alô? — atendeu ela, ofegante.

— Bella.

O alívio inundou minha voz. A breve separação já havia cobrado seu preço.

— Ah, Edward! — disse ela, suspirando. — Fiquei tão preocupada!

Claro.

— Bella, eu lhe disse para não se preocupar com nada, a não ser consigo mesma.

— Onde você está?

— Estamos nos arredores de Vancouver. Bella, eu sinto muito... Nós o perdemos. — Eu não queria contar a ela como o rastreador se divertiu conosco. Ela ficaria nervosa por ele ter conseguido levar a melhor com tanta facilidade. *Eu* estava nervoso. — Ele parece desconfiar de nós... Tem tido o cuidado de ficar bem longe para que não possamos ouvir seus pensamentos. Mas agora ele se foi... Parece que pegou um avião. Acreditamos que está voltando a Forks para recomeçar.

Bem, não tínhamos outras teorias, de qualquer maneira.

— Eu sei. Alice viu que ele escapou — disse ela com perfeita compostura.

— Mas não precisa se preocupar — garanti, embora ela não parecesse preocupada. — Ele não vai encontrar nada que o leve a você. Só precisa ficar aí e esperar até que o encontremos novamente.

— Eu vou ficar bem. Esme está com Charlie?

— Sim... A mulher estava na cidade. Ela foi até a sua casa, mas enquanto Charlie estava no trabalho. Não chegou perto dele, então não fique com medo. Ele está seguro com Esme e Rosalie vigiando-o.

— O que ela está fazendo?

— Deve estar tentando pegar o rastro. Ela andou por toda a cidade durante a noite. Rosalie a seguiu até o aeroporto... — O pequeno aeroporto ao sul da cidade. Talvez não estivéssemos errados sobre suas intenções, no fim das contas. Continuei antes que Bella notasse minha distração: — ... por todas as ruas da cidade, a escola... Ela está procurando, Bella, mas não há nada para ser encontrado.

— E tem *certeza* de que Charlie está seguro? — questionou ela.

— Sim, Esme não o perdeu de vista. E chegaremos lá em breve. — Estávamos indo para lá agora, isso era certo. — Se o rastreador conseguir chegar perto de Forks, nós o pegaremos.

Comecei a correr, rumo ao sul. Carlisle e Emmett me seguiram.

— Estou com saudade — sussurrou ela.

— Eu sei, Bella. Acredite, eu sei. — Era inacreditável como me sentia pequeno longe dela. — É como se você tivesse levado metade de mim com você.

— Venha pegar, então — sugeriu ela.

— Logo, assim que for possível. Primeiro *vou* garantir que esteja segura — prometi.

— Eu te amo — disse ela em voz baixa, com um suspiro.

— Você acreditaria que, apesar de tudo o que fiz você passar, eu também te amo?

— Sim, eu acredito.

Ela parecia estar falando com um sorriso no rosto.

— Encontrarei você em breve.

— Vou ficar esperando — prometeu ela.

Doeu desligar, desconectar-me dela de novo. Mas eu estava com pressa. Devolvi o celular para Carlisle sem olhar, então acelerei o ritmo. Dependendo da dificuldade do rastreador em encontrar combustível, talvez chegássemos antes dele a Forks, se ele estivesse mesmo indo para lá.

Carlisle e Emmett se esforçaram para me acompanhar.

Levamos três horas e meia para voltar a Forks pela rota mais rápida, cruzando o mar Salish. Fomos direto para a casa de Charlie, onde Esme e Rosalie estavam de guarda, Esme nos fundos e Rosalie na árvore no jardim da frente. Emmett foi se juntar a ela, enquanto Carlisle e eu fomos até Esme.

Agora que eu estava presente para apreciar seus pensamentos, Rosalie refletia amargamente sobre o meu egoísmo ao pôr em perigo a vida de todos. Não prestei atenção nela.

A casa de Bella tinha uma quietude sinistra, embora várias luzes estivessem acesas no andar de baixo. Percebi o que estava faltando — o som de algum jogo na TV da sala de estar. Encontrei a mente de Charlie em seu lugar de sempre, no sofá, de frente para a TV desligada. Seus pensamentos estavam totalmente silenciosos, como se ele estivesse entorpecido. Estremeci, feliz por Bella não ter que ver isso.

Foram necessários poucos segundos de conversa e depois nos separamos. Carlisle ficou com Esme, e me senti muito melhor por ele estar com ela. Emmett e Rosalie vasculharam rapidamente o centro da cidade e em seguida investigaram a área no entorno do aeroporto, procurando um avião abandonado.

Corri para o leste, seguindo o rastro da ruiva. Não me importaria de encurralá-la. Mas seu cheiro só levava até o estuário de Puget. Ela não queria correr riscos.

Investiguei o Parque Nacional Olympic na volta até a casa de Charlie, só para ver se a ruiva tinha ido a algum lugar interessante, mas ela parecia ter seguido em linha reta para a água. Não era do tipo que arriscava um confronto.

De volta à casa de Bella, fiquei de guarda enquanto Esme e Carlisle iam para o norte ver se a ruiva havia saído da água perto de Port Angeles e estava tentando chegar até Charlie por outro lado. Eu duvidava muito, mas não tínhamos nada melhor para fazer. Se o rastreador não estava voltando para Forks — o que parecia evidente a essa altura — e a ruiva tinha ido encontrá-lo, precisaríamos nos reagrupar e elaborar um novo plano. Eu esperava que alguém tivesse uma ideia, porque minha cabeça estava vazia.

Eram quase duas e meia da manhã quando meu celular vibrou. Aceitei a ligação sem olhar quem era, imaginando que fosse Carlisle dando notícias.

A voz de Alice soou do aparelho, apressada.

— Ele está vindo, está vindo para Phoenix, se já não estiver aqui. Eu vi o segundo cômodo de novo e Bella reconheceu o desenho, é a casa da mãe dela, Edward. Ele está indo atrás de Renée. Ele não deve saber que estamos aqui, mas não gosto de Bella estar tão perto dele. Ele é muito furtivo e não consigo vê-lo o suficiente. Temos que tirá-la daqui, mas alguém tem que ir atrás de Renée. Ele vai fazer a gente se espalhar demais, Edward!

Eu me senti tonto, atordoado, embora soubesse que era uma ilusão. Não havia nada de errado com minha mente ou meu corpo. Mas o rastreador tinha me enganado de novo, sempre um passo à frente. Fosse de propósito ou por pura sorte, ele estava prestes a chegar até Bella enquanto eu estava a dois mil e quatrocentos quilômetros de distância dela.

— Quanto tempo até ele chegar? — sibilei. — Você sabe?

— Não exatamente, mas sei que vai ser logo. Não vai levar mais que algumas horas.

Ele estava voando direto para lá? Será que estivera nos conduzindo para longe dela de propósito?

— Nenhum de vocês chegou perto da casa de Renée, certo?

— Não. Não botamos o pé para fora do hotel. Não estamos nem perto da casa dela.

Era longe demais para que correr fosse uma opção viável. Nós teríamos que ir de avião. E um avião grande era o jeito mais rápido.

— O primeiro voo para Phoenix sai de Seattle às seis e quarenta — disse Alice, um passo à frente. — Você precisa se proteger bem. Está ridiculamente ensolarado aqui.

— Vamos deixar Esme e Rosalie aqui outra vez. A ruiva não vai chegar perto delas. Prepare Bella. Vamos manter os mesmos grupos. Emmett, Carlisle e eu a levaremos para algum lugar distante, aleatório, até decidirmos o próximo passo. Você fica com a mãe dela.

— Estaremos lá quando você pousar.

Alice desligou.

Comecei a correr, ligando para Carlisle enquanto me dirigia para Seattle. Eles teriam que vir atrás de mim.

25. CORRIDA

As rodas do avião tocaram a pista de pouso, mas minha impaciência se recusava a diminuir. Lembrei a mim mesmo que Bella estava a cerca de um quilômetro de distância, e não demoraria mais que alguns minutos para que eu visse seu rosto outra vez, mas isso só aumentou minha vontade de arrancar a porta de emergência e correr até ela, em vez de esperar pelo taxiamento interminável. Carlisle notou a agitação por trás da minha imobilidade e cutucou meu cotovelo de leve, um lembrete de que deveria me mexer.

Embora a janela da nossa fileira estivesse fechada, a luz do sol era excessiva no avião. Eu estava de braços cruzados para esconder as mãos, o capuz do casaco da loja do aeroporto cobrindo o rosto para mantê-lo na sombra. Provavelmente fazíamos um papel ridículo para os outros passageiros — especialmente Emmett, que usava uma blusa de moletom pequena demais —, ou talvez pensassem que nós nos achávamos famosos, para estarmos escondidos por capuzes e óculos escuros. Era mais provável que na avaliação deles fôssemos um bando de caipiras do norte que não tinha noção da temperatura de primavera no sudoeste. Escutei um homem que pensava que iríamos tirar os moletons antes mesmo do desembarque.

O avião me parecera insuportavelmente lento durante o voo; aquele taxiamento ia me matar.

Só mais alguns minutos de autocontrole, prometi a mim mesmo. Ela estaria me esperando do outro lado. Eu a tiraria dali e nos esconderíamos juntos enquanto decidíamos o que fazer. Esse pensamento me acalmou só um pouco.

Na verdade, não levou muito tempo para o avião encontrar o portão, que já estava aberto e preparado. Um milhão de possíveis atrasos não tinham complicado a nossa viagem. Eu deveria agradecer.

Tivemos até mesmo a sorte de sair por um portão no lado norte do aeroporto, escondido sob a sombra de fim da manhã do terminal maior. Isso facilitaria nossa movimentação rápida.

Mais uma vez, os dedos de Carlisle tocaram meu cotovelo de leve enquanto a tripulação fazia as verificações. Fora do avião, ouvi a ponte de embarque sendo manobrada até seu devido lugar, e o baque na aeronave quando a aproximaram da porta. A tripulação ignorou o barulho; os dois comissários de bordo estavam compenetrados em uma lista de passageiros.

Carlisle me cutucou de novo, e eu fingi respirar.

Até que o comissário finalmente se aproximou da porta e começou a abri-la com certa dificuldade. Fiquei desesperado para ajudá-lo, mas os dedos de Carlisle em meu braço me mantiveram concentrado.

A porta se abriu com um assobio, e o ar quente do lado de fora se misturou ao ar parado da cabine. Num instante de estupidez, procurei por algum traço do cheiro de Bella, apesar de saber que eu ainda estava longe demais. Ela estaria dentro do terminal refrigerado, depois do raio X, e seu rastro até lá teria vindo de alguma vaga no estacionamento distante. Paciência...

A luz do aviso de afivelar o cinto de segurança se apagou com um toque sonoro, e nós três começamos a nos movimentar. Passamos pelos humanos e fomos tão rápido até a porta que o comissário, surpreso, deu um passo para trás. Isso o tirou do nosso caminho, e aproveitamos a oportunidade.

Carlisle puxou as costas do meu casaco, e eu, relutante, deixei que ele passasse na frente. Seriam apenas alguns segundos de diferença caso ele ditasse o ritmo, e sem dúvida Carlisle seria mais cauteloso que eu. Não importava o que o rastreador fizesse, tínhamos que seguir as regras.

Como eu havia memorizado a planta do terminal graças ao panfleto a bordo, logo percebi que nosso portão ficava perto da saída. Mais uma vez, tivemos sorte. Eu não conseguia ouvir a mente de Bella, claro, mas encontraria Alice e Jasper. Eles estariam com as outras famílias que aguardavam os passageiros, logo adiante, à direita.

Voltei a andar na frente de Carlisle, ansioso.

Alice e Jasper se destacariam das mentes dos humanos como se fossem holofotes em meio a simples fogueiras. Eu conseguiria ouvi-los assim que...

O caos e a agonia da mente de Alice me atingiram de repente, como um turbilhão surgindo em um mar calmo e me puxando para baixo.

Cambaleei e parei de andar. Não ouvi o que Carlisle disse e mal senti quando ele tentou me puxar para a frente. Eu tinha uma vaga noção de sua *preocupação* com os seguranças humanos que nos olhavam com desconfiança.

— Não, seu celular está aqui comigo — disse Emmett bem alto, para disfarçar.

Ele me agarrou pelo cotovelo e começou a me arrastar. Eu me reequilibrei enquanto ele praticamente me carregava, mas não conseguia sentir o chão sob mim. As pessoas ao meu redor pareciam translúcidas. Eu via apenas as memórias de Alice.

Bella, pálida e retraída, tremendo de nervosismo. Bella, com um olhar desesperado, indo embora com Jasper.

A lembrança de uma visão: Jasper correndo de volta para Alice, agitado.

Alice não esperou que ele voltasse. Seguiu o cheiro de Jasper até onde ele esperava, do lado de fora do banheiro feminino, o rosto marcado pela preocupação.

Alice seguindo o cheiro de Bella, encontrando a segunda saída, disparando a uma velocidade um pouco suspeita. Os corredores movimentados, o elevador lotado, as portas que davam para a rua. A calçada cheia de táxis e ônibus.

O fim do rastro.

Bella havia desaparecido.

Emmett me arrastou até o átrio gigantesco, onde Alice e Jasper, bastante tensos, esperavam à sombra de uma coluna enorme. O sol entrava pelo teto de vidro, e a mão de Emmett no meu pescoço me obrigou a inclinar a cabeça, mantendo o rosto na sombra.

Alice conseguia ver Bella alguns segundos no futuro, em um táxi em alta velocidade ao longo de uma estrada ensolarada. Bella estava de olhos fechados.

E em apenas mais alguns minutos: uma sala cheia de espelhos, com luzes no teto, tábuas compridas de pinho no assoalho.

O rastreador, à espera.

E então sangue. Muito sangue.

— Por que você não foi atrás dela? — perguntei, furioso.

Nós dois não fomos o suficiente. Ela morreu.

Tive que me forçar a continuar andando apesar da dor que queria me imobilizar outra vez.

— O que aconteceu, Alice? — Ouvi Carlisle perguntar.

Nós cinco já estávamos indo em direção à garagem onde haviam estacionado, e juntos parecíamos um grupo intimidador. Felizmente, o teto de vidro dera lugar a uma arquitetura mais simples, e o sol já não podia nos prejudicar. Avançamos mais rápido do que qualquer um dos grupos de humanos, mesmo os que estavam atrasados para suas conexões, mas me irritei com a demora. Estávamos indo muito devagar. Por que fingir àquela altura? De que adiantava?

Fique com a gente, Edward, advertiu Alice. *Você vai precisar de todos nós.*

Em sua mente: sangue.

Para responder à pergunta de Carlisle, Alice enfiou um pedaço de papel na mão dele. Estava dobrado em três pedaços. Carlisle olhou para a mensagem e se encolheu.

Vi tudo em sua mente.

Era a letra de Bella. Uma explicação. Uma refém. Uma desculpa. Um pedido.

Ele passou o papel para mim. Amassei o papel, depois o enfiei no bolso.

— E a mãe dela? — rosnei baixinho.

— Não a vi. Ela não vai estar na sala. Ele pode já ter...

Alice não terminou a frase.

Ela se lembrou da voz da mãe de Bella ao telefone, tomada pelo pânico.

Bella tinha ido para outro cômodo acalmar a mãe. E então Alice teve a visão. Ela não percebera a coincidência. Não havia entendido.

Alice se sentia profundamente culpada.

— Não temos tempo para isso, Alice — falei em voz baixa e ríspida.

Carlisle murmurava tão baixo que eu mal podia ouvi-lo. Repassava as informações pertinentes para Emmett, que estava ficando impaciente. Ouvi seu horror, sua sensação de fracasso, quando ele compreendeu o que ouvia. Nem se comparava ao que eu sentia.

Eu não podia me permitir esses sentimentos àquela altura. Alice via intervalos pequenos. Talvez fosse impossível. Era impossível alcançarmos Bella antes que ela tivesse o sangue derramado. Parte de mim sabia o que isso significava, que haveria um intervalo entre o momento em que o rastreador a encontrasse e sua morte. Uma grande lacuna. Eu não podia me permitir entender.

Eu tinha que ser rápido o suficiente.

— Sabemos para onde estamos indo?

Alice me mostrou um mapa em sua cabeça. Senti seu alívio por ter conseguido a informação mais importante a tempo. Depois da primeira visão, mas antes da ligação de Renée, Bella havia revelado onde ficava a esquina próxima ao lugar onde o rastreador escolhera esperar. Ficava a cerca de trinta quilômetros, a maior parte do caminho pela rodovia. Levaria apenas alguns minutos.

Bella não tinha tanto tempo.

Atravessamos a área de restituição de bagagem e entramos no saguão de elevadores. Vários grupos com carrinhos lotados de malas aguardavam a próxima abertura das portas. Seguimos juntos para a escada. Estava vazia. Subimos a toda velocidade e chegamos ao estacionamento em menos de um segundo. Jasper fez menção de ir na direção de onde tinham deixado o carro, mas Alice segurou seu braço.

— Seja qual for o carro que levarmos, a polícia vai estar à procura do proprietário.

A rodovia ensolarada brilhava em sua mente, e as imagens ficavam borradas com a velocidade. Luzes azuis e vermelhas girando, um bloqueio na estrada, algum acidente... Ainda não estava totalmente claro.

Todos ficaram imóveis, sem saber o que isso significava.

Não havia tempo.

Passei rápido demais pela fileira de carros parados enquanto os outros se recuperavam e então me seguiam em um ritmo mais comedido. Não havia muita gente no estacionamento, ninguém que pudesse me ver direito.

Ouvi Alice pedir para Carlisle pegar sua maleta no porta-malas do Mercedes. Carlisle deixava um kit de cuidados médicos em todos os carros que dirigia, em caso de emergência. Não me permiti pensar nisso.

Não havia tempo para a escolha perfeita. Em sua maioria, os carros no estacionamento eram SUVs grandalhões ou sedãs simples, mas havia algumas opções um pouco mais rápidas. Eu estava na dúvida entre um Ford Mustang novo e um Nissan 350Z, esperando que Alice visse qual seria o melhor, quando um odor inesperado chamou minha atenção.

Assim que senti cheiro de óxido nitroso, Alice viu o que eu estava procurando.

Avancei até o outro extremo do estacionamento, bem no limite de onde a luz solar se projetava, até a vaga onde havia um WRX STI aprimorado, bem longe dos elevadores, na esperança de que ninguém parasse perto demais e arranhasse a pintura.

As cores eram horrorosas: bolhas de um laranja gritante do tamanho da minha cabeça subiam do que parecia ser uma lava roxa. Em cem anos, eu nunca tinha visto um carro tão chamativo.

Mas era obviamente bem conservado, o orgulho de alguém. Não havia nenhum modelo padrão, tudo tinha sido projetado para corridas, desde o difusor *splitter* até o enorme *spoiler* personalizado. As janelas eram tão escuras que eu duvidava de que fossem permitidas por lei, mesmo naquela região ensolarada.

A visão de Alice da estrada à frente se tornou muito mais clara.

Ela já estava ao meu lado, trazendo uma antena arrancada de outro carro. Contorcendo-a entre os dedos, formou um pequeno gancho na ponta e abriu a fechadura antes mesmo que Jasper, Emmett e Carlisle — este último carregando a maleta de couro preta — nos alcançassem.

Abaixando a cabeça para me sentar no banco do motorista, arranquei a proteção da coluna de direção e entrelacei os fios da ignição. Ao lado do câmbio havia uma segunda alavanca, com dois botões vermelhos com "Pressa 1" e "Pressa 2". Gostei mais da dedicação do dono do carro do que de seu senso de humor. Só me restava torcer para que as reservas de óxido nitroso estivessem cheias. O tanque de gasolina estava em três quartos, muito mais do que eu precisava. Depois que os outros entraram no carro, Carlisle no banco do carona e o resto atrás, o motor vibrou com grande avidez quando saímos da vaga. Não havia ninguém no meu caminho. Corremos pelo estacionamento enorme em direção à saída. Apertei o botão de aquecimento no painel. Demoraria um pouco para o óxido nitroso se aquecer e passar de gás para líquido.

— Alice, vá me dizendo o que acontece daqui a trinta segundos.

Está bem.

A rampa de saída descia em uma espiral estreita de quatro andares. No meio do caminho, fomos obrigados a diminuir por causa de um Escalade à nossa frente, como Alice tinha previsto. A passagem era tão apertada que não tive opção a não ser colar na traseira dele, acionando a buzina para tentar assustar o motorista. Alice viu que não daria certo, mas não resisti.

Saímos da última curva para o espaço amplo e ensolarado onde ficavam as cancelas de pagamento. Duas das seis pistas estavam livres, e o Escalade seguiu para a mais próxima. Eu já estava na última.

Uma frágil cancela com listras vermelhas e brancas bloqueava a pista. Antes que eu pudesse pensar seriamente em derrubá-la, Alice começou a gritar comigo em sua mente.

Se a polícia vier atrás da gente agora, não vamos chegar a tempo!

Minhas mãos apertaram o volante laranja néon com força demais. Obriguei meus dedos a relaxarem enquanto parava ao lado do quiosque automatizado. Carlisle pegou o bilhete de estacionamento, preso, obviamente, atrás do quebra-sol, e o estendeu para mim.

Alice pegou o bilhete. Ela via que eu tinha grandes chances de dar um soco no leitor de cartões enquanto esperava a máquina funcionar. Andei com o carro para a frente, para que Jasper abrisse a janela e pagasse com um dos cartões sem nome que usávamos para permanecer anônimos.

Ele havia puxado a manga de tecido escuro até a ponta dos dedos. Houve apenas o vislumbre de algo brilhando quando ele enfiou o cartão na máquina.

Eu me concentrei na cancela listrada. Era a minha bandeira de largada. Assim que subisse, a corrida começaria.

O leitor de cartões emitiu um zumbido. Jasper apertou um botão.

A cancela se levantou e eu acelerei.

Eu conhecia a estrada. Alice tinha visto toda a sua extensão e os obstáculos no caminho. Não era hora do rush e o trânsito não estava tão pesado. Eu via os buracos entre os carros.

Levei doze segundos para passar todas as marchas até chegar à sexta. Eu não planejava voltar às anteriores.

A primeira seção da rodovia estava quase vazia, mas em breve haveria uma fusão entre duas pistas. Não tínhamos tempo para usar o óxido nitroso com eficiência. Mudei para a pista da extrema esquerda para contornar o fluxo.

O Arizona tinha algo a seu favor: embora fosse ridiculamente ensolarado, as estradas eram excepcionais. Seis pistas largas e lisas, com acostamentos tão amplos em ambos os lados que era como se fossem oito. Usei o acostamento esquerdo para ultrapassar duas picapes que se achavam no direito de usar a pista expressa.

O terreno para além da rodovia era plano, ensolarado e aberto, e não havia onde se esconder da luz, pois o céu era uma enorme cúpula azul-clara que parecia quase branca no calor intenso. O vale inteiro estava exposto ao sol feito comida em uma grelha. Só algumas árvores raquíticas, já quase sem vida, interrompiam aquela vastidão monótona de cascalho. Eu não conseguia enxergar a beleza que Bella via naquele lugar. Não tive tempo de tentar.

Minha velocidade ultrapassava cento e noventa quilômetros por hora. Provavelmente poderia passar de duzentos e quarenta, mas eu ainda não queria exigir demais do carro. Era impossível saber se o motor havia sido ajustado para o estágio dois ou três; poderia ser sensível, instável. Só me restava ficar de olho na pressão e na temperatura do óleo e ouvir o motor com atenção.

O imenso viaduto em arco que nos levaria à estrada norte estava próximo e tinha apenas uma pista com um acostamento bem largo à direita.

Atravessei as seis pistas até a saída. Alguns motoristas surpresos deram uma guinada, mas já tinham ficado para trás quando finalmente reagiram.

Alice viu que o acostamento não era grande o suficiente.

— Emmett, Jazz, vou perder os retrovisores — rosnei. — Ajudem-me a ver.

Os dois se viraram em seus assentos para olhar a estrada à esquerda, à direita e atrás. A cena que eu via em suas mentes era muito melhor do que os retrovisores.

Segui ao lado do tráfego mais lento, sem conseguir ir além dos cento e sessenta. Cerrei os dentes e segurei firme o volante quando passei raspando pela van que estava na pista da direita. Com um ruído metálico, o retrovisor esquerdo rasgou a lateral da van e o direito se espatifou na barreira de concreto.

Bella estava correndo aos tropeços por uma calçada branca. Ou estaria em breve.

— Concentre-se na estrada, Alice — falei.

Desculpa. Estou tentando.

O pânico manchava seus pensamentos. Bella estava correndo para um estacionamento. Ou estaria em breve.

— Pare!

Ela fechou os olhos e tentou ver apenas a calçada à frente.

Eu sabia que aquelas imagens eram capazes de me deixar sem ação. Obriguei-me a não pensar nelas.

Não foi tão difícil quanto eu esperava.

A estrada era tudo. Eu a via em trezentos e sessenta graus e dali a trinta segundos, no futuro. Quando entrei na estrada que levava para o norte, cruzando as pistas mais uma vez para dirigir no acostamento à esquerda, chegando a duzentos e dez quilômetros por hora, foi como se nossas mentes estivessem unidas em um só organismo, melhor do que a soma de suas partes. Vi o trânsito à frente mudando e se solidificando, e pude prever o melhor caminho através de todos os obstáculos.

Aceleramos pela sombra de dois viadutos com tanta rapidez que o lampejo de escuridão pareceu estroboscópico.

Duzentos e trinta quilômetros por hora.

Quinze segundos no futuro, a bolha de espaço perfeita se abriu. Mudei para a pista central e abri a tampa de segurança transparente do botão vermelho rotulado como "Pressa 1".

Foi no momento perfeito. No instante exato em que a pista ficou livre, apertei o botão, ativando o óxido nitroso, e o carro disparou como uma bala de canhão.

Duzentos e cinquenta quilômetros por hora.

Duzentos e setenta.

Bella estava abrindo uma porta de vidro em uma sala escura e vazia. Ou estaria em breve.

Alice recuperou a concentração, também surpresa por ter conseguido. Seus pensamentos se voltaram para Jasper, e eu compreendi.

Como homem pacífico, Jasper enfrentava vários desafios. Mas como homem da guerra, ele era melhor do que eu jamais imaginara.

Estávamos todos compartilhando seu foco de batalha naquele momento, algo que ele usara para manter os recém-criados nos trilhos em seus anos de guerra. Caiu como uma luva nessa situação tão atípica, fazendo com que formássemos uma máquina de extrema eficiência. Abracei aquele efeito, deixando minha mente se concentrar exclusivamente na missão.

O óxido nitroso já estava diminuindo.

Duzentos e quarenta quilômetros por hora.

Comecei a procurar a próxima oportunidade.

Eles estão montando a primeira barreira, observou Alice. Nenhum de nós parecia preocupado. A barreira estava perto demais para que nos interceptassem. Passaríamos antes que terminassem de montá-la.

E a segunda. Ela me mostrou o local exato no mapa em sua mente. Longe o suficiente para ser um problema, mesmo com outra oportunidade surgindo em apenas quatro segundos.

Considerei minhas opções enquanto Alice me mostrava as consequências. Estávamos sem tempo, mas não tínhamos escolha a não ser trocar de carro.

Distraído, levantei a capa de segurança e apertei "Pressa 2". O carro avançou obedientemente.

Duzentos e setenta quilômetros por hora.

Duzentos e noventa.

Alice me mostrou alguns veículos disponíveis mais à frente e avaliei nossas opções.

O Corvette seria pequeno demais e nosso peso seria um fator ainda mais relevante do que com o carro de corrida. Descartei alguns outros veículos mentalmente. E então Alice viu uma moto de corrida, uma BMW S1000 RR preta e brilhante. Chegava a uma velocidade máxima de trezentos e cinco quilômetros por hora.

Edward, é impossível.

Me imaginar montado na moto preta e lustrosa criava uma imagem tão convidativa que, por um segundo, ignorei Alice.

Edward, você vai precisar de todos nós.

De repente, seus pensamentos eram puro caos e sangue, gritos humanos e não humanos, o som de metal sendo triturado. Carlisle estava no meio de tudo, as mãos vermelhas de sangue.

Jasper me impediu de sair da estrada. Seu controle sobre minhas emoções foi tão forte naquele segundo que pareceu um punho firme ao redor do meu pescoço.

Juntos, empurramos minha mente de volta ao caminho à frente. Era o trecho mais curto da viagem; o modelo do carro não importava tanto. Alice analisou carros, minivans e SUVs.

E lá estava. Um Porsche Cayenne Turbo novo em folha, tão novo que ainda não tinha placa — com uma velocidade máxima de trezentos quilômetros por hora —, já decorado com um adesivo de uma família de bonecos de palito no vidro de trás. Duas filhas e três cachorros.

Uma família nos atrasaria. Alice usou minha decisão de pegar aquele carro e analisou seus desdobramentos. Felizmente, apenas a motorista estava no carro. Uma mulher de trinta e poucos anos com um rabo de cavalo castanho-escuro.

Alice não conseguia mais ver Bella na calçada. Isso já era parte do passado. Assim como a cena do estacionamento. Bella estava lá dentro com o rastreador.

Deixei que Jasper me mantivesse focado.

— Vamos trocar de carro no próximo viaduto — avisei.

Alice distribuiu nossos papéis com uma voz estridente, as palavras fluindo mais rápido que as asas de um beija-flor.

Carlisle vasculhou sua maleta.

Emmett flexionou os músculos sem pensar.

Ultrapassei o SUV branco, lamentando a necessidade de desacelerar. Cada segundo perdido seria pago com o sofrimento de Bella. Indo contra todos os meus instintos, mudei para a quarta marcha.

A moto BMW acelerou até desaparecer. Contive um suspiro.

O viaduto estava a oitocentos metros de distância. A sombra que projetava não tinha mais de dezesseis metros de comprimento; o sol estava quase diretamente acima de nós.

Comecei a tentar forçar o Cayenne para a esquerda. A motorista mudou de faixa. Fiz o mesmo, deixando metade do meu carro em sua pista. Ela começou a desacelerar e eu também.

Alice me ajudou a encontrar o momento exato. Fiquei logo à frente do Cayenne e depois virei à esquerda novamente, forçando minha entrada na pista da motorista e desacelerando de repente. Ela pisou no freio.

Logo atrás de nós, o Corvette que eu havia pensado em pegar mudou de pista, buzinando ao passar por nós. O tráfego todo mudou para a direita para nos evitar.

Paramos nos últimos três metros de sombra.

Todos saímos ao mesmo tempo. Expressões curiosas passaram por nós a cento e dez quilômetros por hora.

A motorista do Cayenne também estava saindo do carro com uma careta, o rabo de cavalo balançando enquanto ela avançava com raiva. Carlisle foi ao seu encontro. Ela teve apenas um segundo para reagir ao fato de que o homem mais bonito que já vira tinha lhe dado uma fechada, e então desmoronou em seus braços. Provavelmente nem teve tempo de sentir a picada da agulha.

Com todo o cuidado, Carlisle deixou seu corpo inconsciente na plataforma de concreto ao lado do acostamento. Sentei-me no banco do motorista. Jasper e Alice já estavam no banco de trás. Alice abrira a porta traseira para Emmett. Ele estava agachado ao lado do STI, com os olhos fixos em Alice, esperando seu sinal. Alice observou o fluxo de carros vindo na nossa direção, à espera do momento que causaria menos estrago.

— Agora — gritou ela.

Emmett jogou o STI chamativo na pista.

O carro seguiu pela segunda e terceira faixas da direita. As batidas começaram conforme cada carro pisava no freio e ainda assim atingia o da frente. Airbags inflaram, fazendo barulho. Alice viu feridos, mas nenhuma morte. A polícia, já vindo atrás de nós, chegaria em apenas alguns segundos.

Os barulhos diminuíram. Carlisle e Emmett estavam em seus devidos lugares e eu pisei fundo no acelerador, desesperado para compensar os segundos que tínhamos perdido ali.

O rastreador se aproximava de Bella, acariciando sua bochecha. Aconteceria em poucos segundos.

Duzentos e sessenta e cinco quilômetros por hora.

No outro sentido da estrada, quatro viaturas voaram na direção contrária, a caminho do local do acidente. Não prestaram atenção ao SUV que ia em alta velocidade para o norte.

Só mais duas saídas.

Duzentos e noventa quilômetros por hora.

Eu sentia que o SUV estava aguentando o tranco, mas sabia que àquela altura o perigo não era uma falha do motor — levaria um bom tempo para comprometer aquele tanque alemão —, e sim algum problema nos pneus.

Não tinham sido fabricados para aguentar tamanha velocidade. Eu não podia correr o risco de estourar nenhum deles, mas tirar o pé do acelerador me doía.

Duzentos e sessenta quilômetros por hora.

Nossa saída se aproximava rapidamente. Desviei de um caminhão e virei para a direita.

Alice me mostrou o que fazer. O viaduto tinha vários cruzamentos. Na saída, o sinal estava mudando para amarelo. Em um segundo, o lado oeste do cruzamento receberia uma seta verde e duas faixas de veículos começariam a atravessar.

Com uma súplica silenciosa para que os pneus aguentassem firme, pisei fundo.

Duzentos e setenta quilômetros por hora.

Pegamos a saída pelo acostamento esquerdo, tirando fino dos carros parados no sinal.

Dobrei à esquerda, avançando o sinal vermelho, e a parte de trás do SUV derrapou para a direita. Consegui fazer a curva por muito pouco, quase atingindo a barreira de concreto no lado norte do viaduto.

Os carros que subiam a rampa já estavam no meio do cruzamento. Não havia nada a fazer além de continuar.

Não bati em um Lexus por um triz.

A Cactus Road não foi tão fácil quanto a rodovia, tinha apenas duas faixas, era cruzada por dezenas de ruas residenciais com entradas de garagens. Havia quatro sinais entre nós e a sala cheia de espelhos. Alice viu que tínhamos dois sinais vermelhos pela frente.

Uma placa com o limite de velocidade — sessenta e cinco quilômetros por hora — passou voando por nós.

Cento e noventa e cinco quilômetros por hora.

A estrada me deu uma pequena vantagem: havia uma faixa reversível com linhas amarelas brilhantes em quase toda a sua extensão.

Bella rastejava com dificuldade pelas tábuas do assoalho de pinho. O rastreador ergueu o pé.

Alice voltou a se concentrar, mas minha mente perdeu o foco. Por um décimo de segundo, eu estava de volta ao meu Volvo em Forks, pensando em maneiras de me matar.

Emmett nunca faria isso... mas talvez Jasper, sim. Só ele poderia sentir o que eu sentia. Talvez ele *quisesse* pôr um fim à minha vida, apenas para escapar da dor. Mas ele provavelmente fugiria. Não ia querer magoar Alice. Então só me restava a longa viagem à Itália.

Jasper estendeu a mão para encostar os dedos na minha nuca. Foi como se alguém anestesiasse minha angústia com novocaína.

Avancei pela pista do meio sem interrupções por um quilômetro e meio, voltando à pista certa para passar voando pelo primeiro sinal verde. O cruzamento seguinte se aproximava depressa. A pista reversível se tornava uma pista exclusiva para quem quisesse dobrar à esquerda, e três carros esperavam ali. A faixa para quem viraria à direita estava quase vazia. Consegui evitar que a moto subisse na calçada por um segundo, me esforçando para não perder o controle do SUV.

Conferi a velocidade. Cento e trinta quilômetros por hora. Inaceitável.

Avancei o sinal vermelho — felizmente alguns motoristas viram minha aproximação e pararam no meio do cruzamento — e voltei à faixa reversível.

Cento e sessenta quilômetros por hora.

O cruzamento seguinte era maior que o anterior, mais largo e duas vezes mais movimentado.

— Alice, me mostre todas as possibilidades!

Em sua mente, todos os veículos ficaram paralisados. Ela os girou no sentido anti-horário e depois de volta à posição inicial. Eu os vi se alongarem primeiro na vertical e depois na horizontal. Não seria fácil, mas havia pequenos espaços entre eles. Eu os memorizei.

Cento e noventa quilômetros por hora.

Se batêssemos em outro carro a essa velocidade, os dois seriam destruídos. Não teríamos escolha a não ser correr sob a luz do sol ofuscante até onde Bella estava. As pessoas veriam... alguma coisa. Nenhum dos outros era tão rápido quanto eu. Eu não sabia qual seria a história — alienígenas, demônios ou armas secretas do governo —, mas sabia que haveria alguma. E então o quê? Como eu salvaria Bella quando as autoridades imortais viessem atrás de nós? Eu não podia envolver os Volturi, a menos que fosse tarde demais.

Mas Bella estava *gritando*.

Jasper aumentou minha dose de novocaína. A dormência penetrou minha pele e meu cérebro.

Pisei fundo no acelerador e peguei a contramão.

Havia espaço suficiente para costurar entre os outros carros. Todos estavam se movendo tão devagar comparados a mim que era como se eu estivesse me esquivando de objetos estáticos.

Duzentos e dez quilômetros por hora.

Costurei pelo cruzamento imóvel, voltando para o lado certo da estrada assim que possível.

— Boa — disse Emmett.

Duzentos e vinte e cinco quilômetros por hora.

O último sinal estaria verde.

Mas Alice tinha outro plano.

— Vire à esquerda aqui — disse ela, mostrando-me uma rua residencial estreita atrás da área comercial onde ficava o estúdio de dança.

A rua tinha eucaliptos imponentes, as folhas trêmulas mais prateadas que verdes. As sombras eram quase suficientes para passarmos despercebidos. Não havia ninguém na rua. Estava quente demais.

— Vá mais devagar agora.

— Não é rápido o...

Se ele nos ouvir, ela morre!

Mesmo contrariado, mudei o pé para o pedal do freio e comecei a desacelerar. A curva era tão fechada que eu capotaria o SUV se não fizesse isso. Fiz a curva a menos de cem quilômetros por hora.

Mais devagar.

Trinquei o maxilar, freando até chegar a sessenta e cinco quilômetros por hora.

— Jasper — sibilou Alice em alta velocidade, as palavras quase inaudíveis, apesar de seu fervor. — Você contorna o prédio e entra pela frente. O restante de nós vai pelos fundos. Carlisle, prepare-se.

Sangue espalhado pelos espelhos quebrados, uma poça no assoalho de madeira.

Parei o carro sob a sombra de uma das árvores altas, e os pneus quase não fizeram barulho ao tocar o pavimento de pedra. Um muro de dois metros e meio demarcava a fronteira entre prédios residenciais e comerciais. No lado oposto da rua havia casas próximas umas das outras e decoradas com estuque, todas com as cortinas fechadas para manter o interior fresco.

Movendo-nos em perfeita sincronia graças a Jasper, saímos do carro, deixando todas as portas entreabertas para que não fizéssemos qualquer ruído desnecessário. O tráfego fervilhava a norte e a oeste do edifício comercial, o que sem dúvida abafaria qualquer barulho que fizéssemos.

Talvez um quarto de segundo tivesse se passado. Pulamos o muro, saltando longe o suficiente para evitar o cascalho logo abaixo e aterrissando quase silenciosamente na calçada. Havia um pequeno beco atrás do prédio. Uma caçamba de lixo, uma pilha de caixotes plásticos e a saída de emergência.

Não hesitei. Eu já conseguia ver o que havia atrás da porta. Ou o que haveria atrás da porta dali a um segundo. Inclinei o corpo para que não houvesse erros, nenhuma brecha minúscula pela qual o rastreador pudesse escapar, e então me joguei na porta.

26. SANGUE

Atravessei a porta.

Ela se estilhaçou ao meu redor.

O rugido que irrompeu do meu peito foi totalmente instintivo. O rastreador ergueu o rosto de repente, depois se lançou em direção à figura carmim que estava embaixo dele, no chão. Vi alguém estender a mão pálida em uma tentativa inútil de autodefesa.

A porta não havia sido um obstáculo capaz de diminuir minha velocidade. Alcancei o rastreador enquanto ele pulava, jogando-o de imediato para longe do alvo, derrubando-o com força suficiente para rachar as tábuas do assoalho.

Eu girei, puxando-o para cima de mim, então o chutei para o meio da sala, onde Emmett estava esperando.

Durante o centésimo de segundo em que lutei com o rastreador, mal percebi sua existência, como se não fosse uma criatura viva. Era só um objeto no meu caminho. Eu sabia que em algum instante no futuro próximo teria inveja de Emmett e Jasper. Desejei ter a chance de rasgar, mutilar e morder. Mas nada disso tinha sentido naquele momento. Voltei a girar.

Como eu já previa, Bella estava encolhida junto à parede, cercada pelos espelhos estilhaçados. Tudo estava vermelho.

Fui atingido por uma onda incontrolável de todo o terror e o sofrimento que eu tentara controlar desde que ouvira o pânico de Alice no aeroporto.

Seus olhos estavam fechados. A mão pálida estava caída ao seu lado. Seu coração batia devagar, enfraquecido.

Não decidi me mover; simplesmente me vi ao seu lado, ajoelhado no sangue. O fogo ardia no meu peito e na minha cabeça, mas eu não conseguia distinguir os diversos tipos de dor. Eu estava com medo de tocá-la. Ela havia se machucado em tantos lugares... Eu poderia piorar a situação.

Ouvi minha voz repetir as mesmas palavras várias vezes. Seu nome. *Não. Por favor.* Sem parar, como um disco arranhado. Mas eu não tinha controle dos sons.

Ouvi minha voz gritar o nome de Carlisle, mas ele já estava ali, ajoelhado no sangue dela, do outro lado.

As palavras que escapavam dos meus lábios não eram mais palavras, só sons embolados e entrecortados.

As mãos de Carlisle foram da cabeça ao tornozelo de Bella e voltaram tão rápido que se tornaram um borrão. Ele pressionou seu crânio com as mãos, em busca de fraturas. Apertou com dois dedos um ponto alguns centímetros atrás da orelha direita dela. Eu não conseguia ver o que ele estava fazendo; o cabelo dela estava carmim.

Deixou escapar um gemido fraco. Seu rosto se retorceu de dor.

— Bella! — implorei.

A voz calma de Carlisle era a antítese dos meus gritos doloridos.

— Ela perdeu sangue, mas o ferimento na cabeça não é profundo. Cuidado com a perna dela, está quebrada.

Um uivo de puro ódio atravessou a sala, e por um segundo pensei que Emmett e Jasper estivessem com problemas. Busquei suas mentes — eles já estavam recolhendo as partes do corpo — e percebi que o som vinha de mim.

— Acho que algumas costelas também — completou Carlisle, ainda sobrenaturalmente calmo.

Seus pensamentos eram comedidos, impassíveis. Ele sabia que eu os ouviria. Mas também estava otimista graças à análise que fizera. Tínhamos chegado a tempo. O dano não era fatal.

Mas eu captei também cada "e se" presente em sua avaliação. E se ele não conseguisse controlar o sangramento? E se a costela tivesse perfurado o pulmão? E se os danos internos fossem maiores do que pareciam? "E se", "e se", "e se"... Seus anos de esforços para manter corpos humanos vivos lhe ofereciam uma infinidade de ideias sobre o que poderia dar errado.

O sangue de Bella encharcava minha calça jeans. Cobria meus braços. Eu estava pintado de sangue.

Ela gemeu de dor.

— Bella, você vai ficar bem. — Minhas palavras eram suplicantes. — Pode me ouvir, Bella? Eu te amo.

Pensei ter ouvido outro gemido, mas não... Ela estava tentando falar.

— Edward — arfou.

— Sim, estou aqui.

— Isso *dói* — sussurrou ela.

— Eu sei, Bella, eu sei.

A inveja veio à tona naquele momento, feito um soco atravessando o meio do meu peito. Eu queria tanto destruir o rastreador, rasgá-lo em longas tiras finas. Tanta dor e tanto sangue, e eu nunca conseguiria fazê-lo pagar por isso. Não era o suficiente que morresse, que queimasse. Nunca seria suficiente.

— Não pode fazer nada? — rosnei para Carlisle.

— Minha maleta, por favor — pediu ele, com frieza, para Alice.

Alice soltou um som engasgado e baixo.

Eu não conseguia forçar meus olhos a se desviarem do rosto machucado e ensanguentado de Bella. Por baixo da sujeira, sua pele estava mais pálida do que eu jamais vira. Suas pálpebras nem sequer tremiam.

Mas eu mergulhei na mente de Alice e vi o problema.

Eu ainda não havia tomado consciência da poça de sangue sobre a qual estava ajoelhado. Sabia, lá no fundo, que meu corpo devia estar reagindo àquilo. Mas, onde quer que estivesse, a reação ficara tão soterrada pela dor que não conseguira emergir.

Alice amava Bella, mas não estava fisicamente preparada para isso. Hesitou, com os dentes trincados, tentando engolir o veneno.

Emmett e Jasper também estavam tendo dificuldades. Haviam tirado da sala as partes destruídas do rastreador, e eu só podia torcer para que ainda fossem capazes de sentir dor de alguma maneira. Emmett ficou um tempo prestando atenção em Jasper. Ele mesmo estava se controlando de forma admirável. Sua preocupação com Bella era maior do que sua disposição displicente costumava permitir.

— Prenda a respiração, Alice — sugeriu Carlisle. — Isso vai ajudar.

Ela assentiu e parou de respirar enquanto corria para a frente e depois voltava, deixando a maleta de Carlisle junto à perna dele. Alice se moveu tão cuidadosamente que nem pisou no sangue. Então se recolheu para a saída de emergência destruída, arfando por ar fresco.

Pela porta aberta veio o som das sirenes. Procuravam o carro que correra de forma imprudente pelas ruas da cidade. Eu duvidava de que encontrariam o carro roubado, estacionado à sombra em uma rua lateral calma, mas também não me importava muito se o achassem.

— Alice? — sussurrou Bella.

— Ela está aqui — retruquei, sem pensar. — Ela sabia onde encontrá-la.

Bella gemeu.

— Minha mão está *doendo*.

Fiquei bem surpreso com o comentário tão específico. Havia vários outros ferimentos.

— Eu sei, Bella. Carlisle lhe dará alguma coisa, vai parar.

Carlisle estava suturando os cortes no couro cabeludo dela tão rápido que seus movimentos se tornaram um borrão novamente. Nenhum sangramento escapava de seus olhos. Ele era capaz de reparar as veias maiores com pontos minúsculos que outro cirurgião não conseguiria reproduzir em perfeitas condições, mesmo com assistência mecânica. Minha vontade era que ele parasse um pouco e desse algum analgésico a Bella, mas eu ouvia, sob sua calma controlada, que ela sofrera ferimentos demais na cabeça. Havia perdido muito sangue.

Com um espasmo repentino, Bella se contorceu e ergueu um pouco o tronco. Carlisle apoiou a cabeça dela na mão esquerda, com o punho firme, para segurá-la. Os olhos dela se abriram — as escleras vermelhas graças aos vasos rompidos —, e ela gritou com uma força que não imaginei que ainda lhe restasse.

— Minha mão está *queimando*!

— Bella? — chamei.

Tomado pela estupidez, por um instante eu só conseguia pensar no fogo que ardia dentro de mim. Será que eu a estava machucando?

Seus olhos estremeceram, cegos devido ao sangue e ao cabelo ensanguentado.

— O fogo! — gritou ela, as costas se arqueando apesar da dor nas costelas.

— Alguém apague o *fogo*!

O som de sua agonia me deixou perplexo. Eu sabia que compreendia o que ela dizia, mas o pânico confundia todos os significados na minha mente. Parecia que alguém estava me forçando a virar o rosto para longe dela, forçando meus olhos a se concentrarem na mão manchada de carmim que ela agitava para longe do corpo, os dedos se agitando e se contorcendo em agonia.

Um corte superficial marcava a base de sua mão. Não era nada perto de seus outros ferimentos. O sangue já estava parando de correr...

Eu sabia o que via, mas não conseguia formar as palavras.

Tudo o que consegui exclamar foi:

— Carlisle! A mão dela!

Relutante, ele desviou o olhar do que estava fazendo, os dedos parando pela primeira vez. Então o choque o atingiu também.

Sua voz era fraca.

— Ele a mordeu.

Essas eram as palavras. *Ele a mordeu*. O rastreador mordera Bella. O fogo era veneno.

Em câmera lenta, vi a cena se repetir na memória. Eu atravessava a porta. O rastreador pulava. Bella erguia a mão à frente. Eu o derrubava, afastando-o à força. Mas seus dentes estavam expostos, o pescoço esticado... Eu tinha chegado um milissegundo atrasado.

As mãos de Carlisle continuavam imóveis. *Resolva isso*, eu queria gritar para ele, mas ambos sabíamos que seus esforços seriam inúteis. Tudo que estava fraturado dentro dela se repararia por conta própria. Todos os ossos quebrados, todos os cortes, todas as fraturas minúsculas sob a pele, tudo estaria inteiro em breve.

Seu coração pararia e nunca mais bateria.

Bella gritou e se contorceu de sofrimento.

Edward.

Alice voltara, encontrando dentro de si força para ficar agachada ao lado de Carlisle, o vermelho manchando os sapatos. Delicadamente, ela afastou o cabelo dos olhos injetados de Bella.

Você não pode deixar que aconteça assim. Ela estava pensando em Carlisle.

Ele também começara a se lembrar. Das marcas de dentes em sua mão, e do sofrimento prolongado de sua transformação.

Então ele pensou em mim.

Uma ardência fantasma correu pela minha mão, pelo meu braço. Eu me lembrava também.

— Edward, você precisa fazer isso — insistiu Alice.

Eu poderia tornar aquilo mais fácil e rápido para Bella. Ela não precisava sofrer tanto quanto eu sofrera.

Mas ela sofreria mesmo assim. A dor seria inimaginável. O fogo a torturaria por dias. Só... não tantos dias.

E no final...

— Não! — urrei, mas sabia que meu protesto era inútil.

A visão de Alice se tornara tão forte que parecia inevitável. Como se fizesse parte da história, não do futuro. Bella, branca como mármore, os olhos brilhando mil vezes mais do que a cena aterrorizante ao nosso redor.

Minhas memórias se intrometeram, mostrando outra imagem sobreposta à visão de Alice: Rosalie. Ressentida, arrependida. Sempre sofrendo pelo que perdera. Nunca se resignando ao que lhe fora imposto. Ela não tivera escolha e nunca nos perdoara.

Será que eu suportaria que Bella me encarasse com os mesmos arrependimentos pelos próximos mil anos?

Sim!, meu lado mais egoísta insistia. Melhor do que deixá-la desaparecer, escapar por entre meus dedos.

Seria melhor mesmo? Se ela pudesse ver todas as consequências e todas as perdas, será que *ela* escolheria isso?

Será que *eu* compreendia o preço daquela decisão? Eu tinha consciência de tudo que abrira mão em troca da imortalidade? Será que o rastreador havia se deparado com o mesmo vazio a que eu estaria destinado um dia? Ou chamas eternas esperavam por nós dois?

— Alice — gemeu Bella, os olhos se fechando.

Será que se referia ao retorno de Alice, ou só tinha desistido de pedir minha ajuda? Eu não fazia nada além de me desesperar.

Bella começou a berrar de novo, um longo grito contínuo de agonia.

Edward!, gritou Alice para mim. Diante da minha hesitação, sua impaciência alcançava um frenesi, mas ela não confiava o bastante em si mesma para agir.

Alice percebeu que eu estava me perdendo. Ela via meus futuros mergulhando em mil tipos diferentes de desespero. Ao longe, chegou a me ver fazendo a única coisa inimaginável que eu ainda não considerara conscientemente. A decisão para a qual eu *sabia* que era fraco demais. Até ver essa versão na sua mente, eu não percebera que existia na minha.

Então eu vi.

Matar Bella.

Seria a coisa certa? Parar sua dor? Dar-lhe, em sua total e perfeita inocência, a chance de um destino diferente do que eu sabia que inevitavelmente me esperava? Uma vida após a morte diferente daquela versão fria e sedenta de sangue para a qual se encaminhava, ardendo, naquele momento?

A dor era demais e eu não podia confiar nos meus pensamentos; estava perdendo o controle porque *Bella estava gritando*.

Voltei meus olhos e minha mente para Carlisle, esperando alguma garantia, alguma absolvição, mas encontrei algo completamente diferente.

Em sua mente, uma víbora do deserto enrolada, escamas cor de areia deslizando com um som seco e áspero.

A imagem foi tão inesperada que fiquei mais uma vez paralisado pelo choque.

— Pode ser que haja uma chance — disse Carlisle.

Havia apenas uma fagulha de esperança em sua mente. Ele via o que o sofrimento de Bella estava fazendo comigo, mas também temia o que a decisão de forçá-la a essa vida poderia causar a ela e a mim no futuro. Ainda assim, aquela pequena esperança...

— Qual? — implorei.

Qual era a chance?

Carlisle voltou a dar pontos no couro cabeludo de Bella. Tinha fé suficiente na sua ideia para que julgasse ser necessário terminar de cuidar dos ferimentos.

— Veja se pode sugar o veneno — disse ele, calmo de novo. — A ferida está bem limpa.

Todos os músculos do meu corpo se retesaram.

— Isso vai dar certo? — indagou Alice.

Ela olhou para o futuro para responder a própria pergunta. Nada estava claro. Nenhuma decisão fora tomada. Minha decisão não fora tomada.

Carlisle não tirou os olhos do que fazia.

— Não sei. Mas precisamos nos apressar.

Eu sabia como o veneno se espalharia. Ela sentira a primeira ardência pouco tempo antes. A queimação subiria pelo pulso, pelo braço. Depois se espalharia cada vez mais rápido.

Não havia tempo para isso.

Mas..., eu queria gritar. *Mas eu sou um vampiro!*

Eu sentiria o gosto do sangue e entraria em frenesi. Ainda mais sendo o sangue *dela*. Só a queimação que ela sentia naquele momento era mais forte que as chamas na minha garganta, no meu peito. Se eu cedesse o pouco que fosse àquela necessidade...

— Carlisle, eu... — Minha voz fraquejou, tomada pela vergonha. Será que ele ao menos percebia o que estava sugerindo? — Não sei se posso fazer isso.

Os dedos de Carlisle moviam tão depressa a agulha de sutura que era quase invisível. Ele tinha seguido para a nuca, à esquerda. Os ferimentos eram muitos.

Ele falou com uma voz tranquila mas séria:

— A decisão é sua, Edward, de uma forma ou de outra.

Vida, morte ou quase vida: minha decisão. Mas será que a vida ao menos estava sob meu poder? Eu nunca havia sido tão forte...

— Não posso ajudá-lo — desculpou-se ele. — Tenho que deter este sangramento aqui, se vai tirar sangue da mão dela.

Bella se agitou em uma nova onda de dor, sacudindo a perna quebrada.

— Edward! — gritou ela.

Seus olhos cheios de sangue se abriram de repente, e dessa vez se concentraram, determinados, focados nos meus. Implorando, pedindo.

Bella estava ardendo.

— Alice — chamou Carlisle —, me dê alguma coisa para imobilizar a perna dela!

Alice disparou para além da minha visão periférica, e eu a ouvi arrancando tábuas do assoalho e quebrando-as em pedaços de tamanho apropriado.

— Edward. — A voz de Carlisle não estava mais controlada. A dor era discernível. Dor por mim, dor pela Bella. — Deve fazer *agora*, ou será tarde demais.

Os olhos desesperados de Bella imploravam por alívio.

Ela estava ardendo, e eu era justamente a pior pessoa para salvá-la. Absoluta e literalmente o pior ser no universo inteiro para essa tarefa.

Mas era o único que estava presente para fazê-lo.

Você precisa fazer isso, ordenei a mim mesmo. *Não há outro jeito. Você não pode falhar.*

Peguei sua mão retorcida, esticando os dedos tensos e segurando-os para que não se mexessem. Prendi a respiração e me inclinei para levar a boca à palma dela.

A pele ao redor do ferimento já estava mais fria que o restante de sua mão. Mudando. Endurecendo.

Selei os lábios em torno do corte pequeno, fechei os olhos e comecei.

Eram apenas algumas gotas de sangue; o veneno já começara a curar a ferida. Só algumas gotas no começo. Apenas o suficiente para molhar a língua.

O sangue me atingiu como uma explosão. Uma bomba detonada no meu corpo e na minha mente. A primeira vez que eu senti o cheiro de Bella, achei que me destruiria. Foi como um corte de papel. Já isso era uma decapitação. Meu cérebro foi separado do corpo.

Mas não era dor. O sangue de Bella era o oposto de dor. Apagava cada queimação que eu já tinha sofrido. E era muito mais que a ausência de dor. Era satisfação, era *êxtase*. Eu me senti preenchido por uma estranha alegria, uma alegria puramente física. Estava curado e vivo, cada nervo zumbindo de contentamento.

Percebi que os efeitos do veneno estavam sendo revertidos. O sangue começou a correr de forma constante, cobrindo minha língua, minha garganta. O gosto gélido e amargo do veneno era um contrapeso muito fraco. Não interferia de forma alguma no poder do sangue dela.

Êxtase. Exultação.

Meu corpo sabia muito bem que havia mais para beber, ali tão perto. *Mais*, pedia meu corpo, *mais*.

Mas meu corpo não podia se mexer. Eu me forçara a parar e me mantivera assim. Mal conseguia pensar para saber por que, mas me recusei a me libertar.

Eu tinha que pensar. Tinha que parar de *sentir* e pensar.

Havia algo além do êxtase.

Dor, havia dor que o prazer não alcançava. Dor que estava ao mesmo tempo do lado de fora e dentro da minha mente.

A dor era aguda e dissonante. Crescia cada vez mais.

Bella estava gritando.

Busquei mentalmente algo a que me agarrar e encontrei um salva-vidas à minha espera.

Sim, Edward. Você consegue. Está vendo? Vai salvá-la.

Alice me mostrou mil vislumbres do futuro. Bella sorrindo, Bella dando risada, Bella pegando minha mão, Bella abrindo os braços para mim, Bella olhando meus olhos com fascínio, Bella caminhando ao meu lado na escola, Bella sentada comigo em sua picape, Bella dormindo nos meus braços, Bella levando a mão à minha bochecha, Bella segurando meu rosto e encostando os lábios nos meus. Mil cenas diferentes com Bella, saudável e inteira, viva e feliz, e ao meu lado.

O êxtase, a alegria física, diminuiu.

O gosto do veneno era forte. Ainda era cedo demais.

Eu lhe mostro quando chegar a hora, prometeu Alice.

Mas senti que eu estava chegando a um ponto *irreversível*. Estava me perdendo. Eu ia matá-la, e meu corpo zumbiria de alegria o tempo todo.

O grito de Bella enfraqueceu, afrouxando a conexão com a dor que eu precisava sentir. Ela gemeu algumas vezes, então suspirou.

Eu ia matá-la.

— Edward? — sussurrou ela.

— Ele está bem aqui, Bella — garantiu Alice.

Bem aqui, matando você.

Eu mal percebia qualquer outra coisa. Os sons sumiram, a luz pareceu escurecer atrás das minhas pálpebras, não havia mais nada, só o sangue. Até mesmo os pensamentos de Alice, quase aos berros, pareciam abafados e distantes naquele momento.

Está na hora, avisou Alice. *Agora, Edward.*

Em meio à minha concentração quase total, eu senti o sabor. A ardência gelada sumira. Um novo gosto químico a substituiu, e parte de mim percebeu que Carlisle vinha trabalhando rápido.

Pare, Edward! Agora!

Mas Alice notou que eu estava perdido. Eu a ouvia se perguntando freneticamente se conseguiria me afastar de Bella, ou se essa luta só a machucaria mais.

— Fique, Edward... — sussurrou Bella, mais tranquila. — Fique comigo...

Sua voz baixa penetrou minha mente, ainda mais forte que o pânico de Alice, mais alta que todo o caos dentro de mim e ao meu redor. Ouvir que ela confiava em mim foi decisivo, pareceu reconectar meu cérebro ao corpo. Aquilo me tornou inteiro novamente.

E deixei sua mão cair dos meus lábios. Ergui a cabeça e olhei para seu rosto. Ainda coberto de sangue, ainda pálido, olhos fechados, mas calmo. Sua dor diminuíra.

— Eu ficarei — prometi com a boca suja de sangue.

Sua boca estremeceu em um sorriso frágil.

— Saiu tudo? — perguntou Carlisle.

Ele temia ter usado o analgésico antes da hora, disfarçando a ardência do veneno.

Mas Alice vira que tudo ficaria bem.

— O sangue dela está limpo. — O som da minha voz era rouco, ressecado. — Posso sentir a morfina.

— Bella? — chamou Carlisle em uma voz clara e baixa.

— Hmmm? — Foi a resposta dela.

— O fogo passou?

— Sim — disse ela, num sussurro um pouco mais claro. — Obrigada, Edward.

— Eu te amo.

Ela suspirou, ainda de olhos fechados.

— Eu sei.

A risada que subiu borbulhando do meu peito me surpreendeu. Eu sentia o sangue de Bella na língua. Provavelmente estava tingindo o contorno das minhas íris de vermelho naquele momento. Estava secando nas minhas roupas e colorindo minha pele. Mas mesmo assim ela conseguia me fazer rir.

— Bella? — chamou Carlisle de novo.

— O quê?

Ela respondeu com um tom irritado. Parecia meio adormecida e ansiosa para se entregar de uma vez ao sono.

— Onde está sua mãe?

Seus olhos se abriram por um segundo, e ela suspirou.

— Na Flórida. Ele me *enganou*, Edward. Ele viu meus *vídeos*.

Embora ela estivesse quase inconsciente graças ao trauma e à morfina, era óbvio que tinha ficado profundamente ofendida com aquela invasão de privacidade. Eu sorri.

— Alice. — Bella se esforçou para abrir os olhos, até que desistiu, mas as palavras eram tão urgentes quanto ela era capaz de expressar naquelas condições. — Alice, o vídeo... Ele conhecia você, Alice, ele sabia de onde você veio. Estou sentindo cheiro de gasolina?

Emmett e Jasper tinham voltado depois de pegar o químico acelerante de que precisávamos. As sirenes ainda soavam ao longe, mas de outra direção. Não nos encontrariam.

Com uma expressão séria, Alice disparou pelo piso destruído até a sala com o vídeo. Pegou a pequena câmera, que continuava ligada, e a desligou.

No instante em que decidiu pegar a câmera, centenas de fragmentos do futuro surgiram em sua mente, imagens daquele lugar, de Bella, do rastreador, do sangue. Era o que ela veria ao rebobinar a gravação, tudo tão rápido e tão desordenado que era difícil para o restante de nós apreender muita coisa. Seus olhos encontraram os meus.

Vamos lidar com isso depois. Temos mil coisas a fazer agora para resolver esse pesadelo.

Percebi que, ao se apressar para fazer as tarefas bastante complicadas que precisávamos terminar naquele momento, ela estava afastando os pensamentos da câmera de propósito, mas não insisti. Mais tarde.

— Está na hora de levá-la — disse Carlisle.

O cheiro da gasolina que Emmett e Jasper espalhavam pelas paredes começava a se tornar insuportável.

— Não — murmurou Bella —, eu quero dormir.

— Pode dormir, meu amor — sussurrei no seu ouvido —, eu carrego você.

Sua perna estava bem protegida na tipoia de tábuas que Alice montara, e de alguma forma Carlisle encontrara tempo de enfaixar suas costelas. Com mais cuidado do que nunca, eu a ergui do chão ensanguentado, tentando amparar seu corpo inteiro.

— Durma agora, Bella — sussurrei.

27. TAREFAS

— Temos tempo para... — disse Alice.

— Não — interrompeu Carlisle. — Bella precisa de sangue imediatamente.

Alice suspirou. Se fôssemos ao hospital primeiro, as coisas se complicariam.

Carlisle estava ao meu lado no banco traseiro do Cayenne, pressionando de leve a carótida de Bella e segurando sua cabeça com a outra mão. A perna na tipoia se estendia por cima das coxas de Emmett, sentado do meu outro lado. Ele prendia a respiração. Olhava pela janela, tentando não pensar no sangue espalhado em mim, em Bella e em Carlisle, que aos poucos secava. Tentando não pensar no que eu tinha acabado de fazer. No quanto aquilo era impossível. Na força que ele sabia não ter.

Em vez disso, ele remoía sua insatisfação com a luta. Afinal, *francamente*... Ele estivera com o rastreador *na mão*. Totalmente preso, embora o rastreador tivesse lutado, se debatido e se agitado tentando fugir dos braços de ferro de meu irmão. Ele não tivera a menor chance contra Emmett, que já estava destruindo-o quando Jasper entrou na sala ensanguentada.

Jasper, machucado e feroz, olhos afiados e vazios ao mesmo tempo, parecendo algum deus esquecido ou a personificação da guerra, projetando uma aura de pura violência. E então o rastreador desistiu. Naquela fração de segundo em que viu Jasper, ele se entregou ao seu destino (mas Emmett não se dera conta disso na hora). Não importava que seu destino já estivesse decidido desde o momento em que Emmett o alcançara; foi *aquilo* que o desencorajou.

E, agora, isso estava deixando Emmett louco.

Algum dia, em breve, eu teria que descrever a Emmett como estava a aparência dele na clareira e por quê. Eu duvidava de que qualquer outra coisa acalmasse sua raiva.

Jasper estava no banco do motorista, com a janela aberta para que o ar quente e seco entrasse, mas, assim como Emmett, não estava respirando. Alice, ao seu lado, dava ordens sobre onde virar, por quais ruas seguir, a velocidade máxima para não chamarmos atenção indesejada. Ela o fez dirigir a exatamente cento e sete quilômetros por hora. Eu teria insistido para nos apressarmos, mas Alice tinha certeza de que conseguiria nos levar ao hospital mais rápido que eu. Driblar viaturas da polícia só nos atrasaria e complicaria *tudo*.

Alice podia até estar monitorando cada faceta dessa viagem, mas sua mente estava em uma dezena de lugares diferentes, encontrando maneiras de completar as tarefas necessárias, avaliando as consequências de cada escolha disponível.

Alice tinha certeza de poucas coisas.

Então pegou o celular, ligou para a companhia aérea — uma que ela já sabia que teria o voo certo — e comprou uma passagem que saía às duas e quarenta da tarde para Seattle. Era um horário arriscado, mas ela via Emmett no avião.

Ela via o dia à frente com tanta clareza quanto se estivesse acontecendo, e eu o via também.

Primeiro, Jasper deixaria Carlisle, Bella e eu no hospital St. Joseph's. Havia outros mais próximos, mas Carlisle insistiu. Ele conhecia um cirurgião que o ajudaria, e era um centro de trauma reconhecido nacionalmente. A urgência de Carlisle e a palidez de Bella — embora seu coração continuasse batendo com força e consistência — me impediam de fazer algo além de me desesperar em silêncio e reclamar da nossa velocidade modesta.

— Ela vai ficar bem — resmungou Alice quando viu que eu estava prestes a reclamar de novo.

Então enfiou na minha cabeça uma imagem de Bella sentada em uma cama de hospital, sorrindo, ainda que cheia de machucados.

Mas eu percebi sua leve mentira.

— E *quando* exatamente vai ser isso?

Daqui a um ou dois dias, tá? Três, no máximo. Vai ficar tudo bem. Relaxe.
Meu pânico só aumentou quando processei aquilo. Três dias?
Carlisle não precisava ler pensamentos para entender minha expressão.

— Ela só precisa de tempo, Edward — tranquilizou-me. — O corpo dela precisa de descanso para se recuperar, assim como a mente. Ela vai ficar bem.

Tentei aceitar isso, mas sentia que ia perder o controle de novo. Concentrei-me em Alice. Seu planejamento metódico era melhor que minha agitação inútil.

O hospital, de acordo com o que ela via, seria difícil. Estávamos em um carro roubado que tinha uma conexão com outro carro roubado e um engavetamento de vinte e sete veículos na Rodovia 101. Havia muitas câmeras em torno da entrada de emergência. Se a gente parasse para trocar o carro por outro melhor, mais parecido com o que Alice alugaria mais tarde, levaria em torno de quinze minutos, só um desvio rápido, e ela sabia exatamente aonde ir...

Eu rosnei, e ela bufou uma vez sem olhar para mim.

Isso nunca vai deixar de ser irritante, resmungou Emmett em sua mente.

Então nada de trocar de carro. Alice aceitou e seguiu em frente. Teríamos que estacionar fora do alcance das câmeras, o que nos tornaria mais suspeitos. Por que não parar logo em frente à entrada da emergência com nossa paciente inconsciente? Por que carregá-la além do necessário? Pelo menos haveria sombra para mim e Carlisle, do contrário enfrentaríamos as câmeras e Alice teria que descobrir como entrar no centro de segurança em que as gravações ficavam guardadas. Ela simplesmente não tinha tempo para isso. Precisava fazer check-in em um hotel e criar uma cena violenta o mais rápido possível, porque deveria ter acontecido *antes* de chegarmos ao hospital.

Óbvio que isso era urgente. Mas primeiro ela precisava de sangue.

O sangue devia chegar rápido. Quando eu entrasse pelas portas da emergência parecendo ter sido atingido por um balde de tinta carmim e carregando um corpo inerte nos braços, causaria grande comoção. Qualquer funcionário em um raio de cem metros viria correndo na nossa direção em segundos. Seria bastante simples para Alice entrar escondida atrás de Carlisle e passar direto pela recepção. Ela via que ninguém a questionaria. Um par de sapatilhas cirúrgicas disponível em uma caixa presa à parede cobriria os sapatos manchados de sangue, e então seria apenas uma questão de entrar na sala de armazenagem de sangue, passando por uma porta entreaberta.

— Emmett, me dê seu moletom.

Com cuidado para não mover a perna de Bella, Emmett tirou o moletom e entregou para Alice. Estava impressionantemente limpo, em especial quando comparado às minhas roupas e às de Carlisle.

Emmett quis perguntar por que ela precisava disso, mas não ousou abrir a boca e correr o risco de sentir o gosto ou o cheiro do entorno.

Alice vestiu o moletom gigante, que engoliu seu corpo pequeno. Mesmo assim, de alguma forma, ficou estiloso. Qualquer roupa lhe caía bem.

Alice se viu no banco de sangue de novo, enchendo os bolsos fundos do moletom.

— Qual o tipo sanguíneo da Bella? — perguntou para Carlisle.

— "O" positivo — respondeu ele.

Então alguma coisa boa tinha vindo do acidente de Bella com a van de Tyler. Pelo menos sabíamos disso.

Alice provavelmente estava sendo cuidadosa demais. Será que alguém se importaria de verificar o tipo sanguíneo deixado na cena do "acidente"? Talvez, se parecesse demais com uma cena de crime... Não havia mal em ser meticulosa, supus.

— Deixe o bastante para Bella — avisei.

Ela se virou no banco para que eu pudesse vê-la revirar os olhos, então voltou para a frente e continuou com seu plano.

Jasper e Emmett ficariam no carro roubado, com o motor ligado. Alice só levaria dois minutos e meio para entrar e sair do hospital.

Escolheria um hotel por perto, para disfarçar. Quando decidiu isso, viu o hotel que queria, alguns quarteirões ao sul. Não era um lugar em que ela realmente *se hospedaria*, claro, mas serviria de cenário macabro.

Enquanto ela planejava o check-in, parecia que observávamos tudo em tempo real.

Alice entra na recepção modesta do hotel. Nela, os sapatos tingidos de bordô e o moletom comprido amarrado na cintura parecem alta-costura. A mulher no balcão está sozinha. Ergue os olhos, sem muito interesse de início, mas então nota o rosto lindo de Alice. Ela a encara, fascinada, mal notando que Alice está de mãos vazias.

Mas Alice não fica satisfeita.

A visão retrocede. Ela está de volta ao hospital, saindo do banco de sangue com quatro bolsas geladas de fluido nos bolsos. Corta caminho, enfiando-se em uma área de tratamento intensivo com a cortina fechada. Uma mulher dorme, os sinais vitais apitando nos monitores logo atrás. Há uma sacola com os pertences da mulher e uma mala azul ao lado. Alice pega a mala e volta para o corredor. O desvio só acrescentou dois segundos ao percurso.

Alice está de volta à recepção do hotel. Não está de moletom e segura a mala. A mulher atrás do balcão olha uma vez, depois outra. Dessa vez não há nada de errado com a imagem. Alice solicita dois quartos, um de casal e um de solteiro. Coloca sua carteira de motorista — a verdadeira — no balcão junto de um cartão de crédito em seu nome. Conversa um pouco sobre o pai e o irmão, que foram procurar uma vaga coberta para o carro. A mulher começa a digitar no computador. Alice dá uma olhada para o pulso, que está sem nada.

A visão para.

— Jasper, preciso do seu relógio.

Ele esticou o braço, e ela tirou o Breguet sob medida — presente que ela lhe dera — de seu pulso. Ele não se deu ao trabalho de perguntar o motivo; estava acostumado com isso. O relógio ficava largo demais nela. Alice o usava como pulseira, e ficava perfeito; podia até virar tendência.

A visão recomeça.

Alice olha o relógio, que fica muito chique em seu pulso.

— São só dez para as onze — diz para a mulher. — Seu relógio ali está adiantado.

A mulher assente, distraída, digitando na reserva o horário que Alice acabou de lhe dizer.

Alice fica um pouco imóvel demais, esperando a mulher terminar. Isso leva muito mais tempo do que deveria, mas não há nada a fazer além de esperar.

Por fim, a mulher entrega dois conjuntos de chaves e anota os números. Ambos começam com um: 106 e 108.

A visão retrocede.

Alice entra na recepção. A mulher atrás do balcão olha uma vez, depois outra. Alice solicita dois quartos, um de casal, outro de solteiro. *Segundo andar, por favor, se não der muito trabalho.* Ela coloca os cartões no balcão. Conversa sobre a família. A mulher digita no computador. Alice corrige a hora. Espera.

A mulher entrega dois conjuntos de chaves magnéticas. Anota os números 209 e 211. Alice sorri para ela e pega as chaves. Segue em velocidade humana até a escada.

Alice entra nos dois quartos, deixando a bolsa no primeiro, acende as luzes, fecha as cortinas e coloca as placas "Não perturbe" nas portas. Com as bolsas de sangue em mãos, segue pelo corredor vazio até outra escada. Ninguém a vê. Ela para no meio da escada. Na base há uma saída. Ao lado, a porta é emoldurada por um painel de vidro do chão ao teto. Não tem ninguém perto da saída.

Alice pega o celular e disca.

— Buzine por três segundos.

Uma buzina irritantemente barulhenta surge no estacionamento, cobrindo o som do tráfego pesado na rodovia (outra, não a que nós praticamente fechamos).

Alice se joga da escada, encolhendo-se como uma bola de boliche. Ela atravessa o centro do painel, estilhaçando-o. O vidro cai na calçada e no cascalho, e alguns cacos chegam inclusive ao estacionamento. É uma explosão reluzente, brilhando sob a luz branca. Alice se esconde na sombra da porta e, uma por uma, abre as bolsas de sangue usando os cacos de vidro que restaram na esquadria, deixando sangue nas beiradas. Ela joga o conteúdo de uma das bolsas de forma que o sangue se espalhe pelo vidro como um leque. Ela derrama as outras duas na beirada da calçada, deixando que o sangue forme uma poça, seja absorvido pelo concreto e escorra pelo asfalto.

A buzina silencia.

Alice liga de novo.

— Podem me buscar.

O Cayenne aparece quase imediatamente. Alice corre sob a luz do sol e se esconde na parte de trás, a última bolsa de sangue nas mãos.

Então retornei ao momento presente com ela. Alice estava satisfeita com a resolução daquela parte. Voltou a atenção para as outras. Nenhuma era tão divertida quanto aquela, mas todas eram vitais.

— *Divertida* — falei, bufando.

Ela me ignorou.

De volta ao aeroporto. Ela escolhe um Suburban branco no balcão de aluguel de carros. Não é tão parecido com o Cayenne, mas é grande e branco, e qualquer testemunha com uma história diferente vai ser ignorada. Ela não vê nenhuma dessas testemunhas, mas está sendo meticulosa.

Alice dirige o Cayenne. Tem mais facilidade com o cheiro que Jasper e Emmett; embora Bella não esteja mais em perigo por isso, o cheiro arde quando eles respiram. Os dois a seguem a uma distância segura no Suburban. Ela encontra um lava a jato chamado Deluxe Detail. Paga com dinheiro e avisa ao rapaz na recepção — que encara, hipnotizado, seu rosto — que sua sobrinha vomitou um montão de suco de tomate no banco de trás. Ela aponta para os sapatos. O rapaz encantado promete que o carro vai estar um brinco quando terminarem. (Ninguém vai questionar essa história. O homem que faz a limpeza, temendo passar mal com o cheiro de vômito, só vai respirar pela boca.) Ela diz que seu nome é Mary. Pensa em lavar os sapatos no banheiro, mas vê que não vai ajudar muito.

Alice vai esperar uma hora até o carro ficar pronto. Liga para o hotel depois de quinze minutos, esgueirando-se pela porta dos fundos e parando na sombra, onde o som dos aspiradores de pó e lavadoras de alta pressão impedem que alguém entreouça suas palavras.

Ela pede desculpas, com a voz frenética, à mesma mulher da recepção. Uma amiga veio encontrá-los, um acidente *horrível* na escada dos fundos. A janela... o *sangue...* (Alice mal consegue formar frases coerentes.) Sim, ela está no hospital com a amiga agora. Mas a *janela*! O *vidro*! Outra pessoa pode se *machucar*. Por favor, aquela parte deveria ficar interditada até a manutenção poder limpar. Ela tem que desligar, vai precisar voltar para ver a amiga. Obrigada. Sinto *muito*.

Alice vê que a mulher da recepção não vai ligar para a polícia. Vai ligar para o gerente, que vai mandar limparem tudo antes que outra pessoa se machuque. Essa será a história quando a papelada chegar: eles limparam as provas por questão de segurança. Vão esperar, em um suspense horrível, pelo processo judicial que nunca virá. Vão levar mais de um ano até se darem conta da sorte incrível que tiveram.

Com os detalhes resolvidos, Alice examina o banco traseiro. Não há provas visíveis. Ela dá uma gorjeta ao rapaz. Entra no Cayenne e respira fundo pelo nariz. Bom, o carro não vai passar por um teste com luminol; ela vê que isso nunca vai acontecer.

Jasper e Emmett a seguem até um shopping no centro de Scottsdale. Ela para o Cayenne no terceiro andar de um estacionamento gigante. Vão se passar quatro dias até que o segurança avise sobre o veículo abandonado.

Alice e Jasper fazem compras enquanto Emmett espera no carro alugado. Ela compra um par de tênis em uma loja da Gap lotada. Ninguém olha para seus pés. Ela paga em dinheiro.

Alice compra para Emmett um casaco de capuz de tecido fino que até cabe nele. Compra seis sacolas de roupas para ela mesma, para Carlisle, Emmett e para mim. Usa um documento e um cartão de crédito diferentes dos que usou no hotel. Jasper age como se fosse segurança de Alice.

Por fim, ela compra quatro malas de mão descombinadas. Alice e Jasper as empurram até o carro alugado, onde ela arranca as etiquetas e enche cada uma com as roupas novas em folha.

Alice joga os sapatos sujos de sangue em uma caçamba no caminho.

As cenas não voltam, nem são refeitas. Tudo corre perfeitamente bem.

Jasper e Alice deixam Emmett no aeroporto. Ele leva uma das malas de mão; parece menos suspeito do que no voo de manhã.

Encontram o Mercedes de Carlisle onde o deixaram no estacionamento. Jasper dá um beijo em Alice e começa a longa viagem de volta para casa.

Depois que os meninos vão embora, Alice esvazia a última bolsa de sangue no banco de trás e no assoalho do carro alugado. Leva o veículo até um lava a jato em que o cliente faz o serviço, ao lado de um posto de gasolina. Ela não faz um trabalho tão bom quanto os profissionais do primeiro lava a jato. Vai levar multa quando entregar o carro.

Vai estar chovendo quando Emmett pousar em Seattle, meia hora antes do pôr do sol. Um táxi vai levá-lo até a barca. Será fácil para ele entrar no estuário de Puget e jogar a mala na água, e depois — nadando e correndo — levará só meia hora para chegar em casa. Vai pegar a picape de Bella e voltar imediatamente para Phoenix.

Alice franziu a testa e balançou a cabeça no momento presente. Esse plano demoraria demais. A picape era incrivelmente lenta.

Estávamos a apenas quatro minutos do hospital. Bella respirava vagarosa e constantemente nos meus braços, e ainda estávamos todos cobertos de sangue. Emmett e Jasper prendiam a respiração. Eu pisquei e tentei me concentrar. Quando as visões de Alice eram tão detalhadas, ficava fácil perder a noção do que acontecia no presente. Ela se adaptava melhor às idas e vindas do que eu.

Alice abriu o celular de novo e então digitou um número. O moletom de Emmett era muito largo para ela, e o relógio de Jasper balançava no pulso.

— Rose?

Naquele espaço apertado e silencioso, todos ouvimos a voz assustada de Rosalie, quando falou:

— O que está acontecendo? Emmett...

— Emmett está *ótimo*. Eu preciso...

— Cadê o rastreador?

— O rastreador não é mais um problema.

Todos ouvimos Rosalie arfar.

— Preciso que você alugue um reboque — instruiu Alice. — Ou compre um, o que for mais rápido... Tem que ser um veículo potente. Carregue a picape de Bella e encontre Emmett em Seattle. O voo pousa às cinco e meia.

— Emmett está vindo para casa? O que houve? Por que eu vou rebocar aquela picape ridícula?

Por um breve momento, me perguntei por que Alice ia mandar Emmett para casa. Por que não deixar Rosalie trazer a picape para onde estávamos? Era a solução óbvia. Então me dei conta de que Alice não *via* Rosalie nos ajudando assim, e senti uma onda gelada de amargura ao me lembrar disso. Rosalie tinha tomado sua decisão.

Emmett queria pegar o telefone, acalmar Rose, mas ainda não conseguia abrir a boca.

Era incrível como ele e Jasper estavam se saindo bem. Pensei que o estímulo extra da luta provavelmente ainda os afetava, ajudando-os a ignorar o sangue.

— Não se preocupe com isso — retrucou Alice. — Só estou amarrando umas pontas soltas. Emmett vai te contar tudo em detalhes. Avise a Esme que acabou, mas vamos ficar presos por um tempo. É melhor ela ficar perto do pai de Bella caso a ruiva...

A voz de Rosalie ficou tensa.

— Ela vai vir atrás de Charlie?

— Não, não estou vendo isso — garantiu Alice. — Mas melhor prevenir, certo? Carlisle vai ligar para ela assim que possível. Rápido, Rose, o prazo é apertado.

— Você é tão irritante.

Alice desligou o celular.

Pelo menos Emmett vai poder ficar com as roupas. Que bom. Vão ficar incríveis nele.

Emmett ficou feliz com a ligação. Feliz de saber que estaria com Rose em poucas horas e que ela ouviria seu lado da história. Não havia motivo para mencionar aquela coisa ridícula com Jasper. Se Alice não via problemas com a ruiva, Rose poderia voltar para Phoenix com ele. Ou talvez ela não quisesse... Ele olhou para o rosto enfraquecido de Bella, a perna quebrada. Uma onda de afeição e preocupação fraternais o atingiu.

Ela é uma menina muito legal. Rose vai ter que superar isso, pensou. *E rápido.*

A testa de Alice estava franzida. Ela pensou em cada tarefa e avaliou as consequências de todas as centenas de escolhas que fizera. Ela se viu no hospital, levando roupas das nossas malas para trocarmos as peças sujas de sangue. Será que ela vira tudo? Será que algum detalhe lhe escapara?

Estava tudo bem. Ou ficaria tudo bem.

— Muito bem, Alice — sussurrei, satisfeito.

Ela sorriu.

Jasper parou na emergência do hospital, mantendo distância da câmera na lateral da entrada, procurando a sombra.

Eu segurei Bella com mais firmeza e me preparei para passar por tudo aquilo de novo pela primeira vez.

28. TRÊS CONVERSAS

Dr. Sadarangani, amigo de Carlisle, realmente facilitou as coisas. Carlisle lhe mandara uma mensagem enquanto ainda traziam uma maca para transportar Bella. Dr. Sadarangani levou só alguns minutos para providenciar a primeira transfusão. Assim que Bella começou a receber o sangue, Carlisle relaxou. Ele estava certo de que, de maneira geral, seu quadro era bom.

Para mim, não era tão fácil manter a calma. É claro que eu confiava em Carlisle, e o Dr. Sadarangani parecia competente. Consegui ler sua avaliação sincera sobre o estado de Bella. Ouvi o deslumbramento do Dr. Sadarangani e de sua equipe quando examinaram a sutura perfeita dos ferimentos, o reposicionamento impecável da perna, realizado no próprio local. Ouvi o Dr. Sadarangani, a portas fechadas, contando aos colegas sobre as façanhas do Dr. Cullen no hospital de uma região pobre de Baltimore, onde trabalharam juntos quatorze anos antes. Ouvi sua surpresa ao dizer que a aparência de Carlisle não mudara nada, e também as suspeitas não ditas de que o Dr. Cullen teria feito uma plástica, apesar das alegações de Carlisle de que o ar úmido e fresco do noroeste do Pacífico fosse uma fonte natural de juventude. Ele estava tão otimista em relação a Bella que solicitou a visita de Carlisle a alguns pacientes ainda sem diagnóstico, declarando a seus residentes que nunca veriam um diagnosticista melhor do que o Dr. Cullen. E Carlisle estava tão confiante quanto ao estado de Bella que concordou em ajudar.

No entanto, para nenhum deles aquilo se tratava de uma questão de vida ou morte... só para mim. Era a *minha* vida naquela maca. Minha vida, pálida e inerte, coberta de tubos, ataduras e gesso. Tentei me controlar o máximo que pude.

Como médico responsável, Dr. Sadarangani foi o primeiro a ligar para Charlie, uma conversa penosa de escutar. Carlisle imediatamente pegou o telefone e explicou, da forma mais sucinta possível, a versão fictícia do que ele e eu estávamos fazendo ali. Então garantiu que tudo estava correndo bem e prometeu ligar em breve com mais informações. Ouvi o pânico na voz de Charlie, e tive certeza de que ele não estava mais convencido do que eu.

Não demorou muito para que considerassem a condição de Bella estável e a transferissem para um quarto. Alice ainda nem tinha terminado suas tarefas.

O sangue novo pulsando no corpo de Bella alterou seu cheiro, como esperado, mas, mesmo assim, me pegou de surpresa. Embora eu percebesse uma redução significativa na minha sede dolorosa, não gostei da mudança. Esse sangue estranho parecia um intruso, um forasteiro. Não fazia parte dela, e, por mais irracional que fosse, eu me ressentia da invasão. Seu cheiro começaria a retornar em apenas vinte e quatro horas, antes mesmo que ela acordasse, mas a substituição integral do que perdera só aconteceria após várias semanas. De qualquer modo, essa breve distorção funcionava como um lembrete incisivo demais de que, no futuro próximo, eu perderia para sempre o cheiro que me atraíra por tanto tempo.

Fizemos tudo o que poderia ser feito. Só nos restava aguardar.

Durante esse intervalo interminável, poucas coisas conseguiam prender minha atenção. Mandei notícias para Esme. Alice voltou, mas foi embora quando viu que eu preferia ficar sozinho. Eu observava, pela janela que dava para o leste, uma rua movimentada e alguns arranha-céus despretensiosos. E escutava o batimento regular do coração de Bella para me manter são.

Algumas conversas, porém, tinham certa relevância para mim.

Carlisle esperou até estar no quarto de Bella comigo e então ligou novamente para Charlie. Ele sabia que eu gostaria de ouvir a conversa.

— Olá, Charlie.

— Carlisle? Como Bella está?

— Ela recebeu uma transfusão de sangue e fez uma ressonância magnética. As coisas estão caminhando muito bem por enquanto. Ao que parece, não deixamos passar nenhuma lesão interna.

— Posso falar com ela?

— Estão mantendo-a sedada por um tempo. É totalmente normal. Ela sentiria muita dor se estivesse acordada. — Estremeci, e Carlisle continuou: — Ela precisa de alguns dias para se recuperar.

— Você tem *certeza* de que está tudo bem?

— Dou minha palavra, Charlie. Se acontecer algo digno de preocupação, avisarei imediatamente a você. Ela vai mesmo ficar bem. Terá que usar muletas durante algum tempo, mas, fora isso, vai voltar à vida normal.

— Obrigado, Carlisle. Fico feliz que você esteja aí.

— Eu também.

— Sei que isso deve estar deixando você longe de...

— Não se preocupe, Charlie. Será um prazer ficar com Bella até ela ter condições de voltar para casa.

— Admito que isso me deixa muito mais tranquilo. E... Edward também vai ficar? Quer dizer, com a escola e tudo o mais...

— Ele já conversou com os professores — respondeu Carlisle, apesar de ter sido Alice quem resolveu tudo —, e vão deixar que ele estude à distância. Ele está pegando o dever de casa da Bella também, mas tenho certeza de que os professores vão dar um desconto para ela. — Carlisle baixou um pouco o tom de voz: — Ele está arrasado com essa história toda.

— Não sei se eu entendi. Ele... Edward convenceu você a ir até Phoenix?

— Isso. Ele ficou extremamente preocupado quando Bella foi embora. Se sentiu responsável. Ele achou que precisava consertar as coisas.

— Mas o que realmente *aconteceu*? — perguntou Charlie, parecendo chocado. — Estava tudo normal, até que de repente Bella gritou que gostava do seu filho, que isso era um problema, e depois saiu correndo no meio da noite? Você conseguiu tirar alguma informação coerente do Edward?

— Sim, tivemos tempo de discutir tudo no caminho. Acho que Edward contou a Bella que gostava dela. Ele disse que no início ela parecia feliz, mas depois alguma coisa claramente começou a incomodá-la. Ela ficou chateada e quis ir para casa. Quando chegaram lá, mandou que ele fosse embora.

— É, isso eu vi.

— Edward ainda não entendeu por quê. Os dois não tiveram chance de conversar antes que...

Charlie suspirou.

— Essa parte eu entendo. É uma situação complicada com a mãe dela. Só acho que ela reagiu de forma um pouco exagerada.

— Com certeza ela teve seus motivos.

Charlie pigarreou, pouco à vontade.

— Mas o que você acha disso tudo, Carlisle? Quer dizer, eles são adolescentes ainda. Não é meio... intenso?

Carlisle respondeu com uma risada jovial.

— Você não se lembra mais como era ter dezessete anos?

— Para falar a verdade, não.

Carlisle riu novamente.

— Não se lembra da primeira vez que se apaixonou?

Charlie ficou em silêncio por um tempo.

— É, eu lembro. É uma coisa difícil de esquecer.

— Verdade. — Carlisle suspirou. — Desculpe, Charlie. Se nós não tivéssemos vindo para cá, ela nem estaria naquela escada para começo de conversa.

— Por favor, não fale *assim*, Carlisle. Se vocês não estivessem aí, ela poderia ter caído de uma janela qualquer. E não teria tido a mesma sorte sem vocês por perto.

— Só fico feliz por ela estar fora de perigo.

— Fico muito angustiado por não estar aí.

— Posso providenciar um voo com o maior prazer...

— Não, esse não é o problema. — Charlie suspirou. — Você sabe que não temos muitos crimes sérios por aqui, mas finalmente vão julgar aquele ataque horrível que aconteceu no verão. Se eu não estiver aqui para testemunhar, isso só vai ajudar a defesa.

— É claro, Charlie. Não há nenhum motivo para você se preocupar. Faça o seu trabalho, ajude a condenar o mau caráter, e eu vou garantir que Bella volte para você em boas condições, o mais rápido possível.

— Eu ficaria maluco se você não estivesse aí. Então obrigado mais uma vez. Vou mandar a Renée no meu lugar. Provavelmente isso vai deixar Bella mais feliz, de qualquer forma.

— Ótima ideia. Será um prazer conhecer a mãe de Bella.

— Já vou avisando que ela vai exagerar nos cuidados.

— É direito dela como mãe.

— Obrigado de novo, Carlisle. Obrigado por tomar conta da minha menina.

— É claro, Charlie.

Carlisle permaneceu comigo apenas alguns minutos depois de desligar. Para ele, era sempre difícil ficar parado em um hospital cheio de seres humanos sofrendo. O fato de ele não ver problema em se afastar de Bella deveria ter me deixado tranquilo. Mas não deixou.

O próximo acontecimento importante foi a chegada da mãe dela. Já era quase meia-noite quando Alice me informou que Renée estaria no quarto em quinze minutos.

Tentei me arrumar um pouco no banheiro anexo. Alice trouxera roupas novas, então pelo menos eu não estava com uma aparência sinistra. Felizmente, quando me lembrei de verificar, meus olhos tinham voltado ao normal, à cor ocre-escuro. Não que um pequeno aro vermelho fosse tão perceptível com tudo o que estava acontecendo; eu simplesmente não queria vê-lo.

Quando terminei essa parte, voltei às minhas reflexões. Fiquei pensando se a mãe de Bella me responsabilizaria mais do que o pai. Se algum deles soubesse a história verdadeira...

Minhas reflexões melancólicas foram bruscamente interrompidas por algo inesperado. Algo que eu nunca tinha ouvido, o que era muito raro... Era uma voz tão clara e tão forte que, por um segundo, achei que alguém tivesse entrado no quarto sem eu perceber.

Minha filha. Por favor, alguém me ajude. Para onde eu vou? Meu bebê...

Em seguida, pensei que alguém estivesse gritando na recepção no andar de baixo — pois, depois que me concentrei, a voz parecia vir dali —, mas ninguém tinha reparado em qualquer tumulto.

Outra coisa chamava a atenção.

Uma mulher, na casa dos trinta anos, ou talvez mais velha. Bonita, mas visivelmente aflita. Sua angústia era perceptível, evidente, embora estivesse quieta em um canto, parecendo incerta. Diversos auxiliares e duas enfermeiras atarefadas pararam para ver do que a mulher precisava.

Era obviamente a mãe de Bella. Eu já a vira na mente de Charlie, e sua semelhança com a filha era impressionante. Eu achava que a lembrança de

Charlie fosse de Renée mais jovem, mas também poderia ser uma imagem mais atual. Ela não tinha envelhecido muito. Supus que ela e Bella fossem frequentemente confundidas como irmãs.

— Estou procurando minha filha. Ela deu entrada hoje à tarde. Sofreu um acidente. Caiu de uma janela...

A voz de Renée era perfeitamente normal, semelhante à de Bella, mas com um tom um pouco mais agudo. Sua voz mental, no entanto, era lancinante.

Era incrível observar como as outras mentes reagiam. Parecia que ninguém notava a transmissão mental reverberante; contudo, todos se sentiam impelidos a ajudá-la. De alguma forma, todo mundo percebia a necessidade emanando da mulher e era incapaz de ignorá-la. Eu ouvia, fascinado pela interação entre sua mente e a dos outros. Um auxiliar e uma enfermeira a guiaram pelos corredores, levando sua pequena mala, ansiosos por ajudar.

Lembrei-me das minhas especulações sobre a mãe de Bella, minha curiosidade em entender que tipo de mente se combinara com a de Charlie para criar alguém tão distinto e extraordinário como Bella.

Renée era o oposto de Charlie. Fiquei pensando se foi isso que os uniu no início.

Com uma quantidade expressiva de guias, Renée não demorou para encontrar o quarto de Bella. Ela conseguiu mais uma acompanhante no caminho: a enfermeira responsável por Bella, que foi imediatamente atraída pela urgência de Renée.

Por um instante, imaginei Renée como uma vampira. Será que seus pensamentos gritariam para todos, inevitáveis? Ela provavelmente não seria muito popular. Fiquei surpreso ao me pegar sorrindo com essa ideia, distraído.

Renée entrou depressa no quarto, largando a mala na porta, a enfermeira responsável a seu lado. No início, com os olhos voltados apenas para a filha, não me viu apoiado na janela. Bella estava imóvel na cama, os hematomas começando a aparecer em seu rosto. Sua cabeça estava enfaixada — embora Carlisle tenha conseguido evitar que raspassem o cabelo —, e havia tubos e monitores pregados por toda parte. Sua perna quebrada, engessada dos dedos à coxa, estava apoiada em um suporte anatômico de espuma.

Bella, ah, filhinha, olhe o seu estado. Ah, não.

Outro ponto em comum com Bella: o sangue de Renée era doce. Mas não da mesma maneira. O sangue de Renée era doce *demais*, quase enjoativo. Era uma fragrância interessante, apesar de não ser totalmente agradável. Nunca notei nada de incomum no cheiro de Charlie, porém, combinado ao de Renée, tinha gerado algo potente.

— Ela está sedada — disse rapidamente a enfermeira, quando Renée se aproximou da cama com as mãos estendidas. — Vai ficar inconsciente por um tempo, mas a senhora poderá conversar com ela daqui a alguns dias.

— Posso tocar nela? — Era difícil distinguir seu tom, parecia um sussurro e um grito ao mesmo tempo.

— É claro, a senhora pode acariciar o braço dela logo ali, se quiser, só tenha cuidado.

Ela parou ao lado da filha e encostou de leve dois dedos em seu antebraço. As lágrimas começaram a descer em cascata pelo rosto de Renée, e a enfermeira maternalmente colocou um braço ao seu redor. Tive dificuldade em me manter no lugar. Eu queria confortá-la também.

Me desculpe, filha. Me desculpe.

— Está tudo bem, querida. Ela vai ficar boa, viu? Aquele médico bonitão fez as suturas com uma perfeição que eu nunca vi igual. Não precisa chorar, querida. Por que não se senta aqui e relaxa um pouco? Aposto que foi um longo voo. A senhora veio da Geórgia?

Renée fungou.

— Da Flórida.

— Deve estar exausta. Sua filha não vai a lugar nenhum, nem vai fazer nenhuma travessura. Por que não tenta dormir um pouco?

Renée se deixou levar até a poltrona de vinil azul no canto do quarto.

— Precisa de alguma coisa? Temos alguns produtos de higiene pessoal na recepção, se quiser — ofereceu a enfermeira.

Ela fazia o tipo vovó, o cabelo comprido e grisalho enrolado em um coque no alto da cabeça. Seu crachá trazia o nome "Gloria". Eu a encontrara antes sem prestar muita atenção, mas agora sentia certo afeto por ela. Seria devido à sua bondade, ou eu estaria reagindo à avaliação de Renée? Que estranho estar perto de alguém que — de modo aparentemente inconsciente — projetava seus pensamentos daquela forma. Supus que fosse como Jasper, ainda que de um jeito tosco e pouco sofisticado em comparação. E não era uma projeção emocional, aqueles eram definitivamente seus pensamentos. Só que eu estava ciente de ouvi-los.

Isso me deu uma nova perspectiva sobre a vida de Bella com a mãe. Não surpreendia que ela fosse tão protetora, tão acolhedora. Não surpreendia que tivesse renunciado à infância para tomar conta dessa mulher.

— Eu trouxe minhas coisas.

Renée indicou com a cabeça a mala perto da porta.

Eu estava me sentindo um intruso no quarto. Nenhuma das duas tinha reparado em mim, embora minha presença fosse bastante óbvia. À noite reduziam as luzes, mas deixavam iluminação suficiente para as enfermeiras trabalharem.

Resolvi anunciar minha presença.

— Deixe que eu pego para a senhora.

Apressei-me em colocar a mala em um pequeno balcão próximo à poltrona.

Como Charlie, a primeira reação de Renée foi uma pontada repentina de medo e adrenalina. Ela afastou essa sensação prontamente, supondo que estava apenas exausta e que meu movimento inesperado a pegara de surpresa.

Estou com os nervos à flor da pele. Mas quem deve ser esse rapaz? Hum... Será que é o médico bonitão? Parece jovem demais.

— Ah, oi, menino — disse Gloria, com um leve ar de reprovação. Ela já tivera tempo para se acostumar tanto com Carlisle quanto comigo. — Achei que você já tivesse ido para casa.

— Meu pai pediu para eu ficar de olho na Bella enquanto ele ajuda o Dr. Sadarangani. Ele me passou algumas coisas específicas para observar.

Eu havia usado a mesma desculpa várias vezes ao longo do dia. Falava com segurança, e as enfermeiras deixavam as objeções de lado.

— Eles ainda estão trabalhando? Vão acabar dormindo em pé.

É claro que o Dr. Sadarangani já tinha ido para casa havia muito tempo. Mas ele apresentara Carlisle ao hematologista da noite, e Carlisle estava avaliando alguns dos casos mais difíceis.

A mãe de Bella irradiava perplexidade. Gloria se intrometeu para fazer as apresentações.

— Esse é o filho do Dr. Cullen. O Dr. Cullen é o médico que salvou a vida da sua filha.

— Você é o Edward — deduziu Renée.

Esse é o namorado? Ai, meu Deus. Bella não tem a menor chance.

— Só tenho uma poltrona, querido — disse Gloria —, e acho que a Sra. Dwyer precisa mais do que você.

— É claro. Já dormi mais cedo. Estou totalmente confortável em pé.

— Já está muito tarde...

Quero falar com ele.

— Tudo bem — disse Renée em voz alta. — Eu gostaria de ouvir sobre o acidente, se não tiver problema. Vamos falar *bem* baixo.

Fiquei com vontade de rir desse comentário.

— Claro. Vou checar outros pacientes e volto mais tarde. Tente descansar um pouco, querida.

Abri o sorriso mais terno que consegui para a enfermeira, e ela amoleceu um pouco.

Coitadinho. Está realmente preocupado. Não vai fazer mal nenhum se ficar aqui, principalmente na presença da mãe dela.

Eu me aproximei de Renée e estendi a mão. Ela a apertou fracamente, sem se levantar, exausta. Encolheu-se um pouco, com frio, e um eco do fluxo de adrenalina anterior a invadiu.

— Ah, me desculpe, o ar-condicionado está congelante. Sou Edward Cullen. Muito prazer em conhecê-la, Sra. Dwyer. Só gostaria que fosse em circunstâncias melhores.

Ele parece muito maduro.

O quarto repercutiu sua aprovação.

— Pode me chamar de Renée — disse ela. — Me... Me desculpe, não estou muito bem hoje.

Nossa, como ele é bonito.

— É claro que não. A senhora devia descansar, como a enfermeira sugeriu.

— Não — retrucou Renée, suave apenas em sua voz física. — Você se importa de conversar um pouco comigo?

— É claro que não — respondi. — Tenho certeza de que a senhora tem mil perguntas.

Peguei a cadeira de plástico junto à cama de Bella e a coloquei perto de Renée.

— Ela não me contou sobre você — afirmou Renée.

Seus pensamentos deixavam transparecer sua mágoa.

— Eu... sinto muito. Não faz muito tempo que... estamos namorando.

Renée assentiu, depois suspirou.

— Acho que é culpa minha. As coisas andam difíceis com os horários do Phil e, bom, eu não tenho sido a melhor ouvinte.

— Tenho certeza de que ela ia contar logo para a senhora. — E então, diante de sua expressão de dúvida, menti. — Também demorei a contar para os meus pais. Achamos que falar cedo demais podia dar azar. É meio bobo.

Renée sorriu. *Que bonitinho.*

— Não é bobo.

Retribuí o sorriso.

Que sorriso de partir o coração. Ah, espero que ele não esteja brincando com os sentimentos dela.

Eu me apressei em tranquilizá-la.

— Sinto muito pelo que aconteceu. Eu me sinto terrivelmente responsável e faria qualquer coisa para ajudar. Se eu pudesse trocar de lugar com ela, faria isso.

Nada mais do que a pura verdade.

Ela esticou a mão para dar um tapinha no meu braço. Por sorte, a manga era grossa o suficiente para esconder a temperatura da minha pele.

— Não é culpa sua, Edward.

Eu gostaria que ela estivesse certa.

— Charlie me contou parte da história, mas ele estava bastante confuso — confessou ela.

— Acho que todos nós estávamos. Bella também.

Pensei naquela noite, que começou tão inofensiva, cheia de prazer e felicidade. Tudo deu errado rápido demais. Parte de mim ainda tentava acompanhar.

— Foi minha culpa — disse Renée, subitamente arrasada. — Acho que bagunceí a cabeça da minha menina. Ela ter fugido porque gosta de você... Isso é culpa minha.

— Não, não pense assim. — Eu sabia como tinha sido doloroso para Bella dizer aquelas coisas para Charlie. Podia imaginar como ela se sentiria ao saber que a mãe estava assumindo a culpa. — Bella é uma pessoa muito determinada. Faz o que *ela* quer. Bom, provavelmente ela só precisava de um pouco de sol.

Renée esboçou um leve sorriso.

— Talvez.

— A senhora quer saber sobre o acidente?

— Não, eu só disse isso por causa da enfermeira. Bella caiu da escada, não é algo incomum. — Era impressionante a facilidade com que o pai e a mãe aceitaram a história. — Mas a janela foi azar.

— Muito.

— Eu só queria conhecer você um pouco. Bella não agiria assim se os sentimentos dela não fossem fortes. Essa é a primeira vez que ela gosta de alguém de verdade. Não tenho certeza se sabe o que fazer.

Sorri de novo.

— Nem ela, nem eu.

Claro, bonitão, pensou ela, desconfiada. *Ele sabe o que dizer para agradar.*

— Seja gentil com minha filhinha — ordenou, mais incisiva. — Os sentimentos dela são muito intensos.

— Prometo que nunca vou fazer qualquer coisa para machucá-la — respondi.

Falei essas palavras com toda a sinceridade — eu daria tudo para manter Bella feliz e em segurança —, mas não tinha certeza se elas eram verdadeiras. O que mais machucaria Bella? Eu não podia fugir da resposta mais verdadeira de todas.

Sementes de romã e meu submundo. Eu não tinha acabado de testemunhar um exemplo brutal de como o meu mundo poderia lhe causar danos incalculáveis? E ela na cama, ferida, por causa disso.

Certamente mantê-la junto a mim a machucaria mais do que qualquer coisa.

Hum, ele acha mesmo que isso é verdade. Bom, as pessoas ficam de coração partido e depois se recuperam. Faz parte da vida. Mas então ela pensou no rosto de Charlie e ficou desconfortável. *Não consigo pensar, estou tão cansada... Tudo vai fazer mais sentido de manhã.*

— A senhora precisa dormir. Já é muito tarde na Flórida. — Minha voz tinha ficado distorcida pela dor, mas ela não a conhecia o suficiente para notar.

Renée concordou, os olhos quase fechando.

— Me acorde se ela precisar de alguma coisa?

— Acordo, sim.

Ela se aconchegou na poltrona desconfortável e logo adormeceu.

Levei a cadeira de volta para perto de Bella. Era estranho vê-la tão imóvel enquanto dormia. Eu desejava, mais do que tudo, que ela começasse a balbuciar alguma coisa dos seus sonhos. Fiquei imaginando se eu estaria ali com ela, no escuro. Não sabia se era certo ter essa esperança.

Enquanto eu escutava mãe e filha respirarem, pensei em Alice pela primeira vez desde que ela me deixara sozinho no quarto. Não era comum ela me dar tanto espaço, por mais desesperado que eu estivesse. Eu já estava esperando por um bom tempo que ela fizesse uma visita. No entanto, ela me evitava, e eu só podia imaginar um motivo para isso.

Eu tinha um tempo considerável para processar os acontecimentos do dia, mas era *impossível*. Só fiquei olhando para Bella, desejando em vão que eu tivesse sido mais, que eu tivesse sido melhor, que eu tivesse feito a coisa certa e me mantido firme, antes que esse pesadelo a atingisse.

Percebi que precisava fazer outra coisa. Sabia que seria doloroso, mas não doloroso o *suficiente*. Eu merecia castigo pior. Não queria deixar Bella, mas ali não era o lugar. Eu chamaria Alice. Não tinha certeza aonde ela fora para se esconder de mim.

Saí no corredor — chamando a atenção de duas enfermeiras, que ficaram se perguntando se em algum momento eu sairia do quarto — e, antes que precisasse pegar o telefone, ouvi os pensamentos de Alice subindo a escada. Avancei para encontrá-la na porta.

Ela carregava alguma coisa, um objeto pequeno, preto e enrolado em cordões finos, e o segurava como se quisesse esmagá-lo. Parte de mim se surpreendia por ela não tê-lo feito.

Já tivemos essa discussão mais de trezentas vezes, mas nunca consegui convencer você.

— Não, não conseguiu. Preciso ver isso.

Vamos concordar em discordar. Mas aqui está. Ela empurrou a câmera para mim, e vi que estava feliz por se livrar dela. Peguei-a com relutância. Era algo desagradável e sombrio nas minhas mãos. *Vá para algum lugar onde possa ficar sozinho.*

Assenti. Era um bom conselho.

Vou ficar de olho em Bella. Não é necessário, mas sei que vai deixar você mais tranquilo.

— Obrigado.

Alice saiu rapidamente da escada.

Vaguei pelos corredores, que estavam silenciosos àquela hora, mas não vazios. Pensei em entrar em um dos quartos vagos, mas não me pareciam reservados o bastante. Passei pela recepção e fui para a rua. Eu me senti mais isolado, mas vi um ou outro vigia fazendo a ronda. Se eu andasse com confiança, não se importariam comigo; contudo, se ficasse vagando, com certeza viriam me questionar.

Procurei um canto vazio e fiquei aliviado ao encontrar uma área sem pensamentos humanos logo depois da enorme entrada circular.

Por ironia, a construção deserta era a capela do local, iluminada e destrancada apesar do horário. Sei que esse lugar teria reconfortado Carlisle, mas tinha certeza de que nada poderia me acalmar.

No lado de dentro, não vi jeito de trancar a porta, então atravessei a capela, até o mais longe possível da entrada. Em vez de bancos, havia cadeiras dobráveis de madeira. Empurrei uma delas até a parede, na sombra do órgão.

Alice me dera fones, e eu os coloquei no ouvido.

Fechei os olhos, inspirando fundo. Esse conteúdo ficaria gravado para sempre na minha mente. Eu nunca mais me livraria das imagens. Parecia justo. Bella passara por aquilo. Eu só teria que assistir.

Abri os olhos e liguei a câmera. A tela só tinha cinco centímetros. Não sabia se deveria ficar grato por isso, ou se deveria assistir em uma escala muito maior.

O vídeo começou focando de perto o rosto do rastreador. James: um nome inofensivo demais para o que ele era. Ele sorriu, e eu sabia que era essa sua intenção: sorrir para *mim*. Tudo isso era para mim. O que viria a seguir seria uma conversa entre nós dois. Unilateral, mas, apesar do que aconteceria com Bella, ela nunca seria o alvo. Era eu.

— Olá — disse ele em tom alegre. — Bem-vindo ao espetáculo. Espero que goste do que preparei para você. Desculpe se foi um pouco apressado, um pouco improvisado. Quem podia imaginar que eu só levaria alguns dias para vencer? Antes de abrir as cortinas, por assim dizer, gostaria de lembrar que tudo isso realmente é culpa sua. Se você tivesse ficado longe do meu caminho, teria sido rápido. Porém, é mais divertido assim, não é mesmo? Então, aproveite!

O vídeo cortou para uma tela preta, e depois uma nova "cena" se iniciou. Reconheci o ângulo da câmera. Ela estava em cima da TV, na frente da parede de espelhos. O rastreador apenas se afastou. Quando alcançou o limite da imagem, à direita, sua velocidade praticamente o deixara invisível para a câmera. Apenas um vulto desconexo, oscilante, havia sido gravado. Ele alcançou a saída de emergência, sua imagem paralisada, a mão estendida. Em sua palma, um retângulo preto. Um controle remoto. Sua cabeça estava um pouco inclinada para o lado, ouvidos atentos. Ele escutou algo baixo demais para ser gravado e sorriu diretamente para a câmera. Para mim.

Então eu a ouvi também. Correndo, tropeçando. A respiração ofegante. Uma porta se abriu, e em seguida houve uma pausa.

O rastreador levantou o controle remoto e apertou um botão.

Dos alto-falantes abaixo da câmera, a voz da mãe de Bella gritava em pânico, em alto e bom som.

— Bella? Bella?

No outro cômodo, novamente o barulho de passos correndo.

— Bella, você me assustou! — dizia Renée.

Bella irrompeu na sala, desesperada, procurando pela mãe.

— Nunca mais faça isso comigo! — A voz de Renée continuou com uma risada.

Bella se virou ao som da voz, ficando de frente para mim, os olhos focalizando um ponto abaixo da câmera. Ela começava a entender. Ainda não tinha processado totalmente o truque, mas dava para ver o alívio. Sua mãe não estava em perigo.

Os alto-falantes ficaram mudos. Bella avançou com relutância. Ela não queria ver, mas sabia que ele estava lá. Ficou tensa quando colocou os olhos nele, aguardando sua chegada, imóvel. Eu só enxergava a lateral de seu rosto, mas podia ver o rastreador com nitidez, sorrindo para ela.

Ele se aproximou, e tive que relaxar os dedos. Era cedo demais para esmagar a câmera. Ele passou por ela, continuou até a TV e largou o controle. Ao fazer isso, olhou para a câmera e piscou para mim. Depois se virou para Bella. Ficou de costas para mim, mas me ofereceu uma visão perfeita de Bella. A câmera estava em um ângulo que não me permitia vê-lo nos espelhos. Devia ter sido um erro de sua parte. Provavelmente queria que eu visse sua performance.

— Desculpe por isso, Bella, mas não é melhor que sua mãe realmente não tenha que se envolver?

Bella o olhou com uma expressão estranha, quase relaxada.

— Sim.

— Não parece com raiva por eu tê-la enganado.

— Não estou. — A verdade transparecia em sua voz.

O rastreador vacilou por um segundo.

— Que estranho. Você está mesmo falando sério. — Inclinou a cabeça para o lado, mas só pude imaginar sua expressão. — Vou admitir que vocês, humanos, esse bando esquisito, podem ser bem interessantes. Acho que entendo o que atrai em observar vocês. É incrível... Alguns parecem não ter nenhum senso de egoísmo.

Ele se curvou na direção de Bella, como se esperasse uma resposta, mas ela ficou quieta. Seus olhos opacos não deixavam transparecer nada.

— Imagino que vá me dizer que seu namorado a vingará, não é? — perguntou ele, a voz provocadora, mas a provocação não era para ela.

— Não, acho que não — respondeu Bella em voz baixa. — Pelo menos eu pedi para ele não fazer isso.

— E qual foi a resposta dele?

— Não sei. Eu deixei uma carta.

Por favor, eu imploro, não vá atrás dele, Bella tinha escrito na carta. *Eu te amo. Me perdoe.*

Sua atitude era quase descontraída, o que parecia incomodar o rastreador. A voz dele ficou mais mordaz, seu tom se distorcendo em algo nefasto.

— Mas que romântico. — O sarcasmo era palpável. — Uma última carta. E acha que ele vai honrá-la?

Ainda era impossível ler os olhos de Bella, mas seu rosto estava calmo quando ela respondeu:

— Espero que sim.

Por favor, esta é a única coisa que lhe peço agora, escrevera ela. *Por mim.*

— Hmmm. Bem, nossas esperanças então diferem. — A voz do rastreador ficou rouca. A serenidade de Bella estava estragando a cena que ele tinha planejado. — Veja bem, tudo isso foi meio fácil demais, rápido demais. Para ser franco, estou decepcionado. Esperava um desafio muito maior. E, afinal, só precisei de um pouco de sorte.

A expressão de Bella era paciente, como uma mãe que sabe que a história do filho pequeno vai ser longa e desconexa, mas está determinada a ouvi-lo mesmo assim.

Em resposta, a voz do rastreador ficou mais séria:

— Quando Victoria não conseguiu pegar seu pai, fiz com que ela descobrisse mais sobre você. Não tinha sentido correr pelo planeta perseguindo-a quando eu podia confortavelmente esperar em um lugar de minha preferência.

Ele continuou, tentando manter sua fala lenta e arrogante, mas eu sentia a frustração nas entrelinhas. Ele começou a falar mais rápido. Bella não reagiu. Ela esperou, paciente e educada. Era óbvio que isso o irritava.

Eu não tinha pensado muito sobre como o rastreador encontrara Bella — não houve tempo para nada além de correr —, mas agora tudo fazia sentido. Não fiquei surpreso. Estremeci ao perceber que nosso voo para Phoenix motivara sua última cartada. No entanto, era apenas um dos mil erros em minha consciência.

Ele estava encerrando seu monólogo — será que achava que eu estaria impressionado? —, e tentei me preparar para o que viria a seguir.

— Muito fácil, entende — concluiu ele. — Não está à altura dos meus padrões. Então, veja bem, estou esperando que você esteja errada sobre seu namorado. Edward, não é?

Era ridículo de sua parte fingir que tinha esquecido meu nome. Ele não conseguiria esquecer, assim como eu nunca esqueceria o nome dele.

Bella não respondeu. Parecia um pouco confusa, como se não estivesse entendendo o propósito. Não percebia que o espetáculo não era para ela.

— Você se importaria muito se eu deixasse uma carta minha para o seu Edward?

O rastreador andou para trás até sair da tela. De repente, a câmera deu um close apenas no rosto de Bella.

Sua expressão era perfeitamente clara para mim. Ela estava começando a entender. Já sabia que ele ia matá-la. Mas não tinha pensado que fosse torturá-la antes. O pânico apareceu em seus olhos pela primeira vez desde que descobrira que a mãe estava em segurança.

Minha sensação de medo e horror aumentou com a dela. Como eu sobreviveria a isso? Não sabia. Mas se ela havia sobrevivido, portanto eu também teria que fazê-lo.

O rastreador garantiu que eu tivesse tempo para absorver o medo que despontava em Bella. Em seguida, voltou a ampliar o enquadramento, virando a câmera para que eu visse seu reflexo no espelho acima do ombro de Bella.

— Desculpe, mas não acho que ele vá resistir a me perseguir depois que vir isto. — Ele novamente se mostrou satisfeito com sua produção. O pavor de Bella era a carga dramática que ele estava esperando. — E eu não gostaria que ele perdesse nada. É tudo para ele, é claro. Você é apenas uma humana, que infelizmente estava no lugar errado, na hora errada e indiscutivelmente andando com a turma errada, devo acrescentar.

Ele surgiu na tela de novo, aproximando-se de Bella, os espelhos refletindo seu sorriso perverso.

— Antes de começarmos...

Os lábios de Bella estavam brancos.

— Gostaria de me vangloriar um pouquinho. — Seus olhos encontraram os meus no espelho. — A resposta estava lá o tempo todo, e eu temia que Edward visse e estragasse minha diversão. Já aconteceu uma vez, ah, séculos atrás. A única vez em que uma presa escapou de mim.

Alice havia me mostrado como fazer o rastreador perder o interesse. Ele não percebeu que eu havia rejeitado a ideia. Nunca compreenderia o motivo.

Ele começou um novo monólogo. Eu sabia que sua necessidade de se vangloriar tinha sido responsável por manter Bella viva até a nossa chegada, mas, mesmo assim, ainda rangi os dentes de frustração até ele dizer a palavra *amiguinha*. Nesse momento, percebi que havia outra questão envolvida. Era isso que Bella tentara nos dizer. *Alice, o vídeo... Ele conhecia você, Alice, ele sabia de onde você veio.*

— Ela não pareceu perceber a dor, pobre criaturinha — continuou o rastreador. — Ficou presa naquele buraco escuro da cela por um bom tempo. Cem anos antes ela teria sido queimada por suas visões. Na década de 1920 eram o sanatório e os tratamentos de choque. Quando ela abriu os olhos, forte com a nova juventude, foi como se nunca tivesse visto o sol. O velho vampiro a tornou uma nova vampira forte, e então não havia motivos para que eu tocasse nela. Eu destruí o velho por vingança.

— Alice — murmurou Bella.

A revelação não trouxe nenhuma cor de volta ao seu rosto. Sua boca estava até esverdeada. Será que ela ia desmaiar? Eu queria tanto que houvesse uma pausa, um momento de fuga, mas sabia que seriam apenas passageiros.

Eu precisaria pensar sobre o que foi dito e, em algum momento, buscaria saber o que Alice sentia, mas não agora. Não agora.

— Sim, sua amiguinha. Eu fiquei *mesmo* surpreso ao vê-la na clareira. — Ele voltou a olhar para mim. — Então acho que o bando dela devia ser capaz de extrair algum conforto desta experiência. Peguei você, mas eles a pegaram. A única vítima que me escapou, na verdade uma honra. E ela tinha um cheiro muito delicioso. Ainda me arrependo de nunca ter sentido o sabor... Ela cheirava ainda melhor do que você. Desculpe, não quero ofendê-la. Você tem um cheiro muito bom. Floral, meio...

Ele se aproximou cada vez mais até pairar sobre ela e então esticou uma das mãos. Quase esmaguei a câmera novamente. Ele não a machucou ainda, apenas brincou com uma mecha de seu cabelo, desfazendo os cachos. Aproveitando ao máximo o momento.

Deslizei da cadeira até o chão e coloquei a câmera no piso ao meu lado. Cerrei os punhos com força. Foi bom ter feito isso. Em seguida, o rastreador acariciou o rosto de Bella, e me perguntei se acabaria quebrando minhas mãos.

— Não, eu não entendo — concluiu o rastreador. — Bem, imagino que devamos continuar com isso. — Ele me olhou novamente, com um leve sorriso. Queria que eu visse como ele ansiava por aquele momento, como iria desfrutá-lo. — E depois posso ligar para seus amigos e lhes dizer onde podem encontrá-la, e o meu recadinho.

Bella começou a tremer. Seu rosto estava tão pálido que fiquei surpreso por ela ainda estar em pé. O rastreador começou a circundá-la, sorrindo para mim no espelho. Ele se agachou, os olhos focados em Bella, e o sorriso virou uma exibição de dentes.

Apavorada, ela correu para a porta dos fundos. Supus que era isso que ele queria, estava incitando-a a agir. Seus dentes expostos se transformaram em um sorriso satisfeito quando ele saltou para a frente, lançando-a na direção dos espelhos com um simples movimento da mão.

Bella ficou no ar durante uma pausa fugaz e interminável, e então houve um tinido metálico, ossos se quebrando, vidro se espatifando. Ela bateu na barra de balé e se chocou com o espelho logo atrás. A barra se soltou do suporte na parede e caiu. Seu corpo seguiu pelo ar e ficou completamente inerte quando deslizou até o chão, cacos de vidro captando a luz feito purpurina ao seu redor. De novo desejei que ela estivesse inconsciente. Mas então vi seus olhos.

Atordoada, indefesa, aterrorizada.

Minhas mãos doíam com a pressão esmagadora dos punhos cerrados, mas não consegui relaxá-los.

O rastreador se aproximou dela com passos descontraídos, os olhos focados na câmera pelo espelho, me encarando.

— Esse é um belo efeito — assinalou James, destacando cada aspecto de seus planos. — Pensei que esta sala seria visualmente dramática para meu filminho. Foi por isso que escolhi este lugar para o encontro. É perfeito, não é?

Eu não sabia se Bella tinha sentido a mudança de foco, ou se estava apenas agindo por instinto, mas ela se virou penosamente para colocar as mãos no chão e começou a engatinhar até a porta.

O rastreador riu diante daquela tentativa patética, e logo se pôs de pé ao seu lado.

Alice tinha me mostrado essa cena. Eu queria poder desviar os olhos. Mas não consegui, e o pé do rastreador pisou violentamente na panturrilha de Bella. Ouvi os estalos quando a tíbia e a fíbula cederam.

Seu corpo todo sofreu um espasmo, e então seu grito preencheu o pequeno cômodo, ricocheteando no espelho e na madeira lustrosa. Era como se uma broca tivesse perfurado meus ouvidos através dos fones. O rosto de Bella se retorceu de agonia, e pequenos vasos sanguíneos se romperam em seus olhos.

— Gostaria de pensar melhor em seu último pedido? — perguntou a Bella, todo o seu foco agora voltado para ela.

Depois esticou a ponta do pé e a pressionou com extremo cuidado no local da fratura. Bella berrou novamente, o som rasgando e irrompendo de sua garganta.

— Não gostaria que Edward tentasse me encontrar? — Ele ofereceu a deixa, como um diretor na beira do palco.

O rastreador ia torturá-la até que ela me implorasse para caçá-lo. Ela deveria saber que eu perceberia a coação por trás de sua resposta. Certamente ela faria o que ele esperava.

— Diga o que ele quer ouvir — sussurrei inutilmente.

— Não! — exclamou com a voz rouca. Pela primeira vez encarou a lente da câmera, seus olhos injetados suplicando, falando diretamente para mim. — Não, Edward, não...

Ele chutou o rosto dela.

A marca do golpe já estava se formando no lado esquerdo. Havia duas pequenas fissuras no osso malar. Ele tomara cuidado, sabendo que a mataria caso chutasse até com uma fração de sua força, e ainda não tinha acabado. Para ele, aquilo era apenas um tapinha.

Ela voou mais uma vez.

Vi o erro do rastreador imediatamente, enquanto observava a trajetória do corpo de Bella.

O vidro já estava quebrado, os estilhaços apontando para fora feito dentes de prata afiados. A cabeça dela bateu quase no mesmo ponto de antes, mas dessa vez os dentes de vidro rasgaram seu couro cabeludo quando a gravidade a jogou no chão. Era impossível não escutar o som da pele dilacerando.

Ele se virou para olhar. Pelo espelho, vi sua expressão se contrair quando ele percebeu o que fizera.

O sangue já estava encharcando o cabelo de Bella, escorrendo em fios vermelhos pelas laterais de seu rosto, rolando pelo pescoço e preenchendo as cavidades de sua clavícula. Só de observar a cena, senti o fogo queimar minha garganta e me lembrei do gosto daquele sangue.

Os fluidos atingiram o chão, pingando em esguichos ruidosos enquanto começavam a empoçar ao redor de seus cotovelos.

Havia muito sangue, escorrendo com muita rapidez. Era impressionante. E eu assistia, chocado por ela ter sobrevivido. O rastreador também observava, todos os seus planos e propósitos desvanecendo. Seu rosto assumiu uma aparência selvagem, inumana. Uma pequena parte dele queria resistir à sede — dava para ver em seus olhos —, mas ele não fora treinado para se controlar. Mal se lembrava de sua plateia ou de seu espetáculo.

De sua boca irrompeu um rugido de caçador. Instintivamente, Bella ergueu uma das mãos para se proteger. Seus olhos já estavam fechados, a vida se esvaindo de seu rosto.

Um barulho de mordida, um urro. O rastreador deu o bote. Uma forma pálida lampejou tão rapidamente na gravação que foi impossível discernir a figura. O rastreador desapareceu da cena. Vi a marca vermelha de seus dentes na palma da mão de Bella, e logo seu braço desabou, sem vida, na poça de sangue.

Assisti, completamente entorpecido, enquanto eu aparecia chorando na tela e Carlisle tentava salvá-la. Meus olhos foram atraídos para o canto inferior direito, onde às vezes surgiam partes do rastreador na gravação. O cotovelo de Emmett, a cabeça de Jasper. Era impossível entender a luta a partir desses pequenos vislumbres. Algum dia, eu pediria que Emmett e Jasper me contassem. Duvidava de que fosse aplacar a ira que eu sentia. Mesmo que *tivesse* sido eu a despedaçar e queimar o rastreador, não teria sido o suficiente. Nada compensaria aquilo.

Por fim, Alice foi em direção à lente. Um espasmo de agonia atravessou seu rosto, e eu sabia que ela estava tendo uma visão do vídeo, e também, tenho certeza, uma visão de mim enquanto assistia a tudo. Ela pegou a câmera, e a tela ficou preta.

Agarrei a câmera devagar e, com a mesma lentidão, esmaguei-a metodicamente até que virasse pó de metal e plástico.

Quando terminei, tirei do bolso da camisa a tampinha que eu carregava durante semanas. Um símbolo de Bella, meu talismã, uma prova boba, mas reconfortante do meu vínculo com ela.

Por um instante, ela cintilou sem vida na minha mão, e depois pulverizei-o entre o polegar e o indicador, deixando os fragmentos de aço se juntarem aos restos da câmera.

Eu não merecia nenhum vínculo, nenhum compromisso com ela.

Permaneci na capela vazia por um bom tempo. Em determinado momento, uma música baixa começou a tocar nos alto-falantes, mas ninguém entrou, e não havia sinal de que alguém tivesse notado minha presença. Imaginei que a música estivesse ligada a um acionamento automático. Era o *adagio sostenuto* do concerto para piano nº 2 de Rachmaninoff.

Eu escutei, impassível e entorpecido, me esforçando para lembrar que Bella ficaria bem. Que eu poderia me levantar agora e voltar para ficar ao seu lado. Que Alice vira seus olhos reabrindo em apenas trinta e seis horas. Um dia e uma noite e então um dia.

Nada disso parecia relevante agora. Porque era culpa minha, tudo o que ela sofrera.

Olhei pelas janelas altas à minha frente, vendo a escuridão da noite lentamente dar lugar a um céu cinza-claro.

E então fiz algo que não fazia havia um século.

Todo encolhido no chão, paralisado pela agonia... eu rezei.

Não rezei para o meu Deus. Eu sempre soube, instintivamente, que não havia uma divindade para minha espécie. Não fazia sentido para os imortais terem um deus; estávamos fora do alcance de qualquer poder emanado por um deus. Nós criávamos nossa vida, e só quem tinha poder para tirá-las novamente era outro da nossa espécie. Terremotos não nos destruíam, enchentes não nos afogavam, incêndios eram lentos demais para nos alcançarem. Enxofre era irrelevante. Nós éramos os deuses do nosso universo alternativo. Dentro do mundo mortal, mas acima dele, nunca escravos de suas leis, somente das nossas próprias.

Não havia um deus que eu seguisse. Ninguém para quem suplicar. Carlisle tinha ideias diferentes, e talvez, quem sabe, uma exceção pudesse ser feita para alguém como ele. Mas eu não era como ele. Era maculado como todo o restante da nossa espécie.

Então, rezei para o Deus *dela*. Porque, se houvesse algum poder mais elevado, benevolente, no universo de Bella, sem dúvida *nenhuma*, ele ou ela se preocuparia com essa filha tão corajosa e bondosa. Se não fosse o caso, não haveria qualquer propósito para tal entidade. Eu precisava acreditar que ela era importante para esse Deus, se é que ele realmente existia.

Portanto, rezei para o Deus dela me dar a força necessária. Eu sabia que não era forte o bastante sozinho, o poder teria que vir de fora. Com perfeita clareza, me lembrei das visões de Alice: Bella abandonada, seu rosto opaco, frio, vazio, envolto em sombras. Sua dor e seus pesadelos. Sempre soube que minha determinação sumiria, cederia se eu ficasse sabendo de sua angústia.

Não conseguia me imaginar agindo de outra forma. Mas precisaria fazê-lo. Precisaria aprender a ter forças.

Rezei para o Deus de Bella, com toda a agonia da minha alma perdida e condenada, para que ele — ou ela, o que quer que fosse — me ajudasse a protegê-la de mim.

29. INEVITABILIDADE

ALICE TINHA VISTO O MOMENTO EM QUE BELLA FINALMENTE abriria os olhos. Havia razões práticas para eu querer encontrá-la a sós antes que ela falasse com qualquer outra pessoa: Bella não sabia nada sobre nossas ações para encobrir o que tinha acontecido. É claro que Alice ou Carlisle poderiam ter se encarregado disso, e Bella era inteligente o bastante para fingir amnésia até se informar sobre a história, mas Alice sabia que eu precisava fazer mais do que apenas esclarecer a narrativa.

Durante as horas de espera, Alice havia se apresentado a Renée e se dedicado a conquistá-la, de forma que as duas passaram a ser confidentes — pelo menos na cabeça de Renée. Foi Alice quem a convencera a almoçar bem naquele momento.

Isso foi logo depois de uma da tarde. Eu tinha fechado as cortinas para bloquear o sol da manhã, mas logo poderia abri-las. O sol já estava incidindo sobre o outro lado do hospital.

Depois que Renée saiu, aproximei minha cadeira da cama de Bella, apoiando os cotovelos perto de seu ombro, na beirada do colchão. Eu não sabia se ela tinha sentido o tempo passar, ou se sua mente ainda estaria presa naquela maldita sala de espelhos. Ela precisava se sentir segura, e eu a conhecia bem o suficiente para saber que a visão de meu rosto a tranquilizaria. Para o bem ou para o mal, eu a acalmava.

Ela começou a se remexer na cama no horário previsto. Já havia se movido antes, mas esse era um esforço mais concentrado. Sua testa se franziu quando os movimentos causaram dor, e o pequeno *v* de tensão surgiu em sua testa, entre as sobrancelhas. Como tantas vezes quis fazer, passei suavemente o dedo indicador sobre a marca, tentando desfazê-la. A expressão se atenuou um pouco, e as pálpebras de Bella começaram a se agitar. O som do monitor de frequência cardíaca acelerou ligeiramente.

Seus olhos se abriram, em seguida se fecharam. Bella tentou de novo, semicerrando-os diante da claridade das luzes. Desviou o rosto na direção da janela enquanto seus olhos se ajustavam. Seu coração começou a bater mais rápido. Tentando se desvencilhar dos fios do monitor, levou a mão à cânula de oxigênio sob o nariz, obviamente planejando removê-la. Eu a impedi.

— Não, não faça isso — falei baixinho.

Assim que ouviu minha voz, seus batimentos desaceleraram.

— Edward?

Ela não conseguiu virar a cabeça tanto quanto queria. Cheguei mais perto. Nossos olhos se encontraram, e os dela, ainda pontilhados de vermelho, começaram a se encher de lágrimas.

— Ah, Edward, eu lamento tanto!

Ouvi-la se desculpar me feriu de uma maneira muito precisa e penetrante.

— Shhhh — insisti. — Agora vai ficar tudo bem.

— O que aconteceu? — perguntou Bella, a testa se franzindo como se ela estivesse tentando solucionar um enigma.

Eu tinha planejado uma resposta. Tinha pensado na maneira mais delicada de explicar. Mas, em vez disso, meus temores e meu remorso transbordaram dos meus lábios.

— Quase cheguei tarde demais. Eu podia ter me atrasado.

Bella me encarou por um longo momento, e eu observei enquanto as lembranças voltavam. Ela gemeu, e sua respiração se acelerou.

— Eu fui tão idiota, Edward. Pensei que ele estivesse com a minha mãe.

— Ele enganou a todos nós.

Bella franziu a testa com um sentimento de urgência.

— Preciso ligar para o Charlie e para a minha mãe.

— Alice ligou para eles.

Ela havia substituído Carlisle e falava com Charlie várias vezes ao dia. Como Renée, ele estava completamente enfeitiçado. Eu sabia que Alice já tinha planejado a ligação que faria depois de Bella despertar. Ela passou o dia animada para esse momento.

— Renée está aqui... Bom, aqui no hospital. Ela foi pegar alguma coisa para comer.

Bella se mexeu como se estivesse prestes a pular da cama.

— Ela está aqui?

Segurei seu ombro e a mantive onde estava. Ela piscou algumas vezes e olhou em volta, atordoada.

— Ela vai voltar logo — assegurei. — E você precisa ficar quieta.

Isso não a acalmou como eu pretendia. Sua expressão era de pânico.

— Mas o que vocês disseram a ela? Por que contaram que eu estou aqui?

Eu abri um leve sorriso.

— Que você caiu dois lances de escada e atravessou uma vidraça.

Considerando a naturalidade com que os pais dela tinham aceitado a história — não apenas como algo possível, mas de certa forma esperado —, me senti no direito de fazer um acréscimo.

— Tem que admitir que isso poderia acontecer.

Bella suspirou, mas parecia mais tranquila por saber seu álibi. Ela olhou por alguns segundos para o próprio corpo, ainda coberto pelo lençol.

— O que aconteceu comigo? — perguntou.

Listei os ferimentos mais importantes.

— Você quebrou uma perna, fraturou quatro costelas, sofreu algumas fissuras no crânio, está com hematomas cobrindo cada centímetro da sua pele e perdeu muito sangue. Eles fizeram algumas transfusões. Eu não gostei... Deixou seu cheiro completamente diferente por um tempo.

Ela sorriu, em seguida estremeceu.

— Deve ter sido uma mudança boa para você.

— Não, prefiro o *seu* cheiro.

Ela me fitou cuidadosamente, com um olhar penetrante. Depois de um longo momento, perguntou:

— Como você conseguiu?

Eu não sabia por que esse assunto era tão desagradável. Eu *tinha* conseguido. Sabia que Emmett, Jasper e Alice ficaram impressionados com a minha façanha. Mas eu não conseguia encarar as coisas da mesma forma. Tinha chegado perto demais. E me lembrava com uma clareza insuportável de como meu corpo havia desejado permanecer naquele êxtase para sempre.

Não consegui mais encará-la. Olhei para sua mão, tomando-a cuidadosamente na minha. Os fios se espalharam para os dois lados.

— Não tenho certeza — sussurrei.

Ela não disse nada, e eu senti seus olhos em mim, à espera de uma resposta melhor. Suspirei.

Minhas palavras foram pouco mais do que um sopro.

— Foi impossível... parar. Impossível. Mas consegui.

Tentei sorrir para ela, olhar em seus olhos.

— Eu devo *mesmo* amar você.

— Meu gosto não é tão bom quanto meu cheiro? — Ela sorriu ao fazer a piada, mas se encolheu ao sentir a lesão nas maçãs do rosto.

Não tentei acompanhar seu tom descontraído. Obviamente, ela não deveria estar sorrindo.

— É ainda melhor... — respondi com sinceridade, ainda que com um pouco de amargura. — Melhor do que eu imaginava.

— Desculpe.

Revirei os olhos.

— De todas as coisas para se desculpar...

Ela examinou minha expressão e pareceu insatisfeita com o que encontrou.

— Pelo que eu *devia* me desculpar?

Por nada, eu queria dizer, mas vi que ela estava se sentindo culpada, então lhe dei algo para refletir.

— Por quase me deixar sem você para sempre.

Ela acenou com a cabeça, distraída, aceitando as minhas palavras.

— Desculpe.

Acariciei o dorso de sua mão, me perguntando se ela estaria sentindo meu toque mesmo com todos os curativos.

— Sei por que você fez isso. Mesmo assim foi irracional. Devia ter esperado por mim, devia ter me contado.

Isso não fez nenhum sentido para ela.

— Você não teria me deixado ir.

— Não — falei, com os dentes cerrados. — Não teria.

Seus olhos ficaram distantes por um momento, e o coração disparou. Um arrepio percorreu seu corpo, e ela gemeu de dor.

— Bella, qual é o problema?

Ela falou com uma voz chorosa:

— O que aconteceu com James?

Bem, pelo menos nesse ponto eu poderia tranquilizá-la.

— Depois que o arranquei de você, Emmett e Jasper cuidaram dele.

Ela franziu a testa, gemeu e suavizou a expressão.

— Não vi Emmett e Jasper lá.

— Eles tiveram que sair da sala... Havia muito sangue. — Um rio de sangue. Por um segundo, tive a sensação de ainda estar manchado por ele.

— Mas você ficou — sussurrou ela.

— Sim, eu fiquei...

— E Alice, e Carlisle... — disse ela, com a voz cheia de espanto.

Eu abri um breve sorriso.

— Eles também amam você, sabe disso.

Sua expressão ficou subitamente angustiada outra vez.

— A Alice viu a fita?

— Sim.

Era uma conversa que estávamos evitando. Eu sabia que ela estava fazendo sua própria investigação, e ela sabia que eu ainda não estava pronto para tocar no assunto.

— Ela não pôde enxergar — disse Bella com urgência —, por isso não lembrava.

Era muito típico de Bella voltar toda a sua preocupação para outra pessoa, mesmo em um momento como aquele.

— Eu sei. Agora ela entende.

Não sei ao certo que expressão eu estava fazendo, mas Bella ficou preocupada. Ela tentou estender a mão para tocar minha bochecha, mas o cateter a deteve.

— Ai — gemeu.

Será que o cateter havia saído do lugar? O movimento não tinha sido tão brusco, mas eu não podia examinar de perto.

— O que foi? — perguntei.

— Agulhas — respondeu ela.

Bella estava olhando fixamente para o teto, concentrada, como se houvesse alguma coisa mais instigante ali do que o revestimento acústico. Ela respirou fundo, e eu fiquei surpreso ao ver um tom esverdeado surgir em torno de sua boca.

— Medo de uma agulha — resmunguei. — Ah, um vampiro sádico que pretende torturá-la até a morte não é um problema, é claro, ela corre para se encontrar com ele. Mas uma *agulha intravenosa*, por outro lado...

Bella revirou os olhos. O tom esverdeado já estava desaparecendo.

Então de repente seus olhos se voltaram para mim, e ela me perguntou, em um tom angustiado:

— Por que *você* está aqui?

Eu tinha pensado... mas isso não importava.

— Quer que eu vá embora?

Talvez o que eu precisava fazer fosse mais fácil do que eu imaginava. Uma dor lancinante atravessou a área do meu coração obsoleto.

— Não! — protestou Bella. Foi quase um grito. Ela moderou deliberadamente o volume da voz até se tornar apenas um sussurro: — *Não*, quer dizer, por que minha *mãe* acha que você está aqui? Eu preciso ter uma história pronta antes de ela voltar.

— Ah.

Claro que não seria tão fácil. Tantas vezes achei que ela estivesse cansada de mim, mas nunca estava.

— Eu vim até Phoenix para tentar colocar algum juízo na sua cabeça — expliquei, com a mesma voz sincera e ingênua que usava quando precisava da permissão das enfermeiras para permanecer no quarto. — Para convencê-la a voltar a Forks. Você concordou em me ver e foi para o hotel onde eu estava com Carlisle e Alice... — Arregalei os olhos, deixando-os ainda mais inocentes. — É claro que eu estava aqui com supervisão paterna. Mas você tropeçou na escada a caminho do meu quarto e... Bom, você sabe o resto. Mas não precisa se lembrar de nenhum detalhe; você tem uma boa desculpa para estar meio confusa quanto às minúcias.

Ela pensou por alguns momentos.

— Existem algumas falhas nesta história. Nenhuma vidraça quebrada, por exemplo.

Não consegui conter um sorriso.

— Na verdade, não. Alice se divertiu um pouquinho fabricando as provas. Todos os cuidados foram tomados para que parecesse muito convincente... Você poderia processar o hotel, se quisesse.

Essa ideia, claro, a deixou escandalizada.

Acariciei suavemente sua bochecha que não estava machucada.

— Não tem por que se preocupar. Sua única tarefa agora é ficar boa.

Seus batimentos se aceleraram. Procurei por sinais de dor, repassei minhas palavras em busca de algo que pudesse tê-la perturbado, mas então notei as pupilas dilatadas e me dei conta: ela estava reagindo ao meu toque.

Seus olhos se estreitaram, focados na máquina que denunciava os excessos de seu coração.

— Isso vai ser constrangedor.

Ri baixinho de sua expressão. Um leve rubor tinha surgido em sua bochecha ilesa.

— Hmmm, imagino...

Eu já estava a apenas alguns centímetros de seu rosto. Lentamente, reduzi a distância. Seu coração bateu ainda mais rápido. Quando a beijei, meus lábios mal pressionando os dela, o ritmo sofreu um sobressalto. Bella ficou literalmente sem fôlego.

Me afastei rapidamente, nervoso até seus batimentos retomarem uma cadência saudável.

— Parece que vou ter que ser ainda mais cuidadoso do que o normal.

Ela fez uma careta, estremeceu e disse:

— Ainda não terminei de beijar você. Não me faça ir até aí.

Eu sorri diante da ameaça, então a beijei de novo com cuidado, me afastando assim que seu coração começou a acelerar. Foi um beijo muito curto.

Ela parecia prestes a reclamar, mas nós precisaríamos parar de qualquer forma.

Afastei minha cadeira meio metro da cama.

— Acho que ouvi sua mãe.

Renée estava subindo as escadas; pretendia pegar algumas moedas na bolsa, preocupada com todas as porcarias que andava comendo nos últimos dias. Ela desejou ter tempo de ir à academia, mas, por ora, as escadas teriam que bastar.

O rosto de Bella se contraiu. Imaginei que fosse por causa da dor. Me inclinei em sua direção, desesperado para fazer alguma coisa.

— Não me deixe — disse ela, quase chorando.

Seus olhos estavam transbordando de medo.

Eu não queria pensar nessa reação.

Em minha mente, a visão de Alice me atormentava. Bella, curvada em agonia, lutando para respirar...

Eu me recompus por um momento, então tentei responder naturalmente.

— Não vou. Vou... tirar um cochilo.

Sorri para ela, em seguida corri para a poltrona turquesa e a reclinei ao máximo. Afinal, Renée tinha me dito para usá-la quando precisasse descansar. Fechei os olhos.

— Não se esqueça de respirar — sussurrou Bella.

Me lembrei de quando ela fingiu para o pai que estava dormindo, e reprimi um sorriso. Inspirei exageradamente.

Renée passou no posto de enfermagem.

— Alguma mudança? — perguntou à auxiliar de plantão, uma mulher mais jovem e forte chamada Bea.

Ficou claro pelo seu tom distraído que Renée esperava uma resposta negativa. Ela continuou andando.

— Na verdade, houve algumas alterações na frequência cardíaca. Eu já estava indo verificar.

Ah, não, eu não devia ter saído.

Renée começou a dar passos mais largos, preocupada.

— Vou ver como ela está e já aviso...

A auxiliar de enfermagem, que já estava se levantando da cadeira, atendeu ao pedido de Renée e voltou a se sentar.

Bella se contorceu e a cama rangeu. Ficou claro quanto a angústia da mãe a afetava.

Renée abriu a porta silenciosamente. É claro que ela queria que Bella acordasse, mas ainda assim parecia indelicado fazer barulho.

— Mãe! — sussurrou Bella com alegria.

Eu não podia ver a expressão de Renée enquanto fingia dormir, mas seus pensamentos estavam emocionados. Ouvi seus passos vacilarem. E então ela me viu adormecido.

— Ele nunca vai embora, não é? — murmurou enquanto gritava mentalmente, mas eu já tinha me acostumado com o volume; não me sobressaltava mais como antes.

Ela ficou um pouco mais tranquila, no entanto. Tinha começado a se perguntar se eu *nunca* dormia.

— Mãe, é tão bom ver você! — disse Bella com entusiasmo.

Por um instante, Renée ficou chocada com os olhos de Bella, pontuados de sangue. Os dela se encheram d'água ao perceber a evidência do sofrimento da filha.

Espiei por entre as pálpebras e vi Renée abraçá-la com cuidado. As lágrimas haviam escorrido por suas bochechas.

— Bella, fiquei tão aflita!

— Me desculpe, mãe. Mas agora está tudo bem, está tudo bem.

Era desconfortável ouvir Bella, no estado em que estava, consolar a mãe saudável, mas imaginei que a relação delas sempre tivesse sido assim. Talvez a maneira como a mente única de Renée interagia com as outras pessoas a tivesse tornado um pouco narcisista. Era algo difícil de evitar, quando todos à volta atendiam aos seus desejos não ditos.

— Fico tão feliz por finalmente ver seus olhos abertos — disse Renée, embora internamente estremecesse mais uma vez diante da aparência assustadora deles.

Houve um momento de silêncio, então Bella perguntou, insegura:

— Por quanto tempo ficaram fechados?

Me dei conta de que não falamos sobre isso.

— Hoje é sexta-feira, querida. Você ficou apagada por algum tempo — respondeu Renée.

Bella ficou em choque.

— Sexta?

— Eles a mantiveram sedada por um tempo, querida... Você sofreu muitas lesões.

— Eu *sei* — disse ela com ênfase.

Me perguntei quanta dor estaria sentindo naquele momento.

— Teve sorte de o Dr. Cullen estar aqui. Ele é um bom homem... Mas tão novo. E mais parece um modelo do que um médico...

— Você conheceu o Carlisle?

— E a irmã do Edward, Alice, uma menina adorável.

— É verdade!

Os pensamentos estridentes de Renée se voltaram para mim outra vez.

— Você não me contou que tinha amigos tão bons em Forks.

Amigos muito, muito bons.

De repente, Bella gemeu.

Meus olhos se abriram por vontade própria. Mas não me denunciaram; os olhos de Renée também estavam voltados para Bella.

— Onde dói? — perguntou.

— Estou bem — assegurou ela a Renée, embora eu soubesse que estava se dirigindo a mim também. Nossos olhos se encontraram por um segundo antes de eu fechar os meus novamente. — Só preciso me lembrar de não me mexer.

Renée movia os braços inutilmente sobre o corpo inerte da filha. Quando Bella voltou a falar, sua voz estava mais animada.

— Onde está o Phil?

Renée se distraiu por completo, o que parecia ser o objetivo.

Ainda não contei a ela a ótima notícia. Ah, ela vai ficar tão feliz!

— Na Flórida... Ah, Bella! Você nem imagina! Justo quando estávamos prestes a ir embora, a boa notícia chegou!

— O Phil assinou com um time? — perguntou Bella.

Ouvi o sorriso em sua voz, certa da resposta.

— Sim! Como adivinhou? Com os Suns, dá para acreditar?

— Mãe, isso é ótimo — disse ela, mas havia certa confusão em seu tom, sugerindo que Bella não fazia ideia de quem eram os Suns.

— E você vai gostar muito de Jacksonville! — exclamou.

Renée estava quase explodindo de entusiasmo. Seus pensamentos gritavam junto com suas palavras, e eu tinha certeza de que teriam sobre Bella o mesmo efeito que tinham sobre as outras pessoas. Ela começou a elogiar o clima, o mar, a linda casa amarela com adornos brancos, certa de que a filha ficaria tão empolgada quanto ela.

Eu conhecia cada detalhe dos planos de Renée para o futuro de Bella. Em sua mente, Renée havia vibrado centenas de vezes com a boa notícia enquanto esperávamos sua filha despertar. Em muitos sentidos, seus planos eram exatamente a solução que eu estava procurando.

— Espera, mãe! — disse Bella, confusa. Eu imaginei o entusiasmo de Renée sufocando-a como uma colcha pesada. — Do que você está falando? Não vou para a Flórida. Eu moro em Forks.

— Mas não precisa mais, bobinha — respondeu Renée, rindo. — Agora o Phil vai poder passar muito mais tempo com a gente... Nós conversamos, e o que eu vou fazer é alternar metade do tempo com você, metade com ele quando houver jogos em outras cidades.

Renée esperou pela alegria de Bella.

— Mãe — disse ela lentamente. — Eu *quero* morar em Forks. Já me adaptei à escola e tenho algumas amigas...

Os olhos de Renée me fitaram com irritação.

— E o Charlie precisa de mim — continuou Bella. — Ele fica tão sozinho lá... e não sabe cozinhar *nada*.

— Você quer ficar em Forks? — perguntou Renée, como se as palavras não fizessem nenhum sentido naquela ordem. — Por quê?

Esse garoto é a verdadeira razão.

— Eu já disse... Tem a escola, Charlie... Ai!

De novo, tive que olhar. Renée pairava sobre Bella, estendendo as mãos, hesitante, sem saber onde tocar. Acabou pousando a mão sobre a testa da filha.

— Bella, querida, você odeia Forks. — Renée parecia preocupada com o fato de ela não se lembrar.

A voz de Bella assumiu um tom defensivo.

— Não é tão ruim.

Renée decidiu ir direto ao ponto.

— É esse rapaz? — sussurrou ela.

Era mais uma acusação do que uma pergunta.

Bella hesitou, mas acabou admitindo.

— Ele é parte do motivo... Então, teve uma chance de conversar com o Edward?

— Sim. E quero falar com você sobre isso.

— Sobre o quê? — perguntou Bella inocentemente.

— Acho que esse rapaz está apaixonado por você — sussurrou Renée.

— Eu também acho.

Bella está apaixonada? Quantas coisas eu perdi? Como ela pôde não me contar? O que eu devo fazer?

— E... como você se sente em relação a ele?

Bella suspirou, e respondeu em um tom espontâneo:

— Eu sou louca por ele.

— Bem, ele *parece* muito legal e, meu Deus, é incrivelmente bonito, mas você é tão nova, Bella...

E se parece muito com o Charlie. É cedo demais.

— Sei disso, mãe — concordou Bella prontamente. — Não se preocupe. É só uma paixãozinha.

— Está bem — respondeu Renée.

Ótimo. Então ela não está encarando essa história com tanta intensidade, não está agindo feito o Charlie. Minha nossa, já é tão tarde? Estou atrasada.

Bella percebeu a distração momentânea de Renée.

— Precisa ir?

— O Phil deve ligar daqui a pouco... Eu não sabia que você ia acordar...

O telefone provavelmente está tocando lá em casa neste exato momento. Eu devia ter conseguido o número daqui.

— Tudo bem, mãe. — Bella não conseguiu esconder totalmente o alívio. — Não vou ficar sozinha.

— Eu volto logo. Estou dormindo aqui, sabia? — acrescentou Renée, exibindo seu comportamento de "boa mãe".

— Ah, mãe, não precisa fazer isso! — Bella ficou incomodada ao pensar na mãe se sacrificando por ela. Não era assim que a relação delas funcionava. — Pode dormir em casa... Eu nem vou perceber.

— Fiquei nervosa demais — admitiu Renée, consciente o bastante para soar acanhada depois de se gabar. — Houve um crime no bairro, e não gosto de ficar ali sozinha.

— Crime? — Bella ficou instantaneamente em alerta máximo.

— Alguém arrombou aquele estúdio de dança da esquina e o incendiou completamente... Não restou nada! E deixaram um carro roubado na frente. Lembra quando você dançava lá, querida?

Nós não tínhamos sido os únicos a roubar um carro. Na verdade, o carro do rastreador estava estacionado na entrada sul do estúdio de dança. Não encobrimos os crimes dele, só os nossos. Mas isso acabou se mostrando útil para o nosso álibi, já que aquele carro tinha sido roubado um dia antes de chegarmos a Phoenix.

— Lembro — disse Bella, com um tremor na voz.

Tive dificuldade de me manter imóvel. Renée também ficou comovida.

— Eu posso ficar, meu bem, se precisar de mim.

— Não, mãe. Eu estou bem. Edward vai ficar comigo.

É claro que vai. Bem, eu na verdade tenho que colocar roupa para lavar, e acho que devia limpar a geladeira. Aquele leite já está lá há meses.

— Vou voltar à noite.

— Eu te amo, mãe.

— Também te amo, Bella. Procure ter mais cuidado, querida. Não quero perder você.

Me esforcei para controlar o sorriso que ameaçou estragar minha encenação.

Nesse momento, Bea entrou no quarto, contornando Renée para verificar os monitores.

Renée beijou a testa de Bella, deu leves tapinhas em sua mão e saiu, ansiosa para contar a Phil a notícia de que ela estava melhor.

— Está se sentindo ansiosa, querida? — perguntou Bea. — Seus batimentos cardíacos aceleraram um pouco.

— Estou bem — garantiu Bella.

— Vou contar à sua enfermeira que você acordou. Ela virá vê-la daqui a um minuto.

Depois que Bea saiu, corri para o lado de Bella antes mesmo de a porta se fechar.

Ela ergueu as sobrancelhas, não sei se preocupada ou impressionada.

— Você roubou um carro?

Eu sabia que Bella estava se referindo ao carro no estacionamento, mas ela não estava errada. A não ser pelo fato de que tinham sido dois carros.

— Era um bom carro, bem rápido — respondi.

— Como foi sua soneca? — perguntou ela.

O clima bem-humorado da nossa conversa desapareceu.

— Interessante.

A mudança de tom a confundiu.

— O que foi?

Olhei para a área volumosa formada por sua perna quebrada, sem ter certeza do que ela veria em meus olhos.

— Estou surpreso — falei lentamente. — Pensei que a Flórida... E sua mãe... Bom, pensei que era o que você queria.

— Mas na Flórida você ficaria trancado o dia todo em casa — respondeu ela, sem entender. — Só poderia sair à noite, como um vampiro de verdade.

A maneira como ela falou me fez ter vontade de sorrir, mas, naquele momento, eu queria muito *não* sorrir.

— Eu ficaria em Forks, Bella. Ou outro lugar parecido. Um lugar onde não pudesse mais machucar você.

Ela me encarou com uma expressão confusa, como se eu tivesse respondido em latim. Esperei que processasse as minhas palavras. Então seu coração começou a bater mais rápido, e sua respiração ficou ofegante. Ela estremecia a cada vez que inspirava, a expansão dos pulmões pressionando as costelas quebradas.

Um eco da futura Bella em sofrimento se projetou em seu rosto.

Era difícil assistir. Eu queria dizer algo que amenizasse sua dor, seu *terror*, mas isso era supostamente a coisa certa a fazer. Não parecia certo, mas eu não podia confiar nos meus sentimentos egoístas.

Gloria entrou no quarto, recém-chegada para o turno da tarde. Examinou Bella com olhos treinados.

Eu diria que a recuperação dela está mais ou menos no grau seis. Mas é bom ver seus olhos abertos.

— Hora dos analgésicos, querida? — sugeriu ela gentilmente, dando batidinhas no cateter.

— Não, não — recusou Bella, ofegante. — Não preciso de nada.

— Não precisa ser corajosa, querida. É melhor não se estressar demais. Você precisa descansar.

Gloria ficou esperando que Bella mudasse de ideia. Mas ela balançou cuidadosamente a cabeça, sua expressão uma mistura de dor e rebeldia.

A enfermeira suspirou.

— Muito bem. Toque a campainha quando precisar.

Ela olhou para mim, sem saber ao certo o que achava da minha vigília constante. Deu uma última checada nos monitores de Bella e saiu.

Os olhos de Bella ainda estavam aflitos. Coloquei as mãos nas laterais de seu rosto, encostando de leve no malar fraturado.

— Shhh, Bella, fique calma.

— Não me deixe... — implorou ela, a voz falhando.

E era por isso que eu não conseguia ser forte o bastante sozinho. Como poderia fazê-la sofrer ainda mais? Ela estava deitada ali, toda enfaixada, lutando contra a dor, e sua única súplica era para que eu ficasse.

— Não vou — respondi, enquanto mentalmente expandia minha resposta. *Não até você estar inteira de novo. Não até você estar pronta. Não até eu encontrar forças.* — Agora relaxe antes que eu chame a enfermeira para sedar você.

Mas foi como se ela pudesse ouvir minhas ressalvas mentais. Antes — antes da caçada e do horror —, eu tinha prometido a ela diversas vezes que ia ficar. Era sempre verdade, e ela sempre acreditou. Dessa vez, no entanto, ela percebeu algo diferente. E o ritmo de seus batimentos não diminuiu.

Acariciei sua bochecha.

— Bella, eu não vou a lugar nenhum. Vou ficar bem aqui pelo tempo que precisar de mim.

— Jura que não vai me deixar? — sussurrou ela.

Sua mão se moveu rapidamente para as costelas. Deviam estar doendo.

Ela estava frágil demais para essa conversa. Eu deveria ter me dado conta, deveria ter esperado. Mesmo que Renée tivesse acabado de lhe oferecer a opção perfeita para uma vida livre de vampiros.

Tomei seu rosto entre as mãos, deixando o intenso amor que eu sentia por ela preencher meus olhos, e menti com toda a experiência de cem anos de dissimulação diária.

— Eu juro.

A tensão em seu corpo cedeu. Seus olhos não desviaram dos meus, mas, depois de alguns segundos, seu coração voltou a bater no ritmo normal.

— Melhor?

Seu olhar estava desconfiado, a voz insegura quando respondeu:

— Sim.

Ela ainda devia sentir que eu estava escondendo alguma coisa.

Eu precisava que ela acreditasse em mim por mais um tempo, para que pudesse ficar boa e em segurança. Eu não podia ser responsável por complicar sua recuperação.

Então tentei agir como agiria se não estivesse escondendo nada. Como se sua reação agitada tivesse me exasperado. Fiz uma cara de irritação e resmunguei:

— Uma reação um pouco exagerada, não acha?

Eu falei rápido demais. Bella provavelmente não conseguiu entender.

— Por que disse isso? — sussurrou ela, com um tremor na voz. — Está cansado de ter que me salvar o tempo todo? Você *quer* que eu vá embora?

Eu poderia rir durante um século da ideia de me cansar dela. Ou chorar por um milênio.

Mas ia chegar o momento, eu tinha certeza, em que teria de convencê-la do contrário. Então medi bem as palavras para que soassem contidas, moderadas.

— Não, não quero ficar sem você, Bella, é claro que não. Seja racional. E eu tampouco tenho problemas em salvar você... A não ser pelo fato de que fui eu que a coloquei em perigo... Esse é o motivo de você estar aqui.

A verdade acabou transparecendo no fim da minha resposta.

Bella me olhou de cara feia.

— Sim, tem razão. Você é o motivo de eu estar aqui... *viva*.

Não consegui manter minhas palavras moderadas. Sussurrei para esconder a dor.

— Mais ou menos. Coberta de ataduras e gesso, praticamente incapaz de se mexer.

— Não estava me referindo à minha recente experiência de quase morte — disse ela, irritada. — Estava pensando nas outras... Pode escolher qual. Se não fosse por você, eu estaria criando raiz no cemitério de Forks.

Estremeci diante dessa imagem, mas voltei ao meu argumento, sem deixar que ela me distraísse do meu remorso.

— Mas essa não foi a pior parte. Não foi ver você ali no chão... cheia de fraturas e ferimentos. — Eu me esforcei para retomar o controle da minha voz. — Nem pensar que eu tinha chegado tarde demais. Nem mesmo ouvir seu grito de dor... Todas essas lembranças insuportáveis que vou levar comigo pelo resto da eternidade. Não, o pior foi sentir... saber que eu poderia não parar. Acreditar que eu mesmo iria matar você.

Ela franziu o rosto.

— Mas não matou.

— Podia ter matado. Com muita facilidade.

Mais uma vez, seus batimentos se aceleraram.

— Prometa — sussurrou.

— O quê?

Ela estava me olhando com raiva.

— Você sabe o quê.

Bella tinha percebido o tom das minhas palavras. Ouviu que eu estava tentando me convencer a ser forte. Eu precisava lembrar que ela lia meus pensamentos mil vezes melhor do que eu lia os dela. Precisava ignorar minha vontade de confessar. O mais importante naquele momento era sua recuperação.

Tentei dizer apenas coisas verdadeiras, para que ela não percebesse minhas intenções com a mesma facilidade de antes.

— Não pareço ser forte o suficiente para ficar longe de você, então acho que vai prevalecer a sua vontade... Quer isso mate você ou não.

— Ótimo — disse ela, mas percebi que não estava convencida. — Você me disse como parou... Agora quero saber por quê.

— Por quê? — repeti, sem entender.

— *Por que* parou. Por que não deixou simplesmente que o veneno se espalhasse? Agora eu seria como você.

Eu nunca tinha explicado isso a ela. Tinha me esquivado de suas perguntas com muito cuidado. E sabia que ela não poderia tirar *essas* dúvidas em nenhuma pesquisa na internet. Fiquei louco de raiva por um momento e, em meio à loucura, vi o rosto de Alice.

— Serei a primeira a admitir que não tenho experiência com relacionamentos. — Bella começou a falar rápido, preocupada com o que tinha deixado escapar e tentando me distrair. — Mas isso parece lógico... Um homem e uma mulher precisam ser, de alguma forma, iguais... Um deles não pode sempre aparecer e salvar o outro. Eles têm que se salvar *igualmente*.

Bella tinha razão, mas estava perdendo de vista o ponto mais importante. Eu nunca poderia ser igual a ela. Para mim, não havia como voltar atrás. E essa era a única igualdade que a deixava ilesa.

Cruzei os braços na beirada do colchão e apoiei o queixo sobre eles. Estava na hora de baixar o tom da discussão.

— Você *já* me salvou — disse a ela calmamente.

E era verdade.

— Não posso ser sempre a Lois Lane — alertou-me. — Também quero ser o Super-Homem.

Mantive minha voz suave, apaziguadora, mas tive que desviar o olhar.

— Você não sabe o que está pedindo.

— Acho que sei.

— Bella, você *não* sabe — murmurei, minha voz ainda gentil. — Tive quase noventa anos para pensar nisso, e ainda não tenho certeza.

— Preferiria que o Carlisle não tivesse salvado você?

— Não, eu não preferiria isso. — Nesse caso, eu nunca teria conhecido Bella. — Mas minha vida estava acabada. Eu não estava abrindo mão de nada. — Exceto da minha alma.

— *Você* é a minha vida. Você é a única coisa que me deixaria magoada se eu perdesse.

Ela estava descrevendo com exatidão o meu lado no nosso relacionamento.

E o que vai fazer quando ela pedir que você a transforme? E quando ela implorar?, a lembrança de Rosalie sussurrou em minha mente.

— Não posso fazer isso, Bella. Não vou fazer isso com você.

— E por que não? — A voz dela soou áspera, alterada pela raiva. — Não me diga que é difícil demais! Depois de hoje, ou, sei lá, alguns dias atrás... Enfim, depois *daquilo*, não deve ser nada.

Me esforcei para manter a calma.

— E a dor? — lembrei a ela.

Eu não queria pensar nisso. Esperava que ela também não quisesse.

Seu rosto empalideceu. Era algo difícil de ver. Ela lutou contra a lembrança por um longo momento, então ergueu a cabeça.

— Isso é problema meu. Posso lidar com ela.

— É possível levar a coragem ao ponto em que se torna insanidade — murmurei.

— Isso não é um problema. Três dias. Grande coisa.

Alice! Provavelmente era melhor mesmo que eu não soubesse onde ela estava. Me dei conta de que seu sumiço era proposital. Ela ia me evitar até que eu me acalmasse, tinha certeza. Queria ligar para ela, dizer o que achava dessa fuga covarde, mas podia apostar que ela não ia atender.

Retomei o foco. Se Bella queria continuar essa discussão, eu ia continuar apontando as coisas que ela não tinha considerado.

— E Charlie? — perguntei de forma sucinta. — E Renée?

Foi mais difícil para Bella menosprezar esse argumento. Alguns minutos se passaram enquanto tentava encontrar uma resposta. Ela abriu a boca, em seguida a fechou. Em nenhum momento desviou o olhar, mas a rebeldia em seus olhos aos poucos se transformou em frustração.

Por fim, ela mentiu. E isso ficou óbvio, como costumava ficar.

— Olhe, isso também não é um problema. Renée sempre tomou as decisões que eram melhores para ela... Ela ia querer que eu fizesse o mesmo. E Charlie é resistente, está acostumado a ficar sozinho. Não posso cuidar deles para sempre. Tenho que viver a minha vida.

— Exatamente — concordei, com a voz carregada. — E não vou pôr um fim nela para você.

— Se está esperando que eu esteja no meu leito de morte, tenho uma novidade para você! Eu já estou nele!

Esperei até ter certeza de que minha voz se manteria equilibrada.

— Você vai se recuperar.

Ela respirou fundo e fez uma expressão de dor. Quando respondeu, falou lentamente e em voz baixa.

— Não, não vou.

Será que ela achava que eu estava mentindo sobre seu estado?

— É claro que vai — insisti, sério. — Pode ficar com uma ou duas cicatrizes...

— Está enganado. Eu vou morrer.

Não consegui manter a calma. Ouvi a tensão em minha voz.

— Francamente, Bella. Você terá alta daqui a alguns dias. Duas semanas, no máximo.

Ela me encarou, desolada.

— Posso não morrer agora... Mas vou morrer um dia. A cada minuto, chego mais perto. E vou ficar *velha*.

A ansiedade se transformou em desespero quando entendi o que ela queria dizer. Será que ela achava que eu ainda não tinha pensado nisso? Que havia de alguma forma ignorado esse fato gritante, sem reparar nas minúsculas mudanças em seu rosto, acentuadas pela minha rígida imutabilidade? Será que ela achava que, sem o dom de Alice, eu não conseguia enxergar o futuro óbvio?

Enterrei o rosto nas mãos.

— É como costuma acontecer, como deve acontecer. É como aconteceria se eu não existisse... E eu *não devia existir*.

Bella bufou.

Ergui o rosto, surpreso com a mudança no tom.

— Que coisa mais idiota. É como ir até alguém que acaba de ganhar na loteria, tirar seu dinheiro e dizer: "Olhe, vamos voltar a como as coisas devem ser. É melhor assim." E eu não estou convencida disso.

— Estou longe de ser um prêmio de loteria — grunhi.

— É verdade. Você é muito melhor.

Revirei os olhos, mas tentei recuperar um pouco de controle. Aquilo não era bom para ela, como atestavam os monitores.

— Bella, não vamos mais ter essa discussão. Eu me recuso a condenar você à eternidade da noite e ponto final.

Assim que terminei de falar, percebi como minhas palavras soavam condescendentes. E soube o que Bella ia responder antes mesmo de ela estreitar os olhos.

— Se acha que esse é o ponto final, então não me conhece muito bem. Você não é o único vampiro que eu conheço — lembrou ela.

Mais uma vez, fiquei louco de raiva.

— Alice não se atreveria.

— Alice já viu isso, não viu? — provocou ela, confiante, embora aparentemente Alice tivesse omitido *algumas* partes da história. — É por isso que as coisas que ela diz o aborrecem. Ela sabe que serei como vocês... Um dia.

— Ela está errada. — Eu também estava confiante. Já sabia contornar as visões de Alice. — Ela também viu sua morte, mas isso não aconteceu.

— Você nunca vai *me* ver apostando contra a Alice.

Ela voltou a me encarar com olhos desafiadores. Senti as linhas do meu rosto se intensificarem e me esforcei para relaxá-las. Com essa conversa, estávamos perdendo o pouco tempo que tínhamos.

— E ao que isso nos leva? — perguntou ela, hesitante.

Suspirei, então ri sem achar muita graça.

— Acho que o nome disso é *impasse*.

Um impasse que levava a uma inevitabilidade.

O suspiro profundo de Bella ecoou o meu.

— Ai.

Olhei para seu rosto, em seguida para o botão que nos conectaria à enfermeira.

— Como está se sentindo?

— Estou bem — respondeu ela, de forma pouco convincente.

Sorri.

— Não acredito em você.

Ela fez um beicinho.

— Não vou dormir de novo.

— Precisa descansar. Toda essa discussão não é boa para você.

Minha culpa, é claro, sempre minha culpa.

— Então ceda — sugeriu ela.

Apertei o botão.

— Valeu a tentativa.

— Não! — reclamou ela.

— Sim? — A voz de Bea soou distante no minúsculo alto-falante.

— Acho que já estamos prontos para mais analgésicos — falei.

Bella me olhou de cara feia, depois estremeceu.

— Vou chamar a enfermeira.

— Não vou tomar — ameaçou Bella.

Olhei sugestivamente para o cateter.

— Acho que não vão pedir para você engolir nada.

O coração dela disparou de novo.

— Bella, você está com dor. Precisa relaxar para ficar boa. Por que está sendo tão difícil? Não vão colocar mais nenhuma agulha em você a essa altura.

Sua expressão tinha perdido toda a teimosia; ela parecia apenas angustiada.

— Não estou com medo das agulhas. Estou com medo de fechar os olhos.

Tomei o rosto dela entre as mãos e sorri com toda a sinceridade. Isso era fácil. Tudo o que eu queria — tudo o que eu sempre ia querer — era olhar em seus olhos. Para sempre.

— Eu disse que não vou a lugar nenhum. Não tenha medo. Enquanto isso fizer você feliz, vou ficar aqui.

Até você estar recuperada, até estar pronta. Até eu reunir a força necessária.

Ela sorriu, apesar da dor.

— Isso significa para sempre, sabe disso.

Um *para sempre* mortal.

— Ah, você vai superar... — brinquei. — É só uma paixãozinha.

Ela tentou balançar a cabeça, mas desistiu ao sentir uma pontada.

— Eu fiquei chocada quando a Renée engoliu essa. Sei que *você* conhece bem a verdade.

— Essa é a beleza de ser humano — falei, baixinho. — As coisas mudam.

— Não perca seu tempo.

Tive que rir da expressão irônica. Ela sabia que eu tinha todo o tempo do mundo.

Gloria entrou no quarto já com uma seringa nas mãos.

Ele precisa dar um sossego a ela, coitadinha.

Saí do caminho antes que ela terminasse de dizer "com licença". Fiquei encostado na parede do outro lado do quarto, dando a Gloria espaço para se mover. Não queria irritá-la a ponto de ela tentar me expulsar de novo. Eu não sabia ao certo onde Carlisle estava.

Bella olhou para mim ansiosamente, temendo que eu saísse pela porta e nunca mais voltasse. Tentei fazer uma expressão tranquilizadora. Estaria ali quando ela acordasse. Pelo tempo que precisasse de mim.

Gloria injetou o analgésico no cateter.

— Aqui está, querida. Vai se sentir melhor agora.

O "obrigada" de Bella não foi nem um pouco grato.

Em segundos, suas pálpebras se fecharam.

— Isso deve funcionar — murmurou Gloria.

Ela me dirigiu um olhar severo, mas mantive o foco na janela, fingindo não perceber. Ela fechou a porta silenciosamente ao sair.

Corri para perto de Bella, aninhando o lado de seu rosto que não estava machucado em minha mão.

— Fique. — A palavra saiu arrastada.

— Vou ficar — prometi. Ela estava quase inconsciente, e me senti capaz de dizer a verdade. — Como eu disse, enquanto isso fizer você feliz... Enquanto for o melhor para você.

Ela suspirou, apenas parcialmente consciente.

— Não é a mesma coisa.

— Não se preocupe com isso agora, Bella. Pode discutir comigo quando estiver acordada.

Ela me lançou um tênue sorriso.

— Tá.

Me aproximei e beijei sua têmpora.

— Eu te amo — sussurrei em seu ouvido.

— Eu também — murmurou.

Ri baixinho.

— Eu sei.

Esse era o problema.

Ela lutou contra a sedação, voltando o rosto para mim... me analisando.

— Obrigada.

— De nada.

— Edward? — Ela mal conseguia pronunciar meu nome.

— Sim?

— Eu aposto na Alice — murmurou.

Sua expressão relaxou conforme ela mergulhava em um estado de inconsciência.

Enfiei o rosto na base de seu pescoço e inspirei sua essência abrasadora, desejando mais uma vez, como no início, poder sonhar com ela.

EPÍLOGO:
UM ACONTECIMENTO ESPECIAL

ELES A MANTIVERAM NO HOSPITAL POR MAIS SEIS DIAS. EU SABIA que era uma eternidade para Bella. Ela estava ansiosa para voltar à vida normal, se livrar dos médicos que a cutucavam e espetavam, ver a pele livre de todas aquelas agulhas.

Para mim, o tempo voou, apesar da angústia constante por vê-la em uma cama de hospital, por saber que ela sentia dor e não havia nada que eu pudesse fazer para aliviá-la. Esse era o tempo garantido que eu tinha com Bella; obviamente, seria errado deixá-la enquanto ainda estivesse tão vulnerável. Eu queria esticar cada segundo, por mais que me doessem. Mas eles passaram rápido demais.

Eu odiava os minutos que precisava ficar longe dela, quando os médicos conversavam a sós com Bella e Renée, embora fosse fácil ouvi-los da escada. Em alguns momentos, talvez fosse até melhor; nem sempre eu conseguia controlar minha expressão facial.

No primeiro dia depois que ela despertou, por exemplo, o Dr. Sadarangani se mostrou entusiasmado com as radiografias, satisfeito por ver que as fraturas eram simples e ela se recuperaria totalmente, mas eu só enxergava o momento em que o rastreador pisou na perna de Bella. Só ouvia seus ossos se quebrando. Foi bom ninguém ter visto meu rosto.

Ela percebeu que a mãe estava inquieta — se não voltasse logo, perderia um emprego de longo prazo em uma escola primária de Jacksonville, onde trabalharia como substituta —, porém estava determinada a ficar com Bella enquanto a filha permanecesse em Phoenix. Não foi tão difícil para Bella convencer Renée de que se sentia bem e que ela deveria voltar para a Flórida. Sua mãe foi embora dois dias antes de nós.

Bella falava bastante com Charlie ao telefone, especialmente depois que Renée foi embora. Agora que o perigo tinha passado, que ele havia tido tempo para pensar em todas as perspectivas da situação, Charlie começou a sentir raiva. Não de Bella, claro. Sua raiva apontava na direção certa. Afinal, nada disso teria acontecido se não fosse por mim. A amizade crescente com Alice deixou a questão confusa para ele, mas eu tinha certeza do que leria em sua mente quieta quando o encontrasse.

Tentei evitar conversas mais sérias com Bella. Foi mais fácil do que eu esperava. Quase nunca ficávamos sozinhos — mesmo depois de Renée ir embora, um fluxo constante de enfermeiras e médicos a substituiu —, e, em geral, Bella ficava sonolenta por causa dos medicamentos. Ela parecia feliz só por eu estar por perto. Não voltou a me pedir garantias. No entanto, às vezes, eu tinha certeza de ver certa dúvida em seus olhos. Eu queria poder apagar essa dúvida, cumprir minhas promessas, mas era melhor não dizer nada do que mentir outra vez.

E então, de repente, já estávamos organizando nossa volta para casa.

O plano de Charlie era que Bella viajasse de avião com Carlisle, enquanto Alice e eu retornaríamos a Washington com a picape. Carlisle o dissuadiu dessa ideia; ele sabia minha opinião sem que eu precisasse dizer. Convenceu Charlie de que Alice e eu já tínhamos perdido muitas aulas, e Charlie não teve como contra-argumentar. Voltaríamos juntos de avião para casa. Carlisle despacharia a picape de volta. Ele prometera a Charlie que seria algo fácil de arranjar e que não seria caro.

Como era diferente estar no mesmo aeroporto onde meu pior pesadelo tinha começado. Reservamos um voo noturno, então o teto de vidro do lugar não representaria mais um perigo. Fiquei imaginando o que Bella sentiu quando olhou para aqueles corredores espaçosos — será que também se lembrou da dor e do terror que sentira da última vez que estivera ali? Agora que não tínhamos mais por que correr, andamos devagar, Alice empurrando a cadeira de rodas para que eu pudesse caminhar ao lado de Bella, segurando sua mão. Como eu já esperava, Bella não gostou de estar na cadeira de rodas, nem dos olhares curiosos que lhe lançavam. De vez em quando, franzia a testa para o gesso branco e grosso, como se quisesse arrancá-lo, mas não reclamou em nenhum momento.

Ela dormiu durante o voo e murmurou meu nome em seus sonhos. Teria sido tão fácil ignorar o passado e reviver o dia perfeito que passamos juntos, permanecer em um momento em que meu nome nos lábios de Bella não queimasse com culpa e mau agouro. Mas a separação iminente era óbvia demais para admitir qualquer fantasia.

Charlie nos encontrou em SeaTac, embora já passasse das onze da noite e a viagem de volta a Forks levasse quase quatro horas. Carlisle e Alice tentaram fazê-lo desistir da ideia, mas eu entendi. E, por mais que seus pensamentos estivessem tão nebulosos quanto antes, era evidente que eu tinha razão. Ele havia atribuído a culpa à pessoa certa.

Não que Charlie nutrisse qualquer suspeita sombria de que eu mesmo a empurrara da escada, mas ele achava que Bella nunca teria agido de forma tão impulsiva se não fosse pelo meu incentivo. Charlie estava errado quanto à motivação de Bella para ir ao Arizona, porém a conclusão estava certa. No fim das contas, a culpa era minha mesmo.

Minha viagem seguindo a viatura de Charlie, dirigindo obedientemente na velocidade máxima permitida, deveria ter sido longa, mas ainda assim o tempo voava. Nem mesmo me separar temporariamente de Bella fazia as horas passarem mais devagar.

Todos nos adaptamos à nova rotina sem maiores problemas. Alice assumiu a função de enfermeira e dama de companhia, e Charlie nem tinha palavras para agradecer. Bella, embora constrangida por precisar de ajuda com suas necessidades mais básicas e íntimas, ficou feliz por essa ajuda vir de Alice. Era como se, naquele curto período em Phoenix, as visões da minha irmã, em que Bella aparecia como sua melhor amiga, tivessem se concretizado plenamente. Elas se davam tão bem — já cheias de piadas internas e segredos — que pareciam ser amigas havia muitos anos, e não apenas semanas. De vez em quando, Charlie ficava confuso, se perguntando por que Bella nunca revelara essa amizade, mas sentia muita gratidão e carinho por Alice para buscar respostas mais veementes. Ele estava feliz com o andamento das coisas, era o melhor cenário possível para cuidar de uma filha gravemente ferida. Alice passava quase tanto tempo na casa dos Swan quanto eu, embora encontrasse Charlie com muito mais frequência.

Bella sentia dúvidas em relação à escola.

— Por um lado — disse ela —, só quero que as coisas voltem ao normal. E não quero ficar ainda mais atrasada. — Era bem cedo, a segunda manhã após nosso retorno; ela dormia tanto durante o dia que seus horários estavam trocados. — Por outro, a ideia de todo mundo ficar me olhando enquanto estou *naquela* coisa... — Ela lançou um olhar ameaçador para a inocente cadeira de rodas, dobrada ao lado da cama.

— Se eu pudesse carregar você pela escola, eu carregaria, mas...

Ela suspirou.

— Isso provavelmente não ajudaria em nada com os olhares.

— Provavelmente, não. Mas, embora você nunca tenha reconhecido que eu sou de fato assustador, garanto que posso fazer algo em relação a qualquer olhar.

— O quê?

— Vou mostrar para você.

— Agora fiquei curiosa. Quero ir para a escola o mais rápido possível.

— Podemos fazer o que você quiser.

Senti meu corpo se retrair assim que as palavras saíram da minha boca. Eu vinha tomando cuidado para não dizer nada que trouxesse à tona nossa conversa no hospital. Dessa vez, ela deixou passar.

Na verdade, ela parecia tão relutante quanto eu em falar sobre o futuro. Provavelmente era por isso que fazer as coisas "voltarem ao normal" parecia um plano tão bom para ela. Talvez Bella torcesse para que deixássemos esse episódio de lado, como se fosse um mero capítulo ruim, em vez do prenúncio para a única conclusão possível.

Foi fácil cumprir minha promessa sem importância. Em seu primeiro dia de volta, conforme eu a levava de aula em aula na cadeira de rodas, bastava eu fazer contato visual com qualquer um que parecesse interessado demais. Um leve estreitar de olhos, uma erguida mínima do lábio superior, e qualquer curioso era logo persuadido a se concentrar em outra coisa.

Bella não ficou convencida.

— Não tenho certeza se você está fazendo alguma coisa. Mas eu não sou tão interessante. Não devia ter me preocupado.

Logo após a permissão de Carlisle, Bella trocou o gesso por uma bota ortopédica e muletas. Eu preferia a cadeira. Para mim, era difícil vê-la lutando com as muletas sem poder fazer nada, mas ela parecia aliviada por se movimentar sozinha. Depois de alguns dias, já tinha pegado o jeito.

A história que circulava pela escola era errada sob todos os aspectos. Por conta dos assistentes de Charlie, todos já sabiam da queda desastrosa de Bella pela janela do hotel. Mas Charlie tinha sido reticente sobre o *motivo* que a levara a Phoenix. Então, Jessica Stanley preencheu todas as lacunas: Bella e eu tínhamos ido juntos a Phoenix para conhecer a mãe dela. Segundo Jessica, isso se devia ao fato de que nosso relacionamento estava ficando muito sério. Todo mundo aceitou sua versão; a maioria já tinha esquecido a origem da história.

Os boatos saíram da cabeça de Jessica, já que Bella quase nunca passava tempo com ela fora de sala. O mesmo acontecera tempos atrás, quando eu tinha parado a van — Bella sabia ser lacônica quando queria. E agora ela se sentava em nossa mesa, junto a mim, Alice e Jasper. Mesmo sem Rosalie e Emmett — que fingiam comer fora, escondidos no carro caso o sol ameaçasse aparecer —, nenhum dos humanos ousava se aproximar de nós para falar com Bella. Não me agradava vê-la se afastando dos antigos amigos, sobretudo de Angela, mas presumi que no fim tudo voltaria a ser como era, antes de eu invadir sua vida.

Depois que fôssemos embora.

Embora o tempo não passasse mais devagar, a rotina começou a parecer normal, e eu tinha que me manter alerta. Às vezes, eu escorregava; ela sorria para mim, e eu era inundado pelo sentimento de plenitude, pela sensação de que nós tínhamos sido feitos um para o outro. Era difícil lembrar que essa sensação, tão pura e verdadeira, era uma mentira. Difícil lembrar até Bella se virar de repente e sentir dor nas costelas machucadas, ou até apoiar o pé com muita força e perder o fôlego, ou até mover a mão de maneira a mostrar a nova cicatriz, branca e brilhante, acima do pulso.

Bella continuava se recuperando e o tempo, passando. Eu me agarrava a cada segundo.

Alice surgira com um novo plano que alterava a rotina — em seu ponto de vista, para melhor. Sabendo que Bella faria objeções, a princípio resisti. No entanto, quanto mais pensava sobre aquilo, mais eu via as coisas por uma perspectiva diferente.

Não pela perspectiva de Alice. Suas motivações eram provavelmente setenta por cento egoístas; ela adorava essas mudanças. Eu julgava que as minhas motivações estavam em torno de dez por cento. Sim, essa era uma lembrança que eu queria ter, admiti para mim mesmo. Porém, o que mais queria era modificar um capítulo específico no futuro de Bella. Pensando em seu bem, embarquei no plano bizarro de Alice.

Eu tinha uma visão — não como as de Alice, não uma profecia de verdade. Era apenas um cenário provável. Essa visão gerou uma pontada forte que se espalhou por todo o meu corpo; era metade agonia, metade prazer.

Eu visualizava Bella dali a vinte anos, amadurecendo com elegância, chegando à meia-idade. Assim como a mãe, ela manteria uma aparência jovem por mais tempo que os outros, mas, quando as rugas aparecessem, não comprometeriam em nada sua beleza. Eu a imaginava em algum lugar ensolarado, em uma casa bonita, mas simples, e uma verdadeira bagunça — a menos que Bella mudasse seus hábitos de forma significativa. Contribuindo para a bagunça, haveria crianças, duas ou três. Talvez um menino com o cabelo cacheado e o sorriso de Charlie, e uma menina que, como Bella, se pareceria com a mãe.

Não tentei imaginar o pai ou como seus filhos refletiriam o rosto dele; essa parte seria só agonia.

Um dia, quando já fossem adolescentes, mais novos do que Bella era agora, talvez instigados por uma comédia romântica na TV (embora Alice tivesse me dito que as produções mudariam bastante na próxima década; ela estava esperando a formação de certas empresas para fazer um investimento), um dos filhos perguntaria a Bella como tinha sido *seu* baile de formatura da escola.

Bella daria um sorriso e diria: "Eu não gostava muito de festas. Não fui ao baile." E os filhos ficariam decepcionados. A mãe nunca tinha uma boa história sobre sua adolescência. Será que não havia feito *nada* de interessante?

Bella não teria nenhuma história leve e divertida, apenas uma ausência de experiências normais, apenas segredos, perigos e situações tão fantásticas que, um dia, ela se perguntaria se tudo não passara de imaginação.

Ou... Bella daria risada quando os filhos quisessem saber, e de repente seus olhos ficariam distantes.

— Foi uma maluquice — diria ela. — Eu não queria ir, vocês sabem que não sou de dançar. Mas minha melhor amiga na época me sequestrou para mudar o meu visual, e meu namorado me levou apesar dos meus protestos. No fim das contas, não foi tão ruim. Fiquei feliz por ter ido. Pelo menos, para ver a decoração... era como uma versão econômica daquele filme *Carrie, a estranha*. Não, vocês não podem ver *Carrie, a estranha*. Ainda não.

Por esse momento do futuro de Bella, deixei Alice prosseguir com seu plano atrevido e invasivo. Mais do que deixar, fui ajudante e cúmplice.

E foi assim que me vi em um smoking — escolhido por Alice, é claro; pelo menos não tive que fazer compras — e com um arranjo de frésias nas mãos, aguardando ao pé da escada a grande surpresa de Alice.

Eu já tinha visto tudo em sua mente, mas ela não dava a mínima. Queria cada cena clichê do baile de formatura, daquela cerimônia humana exagerada.

Alice avisara a Charlie que Bella chegaria tarde, deixando claro que ela própria estaria presente durante toda a noite, do começo ao fim. Charlie não se incomodava com nada que envolvesse Alice. No entanto, com frequência se opunha a eventos que me incluíam, embora normalmente só fizesse isso em pensamento.

Ouvi Alice ajudar Bella, que mancava até a escada. O braço da minha irmã envolveu a cintura dela, que por sua vez apoiou um dos braços nos ombros de Alice, escorando-se com força. Bella tinha se adaptado bem às muletas, mas Alice as confiscara essa noite. Eu não sabia até que ponto era pela estética ou para impedir que Bella fugisse. Então, a poucos passos da escada, Alice se afastou de Bella e a instigou a continuar sozinha.

— O quê? — protestou ela. — Não consigo andar com *isso*.

— São só alguns passos. Você consegue. Não estou bem-vestida, vou estragar a imagem.

— Que *imagem*? — A voz de Bella ficou um pouco mais aguda. — Acho bom não ter ninguém tirando fotos minhas!

— Ninguém vai tirar foto nenhuma. Quis dizer *imagens mentais*. Calma.

— Imagens mentais? Quem vai ver isso?

— Só o Edward.

Bom, isso funcionou.

Alice percebeu que os olhos de Bella brilharam ao ouvir meu nome, e ela se movimentou com um entusiasmo que não manifestara durante todo o processo de arrumar o cabelo e fazer a maquiagem. Alice ficou um pouco ofendida.

Quando Bella apareceu, estava andando devagar e meio desajeitada, seus olhos procurando por mim.

Eu vira o vestido na mente de Alice, mas não daquele jeito. O tecido fino de chiffon era franzido e ondulado, o que lhe conferia um aspecto modesto, mas ainda assim aderia à pele de modo muito atraente. O modelo deixava à mostra seus ombros cor de alabastro, e então caía com elegância e delicadeza por seus braços até os pulsos. O torso do vestido era preguedo de forma assimétrica, o que dava ao corpo de Bella um sutil contorno de ampulheta.

É claro que a cor era azul-escuro; Alice tinha percebido minha preferência.

Em um dos pés, Bella usava uma sandália azul de cetim com salto agulha, e longas fitas subiam por sua perna para mantê-la firme. No outro pé, a bota ortopédica desbotada. Fiquei um pouco surpreso por Alice não ter pintado a bota de azul para combinar.

Olhei para Bella enquanto ela me encarava com olhos arregalados.

— Uau — falou.

— Digo o mesmo — concordei, apreciando seu vestido sem tentar ser discreto.

Ela olhou para baixo e corou. Então, deu de ombros como se dissesse: *Bom, esta sou eu usando um vestido.*

Eu sabia que Alice gostava da ideia de Bella descer a escada em grande estilo, mas ela já tinha percebido que isso não passava de fantasia. Disparei escada acima para ajudar Bella. Depois de prender as flores em seu cabelo — Alice deixara um espaço em meio aos cachos soltos para isso —, peguei-a no colo. A essa altura, ela já estava acostumada. Eu a carregava para vários lugares quando não havia nenhum humano à vista.

Era mais rápido, é claro, mas também era simplesmente um alívio tê-la tão perto, sentir que ela estava segura e protegida naquele momento.

— Divirtam-se — gritou Alice, correndo de volta para seu quarto.

Ela colocara seu vestido antes mesmo de eu chegar ao fim da escada. Ouvi Rosalie e os outros esperando por ela na garagem — alguns pacientes, outros nem tanto. Alice parou para fazer um delineado exagerado nos olhos.

Levei Bella até o Volvo e a coloquei com cuidado no banco do passageiro, me certificando de que o chiffon e as fitas não ficariam presos na porta. Eu estava surpreso com seu silêncio. Naquele momento e mais cedo. Ela tinha reclamado com Alice por ter que se arrumar toda, mas não fizera nenhuma objeção a dançar.

Me sentei no banco do motorista e dei a partida.

— Quando exatamente você vai me dizer o que está acontecendo? — perguntou ela, em um tom de voz mais irritado do que sua expressão demonstrava.

Observei seu rosto, procurando a piada. A não ser pela pretensa atitude de mau humor, ela parecia estar falando sério. Não dava para acreditar que fosse tão desligada.

— Estou chocado que ainda não tenha deduzido isso sozinha — respondi com um sorriso, entrando na brincadeira. Porque ela só podia estar brincando.

Bella respirou fundo de repente, e procurei o motivo. Ela estava apenas me encarando.

— Já falei que você está muito bonito? — perguntou.

Pensei no "uau" de antes, que provavelmente transmitia essa ideia.

— Sim.

Ela franziu o rosto outra vez, reassumindo a postura petulante.

— Não vou mais voltar se Alice ficar me tratando como a Barbie Cobaia quando eu vier.

Antes que eu pudesse defender ou condenar Alice, meu celular tocou no bolso. Puxei-o rapidamente, pensando se minha irmã teria mais instruções para mim, mas era Charlie.

Via de regra, o pai de Bella não me ligava. Então, estava um tanto apreensivo quando atendi.

— Oi, Charlie.

— Charlie? — sussurrou Bella, ansiosa também.

Charlie pigarreou, e pude sentir seu desconforto pelo telefone.

— Ah, oi, Edward. Desculpe incomodar sua, hã, noite, mas eu não tinha muita certeza... Então, Tyler Crowley simplesmente apareceu aqui, usando um smoking, e parece achar que *ele* vai levar Bella ao baile de formatura.

Era raro alguém, além de Bella, me pegar de surpresa.

— Está brincando! — Comecei a rir.

Eu não havia notado essa intenção específica nos pensamentos de Tyler, na escola, mas na época eu estava tão focado em aproveitar cada segundo com Bella que provavelmente não devo ter percebido várias coisas desse tipo.

— Que foi? — sibilou Bella.

— Não sei bem o que fazer quanto a isso — prosseguiu Charlie, constrangido.

— Por que não me deixa falar com ele? — ofereci.

Deu para sentir o alívio na voz de Charlie quando respondeu:

— Ótimo. — Então baixou o telefone e disse: — Aqui, Tyler, é para você.

Bella me observava, preocupada com o que estava acontecendo entre mim e seu pai. Ela não notou o carro vermelho-vivo que deu uma guinada repentina perto de nós. Ignorei o prazer de Rosalie ao me ultrapassar — eu agora sempre ignorava Rosalie — e me concentrei na ligação.

A voz do garoto vacilou ao dizer:

— Oi?

— Oi, Tyler, aqui é Edward Cullen.

Meu tom de voz era extremamente educado, embora tenha sido um pouco difícil mantê-lo assim. Por mais que eu estivesse me divertindo até então, fui tomado por um impulso repentino de instintos territoriais. Era uma reação imatura, mas eu não podia negar seus efeitos.

Bella arfou de surpresa. Olhei-a de relance e tornei a focar na estrada. Se ela, de alguma forma, estivesse falando sério antes, agora a ficha teria caído.

— Lamento se houve algum mal-entendido, mas Bella não está disponível esta noite — falei para Tyler.

— Ah — respondeu ele.

O instinto protetor e ciumento persistiu, e minha resposta foi mais firme do que deveria ter sido.

— Para ser franco, ela não estará disponível em noite nenhuma, pelo menos para ninguém além de mim. Não se ofenda. E lamento pela sua noite.

Embora eu soubesse que não era certo dizer essas palavras, não pude evitar um sorriso ao imaginar o que Tyler estaria pensando. E como ele se sentiria quando eu o visse na escola na segunda-feira. Desliguei e me virei para avaliar a reação de Bella.

Seu rosto estava vermelho-vivo e a expressão era de fúria.

— Essa última parte foi demais? — Fiquei preocupado. — Eu não quis ofendê-la.

Era muito controlador da minha parte dizer algo assim, e, mesmo tendo quase certeza de que Bella não gostava de Tyler, não cabia a mim tomar aquela decisão por ela.

O que eu tinha dito era errado sob outros aspectos também, mas não pensei que fosse chateá-la.

Embora Bella não tivesse exigido mais promessas desde o hospital, ela sempre carregava um quê de dúvida. Eu tinha sido forçado a encontrar uma maneira de equilibrar sua necessidade por garantias e minha incapacidade de enganá-la.

Eu vivia nosso relacionamento um dia de cada vez, uma hora de cada vez. Não olhava para o futuro. Sentir que ele estava chegando já era suficiente para mim. Naquele momento, quando prometi *para sempre*, quis dizer até onde eu podia enxergar. E eu não estava olhando.

— Você está me levando *ao baile*! — gritou ela.

Bella realmente não tinha percebido. Eu não sabia o que fazer com essa informação. Aonde mais poderíamos estar indo naquela noite, em Forks, usando trajes formais?

Seus olhos ficaram marejados e, com uma das mãos, ela segurava com força a maçaneta, como se preferisse se atirar do carro a encarar o horror de um baile de formatura.

Discretamente, travei as portas.

Eu não sabia o que dizer; não imaginei que ela pudesse entender errado. Então falei provavelmente a coisa mais idiota possível nessas circunstâncias:

— Não seja difícil, Bella.

Ela olhou pela janela como se ainda pensasse em saltar.

— Por que você está fazendo isso comigo? — gemeu ela.

Apontei para o meu smoking.

— Sinceramente, Bella, o que acha que estamos fazendo?

Ela secou as lágrimas que rolavam, o rosto horrorizado. Era como se eu tivesse dito que assassinara todos os seus amigos e ela seria a próxima.

— Isso é totalmente ridículo — apontei. — Por que está chorando?

— Porque estou *furiosa*! — gritou ela.

Cogitei dar meia-volta. O baile era insignificante, na verdade, e eu odiava deixá-la aflita. Mas pensei naquela conversa distante em seu futuro e permaneci firme.

— Bella — falei sutilmente.

Ela encontrou meu olhar, e a fúria pareceu ceder um pouco. Pelo menos eu ainda tinha o poder de deixá-la tonta.

— O que foi? — perguntou, totalmente distraída.

— Pode fazer isso por mim? — pedi.

Ela me encarou por um tempo, com o que parecia ser mais adoração do que raiva, então balançou a cabeça, se rendendo.

— Tudo bem, vou ficar quieta — disse, resignada com seu destino. — Mas você vai ver. Já estou esperando por mais falta de sorte. Provavelmente vou quebrar a outra perna. Olha esse sapato! É um perigo!

Ela estendeu o pé na minha direção.

O contraste entre sua pele de alabastro e as fitas grossas de cetim, amarradas no estilo bailarina em sua panturrilha, era de uma beleza que transcendia a moda. Nesse lugar de eterno vestuário invernal, me fascinava ver partes de Bella que eu nunca tinha visto. Era aí que entravam os meus dez por cento de egoísmo.

— Hmmm. — Suspirei, então disse: — Lembre-me de agradecer a Alice por essa noite.

— Alice vai estar lá?

Pelo tom de voz, isso era mais reconfortante do que a minha presença.

Eu sabia que precisava revelar tudo.

— Com Jasper, Emmett e... Rosalie.

O vinco de preocupação entre suas sobrancelhas logo apareceu.

Emmett tentara, todos tentaram — todos menos eu. Eu não falava com Rosalie desde a noite em que ela se recusara a socorrer Bella. Agora ela estava mostrando, mais uma vez, sua teimosia sobrenatural. Nos raros momentos em que dividiram o mesmo espaço, Rosalie nunca fora abertamente hostil com Bella, a não ser que ignorar agressivamente a existência de alguém equivalesse a hostilidade.

Bella balançou a cabeça outra vez, claramente optando por não pensar em Rosalie.

— Charlie também está sabendo?

— Claro que sim — falei, deixando de fora o fato de que toda a cidade de Forks e provavelmente a maioria do condado guardava o segredo de que o baile seria naquela noite. Eles até mesmo penduraram pôsteres e banners altamente discretos por toda a escola. Então dei uma risada. — Mas, ao que parece, o Tyler não está.

Ela trincou os dentes audivelmente, porém achei que essa reação irritada era mais por causa de Tyler do que de mim.

Entramos no estacionamento. Dessa vez, Bella viu o carro de Rosalie, parado bem na frente da escola. Ela o observou, nervosa, enquanto eu estacionava na vaga seguinte, saía do carro e andava até seu lado em velocidade humana. Abri a porta para ela e estendi a mão.

Seus braços estavam cruzados. A boca, contraída. Claramente acabara de lhe ocorrer que, com testemunhas humanas ao redor, eu não poderia jogá-la por cima do ombro e forçá-la a entrar naquele local terrível de horror e pânico: o refeitório da escola.

Suspirei com pesar, mas ela nem se mexeu.

— Quando alguém quer matá-la, você é corajosa como um leão... — reclamei. — Mas quando alguém fala em dançar...

Balancei a cabeça, desapontado.

No entanto, ela parecia verdadeiramente apavorada com a palavra *dançar*.

— Bella, não vou deixar que nada a machuque... — garanti. — Nem você mesma. Não vou sair do seu lado nem uma vez, eu prometo.

Ela pensou um pouco, e minhas palavras pareceram abrandar seu terror.

— Agora, vamos — encorajei —, não será tão ruim assim.

Me inclinei e pus o braço ao redor de sua cintura. O pescoço de Bella estava ao alcance dos meus lábios, sua fragrância devastadora como fogo, porém mais delicada do que as flores em seu cabelo. Ela não se opôs quando comecei a tirá-la do carro.

Para provar que eu estava levando minha promessa a sério, mantive o braço firme em sua cintura, praticamente a carregando para a escola. Era frustrante não poder simplesmente pegá-la no colo.

Logo chegamos ao refeitório. As portas estavam totalmente abertas. Todas as mesas haviam sido removidas daquele amplo espaço. As luzes do teto estavam todas apagadas — em seu lugar, havia metros e metros de pisca-piscas natalinos, presos nas paredes em um padrão irregular. O local estava um pouco escuro, mas não o bastante para disfarçar a decoração antiquada. As guirlandas de papel crepom pareciam já ter sido usadas, de tão desbotadas e enrugadas. Mas os arcos de balões eram novos.

Bella deu uma risadinha.

Sorri com ela.

— Parece um filme de terror esperando para acontecer — comentou.

— Bom, há uma quantidade *mais* do que suficiente de vampiros — concordei.

Continuei a levá-la até a fila de ingressos, mas ela só tinha olhos para a pista de dança.

Meus irmãos estavam se exibindo.

Era uma espécie de libertação, imaginei. Sempre éramos muito... contidos. Por causa dos nossos rostos inumanos, já atraíamos olhares naturalmente. Tentávamos não chamar a atenção sem motivo.

Contudo, nessa noite, Rosalie, Emmett, Jasper e Alice dançavam para valer. Eles misturavam centenas de estilos de outras décadas, criando novos movimentos que poderiam ser atemporais. É claro que suas habilidades estavam fora do alcance humano. Bella não era a única a observar.

Alguns humanos corajosos também dançavam, mas mantinham distância dos vampiros exibidos.

— Quer que eu tranque as portas para você massacrar o insuspeito povo de Forks? — sussurrou ela.

A ideia de um assassinato em massa lhe parecia mais atraente do que o baile.

— E onde você se encaixa nesse esquema? — eu quis saber.

— Ah, eu estou com os vampiros, é claro.

Tive que sorrir.

— Qualquer coisa para escapar da dança.

— Qualquer coisa.

Ela tornou a observar meus irmãos enquanto eu comprava duas entradas. Em seguida, comecei a levá-la para a pista de dança. Melhor nos livrarmos logo da parte que mais a amedrontava. Ela não conseguiria relaxar até que isso fosse resolvido.

Bella mancou com mais lentidão do que antes, resistindo.

— Eu tenho a noite toda — lembrei a ela.

— Edward — sussurrou, com terror na voz. Ela olhou para mim com olhos repletos de medo. — Eu não sei *mesmo* dançar.

Será que ela achava que eu ia abandoná-la no meio da pista, me afastando para assistir a um espetáculo solo?

— Não se preocupe, sua boba — falei com delicadeza. — Eu *sei*.

Levantei os braços de Bella e os coloquei em volta do meu pescoço. Pus as mãos ao redor de sua cintura e a ergui a poucos centímetros do chão. Puxando seu corpo para junto do meu, baixei-a até sua sandália de cetim e sua bota repousarem sobre os meus sapatos.

Ela sorriu.

Sustentei quase todo o seu peso com as mãos e a girei pelo meio da pista, onde meus irmãos dominavam as atenções. Não tentei manter o ritmo deles, apenas a segurei bem perto e improvisei uma valsa, acompanhando a música.

Seus braços me enlaçaram com mais firmeza pelo pescoço, nos aproximando ainda mais.

— Eu me sinto como se tivesse cinco anos. — Ela riu.

Eu a ergui um pouco mais, seus pés a trinta centímetros do chão, e sussurrei em seu ouvido:

— Não parece ter cinco.

Ela riu outra vez enquanto eu posicionava seus pés sobre os meus. Seus olhos brilhavam com o reflexo das luzes de Natal.

Outra música começou a tocar. Mudei o ritmo da nossa valsa. A melodia era mais lenta, mais suave. O corpo dela estava grudado no meu. Eu queria poder congelar aquele instante, parar o tempo, e ficar para sempre nessa dança.

— Tudo bem — murmurou ela —, não está tão ruim.

Eram quase exatamente as palavras que, um dia, eu esperava que Bella dissesse aos filhos. Fiquei feliz ao ver que ela não demoraria vinte anos para chegar a essa conclusão.

Não, eu não vou fazer isso. Vou devolver o dinheiro. Argh, isso é muito constrangedor. Por que justo o meu pai tinha que ser maluco? Por que não podia ser o do Quil?

Os pensamentos claros e hesitantes que vinham da entrada eram muito familiares. Embora estivesse angustiado e inibido, sua mente irradiava uma espécie de pureza. Ele era mais honesto consigo mesmo do que a maioria das pessoas.

— O que foi? — Bella percebeu minha distração repentina.

Eu não estava pronto para responder. Senti uma raiva profunda que bloqueou minha voz. Então os quileutes continuariam a pressionar, a resistir ao tratado que *eles* haviam feito, o tratado que não tinha outro propósito a não ser *protegê-los*. Parecia que só ficariam satisfeitos quando matássemos alguém. Queriam que fôssemos monstros.

Bella virou-se em meus braços para ver o que eu estava olhando.

Jacob Black entrava pela porta de maneira hesitante, piscando para ajustar a visão à pouca luz. Ele não demorou a encontrar o que procurava.

Droga, ela está aqui. Não acredito que estou fazendo isso. Não acredito que meu pai acha que esse cara é um vampiro. *Isso é muita idiotice.*

Apesar do constrangimento, ele não desistiu. Ignorando o estande de ingressos, marchou em nossa direção como um soldado e passou pelas rodas de dançarinos. Mesmo sentindo raiva, eu tinha que admirar sua coragem.

Acho que eu devia ter vestido algo com alho, debochou.

Não percebi que tinha rosnado alto até Bella sibilar:

— *Comporte-se!*

— Ele quer conversar com você.

Não havia como evitar. Assim como a primeira dança, era melhor nos livrarmos logo daquilo. Eu não devia deixar a raiva tomar conta de mim. Será que tinha mesmo importância se aquele grupo de velhos banguelas rompesse o tratado? Não mudaria nada, nem se colocassem um outdoor na rodovia principal dizendo: *O médico da cidade e seus filhos são* VAMPIROS. *Estejam avisados*. Ninguém acreditaria. Nem mesmo o filho dele acreditava.

Permaneci imóvel conforme Jacob se aproximava. Ele olhava principalmente para Bella, sua expressão tão relutante que chegava a ser cômica.

— Oi, Bella, eu esperava encontrar você aqui.

Aquilo era obviamente o oposto do que ele esperava.

Quando Bella respondeu, sua voz era afetuosa. Eu tinha certeza de que ela também percebera o desconforto de Jacob, e, do jeito que era, tentaria amenizar a situação.

— Oi, Jacob. Como é que você está?

Ele sorriu para ela e então se voltou para mim. Não precisou olhar para cima. O garoto tinha crescido bastante desde que eu o vira pela última vez. Não parecia mais uma criança.

— Posso interromper? — perguntou.

Seu tom era respeitoso; ele não queria ser inconveniente.

Eu sabia que minha raiva era inútil, e sem dúvida não era direcionada a esse garoto — ele não tinha culpa —, mas não pude contê-la. Em vez de deixar que um deles a percebesse na minha voz, só coloquei Bella gentilmente no chão e dei um passo para trás.

— Obrigado — disse Jacob, em um tom alegre que parecia ser seu normal.

Assenti, analisando o rosto de Bella para ter certeza de que ela estava confortável com isso, e então me retirei.

Hum, pensou Jacob. *Bella está usando um perfume* horrível.

Que estranho. Bella não usava perfume algum a não ser o das flores no cabelo. Mas talvez outro casal tenha passado por perto depois que saí.

— Caramba, Jake, como você está alto agora! — Ouvi Bella dizer.

— Um e noventa e dois. — Esse era um motivo de orgulho.

Tirando a bota, ela parece muito bem. Billy exagerou, como sempre.

Fui até a área norte do refeitório e me encostei na parede. Lauren Mallory e seu par rodopiavam sem jeito logo atrás de Jacob. Fiquei imaginando se não era ela quem cheirava mal.

O que Jacob e Bella faziam não era bem uma dança. Ele colocou as mãos na cintura dela, e ela repousou as mãos levemente em seus ombros. Bella balançava um pouco ao som da música, mas parecia nervosa em fazer qualquer movimento com o pé. Jacob se mexia sem sair do lugar.

— E aí, como veio parar aqui esta noite? — Não havia curiosidade real na voz de Bella. Ela já tinha entendido o que aquela intromissão significava.

Jacob estava ansioso para se livrar da culpa por aquela situação.

— Dá para acreditar que meu pai me pagou vinte pratas para vir ao seu baile?

— Dá, sim — respondeu ela, a voz ainda gentil, embora devesse ser irritante ter uma pessoa quase desconhecida supervisionando sua vida.

Ela está sendo tão legal em relação a isso. Ela é a garota mais legal que eu conheço.

— Bom, espero que pelo menos esteja se divertindo — continuou Bella. — Viu alguma coisa interessante?

Ela brincou, indicando um grupo de garotas que estava na mesma parede que eu, à esquerda.

— Vi — disse Jacob —, mas ela já tem par.

Essa informação não era novidade para mim; já tinha visto diversas vezes seu interesse em Bella. Contudo, sua sinceridade e seu jeito direto de falar me surpreenderam. Bella não sabia como responder. Olhou rapidamente para o rosto dele para ver se estava brincando — não estava —, então fitou os próprios pés, imóveis.

Eu provavelmente não devia ter dito isso, mas que se dane. Não tenho nada a perder.

— Você está muito bonita, a propósito — acrescentou ele.

Bella franziu a testa.

— Hmmm, obrigada. — Ela mudou de assunto, voltando ao tópico que ele mais queria evitar, que o faria ir embora logo em seguida. — Então por que o Billy pagou você para vir aqui?

Jacob oscilava de um pé para o outro, desconfortável.

— Ele disse que era um lugar "seguro" para conversar com você. Eu juro que o velho está perdendo o juízo.

Ela vai achar que eu sou maluco também.

Bella riu, mas era uma risada forçada.

— De qualquer forma — continuou Jacob, sorrindo para aliviar a tensão —, ele falou que, se eu dissesse uma coisa para você, ele me daria aquele cilindro mestre de que preciso.

Nesse momento, Bella sorriu de verdade.

— Então me diga. Quero que termine seu carro.

Jacob suspirou, balançado pelo sorriso.

Eu queria que ele fosse um vampiro. Isso me daria alguma chance.

— Não fique chateada, está bem? — *Ela já tem sido muito mais legal do que eu poderia esperar.*

— Não vou ficar chateada com você, Jacob — garantiu Bella. — Nem vou ficar chateada com o Billy. Só diga o que tem que dizer.

— Bom... É tão idiota, me desculpe, Bella... — Jacob respirou fundo. — Ele quer que você termine com seu namorado. Ele me pediu para lhe dizer "por favor".

Jacob balançou a cabeça, tentando se distanciar da mensagem desagradável.

O sorriso de Bella era cheio de compaixão.

— Ele ainda é supersticioso, hein?

— É. Ele ficou... meio alarmado quando você se machucou em Phoenix. Ele não acreditou... — *Que eles não fossem os responsáveis. Achou que eles tivessem bebido seu sangue ou algo maluco assim.*

A voz de Bella, pela primeira vez, assumiu um tom frio.

— Eu caí.

— Sei disso — respondeu Jacob.

— Ele acha que o Edward tem alguma coisa a ver com o fato de eu ter me machucado? — O tom passou a ser agressivo.

Os dois estavam imóveis, como se não tocasse música alguma.

Jacob evitou seu olhar irritado.

Agora a deixei com raiva. Eu devia ter dito ao Billy para cuidar da própria vida ou me deixar fora disso.

A expressão de Bella se suavizou, reagindo ao nervosismo do garoto.

— Olhe, Jacob — disse ela, voltando ao tom gentil. Jacob respondeu a essa mudança olhando-a outra vez. — Sei que Billy provavelmente não acreditaria nisso, mas quero que *você* saiba... na verdade, o Edward salvou a minha vida. Se não fosse pelo Edward e o pai dele, eu estaria morta.

Era impossível duvidar de sua sinceridade.

— Eu sei — concordou Jacob rapidamente.

Ele não queria pensar na morte de Bella. Uma onda de gratidão começou a surgir em sua mente. Ele não daria ouvidos ao pai na próxima vez que falasse algo depreciativo sobre Carlisle.

Bella sorriu para Jacob.

Era estranho como ele parecia mais velho essa noite. Os dois aparentavam ter a mesma idade, talvez porque ele estivesse mais alto. Por mais que a perna quebrada de Bella tornasse desajeitados os movimentos da dança, ela parecia mais confortável com ele do que com muitos de seus amigos. Talvez a mente pura e aberta de Jacob causasse esse efeito nas pessoas.

Um estranho pensamento passou pela minha cabeça, metade imaginação, metade medo.

Será que aquela casinha bonita e bagunçada ficaria em La Push?

Espantei a ideia. Era só ciúme irracional. Ciúme era um sentimento tão humano, ao mesmo tempo poderoso e sem sentido. Bastou eu vê-la fingindo dançar com um amigo para o sentimento tomar conta de mim. Eu não deixaria o futuro me afligir.

— Olhe, eu lamento que tenha vindo fazer isso, Jacob — dizia Bella. — De qualquer forma, vai conseguir sua peça, não é?

— É. — Ele suspirou.

Se eu mentisse, será que ele descobriria? Não posso dizer o resto. Já chega.

Bella leu a expressão em seu rosto.

— Tem mais alguma coisa? — perguntou, incrédula.

— Esquece — murmurou, olhando para outro lado. — Vou arrumar um emprego e juntar esse dinheiro sozinho.

Ela esperou que ele a olhasse.

— Pode falar, Jacob.

— É muito ruim.

Eu não devia ter vindo. A culpa é toda minha por ter concordado com isso.

— Eu não ligo — insistiu ela. — Pode falar.

— Tudo bem... mas, cara, é bem ruim. — Jacob respirou fundo. — Ele falou para dizer a você... não, para *alertar* você, que... e o plural é dele, não meu... — Jacob ergueu a mão direita, fazendo o sinal de aspas com dois dedos — ... "nós estaremos de olho".

Ele aguardou a reação dela, pronto para ir embora.

Bella caiu na risada, como se ele tivesse acabado de contar a piada mais engraçada do mundo. Ela não conseguia parar. E falou às gargalhadas:

— Desculpe por você ter que fazer isso, Jacob.

Ele se sentiu inundado de alívio.

Ela tem razão. É hilário.

— Não me importo *tanto* assim. — *Ela está tão bonita. Eu nunca a teria visto com esse vestido se não tivesse vindo. Só por isso, já valeu a pena, mesmo com esse perfume horrível.* — E aí, devo dizer a ele que você o mandou para o inferno?

Ela suspirou.

— Não. Diga que eu agradeço. Sei que a intenção dele é boa.

A música chegou ao fim, e Bella retirou os braços. Era a minha deixa.

Jacob manteve as mãos em sua cintura, sem saber se ela conseguia ficar em pé sozinha.

— Quer dançar de novo? Ou posso ajudá-la a ir para algum lugar?

— Está tudo bem, Jacob. A partir daqui eu assumo.

Jacob recuou ao ouvir minha voz, surpreendentemente próxima. Ele deu um passo para trás, um calafrio de medo percorrendo suas costas.

— Ei, não tinha visto você — murmurou. *Não acredito que estou deixando Billy bagunçar a minha cabeça desse jeito.* — A gente se vê então, Bella.

— É, vejo você depois — disse ela, com entusiasmo suficiente para ele se recompor.

Jacob acenou. Antes de se encaminhar para a porta, murmurou novamente:

— Desculpe.

Tomei Bella nos meus braços, deslizando meus pés sob os dela outra vez. Esperei o calor de seu corpo eliminar o frio que envolvera o meu. Eu não pensaria no futuro. Só nessa noite, nesse minuto.

Ela aconchegou o rosto no meu peito, fazendo um som de contentamento.

— Está se sentindo melhor? — murmurou.

É claro que ela tinha percebido meu estado de espírito.

— Na verdade, não. — Suspirei.

— Não fique chateado com o Billy. Ele só se preocupa comigo por causa do Charlie. Não é nada pessoal — garantiu.

— Não estou chateado com Billy. Mas o filho dele me irrita.

Isso era mais do que verdade. Porém, o garoto não me irritava, exatamente; considerando minha experiência com os humanos comuns, uma mente expansiva como a dele sempre seria um alívio bem-vindo. O que me doía era o que ele representava. Alguém bom, gentil e *humano*.

Me obriguei a assumir um estado de espírito mais adequado.

Ela se afastou, olhando para mim com curiosidade e um pouco de preocupação.

— Por quê?

Mentalmente espantei meu desânimo e respondi brincando:

— Primeiro, ele me fez quebrar minha promessa.

Ela não se lembrava.

Forcei um sorriso.

— Prometi que não sairia do seu lado essa noite.

— Ah, bom, está perdoado — disse ela, tranquila.

— Obrigado. — Franzi o rosto de um jeito irônico, esperando que Bella entendesse a brincadeira. — Mas tem outra coisa.

Ela aguardou minha explicação.

— Ele disse que você está *bonita*. — Minha entonação fez a palavra parecer ofensiva. — É praticamente um insulto, do jeito que você está agora. Você está muito mais do que bonita.

Ela relaxou e riu, a preocupação com seu amigo desaparecendo.

— Você é suspeito para falar.

Sorri mais ainda dessa vez.

— Não acho. Além disso, tenho uma visão excelente.

Ela olhou para as luzes cintilantes girando à nossa volta. Seus batimentos estavam mais lentos do que a cadência da música, então comecei a seguir o seu ritmo. Centenas de vozes, falando e pensando, rodopiavam ao redor, mas eu não ouvia nada. O som do coração de Bella era o único que importava.

— Então — disse ela quando uma nova música começou —, vai explicar o motivo de tudo isso?

Não entendi, e então Bella olhou sugestivamente para as guirlandas de papel crepom.

Pensei no que poderia dizer a ela. Não mencionaria minha visão. Bella faria objeções demais. E aquilo estava muito distante no futuro, um futuro no qual eu tentava ao máximo não pensar. Mas talvez eu pudesse contar a ela um pouco da ideia por trás dessa visão. Embora não fosse algo que pudesse ser conversado em público.

Mudei a direção de nossa dança, girando com ela rumo à saída. Passamos por alguns de seus amigos. Jessica acenou, comparando seu vestido ao de Bella com um ar de insatisfação, e Bella sorriu de volta. Nenhum de seus colegas de classe parecia totalmente feliz com a noite, a não ser Angela e Ben, que se olhavam cheios de alegria. Isso me fez sorrir também.

Abri a porta com as costas, sem parar de dançar. Não havia ninguém ali fora, apesar de ser uma noite muito agradável. As nuvens a oeste ainda exibiam um ínfimo dourado que se esmaecia com o pôr do sol.

Como ninguém podia nos ver, me senti à vontade para pegá-la no colo. Carreguei-a para longe do refeitório e para as sombras dos medronheiros, onde estava tão escuro que parecia meia-noite. Sentei no mesmo banco de onde a observara tantas semanas antes, naquela manhã ensolarada, mas a mantive aninhada em meu peito. A leste, uma lua pálida brilhava por trás de nuvens finas como renda. Era um momento único, o céu se equilibrando perfeitamente entre o fim da tarde e o início da noite.

Ela ainda aguardava uma explicação.

— Por quê? — perguntou, baixinho.

— O crepúsculo, de novo — refleti. — Outro fim. Mesmo que o dia seja perfeito, sempre tem um fim.

Esses dias eram tão importantes, e terminavam tão rápido.

Ela ficou tensa.

— Algumas coisas não precisam terminar.

Não havia resposta para isso. Bella tinha razão, mas eu sabia que ela não estava pensando nas mesmas coisas permanentes que eu. Coisas como a dor. A dor não precisava terminar.

Suspirei, e então respondi à sua pergunta.

— Eu trouxe você ao baile porque não quero que perca nada. Não quero que minha presença prive você de nada, se eu puder evitar. Quero que você seja *humana*. Quero que sua vida continue como se eu tivesse morrido em 1918, como deveria ter acontecido.

Ela estremeceu e balançou a cabeça violentamente de um lado para outro, como se tentasse afastar minhas palavras. No entanto, quando falou, havia um tom de humor em sua voz.

— Em que estranha dimensão paralela eu *algum dia* iria a um baile por vontade própria? Se você não fosse mil vezes mais forte do que eu, eu nunca o deixaria se safar dessa.

Sorri.

— Não foi tão ruim, você mesma disse isso.

Seus olhos brilhavam com uma intensidade profunda.

— É porque eu estava com você.

Olhei para a lua outra vez. Senti o olhar de Bella em meu rosto. Não havia tempo para preocupações com o futuro. O presente era muito mais agradável. Pensei em um passado bem recente e na estranha confusão que Bella sentira mais cedo. O que havia substituído a resposta óbvia em sua cabeça?

Sorri para ela.

— Pode me dizer uma coisa?

— Não digo sempre?

— Só prometa que vai me dizer — insisti.

— Tudo bem — concordou ela, hesitante.

— Você pareceu sinceramente surpresa quando deduziu que eu a estava trazendo para o baile.

— E *fiquei mesmo* — interrompeu ela.

— Exatamente — falei. — Mas você deve ter tido outra teoria... Estou curioso... Que motivo você *imaginou* para esse vestido?

Parecia uma pergunta fácil, era descontraída e fincada no presente. Nada que me levasse novamente ao futuro.

Mas ela hesitou, mais séria do que eu esperava.

— Não quero dizer.

— Você prometeu.

Ela franziu a testa.

— Eu sei.

Quase sorri quando senti a velha curiosidade e impaciência. Algumas coisas nunca mudavam.

— Qual é o problema?

— Acho que vai deixar você chateado... — disse ela, solenemente. — Ou triste.

Não consegui relacionar sua expressão sombria à minha pergunta inofensiva. Comecei a sentir medo da resposta, medo de que reavivasse a dor que eu evitava a todo custo, mas eu sabia que não resistiria à curiosidade.

— Ainda assim quero saber. Por favor.

Ela suspirou. Seu olhar acompanhava as nuvens prateadas.

— Bom... — disse ela, após um longo momento. — Imaginei que era uma espécie de... acontecimento. Mas não pensei que fosse uma coisa humana tão banal... Um baile! — Ela fez um som debochado.

Precisei de um breve momento para controlar minha reação.

— Humana? — perguntei.

Ela olhava para o belo vestido, puxando distraidamente um franzido de chiffon. Eu sabia o que ela ia dizer. Deixei que encontrasse as palavras que queria.

— Tudo bem — falou ela, por fim. Seu olhar era desafiador. — Eu esperava que você tivesse mudado de ideia... que iria *me* transformar, afinal de contas.

Eu tinha tantos anos para sentir essa dor. Queria que ela não me obrigasse a senti-la agora. Não enquanto ainda estivesse nos meus braços. Não enquanto estivesse naquele vestido bonito, o luar reluzindo em seus ombros pálidos, as sombras em sua clavícula como lagos da noite.

Optei por ignorar a dor e me concentrar na superfície da resposta. Toquei na lapela do meu paletó.

— Você pensou que isso seria um evento de gala, não é? — perguntei.

Ela franziu a testa, constrangida.

— Não sei como essas coisas funcionam. Para mim, pelo menos, parece fazer mais sentido do que um baile.

Tentei sorrir, mas minha reação só a deixou irritada.

— Não é engraçado — prosseguiu ela.

— Não, tem razão, não é. Mas prefiro tratar como uma piada a acreditar que você falou sério.

— Mas estou falando sério.

— Eu sei. — Suspirei.

Era uma espécie esquisita de dor. Não havia tentação alguma nisso. Embora o que ela quisesse fosse o futuro perfeito para mim, a obliteração de décadas de agonia, a ideia não me agradava. Eu nunca poderia escolher minha felicidade em detrimento da felicidade dela.

Quando abri meu coração para o distante Deus de Bella, implorei por força. Ele me proporcionou esse tanto: eu não sentia a menor vontade de vê-la imortal. Meu único desejo, minha única necessidade, era ver a vida dela imune à escuridão, e essa necessidade me consumia.

Eu sabia que o futuro era iminente, mas não sabia exatamente quanto tempo eu tinha. Eu havia me comprometido a ficar até que Bella se recuperasse por completo, então eu ainda tinha pelo menos algumas semanas até ela conseguir andar sozinha. Parte de mim se perguntava se o certo não seria esperar até ela ser mais velha do que eu, como eu tinha planejado a princípio. Não significaria menos dor para ela? Seria tão fácil cair nessa versão. Mas eu não sabia se teria esse tempo todo. O futuro parecia cada vez mais próximo. Eu não sabia qual seria o sinal, mas eu o reconheceria quando aparecesse.

Tentei a todo custo evitar essa conversa, mas percebi que Bella ficaria mais feliz se acontecesse logo. Era melhor encarar isso. Engoli toda a dor e todo o pesar, e me obriguei a permanecer nesse momento. Eu ficaria com ela enquanto pudesse.

— E você está mesmo disposta a fazer isso? — perguntei.

Ela mordeu o lábio e assentiu.

— Então prepare-se para que esse seja o fim. — Suspirei, alisando a parte inferior de seu rosto. — Porque esse será o crepúsculo da sua vida, embora sua vida mal tenha começado. Você está pronta para desistir de tudo.

— Não é o fim, é o começo — sussurrou ela.

— Eu não valho tudo isso.

Eu já sabia que ela não levava em consideração suas perdas humanas. E ela definitivamente nunca tinha considerado as perdas eternas. Ninguém valia tanto assim.

— Lembra quando você me disse que eu não me via com muita clareza? — perguntou ela. — Você obviamente tem a mesma cegueira.

— Sei o que eu sou.

Ela revirou os olhos, chateada por minha recusa em concordar com alguma coisa.

De repente, me vi sorrindo. Ela estava tão ansiosa, tão impaciente para estar comigo a qualquer preço. Era impossível não ficar tocado por tanto amor.

Resolvi brincar um pouco.

— Então está pronta agora? — perguntei, erguendo uma das sobrancelhas.

— Hmmm. Sim? — Ela engoliu em seco, nervosa.

Inclinei-me mais ainda, em um movimento lento. Meus lábios enfim tocaram a pele de seu pescoço.

Ela engoliu em seco outra vez.

— Agora mesmo? — sussurrei.

Bella estremeceu. Então seu corpo ficou tenso, as mãos se fecharam, e o coração começou a bater mais rápido do que a música ao longe.

— Sim — sussurrou ela.

Minha brincadeira tinha falhado. Ri para mim mesmo e me endireitei.

— Você não pode achar que eu cederia com tanta facilidade.

Bella relaxou. Seu coração desacelerou.

— Uma garota pode sonhar — disse.

— É com isso que você sonha? Em ser um monstro?

— Não exatamente. — Ela não gostou da palavra que usei. Baixou um pouco mais a voz. — Sonho principalmente em ficar com você para sempre.

Havia dor em sua voz, dúvida. Será que ela achava que eu não a desejava da mesma forma? Eu queria tranquilizar sua mente, mas não podia.

Contornei seus lábios com o dedo e sussurrei seu nome.

— Bella. — Esperei que ela ouvisse a devoção em minha voz. — Eu *vou* ficar com você. — *Enquanto eu puder, enquanto for permitido, enquanto isso não a machucar. Até o sinal aparecer, até que seja impossível ignorá-lo.* — Isso não basta?

Ela sorriu, mas não se sentia tranquila.

— Basta por enquanto.

Bella não percebia que o *agora* era tudo que tínhamos. Soltei a respiração quase como um grunhido.

Ela passou a ponta dos dedos pelo meu queixo.

— Olhe — disse ela. — Eu amo você mais do que qualquer coisa no mundo. Isso não basta?

Então, pude dar um sorriso genuíno.

— Sim, basta — garanti. — Basta para sempre.

Dessa vez, eu me referia ao *verdadeiro* para sempre. Meu eterno para sempre.

Conforme a noite finalmente se sobrepunha ao dia, me inclinei mais uma vez e beijei a pele cálida de seu pescoço.

Agradecimentos

⇤ ⇥

Este livro tem sido minha nêmesis por tantos anos que é difícil me lembrar de todos que me ajudaram ao longo do caminho, mas aqui estão os maiores apoiadores:

Meus três filhos incríveis — Gabriel, Seth e Eli (agora homens!) —, que ao se portarem de modo tão admirável nos últimos quinze anos permitiram que eu dedicasse às más escolhas dos meus *personagens* todo o tempo que deveria dedicar às más escolhas *deles*.

Meu marido supereficiente, que lida com a maior parte dos aspectos da minha vida relacionados à matemática e à tecnologia.

Minha mãe, Candy, que silenciosamente sempre se recusou a aceitar que eu desistisse deste livro.

Minha parceira de negócios, Meghan Hibbett, que manteve a Fickle Fish Productions nos eixos enquanto me ausentei do mundo real por longos períodos. E também minha melhor amiga, Meghan Hibbett, minha fuga quando preciso gritar e chorar de raiva por causa do mau comportamento dos meus personagens.

Minha agente, Jodi Reamer, que permitiu que eu escrevesse este livro no meu tempo, preparada para entrar em ação no instante em que eu me sentisse pronta.

Minha agente audiovisual, Kassie Evashevski. Sua calma e seu bom senso mantêm meu equilíbrio.

Os profissionais incríveis da Little, Brown Books for Young Readers, que me deram extraordinário apoio — especialmente Megan Tingley, que tem me acompanhado nesses dezessete anos (!) como escritora, e Asya Muchnick, a editora mais gentil e perspicaz de todas.

Roger Hagadone, fotógrafo responsável pelas capas formidáveis e memoráveis da saga. Não posso imaginar como tudo isso teria sido sem seu toque artístico.

As magníficas Nikki e Bekah, da Method Agency, que sempre reagem com alegria diante das coisas estranhas que lhes peço.

Os inúmeros artistas talentosos que criaram sites e *fanarts* incríveis da saga *Crepúsculo*.

Os inúmeros autores que construíram universos incríveis para os quais pude escapar.

Os inúmeros músicos que, sem saber, se tornaram trilha sonora na minha cabeça.

E, finalmente, os leitores que ansiosa e pacientemente esperaram por este livro. Eu nunca o teria terminado sem esse apoio. Você pertence a esta página. Escreva seu nome na linha aqui embaixo e, por favor, comemore.

_____

www.intrinseca.com.br/crepusculo